巴蜀文化通史

九四岁叟 马识途

《巴蜀文化通史》学术委员会

章玉钧　隗瀛涛　李绍明　林　向　胡昭曦　贾大泉
谭继和　万本根　陈玉屏　罗　鸣　沈伯俊　彭邦本

主　编
章玉钧　谭继和

副主编
罗　鸣　彭邦本

编辑部
主　任　侯水平　向宝云
副主任　万本根　李　庆

"十二五"国家重点图书出版规划项目

四川建设西部文化强省重点项目

章玉钧　谭继和　主编

巴蜀文化通史
哲学思想卷

蔡方鹿　刘俊哲　金生杨　著

四川人民出版社

编者的话

巴蜀文化通史

编者的话

《巴蜀文化通史》编撰工程是中共四川省委批准、省委宣传部直接组织和领导,由四川省繁荣发展哲学社会科学协调小组立项、四川省社会科学院牵头的四川省西部文化强省建设重点支持项目,也是"十二五"国家重点图书出版物出版专项规划及国家出版基金(2016年度)资助项目。一直关心四川文化传承创新的省老领导杨超、杨析综、何郝炬、冯元蔚、廖伯康、聂荣贵、李永寿等同志率先向省委、省政府倡议启动编撰工作。在编撰研究过程中,得到了陶武先、柯尊平、王少雄、甘霖等历届省领导的大力支持和亲切指导,我们谨致衷心的敬意和感谢。

本书编撰委员会于2006年设立,编撰工作由此启动,至2020年全面完稿,历时十五年。编撰委员会名誉主任陶武先,主任王少雄、柯尊平,副主任殷建中、贾松青、侯水平、隗瀛涛、李绍明;顾问蔡美彪、李学勤、张海鹏;编委会成员有章玉钧、林向、胡昭曦、贾大泉、谭继和、万本根、陈玉屏、罗鸣、沈伯俊、彭邦本、向宝云、王素、舒大刚、邓经武、赵振铎、龙晦、龙显昭、刘平斋、吴野、钱来忠、曹顺庆、陈德述、任新建、李明泉、张忠仁、王毅、王庭科、冉光荣、杜肯堂、李学明、孙锦泉、陈廷湘、刘复生、佘正松、李健、李刚、李诚、江玉祥、江章华、蒋维明、季富政、高大伦、段志洪、侯德础、谢元鲁、甘绍成、张明富、张凤琦等。编委中,有些作为学术委员会成员,自始至终参与本书研讨和审定;有的承担了分卷的撰著;有的在本书酝酿和编撰的相关会议上提供了不少宝贵意见;有的应邀对有关书稿审阅并提出有益的建议。总而言之，编委们都为本书编撰出版做出了各自的贡献。另还专门请宗性（中国佛学院）审读了《宗教文化卷》。

编撰工作具体依托四川省社会科学院进行，院历届领导贾松青、侯水平、李后强、向宝云、高中伟等都给予大力支持、督促和帮助，多次召开院党委或院办公会议，听取编辑部汇报，决定有关事项并检查落实。编辑部成员张彦、彭东焕、印国玲在具体组织协调、制订规范规则、联系作者、学术讨论记录（含录音）、编写简报等方面做了大量工作。

《巴蜀文化通史》是集思聚智的学术成果，撰著参与者及分工情况详见于各卷后记。以下谨按卷次列出主要撰著者名单，共同见证这部著作的出版：

《通论卷》	谭继和著
《农业与水利文化卷》	彭邦本编著
《工商文化卷》	张学君著
《城市文化卷》	何一民等著
《建筑文化卷》	庄裕光著
《交通文化卷》	蓝勇等著
《民族文化卷》	赵心愚、杨铭等著
《宗族与会社卷》	张力著
《移民文化卷》	陈世松著
《方言卷》	李国太、黄尚军、袁雪梅、曾为志著
《民俗文化卷》	徐学书、喇明英、况红玲等著
《哲学思想卷》	蔡方鹿、刘俊哲、金生杨著
《史学卷》	粟品孝、周鼎、李晓宇著
《宗教文化卷》	李远国、向世山等著
《教育卷》	徐辉、徐仲林等著
《文学卷》	邓经武著
《艺术卷》	苏宁、沈博、幸晓峰著
《科技文化卷》	查有梁、王迎川、周世祥等著

《传播文化卷》　　　　　　赵志立著
《文献要览卷》　　　　　　舒大刚、李冬梅等著
《巴蜀文化大事记》　　　　张彦、陈德言、王林、彭东焕编著
《巴蜀文化研究论著索引》　李敬洵编

由于多领域的地域文化通史尚属首创，不同门类各有其文脉演变、内在逻辑与历史进程，故未对各卷涉及本领域涵盖的时间起止及个别体例做统一的要求。编著者虽务求如清人顾炎武所说"庶几采山之铜"，而力避"买旧钱""废铜以充铸"，但因见闻学识所限，书中疏漏不足之处，尚祈望读者正之。

最后要说的是，全书从编撰到出版来之不易，还得益于四川人民出版社历任社长罗韵希、解伟、黄立新，副社长骆晓平，总编辑刘周远的关心和支持。特别是谢雪编审从中协调、统筹以及众多编辑"为他人作嫁衣裳"的辛勤付出。巴蜀文化界学术界的领军人物、尊敬的马识途先生在2018年一百零四岁时为本通史题写书名。在此，我们表示深深的谢意。

章玉钧　谭继和　罗鸣　彭邦本
2021年11月

总 序

◎ 章玉钧

呈献在读者面前的这部多卷本《巴蜀文化通史》，是国家重点图书出版物出版专项规划项目、国家出版基金资助项目和四川省西部文化强省建设重点支持项目的学术成果。这个项目由中共四川省委宣传部直接组织和领导，四川省社会科学院牵头，川渝合作，组织和邀约四川省、重庆市七十多位巴蜀文化研究专家参加，得到四川省委、重庆市委和国家有关部门的重视和支持，获得国家和省文化产业经费的资助。全书二十二卷二十八册，约一千六百万字。编撰出版工作历时十五年终告完成。参加本书编修的专家学者们团结协同、切磋琢磨、集思聚智、甘苦备尝，贡献了创造性的劳动。四川人民出版社和各卷责任编辑认真敬业，严谨审慎，做出了辛勤奉献。在此，谨就编撰《巴蜀文化通史》的缘起与旨归、定位与特色、架构与方法、集成与出新，作一概括的介绍，以助读者对全书先有个总体的了解。

缘起与旨归

编修《巴蜀文化通史》之议，酝酿已久。20世纪80年代至90年代，巴蜀文化和蜀学研究在四川逐步升温，在选编出版徐中舒、蒙文通、顾颉刚、任乃强、邓少琴、冯汉骥等大师关于巴蜀文化的论著①后，陆续编写出版了《巴蜀文化图典》②《巴蜀文化研究丛书》③《巴蜀文化系列丛书》④。大家既为"地域文化热"的兴起而振奋，又在同地域文化研究先行地区的比较中，看到我们的差距，深感传承、整合和弘扬巴蜀文化，要抓牵头的东西，抓具有基础性、全局性和带动性的项目。2001年，一直关注文化的四川省老领导杨超、杨析综率先提出编撰《巴蜀文化通史》的倡议，杨超还构想系统整理自古以来的巴蜀文献，编成《巴蜀全书》。他们登高一呼，高屋建瓴，对学界有很大的启发和鼓舞。经过反复酝酿，省里八位老同志⑤于2005年10月联名致信四川省委、省政府，建议启动《巴蜀文化通史》的编撰工程。在组织四川高校和研究机构数十位专家学者进行论证，并征得重庆市有关领导和专家学者的赞同后，省委批准立项，审定了全书的框架设计。2006年7月，《巴蜀文化通史》多卷本编撰工程正式开展。

大家渴望编撰《巴蜀文化通史》并积极付诸行动，是基于这样的共识：民族文化是一个民族的根、脉、魂，是民族精神的载体，是支撑民族生存和发展的脊梁。全球文明古国各具优长，唯有中华文明几千年来一脉贯通地连续发展至今，重要原因是有由甲骨文、金文发展而来的形、音、义相结合的汉字为重要载体和文化纽带，用其写成的文史典籍代代承传，从未间断，起到全民族凝心聚力的巨大作用，激励中华民族历经磨难而不衰，直至迎来民族走向伟大复兴的盛世。巴蜀文化是多源汇成一脉、多元聚为一体的中华文

---

① 徐中舒《论巴蜀文化》、蒙文通《巴蜀古史论述》、顾颉刚《论巴蜀与中原的关系》、任乃强《四川上古史新探》、邓少琴《巴蜀史迹探索》，均由四川巴蜀史研究会编辑，由四川人民出版社于20世纪80年代出版。此后还有《冯汉骥考古学论文集》1985年由文物出版社出版，另有《缪钺全集》2004年由河北教育出版社出版。
② 该图典由川渝合作编成，刘茂才、滕久明任编委会主任，万本根、俞荣根任主编，四川人民出版社1999年出版。
③ 该丛书由杨超、杨析综任编委会主任，首批六册。李绍明《巴蜀民族史论集》、隗瀛涛《巴蜀近代史论集》、林向《巴蜀考古论集》、胡昭曦《宋代蜀学论集》、谭继和《巴蜀文化辨思集》、徐南洲《古巴蜀与〈山海经〉》，均由四川人民出版社2004年出版。
④ 该丛书由杨超、杨析综任编委会主任，谭洛非、邓星盈、万本根任主编，共十册，四川人民出版社2001年出版。
⑤ 八位老同志是杨超、杨析综、何郝炬、冯元蔚、廖伯康、聂荣贵、李永寿、章玉钧。

化中一个重要的区域文化，是博大精深的中华文明的一枝奇葩，在中华民族文化谱系中占有独特的地位。她绚丽多彩、大器包容，在与兄弟地域文化交流互益、吞吐融会中发展繁荣，形成并展示出独特的神韵和魅力，使哺育她的中华文化更添灿烂辉光。对于川渝地区各族同胞而言，巴蜀文化就是我们世代生存之根、承传之脉、发展之魂。

巴蜀大地钟灵毓秀、文脉悠长，堪称多种人类遗产荟萃的聚宝盆。巴蜀文化有许多独具的特色和亮点，足以令我们为先辈的创造感恩并自豪。茂县营盘山、成都平原从宝墩到三星堆、金沙以及长江三峡、宣汉罗家坝等处文化遗址的多次惊世发现，结合古文献资料，无可辩驳地证实了巴蜀作为长江上游的上古文明中心，丰富了中华文明的基因，显示出古蜀古巴文化永恒的魅力。周秦以来，中华思想文化素以儒学、道学为主干；佛学西来后，更以儒释道交融互补为特色。蜀地仙道发源很早，成为天师道的创教地；儒学从西汉起就在此代代传承，文翁石室、周公礼殿、孟蜀石经彪炳千秋；在佛教中国化的进程中，巴蜀出了许多大德高僧，尤其是禅学大师，成为中国禅学中心之一。作为中国重要地域学术文化的蜀学，富有哲思传统和文史之长，"易学在蜀""史学莫隆于蜀""文宗自古出巴蜀""自古诗人例到蜀"等赞语，无不彰显历代巴蜀学术文化的璀璨夺目，成就非凡。巴蜀的音乐、舞蹈、碑刻、石窟、书法、绘画、诗词歌赋、戏剧、织锦、酿酒、制茶、肴馔等享有盛誉，非物质文化遗存丰赡多彩。巴蜀悠久的农耕文化与繁盛的工商文化相得益彰，并曾在水利开发、天然气开采、钻井术、天文、数学、医药等科技领域独占鳌头，纸币"交子"首发领先全球。巴蜀是中国历史上一个典型的移民区域，又长期是汉族和许多少数民族相聚和融合的地区，开拓了对外交往的条条蜀道，形成了连通中亚、南亚的南方丝绸之路和藏羌彝民族走廊。移民文化与原生文化、汉文化与少数民族文化、本土文化与外来文化在这里交融互动，使巴蜀文化具有很强的开放性、包容性、创新性和辐射性，这些特性被学者喻为"水库效应"。巴蜀儿女自古敢为天下先，尤其是百余年来向现代化转型时期，巴蜀文化哺育和造就了众多的杰出人物和文精英，红色文化光耀史册，三线建设举国之重，"改革之乡"①闻名遐迩。在2008年"5·12"汶川特大地震等自然灾害的救援和重建过程中，四川人民表现出的英勇、睿智、大爱、感恩，也都凝聚着巴蜀文化浴火重生的精神。

当今中国正处于世界百年未有之大变局，建设社会主义文化强国，着力提升文化软实力，关系到"两个一百年"奋斗目标和中华民族伟大复兴中国梦的实现。身为当代学人，要在马克思主义指导下，树立高度的文化自觉和自信，十分珍视本土优秀的传统文化，处理好传统文化与现代化、本土文化与外来文化的关系，立大志愿，开大视野，用大手笔来发掘和系统梳理传统文化资源，传承、整合、弘扬巴蜀文化，致力于培根铸魂、固本延脉，使我们优秀的文化基因永续传承，与当代社会相协调，让富有恒久魅力、具有当代价值的巴蜀文化在提高全民精神素质，推进文化强省强国，铸牢中华民族共同体意识和助推构建人类命运共同体的进程中发挥应有的作用。

编撰多卷本的《巴蜀文化通史》，具有深远宏大的文化价值、学术价值和应用价值。一是对巴蜀文化几千年的发展轨迹及其创造、积累的宝贵文化财富，作出系统梳理和规律性总结，可以回应巴蜀民众了解"我是谁""我从哪里来"的文化寻根需求，丰富人们的精神世界，尤其是在道德规范和价值取向上得到涵养和化育。二是可以较全面地展示巴蜀文化的神韵和亮点，系统阐扬蜀史、蜀学、蜀文、蜀艺，构筑宽阔的学术研究平台，为巴蜀人文社会科学走向繁荣，促进传统文化的创造性转化和创新性发展，发挥立其大本、凝聚人心、导向助推的作用。三是同兄弟地域文化的研究成果相互呼应、相得益彰，有助于深入了解中华文化，传承中华文脉，为我们的母亲文化增光添彩，一起来展示她的独特魅力，进而与世界多元文化中不同民族文化平等交流互鉴，为建设新时代中国特色社会主义文化，增强我国的文化竞争力和软实力添砖垒瓦。四是更进一步促进川渝文化合作，可以为繁荣、丰富当代巴蜀先进文化建设，尤其是推进文化创意产业和康乐旅游产业，发掘深层次的文化内涵，提供坚实的学术依据，从而开启思路、激发灵感，以文塑旅，以旅彰文，把潜在文化资源（包括物质文化遗产和非物质文化遗产）

---

① 邓小平1982年对家乡四川的深情赞语。

转化为现实的生产力和文化软实力。五是有助于改变四川高校和研究机构在巴蜀文化和蜀学研究上各自为政、力量分散的状况，使之汇聚并形成有较高水平的老中青结合的研究队伍。与《巴蜀文化通史》珠联璧合的《巴蜀全书》，作为四川有史以来最大规模的古籍文献整理工程，经由四川大学古籍整理研究所提出并担纲，在四川省社会科学院和兄弟高等院校协力下，2012年以来，已出版阶段性成果两百余种，就是蜀学研究正在形成合力的又一明证。

定位与特色

为了实现前述宗旨，参与编撰的同仁都力求使《巴蜀文化通史》既是文化集成，又是学术创新，努力做到观点有一定创新性，知识含量丰富，资料翔实，文笔流畅，总体上进入巴蜀文化研究的学术前沿，在科学性、系统性、创新性、前瞻性、可读性等方面力争成为当代巴蜀学人可以"预流"——预于时代学术潮流的成果，成为在巴蜀文化研究上服务于现实并可继往开来的学术著作。但我们悬鹄虽高而未必力所能逮，故难免"取法乎上，仅得乎中"之憾。

这部书的研究对象是巴蜀文化，性质是通中寓专、通专结合的文化通史，角度是把地域史学与文化学及相关学科契合起来，贯穿全书的编撰理念是"三通"，即纵通、横通与会通。这里就分别说一说本书的"文化"本位、"巴蜀"立位和"三通"定位。

（一）"文化"本位

世界上对"文化"的定义已经有好几百种。我们以唯物史观为指导，本着天人合一、以人为本的中华人文精神①来解读文化。"惟天地万物父母，

---

① 天人合一、以人为本，打破天道与性命的隔阂，既避免把天人合一引向神学化，也避免陷入人类中心主义，而把敬畏、顺应自然与发挥人的主体能动性相统一，蕴含天人相依相待、互动互益的张力。

惟人万物之灵。"①人作为自然演化的产儿，受惠于天地万物，在群体劳动实践中成为地球上的万物灵长，既能创制工具，又能用语言交流，进而创制文字，由此有了文化及其积累、传承，于是便创造了"人化的自然界"。同时，在法天、法地、法万物的进程中，人也改变和提升着自身。汉字的"文"，原意是文身、文饰、纹理，以文来显示，以文来变化，讲规矩、礼貌，与禽兽区别开来。这是外在的，更是内在的。文的外化于行与内化于心，开物成务与锻塑成人，乃是人类与自然进行精神与物质相互变换中联袂互动的双重效应。自然力所为乃造化，人类心力所创是文化。文化从何而来？由人化文；文化落脚何方？以文化人。荀子讲"化性起伪"，"伪"就是人为的东西。要改变自身才能更好地改变世界。文化就是这样"人化"与"化人"（或曰"人为"与"为人"、人性的外化与内化）相统一，在双向建构中螺旋式上升，推动着人居世界的演进。人，既是创造文化的能动主体，又是文化所创造的价值主体。这与古语"人文化成"②的解读可以相通，也跟西方"文化"一词兼容"耕作、栽培"（外化）和"养育、教化"（内化）的语义相衔接。《中庸》讲至诚尽性，内外交修："惟天下至诚，为能尽其性。能尽其性，则能尽人之性；能尽人之性，则能尽物之性；能尽物之性，则可以赞天地之化育；可以赞天地之化育，则可以与天地参矣。"③这段话，恰可理解作为内化与外化相统一的文化的功能。

这样的广义文化，它对外与天地万物相成相济，内结构则包含着精神文化、语文符号、规范体系（行为习俗和法律）、社会制度和社会组织、物质产品等要素。④这些文化要素，大体可划分为相互联结、相互渗透的三个层面：外层是作为基础的物态文化，即经过人的劳动形成的"人化"自然或器物层面，体现人与自然的互动关系及其物质成果；中层是语文符号、制度文化和行为习俗文化等，可称为"交往文化"，体现出人与人的互动关系即社会关系，也是精神文化的外在表现；内层则是以价值观为核心的精神文化，

---

① 《尚书·周书·泰誓上》，《十三经注疏》上册，中华书局1979年影印本，第180页。
② 《易·贲卦·彖辞》："观乎天文以察时变，观乎人文以化成天下。"
③ 《礼记·中庸》，《十三经注疏》下册，中华书局1979年影印本，第1632页。
④ 《中国大百科全书·社会学卷》，中国大百科全书出版社1991年版，第409页。

体现出人的心灵世界在真、善、美、圣（科学、道德、艺术、哲学、宗教）诸多领域与境界的创造。清代龚自珍说过："圣人之道，本天人之际，胪幽明之序，始乎饮食，中乎制作，终乎闻性与天道。"①文化的上述三个层面，既如血脉相通，总体上联动互进，在变迁时序上又往往呈现有速有缓、或前或后的不平衡发展状态。这种总体性与异步性的统一，是在研究和描述文化史时需要仔细琢磨和体现的。

综上所述，文化是在天人相合相分、互动互益进程中人的生命存在及其取得的全部成果，或简单地说，文化就是人类独有的生存方式。人们总是生活在世代传承而又不断积累、不断丰富的文化之中。这文化如水，滋润万物；若风，吹拂人间；又好比血液，灌注循环于特定民族或地区人群的心灵深处，产生凝聚力和认同感，积淀、凝结为人们稳定的生存方式。因此，人类的文化既有共通性，又有民族性、地域性和时代性，是多元的、多样的，而不是单一的、无差别的。不同民族、不同地域、不同时代产生的文化模式，形成的文化精神各有不同。伴随着时代的风云变幻，当不同文化相遇、相会时，从价值观念、思维方式、生活样态到社会习俗，就会产生交流、交融、交锋，出现文化选择和互融，进而导致文化的转型。通观世界历史，文化转型曾有过各种不同的类式。中华文化的现代转型是守正创新，把马克思主义基本原理同中华优秀传统文化相结合的自主式；而不是聚合多种移民文化、喧宾夺主的复合式；更不是那种特定场合下原有文化解体，被另一文化取代的断崖式。

"文化"和"文明"是两个意义相近又有区别的概念。文化侧重于文的功能，文明侧重于文的成就。人猿揖别，就出现文化；到告别蒙昧、野蛮，才进入文明时代。文明是个褒义词，囊括人类创造的积极成果之总和，用以指称人类社会的进步程度和开化状态。②当今多以文化标示民族性差异和地域性特色，而以文明标示人类的普遍行为和多元成就。文明因交流而互鉴，因互鉴而发展。在经济和科技全球化进程中，许多物态文化和一部分行为习

---

① 《五经大义终始论》，《龚自珍全集》，上海人民出版社1975年版，第41页。
② 《易·乾·文言》："见龙在田，天下文明。"《尚书·舜典》："睿哲文明。"孔疏："经天纬地曰文，照临四方曰明。"

俗文化在逐步趋于同质化，而具有不同基因的制度文化、语言文字，特别是精神文化，则终会呈现和保持多样化。这一部地域文化通史，本着文化的多元性和相通性来立论，各卷都力图写出浓郁的地域文化味，体现出"人化"与"化人"的统一。

（二）"巴蜀"立位

广袤的中华大地因地壳碰撞形成了自西向东、由高到低三个落差很大的阶梯，巴蜀处于高阶到中阶的内陆腹地，连通祖国的南北西东。巴蜀西部为青藏高原东南缘及横断山区北段，东部为群山环抱的四川盆地，总体地势西高东低，地形地貌独特丰富，集雄、奇、险、秀于一体，自然禀赋得天独厚，是万物生灵的洞天福地。巴和蜀是上古以来巴人、蜀人及其他族群先民活动的地域，二者相连乃至交错，文化复合共生，自成一个地域文化区系。在中华文明满天星斗式的起源中，这里是相对独立肇兴的长江上游文明起源中心，有巫山人、资阳人为代表的文化根系，有万年以上的文明起步，上古巴蜀地域文明形成和发展中的不少谜团还有待地下发掘来破解。三千多年前巴蜀文明就与中原文明血脉交融，与吴越、荆楚等文明紧密互动，也与南亚、中亚文明交流互鉴。公元前316年，秦并巴蜀后则更紧密全面地融入中华文明共同体，成为它重要的组成部分之一，东汉时即享有"天府之国"的美誉。巴与蜀同源同围，文化具有同质性和内聚力，而自然人文环境又同中有异，形成了刚柔相济的复合型文化共同体。蜀人慕文好乐，精敏健雄，浪漫诙谐；巴人质直尚勇，豁达豪爽，吃苦耐劳。所谓"巴出将、蜀入相"，大致道出了两者文化性格的差异。巴蜀的地域范围历代有涨有缩，行政区划迭有变迁（包括1997年以后川渝分治），而长期历史形成的巴蜀文化区虽没有截然划定的边界，却是相对稳定的整体，并未因行政区划变动而忽合忽分。巴蜀文化区的范围是涵盖今四川省和重庆市地域，兼及周边风俗略同地区的民族文化共同体。它以史源悠久、流传有绪的巴文化、蜀文化为主轴，既包括四川盆地以汉族为主体、辐射四周的文化，也包括盆地周边各以藏、彝、羌、苗和土家等世居少数民族为主体、各民族和谐共融的文化，是这一地区从古至今多民族地域文化的总汇。这部书论述的地域以今四川省和重庆市为主,对不同历史时期曾纳入巴蜀行政区划或与其文化关联密切的地域也有涉及。

巴蜀虽地处祖国内陆,不靠边、不濒海,却衔接南北,连通西东。在编撰这部书时,我们力求处理好巴蜀文化与其母文化——中华文化的关系,重视巴蜀文化与兄弟地域文化之间的交集和互动,着眼于巴蜀文化的特性、个性,寓共性于个性之中,寓统一性于多样性之中。我们也重视巴蜀文化与域外文化之间的交集和互动,注意巴蜀文化在中外文化交流中所起的作用。在巴蜀文化内部,我们力求处理好蜀文化与巴文化相互之间的关系,巴蜀汉民族文化与各世居少数民族文化的关系,尽可能都给以充分的关注,反映它们之间的共性与个性、互联与互动,力避顾此失彼,详略失当。为涵盖并展示少数民族文化多姿多彩的众多领域和方面,这部书除单独设置《民族文化卷》外,各有关专题卷都力图把相关领域的少数民族特色文化摆在重要位置进行阐述和概括。

(三)"三通"定位

"三通"是贯穿全书的重要编撰理念。史著价值在于信,通史灵气在于通。司马迁"究天人之际,通古今之变,成一家之言"[①]是我们心向往之、孜孜以求的目标。史学前辈范文澜等曾提出"三通"("直通""旁通""会通"),我们根据编撰《巴蜀文化通史》的要求,把历时态的"纵通"、共时态的"横通"与跨文化、跨学科的"会通",合在一起作一些新的阐释。世界是通的,大历史是通的,大文化是通的。文化史的发展,本来就涵盖着纵向的全过程、横向的多层面、跨文化的多领域。通向历史本真,揭示历史本体,是"三通"追求的目标。尤其是作为通中寓专、通专结合的多卷本地域文化通史,无论承担通论或专题卷的学者,都力求在"三通"上下功夫。

一曰纵通,指历时态全过程的贯通。"观水有术,必观其澜。"这部书贯穿古今,上溯于远古巴蜀先民之蒙昧初开,下迄21世纪初年川渝之文明新

---

① 《史记》卷一三〇《太史公自序》。

貌，原始察终，系统梳理这个既有内在连续性，又呈现不同时代阶段性的曲折过程中巴蜀文化层积而兴的脉络，由此分析其在各个历史时期的盛衰流变，此起彼伏的高峰低谷，展示巴蜀文化的特色和贡献，进而探究其发展的逻辑进程，尤其是传统巴蜀文化向现代化转型的路径，论证巴蜀文化的当代价值和意义，揭示巴蜀文化的发展趋势和前景，做到鉴古察今、述往知来。这是全书贯穿始终的主线。这条主线还可以从实践与认识的角度一分为二：一是巴蜀文化的实践史、发展史；二是在实践基础上对巴蜀文化的认识史、研究史。二者结合方能从实践与认识的循环往复中，深入把握"外化与内化相统一"的文化真髓。

二曰横通，指共时态全方位的互通。"事不孤起，必有其邻。"从全书立卷到各卷章节的设置，都力图以时间为经，以反映文化的不同层面及专题为纬，纵横交织，立体成像。历史运动是有结构的，它是过程与结构的统一，广义文化中各层面的共生、交叉、互动就体现着这种结构性。这部文化通史不仅要剖析巴蜀文化发展的过程，同时要展现巴蜀文化的层次与结构。本书多数专题卷，虽然在物态文化、交往文化、精神文化几个层面中各有其侧重点，但都是从有血有肉的文化肌体中抽出来的，不能孤立求索和描述。研究时不仅不能把经济基础与其上层建筑割裂开来，还要努力展示文化各层面的横通，展示各专题内部各个相关领域的横通。这样做是为了尽量体现地域文化生成的内在机理，使读者把握到神完气足、血肉丰满、生机勃勃的整个巴蜀文化。

三曰会通，着重指跨文化、跨学科的多元共融，全景式打通。《易·系辞上》说："圣人有以见天下之动，而观其会通。"① 南宋郑樵《通志》特别强调"会通"。② 要从天下事物阴阳变动不居的状况，观察领悟其会合变通的卯窍。人类文化从来是多元并存，在相互比较、碰撞、渗透、融合中发展的。研究地域文化，必须有开放式的大视野，具备跨文化、跨学科的眼界

---

① 李鼎祚《周易集解》注文中引用汉代干宝："观日月而要其会通，观文明而化成天下。"
② 郑樵《通志·总序》："百川异趋，必会于海，然后九州无浸淫之患。万国殊途，必通诸夏，然后八荒无壅滞之忧。会通之义，大矣哉！"又其《夹漈遗稿》卷三《上宰相书》："天下之理，不可以不会，古今之道，不可以不通，会通之义，大矣哉！"

和通识，能够在充分尊重和了解各种文化事象的前提下，不停留于对现象的描述，而要触类旁通、探赜索隐、择精合妙、汇聚通宜，真正实现圆融贯通。纵通为经，横通为纬，须擅会通，方呈现三维立体的全息图景，做到究始终、观全体、明是非得失之故。就是说，文化史研究要通过分析和综合，具备文化反思和阐释张力，会归通衢，由"方以智"进到"圆而神"，抵达藏往知来之境。

我们时时提醒自己：研究巴蜀文化不仅要钻得进去，还要跳得出来，站到更高处，具有开放的胸襟和跨文化比较的视野，把巴蜀文化放到多元一体的中华文化和全球多元文化的大背景下加以审视，察异观同，和合会通。巴蜀文化从来不是与世隔绝、孤立自足地成长起来的，而是在同周围的兄弟地域文化相互影响下发育繁衍，并在同远近的异质文化间接或直接的交流互动中汲取营养的。我们正处在不同文化交流空前深入、碰撞空前激烈的时代，为了追寻全球文化的多元和谐，助推构建人类命运共同体，一定要本着"各美其美，美人之美，美美与共，天下大同"的文化会通观，祛除近代以来因受西方强势文化轻视、压抑而形成的文化自卑和盲从心态，提高对中华文化地位、作用的认识，坚定文化自信，珍爱并拓展、弘扬本土文化的精华。要在马克思主义指导下，具备通识通才，对中外文化精神析同辨异，折冲樽俎，在会通中实现对优秀传统文化的继承和超越，对外来文化精华的吸纳和转化，促进新时代中国特色社会主义文化繁荣发展，不断开拓文化巴蜀、文化中国转型复兴之路。

架构与方法

20世纪初叶，随着新史学的兴起，文化史在历史学中的地位得到重视和加强。刘师培曾计划研究文化专门史，含十六种，以西方学术的科目，析先秦诸学术思想之长短得失。①胡适设想，中国文化史要包括民族史、语言文字史、经济史、政治史、国际交通史、思想学术史、宗教史、文艺史、风俗史、制度史等科目。②梁启超专就文化史的做法讲课，认为需要对政教典章、社会生活、学术文化等方面，做分门别类的文化专史。最好是把人生的活动事项纵剖，依其性质，分类叙述。在狭义的文化专史中，他举出语言史、文字史、神话史、民俗史、宗教史、道术史（哲学史）、史学史、自然科学史、社会科学史、文学史、美术史等。③不过，20世纪30年代初问世的几部中国文化史（如杨东莼1931年、柳诒徵1932年、陈登原1935年），仍多系综合体裁，对各文化门类往往语焉不详。

在前辈学者探索的启发下，我们反复思量，决定突破所见的国内现有地域文化史侧重综合、纵通的体裁，而按"纵述史实，横排门类"的编撰原则，采用"通论+专题卷+大事记"这样一种体现纵通、横通、会通的创新结构，几经斟酌，全书共二十二卷，排序如下：置全书之首的《通论卷》，阐释了巴蜀文化的基本概念与学术体系，生态环境背景，巴蜀文化的研究史和认识史，由古及今的文化发展轨迹、基本性质及基本特征，在多元一体、博大精深的中华文化中的定位及其特殊贡献，薪火传承与现代化转型创新及前景趋势，力求起到提纲挈领、纲举目张的作用。其后大体按文化的不同层次，分别为巴蜀文化具有特色的领域、学科列专题卷。先是侧重物态文化并由此探及相关交往文化、精神文化层面的，有《农业与水利文化卷》《工商文化卷》《城市文化卷》《建筑文化卷》《交通文化卷》；接下来的《民族文化卷》从中华民族共同体的多民族视角强调综合性；《宗族与会社卷》《移民文化卷》《方言卷》《民俗文化卷》大体属于制度文化、语言文字、行为交往文化层面（鉴于政制、职官、法律等制度，全国大体统一，故不设专卷）。继后精神文化层面的部分，卷数较多，设有《哲学思想卷》《史学卷》《宗教文化卷》《教育卷》《文学卷》《艺术卷》《科技文化卷》《传

---

① 刘师培：《周末学术史序》，1905年作，《刘师培儒学论集》，四川大学出版社2010年版，第36~78页。
② 胡适：《〈国学季刊〉发刊宣言》，《胡适文存》二集，黄山书社1996年版。
③ 梁启超：《中国历史研究法（补编）》，《中国历史研究法》（外二种），河北教育出版社2000年版。

播文化卷》。为便于了解巴蜀历史文献，尤其是蜀学文献，特设有文献目录学专题《文献要览卷》。专题卷之后的《巴蜀文化大事记》，对先秦至当代巴蜀文化重大事件以编年方式扼要记载，便于读者对巴蜀文化全程有鸟瞰式、综合性的把握；《巴蜀文化研究论著索引》，则供研究者作为检索工具使用。以上就是全书的架构。

各专题卷均前置导言，末设结语。其篇章框架则因事制宜而有所不同。有的是以时期分章，大体按不同门类分节，在纵通中含横通（如《教育卷》）；有的主要按专题并结合时序来分章节，在横通中含纵通（如《科技文化卷》）；有的先理出历史线索，再突出一些重点专题，先纵后横，纵横结合（如《城市文化卷》）；还有的卷内分两编，分述相关内容（如《农业与水利文化卷》）。

《巴蜀文化通史》作为多卷本的学术著作，主要供大专以上程度的读者阅读，以及文化馆、图书馆等购备。它既不是曲高和寡的"阳春白雪"，也不是能够直接普惠民间的通俗普及读本。为了让巴蜀文化走进千家万户，还有待开发科普读物和图文，使之逐步大众化，在应用和传播上做创新文章。

编撰《巴蜀文化通史》，涉及学科门类甚广，涵盖时间很长，创新要求颇高，总字数超过千万。这样的文化工程，绝非率尔操觚、短促突击所能成功。近人刘承幹①《明史例案》提出过八条准则，就是"搜采欲博，考证欲精，职任欲分，义例欲一，秉笔欲直，持论欲平，岁月欲宽，卷帙欲简"，我们在编撰过程中借作参照，同时根据在新时代撰写地域文化通史的新要求，不断从实践中探索，大体形成了以下一些做法：

（一）多学科的专家学者分工合作，协同攻关

梁启超主张，广义的文化专史，涉及面特别广，在专史中最为重要，也最为困难。这不单是史学家的责任，更是研究某种专门学问的人对于该种学问的责任，要尽量用内行的专门家去做。若能以终身力量做出一种文化专史

---

① 刘承幹（1881～1963）：著名藏书家、刻书家、史学家。

来，于史学界便有不朽的价值。①本书的编撰设置了编撰委员会、学术委员会及编辑部，确定由正副主编主持编撰，编辑部依托省社科院开展编务工作。各专题卷的著者采取定向邀标办法聘请，多为对该学科领域研究有素的专门家，分别采取由个人承担，或二三人合著，或一人主撰、团队协力完成等方式进行。为保证学术质量，使全书有机统一，在实行主编负责制的同时，由资深专家组成学术委员会，全程参与从项目规划到成书的学术攻关和学术把关。

2006年以来，先后开了四次分卷著者会议，八十多次书稿审读会议。第一阶段，先由学术委员会同分卷著者反复讨论各卷著者拟出的由粗到细的提纲，并明确全书编纂理念②，统一规范体例，然后与分卷著者签订编撰合同，落实工作责任。第二阶段，学术委员会同分卷著者研讨各卷写出的一两章样稿，这是"摸着石头过河"的试错与磨合过程。有些卷的思路和写法曾有大的调整和改变。第三阶段，各卷著者潜心研究，奋力写作。初稿先后写出后，大都经过学术委员会仔细研读，写出审读意见，同著者一起讨论，从结构、体例到观点、材料都认真交换意见，对著者遇到的各种史料、概念及话语体系、文脉梳理、文化基因挖掘等问题，出点子，提思路。待著者修订后又进行讨论，有的书稿研讨了四个回合。当某一分卷初稿趋于成熟时，即请出版社责任编辑提前介入审编，参加讨论，以便撰写工作与第四阶段的编辑出版工作紧凑衔接，不出空当。因各卷皆分头撰写，结构和文字风格有所不同，对同一文化事象的见识裁断有别也在所难免。在统改书稿过程中，既充分尊重分卷著者的学术个性和创见，同时为了各卷在总体上规范统一，基本观点相互协调而不相抵牾，尊重主编的统改权，而在个案判断上各卷则有自由度。注意把握各卷边界，相互照应避让，以免大的重复，做到详略互见，各得其宜。

在这部文化通史编撰期间，本书学术委员会大多数成员在辛勤共事中度过了古稀以至耄耋之年。我至今还清楚地记得在每次研讨会、审稿会上专家

---

① 梁启超:《中国历史研究法(补编)》,《中国历史研究法》(外二种),河北教育出版社2000年版。
② 章玉钧:《关于编纂〈巴蜀文化通史〉的思考》,《中华文化论坛》2007年第4期,第5~10页。

们无私地贡献个人的真知灼见，自由发表不同见解乃至相反的主张，体现出的那种学术为公的争鸣探索精神。尤其令我们刻骨铭心的是：隗瀛涛、李绍明、贾大泉、沈伯俊、万本根、胡昭曦、林向七位先生为学术工作长期呕心沥血，先后因病辞世。对诸位先生的高见卓识、学者风范尤其是为编撰本书所做的贡献，我们将永志不忘。

（二）采取多重证据法和综合研究法，在搜集和鉴别史料上下大功夫

古人所称"文献"，原本指书面文字记载与贤人口头传闻①，徐中舒先生拓展他的老师王国维的古史二重证据法为多重证据法，注重传世文献、出土文物和现代民族学、民俗学的活态文献等结合互证，将区域文化史研究提高到崭新的学术境地。本书编撰中，继承和弘扬王、徐等前贤视野广阔的史料观，搜罗史料力求竭泽而渔，鉴别史料着意披沙拣金，通过综合比勘，相互参证，追根溯源，从而正误辨伪，务寻真史。各专题卷著者都是先汇辑基本史料并掌握学界已有研究状况，汲取前人取得的成果，才进入写作阶段。有好几卷的著者更是"读万卷书、行万里路"，带领研究生经年累月搞田野考察，获得不少真知灼见，从而在学术上有了新的拓展。

（三）坚持文化学的视角，采取多学科交叉和比较文化学的研究方法，力求写足文化味

文化既然是人的生存方式，归结为"人化"和"化人"，每卷文化史就要见物更见人，既写出"由人化文"的胜境，更揭示"以文化人"的妙谛。有关精神文化的各专题卷，既系统梳理巴蜀精神文化尤其是蜀学发展繁荣的脉络，突出展示巴风蜀韵孕育出的文宗巨子和文化精英的成就，也记载众多无名工匠、艺人等留下的民族民间文化、市井文化的瑰宝。侧重物质文化的各专题卷，不停留在物态层面的描绘，而尽力深入到制度层面、精神层面。如《农业与水利文化卷》《科技文化卷》等，对举世无双、造福人类

---

① 朱熹："文，典籍也；献，贤也。"引自《四书章句·论语集注》卷二《八佾第三》，中华书局2012年版，第63页。

二千二百七十多年的都江堰水利工程，就不仅从物质、科技、生态层面介绍其巧夺天工、可持续发展的奥秘，而且从制度文化层面总结其堰官、岁修、劳役、配水、轮灌、收费等管理制度，更深入精神文化层面阐释其"上善若水"的哲理和人文精华。

（四）掌握焦点，抓住重点，发挥特点，突破难点

饶宗颐先生在揭橥华学趋向时，曾提出"三条"："一是纵的时间方面，探讨历史上重要的突出事件，寻求它的产生、衔接的先后层次，加以疏通整理。二是横的空间方面，注意不同地区的文化单元，考察其交流、传播、互相挹注的历史事实。三是在事物的交叉错综方面，找寻出它们的条理——因果关系。"又说："我一向采用的史学方法，是重视'三点'，即掌握焦点，抓紧重点，发挥特点，尤其要特别用力于关联性一层。"①我们体会，"三通"的理念与上述"三条""三点"是一致的，而方法上特别重视关联性，就要纵通找焦点，横通抓重点，会通求特点。编撰中，我们注意咀嚼梁启超的卓见：文化的发展史，各个时代、各个领域是不平衡的，重要性是不一样的，要分主系、闰系和旁系。不要平讲直叙，分不出浓淡高低。须用鸟瞰的眼光，看出哪个时代最主要，发达到最高潮，便用全力赴之。②各书大都采用了这种大处着眼、抓住重点、突破难点、提炼观点、不平均使用力量的方法。

集成与出新

前面提到，编撰这部书时，我们力求做到既是文化集成，更是学术创新。无论文化发展、学术探索，都是慧命相续、推故致新的过程，需要不断传承积累，继往开来，久久为功。"譬如积薪，后来居上。"用冯友兰先生

---

① 饶宗颐：《〈华学〉发刊词》（1995年），《选堂序跋集》，中华书局2006年版。
② 梁启超：《中国历史研究法（补编）》，《中国历史研究法》（外二种），河北教育出版社2000年版。

的话，这是从"照着讲"到"接着讲"的进程。每门文化史的研究，都需要对已有的各种史料，广搜博采，集纳钩沉；对前贤成果循波讨源，含英咀华；只有在对文化遗产守正传承的基础上，才有可能站到前人肩膀上，回应新的时代需求，匠心独运，开拓新境；才有可能焕然出彩，奉献出在某些方面超越前贤的成果。朱熹诗云："旧学商量加邃密，新知培养转深沉。"①集成是出新必需的基础和前提，出新则是集成企求的目标和价值增值的成就。二者同体异面，缺一不可，是衡量学术成果质量相互关联的两个维度。

（一）从集成的维度看

首先，《巴蜀文化通史》可以说是"巴蜀文化"概念提出八十多年来首次大的学术集成。"西蜀文化"（郭沫若1934年）、"巴蜀文化"（卫聚贤1941年）提出之初，主要是就巴蜀考古文化而言，后来渐次扩大到广义的巴蜀文化，有关论著已上千册，有关文章达数万篇（《巴蜀文化研究论著索引》多有著录），形成了分别以史学文献考据、文物考古、民族民俗田野调查为主的三种研究方向，近年又发展出综合诸家的会通型研究方向。各条路径的学者在不同领域、从不同角度艰辛探索，均取得了丰硕的成果。本书各卷编修中，都努力加以搜集、消化和吸取，并以借鉴、发挥这些观念、方法为前提，力求形成对巴蜀文化研究具总汇性的成果。如《通论卷》从总体上就巴蜀文化生态背景、内涵性质、发展历程及基本规律、特征等问题，会通诸说，取精用宏，做了言之成理的统体性总述，成为具有集成性的一家之说。《民族文化卷》不仅就民族理论的疑难问题深入研究，还在搜集分析历史文献材料、文物考古材料，特别是对国家组织的多次民族调查材料下了很大功夫，从而描绘出巴蜀世居各少数民族立体生动的文化图景。

其次，古往今来的巴蜀文化长河浩荡壮丽，魅力无穷。《巴蜀文化通史》对清点总结长时段、宽领域、多层面的巴蜀文化来讲也是一次学术集成。巴蜀的历史文化名人，如大禹、李冰、落下闳、文翁、司马相如、扬

---

① 《鹅湖寺和陆子寿》，（宋）朱熹著，郭齐、尹波点校：《朱熹集》卷一，四川教育出版社1996年版，第185页。

雄、诸葛亮、陈寿、常璩、陈子昂、武则天、李白、杜甫、薛涛、苏轼、格萨尔、张栻、秦九韶、杨慎、李调元等,都在相关卷帙中重点推介,娓娓道来;巴蜀历史上突出的物质文化成就和非物质文化成就,蜀学、蜀文、蜀艺、蜀籍的精华也都提要钩玄,荟萃于此。如《文献要览卷》就搜选论列了近五百种巴蜀文化重要典籍,可一览巴蜀文献精华,为学者指点津梁。又如智慧幽默的四川方言是巴蜀历史文化凝结的珠宝,《方言卷》挖掘、串起一颗颗珍珠,并生动剖析其蕴含的丰富文化信息,令人齿颊留香。

再者,不少专题卷的著者既具文化通识,又对该学术领域长期耕耘,研究有素,此次写作起到了阶段性总结的学术集成作用。例如:《城市文化卷》著者三十多年来由跟从名师到带领团队,一直深耕于近现代中国城市与城市文化研究领域;《移民文化卷》著者是国内知名的移民文化、客家文化研究专家;《交通文化卷》著者多年致力于西南历史地理尤其是交通文化的调研;《哲学思想卷》和《史学卷》著者长期潜心研究巴蜀哲学、巴蜀史学;《建筑文化卷》著者是卓有成就的古建筑研究专家、高级建筑师。他们都在各自领域完成了多项国家课题,此次承担专题卷,更是辛勤研讨,旁搜远绍,厚积薄发,突出亮点,倾力奉献了后出转精之作。

(二) 从出新的维度看

本书围绕前述长时段、宽领域、多层次的巴蜀文化来创新体例结构,成为首部纵横贯通、覆盖面广、体量超大的巴蜀文化史,在全国已出的各种区域文化通史中,当属编撰体例新、时间跨度长、内容浩繁的一部。学术体系上的集成性,本身就是从文化观念、编撰理念到架构体例的出新,在地域文化通史领域作了开创性的探索。这是其一。

本书各卷着眼于发展新时代文化,明道求真,以史经世,着力写出巴蜀文化的特色和韵味,在内容上有较多突破和出新。过去关于农业与水利、工商、交通、建筑、城市等的论著,容易停留于物态层面,罕有从文化学角度和宏观视野对其全过程深入探讨之作;这次研究标明以"农业与水利文化""工商文化""交通文化""建筑文化""城市文化"为对象,注重深入文化层面进行阐释,且着意探讨长时段历史中这些物质文化变动与制度文化、精神文化演进的关系及产生的影响,这些往往是以前研究论著较少触及的。有关巴蜀学术文化的几卷,着力显示蜀学长于思辨、多元会通、创新超迈、沟通理欲、注重事功等特色,有助于发扬当今的时代精神。有关交往文化的几卷,注重聚焦于民间大众,关注各色人等的日常生活,运用了许多文化人类学、社会学、民族学的方法,见解新颖,地域文化味很浓。这是其二。

更值得珍视的是,各卷在编撰中深汲传统的源头活水,发现其烛照现实和未来的原创亮点,尤其是优越秀冠的巴蜀文化在传承创新中焕发异彩之所在。许多卷发掘出大量翔实的资料,匠心独运,以史鉴今,提炼出有创新性的学术观点,或举出有新颖性的论据,活用巴蜀首创的学术话语,采用别出心裁的叙事方式,力争获得创新、独见、卓识的学术成果。具体的创新点如同"诗眼""文眼"分布闪烁在卷帙之中,细心披阅,当会时有"山阴道上,应接不暇"之乐,这里无法一一细析。

鉴于多卷本地域文化通史尚属初创,不同文化门类各有其学理脉络、发展轨迹和演进特色,编撰难度往往超出预期,主编和各卷著者虽迎难而上,勉力为之,但仍难免有纰漏丛脞之处。尤其是古蜀文明还有不少千古待解之谜,我们受限于已获的资料和研究水平,多只能守阙存疑。对成稿后的许多惊世发现,巴蜀文化日新月异的面貌和新的研究成果亦未能更多纳入。当把多卷本《巴蜀文化通史》奉献到读者面前时,我们既同大家分享喜悦,又有颇为忐忑的心情。这部书,以至其中每一卷,究竟应获怎样的评价,最终还要接受时间的检验。衷心期望巴蜀文化研究慧命相续,薪火相传,探索和构建起自身完整的学科体系、学术体系和话语体系。但愿此番的初创能为后续俊彦们开拓新境起到抛砖引玉的作用。

目 录

导　言 / 1

　　一、巴蜀哲学思想概论 / 1
　　二、巴蜀哲学思想的发展脉络 / 7
　　三、巴蜀哲学思想的主要特色 / 19

第一章　巴蜀哲学思想从发端到勃兴（先秦至两汉）/ 29

　　第一节　巴蜀哲学思想的发端 / 32
　　　　一、崇尚巫术，沟通天人 / 33
　　　　二、阴阳术数、天文历法之学 / 35
　　　　三、神仙、黄老思想 / 37
　　　　四、杂糅法家诸思想 / 39
　　第二节　文翁化蜀与蜀学的兴起 / 39
　　　　一、民为邦本，先富后教 / 40
　　　　二、教化为先，温厚为政 / 41
　　　　三、学习先进，变风为雅 / 43
　　　　四、以儒化蜀，万世馨宗 / 44
　　　　五、崇儒重法，注重吏治 / 45
　　第三节　严遵与《道德指归》/ 46
　　　　一、儒道兼修，融会《易》《老》/ 47
　　　　二、严遵对道家和黄老之学的发展 / 52
　　　　三、严遵对道学思想的影响 / 57

第四节　扬雄的哲学思想 / 59
　　一、宗经拟圣，度越诸子 / 59
　　二、以"玄"为高的本体论 / 61
　　三、"幽搞万类"的宇宙生成论 / 63
　　四、儒道兼采的社会哲学 / 67
　　五、"强学而力行"的认识论 / 71
第五节　汉代巴蜀经学及道教哲学 / 73
　　一、经学的兴起与发展 / 73
　　二、经学背景下的巴蜀哲学 / 80
　　三、巴蜀道教哲学的兴起 / 84

第二章　巴蜀哲学思想在三教互涵互融中演进（蜀汉至五代） / 95

第一节　蜀汉时期的巴蜀哲学 / 99
　　一、荆州新学入蜀与儒家、兵家的结合 / 99
　　二、今文经学的延续与内学的盛行 / 102
第二节　两晋南北朝时期巴蜀哲学的发展 / 104
　　一、两晋南北朝时期的巴蜀经学 / 104
　　二、两晋南北朝时期的巴蜀道教 / 106
　　三、卫元嵩与两晋南北朝时期的巴蜀佛教 / 110
第三节　唐李荣、王玄览的道教"重玄"哲学 / 113
　　一、李荣的道教哲学 / 114
　　二、王玄览的道教哲学 / 119
第四节　唐马祖道一、宗密的佛学理论与佛教哲学 / 127
　　一、马祖道一的洪州禅宗哲学 / 128
　　二、宗密禅教合一的"和会"哲学 / 132
第五节　隋何妥、唐赵蕤及李鼎祚的哲学 / 148
　　一、何妥的哲学思想 / 148
　　二、赵蕤的经世哲学 / 152
　　三、李鼎祚的"易"学哲学 / 157
第六节　五代时期的巴蜀哲学 / 163

一、杜光庭的学术思想 / 164

二、毋昭裔与孟蜀石经 / 173

三、彭晓的内丹思想 / 176

第三章　巴蜀哲学思想从学统四起到理学化的大发展（两宋） / 179

第一节　宋代蜀学之"学统四起" / 183

一、龙昌期杂糅诸家的思想 / 183

二、章詧——调和儒、道的隐士 / 185

三、范镇、范百禄以儒为本的思想 / 187

四、黎錞"专经而信道"的思想 / 194

五、鲜于侁的乐道思想 / 196

六、吕陶"经者所以载道"的思想 / 199

七、宇文之邵重道义的思想 / 203

第二节　宋代巴蜀理学的兴起 / 207

一、陈抟对理学的影响 / 208

二、周敦颐入蜀及影响 / 210

三、程氏父子在蜀的学术活动及"易学在蜀" / 212

四、范祖禹对理学的认同 / 216

第三节　三苏蜀学之哲学思想及其三教合一倾向 / 219

一、三苏蜀学的哲学思想 / 220

二、三苏蜀学的三教合一倾向 / 226

第四节　张商英三教"鼎足之不可缺一"的思想 / 229

一、唐宋以来三教融合互补思想 / 230

二、张商英的三教融合论 / 231

第五节　宋代巴蜀理学的流传演变 / 236

一、谯定、谢湜 / 237

二、尹焞在蜀的活动及思想 / 241

三、张浚的易学思想 / 244

四、李石的三教融合思想 / 249

第六节　南宋巴蜀理学的大发展 / 252

一、张栻对巴蜀理学发展的影响 / 253

二、度正的理学思想及对程朱道统论的发挥 / 261

三、魏了翁集宋代巴蜀理学之大成 / 266

第四章 巴蜀哲学思想对理学的批判性反思（元明清）/ 279

第一节 虞集融贯博通，会归于道的思想 / 283

一、崇道宗朱，表彰和传播巴蜀理学 / 283

二、调和朱陆，重视心学 / 286

三、融通三教，"博涉于百氏" / 289

第二节 杨慎对理学的批评及开一代学术新风 / 292

一、对理学流弊的批评 / 292

二、提倡实事，反对虚谈 / 294

三、肯定情欲，主张性情不离 / 296

四、反对"束书不观，游谈无根"，提倡考据、训诂 / 298

第三节 来知德对理学的疑辨及其易学的特点 / 301

一、以孔子为源头，疑辨理学 / 301

二、来氏易学的特点 / 303

第四节 费密的中实之道与弘道论 / 309

一、中实之道 / 311

二、"欲不可禁" / 313

三、弘道论 / 315

第五节 唐甄的社会批判与心本经末思想 / 318

一、"凡为帝王者皆贼也" / 319

二、重视事功，道不离欲 / 322

三、"五经者心之迹"，"四书者皆明言心体" / 325

第六节 刘沅对理学的扬弃 / 327

一、对理学的批评 / 328

二、对理学的继承和发展 / 335

三、刘沅的地位 / 341

第五章 巴蜀近现代哲学思想的转型与兴盛（近现代）/ 343

第一节 巴蜀近代经学哲学与政治哲学思想 / 351
一、廖平经学及其哲学思想 / 352
二、邹容的革命思想 / 364

第二节 巴蜀现代思想家对中国传统哲学思想的批判继承与考察 / 369
一、吴虞对孔孟之道的批判 / 370
二、郭沫若对孔子思想的批评性的反思 / 381
三、蒙文通理学观与哲学思想 / 390
四、刘咸炘哲学思想 / 402

第三节 巴蜀现代新儒家哲学思想 / 424
一、贺麟哲学思想 / 425
二、唐君毅哲学思想 / 448

第六章 四川彝族和藏族哲学思想 / 481

第一节 四川彝族哲学思想 / 487
一、宇宙观与天人关系论 / 488
二、朴素辩证法思想 / 493
三、朴素认识论 / 498
四、道德观 / 501

第二节 四川藏族哲学思想 / 513
一、苯教哲学思想 / 517
二、藏传佛教心性论 / 521
三、藏传佛教缘起性空论 / 529
四、藏传佛教道德观 / 537
五、藏传佛教认识论 / 543

结　语 / 552

　　一、巴蜀哲学思想对中国哲学发展的贡献 / 552

　　二、从巴蜀哲学思想史领略巴蜀文化的魅力 / 556

　　三、理论思维的贡献及巴蜀哲学精神的当代价值 / 565

主要参考文献 / 573

后　记 / 582

导　言

一、巴蜀哲学思想概论

巴蜀文化历史悠久，别具特色，是整个中华民族文化的重要组成部分。巴蜀文化内涵十分丰富，其中巴蜀哲学可以说是巴蜀文化各个历史发展时期时代精神的精华，充分体现了巴蜀文化的本质特征，是历史流传下来的珍贵文化遗产。

在源远流长的巴蜀文化发展史上，由先前的原始思维逐渐转化演进为形而上的哲学思维，使巴蜀哲学得以形成和演变发展。巴蜀哲学以其开阔恢宏的气度，与中华民族其他地域的哲学相互交流会通，相互促进，取长补短，其善于吸取和融汇外来哲学思想文化的优长，并结合本地的实际，创造出独具特色、光辉灿烂的地域性哲学。

巴蜀哲学是巴蜀文化精神的体现，而巴蜀文化有着深厚的历史渊源和独特的演进轨迹。至秦汉时期，巴蜀文化逐渐与中原文化密切交融，并以自身的地域性特色而成为蜀学。蜀学是巴蜀文化之结晶，中华学术之宝藏。本卷所说的蜀学是指巴蜀地区滥觞于先秦，自古迄今（主要是西汉以来）以儒为主、会通三教的学术文化。

巴蜀经学与巴蜀哲学关系密切，巴蜀哲学往往具有经学的形式，通过对儒家经典的注解和阐释而提出自己的哲学思想。不仅"易学在蜀"，而且"蜀学之盈，冠天下而垂无穷"，蜀学、巴蜀经学与巴蜀哲学紧密相连，在联系和发展变化中体现出巴蜀哲学思想的本质特征，并与巴蜀地区社会发展的脉络相联系，为促进巴蜀社会和文化的发展，做出了相应的贡献。

（一）巴蜀哲学思想

巴蜀哲学思想是巴蜀文化的精髓，是巴蜀文化精神的体现。巴蜀文化内涵十分丰富，包括巴蜀哲学、巴蜀神话、巴蜀宗教、巴蜀文学、巴蜀艺术、巴蜀考古、巴蜀历史、巴蜀经济、巴蜀科技、巴蜀少数民族文化、巴蜀方言等诸多文化领域。在源远流长的巴蜀文化发展史上，巴蜀文化不仅创造出独具特色、光辉灿烂的地域性文化，而且以其自身的特点，深刻影响了其他地区的文化，为整个中华文明的发祥和中华文化的持续发展做出了重要贡献。而所谓巴蜀哲学思想，就是指巴蜀文化中形而上的哲学思维，是巴蜀文化各个历史发展阶段时代精神的精华，充分体现了巴蜀文化的本质特征。

古巴蜀人很早便对天人关系作出了自己独到的思考与探索，广泛流行着阴阳术数、天文历法之学。经文翁以儒化蜀，崇儒重法，将中原儒学和经学引入蜀中，使巴蜀哲学得以系统化，并在各个历史时期得到了长足的发展。

巴蜀哲学作为巴蜀文化各发展阶段时代精神的精华，是巴蜀文化的灵魂和核心，并与巴蜀宗教（包括佛教、道教等），巴蜀社会的政治、伦理具有密切的联系。巴蜀哲学也包括了巴蜀少数民族的哲学，各少数民族的哲学思想丰富了巴蜀哲学的内涵，为巴蜀哲学的发展做出了重要贡献，亦是整个中国哲学的有机组成部分。

至近代，巴蜀哲学则与西方流传而来的马克思主义哲学、西方哲学等交融，发生了质的变化，并与时代的发展紧密结合，与时俱进，体现了时代发展的脉络。马克思主义中国化是近现代巴蜀哲学发展的必然趋势，对巴蜀社会的发展产生了重要影响，为四川社会、政治、经济、文化的发展做出了应有的贡献。

通过深入研究巴蜀哲学思想，充分发挥地方文化资源的优势，立足巴蜀，面向全国，突出地方特色。这就要求我们从事巴蜀哲学与文化研究的人，自觉地把研究工作与现代化事业结合起来，古为今用，服务于当今地方经济文化建设。

（二）蜀学

蜀学乃巴蜀文化之结晶，中华学术之宝藏。蜀学有狭义和广义之分，狭义的蜀学指由北宋苏洵开创，由苏轼、苏辙兄弟加以发展的学派即三苏蜀学；广义的蜀学即作为本卷研究对象的蜀学是指巴蜀地区自古迄今（主要是西汉以来）的以儒为主、贯通三教的学术文化。学术界在对蜀学的研究中，对蜀学作了相应的探讨和界定。国学大师蒙文通先生作《议蜀学》，肯定蜀学不同于伊洛、吴越之学的特点，要求蜀中之士应阐发自己的乡土之学，以济道术之穷，使蜀学传统得以弘扬；并从不同时代蜀学的广泛流传上，揭示蜀地精神文化的强大生命力和深远影响，使蜀学精神愈益显彰。哲学史家谢无量作《蜀学原始论》，提出"儒之学蜀人所创造"的观点（此为人所议），并指出道教亦为蜀人所创，而佛教经西域"自蜀以达于中国"（此亦为人所议），其中蜀人所传者二宗：禅宗由马祖道一传，华严宗由宗密传；并且"文章惟蜀士独盛"。认为儒、道、释、文章四者构成蜀学之内涵，充分肯定蜀学在中华学术中的地位。胡昭曦先生认为："传统的蜀学，是以儒学为主的学术文化。""所谓蜀学，是指四川地区的学术，其重点在文、史、哲，其核心是思想、理论。"指出"'蜀学'一词，早在《三国志·蜀书》就已出现"①。其所指是西汉景帝时文翁任蜀郡守，兴学化蜀，培养人才，又遣蜀士东受七经，还教吏民，于是"蜀学比于齐鲁"②。由西汉而兴盛的蜀学，原本指儒学传播，后因其能凝聚蜀地的精神文化，遂得到广泛的认同。历经发展演变，以宋代为最盛，终成为古代四川学术文化的统称，凡是蜀人所创造的学问可统称为蜀学。近代维新变法时期，一些进步的四川学者提出重振"蜀学"，给蜀学注入时代新意，成立"蜀学会"，创办《蜀学报》，以宣传变法思想。梁启超也出了《试述蜀学》的试题来检测报考清华的学子，可见梁启超对蜀学的重视。刘咸炘作《蜀学论》，认为"统观蜀学，大在文史"，"蜀学崇实"，一定程度上揭示了蜀学的内容和特点。以往学者对蜀学的研究取得了可喜的成绩，现应在此基础上，进一步把整个蜀学从点、面、线联系起来作系统研究，把个案研究、断代研究和蜀学史的研究结合起来；尤其把整个蜀学与中国哲学、经学联系沟通，作系统性、综合性的研究。

（三）巴蜀经学

所谓巴蜀经学，是指经西汉文翁化蜀，经学传入，至近现代在巴蜀地区流传发展演变的训解、阐释和研究儒家经典、经说的学问。

在巴蜀经学发展史上，巴蜀经学经历了若干重要的发展阶段，有汉学发

---

① 胡昭曦：《蜀学与蜀学研究刍议》，《蜀学》第一辑，巴蜀书社2006年版，第4~5、1页。
② 《蜀书·秦宓传》，《三国志》卷三八，中华书局1959年版（下引版本同此），第973页。

展阶段，包括汉至唐的巴蜀经学；有宋学发展阶段，包括宋元明时期的巴蜀经学；有清代新汉学发展阶段，包括清初至清中后期的巴蜀经学；还有近现代巴蜀经学的流传演变。各个时期的巴蜀经学既一脉相承，又有所创新，其内涵丰富，颇具特色，形成巴蜀经学发展的总体，对各个时期蜀学和中国哲学的发展做出了重要贡献。值得认真探讨和进一步深化研究。

儒家经典经学流传入蜀后，两汉时期，巴蜀地区出现了如杨终等一批有全国影响的经学家，为经学尤其是今文经学的发展做出贡献，也促进了经学在汉代及汉以后的发展。蜀汉时期，虽然巴蜀古文经学占据着官学优势，但巴蜀今文经学仍然兴盛，图谶流行，对当时的学术政治产生了重要影响。两晋南北朝时期，巴蜀经学向多元化方向演进。南北朝时期，巴蜀经学较为衰落。隋代何妥兼容南北学术，重视玄理，长于礼乐，于《易》《乐》《孝经》《庄子》等都有较深造诣。唐初阴弘道集十八家易学，而中唐李鼎祚集三十五家易学，撰《周易集解》，存汉代象数易学一脉于后，影响较大。后蜀宰相毋昭裔刊刻蜀石经。在孟昶、毋昭裔的主持下，后蜀又雕版印制了"九经"，对儒学及经学的发展做出贡献。

巴蜀经学在宋元明时期走过了其发展的重要阶段。宋初陈抟在四川游访，其易学对巴蜀理学以及中国经学之象数易学产生了重要影响。其后，理学代表人物程颐两度入蜀。首次入蜀，通过与箧匠论《易》之"未济"卦，而得出"易学在蜀"的著名论断。第二次入蜀，程颐在编管地涪州北岩撰成其义理易学代表著作《伊川易传》，这在中国经学史和宋明理学史上均产生了重要影响。与朱熹齐名的理学家张栻撰《南轩论语解》《南轩孟子说》和《南轩易说》等经学著作，以天理解经，其经学思想促进了理学的发展。宋代蜀学的集大成者魏了翁著《九经要义》《周易集义》《经史杂抄》等，其经学思想以宋学为主，而又兼采汉、宋，把义理与训诂结合起来，开明末清初"舍经学无理学"思想之先河。明代杨慎主张恢复两汉经学的考证方法，提倡一种多闻、多见、尚实、重传注疏释的学风，以纠正理学流弊。明末来知德提出了自己独特的"舍象不可以言易"，假象以寓理，"理寓于象数之中"[①]的易学思想；并错综取象以注《易》，用象数释义理，对《周易》予以新解，发展了传统易学。

---

① （明）来知德著，张万彬点校：《系辞上传》，《周易集注》卷一三，九州出版社2004年版（下引版本同此），第645页。

清初巴蜀著名学者费密提出"舍经无所谓圣人之道"①的思想，主张不受宋儒说经的束缚，从汉唐诸儒对儒家经典的注疏中求得圣门本旨。这对清代新汉学产生重要影响，并由此得到胡适的赞赏。清代刘沅对儒家经典的注解，其目的是为了求经书中的道，而不拘泥于文字训诂、名物度数。他对宋儒和清儒旧说都提出批评，而有所超越。

近代廖平以礼制区分今、古文经学，又尊今抑古，不囿于传统旧说。现代蒙文通主张超越两汉，向先秦讲经；倡鲁、齐、晋之学，以地域分今、古；破弃今、古文经家法，而宗周秦儒学之旨。其后又提出汉代经学乃融会百家，而综其旨要于儒家而创立的新儒学的见解，推崇西汉今文经学。

以上巴蜀著名学者在经学研究上颇有造诣，他们的经学思想构成巴蜀经学的丰富内涵，为促进中国经学乃至蜀学和巴蜀哲学的发展，产生了重要影响。

（四）巴蜀哲学思想、蜀学、巴蜀经学之间的关系

1. 巴蜀哲学思想与蜀学

蜀学与巴蜀哲学密不可分。先秦时期巴蜀地域学术与齐鲁、荆楚等地哲学相比，发展较为缓慢，尚未发现系统的哲学思想和相关的典籍、资料，也未出现有全国影响的人物和学派。而蜀学真正兴起于西汉文翁化蜀之举，这对巴蜀乃至全国产生了深远影响，使得蜀学在文化上特异挺立，与齐鲁媲美。蜀学在西汉兴盛之后，蜀郡成都人严遵（即严君平）、扬雄挺立其中，而大批经学大师倡明儒道，其儒家和道家思想里包含着丰富的哲理，使巴蜀哲学首次进入繁荣时期。

其后，蜀学从西汉绵延于今，形成了独具特色的传统。"蜀学之盈，冠天下而垂无穷"②，"蜀学之盛，古今鲜俪"③。虽然蜀学的发展演变，其主要成就在于经学、文学、史学、哲学等诸方面，但巴蜀哲学与蜀学联系紧密，体现了蜀学的基本精神和本质特征。正因为巴蜀哲学具有蜀学地域文化的特征，所以巴蜀哲学思想既与中国哲学各个发展阶段的时代思潮相联系，体现了中华学术传统；又与之有相异之处，而具有地域性文化的特色和丰富多样的个性，不

---

① （清）费密：《弘道书》卷上，《道脉谱论》，怡兰堂丛书，1920年刊本（下引版本同此）。
② （宋）吕陶：《净德集》卷一四，《府学经史阁落成记》，文渊阁四库全书本（下引版本同此）。
③ 《四库全书〈方舟集〉提要》。

断以其特色和个性影响着中华主流文化的发展演变，并成为中华学术和中国哲学内在结构的重要组成部分。其地域学术的特色及与主流文化的互涵互动，推动了巴蜀哲学和中国哲学的持续发展。

2. 蜀学与巴蜀经学

对蜀学与巴蜀经学关系的研究探讨具有重要意义。首先，蜀学是中华学术文化的重要组成部分和内在结构的体现，离开了对蜀学的深入系统研究，对中华学术文化的整体把握就会受到影响；同时，巴蜀经学亦是整个中国经学不可分割的组成部分，那么，对蜀学和巴蜀经学的探讨均具有重要意义和价值。其次，对中国文化影响甚巨的经学与蜀学不可分割地联系在一起，蜀学的发展促进并在一定程度上体现了经学的发展，所以研究经学不能脱离蜀学。再次，从地域性文化与时代思潮的互涵互动关系看，把蜀学与经学包括巴蜀经学结合起来进行系统研究具有重要意义，以蜀学融合三教、融贯博通、重人情、崇实重躬行践履、重经学、批判专制、积极进取不因循守旧等鲜明特色而与齐学、鲁学、楚学、湘学、闽学、岭南学等地域性学术文化存在着相同相异之处，中华学术思想正好体现了这种融合差异的包容性。蜀学作为地域性文化，在其产生、发展演变的过程中，深受中华学术文化各个历史发展阶段之时代思潮的影响。从思潮与地域性文化的关系看，时代思潮充分体现在地域性文化之中，通过各地域文化的本质特征表现出来；地域性文化的发展演变不能脱离时代思潮的影响，并以其鲜明的个性最终融入时代思潮之中，二者的相同相异之处存在着相互影响和渗透、相互体现、相互促进的互动关系。通过探讨蜀学与经学的相互关系，可从一个侧面把握地域性文化与时代思潮的互动及其意义。蜀学作为中国学术文化史的一个重要分支和巴蜀地域文化精神的体现，已成为现代学人研究的重要对象。蜀学与经学研究有着广阔的前景，值得深入探讨。

3. 巴蜀哲学思想与巴蜀经学

巴蜀哲学虽然在中国哲学史和经学史上占有重要地位，产生了重要影响，但往往通过巴蜀经学体现出来，即通过历代蜀学人物对儒家经典、经说的阐释而提出其丰富多彩、别具特色的哲学思想。所以巴蜀哲学与巴蜀经学密不可分。

巴蜀哲学在中国经学史上占有重要地位，产生了深远影响。巴蜀哲学与经学的关系十分密切，对二者及其相互关系的研究具有重要意义，可从一个侧面把握地域性哲学文化与时代思潮的互动及其意义。概括来讲，巴蜀哲学本身与巴蜀经学紧密相连，而在中国经学史上占有重要地位，产生了深远影响。

文翁化蜀，首创地方官学，派遣生员东受七经，还教吏民，除了对中国哲学产生重要影响外，亦对中国经学和巴蜀经学的发展产生了重要影响，使得儒家经典经学得以流传入蜀。后世的巴蜀学人，依据这些经典经说加以哲学理论的创造，促进了巴蜀哲学的发展。

巴蜀哲学史上的著名人物大多在经学研究上深有造诣，他们的经学研究富于哲学思辨，而他们的哲学研究又常常以经学的形式出现，由此使得巴蜀哲学思想与巴蜀经学相互交融，互涵互动，促进了巴蜀哲学思想与巴蜀经学的持续发展，也为促进中国哲学与经学的发展，产生了重要影响。

巴蜀哲学作为中国哲学史的一个重要分支和巴蜀地域文化精神的体现，不可分割地与中国经学联系在一起；巴蜀经学作为中国经学内在结构不可或缺的组成部分，也与中国哲学密切相连。巴蜀哲学、巴蜀经学在中国哲学史和经学史上均占有重要地位，深刻影响并促进了中国哲学与经学的持续发展，而值得认真总结和探讨。

二、巴蜀哲学思想的发展脉络

在巴蜀哲学史上，历代杰出人物辈出，他们的哲学理论和思想观点体现了各个时代思潮的丰富内涵，各自为不同时期的中国哲学的发展做出了贡献。巴蜀哲学纵贯古今，有三次发展的高潮，即汉代巴蜀哲学、宋代巴蜀哲学和近现代巴蜀哲学这三个发展阶段而形成高潮。

然而，作为地域性的巴蜀哲学是整个中国哲学的有机组成部分，并以其自身的特点，深刻影响了其他地区的哲学思想，乃至其在某个时期的哲学思想对全国哲学的发展具有全局性的重大影响，从而为整个中国哲学的持续发展做出了重要贡献，在中国哲学史上占有重要地位，而这又是通过不同时期的巴蜀哲学的持续不断地丰富发展体现出来的。

（一）汉代巴蜀哲学思想发展形成高潮

虽然先秦时期巴蜀哲学尚未出现有全国影响的人物和学派，但蜀地学术经过蚕丛、柏灌、鱼凫、杜宇、开明、秦等重要历史时期，形成了鲜明的蜀地学术风尚。经西汉文翁化蜀，巴蜀文化逐渐融汇入中华文化之中，而"蜀学"得以真正兴起，巴蜀哲学亦首次进入繁荣时期。此时期的巴蜀哲学是黄老道家与儒家今文经学、谶纬神学的繁荣，是黄老学与儒学相结合的重要时期，流传至今的重要代表作品《道德指归》（亦称《老子指归》）、《太玄经》《法言》都带有这样的特色。

巴蜀哲学与蜀学密不可分，经文翁兴学化蜀，引入儒家经学，而兴盛起来。

文翁化蜀对巴蜀哲学和思想文化产生了重要影响。文翁主张民为邦本，先富后教；确立教化为先的观念；积极学习中原文化，教授巴蜀；崇儒重法，注重吏治；等等。这对巴蜀乃至对全国也产生了深远影响。

文翁化蜀后，巴蜀文风大盛，两汉时期，巴蜀地区出现了如杨终等一大批全国一流的经学大师。汉代的巴蜀经学，主要是今文经学盛行，图谶、术数学依附而行，也十分显著，至于古文经学则较为冷落。从学术传承上看，巴蜀经学家主要以师授为主，他们或诣博士受经，返乡教授，或游历各地，拜师求学，或就蜀地郡县学，或就本地学者学习，而外来为官的蜀地郡守也多传播经学。这些经学活动家甚至形成网络式的经学传播、经学学系。两汉时期，巴蜀经学甚盛，巴蜀今文经学的繁荣主要体现在其所涉及内容遍及群经，以独研一经居多，如对今文易学、今文尚书学、今文诗学、今文春秋学、今文礼学的研习颇为盛行，而兼习众经的情况也并不少见。两汉的巴蜀学者，也有不少兼通群经，尤其东汉，兼通者较多。

在巴蜀经学繁荣的基础上，产生了诸多学术派别。两汉时期的巴蜀，不仅经学兴盛，还往往子承父业，世代相传，如扬雄、翟酺、赵典、来敏、张晧、周舒、杨仲续等，都传其学于家人，形成了各经学派别，深深影响了两汉乃至三国、晋代的巴蜀经学。

与两汉巴蜀经学取得长足发展相关联，巴蜀哲学也有了新的变化。这主要表现在阴阳五行、灾异、图谶、术数学的盛行，儒家忠孝观念的加强等方面，从一个方面促进了巴蜀哲学的崛起。

汉代巴蜀哲学的发展也体现在严遵对道家思想的发展上。先秦时期的巴蜀盛行神仙学、道学思想，将此传统发扬光大而荣显于后世者，首先是成都严遵。严遵作《道德指归》，在继承先秦老庄思想、稷下学术、汉初黄老之学的基础上，对道家思想作了进一步阐发。严遵亦是汉代融会《易》《老》的重要代表人物，无论对老庄道家思想的发展，还是对易学的发展，都做出了重要贡献。其弟子扬雄拟《易》而作《太玄》，在融会《易》《老》方面更向前迈进了一步。

扬雄的哲学思想亦是巴蜀哲学在汉代发展形成高潮的重要表现。扬雄作为汉代不囿于今古文经学、谶纬神学而具独立思想的哲学家，在哲学领域建构起了以"玄"为本的哲学体系，对玄学的兴起有先导之功。他继承其师严遵，借鉴吸收了老庄之学，但又不失儒家立场，以孟子后继者自居，他既坚持儒家的伦理思想，又采用了道家的处世哲学，在人性论上又自出新意，提出"善恶混"的人性学说，融会儒道，自立新说。扬雄倡导三分法，分天地人三玄，又别分始中终、下中上、思福祸，赞赏"进而未极，往而未至，虚而未满"的玄道，去极端而倡中和，在哲学上尤有独特的贡献。扬雄的哲学具有重要的历史地位和深远的影响。

巴蜀哲学在汉代形成发展高潮的又一个重要表现即是影响中国哲学甚大的道教在东汉末产生于巴蜀鹤鸣山（在今四川省大邑县）。

（二）蜀汉至隋唐五代巴蜀哲学思想在流传演进中崛起

继在汉代形成发展的高潮，巴蜀哲学经历了由蜀汉至隋唐五代时期在流传演进中崛起的发展阶段。在一定意义上可以讲，三国、两晋、南北朝、隋唐、五代时期是巴蜀哲学由兼容儒、道向兼容三教、融会诸家发展的重要时期。

蜀汉时期，巴蜀儒学体现为迁蜀儒士与土著儒士并隆，传统今文经学与荆州传入的古文经学并兴。这一时期，学术巨变，今文经学渐次让位于古文经学，而巴蜀今文经学仍然兴盛，尤以图谶、灾异名，对当时的学术政治产生了重要影响。今文经学仍有较大的势力。迁蜀儒士弘扬古文经学，又将儒家与兵家相结合，具有经世致用的特色。两晋南北朝时期，巴蜀经学向多元化方向演进。

南北朝时期，巴蜀经学衰落，道教沿袭汉末三国时天师道，向上层化方向发展。自张鲁投降曹操而北迁后，继任的第四代天师张盛前往江西龙虎山传教，留在巴蜀的有阳平、鹿堂、鹤鸣三大治的祭酒，同时又在各地逐渐产生了一批脱离三大治而自行传道的道教徒。其中最引人注目的有陈瑞天师道、范长生天师道和李八百李家道。这时道教中又有哲学思想的新阐发。如范长生对卦变、升降、卦气等传统易学思想进行新阐释，在卦变系统化和条理化方面做出了贡献。

巴蜀哲学的演变进入隋唐，产生了以蜀人李荣、王玄览为代表的道教"重玄"哲学，对道教义理化做出了重要贡献，使道教哲学日趋精微。李荣、王玄览既是此时期巴蜀地区出现的著名的重玄学大师，也是全国一流的重玄学者。

李荣与佛教徒有过激烈的论辩，却又主张佛道会通，并通过借鉴吸收佛学思想，著《道德真经注》，极力阐发重玄思想，与成玄英一道，共同推进了道教思想的重玄学化。王玄览撰《老经口诀》《老子注》，门人纂集《玄珠录》，更为深入地融会佛道二教思想，大量使用佛学思想语言，使其重玄思想充满了佛学的味道。

唐中后期资州著名易学家李鼎祚撰《周易集解》一书，以象数为主，适当采集义理易学，体现了其象数、义理兼重的意蕴。其易学哲学兼重天道、人事，而尤契于玄学，赞同道家无为而治的思想，比较尊重易学旧传统。

巴蜀佛教在晋以后逐渐兴盛起来。随着巴蜀与中原、江南的联系和交流进一步加强，巴蜀佛学在唐朝取得了长足的发展，南北交融、综合三教的色彩日益明显。这一时期，巴蜀地区禅教颇盛，巴蜀在当时禅宗八家中独占五家，只有北秀、牛头、石头三派于蜀中无传，可见在全国禅宗力量中，巴蜀最为雄厚。

隋唐时期，巴蜀佛学大师马祖道一、宗密二人的佛学理论与佛教哲学集中体现了巴蜀哲学在唐代的进一步演进，它不仅在蜀地，而且在全国都产生了重要影响。唐代汉州什邡县马祖道一深入阐释自心是佛，独创四层次接引法，提出任心为修等思想。在佛教理论、教育方法、典籍文献、寺院寺规等方面均作了革新，全面确立禅宗"不立文字，教外别传，直指人心，见性成佛"的风格，从而真正地实现了佛教中国化。唐代果州西充宗密则提出教禅与三教"和会"之论，多角度阐释真心本体等。他总结、综汇了各宗思想，其佛教哲学以融会为突出特色。宗密作为唐代中后期著名的禅宗学者，也是唐代佛教的理论大师，他集隋唐佛学理论之大成，其思想代表了中国佛家思想的高峰。宗密显然已有从宗教折入于哲学的倾向。其宗教哲学思想承前启后，在本体论、心性论、修养论等方面对宋明理学也产生了深刻影响。

唐代巴蜀哲学不仅在融会儒释道方面做出杰出贡献，而且以赵蕤《长短经》为代表，在综汇诸子百家、折中于儒方面贡献突出，形成了奇正相生、文质互变、长于变通，而立足于儒学之正的哲学风貌。

五代时期的巴蜀哲学呈现出儒释道三教均得到流传演变的趋势。五代前后蜀统治下的四川相对安定，基本上保持了唐代以来的承平。前后蜀统治者重视学术，兴建学校，开科取士。后蜀宰相毋昭裔更刊刻石经，称《蜀石经》，对儒学的发展做出了重要贡献。杜光庭长期居蜀，在道教斋仪、文献、哲学理论的集成与提升等方面傲视百代，极大地推进了巴蜀道教哲学的发展。

如上所述，蜀汉至隋唐五代，巴蜀哲学儒释道三教交融、诸子百家综汇，体现了其多元会通、兼容开放的特色，其中以宗密、马祖道一为代表的佛教哲学，以及以李荣、王玄览、杜光庭为代表的道教哲学，以李鼎祚、赵蕤为代表的儒家哲学影响甚大，体现为蜀汉至隋唐五代巴蜀哲学思想在流传演进中崛起，为促进中国哲学的持续发展做出了重要贡献。

（三）两宋巴蜀哲学思想发展蔚为大观

两宋时期巴蜀哲学进入发展的高潮。其时，与全国学术发展的潮流相适应，重义理的宋学逐步取代重训诂的汉学而居于学术发展的主导地位。由儒释道三教鼎立到三教融合，巴蜀哲学和宋代蜀学也走过了诸学并起，而进一步发展为以儒为主，吸取佛、道文化，由汉学向宋学、由重训诂考释向重义理进而到重思辨性的哲理的转型道路。并且，蜀、洛融合，理学至南宋中后期逐渐成为巴蜀哲学与蜀学发展的主要趋势。①

从北宋初到北宋中叶，宋代蜀学的发展呈现出一个诸学并起的局面，诸学并进的主流仍然是儒学。这一时期的巴蜀哲学呈现出融会各家，杂用佛老，重视儒学，提倡义理，讲求伦理的治学实践和思想现状，这为宋代巴蜀哲学的进一步发展提供了多元的思想环境和文化背景。②

在经历学统四起，杂用诸家的演变过程中，与全国性的理学思潮的兴起相适应，理学也在宋代巴蜀地区悄然兴起。宋初陈抟在四川游访，他继承象数学之传统，且把黄老清静无为思想、儒家修养、道教修炼方术及佛教禅观熔为一炉。其后，著名理学家周敦颐入蜀活动，教授学者，促进了宋代巴蜀理学的兴起。此外，程氏父子入蜀活动，尤其是北宋理学的代表人物程颐两度入蜀，在蜀著书立说（撰理学及义理易学的代表著作《伊川易传》于蜀地涪州）传道授业，产生了重要影响，直接促进和推动了宋代理学的兴起与发展。

宋代巴蜀哲学的发展与三苏蜀学有密切关系，不仅二程洛学在其形成和发展的过程中与三苏蜀学有着相互交往的关系，二者存在着相同相异之处，在相互辩难中促进了各自学术的发展，而且理学与蜀学的相互关系也影响了北宋以

---

① 参见胡昭曦：《宋代蜀学的转型》，《胡昭曦宋史论集》，西南师范大学出版社1998年版。
② 参见蔡方鹿：《北宋蜀学三教融合的思想倾向》，《江南大学学报》（人文社会科学版）2011年第3期。

来巴蜀哲学的演进和发展。三苏蜀学在哲学上有较高造诣，这主要体现在三苏提出道本论宇宙观、善恶非性的人性论和阴阳相资的辩证法思想等方面，客观地对宋代巴蜀哲学产生了重要影响。周敦颐、程颐在蜀的学术活动和讲学、著述，就直接体现为宋代巴蜀理学的一部分，并通过程颐的蜀中弟子谯定及其涪陵学派、谢湜等影响了巴蜀理学；程颐的著名弟子尹焞也入蜀活动、讲学，传播程颐的理学和易学思想，扩大了其在巴蜀的影响。此外，程颐的蜀中后学张浚、李石等也继承、传播了二程的学说，为南宋巴蜀理学的大发展起到了承上启下的作用。

与北宋时理学在巴蜀悄然兴起相联系，宋代蜀学出现了三教融合的思想倾向。蜀学与儒释道三教联系紧密。三苏蜀学儒佛道三教融通合一的学风与北宋宰相张商英三教"鼎足之不可缺一"①的思想相互映衬，体现了北宋时期巴蜀哲学的一个特点，并在一定程度上反映了整个中国哲学在当时的一个走向。

继北宋时期蜀学和理学等各派学术的发展，巴蜀哲学至南宋发展到一个高潮，这主要体现在：南宋时与朱熹齐名的著名蜀籍理学家张栻通过与朱熹等的交往和辩难，在中国哲学史上首次提出"心主性情"②的命题及其他重要思想，对理学的理论建构及促进宋代理学之集大成者朱熹思想的确立与成熟，产生了重要影响。张栻讲学于湖湘，蜀人多从之。不少蜀中学者从学张栻后，又回到巴蜀讲学，传播了张栻的理学思想，在这个过程中，也促进了宋代理学的进一步发展和流传。

此外，朱熹的蜀籍高足度正不仅通过入闽求学于朱熹数月，努力弘扬周敦颐、二程、邵雍、张栻、朱熹等人的理学，而且亲撰《周敦颐年谱》，在蜀中大力宣扬理学，扩大了理学的影响。度正还发挥改造朱熹的思想，提出更具包容性的道统论，充分肯定汉唐诸儒在传儒家圣人之道及经典传授过程中的作用，指出汉儒所传《易》《书》《诗》《礼》《春秋》等经典，皆出自孔子，由于他们的传授，使得"孔子之书赖之以存"，而韩愈、柳宗元则"驾两汉而追三代者"③，使圣人之道得以流传。

---

① 《护法论》，《大藏经》第52册，台湾新文丰出版公司1983年版（下引版本同此），第643页。
② （宋）朱熹著，郭齐、尹波点校：《胡子知言疑义》引，《朱熹集》卷七三，四川教育出版社1996年版（下引版本同此），第3858页。
③ （宋）度正：《上费尚书书》，《性善堂稿》卷七，文渊阁四库全书本（下引版本同此）。

著名理学家魏了翁继承并发展了张栻、朱熹的思想，在四川创办当时藏书为全国书院之最（达十万卷）的著名的鹤山书院，在巴蜀大力传播理学，扩大了理学的社会影响。他在朱熹、陆九渊之后不停留于朱学，折中朱陆，而又倾向于心学，预示着理学及整个学术发展的趋向；魏了翁一再上疏，为周敦颐、程颢、程颐三人请谥，为确立理学正统地位发挥了重要作用。魏了翁提出超越朱学，通过原典求得活精神，"不欲于卖花担上看桃李，须树头枝底方见活精神"[①]；重视事功，"欲以振天下趋事赴功之心"[②]；肯定人欲有善的一面，"欲虽人之所有，然欲有善、不善存焉"[③]等一系列有价值的思想，促进了宋代学术和巴蜀理学的发展与创新。魏了翁具有调和蜀、洛的倾向，而与正统理学家排斥三苏蜀学有所不同，从而集宋代蜀学及巴蜀理学之大成。

以上巴蜀理学的代表人物张栻、度正、魏了翁等的学术思想和学术活动不仅促进了南宋理学的大发展，而且其精致的思辨性哲理也使两宋巴蜀哲学得到长足的发展，使得整个巴蜀哲学在宋代发展到一个新的高度，也就为促进宋代中国哲学的大发展做出了重要贡献。

（四）元明清巴蜀哲学思想对理学的批判性反思

元明清时期巴蜀哲学在对理学的批判中自我反省，继续得到流传演变和发展。作为官方哲学和社会意识形态指导思想的理学，随着流弊日显，遭到了人们的批判，而提倡经世致用、思想启蒙、批判专制、重考据训诂。巴蜀哲学逐渐向融贯博通，提倡实事实功、崇实黜虚，通经致用，批评理学流弊，肯定情欲，重视人情，提倡理欲结合，重视事功和功利，批判封建专制主义等方向转型，为近现代巴蜀哲学的进一步发展打下了坚实的基础。

元代思想家虞集一方面崇道宗朱，表彰和传播巴蜀理学和魏了翁之学；另一方面又不囿于朱陆之争，而重视心学，预示着学术发展的趋向。虞集还融通三教，"博涉于百氏"，这是他对宋元以来各派学说流传发展的总结和综合，也是对理学排他性流弊的批评，集中体现了元代学术所具有的融通、包容之特色。

明代巴蜀著名学者杨慎和巴蜀隐士来知德均对理学提出了批评和疑辨，并

---

① （宋）魏了翁：《鹤山集》卷三六，《答周监酒》，文渊阁四库全书本。
② 《鹤山集》卷二一，《答馆职策一道》。
③ 《鹤山集》卷三二，《又答虞永康》。

重视和提倡实学，体现了巴蜀哲学的发展趋向。杨慎是明代中期独具新风的思想家，在当时宋明理学居于统治地位的时代，他对正宗的程朱理学和后起的王阳明心学展开了尖锐的批判。并在批判中，大力主张对古文的考证与研究，恢复两汉经学的考证方法，提倡一种多闻、多见、尚博、尚实、重传注疏释的学风。这为纠正理学流弊，促进学风的转向做出了贡献，对于打破当时学术界的旧传统、旧思想，对于以后的"经世致用"之学和考据学的兴起和发展，都产生了一定的影响。

著名隐士学者来知德对宋明理学既有批评和疑辨，亦有所肯定，总的来讲是以孔子为源头，而对理学的超越。来知德强调继承发扬孔子思想，并贯彻到躬行实践中，认为言行一致、躬行践履就是"实学"。并以气本论批评了朱熹的理本论和太极论。来知德还提出自己独特的"舍象不可以言易"，假象以寓理，"理寓于象数之中"的易学思想和"太极不过阴阳之浑沦"的观点，错综取象以注《易》，用象数释义理，对《周易》予以新解，发展了传统易学。

明清之际的费密和唐甄都是巴蜀哲学史上的著名思想家，在全国也有重要影响。费密提出"中实之道"的思想，成为当时实学思潮的重要组成部分，体现了明清之际的时代精神。费密主张"欲不可禁"，也不可纵，批评"专取义理"而压制人欲的倾向。他的弘道论别具特色，主要是提出了帝王统道的"道脉谱论"，以代替理学以儒生统道的道统论；并提出"舍经无所谓圣人之道"的思想，主张不受宋儒说经的束缚，从汉唐诸儒对儒家经典的注疏中求得圣门本旨。由此尊崇汉儒，重视训诂注疏，开清朝汉学之风气，给后来的汉学复兴以重要影响。为此，胡适给费密以很高的评价。

唐甄提出"凡为帝王者皆贼也"[①]的思想，其对封建帝王专制主义的批判，在全国产生了很大的影响，是其思想的一大亮点；唐甄在治学中，重视事功，批评程朱理学，主张道不离欲，把道德原则建立在实事实功和客观物质欲望的基础上。其对理学的批判，反映了时代的变迁和社会风尚的转移，由重道德自律转向事功之学和关注人生日用。唐甄还提出心为本，经为末，"五经"不过是明心之助，"四书"重于"五经"的思想，而具有自己的特色。这些方面体现了唐甄的社会批判、启蒙和实学、心本经末的思想，而在当时的思想界

---

① （清）唐甄著，吴泽民编校：《潜书》，《室语》，中华书局2009年版（下引版本同此），第196页。

和巴蜀哲学史上占有重要位置。

清中叶著名思想家刘沅的学术思想集中反映了那个时代蜀学的面貌。其对理学的扬弃，对三教的融合，对经学的"恒解"，既具时代精神，又呈现个人特质。由此表现出既与理学、清代汉学不同，并对二者提出批评，又不完全舍弃。其确有自己独到的见解和深厚的理论积淀。刘沅创造性地提出先天、后天说，这是对理学的扬弃和发展。刘沅不仅批评理学流弊——这是他思想日新的表现而具有时代性，而且在对理学批评和扬弃的基础上，也予以继承发展，并非一味反对。刘沅重视人情，又以天理为指导，是在价值观上一定程度认同于理学的表现；刘沅对理学的经学观也基本认同，并在此基础上阐发自己的新思想。同时，不论自觉与否，刘沅都不能完全摆脱一代学术思潮理学对他深刻的影响，而是客观上对理学有所承袭和发展，使之具有了新的时代特色。

（五）近现代巴蜀哲学思想在批判传统中走向兴盛而具有新时代特点

近现代巴蜀哲学思想发展的脉络是在批判传统中经过转型走向兴盛。鸦片战争以来，中国社会发生了深刻变动，西方列强利用坚船利炮打开了中国的大门，使有古老传统的中国一步步地沦为半封建半殖民地社会，中华民族遭受到前所未有的劫难和掠夺。先进的巴蜀有识之士为了救亡图存，一方面学习和借鉴西方的先进思想文化，寻求救国救民的道理；另一方面批判继承传统的思想文化观念，并且提出自己的新思想，使巴蜀哲学得以转型和兴盛，最终走向马克思主义的中国化，为巴蜀地区社会文化和哲学发展指明了方向。

廖平的经学思想包含着对封建主义的批判，他在经学二变中提出"尊今抑古"的思想，认为古文经学乃刘歆等所伪造，并认为孔子"微言大义"的真谛是托古改制。这两点见解的政治意义要大于它的学术价值。古文经学在历史上长期占统治地位，也是清王朝专制统治的重要理论基础，一旦被廖平宣布为伪造，这对打破两千年来无人敢疑、无人敢违的旧传统，把人们的思想从禁锢中解放出来，具有思想启蒙的积极意义。廖平根据时代的要求，强调托古改制，因时救弊，具有重要政治意义。主要是借孔子这个历史权威来表达改革现实社会的政治主题。

出生巴蜀的青年才俊以极大的热忱接受新思想，以强烈的历史责任感积极投身到变法革新的运动之中。有的走出巴蜀之地，到全国政治文化的中心学习先进思想和参加革新斗争，甚至远涉日本等地留学。这其中包括在中国近代史上有着重要影响的三位重要人士：被称为"六君子"之一的变法志士杨锐、有清末"新学巨子"之称的维新改良思想家宋育仁，以及被喻为"革命军中马前卒"的民主革命者邹容。他们都接受了西方民主、自由、法制、进化等新思想，为中国的社会革新做出了积极的贡献。邹容撰《革命军》，集中体现了他反封建专制制度和他的自由、民主、革命等思想。

吴虞以西方平等观与法治思想批判儒家礼教，以西方三权分立与学术自由思想批判儒家专制主义，以西方独立、自由、平等观批判儒家孝本论，以西方男女平等思想批判儒家男尊女卑论，在当时产生了重要影响。我们以辩证方法和历史唯物论观点以及现代阐释学的原理，审视吴虞对孔孟之道或儒学的批判就可以看出，其批判是合理性和局限性并存，而不应作片面的理解。

郭沫若通过对孔子思想批判的反思，得出了与批判者不同的结论。他认为孔子的立场是顺乎时代潮流与同情人民解放的，孔子大体上是代表人民利益的，孔子的"仁"是人道精神，孔子主张开发民智，孔子所讲之"命"是自然界的必然性，从而对孔子思想作出肯定性的价值评价。但郭沫若坚决反对宣扬复古思想。

蒙文通以理气分合的哲学观批评朱熹、王阳明，认为陆象山得到了思孟学派的真传。而且他在服膺列宁哲学后对理学有了新的评价，具有调和程朱理学与陆王心学的倾向；并肯定罗钦顺等的气本论，批评先天论，契心于陈乾初、王船山的发展论。不管蒙文通思想如何变化，他对孔孟思想的推崇却是一贯的。

巴蜀现代新儒家代表人物贺麟和唐君毅均是我国学贯中西的著名哲学家。贺麟在文化哲学观上，不仅有选择性地批判西学，同时主张复兴中国文化必须学习西方的近现代科学、民主等先进思想，特别是提出了复兴儒家文化，必须与西方文化融通，主张大规模地、无选择地输入西洋文化学术，以西方的哲学、宗教、艺术来发挥、充实和发扬中国的学术思想文化，而且在本体论、伦理道德观、认识论等方面都有自己的创见，在西方哲学的翻译、介绍以及研究等方面做出了重要贡献。

唐君毅构建起了一个关于哲学、道德、文化思想的庞大理论体系。它是以中国传统的人文精神，包括以儒家的心性哲学、伦理道德等为根基，融合中西印文化而成。在文化意识方面，唐君毅有着他自己的生命体验和开拓性的创新。

就整体而言，巴蜀近现代哲学思想是中国近现代哲学的重要组成部分。其产生、发展与全国近现代哲学的产生与发展是基本同步的。其主要表现于除实证论之外，几乎所有的中国近现代思想无不在巴蜀哲学家或思想家那里体现出来。与此同时，巴蜀近现代哲学还具有自己的特质和新时代的特点。这主要表现在：一是黑格尔哲学、新黑格尔主义研究成就突出；二是现代新儒家思想凸显；三是中西哲学思想融会贯通；四是在批判孔孟之道方面涌现出了在全国有较大影响的学者，即吴虞先生。

巴蜀近现代哲学思想的发展是一个先经学哲学，再政治哲学，后理论哲学（凸显哲学的学术性）的过程。这即是巴蜀近现代哲学发展的内在逻辑。

随着五四运动的爆发，各种西方思想纷至沓来，马列主义也被介绍进来，在近现代巴蜀大地得到了广泛传播。1919年夏天，从日本留学归来的王右木在成都成立了马克思读书会，马列主义开始在巴蜀传播。抗日文化主将、马列主义者郭沫若运用马列主义思想对先秦诸子哲学思想进行考察批判，并且运用辩证唯物论、历史唯物论的方法研究历史、文学、戏剧等，均取得了丰硕的成果而影响深远。中国共产党在领导新民主主义革命和中国特色社会主义建设的伟大实践中，创立了中国化的马克思主义，并使其在巴蜀大地得到了广泛的传播，成为巴蜀地区革命和建设的指导思想。

（六）四川彝族、藏族哲学的发展丰富了巴蜀哲学思想的内涵

在巴蜀哲学发展的历程中，巴蜀各个少数民族都有自己或多或少的哲学思想，但相对而言，彝族和藏族的哲学思想较为丰富，尤其是藏族哲学中的藏传佛教哲学思想不仅学理高深，而且自成系统。因此，四川的彝族、藏族哲学是巴蜀哲学中重要的组成部分。任何哲学都是以民族性的形式出现，具有时代性的内容。中华民族的灿烂文化是在历史上形成的，由五十六个民族共同创造的，中国传统哲学也是以各民族哲学为其基本内涵。各民族哲学既有其个性，体现了民族个性化的风格；亦有体现各民族哲学本质的共性，以及探索人类爱智和抽象思维的共同本质。四川彝族、藏族哲学在其形成和发展演变的历史过程中，与其他民族、宗教的哲学文化相互影响、相互渗透，融会贯通，并具有自己的特色，以此丰富了巴蜀哲学的内涵，促进了巴蜀哲学的持续发展，共同构建了多元一体的巴蜀哲学。

四川彝族哲学思想，主要就是指凉山彝族聚居区彝族的哲学思想。在漫长的传统社会里，凉山彝族的宗教信仰尚未脱离原始宗教形态，信奉多神，没有发展到一神教，也没有供众人朝拜的神庙和一整套教阶制度。但是，凉山彝族

经过世世代代运用自己的聪明才智、经过艰辛的努力创造了独具特色的物质文明和精神文明，为人类的发展做出了贡献。从哲学思想层面讲，一方面，凉山彝族从改造自然和日常生活的实践中，通过自己的思维反思，概括和提炼出具有一定水平的哲学思想或富有哲理性的思想；另一方面，客观存在的某些落后状况制约着其哲学思想的发展进程和向较高水平的推进，是较为素朴的哲学，且有不少是通过神话和宗教思想表现出来的。

凉山彝族对宇宙观与天人关系论的探讨具有哲学的意蕴。在古代凉山彝族看来，混沌之气虽然是宇宙的本原，但是天地并不由此而自然生成，必须依靠具有强大力量的"神人"才能得以产生。

凉山彝族哲学还包含有朴素辩证法思想，提出万物莫不有差，事物的两面相依存又相交合的相依相合的矛盾观。并提出正反两面变的变化发展观，这尽管带有朴素的特性，但却强调变化的永恒性和普遍性。

凉山彝族哲学还具有朴素的认识论，其先民在长期的实践中，对于人们如何认识世界或获取知识有着直观的感受和体悟，从而产生了朴素的认识观。认为认识来源于实践，学而知之与生而知之是对立的。

凉山彝族传统哲学中的道德观别具特色，表现为重视家支道德，热爱家支，维护家支团结，捍卫家支荣誉等。而且，凉山彝族传统哲学中的道德观还包括：尚礼，以礼至上；扬善去恶，重名轻利，知羞爱面等。

需要指出，深厚的爱国主义道德情愫是凉山彝族优秀的道德传统。这主要表现在凉山彝族群众在抗击帝国主义的侵略、反对旧制度和拥护新制度等方面。

四川藏族的宗教主要是指苯教和藏传佛教，而佛教是他们普遍信仰的宗教。

苯教是藏民族的原始宗教，也是藏民族传统文化的重要组成部分。在西藏产生的苯教及最早传播到西藏的佛教，又传播到四川。苯教在四川涉藏地区得到了较大的发展，其寺庙和信徒超过了西藏、青海、甘肃、云南等涉藏地区。与此同时，在四川涉藏地区，藏传佛教与苯教的高僧大德众多。

苯教典籍众多，苯教大藏经是苯教文献总集，同藏传佛教大藏经一样，分为《甘珠尔》和《丹珠尔》。藏传佛教典籍更是琳琅满目，数不胜数，各派义理、戒律、修行方法等更是种类繁多，大放异彩。苯教哲学和藏传佛教哲学包含于这些卷帙浩繁的各种典籍之中，其中又主要通过其义理的阐释透显出来。

四川涉藏地区的藏传佛教典籍浩如烟海，其各派的义理也是百花齐放。苯教尽管从佛教传入涉藏地区以来，逐渐吸取了其中的一些内容，但是从根本上讲，苯教早期属于原始宗教形态，所以其哲学思想不仅是朴素的，而且是零碎而非系统的，只是在后来的发展中融入一些佛教哲学思想的内容，使其具有了哲学理论系统。与此相反，藏传佛教哲学内容丰富，包括心性论、缘起性空论、宇宙观、因果观、人生观、生死观、般若论、实践观、道德观、认识论等诸多方面。而且藏传佛教哲学理论高深，学派众多，各派又自成体系，独具特色，尤其是格鲁派中观哲学与宁玛派心性哲学内容丰富精深，觉囊派他空见特色鲜明。藏传佛教各派在四川涉藏地区不仅都有传播和扎根发展，并且涌现了出生于当地的高僧大德和著名学者。如出生或居住在四川涉藏地区的著名学者有噶玛巴·都松钦巴、绛央钦则旺波、局弥潘·绛央南杰嘉措、巴珠·吉美却旺、司徒·却吉迥乃、慈成仁钦、释迦坚赞、麦彭绛央南迦嘉措、工珠·云丹嘉措、日比生根等人，他们在深入阐释藏传佛教哲学思想、提出自己的见解和弘扬藏传佛教等方面贡献了自己的力量，有的还不乏自己的新的建树。

哲学作为一个民族精神与深层文化的理性主义思维，内容丰富而又别具特色，巴蜀哲学及其思想文化就是由巴蜀地区的汉族和各少数民族的丰富多彩的哲学思想和理论体系构成的。由此，四川彝族、藏族哲学的发展丰富了巴蜀哲学的内涵而不可或缺。

从以上对巴蜀哲学发展历程、脉络和四川彝族、藏族哲学的考察，可见其对中国哲学产生了深远影响，对蜀学和中国哲学的发展做出了重要贡献，在中国哲学史上占有重要地位，而值得进一步深入研究探讨。

三、巴蜀哲学思想的主要特色

巴蜀哲学是巴蜀文化各发展阶段时代精神的集中体现。作为一种地域性哲学，连绵不断，既一脉相承，纵贯古今，又与域外哲学会通交流，凸显自身特色。巴蜀哲学在各个时期的发展对中国哲学的发展做出了突出贡献，而在中国哲学史上占有重要地位。巴蜀哲学具有自身的特点和个性，同时由于中国哲学各时代思潮与各地域思想文化的互涵互动，相互交流、相互影响、相互渗透、相互体现，所以独具特色的巴蜀哲学亦是中国哲学的重要构成，并对同时代和后世的中国思想文化的发展产生了重要而深远的影响。深入探讨巴蜀哲学的主要特色，对于全面深入认识巴蜀哲学及其与中国哲学的关系，具有重要的学术价值和意义。

概括起来，巴蜀哲学思想具有如下主要特色：

（一）蜀学之魂，长于思辨

广义的蜀学是指巴蜀地区自古迄今的以儒为主、会通三教的学术文化，其中包含着丰富的思辨哲学。蜀学萌芽于先秦，至汉初开始勃兴，传承于蜀汉两晋南北朝隋唐五代，繁盛于两宋，流传于元明清，至近现代而复盛。蜀学是中华学术文化的重要组成部分和内在结构的体现，有深邃的哲学内涵，其相互关系贯穿于巴蜀哲学发展演变的始终。蜀学中的儒、佛、道三教，既相互对立，又融会贯通，别具巴蜀地域哲学之特色。蜀学之魂，长于思辨，这是巴蜀哲学的重要特点。

融贯儒、佛、道三教的巴蜀哲学，具有较强的哲学思辨性，西汉蜀人严遵提炼的道家哲理对道学思想产生了深刻影响。严遵提出"以有知无，由人识物"，由形象到抽象的认识方法；"见微知著，观始睹卒"，推类而及的认识逻辑[①]，是对老子"知不知上"[②]不可知论的发展。严遵继承前代道家学说，将老子有生于无思想与《淮南子》气化论相结合，在对"道"之"虚无"及"无实生有"的宇宙演化方面，论述精致深微，思辨性强，从而开启了魏晋玄学之先河，成为汉代道家思想转变到何晏、王弼玄学思想的中间环节。

扬雄作为汉代不囿于今古文经学、谶纬神学而具独立思想的哲学家，在哲学领域建构起了以"玄"为本的哲学体系。他继承其师严遵，借鉴吸收了老庄之学，然以孔孟后继者自居，儒道相兼，具有较强的哲学思辨性。

中国道教起源于汉末蜀地，历经发展和交流，至唐代，巴蜀著名道教学者李荣、王玄览等人论证"重玄"哲学，对道教义理化做出了重要贡献，使道教哲学日趋精微。

唐代佛学大师蜀人宗密，其佛学哲理深邃精密，作为"唐代中后期最大的禅宗学者"[③]，"唐代最后一位理论大师"[④]，宗密集隋唐佛学理论之大成，其

---

① （汉）严遵著，（唐）谷神子注：《老子指归》卷三，《道生篇》，《道藏》第12册，文物出版社、上海书店、天津古籍出版社1988年版（下引版本同此），第45页。
② 《老子》七十一章。
③ 任继愈总主编：《佛教史》，中国社会科学出版社1991年版，第302页。
④ 冯学成：《四川禅宗史概述》，《巴蜀禅灯录》导言，成都出版社1992年版，第10页。

思想"代表了中国佛家最高峰的思想"①。宗密"显已有自宗教折入于哲学之倾向","在哲学思维上,则实能有所组织,自寻一系统"②。其宗教哲学思想承前启后,对宋明理学也产生了深刻的影响。另一佛学大师蜀人马祖道一思想里也含有精致的哲学。

宋代以来的巴蜀儒学吸取佛、道二教,又改造创新,在创立融合三教、富含哲思的理学过程中起到了突出作用,这与三苏等北宋蜀学人物有着密切的关系。三苏虽以文学见长,但在哲学上也有较高造诣。这主要体现在三苏提出道本论宇宙观、善恶非性的人性论和阴阳相资的辩证法思想等方面。

南宋著名理学家蜀人张栻在中国哲学史上首次提出"心主性情"③的命题,这对宋明理学心性论的理论建构和促进朱熹哲学的发展,产生了重要影响。

此外,巴蜀哲人赵蕤、杨慎、来知德、刘沅、廖平、郭沫若、蒙文通、刘咸炘、贺麟、唐君毅等,他们的学术思想里都包含着丰富的哲学,具有较强的哲学思辨性,体现了蜀学之魂长于思辨的特点。

(二)多元会通,兼容开放

巴蜀哲学的另一重要特点是它的会通性。所谓会通,指融会贯通、理论思维的高度凝练与融会,打通各地域、各学科,会通多元文化,而不局限于孤立的一家一派。巴蜀地处南北之中,兼容南北文化而折中取舍,具有善于吸收外来文化的开放性,如此巴蜀哲学得到长足的发展,而有别于排他性的学术。巴蜀哲学的会通性特点主要体现在:

1. 巴蜀哲学与域外哲学会通

汉初蜀郡太守文翁在成都创办地方官学文翁石室,使蜀地思想文化发生了新的质的飞跃。又遣蜀生去京师东受七经,数年后归蜀,还教吏民。标志着中原学术文化之儒家经学引进蜀地,这对巴蜀哲学思想的发展影响甚大。

东汉末,张陵在巴蜀鹤鸣山创建了道教。其后道教又在巴蜀流传演变,并在与包括域外道士学者的交流中不断深化其宗教教义及其哲学思想,推动着道

---

① 吕澂:《华严原人论通讲》,《社会科学战线》1990年第3期。
② 钱穆:《读宗密〈原人论〉》,《中国学术思想史论丛》卷四,安徽教育出版社2004年版,第179、189页。
③ 《朱熹集》卷七三,《胡子知言疑义》引,第3858页。

家道教哲学向前发展。成于张鲁之手的《老子想尔注》是我国哲学思想史上第一次站在宗教立场，以宗教神学诠释《老子》的著名作品，成为早期道教哲学的重要代表作之一。

唐绵州道士李荣精于道教义理，应诏入京，名著京师，当时被誉为"羽流之冠""老宗魁首"。他"开六洞义"，以为"道生万物"，"道本于际"，"道玄不可以言象诠"，舌战慧立、义褒、静泰诸名僧，指斥佛教之虚妄，以"道本虚玄"，阐扬"重玄之道"，与成玄英齐名。

唐佛学大师宗密离开巴蜀到襄汉、洛阳、上都（长安）等地活动，先后与道圆、灵峰、澄观等佛门著名人物交往，最后创立"教、禅一致"理论，成为对禅宗作全面而系统的理论阐述的大师，在中国佛学和中国哲学史上产生了广泛影响。

南宋理学大师张栻作为蜀人，长期在湘、浙一带活动，通过与胡宏、朱熹、吕祖谦等著名人士的交往和学术辩难，促进了宋代理学的大发展。张栻讲学于湖湘，不少蜀中学者从学张栻后，又回到巴蜀讲学，传播了张栻的理学思想，从而促进了巴蜀哲学的持续发展。

巴蜀哲学与域外哲学会通，还包括中西哲学会通，尤其是巴蜀现代新儒家代表人物贺麟、唐君毅均提出中西哲学会通、融通的观点。唐君毅还在深入分析中西哲学各自的特点和存在的问题之后，就中西方应该学习对方哪些哲学思想做出具体回答，他特别提出西方文化学习中国文化"自觉地求实现"的精神，方使自己悠久；而中国文化则由原来的"自觉地求实现"转为西方那种"自觉地求表现"[1]，以求得自身的充实。而且，他们的哲学思想具有典型的中西融会贯通的色彩。在学术交流的实践中，贺麟、唐君毅二先生不仅出川与省外学者交流，更是出国求学、访问讲学，有力地促进了儒学在现代的传承发展。

在吸取西方哲学方面，贺麟主张"必须以西方的哲学发挥儒家的理学"[2]，即以西方的苏格拉底、柏拉图、亚里士多德、康德、黑格尔的哲学与中国孔孟、老庄、程朱、陆王的哲学会合融通，使儒家哲学的内容更为丰富，体系更为严密，条理更为清楚，以此奠定道德和科学可能之基础。他主张"以自由自主的精神或理性为主体，去吸收融化，超出扬弃那外来的文化和以往的文化。

---

[1] 唐君毅：《中国文化之精神价值》，江苏教育出版社2006年版（下引版本同此），第361页。
[2] 《贺麟选集》，吉林人民出版社2005年版（下引版本同此），第123页。

尽量取精用宏，含英咀华，不仅要承受中国文化的遗产，且须承受西洋文化的遗产，使之内在化，变为自己活动的产业"①。贺麟提出的中西哲学会通的目的是为了应对文化危机，以本民族文化为主体，融会吸取西洋文化，实现儒家思想的新开展。唐君毅认为，吾人不仅要接受西方文化的科学、民主和个体自由，而且还要接受西方的哲学精神、宗教精神、审美精神等。他指出吸取西方文化不只是"左右采获，截长补短，以为综合"，而是为了把中国文化的发展推向一个新的阶段。由此他主张接受西方的哲学精神。

2. 以儒为主，会通儒、道、佛三教

巴蜀思想家具有融合黄河流域的齐鲁文化和长江流域的楚文化的特色，使富于伦理道德的孔孟思想与浑然朴实富于哲理的老庄思想融为一体。后又吸取佛教的思想，造就了巴蜀思想文化的独特风貌。汉代巴蜀著名思想家严遵著有《老子指归》，他继承老庄的哲学，讲由无生有的过程，但也受到儒家思想的一定影响，主张德刑并用，并提出顺民、重民的思想。严遵弟子扬雄是融合儒、道的思想家，在哲学上，他上承《易经》《老子》，下启王充、张衡乃至魏晋玄学，并影响了后来的思想家。北宋以苏洵、苏轼、苏辙为代表的三苏蜀学具有典型的融合三教的学风，他们既提倡儒家政治伦理思想，又对老子的道论加以吸取，并明显受到佛教思想的影响。北宋两度为相的著名学者张商英著《护法论》，强调："三教之书各以其道善世砺俗，犹鼎足之不可缺一也。"②体现了他儒释道三教融合，不可缺一的思想。元代理学家虞集提出融通三教，"博涉于百氏"③的思想，把佛教视为西方圣人所传，认为道教神仙之学不出天理之外，主张对诸子百氏各尽其蕴，而不偏滞于一方。清代著名蜀学学者刘沅除潜心研究儒家经典外，也通过接触、探讨道佛，深受二者的影响，认为佛老不为异端，"佛老之真者与圣贤无二"④，儒、佛、道是相通的。指出佛理原不外于儒理，佛亦不外于人伦物理，与儒无异。

以上著名蜀学人物以儒为主，会通儒、道、佛三教的思想体现了巴蜀哲学所具有的包容性、开放性的特征，吸取诸家学术之长而发展了蜀学。与其他地

---

① 《贺麟选集》，第123~124页。
② 《护法论》，《大藏经》第52册，第643页。
③ （元）虞集：《虞集全集》，《道园遗稿序》，天津古籍出版社2007年版，第1176页。
④ （清）刘沅：《槐轩杂著》卷三，《复王雪峤书（二）》，《槐轩全书》（增补本）九，巴蜀书社2006年版（下引版本同此），第3432页。

域文化相比,巴蜀哲学的包容性似乎更强,基本不把佛、道二教视为异端。

(三)释经创新,超越前说

巴蜀哲学有重经学的传统,并对前人旧说有所超越,而勇于创新。文翁是一位深通《春秋》的儒家人物,他在任蜀郡太守期间,大兴教育,提倡儒学,选拔蜀中俊杰之士赴京城学儒经。在文翁的倡导下,蜀地学子始治经学,为巴蜀学术在西汉跻身于全国先进之列,打下了基础。两汉三国时期,蜀中学人在治经学上取得了不少成就。扬雄亦具有仿经创始之功,他不信谶纬,糅合儒道,拟圣制作,以玄为高,以其《太玄》一书"妙极道数","度越诸子"。唐代李鼎祚重象数而转移时代之风。宋代蜀学的集大成者魏了翁著《九经要义》《周易集义》《经史杂抄》等,在经学史上占有重要地位。魏氏认为与其"多看先儒解说,不如一一从圣经看来……来书乃谓只须祖述朱文公诸书。文公诸书,读之久矣,正缘不欲于卖花担上看桃李,须树头枝底方见活精神也"①。主张超越朱熹等前说,从儒家原典中求得符合社会发展的"活精神"。这体现了巴蜀哲学释经创新,超越前说的精神。

清代著名学者刘沅对儒家经典十分重视,著《四书恒解》和诸经恒解等。但他对经典的重视,不是停留在对经典的文字训诂,抉摘字句上,也不是把注意力放在经书中的仪文节目、名物度数上,拘泥于古礼古乐,而是强调应随时代发展而变通之,目的是为了求经书中的道。他创造性地提出"先天后天说",由此对宋儒和清儒旧说都有所创新。

近代今文经学大师廖平在释经中加以创新。其经学思想凡六变,较有意义的是第一变以礼制区分今、古文经学和第二变尊今抑古,体现了廖平超越传统旧说的特色。其思想甚至影响到维新变法的康有为。

现代国学大师蒙文通继承廖平,阐发师说,亦提出己见,加以发展。主张超越两汉,向先秦讲经;批评汉学流弊,倡鲁、齐、晋之学,以地域分今、古;破弃今、古文经家法,而宗周秦儒学之旨。其后,蒙文通又提出汉代经学乃融会百家,而综其旨要于儒家而创立的新儒学的见解,推崇西汉今文经学。后于晚年著《孔子与今文学》,又对今文经学提出批评,认为今文经学乃变质之儒学。蒙文通的经学思想内涵丰富,深刻而富于创见,深深打上了时代发展

---

① 《鹤山集》卷三六,《答周监酒》。

的烙印,亦是巴蜀哲学释经创新,超越前说特点的体现。

(四)沟通道欲,情理结合

巴蜀哲学的一大特色是把道与欲、情与理结合起来,而表现为重视人情。在中国思想发展史上,儒家尚仁义,道家崇自然,形成中国思想文化对应的两端,然也相互影响沟通,它们之间的相互关系成为两千多年来中国哲学与文化发展的主线之一。与宋代理学家偏重伦理相比,三苏蜀学较为重视自然之人情,这体现了蜀学乃至巴蜀哲学的特征。苏洵作《六经论》,认为礼所代表的道德规范,是建立在人情的基础上,圣人因人情而作礼,贯穿着重人情的思想线索。苏轼继承苏洵,提出"六经之道,惟其近于人情"[①]的思想,认为"圣人之道,自本而观之,则皆出于人情"[②],从而提出把经典之义建立在人情的基础上。舍人情而言义,则为苏轼所反对。苏辙亦强调礼皆是"因人之情而为之节文"[③],把礼与世俗人情结合起来,而不局限于礼义道德等抽象概念,这体现了三苏蜀学重人情的特征。

魏了翁也重视自然之人情。在伦理观上,魏了翁肯定人欲有善的一面,"欲虽人之所有,然欲有善、不善存焉"[④]。指出饮食男女等人欲是人不可避免的欲望,它是自然而然、不可抹杀的。对此自然之人情,魏了翁主张采取客观承认的态度,不要去灭绝它,认为圣人也是"使人即欲以求道"[⑤],主张在对人欲人情的适当满足并加以节制的过程中,来体现道。

著名蜀学人物费密亦重人情,在他看来,生命、妻子、产业、功名等等,是和义理同样重要的东西。言义理不得舍去这些人所不可缺少的欲望和需求,这些都是人的本性,因而他主张"论事必本于人情"[⑥],反对以义理压制人之情欲。对于理学家"律人以圣贤""责人以必死"的要求,费密认为这是人们无法做到的。

---

① 《苏轼文集》卷九八,《诗论》,《三苏全书》第14册,语文出版社2001年版(下引版本同此),第134页。
② 《苏轼文集》卷九八,《中庸论中》,《三苏全书》第14册,第141页。
③ 《苏辙集》卷八二,《礼以养人为本论》,《三苏全书》第18册,第349页。
④ 《鹤山集》卷三二,《又答虞永康》。
⑤ 《鹤山集》卷四四,《合州建濂溪先生祠堂记》。
⑥ 《弘道书》卷上,《弼辅录论》。

刘沅认为"六经"本于人情而为教。他说："《易》《诗》《书》《礼》《乐》《春秋》，皆本乎人情之自然而为教也。"①他认为，所谓天理，不过是人情得其正而已。离开了人情，则无所谓天理。刘沅把天理建立在人情的基础上，强调在人们基本的物质生活之中体现天理。他说："盖养生送死，人情所同，即天理所肇……天道固不外乎人情，人情必准于天道。"②既肯定人情，又强调人情以天理为指导。

（五）躬行践履，注重事功，批判专制

早在西汉初，文翁为蜀守，便兴修水利，灌溉繁田千七百顷，使民物阜康，然后施之以教，开蜀学躬行践履之风。至宋代，张栻修正理学流弊，吸取功利之学，重躬行践履，留心经济之学，指出："若如今人之不践履，直是未尝真知耳。"③这与永嘉学派重实事实功的思想相吻合，而与正统理学有别，故遭到朱熹的批评。魏了翁继承张栻，既重功利，讲求实事实功，又主张义利统一，"趋事赴功"，重视功利与实效，强调"一寸有一寸之功，一日有一日之利，皆实效也，事半功倍，惟此时为然"④。认为功利须平时一点一滴地讲求，才能收到事半功倍的效果。张栻、魏了翁对事功的重视，在理学中别具一格，体现出巴蜀哲学的特色。

明清之际的费密提倡经世致用之学，主张"通人事以致用"⑤，开颜李学派之先河。费密提出以力行代清谈的主张，认为一切有关国计民生的实事都应该认真讲求，习行实施，而空谈则误国。与费密同时代的著名思想家唐甄反对所谓"儒者不计功"的说法，强调事功修为，"崇实黜虚"，把道德原则建立在实事实功的基础上，而强调"仁义礼智俱为实功"⑥。

在巴蜀思想史上，魏了翁、唐甄、邹容和吴虞等对封建君主专制主义提出了批判，这体现了巴蜀哲学的一大特色，为近代民主提供了借鉴。早在南宋

---

① 《礼记恒解》卷二六，《槐轩全书》（增补本）四，第1538页。
② 《礼记恒解》卷四九，《槐轩全书》（增补本）四，第1625页。
③ （宋）张栻著，杨世文、王蓉贵校点：《南轩集》卷三○，《答朱元晦》，《张栻全集》，长春出版社1999年版，第961页。
④ 《鹤山集》卷一六，《奏论蜀边垦田事》。
⑤ 《弘道书》卷下，《圣门定旨两变序记》。
⑥ （清）唐甄：《潜书》，《宗孟》，第9页。

时，魏了翁就提出"古者天子……乃是与诸侯共守天下"，主张君臣"共守天下"，批判"尊君卑臣，一人恣睢于上，极情纵欲，而天下瓦解土崩"①的封建君主专制。唐甄著《潜书》，提出批判君主专制的惊世骇俗之论："自秦以来，凡为帝王皆贼也。"②把批判的矛头直指封建专制的最高权威，而强调统治者应从人民的利益出发，做到"皆为民也"。邹容著《革命军》，产生了很大的影响。他阐明革命的原因在于清王朝的封建专制，剥夺了人民应有的"天赋人权"；强调革命是不可抗拒的"天演公例"，要摆脱清封建专制的统治，成为具有平等、自由等民主权利的国民，就需要革命。这种以革命手段来推翻封建专制统治而建立资产阶级民主共和国的思想，把历史上对封建专制主义的批判提高到一个新的阶段，产生了重大社会影响。吴虞把封建君主专制、家族制度与儒家学说联系起来提出批判，继邹容之后，在当时产生了重要影响。

以上巴蜀哲学所具有的蜀学之魂，长于思辨；多元会通，兼容开放；释经创新，超越前说；沟通道欲，情理结合；躬行践履，注重事功，批判专制等特点，体现了巴蜀哲学的博大精深与融贯超越、求实进取的精神，是历史流传下来的珍贵文化遗产，值得今天的人们认真清理和总结研究。

---

① 《鹤山集》卷一〇六，《周礼折衷·天官冢宰下》。
② 《潜书》，《室语》，第196页。

第一章 巴蜀哲学思想从发端到勃兴（先秦至两汉）

先秦时期的古巴蜀出现了以三星堆文化、金沙文化、成都十二桥文化为代表的高度的古代文明，成为中华文化多元来源的重要地区之一。古巴蜀与华夏民异族，语言文字与中原不同。秦灭蜀后，巴蜀经历了从"左言"到"言语颇与华同"的转变，并在秦"一法度衡石丈尺，车同轨，书同文"的政策下，融入中原文化中。巴蜀古文字（或称巴蜀图语、巴蜀符号）有着表意、象形的功能，与中原汉语古文字在构成体例上有共同基础，同样蕴藏着巴蜀人民深厚的哲理内涵。

蜀地学术经过蚕丛、柏灌、鱼凫、杜宇、开明等重要历史时期，形成了鲜明的蜀地学术风尚。古代巴蜀有着丰富的神话与复杂的宗教信仰，通过萨满、占卜等巫术，表达着古巴蜀人沟通天人、人神等哲理观。以杜宇化鹃、苌弘化碧、王乔得道而仙、彭祖寿考为代表，显示了古巴蜀独特的神仙、黄老思想。以七星桥、苌弘执数为代表，又反映出古巴蜀广泛流行着阴阳术数、天文历法之学。秦统一巴蜀后，法家、杂家及秦地礼乐文明逐渐渗透融入巴蜀文化之中。汉景帝时，文翁守蜀，以民为本，先富后教，确立起教化为先的观念，积极学习中原文化，以儒化蜀，崇儒重法，注重吏治，进一步将中原儒学引入蜀中，使巴蜀文化最终融入中原主流文化系统之中。

司马相如之赋包括宇宙，总览人物，控引天地，错综古今，具有深邃的哲理，对当时、后世都有极大的影响，并直接为扬雄所模拟效法。严遵继司马相如融辞赋、儒道家思想为一之后，会通《易》《老》，兼修儒道，以虚玄为宗，提出无为而成的生成论和性命自然论，主张返初归始，以认识大道及自然、人事。在政治、人身修养上，他以道家思想为本，兼容儒家学说，以忧畏、俭朴、慎言、知足修身，讲求因道而动，重民顺民，刑德并用，君民一体，从而实现无为而治。扬雄师从严遵，更进一步兼容了儒、道及百家之学。他宗经拟圣，提出了以玄为高的本体论，以幽摘万类为本的宇宙生成论，在伦理哲学上以儒为宗，折诸孔圣，在人性论上提倡善恶混，在处世之道上因时行藏，度越诸子。尽管扬雄的社会哲学受到天人感应说的影响与束缚，但在以玄为本、一分三思想的主导下，他排斥图谶神学，谦退冲和，贵将近，贱始退，有着独到的和合理念，而在强学力行的认识论上尤有积极进取的意识。

在两汉时期，巴蜀经学得到了长足的发展，大批经学大师倡明儒道，忠孝观念逐渐强化，儒家伦理哲学深入人心。在面对王莽篡汉、公孙述据蜀等重大历史事件时，蜀人固守忠孝，流芳后世。汉代的巴蜀，今文经学盛行，阴阳五行、灾异、图谶、术数学依附而行，十分显著，"受命于天"的天命论、讲求五德终始的循环论在巴蜀广泛流行，而相对朴质的古文经学则较为冷落。东汉时，随着今文经学的进一步繁荣，在神仙黄老思想的传统文化氛围中，在司马相如、严遵、扬雄融会儒道的持续影响下，大批经学、方术之士兼修黄老，贵玄言，宗老氏，为魏晋玄学的最终产生积淀了思想基础。不仅如此，东汉末年，张道陵等人还在此基础上，以民间巫术结合黄老崇拜，创建了五斗米道。在流传至今的巴蜀道教初创时期的经典作品《老子想尔注》中，张道陵等人将道家自然本体之道与宗教神学本体之神融而为一，提出了以道为治的政治、伦理观，及遵行道诫的修养论，为道教的发展打下了坚实的理论哲理基础。

经过长期的孕育发展，尤其是在司马相如、文翁的带动影响下，汉代的巴蜀兼容儒道诸子，形成以儒法并重为特色的吏治，以寓讽喻教化于辞赋见长的文学，以儒道兼容而独出新见的哲学，以今文经学为盛的儒家经学，以阴阳五行、灾异图谶、黄老神仙为主要内容的民间哲学，并独创五斗米道，成就卓越，在全国学术文化中占据一席之地，甚至以郡学领先于全国，而与主流的齐鲁文化相媲美，有了"蜀学"的美誉而闻名于世，最终成就了巴蜀哲学发展史中的第一个高峰。从此，"蜀学"成为巴蜀文化学术的代名词，与全国各区域性学术文化并驾齐驱，共同推进了全国学术文化的发展与兴盛。

第一节　巴蜀哲学思想的发端

巴蜀地处祖国西南一隅，特殊的丘陵、盆地、山区地形，孕育出奇特的巴蜀文化，与中原文化交相辉映，互相补充。她博大精深，有着浓郁的神秘色彩。在秦统一巴蜀以前，蜀地已先后经历了蚕丛、柏灌、鱼凫、杜宇、开明等王朝。宝墩、三星堆、金沙、十二桥、上汪家拐等遗址遗存，显示了古蜀文化的博大精深与兴衰更迭。古巴蜀人很早便对天人关系作出了自己独到的思考与探索。

不过，扬雄《蜀王本纪》称，蚕丛、柏灌、鱼凫、杜宇、开明时期的蜀地"椎髻左衽，不晓文字，未有礼乐"①。张仪、司马错甚至以"西辟之国而戎狄之长"称之。②《荀子·强国篇》也有"巴戎"之称。汉初的蜀地虽经秦李冰父子开凿都江堰，"溉灌三郡，开稻田"③，成都平原"水旱从人，不知饥馑，沃野千里，世号陆海，谓之天府"④，但在文教方面仍然落后，"蜀地僻陋，有蛮夷风"⑤。事实上，这是外地或后世之人从中原文化的主流系统来看待汉代以前的巴蜀文化的结果。因为巴蜀与华夏民异族，"言语异声，文字异形"⑥，巴蜀符号文字与中原语言文字并非同一系统，所以有"蜀左言""不晓文字"之说；因为文化形态有异，所以称其"有蛮夷风"，而与"礼乐"文明有别。秦统一巴蜀后，中原文化不断渗透流传入蜀，巴蜀出现了"言语颇与华同"的转变⑦。秦朝在全国推行"一法度衡石丈尺，车同轨，书同文"的政策⑧，巴蜀文化与秦朝崇尚的法家、杂家思想，以及不被禁绝的医药、卜筮之学相结合，并进一步发扬着天文律历、阴阳术数之学。

综合来看，古巴蜀人重巫术，企图通过巫史沟通天人，形成独具特色的阴阳术数、天文历法之学。在巫术的笼罩下，受到楚地文化的影响，巴蜀人又有浓郁的黄老道家思想。随着秦人入蜀，蜀人还在一定程度上接受了法家、杂家等思想。古老的巴蜀文化表现出神秘而又兼容外来学术的色彩。蒙文通先生说："词赋、黄老、律历、灾祥是巴蜀固有的文化。"⑨

一、崇尚巫术，沟通天人

巴蜀地区自古巫术流行，信巫鬼，重淫祀。早在三星堆古蜀文明时代，巴

---

① （宋）李昉等：《太平御览》卷一六六，《州郡部十二·益州》引，中华书局1960年版（下引版本同此），第808页。
② 缪文远：《战国策新校注》（修订本）卷三，《秦一》，巴蜀书社1998年版，第89页。
③ （晋）常璩撰，任乃强校注：《华阳国志校补图注》卷三，《蜀志》，上海古籍出版社1987年版，第133页。
④ 陈桥驿校释：《水经注校释》卷三三，《江水》，杭州大学出版社1999年版（下引版本同此），第577页。
⑤ 《汉书》卷八九，《文翁传》，中华书局1965年版，第3625页。
⑥ （汉）许慎撰，（清）段玉裁注：《说文解字》卷一五"叙"，浙江古籍出版社1998年版，第758页。
⑦ （梁）萧统编，（唐）李善注：《文选》卷四，《蜀都赋》注引扬雄《蜀王本纪》，上海古籍出版社1986年版，第175页。
⑧ 《史记》卷六，《秦始皇本纪》，中华书局1982年版（下引版本同此），第239页。
⑨ 蒙文通：《巴蜀古史论述》，四川人民出版社1981年版，第111页。

蜀就盛行以萨满为特征的巫术。①古巴蜀人有着自己的神灵崇拜，对天人、人神关系有着特殊的理解。在金沙遗址、成都十二桥遗址等处出土了大量自商代至春秋战国时期的龟卜，显示出古蜀人流行龟卜，相信它可以沟通天神。三星堆、金沙遗址出土了大小立人，跪坐、奉璋、顶尊人物，人头像，黄金面罩，金杖，还有祭坛、青铜动植物、象牙、海贝、玉器等，也与降神、通神、祈神降祸福于人间的巫术有密切关系。三星堆出土的"神坛怪兽"，"是古蜀崇拜的能飞扬上下、通达天地的'神羊'"②，三星堆的"鸟"与金沙的"凤"则是下界派遣上天言事的使者。《山海经·海内经》《淮南子·地形训》记载有"众帝所自上下"的"建木"，而此"建木在都广"，即今成都平原。③可见，建木就是古蜀诸神"上天还下"的天梯。《山海经·海外东经》载："汤谷上有扶桑，十日所浴，在黑齿北，居水中，有大木，九日居下枝，一日居上枝。"《大荒东经》则称此扶木"一日方至，一日方出，皆载于乌"。《淮南子·坠形训》记载有"若木"，称其"在建木西，末有十日，其华照下地"。"《山海经》就可能是巴蜀地域流传的代表巴、蜀文化的古籍"④，而《淮南子》也是南方文化系统的典籍。三星堆出土的几株大型青铜神树，上有立鸟、悬龙等神物，旁有铜人护卫，恰好印证了这些历史记载。青铜神树不仅是神话传说中扶桑和若木的象征，而且也具有建木的特征。⑤无论是三星堆神树、铜日轮，还是金沙遗址出土的"太阳神鸟金箔"，都反映出古蜀人对太阳有着特殊的敬仰。这种人神的协同，显示了古蜀人对世界与宇宙的理解，体现了人神可以沟通的天人合一观念。

从三星堆二号祭祀坑出土的玉璋上的图案来看，在山峦之中包藏着一个即将成熟的人形，反映出古蜀人将山峦看作人类母体，作为蜀人的来源，反映出古蜀人对生的探寻。⑥秦时，李冰为蜀郡守，"谓汶山为天彭阙，号曰天彭

---

① 林向：《蜀酒探源》，《南方民族考古》第一辑，四川大学出版社1987年版。
② 林向：《"羊首龙"与"禹兴于西羌"——三星堆出土的"羊首龙柱"与"神坛怪兽"解析》，《江源文明——大禹文化与江源文明学术研讨会论文集》，巴蜀书社2006年版。
③ 蒙文通：《巴蜀古史论述》，四川人民出版社1981年版，第162页。
④ 蒙文通：《巴蜀古史论述》，四川人民出版社1981年版，第183页。
⑤ 黄剑华：《三星堆青铜神树探讨》，《四川文物》1999年第2期。
⑥ 贾大泉、陈世松主编，段渝著：《四川通史》卷一，《先秦》，四川人民出版社2010年版，第290页。

门，云亡者悉过其中，鬼神精灵数见"①，则显示了古蜀人对死的关怀，而与古时中原称人死后魂魄归泰山等相似，又各成系统，皆是原始宗教巫师有关天人哲理的一种说法，同时也说明巫是可以沟通人神的。至于古蜀长期流行的祖先崇拜，则反映出古蜀人关于灵魂永生的宗教哲学观念。

古巴蜀人不仅尊重太阳神，尊重天地、祖先神灵，而且还有朴素的认识自然、利用与改造自然的观念。在古巴蜀人心目中，群巫可以起到特殊的沟通人神、人天的作用，俨然成为不同于普通凡人的具有特殊能力的超人。而作为建木的青铜树不仅是"众帝所自上下"的沟通天人的神树，而且"日中无影，呼而无响"②，是人们用来观测日影的仪表。此外，羊首龙柱、公鸡杖首、太阳神鸟、歧刃的牙璋，都与"立杆测影"有关系。③这又说明，人们还可以在一定程度上认识乃至利用与改造自然。

建木"盖天地之中也"④。三星堆青铜神树就是古蜀人心目中"天下之中"的社树。作为巴蜀文化典籍的《山海经》，其《中山经》也把古巴、蜀、荆楚之地都作为天下之中来看待。⑤看来，古巴蜀人对待天下有着明确认识，在天人关系下与中原以韩、魏为天下之中虽迥然不同，但以自己为天下之中的思想认识却是相通的。

二、阴阳术数、天文历法之学

天文历法、阴阳术数之学是巴蜀固有传统学术。吕子方从《山海经》中看出天市为蜀人所认定的天庭，说明蜀人在天文学上早有成就。李膺《益州记》记载成都有七星桥，谓之长星、员星、玑星、夷星、尾星、冲星、曲星，这与《开元占经》所称述的古代七星并不相合，说明巴蜀的天文观与中原也各成系统。在东周时期，巴蜀出现了大学者苌弘，至汉武帝时便有落下闳，其后又有

---

① （宋）乐史：《太平寰宇记》卷七三，《剑南西道二·永康军》，中华书局2007年版（下引版本同此），第1494页。
② 《淮南子·地形训》，刘文典《淮南鸿烈集解》卷四，中华书局1989年版（下引版本同此），第136页。
③ 林向：《"南方丝绸之路"上发现的"立杆测影"文物》，《三星堆研究》第二辑，文物出版社2007年版。
④ 《淮南子·地形训》，刘文典《淮南鸿烈集解》卷四，第136页。
⑤ 蒙文通：《略论〈山海经〉的写作时代及其产生地域》，中华书局上海编辑所编辑《中华文史论丛》第一辑，中华书局1962年版。

哲学家扬雄，皆长于天文历算，而闻名于世。阴阳术数与天文历法之学一方面反映了古巴蜀人灾异思想，另一方面又显示他们重人德，以人德通天道的思想。

苌弘（？～前492），资中人，为周灵王时大夫，以方术事灵王。孔子适鲁，曾学乐于苌弘。苌弘通天数，为"周室之执数者"，与史佚并为周室"传天数"之人。①他于"天地之气，日月之行，风雨之变，律历之数，无所不通"②，是数一数二的术数大家。

首先，苌弘懂阴阳术数，明巫术、灾异，指出天道好复，有一定不易之规律在其中。昭公十一年，苌弘用星象预测国家吉凶，以为蔡有楚国当年一样的年岁，必将复蔡之凶③；昭公二十三年，苌弘对刘文公苌说："君其勉之，先君之力可济也。周之亡也，其三川震。今西王之大臣亦震，天弃之矣。东王必大克。"④

其次，苌弘又看到了人事因素对世事的影响。昭公十七年，苌弘以"客容猛"而断必有戎事⑤，由容貌而及人之内心之思。昭公十八年，苌弘以毛得侈恶积熟与昆吾、桀之亡结合在一起，断其必亡⑥，由人事善恶的德性修为而推知天命。昭公二十四年，苌弘以《泰誓》"纣有亿兆夷人，亦有离德；余有乱臣十人，同心同德"为据，认为"同德度义"，只要人君"务德"，就"无患无人"⑦，自可以渡过难关。这不仅显示苌弘深通儒术，而且有人德应天的思想。正因为如此，以至于苌弘以"神道设教"，通过"明鬼神事，设射《狸首》"，"依物怪"的传统巫术方式，来实现诸侯朝尊东周的愿望⑧。苌弘人德胜天的思想之膨胀，使他在周德已衰的局面下，仍欲迁都以延周祚，以至于晋女叔宽说出"苌叔违天"之语⑨。所以，苌弘"知周之所存，而不知身所以

---

① 《史记》卷二七，《天官书》，第1343页。
② 《淮南子·氾论训》，刘文典《淮南鸿烈集解》卷一三，第445页。
③ （晋）杜预注，（唐）孔颖达正义：《春秋左传正义》卷四五，北京大学出版社1999年版（下引版本同此），第1284页。
④ 《春秋左传正义》卷五〇，第1436页。
⑤ 《春秋左传正义》卷四八，第1366页。
⑥ 《春秋左传正义》卷四八，第1371页。
⑦ 《春秋左传正义》卷五一，第1440～1441页。
⑧ 《史记》卷二八，《封禅书》，中华书局1982年版，第1364页。
⑨ 《春秋左传正义》卷五四，第1533～1534页。

亡，知远而不知近"①，彰显的是其努力于人事，以图挽救东周之亡，而"苌弘知天道而不知人事"之说②，正好颠倒其事，埋没了苌弘重人事，以人德胜天的可贵思想。

《汉书·艺文志》著录有《苌弘》十五篇。班固称："阴阳者，顺时而发，推刑德，随斗击，因五胜，假鬼神而为助者也。"③苌弘是通晓阴阳术数的大家，是"天数在蜀"的开拓者，在巴蜀文化史中占有重要地位。他通晓天人、尤重人事的思想对后世巴蜀学术，尤其是天文历法学产生了深远影响。西汉的落下闳、扬雄乃是继之而起的天文历法大家。落下闳改颛顼历为太初历，造员仪以考历度，以二十八宿定赤道星度，又预言八百岁后太初历差一日，皆天文史上旷古未有的贡献。扬雄辨浑天、盖天，著《难盖天八事》，也在天文史上影响深远。

三、神仙、黄老思想

巴蜀的神仙、黄老思想十分浓厚，更有许多悠久的历史传说。《华阳国志·序志》称古寿星"彭祖本生蜀，为殷太史"，而高诱注《淮南子·齐俗训》又说"王乔，蜀武阳人也，为柏人令，得道而仙"，彭祖、王乔都成为后世道家、道教崇重的传说人物。在《列仙传》中，刘向还记载有周成王时蜀地羌人葛由"好刻木羊卖之。一旦骑羊而西蜀，蜀中王侯贵人追之，上绥山"，"随之者不复还，皆得仙道"。马头娘传说故事所称蚕女化仙亦复如是。④不仅如此，扬雄《蜀王本纪》、常璩《华阳国志》所记载的古蜀历史文化也充满了神仙家的色彩，无论是王与民都可仙化不死，而且还可能由仙返民，起死复生。如蜀先王蚕丛、柏灌、鱼凫"三代各数百岁，皆神化不死，其民亦颇随王化去"，鱼凫"王猎至湔山，便仙去"，而当杜宇开国后，"化民往往复出"，"望帝积百余岁，荆有一人名鳖灵，其尸亡去，荆人求之不得，鳖灵尸随江水上至郫，遂活，与望帝相见，望帝以鳖灵为相"。不仅人如此，甚至"石牛便

---

① 《淮南子·说山训》，刘文典《淮南鸿烈集解》卷一六，第533页。
② 《淮南子·氾论训》，刘文典《淮南鸿烈集解》卷一三，第446页。
③ 《汉书》卷三〇，《艺文志》，第1760页。
④ （宋）李昉等：《太平广记》卷四七九，《蚕女》引《原化传拾遗》第10册，中华书局1961年版，第3945页；（明）曹学佺：《蜀中广记》卷七一引《仙传拾遗》，文渊阁四库全书本（下引版本同此）。

金","五担石折"。不仅蜀人如此说,甚至《楚辞》也称"鳖灵尸亡,泝江而上,到崏山下苏起,蜀人神之,尊立为王",而《庄子·外物》《吕氏春秋·必己》等则记载了望帝化鹃的神话。神仙之术追求长生不老,是道家、道教思想的远源,巴蜀在先秦时期流行此术,显示了古巴蜀人特有的人生观念。《山海经》作为古巴蜀文化的第一部著述,"侈谈神怪",充斥着神话、古史传说,又有着部分楚文化的内涵,正体现了巴蜀神仙学的盛行,及其与南方楚文化的密切关系。西汉时享誉全国的巴蜀赋家司马相如,其赋虚无缥缈,正是这一神仙方术文化的延续发展。段渝先生指出:"从商代三星堆蜀都发达的巫术,到整个古蜀历史体系中无处不在的方术神仙家言,再到饮誉于世的方士神仙家苌弘、王乔、彭祖,可以清楚地看到蜀地巫术、方术、神仙之术从先秦到汉晋连续发展的历史陈迹,它们构成了古蜀文化最突出的特色要素。"①《蜀王本纪》称老子为关令尹喜著《道经》之后,告诫他到成都青羊肆相会②,以至后来形成了今日之青羊宫。实际上,先秦时,蜀地还确有黄老著作传世。《汉书·艺文志》于《诸子略》"道家者流"著录有"《臣君子》二篇",注称"蜀人"所作。在此之后又著录有"《郑长者》一篇",注称"六国时,先韩子,韩子称之"。这说明,早在韩非子之前,蜀人臣君子已好道家思想,并著书立说,流传至西汉。《汉书·艺文志》"道家者流"还著录了一部《鹖冠子》,据应劭《风俗通义》记载,"賨人以褐冠为姓,褐冠子著书",此书实为居于巴渝地区的賨人所撰。由于巴楚交接,风俗接近,班固以为是居深山之楚人所作。宋沈作喆《寓简》称此书"本黄老,近刑名家,好论兵,词旨剀剧而切磁"。清《四库全书总目》则称其书"虽杂刑名,而大旨本原于《道德》"。李学勤则认为此书与马王堆帛书整体反映出的"主要是道家黄老之学,并带有阴阳数术、兵家及纵横的色彩"的思想倾向"相一致"③。就此而言,结合前面的传说来看,老子思想在春秋末年后,很可能由楚而西上入巴蜀,在巴蜀地区传播流

---

① 段渝:《巴蜀文化与汉晋文明》,《巴蜀文化研究》第一期,巴蜀书社2004年版。
② 《太平御览》卷一九一,《居处部十九》引,第925页。
③ 李学勤:《马王堆帛书与〈鹖冠子〉》,《江汉考古》1983年第2期。按:李学勤《〈鹖冠子〉与两种帛书》一文介绍了历代有关《鹖冠子》一书的研究情况,认为该书非伪书,确系战国早中期之际楚人之作,见《道家文化研究》第一辑,上海古籍出版社1992年版。邢文《〈鹖冠子〉与帛书〈要〉》也对相关研究情况有介绍,见《道家文化研究》第六辑,上海古籍出版社1995年版。

行。西汉严遵《老子指归》、扬雄《太玄》接受道家思想的影响远有所承。

四、杂糅法家诸思想

春秋战国时期，天下分崩离析，人民流离失所，而策士谋臣，诸子之士，也游走于各地。当时的巴蜀便有其他诸侯国的士人，来此传学。《汉书·艺文志》"杂家者流"记载有"《尸子》二十篇"，乃秦相商君之师鲁人尸佼所作。商鞅变法失败，车裂而死，尸佼避难，逃入蜀国，从而将法家思想传播至蜀地，并在此长期流传。刘向《别录》称："商君被刑，佼恐诛，乃流亡入蜀，自为造此二十篇，六万余言。卒，因葬蜀。"①

此外，秦罪人入蜀，也带来了杂家思想，尤其是吕不韦门人被徙入蜀，带来了《吕氏春秋》。司马迁就说："不韦迁蜀，世传《吕览》。"②《吕览》流传于世，蜀人或有其功。在"染秦化"的过程中，有关秦地的婚丧嫁娶等礼乐文化也逐渐在巴蜀传播开来。常璩称："秦惠文、始皇克定六国，辄徙其豪杰于蜀，资我丰土，家有盐铜之利，户专山川之材，居给人足，以富相尚。故工商致结驷连骑，豪族服王侯美衣，娶嫁设太牢之厨膳，归女有百两之徒车，送葬必高坟瓦椁，祭奠而羊豕夕牲，赠襚兼加，赠賵过礼，此其所失。原其由来，染秦化故也。"③秦一统巴蜀，迁豪杰入蜀，不仅改变了巴蜀人的风俗，也改变了其形而上的礼乐文明。

第二节 文翁化蜀与蜀学的兴起

蜀学有着深厚的历史渊源，而真正蓬勃兴起，有名于全国，还在于西汉文翁化蜀，以儒学教导蜀民。其后，巴蜀文化特异挺立，与齐鲁媲美。

文翁名党，字翁仲，庐江舒县（今安徽庐江）人。他少时好学，投斧为卜，到京城长安学习经书④，由此精通《春秋》，并以郡县吏察举入仕，在

---

① 《史记集解·孟子荀卿列传》引，《史记》卷七四，中华书局1982年版，第2349页。
② 《史记》卷一三〇，《太史公自序》，第3300页。
③ 《华阳国志校补图注》卷三，《蜀志》，第148页。
④ 《太平御览》卷六一一，《学部五·勤学》引《庐江七贤传》："文党字翁仲，欲之学，时与人俱入藜木，谓侣人曰：'吾欲远学，先试投我斧高木上，斧当挂。'乃仰投之，斧果上挂，因之长安受经。"四部丛刊三编本，第2751页。

文、景帝时被任命为蜀郡太守①。文翁"仁爱好教化",他"穿湔江口,溉灌繁田千七百顷",通过兴修水利,改善经济,使巴蜀"世平道治,民物阜康"②;在成都大城南"立文学精舍、讲堂,作石室"③,创办起中国历史上第一所地方官办学校;筑造周公礼殿,教授儒家礼仪④,发展儒学教育;选派"郡县小吏开敏有材者张叔等十余人"到京师,受业博士,学习儒经、诸子传记之学,或学习汉朝律令⑤,让学徒官场便坐见习,或随同出行各县,以言传身教造就治世之才;通过选拔郡学高才,补为孝悌力田,或为郡县吏,甚至察举以至郡守刺史,从而改变蜀中吏治。

文翁化蜀在经济、文化、教育、民风民俗等多方面对巴蜀乃至全国产生了深远的影响。在全国休养生息的大环境下,通过兴修水利,使蜀中经济得到健康发展,呈现出一片繁荣景象,为两汉蜀学的大发展打下了坚实的基础;通过引进中原儒学文化,在郡学中讲授传播,使蜀人学成经学,在察举过程中逐渐步入汉朝仕途,使蜀地学术、吏治渐进地融入到汉代大一统的儒学文化之中。

一、民为邦本,先富后教

自商周以来,统治者已逐渐意识到人民的重要性,出现了重德、重民的思想。《尚书》提出"民为邦本,本固邦宁"。春秋末年,孔子提出了富、庶、教的思想,主张先富后教,"足食,足兵,民信之矣"⑥,将发展经济作为思想文化建设的基础,认为教化只能建立在一定的经济实力的基础之上。

文翁治蜀,先从民生出发,大抓经济建设。他意识到水利是经济建设的关键和突破口,因此穿湔江口,导引湔江水东北分流,经过蒲阳镇,又转而东

---

① 《汉书·文翁传》记载文翁于景帝末年为蜀守,而晋常璩《华阳国志·蜀志》记载为"孝文帝末年",今人王文才《两汉蜀学考》(巴蜀文化丛书编委会编:《巴蜀文化论集》,四川民族出版社1999年版,第299~351页)以为《汉书》系事于其末,《华阳国志》系事于其始,认为文翁"施教于文帝末年,化成于景帝之时",颇为恰当。
② 《华阳国志校补图注》卷三,《蜀志》,第141页。
③ 《华阳国志校补图注》卷三,《蜀志》,第152页。
④ (宋)欧阳修:《集古录》卷二,《汉文翁石柱记》,文渊阁四库全书本;洪适:《隶释》卷一《益州太守高眹修周公礼殿记》(四部丛刊三编本)记载,汉献帝兴平元年(194),"仓龙甲戌旻天季月,修旧筑周公礼殿,始自文翁"。
⑤ 《汉书》卷八九,《文翁传》,第3625页。
⑥ 《论语·颜渊》。

南流入彭州地界,最后与青白江汇合,从而使过去未曾受益的彭州及新繁等地区都享受到都江堰水利灌溉之利,增加农田灌溉面积一千七百多顷。经过文翁的治理,蜀地"水旱从人,不知饥馑","世平道治,民物阜康","物质文明"得到了重大进步。在此基础上,文翁又兴起学堂,教化子弟。文翁的举措,不仅是《尚书》"民为邦本,本固邦宁"、孔子富庶教思想的灵活运用与落实,而且对后来治蜀,乃至治理任何郡县都起到了思想指导作用。

二、教化为先,温厚为政

文翁"仁爱好教化","以温厚为政,流闻后世"①。作为颇通经术、思想进步的地方统治者,文翁在经济建设基础上,大力开展"精神文明"建设,立文学精舍、讲堂,作石室,建周公礼殿,以改变蜀地"质文刻野""俗好文刻"之弊,擢高弟为官吏,送"开敏有材"的郡县小吏入京城就学,大大改变了蜀人的思想观念和民风民俗,使汉初仍有蛮夷之风的四川,变得士人官吏争相为学,积极入仕。游学京师,仕于全国各地的蜀人在汉代已不计其数,仅在西汉时期就出现了司马相如、王褒、严遵、扬雄、何武等全国知名、流芳后世的一流学者、官员。常璩称:"蜀初少文教,文翁为蜀郡太守,立精舍、学堂,以隶〔变〕其俗,因是文教聿兴。今有文翁堂在大城内。"②

传经讲学

文翁创办的学堂规制完整,为中国古代之首创,以至《隋志》著录《蜀文翁学堂像题记》二卷,《唐志》杂传记类仍著录《益州文翁学堂图》一卷。新中国成立后,在成都青杠坡发现的汉人画像砖中,有一幅表现课堂教学的图像。图中,一位教师端坐讲堂之上,六位学生手持简策,恭敬地两两成对地跽坐于面对教师的三方,细心凝听。此画像砖深动传神,反映了文翁石室的教学情况,故出土时以《传经讲学》为名。此外,在广汉出土的《讲经》汉画像

---

① (宋)司马光:《资治通鉴》卷五五"桓帝延熹八年七月",中华书局1956年版(下引版本同此),第1782页。
② 《太平御览》卷一六六,《州郡部十二·益州》引《华阳国志》,第808页。

砖,则反映了文翁石室影响下的教学活动。①

文翁的教化以改变俗刻之弊为出发点,目的明确。在具体实施中,其教化方法也十分得体。其一是大力发展本地学校教育,开创全国第一所郡学,切合实际,且长期有效;二是遣送弟子入京师学习,向文化先进地区学习,引进中原文化,以改变本地思想文化及民风民俗;三是注重学术的推广,不仅引进先进文化,而且通过回蜀的弟子教化蜀地士人,从而使中原文化在蜀地广泛传播,做到了引进后的消化吸收;四是言传身教,以身作则,"谨身帅先,居以廉平,不至于严,而民从化"②,在循循善诱的宽和氛围中使蜀民接受教化;五是节省用度,紧缩政府开支,财政全力支持办学、兴教,使入京师弟子能得到真正的学术;六是通过选拔官吏的方式,实现教化向实践的转化,确保教化能持续有效地进行,又有直接的社会效益。

文翁以教化为先的思想理念成为后世帝王、地方官吏的基本治世理念。巴蜀地方最高行政长官高度重视学校教育,修缮文翁石室或在其旧址上新设学校,又建文翁祠、经史阁,刊刻画像、石经等,文翁教化精神长期在蜀中沿袭、传承。东汉建武十年(34),益州太守梓潼文参增造吏寺二百余间,使文翁学堂、石室得到进一步的拓展。成都人杨终年十三为郡小吏,蜀郡太守奇其才,遣诣京师受业,习《春秋》。章帝时,杨终建言仿石渠故事,论定"五经"异同,又谏卫尉马廖教化诸子,以为"上智下愚,谓之不移,中庸之流,要在教化"③。章帝时,阆中人杨仁拜什邡令,宽惠为政,劝课掾史弟子,悉令就学,其有通明经术者,显之右署,或贡之朝,由是义学大兴,垦田千余顷。顺、桓帝年间,成都县令冯颢"立文学,学徒八百人"④。顺帝时,广汉雒人翟酺以汉帝兴学之史为谏,要求修缮太学,诱进后学,为顺帝所从,"遂起太学,更开拓房室,学者为酺立碑于学"⑤。献帝兴平元年(194),蜀郡守高朕修复文翁学堂,在文翁石室之东再建石室,又在其东建立周公礼殿,并

---

① 龚廷万、龚玉等:《巴蜀汉代画像集》,第61~62幅《传经讲学》、第63幅《讲经》,文物出版社1998年版;重庆市博物馆编:《重庆市博物馆藏四川汉画像砖选集》,第8幅《讲学画像砖》,文物出版社1957年版,第21页。
② 《汉书》卷八九,《循吏传》,第3623页。
③ 《后汉书》卷四八,《杨终传》,中华书局1965年版(下引版本同此),第1599页。
④ 《华阳国志校补图注》卷三,《蜀志》,第156页。
⑤ 《后汉书》卷四八,《翟酺传》,第1606页。

图画圣贤、古人像及礼器瑞物。兴平中,有《学师宋恩等题名》汉碑,勒有"师"二十人。其中"《易》掾"二人,"《易》师"三人,"《尚书》掾"三人,"《尚书》师"三人,"《诗》掾"四人,"《春秋》掾"一人。①

三、学习先进,变风为雅

文翁以"蜀地僻陋,有蛮夷风",遣弟子诣京师学习,使蜀人认识到中原的文化较蜀地本身有很大的不同,值得学习借鉴,入京师或周边各地求学成为蜀士的重要追求。在文翁的诱导下,巴蜀文化与中原文化相交流,逐渐融入全国统一的学术文化之中。司马相如、扬雄、王褒、杨终、赵典等在蜀地成名后,多游学于京师,与中原大儒相交游,或到中原地区为官。更多的巴蜀学者则直赴中原等地区求学。总体而言,巴蜀学者在西汉时与长安联系密切,东汉时则以洛阳为重点。不仅求学于外,巴蜀士人还多返回巴蜀,教学于本地,培养造就大批人才,从而形成巴蜀独特的学术环境。

两汉时期,巴蜀士人外出求学,返乡教授者为数甚众。张宽字叔文,东受七经,返蜀教授,"叔文播教,变风为雅"。阆中人杨仁建武中诣师学《韩诗》,数年归,静居教授。什邡杨宣少受学于楚国王子张,受天文图纬于河内郑子侯,师事杨翁叔,能畅鸟言,长于灾异,教授弟子以百数。梓潼景鸾少与广汉郝伯宗、蜀郡任叔本、颍川李仲、渤海孟元叔,游学七州,明于经术,回到蜀中,著述多达五十万言。梓潼李业习《鲁诗》,师博士许晃。梓潼杨充少好学,求师遂业,受古学于扶风马融、吕叔公、南阳朱明步、颍川白仲职,精研七经。其朋友则颍川荀爽、李膺、京兆罗叔景、汉阳孙子夏、山阳王畅,皆海内名士,还以教授州里。梓潼寇祺,与邑子侯蔓俱学凉州。郪人冯颢,少师事杨仲桓及蜀郡张光超,后又师事东平虞叔雅。郪人镡显、雒人蔡弓,携手共学,与张霸、李合、张晧、陈禅为友,共师司徒鲁恭。绵竹人任安少游太学,受《孟氏易》,兼通数经,学终,还家教授,诸生自远而至。繁人任末少习《齐诗》,游京师,教授十余年。武阳人杜抚,受业于淮阳薛汉,定《韩诗章句》,作《诗题约义通》,学者传之,曰《杜君注》。后归乡里教授。沈静乐道,动必以礼,弟子千余人。资中人董钧习《庆氏礼》,事大鸿胪王临,永平(58~75)中为博士。当时朝廷草创五郊祭祀,及宗庙礼乐,威仪章服,辄

---

① (宋)洪适:《隶释》卷一四,《学师宋恩等题名》,四部丛刊三编本。

令董钧参议，多见从用，当世称为通儒，常教授门生百余人。新都人杨厚世传家学，修黄老，教授门生，上名录的就有三千余人。成都人张楷字公超，乃张霸之子，门徒常百人，车马填门，宾客慕尚，黄门及贵戚之家，皆舍巷次，甚至形成公超市。成都人赵典少笃为隐约，博学经书，学孔子《七经》《河图》《洛书》，内外艺术，靡不贯综。弟子自远而至，受业者百有余人。雒人段恭，少周游七十余郡，求师受学，经三十年，事冯翊骆异孙、泰山彦之章、渤海纪叔阳，遂明《天文》二卷。东平虞叔雅，学绝高当世，遂游于蜀，段恭以朋友礼待之。新都人王忱游学京师。广汉宁叔、张昌与涪人王晏共受业太学。正是在文翁化蜀的引导下，大批士人从学京师及各地，并还乡教授，改变了蜀地儒学文化落后的面貌。

四、以儒化蜀，万世馨宗

秦始皇下焚书令，制"挟书律"，推行商鞅、韩非"以法为教""燔诗书而明法令"的主张，明令天下"以吏为师"。据睡虎地秦墓竹简的记载，秦有专门培养训练"吏"的"学室"，在学室中设置有学为吏的"弟子"，并制定了管理"弟子"的《除弟子律》。秦"以法为教"，所学皆文法吏事。秦律还规定学有所成可以享受免除徭役的优待，形成秦汉时期的"宦学免役"传统。①

文翁招收蜀郡所属各县子弟以为学官学生，并免除他们在学习期间的徭役，是对在巴蜀实施长达一百一十年（前316~前206）秦律的继承。他选派郡县小吏"开敏有材"者到京师，受业博士，为确保他们学有所成，减省郡守用度以资其学，又置备蜀地特产，买刀布蜀物，委托向朝廷汇报的蜀郡计吏带进京城，赠送给博士，以促成其学，则是对秦律的进一步弘扬。

汉兴，刘邦以太牢祠孔子，惠帝除挟书之律，文、景二帝征用儒士，设《诗经》、传记博士②，儒学逐渐复苏。但此时社会急需休养生息，为适应休养生息需要，汉朝推行黄老之学，无为而治。文翁既知文法吏事，又以"通《春秋》"察举出身，其兴办官学，仍按秦惯例学文法吏事，又创造性地引进中原的儒学教育，"每出行县，益从学官诸生明经饬行者与俱，使传教令，出

---

① 陈玉屏对"秦汉时期的宦学免役"有具体的论述，参见陈玉屏《魏晋南北朝兵户制度研究》，巴蜀书社1988年版，第24~26页。
② 王国维：《观堂集林》卷四，《汉魏博士考》，河北教育出版社2001年版，第105页。

入闺阁"①，儒法兼修，在汉代官学中首开儒学之风，而与汉兴之后儒学逐渐抬头的趋势相吻合，并最终成就了"蜀学"。

文翁以儒化蜀，取得重大成就，儒学在巴蜀生根开花，忠孝节义、仁义礼智信等儒家伦理纲常思想深深地扎根于蜀人心中，七经之学渐盛于蜀，蜀地学术文化有了很大的发展，可以与儒学发源和兴盛地的齐鲁相媲美。文翁创办郡学，以儒学开化一方，更得到了西汉朝廷的赏识。武帝推广文翁的做法，下令在所有郡、国中建立学校，设官教学，推广儒学。中国的文化教育因文翁的举措而最终得到了前所未有的发展，两汉学术文化之盛，文翁与焉。

文翁在蜀中去世后，郡中官吏百姓没有忘记他，为之立祠堂，岁时祭祀不绝，文翁俨然成为儒学教化的万世馨宗。清唐晏称："汉代经学始于武帝，实本于文翁。文翁者，经学之馨宗也。夫士生斯世，苟有肩任斯道之志，则位不在高。如文翁者，能以学化民，民自成为风俗。"②

五、崇儒重法，注重吏治

从文翁的教化来看，他遣弟子入京师"受业博士，或学律令"，"受七经"，明显以儒为主，又兼及律令法术。他"教民读书法令"③，并选取其中高才弟子为官吏，有以儒术缘饰吏治的用意，从而改变了此前"蛮夷风"及"俗好文刻"之弊，兴起"贵慕权势"之风。

文翁本习《春秋》，其儒法兼修，注重吏治，既是对汉初文帝"使晁错导太子以法术，贾谊教梁王以《诗》《书》"的纠正④，又成为汉代学术、政事之风的先导。此后，董仲舒以《春秋》决狱，著《春秋决狱》二百三十二事；公孙弘"习文法吏事，缘饰以儒术"⑤，为武帝所喜，至擢用为丞相；汉宣帝更不满于太子"持刑太深，宜用儒生"之说，称："汉家自有制度，本以霸王道杂之，奈何纯任德教，用周政乎？"⑥

---

① 《汉书》卷八九，《文翁传》，第3626页。
② （清）唐晏：《两汉三国学案》卷九，《春秋》，中华书局1986年版（下引版本同此），第473页。
③ 《汉书》卷二八下，《地理志》，第1645页。
④ 《后汉书》卷四〇上，《班彪传上》，第1328页。
⑤ 《汉书》卷五八，《公孙弘传》，第2618页。
⑥ 《汉书》卷九，《元帝纪》，第277页。

文翁之后，巴蜀士人谨守其教，出现了兼治儒法的学者。张晧治律、《春秋》，游学京师，虽非法家，而留心刑断，数与尚书辨正疑狱，多以详当见从。广汉郪人王涣敦儒学，习《尚书》，读律令。太守陈宠称其在蜀郡"任功曹王涣以简贤选能，主簿镡显拾遗补阙"①，而自己"奉宣诏书"以理郡。其后三国诸葛亮、晋谯周都学兼儒法，诸葛亮尤其注重吏治。

总之，文翁仁爱乐教，经过他的努力，改变了巴蜀风俗，使其经济、文化发展进入到一个繁荣的局面。需要指出，文翁化蜀固然是巴蜀文化兴起的关键，但蜀地固有文化传统也起着重要作用，而司马相如以一代文赋大家，位至朝廷高官，宣化于蜀，也起到了重要示范作用，故《汉书》称"文翁为之教，相如为之师"。②

第三节　严遵与《道德指归》

先秦时期的巴蜀盛行神仙、黄老思想，汉初司马相如的《大人赋》与屈原的《远游》相承袭，蕴含丰富的道家思想，将道学传统发扬光大而荣显于后世者，则以成都严遵为最先。

严遵字君平③，西汉元、成间蜀郡成都人，扬雄之师，原姓庄，自称"庄子"，后人尊之为"严夫子"。《汉书·王贡两龚鲍传》记其事迹，因避汉明帝刘庄讳，改姓严，称严君平。④严遵谢绝邀聘，终身不仕，以为"卜筮者贱业，而可以惠众人"，故于成都街市卖卜为生，日阅数人，得百钱以自养，而不多求。余时即闭肆下帘而授《老子》，又依老子、庄周之指，著书十余万言，年九十余，以其业终。

严遵终身隐居不仕，长于"修身"，博涉经书，遍访名山大川，见闻广博，自称："经有五，涉其四；州有九，游其八。"⑤常璩称其"雅性澹泊，

---

① 《后汉书》卷七六，《循吏列传·王涣传》，第2468页。
② 关于司马相如的学术思想，参见金生杨《试论司马相如的学术思想》，《西华师范大学学报》（哲学社会科学版）2015年第3期，第20～27页。
③ 《汉书》注引《三辅决录》"君平名尊"，汪荣宝《法言义疏·问明篇》言："按名遵字平，盖取《洪范》'遵王之道，王道平平'之义，作遵是也。"中华书局1987年版，第203页。
④ 《老子指归》卷首，《君平说二经目》注，《道藏》第12册，第342页。
⑤ 《水经注校释》卷三三，《江水》，第578页。

学业加妙，专精《大易》，耽于《老》《庄》"。严遵依老子、庄周之指，著书十余万言，有《老子注》《老子指归》《座右铭》等传世。① 三国时，古朴称"严君平见黄老作《指归》"，"为世师式"②。李权则称"仲尼、严平，会聚众书，以成《春秋》《指归》之文，故海以合流为大，君子以博识为弘"③。孔子、严遵并提，而赞其"会聚众书"，可见严遵学术之渊博。常璩更称《指归》一书，"为道书之宗"。严遵又以《老子》教授，传播道家思想。其弟子著名者有扬雄，后世蜀学也往往溯源于严氏。

一、儒道兼修，融会《易》《老》

汉初与民休息，黄老之学风行一时。汉武帝独尊儒术，黄老之学渐渐淡出，但蜀中延续其学不断，司马相如等人之赋飘飘然如凌云，皆受道家思想影响，严遵出而融会《易》《老》，兼修儒道，在哲学义理上开启了一新的天地。

（一）会通《易》《老》

严遵是汉代融会《易》《老》的重要代表人物④，无论是对老庄道家思想的发展，还是对易学的发展，都做出了重要贡献。其弟子扬雄拟《易》而作《太玄》，在融会《易》《老》方面更向前迈进了一步。

严遵以卜筮为业。宋刘克庄明确指出，严君平"卖卜本逃名，下帘无市声"⑤，卜筮仅是其逃名谋生的手段而已，其心思全在道家上面。宋赵氏便称："严君平在蜀设肆，为人臣者勉之以忠，为人子者劝之以孝，是亦行道尔。"⑥郑思肖也说严遵"多是垂帘自养神，仅能了日即安贫"，称其"不离忠孝谈玄妙，岂是寻常卖卜人？"⑦

---

① 严遵作品现存的有《老子指归》六卷、严灵峰《辑道德指归论上卷佚文》一卷、严灵峰《辑严遵老子注》二卷，《无求备斋老子集成》收录；另有《座右铭》一篇，见严可均《全汉文》。
② 《三国志》卷三八，《蜀书·秦宓传》，第975页。
③ 《三国志》卷三八，《蜀书·秦宓传》，第973页。
④ 汉代道家易学竞起，如司马谈、司马季主、淮南九师、严遵、扬雄皆是，而尤以淮南九师、严遵、扬雄为代表，见陈鼓应《道家易学建构》之《汉代道家易学钩沉》，台湾商务印书馆2003年版，第150~155页。
⑤ （宋）刘克庄：《后村集》卷一五，《严君平》，文渊阁四库全书本。
⑥ （宋）赵灌园（耐得翁）：《就日录》，涵芬楼本《说郛》卷一四，中国书店1986年版，第2页。
⑦ （宋）郑思肖：《图诗·严君平垂帘卖卜图》，（宋）陈思编，（元）陈世隆补：《两宋名贤小集》卷三七一，文渊阁四库全书本。

严遵遵循《周易》阴阳法则，借鉴《易纬》之说，以阴阳差异来安排《老子指归》篇章布局。《系辞传》称"一阴一阳之谓道"，阴阳是《周易》的基本法则之一。《易纬·乾凿度》称孔子之言曰"阳三阴四，位之正也"，因此《周易》六十四卦，分为上下两篇，乃是以此"象阴阳也"，上篇三十卦是"阳道纯而奇"，"所以象阳也"，下篇三十四卦是"阴道不纯而偶"，"所以法阴也"①。《周易》的分篇与上下篇卦数的多少都是缘于阴阳法则而安排的。严遵借鉴此说，结合《老子》"万物负阴而抱阳"的思想，也从阴阳的角度对《道德经》的分篇分章作了一番新的解说。他专门作《说二经目》一篇，以"上经配天，下经配地"，实际上就是以阴阳分《老子》为《德经》《道经》上下二篇。他进一步说："阴道八，阳道九，以阴行阳，故七十有二首；以阳行阴，故分为上下；以五行八，故上经四十而更始；以四行八，故下经三十有二而终矣。"②以少阴八乘老阳九，得七十有二，严遵以此将《老子》划分为七十二章。九为五与四相加而成，故《老子》上篇配以天数五，而与八相乘，得四十章；下篇配以地数四，而与八相乘，得三十二章。《系辞传》称"阳卦奇，阴卦偶"，"卦有小大"，"齐小大者存乎卦"，严遵借以论述《老子》上下经，以为"阳道奇，阴道偶，故上经先而下经后；阳道大而阴道小，故上经众而下经寡"。

严遵《老子指归》一书以注解《道德经》、阐释老子思想为主，但在遣词造句方面则灵活运用了《周易》的辞句，并从内涵上将二者有机地结合在一起，成为他"专精大《易》"的一大体现。《乾卦·彖传》称："大哉乾元，万物资始，乃统天。云行雨施，品物流形……乾道变化，各正性命。"赞扬乾元资始万物的功能，认为乾元使万物品类得以产生，使万物各得其正。《老子指归》卷一《得一篇》则称："确然大《易》，乾乾光耀，万物资始，云蒸雨施，品物流形，元首性命，玄玄苍苍，无不尽复。"对《易传》文辞加以简单改造，用以阐述《老子》"天得一以清"的思想，提出天道无为、万物自然化生。《丰卦·彖传》称："日中则昃，月盈则食。天地盈虚，与时消息，而

---

① （唐）孔颖达：《周易正义》卷首，《论分上下二篇》，（清）阮元校刻《十三经注疏》，中华书局1980年影印本（下引版本同此）第10页。严遵《老子指归》所拟与《乾凿度》相仿，正说明《乾凿度》与《老子指归》同属西汉晚期作品，可为考证二书真伪者提供一佐证，值得重视。
② 《老子指归》卷首，《君平说二经目》注，《道藏》第12册，第342页。

况于人乎？"《道德指归》卷七《天之道篇》则借用来阐述事物对立矛盾的两个方面又存在着相互的转化，称"日中而昃，月满而缺，四时变化，一消一息"。《乾文言》称"贵而无位，高而无民"，《老子指归》卷七《信言不美》直接借以论"不信"之害。《系辞传》称"一阴一阳之谓道"，《老子指归》则反复说"天地之道，一阴一阳"。《系辞传》称"昔者圣人之作《易》也"，《说二经目》则称"昔者《老子》之作也"。《系辞传》称"仰则观象于天，俯则观法于地"，《老子指归》卷一《上德不德篇》则化用为"仰则见天之表，俯则见地之里也"。《系辞传》称："法象莫大乎天地；变通莫大乎四时；县象著明莫大乎日月；崇高莫大乎富贵；备物致用、立成器以为天下利，莫大乎圣人；探赜索隐，钩深致远，以定天下之吉凶，成天下之亹亹者，莫大乎蓍龟。"《老子指归》卷二《名身孰亲篇》则说："法象莫崇乎道德，稽式莫高乎神明，表仪莫广乎太和，著明莫大乎天地。"《系辞传》称："天尊地卑，乾坤定矣。卑高以陈，贵贱位矣。动静有常，刚柔断矣。方以类聚，物以群分，吉凶生矣。"《老子指归》卷二《不出户篇》则说："天圆地方，人纵兽横，草木种根，鱼沉鸟翔，物以族别，类以群分，尊卑定矣，而吉凶生焉。"此外，《老子指归》卷六《用兵篇》："忽小善而易小恶，日以消息，月以陵迟，宗庙崩弛，国为丘墟，族类离散，长无所依，鬼神孤魂，无所栖息。"卷六《民不畏威篇》："阳气安于潜龙，故能铄金；阴气宁于履霜，故能凝冰；木善秋毫，故能百寻；水乐涓涓，故能成海；飞禽逸于卵鷇，故能高翔；群兽预于胎挑，故能远走……戒始慎微，和弱忠信。"在语言和思想方面都借鉴、改造了《坤》爻辞、《象传》《文言传》及《系辞传》。《坤》初六"履霜，坚冰至"，《象传》称"履霜坚冰，阴始凝也；驯致其道，至坚冰也"。《坤文言》则说："积善之家，必有余庆；积不善之家，必有余殃。臣弑其君，子弑其父，非一朝一夕之故，其所由来者渐矣，由辩之不早辩也。"《系辞传》："善不积不足以成名，恶不积不足以灭身。小人以小善为无益而弗为也，以小恶为无伤而弗去也。故恶积而不可掩，罪大而不可解。"如此之类，不一而足。

从整体上看，严遵融会《易》《老》，往往以《易》注《老》，将《周易》作老学化的改造。惠栋《易例》称"《易》尚中和"[①]。《乾文言》将自

[①] （清）惠栋：《易例》卷上，文渊阁四库全书本。

然界最高的和谐称为"太和"。严遵则说:"一浊一清,清上浊下,和在中央。三者俱起,天地以成,阴阳以交,而万物以生。失之者败,得之者荣。夫和之于物也,刚而不折,柔而不卷。"① 《周易》重时,讲求"随时之义",王弼总结《易》例,提出趋时之说。严遵则在《得一篇》中称圣人"与时俯仰,因物变化",《上德不德篇》称大丈夫要"因时应变","与时推移",《人之饥篇》称侯王应"趋时不息",将《周易》积极的趋时思想改造成道家无为、返乎自然的思想。不仅如此,严遵对于儒家之《易》,明显持批判态度,以为"使日下之民皆执《礼》《易》,通《诗》《书》,明律比,知诏令",只会使事情达到极致,而"无益于治"②。

严遵融会《易》《老》,有表有里,有形式也有内涵,有学术也有生活,全面而丰富,为以后的学术发展做出了重要贡献。王德有先生认为,严遵《老子指归》"将《易》与老庄融为一体,将仁义与自然融为一体,为魏晋玄学以'三玄'为经,以自然解名教开辟了道路"③。

(二)无为而治、君民一体的政治哲学

严遵兼修儒道,在政治上重道而不失其尊儒。他引申发挥老庄的思想,主张无为而治,倡言"理国"之道。④ 老子称"失道而后德,失德而后仁,失仁而后义,失义而后礼",社会的混乱,都是因为道德缺失造成的。严遵发挥此说,认为社会的治理要以道为根本,反对"制礼作乐,改正易服",认为这仅仅是"道之华而德之末,一时之法,一隅之术"⑤。他批评"仁义浅薄,性命不真"的君主兴事舞文,"甚者拟圣,以立君臣,同意者无能而官,异心者功大而亡"⑥,明显有针对王莽拟周公之举的用意在里面。严遵认为君王治国、治天下要"因道而动,循一而行"⑦,只有无为而治才会收到良好的效果,因

---

① (汉)严遵著,王德有点校:《老子指归》卷七,《天之道篇》,中华书局1994年版(下引版本同此),第112页。
② 《老子指归》卷三,《为学日益篇》,第38页。
③ 王德有:《严遵引易入道简论》,《道家文化研究》第十二辑,生活·读书·新知三联书店1998年版,第223页。
④ (五代)杜光庭:《道德真经广圣义》卷一,《叙经大意解疏序引》,《道藏》第14册,第310页。
⑤ 《老子指归》卷一,《上德不德篇》,第7页。
⑥ 《老子指归》卷三,《为学日益篇》,第37页。
⑦ 《老子指归》卷一,《得一篇》,第12页。

为"无为者,有为之君而成功之主也,政教之元而变化之母也"①。他甚至进一步引申发挥,提出以"啬"治国的思想,主张统治者"损形容,卑宫室,绝五味,灭声色,智以居愚,明以语默",以为"为啬之道,不施不予,俭爱微妙,盈若无有"②。

严遵发挥《老子》"治大国若烹小鲜"的思想,认为治理国家,要从微处做起,就像飘风入于隙穴之中一样,"为之未有,治之未然",从事物的源头做起,把祸患消灭于萌芽状态,"治之未乱,正之未倾,禁奸之本,制伪之端,闭邪之户,塞枉之门",从而实现"教以无教"的局面,如此便"治不得起,乱不得失,天下无为,性命自然"③。这可以说是严遵对老子无为而治思想的积极方面的引申发挥。

严遵推究社会难于治理的原因,认为一切皆来源于民知,"民知则欲生,欲生则事始,事始则功名作,功名作则忿争起,忿争起则大奸生,大奸生则难治矣"。因此,作为统治者,就要"涂民耳目,塞民之心,使民不得知,归之自然"④,颇有些愚民的思想。

严遵还从君民关系来讨论治国之道,认为人民的生命掌握在君主手中,而君主的大位则掌握在人民的手中,君为民之源,民为君之根,君民一体,如同身体中的"腹心"与"身形"两大部分,只有上下相保,才能长治久安。基于此,严遵提出"轻己重民""顺民"的思想,要求统治者"尚民",讲求"卑损之道","容卑辞敬比于庶人"⑤,"受国之垢","受国不祥"⑥,视民众的苦乐为自己的苦乐,甘于卑微自处,亲涉劳苦,还要以道德为标准,"合之于我,不以责人","求过于我,不尤于民,归祸于己,不怨于人"⑦。这不仅批判君权神授,而且发扬了儒家的民本思想。

严遵的政治思想明显地带有儒、法二家的色彩。他主张威德并施,赏罚并行,但又认为"德之与兵",乃"不得已而后行"⑧。严遵认为万事万物都

---

① 《老子指归》卷二,《大成若缺篇》,第28页。
② 《老子指归》卷四,《方而不割篇》,第66、67页。
③ 《老子指归》卷五,《其安易持篇》,第80页。
④ 《老子指归》卷五,《善为道者篇》,第83页。
⑤ 《老子指归》卷五,《江海篇》,第86页。
⑥ 《老子指归》卷七,《柔弱于水篇》,第115页。
⑦ 《老子指归》卷七,《柔弱于水篇》,第116页。
⑧ 《老子指归》卷六,《用兵篇》,第91页。

自有其分，君臣也各有分守，要"审分明职，不可相代"①，只有"守分如常"②，才不会发生混乱。他还反对专制，主张和顺，认为秦、楚去和弱为刚强，因专制而灭，而西汉则顺天心为慈小，因和顺而昌。

严遵在论述其政治思想时，试图化解矛盾，采取折中调和的政治态度。他认为无为而治的法宝就在于经常处于作为与不作为之间，把握住太和的根本，即"常于为否之间，时和之元"③，遵循和谐，"与时俯仰，因物变化"，并形象地以石与玉作比喻，主张"不为石，不为玉，常在玉石之间"④。

二、严遵对道家和黄老之学的发展

三国王朴称："严君平见黄老作《指归》。"⑤严遵《道德指归》一书继承先秦老庄思想、稷下学术、汉初黄老之学，并对道家思想作了进一步的阐述发展。

（一）虚玄为宗，由无入有的宇宙演化论

严遵"以虚玄为宗"⑥，深入剖析阐述"道体虚无"，进一步解释老子无形无名、不闻不见的宇宙根源说。他观察自然现象，分析天地万类，认为"有类之徒莫不有数，无形之物无有穷极"⑦，有形的东西都具有一定的局限性，无形的东西则没有穷尽之处；他又观察社会现象，认为个人的能、为、知、巧、力也是有限的，不能应对无穷无尽的万事万物；他分析事物之间的关系，发现有形的事物根本不能从有形的东西那里找到根源，"有不生有"⑧，只有"无者生有，虚者生实"⑨。通过综合的考虑，严遵追溯事物的起源，认为"实生于虚，有生于无"⑩，"万物之生也，皆元于虚，始于无"⑪，虚玄

---

① 《老子指归》卷六，《民不畏死篇》，第105页。
② 《老子指归》卷七，《人之饥篇》，第107~108页。
③ 《老子指归》卷二，《至柔篇》，第22页。
④ 《老子指归》卷一，《得一篇》，第11~12页。
⑤ 《三国志》卷三八，《蜀书·秦宓传》，第975页。
⑥ （明）焦竑：《老子翼》卷三，文渊阁四库全书本。
⑦ 《老子指归》卷三，《道生篇》，第47页。
⑧ 《老子指归》卷五，《为无为篇》，第77页。
⑨ 《老子指归》卷三，《道生篇》，第45页。
⑩ 《老子指归》卷二，《不出户篇》，第33页。
⑪ 《老子指归》卷二，《道生一篇》，第18页。

之"道"才是宇宙最高的存在根源。严遵认为道"无有所名","无形无状,无心无意"①,没有名称、形状、声音、意识,同时又是"万物所由,性命所以",是"无无无之无,始未始之始"②。它生育万物,决定万物的一切,但又"不施不与,不为不宰"③。

在老、庄思想的基础上,严遵继承融会了稷下、《淮南子》思想,将宇宙的演化分成了虚无、无形之实有、有形之实有三大阶段。严遵依循《老子》"道生一,一生二,二生三,三生万物",极富思辨性地论述了从虚无之道至无形之实有的整个过程。他说:"夫天人之生也,形因于气,气因于和,和因于神明,神明因于道德,道德因于自然,万物以存。"④道作为极度的虚无,是"无无无之无",以其"虚之虚"而生一,"虚而实,无而有",进入无形之有;而"一其名也,德其号也"⑤,一是相对的无,是"无无之无";"一以虚,故能生二",二是次一等的无,又称"神明";"二以无之无,故生三",三是更次一等的无,又称"太和","三以无,故能生万物"。综合严遵之说,其宇宙演化论其实就是道—一、二、三—万物,也是道—德、神明、太和—万物的阶段式演化。

三生万物,太和之后便产生天地万物了。严遵对此万物本身的生成过程没有过多的论述,但他又明显地继承了《淮南子》物质分化思想,借用了天地、阴阳、五行观念,来丰富其宇宙演化理论,并以此论证事物的多样性和宇宙间普遍存在的矛盾对立的两个方面。严遵将三、太和解释为清、浊、和三物的一种混沌状态,认为天地、阴阳、寒暑、明晦均渊源于此。他说:"天地未始,阴阳未萌,寒暑未兆,明晦未形,有物三立,一浊一清,清上浊下,和在中央。三者俱起,天地以成,阴阳以交,而万物以生。"⑥太和中的清、浊、和三物俱起,于是天地产生,阴阳交合,万物生成。严遵认为自太和之后,万物的产生是气化分离,从而产生千差万别的事物的过程。他说"天地人物,皆同

---

① 《老子指归》卷三,《天下有始篇》,第48页。
② 《老子指归》卷二,《道生一篇》,第17~18页。
③ 《老子指归》卷四,《方而不割篇》,第65页。
④ 《老子指归》卷二,《道生一篇》,第17页。
⑤ 《老子指归》卷一,《得一篇》,第10页。
⑥ 《老子指归》卷七,《天之道篇》,第112页。

元始，共一宗祖，六合之内，宇宙之表，连属一体"①，万事万物都有共同的根源，并由气连为一体，"气化分离，纵横上下，剖而为二，判而为五"②，气运化分离，于是天地、阴阳、五行运行交合，最终形成千差万别的各种事物。不过，这一过程不是逐阶段衍生，而是一时俱成的，"天地并起，阴阳俱生，四时共本，五行同根，忧喜共户，祸福同门"③，因此造就了事物的矛盾对立。

老子提出"道生一，一生二，二生三，三生万物"，认为宇宙由无生有，由少生多，但宇宙演化的具体情况不甚了了，失之于略。《淮南子》对宇宙演化过程作了更详细的描绘，认为宇宙是由一向天地万物逐渐分化的一个气化过程。严遵以老子学说为基础，但明显融入了《淮南子》气化论思想，所以在太和之后加入了阴阳、五行等范畴。严遵甚至认为"道德神明，清浊太和，天地人物，若末若根，数者相随，气化连通，逆顺昌衰，同于吉凶"④，道德、神明、太和、天地都经"气化连通"。即便在无形之有的阶段，严遵的论述也明显受到气化论的影响，认为"一"乃"有物混沌，恍惚居起"，"芒芒须颅，混混沌沌"，"为太初首"，"二"乃"二物并兴，妙妙纤微"，"光耀玄冥"，"三"乃"三物俱生，浑浑茫茫"，"一清一浊，与和俱行，天人所始"⑤。总之，"严君平的《指归》把《淮南子》气化论思想装入了《老子》道生一、无生有的框架中，构造了一个以虚无为源，以气化为流的宇宙演化体系"⑥，无疑是一个巨大的进步。

（二）无为而成的生成论

宇宙由道—德—神明—太和—万物而层层演化发展，而对演化的实现，严遵发挥老子"天地不仁"、道常自然的思想，主张天道无为，认为万物的产生是一种自然的演化，没有特殊的背后推动与支配的力量。

严遵认为"清静效象，无为因应者，道德之动，而天地之化也"⑦，道所具有的"无为因应"特性就是宇宙演化过程的根源性所在。道因其虚之虚而生

---

① 《老子指归》卷二，《不出户篇》，第32页。
② 《老子指归》卷二，《不出户篇》，第32页。
③ 《老子指归》卷四，《大国篇》，第70页。
④ 《老子指归》卷五，《善为道者篇》，第82页。
⑤ 《道德指归》卷二，《道生一篇》，第18页。
⑥ 王德有：《〈老子指归〉自然观初探》，《哲学研究》1984年第9期，第61页。
⑦ 《老子指归》卷三，《行于大道篇》，第51页。

一，一因其虚而生二，二因其无之无而生三，三因其无而生万物，所以整个演化过程就是"无为为之，自然而已"①。严遵还进一步从演化本身来看，发现"道德之化，变动虚玄"，"浑沌无端"，无形无声，但又"无所不存"，"无所不然"，完全是一种"无为之为"的演化。②

严遵还自觉不自觉地从推求宇宙本体的角度，通过一一上溯的方式，探讨了无为而成的生成法则，也就是"体道合和，无以物为，而物自为之化"③。他观察天地自然，发现"天地不言而四时行"④，"天高而清明，地厚而顺宁，阴阳交通，和气流行，万物自生焉"⑤。

（三）性命自然论

老子并没有性命之说，而严遵则依据道德的演化延伸，在性命方面有所论述。他认为性、命、情、意、志、欲六者都出于道德，千变万化，没有穷尽，只有懂得道德的人才能遵循其法则。具体来讲，性源于道，千差万别；命源于德，有天命、遭命、随命之不同。性动与物接而产生情，命动而产生意。情意动与物接而产生志，性命情意与万物接而产生欲。

严遵认为性命有别，"性精命高，可变可易，性粗命下，可损可益"，性命可以变易、损益，如果认知其根本，便不固滞于有无。这实际上是针对道德本身固有的属性而言，以为道德"非有所迫，性常自然"⑥。不过，人物也从道德禀赋了性命，因此因应于自然，而所禀各有不同，"受有多少，性有精粗，命有长短，情有美恶，意有大小"⑦，并由此出现君子、小人，而各有数等，有道人、德人、仁人、义人、礼人的不同。

（四）反初归始的认识论

严遵认为道是可知的，而人也有能力认识道。在认识方法上，严遵主张守静至虚，与物浑然一体，追溯其初始。他说："人能入道，道亦入人，我道相入，沦而为一。守静至虚，我为道室。与物俱然，浑沌周密。反初归始，道为

---

① 《老子指归》卷六，《勇敢篇》，第101页。
② 《老子指归》卷三，《为学日益篇》，第36页。
③ 《老子指归》卷五，《江海篇》，第85页。
④ 《老子指归》卷二，《至柔篇》，第22页。
⑤ 《老子指归》卷末，《辑佚·天地不仁篇》，第127页。
⑥ 《老子指归》卷三，《道生篇》，第46页。
⑦ 《老子指归》卷一，《上德不德篇》，第1页。

我袭。"①只要通过追溯事物的初始,就能把握住道。因此,圣人通过虚心以追溯道德,静气以保存神明,减损聪慧以听无音,抛弃明亮以视无形,观察天地之变动与万物之自然,就能够体察到乱之首、治之元、祸之户、福之门。

严遵的认识论受到了老子思想的局限,趋向于冥想式的自我体悟,但他强调以少知多、审内知外、原小知大的思想,又为后世认识论提供了活力。他说:"反本归根,离末去文,元元始始,寡以然众,一以应万,要以制详,约守真一,谓之少闻。少闻故能知。"②通过对原初、本原的追溯,人们思想有所提升,于是站在哲理的高度,把握事物,实现了以约制博。王弼称:"众不能治众,治众者至寡者也。"③很明显,这是对严遵这一思想的继承与发挥。严遵又认为,认识道还可以通过审内知外、原小知大、以我然彼、明近喻远的方式来获得,推类而及,由微知著。他说圣人不见一家的好恶而管理着万家之事,没有千里之行却把握着九州的变化,足不上天而知晓九天之心,身不入地而明了九地之意,甚至于阴阳进退、四时变化、深远细微隐蔽难见之事,都逃不开他,其原因就在于圣人"审内以知外,原小以知大,因我以然彼,明近以喻远也"④。严遵甚至提出"以有知无,由人识物",由形象到抽象的认识方法,以及"见微知著,观始睹卒",推类而及的认识方法⑤。基于此,严遵认为天地、鬼神、人事都可以认识。他说:"因其本,修其无,开以天心,督以自然,要而推之,约而归之,察近知远,观覆睹反,闻名识实,见始知卒,听声见形,以喻得失,则是千岁之情同符而万世之为共术,天地之心可见而鬼神之意可毕,况乎人事哉?"⑥

不过,严遵又说"天地之道,深以远,妙以微,能识之者寡,行之者希,智惠不能得,唯赤子能体之"⑦。道深远微妙,只有少数人认识它,践行它,智慧之人并不能获得,只有"赤子"才能体悟到它。显然,严遵认识到了人类认知事物的局限性。此外,严遵认为道可以把握,但无法传授,人们无法通过

---

① 《老子指归》卷三,《天下有始篇》,第49页。
② 《老子指归》卷七,《信言不美篇》,第120页。
③ 《周易略例》卷上,《明象》,(三国·魏)王弼著,楼宇烈校释:《王弼集校释》,中华书局1980年版,第591页。
④ 《老子指归》卷二,《不出户篇》,第34页。
⑤ 《老子指归》卷三,《道生篇》,第45页。
⑥ 《老子指归》卷七,《信言不美篇》,第119页。
⑦ 《老子指归》卷四,《含德之厚篇》,第56页。

传授来获得道,"达于道者,独见独闻,独为独存,父不能以授子,臣不能以授君。犹母之识其子,婴儿之识其亲也"①。这种把人类对事物的认识当作一种本然的、内在的东西,固有可取,但又将知识的可积累与可传递性完全抹杀,未免陷于偏执与机械。

(五)忧畏、俭朴、慎言、知足的修养论

在人生观、修养论方面,严遵谨遵老庄之学,生活淡泊,自称"默然托萌""常体卑弱"②,讲求慎始,将祸患消灭于萌芽状态,主张"慎戒其始,绝其未萌,去辩去知,去文去言"③,"以虚受实,以无应有"④,务小常卑。为此,严遵随时保持着戒惧畏厉的忧患意识,以为"不敢宁居而增修其德者,则忘功而功存,故不居而不去"⑤,经常体验忧患敬畏,战战兢兢,而最高的是敬畏道,其次是敬畏天,再次是敬畏地,又其次是敬畏人,再其次是敬畏自身,以至于"忧畏元始,至于无形"⑥。因为慎戒己身的人不畏惧他人,审视自己的人不受制于别人,理顺小事就不怕大事,戒备眼前的事端就不悔于久远。

严遵接受儒家思想的影响,讲求忠孝、节俭,以为"忠孝者富贵之门,节俭者不竭之源",并效法曾子,"吾日三省"⑦。他注重个人的修为,注重身体而轻视天下,重视身体而轻视身外之物。

在现实生活中,严遵十分注重修身养性,也长期坚持着教化育人。他"爱衣爱食,止足非利。垂帘燕居,默养真气。诲人不倦,人悦其风","心与世远,事与人同。不臣大君,不友上公。在贵反贱,齐明若蒙。辽哉远哉,微妙玄通"⑧。他与世相遗,却又实实在在地生活于人群之中。

三、严遵对道学思想的影响

严遵继承前代道家学说,将老子有生于无思想与《淮南子》气化论相结

---

① 《老子指归》卷四,《知者不言篇》,第58页。
② (汉)严遵:《座右铭》,(清)严可均辑:《全上古三代秦汉三国六朝文》,中华书局1958年版(下引版本同此),第360页。
③ 《老子指归》卷七,《信言不美篇》,第121页。
④ 《老子指归》卷四,《大国篇》,第71页。
⑤ 《老子指归》卷末,《辑佚·天下皆知篇》,第125页。
⑥ 《老子指归》卷六,《民不畏威篇》,第99页。
⑦ (汉)严遵:《座右铭》,(清)严可均辑:《全上古三代秦汉三国六朝文》卷四二,第360页。
⑧ (唐)李华:《李遐叔文集》卷一,《严君平》,文渊阁四库全书本。

合，在对"道"之"虚无"及"无实生有"的宇宙演化论方面，论述精致深微，思辨性极强，从而开魏晋玄学之先河，成为汉代道家思想转变到何晏、王弼玄学思想的中间环节，在中国哲学思想发展史上具有承前启后、继往开来的重要作用。

魏晋玄学以《老子》《庄子》《周易》为"三玄"，对之加以融会改造，形成新的思想体系，成为道家思想发展史的一个重要阶段。严遵尤精《大易》，耽于老、庄，其《指归》首开融会"三玄"之风。严遵以虚玄为宗，王弼承其论，提出以无为本的本体论；严遵提出了"寡以然众，一以应万，要以制详"的方法论思想，与《太玄·玄莹》"少则制众，无则治有"一道，为王弼以寡治众思想奠定了坚实基础。宋晁说之称："王弼《老子道德经》二卷，真得老子之学欤！盖严君平《指归》之流也。"①明沈士龙则称："至于《名身孰亲篇》'无名之名'数句，王辅嗣准之以注《睽》之上九，便称妙解。"②

严遵万物自生自化的思想，对后世也产生了深远的影响。三国秦宓说："道非虚无自然，严平不演。"晋葛洪《抱朴子·内篇·登涉》则称："天地之情状，阴阳之吉凶，茫茫乎其亦难详也，吾亦不必谓之有，又亦不敢保其无也。然黄帝、太公皆所信仗，近代达者严君平、司马迁皆所据用。"王充天道自然思想的形成深受严遵的影响。《论衡·自然》明确说："何以知天之自然也？以天无口目也。"其《物势》一篇也说："天地合气，人偶自生也，犹夫妇合气，子则自生也。"这就借鉴了严遵天道自然的思想，而用以批判天人感应等神秘学说。此外，郭象也继承了严遵万物自生自化说，其万物各守其分说也由严遵而来。③

严遵对巴蜀哲学思想产生了重大而深远的影响。严遵易学在巴蜀长期流传，宋程迥《周易章句外编》称涪州谯定尝授《易》于羌夷中郭载，而"郭本蜀人，其学传自严君平"④。《宋史》也称："郭曩氏者，世家南平，始祖在汉为严君平之师，世传易学，盖象数之学也。"⑤严遵黄老道家思想深深印

---

① （魏）王弼：《老子道德经》卷末附晁说之《记》，文渊阁四库全书本。
② 《老子指归》卷末附录三《题道德指归》，第156页。
③ 王德有：《严遵与王充、王弼、郭象之学源流》，《道家文化研究》第四辑，上海古籍出版社1994年版，第222~231页。
④ （宋）程迥：《周易章句外编》，文渊阁四库全书本。
⑤ 《宋史》卷四五九，《谯定传》，中华书局1977年版（下引版本同此），第13460页。

入巴蜀人心中,使巴蜀黄老道家思想长期盛行,并且成为巴蜀道教产生流行的一大动因。唐初巴蜀道士王玄览"抄严子《指归》于三字,后注《老经》两卷"①,沿着严遵《老子指归》的路子,对《道德经》作新的注解,从而走上重玄之路。南宋史学家李焘则说:"蜀人盖多《玄》学,疑严、扬所传固自不绝,但潜伏退避,非遇其人,则鲜有显者耳。"②理学大师朱熹亦称:"子云所见多老氏者,往往蜀人有严君平源流。"③

第四节 扬雄的哲学思想

扬雄作为汉代具有不囿于今古文经学、谶纬神学而具独立思想的哲学家,在哲学领域建构起了以"玄"为本的哲学体系。他继承其师严遵之学,借鉴吸收了老庄之学,但又不失儒家立场,以孟子后继者自居,融会儒道,自立新说。扬雄的哲学具有重要的历史地位和深远的历史影响。

一、宗经拟圣,度越诸子

扬雄(前53~18)从小喜好学习,博览无所不见,为人"简易佚荡,口吃不能剧谈,默而好深湛之思"④,不为章解句析之学,而以通晓大义为要。扬雄的后半生正处在西汉与新莽交替之际,社会黑暗,阿谀奉迎以得高官爵位者不计其数,而他淡然处之,历经成、哀、平三帝而未曾升迁。王莽代汉以后,受刘歆等人谋反之事牵连,正在天禄阁校书的扬雄吓得跳阁自杀而未遂。王莽知其人,"有诏勿问",他才得以以病免官。

就扬雄的学术特色来看,他首先以模仿见长,其赋模仿司马相如,自称"能读千赋则善为之矣"⑤,又曾"摭《离骚》文而反之,作《反离骚》",仿虞箴作《州箴》等;其学术著作《太玄》《法言》则模仿《周易》《论

---

① (唐)王玄览著,朱森溥校释:《玄珠录校释》卷首,《玄珠录序》,巴蜀书社1989年版,第61页。
② (元)马端临:《文献通考》卷二〇八,《经籍考》,浙江古籍出版社1988年版,第1716页。
③ (宋)黎靖德:《朱子语类》卷一三七,中华书局1986年版(下引版本同此),第3261页。
④ 《汉书》卷八七上,《扬雄传上》,第3514页。
⑤ (唐)欧阳询:《艺文类聚》卷五六,《杂文部二》引桓谭《新论》,上海古籍出版社1965年版,第1013页。

语》，又仿《尔雅》作《方言》，仿《仓颉》作《训纂》，在历史上留下了深远的影响。扬雄拟经，后人以为有僭越之嫌，实际是其宗主儒家经典、效法圣人的表现。但他又有所超越，并不以圣人自限，成为后世拟经的始祖和典范。其次，扬雄好古文，曾经师从善古学的林闾、严遵学习古文字，学者以为他与司马相如一道，对古巴蜀语言文字之学有所传承和弘扬。在《太玄》一书中，扬雄使用了许多古僻的文字，"字书多收不尽"①，正说明了这一点。再次，在经历黄老和法家对儒家思想的渗透之后，扬雄以孟子自况，站在儒学的立场上，在借鉴吸收以黄老思想为主的诸子百家思想基础上，致力于恢复孔孟之道，为唐宋学者扬孟抑荀埋下了伏笔。宋代孙复、曾巩、王安石、司马光等都推崇扬雄，甚至以之为宗。最后，扬雄反对神学目的论，对桓谭、王充等人反谶纬神学起到了前导和鼓舞的作用。"当时在自然观方面明确地打击神秘主义和宗教迷信的哲学家是扬雄。"②此外，扬雄接受黄老尤其是严遵思想的影响③，创立了以"玄"为本体的哲学思想体系，对魏晋玄学思想产生了一定的影响，"溯自扬子云以后，汉代学士文人即间尝企慕玄远"④。但由于其政治、思想的局限性，到道学成立时，程颐斥"扬子，无自得者也，故其言蔓衍而不断，优柔而不决"⑤，朱熹著《通鉴纲目》，大书"莽大夫扬雄死"，其历史地位逐渐下降。

扬雄以儒家经典为宗，在形式上效法模仿，在思想内容上融会儒道，超越进取，具有强烈的理性精神，汉桓谭以为"扬子之书文义至深，而论不诡于圣人，若使遭遇时君，更阅贤知，为所称善，则必度越诸子矣"⑥，为后来的历史所证明，成为不二之论。

---

① （汉）扬雄著，（宋）司马光集注：《太玄集注》卷一，中华书局1998年版（下引版本同此），第22页。
② 冯友兰：《中国哲学史新编》中卷，人民出版社1998年版，第247页。
③ 关于扬雄《太玄》学与黄老、蜀学的关系，魏启鹏《〈太玄〉·黄老·蜀学——读〈玄〉札记之一》有详细论述，见《道家文化研究》第十二辑，生活·读书·新知三联书店1998年版，第236~252页。
④ 《魏晋玄学流别略论》，汤用彤撰，汤一介等导读：《魏晋玄学论稿》，上海古籍出版社2001年版，第43页。
⑤ （宋）程颢、程颐：《河南程氏遗书》卷二五，《二程集》，中华书局1981年版（下引版本同此），第325页。
⑥ 《汉书》卷八七下，《扬雄传下》，第3585页。

《周易》强调"二分",阴阳五行重视"五分",而扬雄受老子思想的影响,突出"三分",并作了创造性的发挥,不仅分天、地、人三玄,又别分始中终、下中上、思福祸,以为"通天、地、人曰儒",在人性论上批判孟子性善、荀子性恶的两极说,提出善恶混的新说,赞赏"进而未极,往而未至,虚而未满"的玄道,去极端而倡中和,因时行藏,在哲学上尤有独特的贡献。①

二、以"玄"为高的本体论

扬雄深受其师严遵的影响,继承《老子》《易传》思想,以"玄"作为其宇宙观中的最高范畴。《老子》说:"常无,欲以观其妙;常有,欲以观其徼。此两者同出而异名,同谓之玄。""玄"是有与无的统一,是与"道"等同的哲学范畴。《易传》则称"易有太极,是生两仪",由易、太极、两仪、四象、八卦而生成万事万物。扬雄充分发挥《易》《老》之说,仿《周易》而制《太玄》,有取于《老子》"玄之又玄,众妙之门",以"玄"代替儒家的"易"与老子之"道"。王充《论衡》说:"《易》之乾坤,《春秋》之元,扬氏之玄,卜气号不均也。"桓谭《新论》也说:"扬雄作《玄》书,以为玄者,天也,道也……宓牺氏谓之易,老子谓之道,孔子谓之元,而扬雄谓之玄。"扬雄所谓的"玄",正与老子所说的"道"、《周易》所言的"易"、《春秋》所称的"元"是同实而异名的宇宙本体。可以说,《太玄》就是扬雄继承《老》《易》以阐发其"玄"学思想的著作。故扬雄在《太玄赋》中说:"观《大易》之损益兮,览老氏之倚伏。""岂若师由聃兮,执玄静于中谷。"

老子形容道体"玄之又玄,众妙之门",大道玄妙莫测,是万物本体,是开启万物的大门,是天地的根源,即"玄牝之门,天地之根"。《坤文言》称"天玄而地黄",《周易》的"玄"乃是天的特点。扬雄界定"玄"道:"玄也者,天道也,地道也,人道也。兼三道而天名之。"② "玄"兼具天、地、人之道,是宇宙的根本和世界的最高本原。就"玄"本身而言,扬雄认为玄是

---

① 庞朴在《一分为三论》一书中有《太玄》一小节,称"扬雄的'玄'说,确已摸到了这一由二分迈入三分的门槛"(上海古籍出版社2003年版,第102页),惜未能通贯扬雄的整体思想,对其阴阳、人性、祸福、人生观等方面的中和思想揭示不够。
② 《太玄集注》卷一〇,《玄图》,第212页。

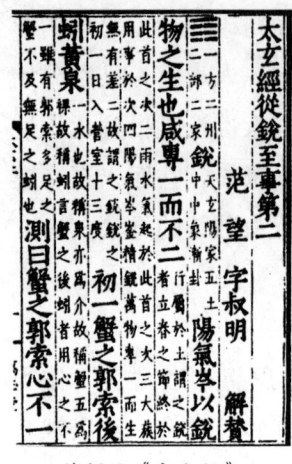

范望注《太玄经》

无形的,但又是万物的根源。玄无处不在,"浑行无穷"①,在上下前后各个方位存在着,"仰而视之在乎上,俯而窥之在乎下,企而望之在乎前,弃而忘之在乎后"②。玄神秘莫测,让人难以捉摸,"夫玄,晦其位而冥其畛,深其阜而眇其根,攘其功而幽其所以然者也。故玄卓然示人远矣,旷然廓人大矣,渊然引人深矣,渺然绝人眇矣!"③扬雄还从矛盾的对立统一的角度阐释"玄"兼具阴阳、止行、明晦,而又超乎其上,"阳知阳而不知阴,阴知阴而不知阳。知阴知阳,知止知行,知晦知明者,其唯玄乎!"④阴阳、止行、明晦只是作为宇宙本体的"玄"的一个方面,而玄则将二者统一在一起,无有间隔,超越了阴阳、止行、明晦的对立。

虽然扬雄将"玄"讲得十分玄妙,但他反对神学目的论,反对宇宙中有主宰一切的造物主。《法言·重黎》说:"神怪茫茫,若存若亡,圣人曼云。"他驳斥神仙方术之士的长生不老之说,认为"有生者必有死,有始者必有终,自然之道也"⑤,那种"耻一日之不生"的"仙人",其实"名生而实死"⑥。因此,扬雄既继承了孔子"不语怪力乱神"的思想,又改造了老子"道法自然"的观点,将自然、社会看作是一种"无为之为"的"自然之道"。

扬雄以"玄"为最高本体,除了受到其师严遵的影响外,司马相如的思想也是其渊源之一。扬雄推崇司马相如之赋,"学相如赋而弗逮",以为"长卿赋不似从人间来,其神化所至邪?"⑦司马相如之赋达到了汉赋的最高成就,除了具有外在的"合纂组以成文,列锦绣而为质,一经一纬,一宫一商"的"赋之迹",有极强的文学修养功力外,最重要的还在于司马相如在哲学思想

---

① 《太玄集注》卷一,《玄首序》,第1页。
② 《太玄集注》卷七,《玄摘》,第186页。
③ 《太玄集注》卷七,《玄摘》,第185页。
④ 《太玄集注》卷七,《玄摘》,第186页。
⑤ (汉)扬雄:《法言·君子》,汪荣宝:《法言义疏》,中华书局1987年版(下引版本同此),第521页。
⑥ 《法言·君子》,汪荣宝:《法言义疏》,第517~518页。
⑦ (汉)刘歆撰,(晋)葛洪集:《西京杂记》卷三,《长卿赋有天才》,《汉魏六朝笔记小说大观》,上海古籍出版社1999年版,第99页。

上已经达到了一个高峰,故能"控引天地,错综古今",而称"赋家之心,苞括宇宙,总览人物,斯乃得之于内,不可得而传"之说。① 赋家之心能包括宇宙、总览人物,则自然、社会皆在其掌控之内,实际上就是对宇宙的最高本体有了把握,同时心在此间又起到了重要作用。扬雄长期模仿司马相如之赋,对此显然心领神会,所以站在哲学的高度上,总括天、地、人,而提出"玄"这样的最高本体,并对心、对思十分看重,认为人心能认识自然、社会,而思虑则能加深对自然、社会的认识。

三、"幽擒万类"的宇宙生成论

从宇宙生成的角度讲,扬雄认为万事万物均为玄的运动作为所产生。他说:"玄者,幽擒万类而不见形者也。"② 玄是宇宙生成的本原,天地万物皆由玄所进行的分化运动产生出来。这种分化运动就是无形之"玄"通过"幽擒"之行为而产生的,也就是说,"玄"不见其形却又规定着万物的发生、运动。

扬雄认为玄的运动变化,生成万物,初始于元气,再通过阴阳的发散凝聚、参互运动而完成。其《核灵赋》称"自今推古,至于元气始化",在《解嘲》中则说"大者含元气,纤者入无伦"。"元气"不是"玄",但根源于"玄",最接近于"玄",是"玄"开始演化的元初状态。这元气也就是宇宙起源之初的混沌虚无状态,亦即《檄灵赋》所说的"太易之始,太初之先,冯冯沉沉,奋搏无端"。扬雄虽然在对待玄与元气范畴上有些矛盾之处,但他以玄为最高范畴,与《淮南子》"虚廓生宇宙,宇宙生元气"之说不同,"实现了前人虚无创世说与元气肇始说的结合"③,确是一大进步。扬雄进一步说,玄"擒措阴阳而发气,一判一合,天地备矣"④,又说"驯乎玄,浑行无穷正象天。阴阳妣参,以一阳乘一统,万物资形"⑤。"玄"浑然运行,无穷无尽,如同"天"之运转,它兼备阴阳,以阳为主,阴阳判合聚散,万类因之而成形。

元气、阴阳的进一步运行与作用,就逐渐产生了万事万物。扬雄于是提

---

① (汉)刘歆撰,(晋)葛洪集:《西京杂记》卷二,《百日成赋》,《汉魏六朝笔记小说大观》,上海古籍出版社1999年版,第89页。
② 《太玄集注》卷七,《玄摛》,第184页。
③ 王葆玹:《正始玄学》,齐鲁书社1987年版,第193页。
④ 《太玄集注》卷七,《玄摛》,第184页。
⑤ 《太玄集注》卷一,《玄首序》,第1~2页。

出一个世界演化发展的模式。他说："一玄都覆三方，方同九州，枝载庶部，分正群家。""玄有二道，一以三起，一以三生。以三起者，方州部家也；以三生者，参分阳气，以为三重，极为九营。"①扬雄采用三分法的方式，以一玄分为天、地、人三方；一方分为三州，共九州；一州分为三部，其二十七部；一部分为三家，共八十一家。此即一以三起，由一玄而起方州部家。一家始生，三分之以为三表，共二百四十三表；再三分之为九营，即九赞，共七百九十二赞。此即一以三生，由家而表、赞。方、州、部、家协同配合，辅以图象符号，形成八十一首。《周易》每卦，后人以上下二体来注释其卦象，如《乾卦》注以"乾上乾下"，而后人也通过方州部家四重来注《太玄》每一首，如以"一方一部一州一家"注《中首》。因此，单就《太玄》八十一首的符号体系来看，它其实是按照1111《中》、1112《周》、1113《礥》、1121《闲》……直到3331《难》、3332《勤》、3333《养》为止的三进位制法则制定并排列的。《太玄》拟《易》而作，虽然《易传》有"易有太极，是生两仪，两仪生四象，四象生八卦"的二进位制论述，但传世的《周易》六十四卦卦序并没有这样规则的排列方式，直到宋代邵雍建构"先天学"，重新排列八卦、六十四卦次序，制出"先天八卦次序图""先天六十四卦次序图"，《周易》六十四卦卦象的二进位制才明确起来。所以，扬雄以三分法来论述世界图式，是一种超越了《周易》模式的创举。《玄莹》说："一辟、三公、九卿、二十七大夫、八十一元士，少则制众，无则治有，玄术莹之。"结合扬雄受到老子思想的影响，我们认为扬雄的三分法乃是他继承《老子》"道生一，一生二，二生三，三生万物"思想，发挥《礼记·王制》《淮南子·泰族训》《春秋繁露·官制象天》等仿天象以定官制，天子、三公、九卿、二十七大夫、八十一元士等传统认识的结晶，与传世的《周易》卦序没有直接关系。

从扬雄《太玄》八十一首拟《周易》各卦的角度来看，八十一首的排列次序又是模拟汉代流行的卦气说而作的。《易纬》称"卦气起《中孚》"，《太玄》第一首《中》就是拟《中孚》而成，而与《周易》以《乾》《坤》二卦为首的次序又不一样。所以，朱熹说："扬雄也是学焦延寿推卦气……今人说焦延寿卦气不好，是取《太玄》，不知《太玄》却是学它。"②清朝焦循说：

---

① 《太玄集注》卷一〇，《玄图》，第211、212页。
② 《朱子语类》卷六七，第1674页。

"《太玄》所准者卦气也,非《易》也。"扬雄依据卦气说以《太玄》八十一首代表一年四时的气候变化。《太玄》八十一首,每首九赞,共七百二十九赞,每二赞合为一日,一赞为昼,一赞为夜,凡三百六十四日半,益以《踦》《嬴》二赞,凡得三百六十五又四分之一日,"与《泰初历》相应,亦有颛顼之历"①。八十一首七百三十一赞象征着一元之气顺四时而运行变化的情况,也正反映了元气的顺时产生万物的情况。一年之中,春夏阳息阴消,秋冬阴息阳消,两者气候相反而相乘,所以扬雄在《玄冲》中亦将八十一首分为前后两个部分。第一首《中》至第四十首《法》为阳息阴消,第四十一首《应》至八十首《勤》为阴息阳消,前后阴阳变化恰好相应,故《玄冲》以前后每两首自《中》与《应》一一配对,以明其相应关系,而第八十一首《养》既成终又成始,无所对而"受其余"。

扬雄又将八十一首划分为九个阶段,称为"九天"或"九行",以示一年气候变化的阶段性与复杂性。"九天"用每一"天"中的第一首首名命名。《玄数》称:"九天:一为中天,二为羡天,三为从天,四为更天,五为睟天,六为廓天,七为减天,八为沈天,九为成天。"八十一首以《中》代表十一月开始,至《养》代表十月为止,每首代表四日半,九首就代表四十日半,所以《玄图》称"始于十一月,终于十月,罗重九行,行四十日"。"四十日"乃四十日半的约数或者说整数,这样,"九天"而一年之日数尽,"八十一首,岁事咸贞"②。九天的划分由三分阳气,极为九营而成。在《玄图》中,扬雄通过对"九天"各阶段阴阳二气的消长变化及万物盛衰状况的描述,说明了九天的变化过程。中天是以《中》首为始的第一首至第九首,指阳气"诚有内",潜萌待发;羡天是以《羡》首为始的第十首至第十八首,此时阳气"宣而出",发散流行;从天是以《从》首为始的第十九首至第二十七首,此时阴阳气协调互动,"云行雨施",气候适宜;更天是以《更》首为始的第二十八首至第三十六首,此时阳气更加增长,阴阳二气之势有变易之态,故为"变节易度";睟天是以《睟》首为始的第三十七首至第四十五首,此时阳气光耀,"珍光淳全";廓天是以《廓》首为始的第四十首至第五十四首,此时阳气依然光耀于外,但内在阴气虚微,故有"虚中弘外"之貌;减天是以

---

① 《汉书》卷八七下,《扬雄传下》,中华书局1965年版,第3575页。
② 《太玄集注》卷一,《玄首序》,第2页。

《减》首为始的第五十首至第六十三首，阳气在此时已由最盛转入消退，阴气渐长，"削退消部"；沈天是以《沈》首为始的第六十四首至第七十二首，此时阳气潜藏，万物成熟，故"降坠幽藏"；成天是以《成》首为始的第七十三首至第八十一首，此时阳气微弱，仅存一线，事物终成，故"考终性命"。

扬雄的九阶段论以一首为九赞，八十一首为九天、九行为基础，同时又进一步将其推演开去，于是地有"九地"，人有"九等"，人体有"九体""九窍"，宗族关系有"九属"，等等。如《说卦》之论八卦之象，它们可以代表万事万物，一切自然、社会现象。其实，九赞、九行等"九"是以一至九这九个数字结合五行生成关系来论述其各自的特性。《玄莹》称："鸿本五行，九位施重，上下相因，丑在其中，玄术莹之。"这就指明一首九赞与五行相应。就五行对应关系而言，一二三四为五行生数，六七八九为五行成数。《玄数》称"一六为水"，"二七为火"，"三八为木"，"四九为金"，"五五为土"，所以《玄图》又说"一与六共宗，二与七共朋，三与八成友，四与九同道，五与五相守"，而与宋人所言的"河图""洛书"并没有关系。从阴阳的关系看，一至四为阳息阴消，六至九为阴息阳消，而五则成为阴阳态势转化的分界线。正因为九数有如此特性，如同"玄"的一个小循环，所以扬雄以之象征万事万物，用以解析自然与社会的一切现象。

如果说扬雄以八十一首结合历法、物候，模拟卦气说而描绘万物生成变化过于复杂的话，那么他拟《乾卦》"元亨利贞"四德，结合《乾文言》，在《玄文》中提出《太玄》有"罔、直、蒙、酋、冥"五德，则是简洁化的以方位、气候相结合而说明万物生长变化的模式。扬雄解释说："罔，北方也，冬也，未有形也。直，东方也，春也，质而未有文也。蒙，南方也，夏也，物之修长也，皆可得而戴也。酋，西方也，秋也，物皆成象而就也。有形则复于无形，故曰冥。"罔即无，即万物发生于无形；直即殖，谓万物始生质朴而无文饰；蒙即覆，乃万物生长茂盛；酋即就，谓万物生成成熟；冥指混沌无形，谓万物复归于无形状态。由此来看，扬雄又以"罔、直、蒙、酋、冥"五德作为"玄"的另一种循环模式。

总之，扬雄通过三分法的模式，又加入九段式、五段式的划分，结合历法、物候等，以玄通过元气之后的阴阳二气的判合聚散、参互作用，而描述了世界万事万物的演化发展与变化的情景，反映了他朴实的自然哲学观念。有学者认为："这个宇宙形成论是对汉初黄老之学气论学说的进一步阐发，从而使中国古代的'元气说'基本确立起来。"① 就扬雄以"玄"为最高本体，而在其体系下论述"气"的运行变化来说，这是值得肯定的。但扬雄是以"玄"为第一性的，并由此巧妙地实现了虚无本体与元气本体的结合。同时，扬雄引入"阴阳家的神秘主义"即"历数"，乃至在天文上否定盖天说，引入浑天说，但也始终通过五行、阴阳等法则，将其熔铸于"玄"的大体系之下，所以，扬雄不存在"二元论思想"。②

四、儒道兼采的社会哲学

在社会哲学方面，扬雄的思想也是极为复杂的。他既坚持儒家的伦理思想，又采用了道家的处世哲学，在人性论上则自出新意。

（一）"折诸圣"的儒家伦理思想

在伦理纲常上，扬雄以孔子儒学为标准，主张治理天下当以礼文、五常为教，以为"允治天下，不待礼文与五教，则吾以黄帝、尧、舜为疣赘"③。扬雄重视五常，以为"仁宅也，义路也，礼服也，智烛也，信符也"，要"处宅，由路，正服，明烛，执符"，如此，"君子不动"则已，"动斯得矣"④。他甚至以是否合乎礼义作为为人的标准，以为"取四重，去四轻，则可谓之人"⑤，只有在语言、行为、表情、爱好四个方面庄重而不轻浮，合乎礼义，才有做人的资格。扬雄批评黄老神仙之说，以为人立身处世，应当讲求忠孝。当有人问他"仙之实"，他就以"无以为也。有与无，非问也。问也者，忠孝之问也。忠臣孝子，偟乎不偟"作答⑥，否定离世出俗，而以忠孝为立身。扬雄认为"惠以厚下，民忘其死；忠以卫上，君念其赏"⑦，所以，与司马迁不同，扬雄斥陈胜、吴广揭竿起义为"乱"，而赞扬霍光"拥少帝之微，摧燕、上官之锋，处废兴之分"为"堂堂乎忠，难矣哉"⑧。在刑德方面，扬雄赞同儒家的德治，而慎用刑罚，以为"民可使觌德，不可使觌刑。觌德则纯，觌刑

---

① 郑万耕：《扬雄自然哲学述要》，《道家文化研究》第四辑，上海古籍出版社1994年版，第214页。
② 侯外庐、赵纪彬、杜国庠、邱汉生的《中国思想通史》即以扬雄思想为二元论思想。
③ 《法言·问道》，《法言义疏》，第117页。
④ 《法言·修身》，《法言义疏》，第92页。
⑤ 《法言·修身》，《法言义疏》，第96页。
⑥ 《法言·君子》，《法言义疏》，第518页。
⑦ 《法言·问道》，《法言义疏》，第241页。
⑧ 《法言·重黎》，《法言义疏》，第382页。

则乱"①。因此，扬雄注重教化，反对法家的重刑思想，以为申、韩之术极为不仁，不把人当作人看待。

站在儒家伦理的立场上，扬雄以继孟子自任，对诸子异说进行了尖锐的批评。他批评老子之说，以为其"言道德"有可取之处，但"搥提仁义，绝灭礼学"②，则并不可取。对于庄子、杨朱、墨子、晏子、申不害、韩非、邹衍之流，扬雄认为他们的行为举止不合于儒家的纲常伦理，各有所弊，"庄、杨荡而不法，墨、晏俭而废礼，申、韩险而无化，邹衍迂而不信"③。孔子以为"去异端，斯害也已"④，扬雄则以孟子为榜样，以其后继者自居，称"古者杨、墨塞路，孟子辞而辟之，廓如也。后之塞路者有矣，窃自比于孟子"⑤。扬雄坚持儒家的伦理学说，拔孟子于诸子之上，以为不异于孔子，因此唐代的韩愈称"因雄书而孟氏益尊"⑥。

（二）"善恶混"的人性学说

对于孔子提出的"性相近，习相远"、孟子提出的人性善、荀子提出的人性恶的论题，扬雄也有自己独到的见解，从而形成为人性论史中十分重要的一家之说。他说："人之性也，善恶混。修其善则为善人，修其恶则为恶人。"⑦人的本性有善有恶，混淆在一起，而后天善恶的关键在于人的修为如何。学习就是修养人性的重要方法，只要对性所有的视、听、言、貌、思加以学习，就可以端正人性，而不至于邪妄。所以，"习乎习！以习非之胜是，况习是之胜非乎？"⑧

扬雄之说明显本于孔子"性相近，习相远"之说，但鲜明地分辨其善恶，就有违于孔子之说，而与孟子性善论、荀子性恶论相争。这种有别于孔孟正统的善恶混的人性论在宋代重新确立人性本善论后，同荀子性恶论一道遭到了强烈的批判。

---

① 《法言·先知》，《法言义疏》，第300页。
② 《法言·问道》，《法言义疏》，第114页。
③ 《法言·五百》，《法言义疏》，第280页。
④ 《论语·为政》。
⑤ 《法言·吾子》，《法言义疏》，第81页。
⑥ （唐）韩愈撰，马其昶校注：《韩昌黎文集校注》卷一，《读荀》，上海古籍出版社1986年版，第36页。
⑦ 《法言·修身》，《法言义疏》，第85页。
⑧ 《法言·学行》，《法言义疏》，第21页。

（三）中和达观、因时行藏的处世哲学

扬雄辩证地看待社会，将社会的变化看作是两极的辩证发展。他说："夫道有因有循，有革有化。因而循之，与道神之；革而化之，与时宜之。故因而能革，天道乃得；革而能因，天道乃驯。"①"道"有因袭相循的一面，也有革新变化的一面，是因革的对立统一体。就社会历史而言，扬雄认为是一代胜过一代，所以他主张"世异事变""为政日新"，要求"新则袭之，蔽则益损之"②。同样，社会、事物发展中的对立面都会相互转化，"盛则入衰，穷则更生；有实有虚，流止无常"。其条件是"极"，"阳不极则阴不萌，阴不极则阳不牙"③。在《太玄赋》中，扬雄"观《大易》之损益"，"览老氏之倚伏"，"省忧喜之共门"，"察吉凶之同域"，感叹于"皦皦著乎日月兮，何俗圣之暗烛。岂憀宠以冒灾兮？将噬脐之不及。若飘风不终朝兮，骤雨不终日。雷隆隆而辄息兮，火犹炽而速灭。自夫物有盛衰兮，况人事之所极"④，对事物现象的辩证法看得十分透彻，以为一切事物现象都在变化发展，对立的两个方面互相转化，又互相联系，统一在一起，执着其中的一个方面，必然会导致相反的结果产生。

扬雄在《太玄》《法言》乃至其诸赋文中，都列举了许多的对立，并看到了它们相互转化、彼此相代的情景。他为此忧心，在处理世事、面对社会时，便接受了老庄清静无为、孔子贵时的思想，强调以静默应世，因时行藏，"贵将近，贱始退"，提出了一套独特的中和达观的处世哲学。扬雄"清静无为，少嗜欲，不汲汲于富贵，不戚戚于贫贱，不修廉隅以徼名当世"。面对乱世，他不赞成屈原投江自杀，而自惜其生命，以为"君子得时则大行，不得时则龙蛇，遇不遇命也，何必湛身哉！"⑤在西汉末年政局动荡、王莽篡权之际，扬雄宁愿写《剧秦美新》来保全其生命，也不死忠于汉朝。他师从严遵，以为严氏"不作苟见，不治苟得，久幽而不改其操"⑥，赞赏其处世之方，在乱世中将自己的毕生精力贡献于对知识、大道的追求，"默而好深湛之思"，"博览

---

① 《太玄集注》卷七，《玄莹》，第190页。
② 《法言·问道》，《法言义疏》，第127页。
③ 《太玄集注》卷七，《玄摛》，第187页。
④ （宋）章樵：《古文苑》卷四，文渊阁四库全书本。
⑤ 《汉书》卷八七上，《扬雄传》，第3515页。
⑥ 《法言·问明》，《法言义疏》，第200页。

无所不见","自有大度，非圣哲之书不好也；非其意，虽富贵不事也"。

在扬雄看来，"玄"有着"进而未极，往而未至，虚而未满"的中和特性，如同"冬至及夜半以后"阳气始进而未极的状态。众人好善而不足，众人丑恶而有余，作为君子，应以中和玄道自处，"日强其所不足，而拂其所有余"①，应"内正而外驯，每以下人"，内怀正道而外表谦顺，常常处于人下。在《解嘲》中，他分析"炎炎者灭，隆隆者绝；观雷观火，为盈为实，天收其声，地藏其热。高明之家，鬼瞰其室。攫挐者亡，默默者存；位极者宗危，自守者身全"的两极状态，认为皆不得中和玄道，因此强调"知玄知默，守道之极；爱清爱静，游神之廷；惟寂惟寞，守德之宅"②，以此来处理人事之务。在《玄文》中，扬雄对比君子、小人应对世务的不同法则，以为"君子在玄则正，在福则冲，在祸则反；小人在玄则邪，在福则骄，在祸则穷。故君子得位则昌，失位则良；小人得位则横，失位则丧"，进一步指出了玄默处中、以谦退为德的处世之道。

扬雄的处世哲学有着浓郁的老庄道家色彩，宋代朱熹以为"西汉时儒者说道理，亦只是黄老意思，如扬雄《太玄经》皆是"③，元代郝经更直称扬雄"虽名儒学，乃以老氏之说拟《易》"④。然而扬雄对社会的认识富有辩证法的因素，而其处世更有着儒家知时而行藏的内涵，仅仅是因社会现实的黑暗和个人不为人知的境遇，最终在处世之道上给人以沉溺老庄哲学的观感。

正如汤用彤以桓谭之论为据所指出的那样，扬雄在社会哲学上确也有不足之处。他"以为玄者天也，道也"，有着排斥神仙图谶之说，独倡以玄为高的本体、生成论，但其"言圣贤著法作事，皆引天道以为本统，而因附属万类王政人事法度"，又"不免本天人感应之义，由物象之盛衰，明人事之隆污，稽察自然之理，符之于政事法度"，而"未超于象数"⑤。

---

① 《太玄集注》卷七，《玄摘》，第186、188页。
② 《汉书》卷八七下，《扬雄传》，第3571页。
③ 《朱子语类》卷一二六，第3011页。
④ 《续后汉书》卷八三下，《诸子》，文渊阁四库全书本。
⑤ 《魏晋玄学流别略论》，汤用彤撰，汤一介导读：《魏晋玄学论稿》，上海古籍出版社2001年版，第43页。

五、"强学而力行"的认识论

扬雄认为世界是可知的。当有人问他"先知"是否存在时,他含蓄而巧妙地回答说"不知",从而否定了生而知之的"先知"的存在。《法言·问神》:"或问神。曰:心。请问之,曰:潜天而天,潜地而地。天地,神明而不测者也。心之潜也,犹将测之,况于人乎?况于事伦乎?"天、地、人都是可知的,事物的条理秩序也是可知的。

扬雄不仅认为自然、社会可知,而且认为人有认识客观事物及其规律的能力。他说:"通天、地、人曰儒,通天、地而不通人曰伎。"① 了解自然规律、懂得人类社会的人就是儒者,而只懂得自然规律而不懂人类社会则是伎。显然,人可以认识自然、社会,而不同的人其认识能力又是不一样的。扬雄分析圣人与史的差别,就以二者的认知水平作了区分。"或问:'圣人占天乎?'曰:'占天地。''若此,则史也何异?'曰:'史以天占人,圣人以人占天。'"② 很明显,扬雄在强调人的认知能力时,又过分夸大了圣人的认识,认为圣人的心"能常操而存"③,所以能无所不知,无所不晓。

在认知方法方面,扬雄的论述特别多。对世界的认知,扬雄提倡"强学而力行"④。《老子》说"绝学无忧",否认学习的必要性。扬雄不然,以为"人而不学,虽无忧,如禽何?"⑤ 不学固然无忧,但与禽兽也就没有什么区别了。后天学习的重要性还在于使感官知觉等都符合天性,得其正道,而不入邪途,因为"学者,所以修性也。视、听、言、貌、思,性所有也。学则正,否则邪"⑥。扬雄沉静玄默,好深沉之思,因此他强调不但要学习,而且还要思考,要"学以治之,思以精之"⑦,认为人应当"尚智"。徐复观先生探讨扬雄的思想成就与行为追求,以为"智性是扬雄真正的立足点",视扬雄为"知识型的性格"⑧。

---

① 《法言·君子》,《法言义疏》,第514页。
② 《法言·五百》,《法言义疏》,第264页。
③ 《法言·问神》,《法言义疏》,第140页。
④ 《法言·修身》,《法言义疏》,第89页。
⑤ 《法言·学行》,《法言义疏》,第26页。
⑥ 《法言·学行》,《法言义疏》,第16页。
⑦ 《法言·学行》,《法言义疏》,第12页。
⑧ 徐复观:《两汉思想史》第二卷,华东师范大学出版社2001年版,第318、286页。

扬雄将学与行统一起来，以为学之后还要行之、言之、教人。他说："学行之，上也；言之，次也；教人，又其次也；咸无焉，为众人。"①学习是首先的，但学得知识之后还要践行，学行要统一。扬雄也不放弃言和教，但他认为这是其次的，最重要的还是践履实行。扬雄还切实地推行自己的思想。其初，孝成帝"迹殷周之墟，眇然以思唐虞之风"，扬雄则认为"临川羡鱼，不如归而结网"，因此在回到京城后，便作《河东赋》以劝成帝。

扬雄主张"言必有验"。他说："君子之言，幽必有验乎明，远必有验乎近，大必有验乎小，微必有验乎著。无验而言之谓妄。君子妄乎？不妄。"②这就要求通过事物的对立面加以验证，如幽以明为验，远以近为验，大以小为验，微以著为验，做到言辞与事实相符。正是因为有言必有验的思想认识，所以扬雄对西汉流行的神学思想有所批判，对圣人之说敢于质疑，这显然是积极进步的。扬雄甚至质疑孟子提出的"五百岁而圣人出"的神学迷信思想，通过对前世圣人生活时代的重新检验，以为"因往以推来，虽千一不可知也"③。

扬雄的模拟之说，其实也是学习的一种重要方式。孟子提出"由尧、舜至于汤"，"由汤至于文王"，"由文王至于孔子"④，这样一个儒学传承序列，而自称"乃所愿，则学孔子"⑤。扬雄继承孟子之说，对儒学的传承也提出了自己的一个传承序列，即由文王、周公而孔子，由孔子而颜渊，由颜渊而孟子，而"窃自比于孟子"，与孟子之说一道，成为宋代道统学的远源。扬雄说："孔子习周公者也，颜渊习孔子者也。"⑥又说："仲尼潜心于文王矣，达之。颜渊亦潜心于仲尼矣，未达一间耳。"⑦他甚至认为孔子有意专门培养颜渊，称"孔子铸颜渊矣"⑧。在这样的论述中，扬雄仍重视学习与效法，故有"睎颜之人，亦颜之徒"之说。⑨

扬雄强调"强学而力行""言必有验"，又强调圣人经典的作用，认为"五

---

① 《法言·学行》，《法言义疏》，第5页。
② 《法言·问神》，《法言义疏》，第159页。
③ 《法言·五百》，《法言义疏》，第247页。
④ 《孟子·尽心下》。
⑤ 《孟子·公孙丑上》。
⑥ 《法言·学行》，《法言义疏》，第13页。
⑦ 《法言·问神》，《法言义疏》，第137页。
⑧ 《法言·学行》，《法言义疏》，第15页。
⑨ 《法言·学行》，《法言义疏》，第28页。

经"和孔子是获取大道的途径和门户，舍此末由。他说："舍五经而济乎道者，末矣。""孔氏者，户也。"①判断是非的标准也在于圣人，"万物纷错则悬诸天，众言纷乱则折诸圣"②，纷纭复杂的万事万物以天道自然为其是非标准，而混淆不清的贤愚之说则要以圣人之言行作为标准加以检验。这样的主张就使得扬雄检验知识、是非的标准脱离不了儒家的立场，从而离开了唯物主义。

第五节　汉代巴蜀经学及道教哲学

文翁化蜀后，巴蜀文风大盛，在汉武帝独尊儒术的进一步推动下，两汉时期，巴蜀地区出现了众多的经学家。三国时古朴称："自先汉以来，其爵位者或不如余州耳，至于著作为世师式，不负于余州也。"③汉代的巴蜀经学以今文经学见长，而又有着悠久的历史渊源和深厚的文化内涵。

一、经学的兴起与发展

两汉时期，巴蜀经学甚盛，出现了如杨终、任安等一大批全国一流的经学大师，但巴蜀主要是今文经学盛行，图谶、术数学依附而行，也十分显著，至于古文经学则冷落无比。从学术传承上看，巴蜀经学家主要以师授为主，他们或诣博士受经，返乡教授，或游历各地，拜师求学，或就蜀地郡县学或本地学者学习，而外来为官的蜀地郡守也多传播经学。这些经学活动家甚至形成网络式的经学传播、经学学系。

（一）冷落的古文经学

西汉时，成都李弘少读"五经"，不为章句，为扬雄所赞扬，而扬雄本人也不好章句之学，看来是较倾向于古文学的，而实际上扬雄虽对今文经学尤其是谶纬神学作批判，但他所习大多为今文经学。④西汉末刘歆与博士争立古文学，东汉时，朝野都继续着今古文经学的争辩，虽古文经学未能在官学上取得大的进展，但在民间却逐步盛行，以至于逼迫今文经学家作些删减章句等学术行动。不过，在巴蜀，古文经学并没有明显进步。缪荃孙《蜀两汉经师考》收

---

① 《法言·吾子》，《法言义疏》，第67~68页。
② 《法言·吾子》，《法言义疏》，第82页。
③ 《三国志》卷三八，《蜀书·秦宓传》，第975页。
④ 王青：《扬雄评传》，南京大学出版社2000年版，第74~86页。

录经师六十四人，大多数治今文经学，古文经学冷落异常。

史书明确记载两汉古文经师并不多见。梓潼杨充曾"受古学于扶风马季长、吕叔公、南阳朱明叔、颍川白仲职，精究《七经》"①。张楷门徒常百人，车马填门，宾客慕尚，黄门及贵戚之家，皆舍巷次，甚至形成公超市，传古文《尚书》，有《尚书注》。汉明帝时，江原李幾治《易》与《论语》，略举大义，广汉郪人王涣敦儒学，习《尚书》，略举大义，与西汉初的丁宽治易学手法相似，显然继承了蜀人李弘、扬雄的治经方式，接近于古文经学，如班固即不为章句，举大义而已，正所谓"大抵治今学者，以守博士章句者为多；通古学者，以不守章句，举大义者为多"②。此外，建议论定五经如石渠故事的成都人杨终，其"所谓章句之徒破坏大体者，正指今文博士言"③。当杨终坐事系狱，得到校书郎班固、贾逵等古文经学家的同情，认为他深晓《春秋》，学多异闻，请求朝廷赦免他。直到汉末三国，儒士尹默仍称"益部多贵今文，而不崇章句"。

（二）繁荣的今文经学

两汉今文经学所涉及内容遍及群经，以独研一经居多，而兼习众经的情况也并不少见。

1. 今文易学

自商瞿受《易》孔子，六传而至汉初田何。田何传王同、周王孙。王同传杨何，何传丁宽。丁宽复从周王孙学。宽传田王孙，再传至施雠、孟喜、梁丘贺，于是汉代有今文施、孟、梁丘三家易学。

先秦时的巴蜀虽有大禹制《连山》之说，也有蜀人商瞿传《易》之说，但并不可靠，唯秦、楚于巴蜀为近，由两地传来易学可能性较大。"三圣大易之传，蜀为特盛"，"易学在蜀"的蜀学特色，汉代已开始显现。汉初文翁遣弟子入京师学七经，自然所学之一是《易》，但临邛胡安讲学白鹤山下，相如从之受《易》，似早于文翁化蜀，而其易学传承并不清楚，说明巴蜀易学早已有之。

西汉赵宾长于小数书，后为《易》，饰《易》文，以为"箕子明夷，阴阳气亡箕子。箕子者，万物方荄兹也"，持论巧慧，《易》家不能难，皆称"非古法"。④赵宾自托受之于孟喜，为孟氏所承认，成为孟氏派易学的传人。东

---

① 《华阳国志校补图注》卷一〇下，《汉中士女》，第612页。
② 钱穆：《中国学术思想史论丛》卷三，《东汉经学略论》，安徽教育出版社2004年版，第45页。
③ 钱穆：《中国学术思想史论丛》卷三，《东汉经学略论》，安徽教育出版社2004年版，第41页。
④ 金生杨：《赵宾易学刍议》，《中华文化论坛》2003年第4期，第34~38页。

汉又有任安、虞叔雅、冯颢、杜微习《孟氏易》。任安字定祖,广汉绵竹人,少游太学,受《孟氏易》,兼通数经。又从同郡杨厚学图谶,究极其数。冯颢字叔宰,郪人,少师事杨仲桓及蜀郡张超,又事东平虞叔雅,作《易章句》及《刺奢说》。涪人杜微字国辅,任安弟子,传《孟氏易》。此外,蜀郡太守袁京习《孟氏易》,作《难记》三十万言。孟氏易学杂入阴阳灾变。东汉时,广汉梓潼人景鸾字汉伯,少随师学经,涉七州之地,能理《施氏易》,兼授《河》《洛》图纬,作《易说》,文句兼取《河》《洛》,以类相从,抄风角杂书,列其占验,作《兴道》一篇。此外,蜀郡守张堪字君游,南阳宛人,年十六受业长安,治《梁丘易》。

梁人焦赣(字延寿)习《易》,自称尝从孟喜问《易》,京房从焦氏受《易》,以焦氏《易》即孟氏学,而孟喜弟子翟牧、白生皆以为非。成帝时刘向校书,唯京氏《易》说与田何、杨叔、丁宽大谊之异。房以明灾异得幸,能通阴阳、五行、消息之义,传殷嘉、姚平、乘弘等人,是为京氏易学。东汉,广汉雒人折像字伯式,通《京氏易》,好黄老言。唐晏称:"象(即折像)之所为,盖深于《易》理者,非如后世空谈象数者可比。范书入之《方技》,岂知象者哉?"[1]

巴蜀尚有严遵、扬雄、何武、谯玄、谯瑛、李郃、杨由、段翳、丁鲂、杜真、张贞、杨充、李弘、杜抚、张霸、赵典等易学家,其易学派别,史书记载并不明确。严遵、扬雄在小学方面多有蜀地传统,而严氏《易》融会老庄,扬雄《太玄》八十一首体系则采纳了今文易卦气说。郫县人何武字君公,诣博士受业,治《易》,因不从王莽篡汉,被逼自杀,谥称刺侯,接受的必然是今文易学。阆中人谯玄字君黄,少好学,能说《易》,而不仕公孙述。其子瑛"善说《易》,以授显宗,为北宫卫士令",父子皆以易学著称,且为天子师,显然是今文易学。蜀郡成都人杨由少习《易》,并七政、元气、风云占候,著书十余篇,名曰《其平》,所言灾异多验。广汉新都人段翳习《易经》,明风角。时有就学者,虽未至,必预知其姓名。唐晏以为杨由、段翳"主于占验,后来管辂、郭璞皆本乎此,此为《易》之别派"[2]。杨由、段翳长于图谶、术数,近于今文京氏学,唐晏就称京氏易学派,"其说初以阴阳五行说《易》,后遂纯以占验说《易》。故东汉一代,《京易》大行,以其说近乎谶纬也。故

---

[1] 《两汉三国学案》卷三,《周易》,第32页。
[2] 《两汉三国学案》卷二,《周易》,第79页。

东京凡以明《易》征者，多方术之士。至此而《易》道且为别传矣"①。巴州人丁鲂初为蜀郡属国都尉，迁广汉属国，耽乐术艺，文雅少俦，治《易》。

2. 今文《尚书》学

两汉时期的巴蜀《尚书》学，以小夏侯学流传最广，成就显著。秦博士伏生壁藏《尚书》，为西汉今文《尚书》传播之祖，以授欧阳生及张生，张生授夏侯都尉，都尉授族子始昌，始昌授族子胜，为大夏侯学。胜传从兄子建，另为小夏侯学。欧阳与大、小夏侯《尚书》并立为学，是为今文《尚书》学。而鲁人孔安国传古文《尚书》。新都杨仲续，世修儒学，得到夏侯《尚书》之传，并在家族内世代相传。公孙述据蜀，其孙杨春卿为将。汉兵平蜀，春卿自杀，临命戒子，称其"绨帙中，有先祖所传秘记，为汉家用，尔其修之"，即以夏侯《尚书》相授。其子杨统感父之言，又从春卿弟子犍为周循学习先人所传《尚书》法，作《家法章句》。统子杨厚，少学统业，精力思述，教授门生，仅上名录者就有三千多人。蜀广汉任安、董扶，阆中周舒，涪人杜微，成都杜琼，郫人何宗均为杨统弟子，传其学。周舒子周群，孙周巨亦世传《尚书》。阆中赵闳自幼时即读《尚书》，默识其章句，所传亦为夏侯《尚书》。另有广汉绵竹董扶、阆中周舒传欧阳《尚书》。郫人何随字季业，司空何武后裔，生活于东汉末至晋太康年间，治欧阳《尚书》，研精文纬，通星历。而江州人谒焕为诸生，从汝南廖扶学，据廖氏所习，谒氏所传当为欧阳《尚书》。此外，冯允能理《尚书》，善推步之术，亦当为今文学。

3. 今文《诗》学

汉代有今文《齐》《鲁》《韩》三种今文《诗》学。鲁申公事齐人浮丘伯而传《鲁诗》。齐人辕固以治《诗》为孝景时博士，传《齐诗》。燕人韩婴，孝文时为博士，景帝时至常山太傅，推诗人之意，作《内外传》数万言，其语颇与齐、鲁间殊，而其归则一，授淮南贲生，燕、赵间言《诗》者由韩生，是为《韩诗》。

广汉梓潼人李业少有志操，介特，习《鲁诗》，师博士许晃，元始中，举明经，除为郎。蜀郡繁人任末少习《齐诗》，游京师，教授十余年。广汉梓潼人景鸾少随师学经，涉七州之地，能理《齐诗》，作有《诗解》，文句兼取《河》《洛》，以类相从。东汉初，章帝时犍为武阳人杜抚，少有高才，受业于淮阳人薛汉，定《韩诗章句》，作《诗题约义通》，学者传之，曰《杜君

---

① 《两汉三国学案》卷一，《周易》，第44页。

注》。后归乡里教授,沈静乐道,动必以礼,弟子千余人。弟子南阳冯良,亦以有道征聘。巴郡阆中人杨仁建武中诣师学习《韩诗》,数年归,静居教授。巴州人丁鲂耽乐术艺,文雅少俦,治《韩诗》,初为蜀郡属国都尉,迁广汉属国。巴郡宕渠人冯绲少耽学问,习父业,治仓氏《韩诗》,初举孝廉,七迁为广汉属国都尉,征拜御史中丞,至车骑将军。蜀郡王阜少好经学,年十一,辞父母至犍为受《韩诗》,补重泉令,官至益州太守。蜀郡成都人杜琼,少受业于任安,尽得安术,著《韩诗章句》十余万言。蜀郡郫人何随治《韩诗》。此外,广汉雒人翟酺,四世传《诗》,亦当为今文《诗》学。

4. 今文《春秋》学

汉武帝时,董仲舒治《公羊春秋》,与传《穀梁》学的瑕丘江公论学,而丞相公孙弘本为《公羊春秋》。东海严彭祖、颜安乐俱事眭孟,孟弟子百余人,唯彭祖、安乐为明,各专门教授,由是《公羊》有颜、严二家之学。

蜀守文翁,少好学,通《春秋》,好教化,遣张宽等十余人诣京师,受业博士。张宽字叔文,成都人,文翁遣诣博士,东受七经,还以教授。张宽长于《春秋》,著《春秋章句》十五万言。巴郡胥君安习《公羊春秋》,成帝时议立《三传》博士,独驳《左氏》不祖圣人。绵竹刘宠字世信,出自孤微,以明《公羊春秋》上计阙下,见除成都令,迁牂牁太守。蜀郡成都人张霸字伯饶,七岁通《春秋》,后就长水校尉樊鯈受《严氏春秋》,遂博览"五经"。以樊鯈删《严氏春秋》犹多繁词,乃减定为二十万言,更名"张氏学"。其子楷亦治《严氏春秋》,门徒皆造问焉,车马填门。巴郡太守樊敏总角好学,治《严氏春秋》。巴郡阆中人谯玄不仕公孙述,能说《春秋》。

蜀郡成都人杨终字子山,年十三,为郡小吏,太守奇其才,遣诣京师受业,习《春秋》。建初时,建言会诸儒考订"五经"如石渠故事,章帝于是诏诸儒于白虎观考论异同。杨氏适坐事系狱,博士赵博、校书郎班固、贾逵等以其深晓《春秋》,学多异闻,终又上书自讼,得参与白虎观会议。著《春秋外传》十二篇,改定章句十五万言。犍为武陵人张晧治律、《春秋》,游学京师,与广汉镡粲、汉中李合、蜀郡张霸,共结为友。晧虽非法家,而留心刑断,数与尚书辩正疑狱,多以详当见从。张晧治《春秋》与律,而长于断狱,当是西汉董仲舒以《春秋》决狱思想的延续,或即《公羊》学。

巴郡宕渠人冯绲少学《春秋》《司马兵法》。蜀郡张宁长于《春秋》,广汉什邡人朱仓从之受学,闭户精诵。绵竹杜真诵书百万言,兄事翟酺,习《春秋》之学。巴州人丁鲂耽乐术艺，文雅少俦，亦垂意《春秋》。

5. 今文《礼》学

汉兴，鲁高堂生传《士礼》十七篇，而鲁徐生善为颂。讫孝宣世，后仓最明，戴德、戴圣、庆普皆其弟子，三家立于学官，是为今文《礼》学。犍为资中人董钧习《庆氏礼》，事大鸿胪王临，元始中，举明经，建武中举孝廉，博通古今，数言政事。永平中为博士，时草创五郊祭祀，及宗庙礼乐，威仪章服，辄令钧参议，多见从用，当世称为通儒。常教授门生百余人。广汉梓潼人景鸾撰《礼内外记》，号曰《礼略》，又作《兴道》一篇及《月令章句》。

6. 群经

东汉较西汉经学一个显著的差异在于西汉守专经，东汉多兼通。两汉的巴蜀学者，也有不少兼通群经，尤其是东汉兼通者较多。首先是文翁遣弟子诣京师博士学经与律，多有兼通七经者，如张宽东受七经，还以教授。成都张霸博览"五经"。犍为武陵人张晧乃张良之后，少游学京师。其子张纲少明经学。蜀郡成都人赵典少笃为隐约，博学经书，学孔子《七经》《河图》《洛书》，内外艺术，靡不贯综。绵竹任安兼通数经，其弟子何宗、杜琼等皆通经纬。绵竹董扶与任安齐名，兼通数经。犍为武阳人杜抚，治"五经"，教授门生千余人。来敏子来忠，博览经学，有敏风。

（三）小学成就突出

蜀地小学，西汉时成就显著，涌现出司马相如《凡将篇》、扬雄《训纂篇》两部杰出的文字学著作，犍为舍人《尔雅注》、扬雄《方言》两部杰出训诂学、语言学著作，四者并驾齐驱，共同推进了汉代小学的繁荣发展。

西汉在司马相如纂《凡将篇》之前，只有"闾里书师合《苍颉》《爰历》《博学》三篇，断六十字以为一章，凡五十五章，并为《苍颉篇》"[①]，还没有专门新作的小学书。而犍为舍人与司马相如几乎同时，又首开注《尔雅》之风，可见汉代蜀中小学承秦代小学而独立发展，有着悠久的历史传统与深厚的文化内涵。西汉后期，蜀中有善古学之成都严遵、临邛林闾字公孺，而扬雄从二人问学，传其古文字、方言之学，作《训纂》《方言》之书。东汉应劭《风俗通义序》说："周、秦常以岁八月遣輶轩之使采异代方言，还奏籍之，藏于密室。及嬴氏之亡，遗脱漏弃，无见之者。蜀人严君平有千余言，林闾翁孺才

---

① 《汉书》卷三〇，《艺文志》，第1721页。

有梗概之法。扬雄好之,天下孝廉卫卒交会,周章质问,以次注续。二十七年,尔乃治正,凡九千字。"林间、严遵为隐士,皆知轺车之使,博学如刘向则但闻其官而不详其职,可见此为蜀人所独得。扬雄《训纂》是对司马相如文字之学的继承,其好用奇字,古今知名,在所作《太玄》《方言》中多有表现。刘歆之子刘棻也曾经跟从他学作奇字。扬雄《方言》的训释体例基本上仿照《尔雅》,又明显地继承了犍为舍人《尔雅注》。至东汉末,新野来敏入蜀,"精于《苍》《雅》训诂,好是正文字",入蜀汉为典学校尉、太子家令,累迁光禄大夫。

（四）学术派别的产生

值得注意的是,两汉时期的巴蜀,不仅经学兴盛,还往往子承父业,世代相传,如扬雄长于《易》,其子杨信九岁而预《玄》文,辅助其撰《太玄》;广汉雒人翟酺字子超,四世传《诗》;成都赵典乃太尉赵戒之子,传其家学,博学"五经";来敏子来忠,博览经学,有敏风;张晧子张纲,传家学,少明经学;周舒、周群、周巨三代皆通经术;谯玄、谯瑛父子皆善《易》学;冯绲习父业,治《严氏春秋》;何英、何汶祖孙治经。

尤其值得重视的是新都杨仲续,世修儒学,成为汉代夏侯《尚书》的重要传人,其中杨仲续、杨春卿、杨统、杨厚四代颇著名于世。此家族之学经过任安的加入,积极传播与发扬经学、谶纬之学,形成了以杨厚、任安为核心的庞大的经学学派,深深地影响了两汉乃至三国、晋代的巴蜀经学,以及谶纬、术数、史学等其他学术。其具体传承谱系如下:

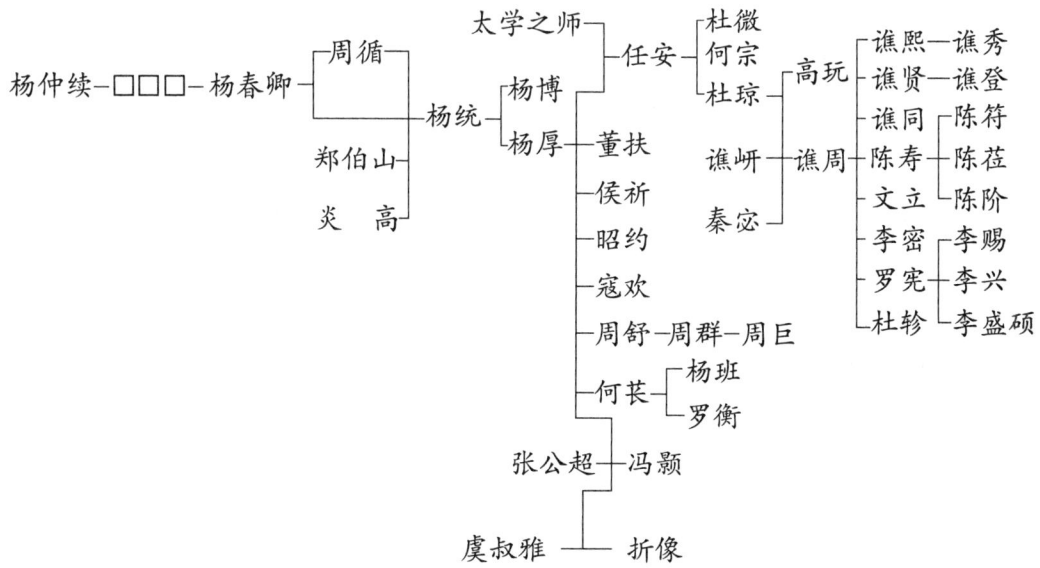

二、经学背景下的巴蜀哲学

经学是汉代学术的主题,黄老、阴阳五行、谶纬等学术夹杂其中。在巴蜀,两汉经学取得长足发展,巴蜀哲学也有了新的变化。

（一）阴阳五行、灾异、图谶、术数学的盛行

今文经学以儒家经典为核心,融会了阴阳五行学说,以天人感应、灾异谴告等内容为主,宣扬"受命于天"的天命论,讲求五德终始的循环论。两汉巴蜀今文经学背景下的阴阳五行学、灾异说、图书谶纬学、术数学的兴盛,是先秦以来巴蜀方术、神仙、灾异、天文历法等文化传统与中原今文经学相结合的结果。

西汉哀、平之际,谶纬神学兴起,至王莽当政,日渐兴盛,加之光武帝刘秀以谶纬兴,在东汉更加流行起来。两汉巴蜀经学家多兼擅图谶,善于发挥其中的阴阳灾异等经学大义,宣扬天人感应等谶纬神学。赵宾以小数说《易》,为后世蜀中好象数、术数之先导。他以为"箕子明夷,阴阳气亡箕子。箕子者,万物方荄兹也"①,即以阴阳说《易》,实与孟喜之说一致,因此当他自称受《易》于喜时便得到孟喜的默认。西汉时著名阴阳术数家司马季主长期行卜于长安,死后"家人葬之于蜀盘山之南"②,给巴蜀阴阳术数学增添了神秘色彩。新都杨春卿善图谶学,其子杨统传其学,又就同郡郑伯山受《河》《洛》书及天文推步之术,作《内谶》二卷解说。其子杨厚,少学统业,究知天文。什邡杨宣少受学于楚国王子张,学天文、图谶于河内郑子侯,师杨翁叔,能畅鸟语,长于灾异,教授弟子以百数。门生广汉严象、赵翘等,皆成大儒。梓潼景鸾受《河》《洛》图纬,作《易说》及《诗解》,文句兼取《河》《洛》,以类相从,名为《交集》。又抄风角杂书,列其占验,作《兴道》一篇及《月令章句》,数上书陈救灾变之术。新都人段翳以《易》筮,专明风角占验,时有就其学者,还没有到,他已预先知其姓名。雒人翟酺少事段翳,以明天官,为侍中、尚书,后为京兆尹、光禄大夫、将作大匠,著《授神契经说》。绵竹杜真兄事翟酺,亦为图谶之学。什邡人朱仓著《河洛解》。成都人赵典学孔子《七经》《河图》《洛书》,内外艺术,靡不贯综,受业者百有余人。成都人杨终上《符瑞诗》十五章,制《封禅书》,著《春秋外传》十二

---

① 《汉书》卷八八,《儒林传》,第3599页。
② （元）赵道一:《历世真仙体道通鉴》卷一一,《道藏》第5册,第170页。

卷、《章句》十五万言。成都人杨由学通经纬。孙汶上日食盗贼起，有效，为谒者，京师旱，请雨即澍。绵竹任安从同郡杨厚学图谶，究极其术。同乡人董扶与任安齐名，亦事同郡杨厚，究极图谶。郫人何英通经纬，著《汉德春秋》十五卷。郫人何宗事任安，精究安术，与杜琼同师而名问过之，援引图谶，劝刘备即尊号。宕渠人李翊通经综纬。宕渠人冯允善推步之术。阆中人周群受学于其父舒，专心候业，凡有气候，无不见之者，是以所言多中，而妙闲算术、谶说。自颛顼考订日月星辰之运，尚多差异，至落下闳颇得其旨。周群信服其言，更精勤算术，及考校年历之动，验于图谶，蜀人谓之后圣。群子周巨，颇传其术。宋赵汝楳称："京房传焦氏之学，专明卦气占验，极而至于苏竟、郎𫖮、杨由、景鸾、樊英之徒，则以《易》兼河洛图纬、风角、七政，而《易》侪于谶纬矣。"①可以看出，在经学谶纬化的过程中，巴蜀士人起到了重要作用。

除了巴蜀经学家好谶纬之学外，王莽好符命及割据于蜀的公孙述对谶纬符命的推崇也对巴蜀谶纬神学的流行起到了重要作用。梓潼人哀章问学长安，素无行而好为大言，见王莽居摄，于是造作"天帝行玺金匮图""赤帝行玺某传子黄帝金策书"的符命，并因此当上国将，封美新公。公孙述自称梦见神人对他说："八厶子系，十二为期。"以八厶合为公字，子系合为孙字，暗示自己受命于天，合当称帝，于是据阴阴五行之学，以王莽土德尚黄，土生金而尚白，继王氏而王，故自称白帝。公孙述还援引《孝经援神契》"西太守，乙卯金"大做文章，解释为自己受命夺取刘氏江山，引谶书《录运法》"废昌帝，立公孙"、《河图括地象》"帝轩辕受命，公孙氏握"等语，并拉笼一批迎合其说的蜀中官吏、士人、方士，为之虚报祥瑞奇异，新造符言谶记，或援引图谶，为之论证称帝的合理性。公孙述还以图谶为据，多次"移书中国，冀以感动众心"，以此张大声势。汉光武帝刘秀也为此担心，甚至亲自致书公孙述，采用另一番解释来破除公孙述之说，以为"图谶言公孙，即宣帝也"，而"代汉者当涂高"，并非指公孙述，指出王莽信图谶不足效，而公孙述也非贼臣乱子，当早为妻子家小定计，而不可觊觎天下神器。②

巴蜀图书谶纬学盛行，经学与阴阳五行、方术合流，也引来学者的批评。梓潼杨充受古学于扶风马融，又与荀爽、李膺等友善，教授乡里，常言图谶空

---

① （清）朱彝尊：《经义考》卷七，中华书局1998年版（下引版本同此），第50页。
② 《后汉书》卷一三，《公孙述传》，第538页。

说，去事希略，疑非圣，不以为教。蜀郡繁人任末临终诫则称"《河》《洛》秘奥非正"。

与图谶盛行相伴而行的是天文历法之学。两汉时期巴蜀天文历法学同样盛行，成为"天数在蜀"的重要基石。据吕子方教授统计，巴蜀通晓天文历法的学者，在先秦时期有苌弘，而两汉时期则有落下闳、扬雄、任文公、杨由、李合、段翳、折像、董扶、杨厚、翟酺、任安、景鸾、何宗、杨宣、段恭、任永、周群、杜琼等人，呈现出兴盛繁荣的景象。①

（二）黄老道家思想的持续推衍

巴蜀本有神仙学、黄老学传统，而西汉初推行休养生息政策，黄老学大行其道。自严遵耽于老庄，假蓍龟以为教，而尤精于《大易》。他以老庄之学解说《周易》，成为道家易学的重要开创人物，对巴蜀学术尤其是易学产生广泛而深远的影响。至于扬雄作《太玄》，继承其师，融会《易》《老》更为明显。成都人张霸精通老子之学，任会稽太守三年，以为自己"起自孤生，致位郡守"，有鉴于"日中则移，月满则亏"，以及老子"知足不辱"之说，以病辞官。《易·丰卦》称："日中则昃，月盈则食。"可见，张霸精通易学，而又融会老子之学，得其言又践其行，深合老子之旨。新都杨厚修黄老，教授门生，上名录者三千余人。广汉雒人折像好黄老言，感多藏厚亡之义，散金帛资产，周施亲疏，以斗子文"我乃逃祸，非避富"为据，以为自己"门户殖财日久，盈满之咎，道家所忌。今世将衰，子又不才。不仁而富，谓之不幸。墙隙而高，其崩必疾也"②。雒人翟酺也好《老子》，尤善图纬天文历算。鄯人冯颢修黄老，恬然终日。赵汝楳说："西汉之末，向长、范升诸人好谈老、《易》，东都则折像，魏则何晏、王弼、裴徽，皆以玄说《易》，后至杜弼、王希夷、王绩、武攸绪辈皆好之。开元初，诏张说举通《易》、老、庄者，则《易》侪于老、庄矣。"③可见，巴蜀士人对融会《易》《老》做出了重要贡献，黄老道家思想在巴蜀广为流行。

（三）儒家忠孝观念的加强

在传统忠孝思想和汉世兴起的经学熏陶下，巴蜀士人忠孝观念在汉代得到

---

① 吕子方：《中国科学技术史论文集》上册，《天数在蜀》，四川人民出版社1983年版，第225~268页。
② 《后汉书》卷八二上，《折像传》，第2720~2721页。
③ 《经义考》卷一〇，第63页。

进一步加强，显示出儒家伦理哲学对巴蜀士人影响的加深。蜀人的忠孝观念在面对王莽篡汉、公孙述据蜀两件重大历史事件中充分地体现出来。

面对王莽篡夺刘氏江山，蜀郡繁人章明"不以一身事二主"，自杀身亡。江原人王皓，毅然辞去美阳县令返蜀。广汉梓潼人李业少有志操，面对王氏之篡，以病去官，杜门不应州郡之命。繁人侯刚则以"汉祚无穷，吾宁死之，不忍事非主"，不仕莽朝而遭到王莽追杀。

公孙述以谶纬为据，割据巴蜀。江原王皓继不仕王莽之后，又不受其使者之聘，自刎而死，以致公孙述诛杀其妻。梓潼李业也自叹"危国不入，乱国不居，亲于其身不善者，义所不从"，继不仕莽朝后，饮毒自杀以谢公孙述之征。阆中人谯玄以许由、伯夷自励，称"保志全高，死亦奚恨"，以古言古行为据，守志不屈，不接受公孙述之聘，服毒药自尽。任永面对王莽、公孙述之乱，伪装成眸眼瞎，儿子掉进井里淹死、妻子当面与人通奸，都见而不言，而一旦光武继位，便恢复正常，以致妻子羞愧自杀。此外，犍为郡功曹朱遵、益州太守文齐、犍为人费贻、广汉人冯信等，也都宁死不仕公孙述。

巴蜀忠孝观念的深入，与学者们传播儒学有着密切关系。文翁化蜀，以教化为先，《孝经》是其遣弟子就学的一项重要内容，张宽便精研七经。严遵假蓍龟以为教，教人以孝、悌、忠，于是风移俗易，上下慈和。褒中郑子真也以"忠孝爱敬，天下之至行"为教。两汉时期，巴蜀以孝廉被称颂、举荐者甚众。晋常璩总述巴蜀德孝士女，以为"其孝悌则有姜诗感物瘖灵，禽坚精动殊俗，隗通石横中流，吴顺赤乌来巢；其忠贞则王皓陨身不倾，朱遵绊马必死，王累悬颈州门，张任守节故主；其淑媛则有元常、纪常、程珪及吴几先络，郫之二姚、殷氏两女、赵公夫人"，于是"四方述作有志者，莫不仰其高风，范其仪则，擅名八区，为世师表"，而"忠臣孝子，烈士贞女，不胜咏述。虽鲁之咏洙泗、齐之礼稷下，未足尚也。故汉征八士，蜀有四焉"①。汉代姜诗夫妇孝敬父母，感动天地，有"孝泉"涌出宅屋、双鲤跃于斋厨之灵应。汉平帝时，禽坚之父陷没夷中，"鬻力佣赁，求碧珠以救父"，尝"一至汉中，三出徼外，周旋万里，经六年四月，突瘴毒狼虎，乃至夷中，得父相见"，哀感夷徼。汉哀、平时，隗相"养母至孝"，汲水江中，冬夏不懈，"一朝有横石生正流中"。这些记述虽然多有灵怪，难以尽信，但孝行之见盛行巴蜀，感天动

---

① 《华阳国志校补图注》卷三，《蜀志》，第146页。

地，惊泣鬼神，则足以教育后人。

三、巴蜀道教哲学的兴起

先秦时期，巴蜀出现了王乔、彭祖等神仙方术之士，蜀主、蜀民往往"仙去"。汉兴以来，神仙方术持续发展。江州县北水有铭书，词称"汉初，犍为张君为守，忽得仙道，从此升度"①。此外，汉代的巴、蜀、汉中承先秦遗风，普遍信奉巫鬼，如僰道县"民失在征巫，好鬼妖"②，巴蜀南郡蛮"俱事鬼神"③，巴西賨民"俗好鬼巫"④，汉中賨民"敬信巫觋"⑤。成都人王阜于章帝元和年间任益州太守，著《老子圣母碑》，把"老子"与"道"合而为一，视之为化生天地的神灵，奉老子为道教始祖的先导，并为道教创世说提供了理论基础。东汉末年，张陵等人便因巴蜀阴阳五行、灾异图谶传统，以民间巫术结合黄老崇拜，创建了五斗米道。⑥

（一）五斗米道的创立与传播

东汉末年，外戚、宦官专权，党锢之祸迭兴，自然灾害频仍，政治黑暗，社会动荡，人民生活于水深火热之中，渴求现实苦难的解脱之道。汉顺帝时，沛国丰（今江苏丰县）人张陵听闻"蜀人多纯厚，易可教化"，且蜀多名山，于是与弟子入蜀，居住于鹤鸣山（今成都大邑西北）"学道"⑦。在学道过程中，张陵"避病疟于丘社之中"，因此获得巴蜀流传的"咒鬼之术书"，通晓巫鬼之术，"遂解使鬼法"⑧。向达先生认为："张陵在鹤鸣山学道，所学的

---

① 《华阳国志校补图注》卷一，《巴志》，第30页。
② 《华阳国志校补图注》卷三，《蜀志》，第175页。
③ 《后汉书》卷八六，《南蛮西南夷传》，第2840页。
④ 《华阳国志校补图注》卷九，《李特雄期寿势志》，第483页。
⑤ 《晋书》卷一二〇，《李特载记》，第3022页。
⑥ 蒙文通《蒙文通文集》第一卷（巴蜀书社1987年版，第315～316页）称："五斗米道，又称天师道"，"盖原为西南少数民族之宗教"，"原行于西南少数民族"。江玉祥《试论早期道教在巴蜀发生的文化背景》对五斗米道发生于蜀的背景有具体论述，见陈鼓应主编：《道家研究》第七辑，上海古籍出版社1995年版，第323～336页。
⑦ （晋）葛洪：《神仙传·张道陵传》，文渊阁四库全书本。据《三国志·魏志·张鲁传》"祖父陵，客蜀，学道鹤鸣山中"，《华阳国志·汉中志》"汉末，沛国张陵学道于蜀鹤鸣山"，《后汉书·刘焉传》"祖父陵，顺帝时客于蜀，学道鹤鸣山中"，可知张道陵客居蜀中鹤鸣山，最初本为"学道"，其后才转而布道。
⑧ （梁）李膺：《益州记》，（清）杭世骏：《三国志补注》卷二，文渊阁四库全书本。

道即氐羌族的宗教信仰，以此为中心思想，而缘饰以老子之五千文。"①在学道于蜀的基础上，张陵"著作道书二十四篇"②，阐述道教教义及其信仰。据《云笈七签》卷六所引《玉纬》记载，张陵实于汉安元年（142）受三天正法、正一科术要道法文、正一盟威妙经、三业六通之诀，成为三天法师，至此由学道转而为传道。由于受张陵之道的民众出米五斗，故称其徒众为"米贼"。张陵传其子衡，衡传子鲁，世称"三张"。

汉灵帝光和年间（178~184），活动于巫风盛行的汉中、巴郡一带的"巫人"张修，教徒众传习五斗米道。中平元年（184）二月，黄巾起事。"七月，巴郡妖巫张修反，寇郡县。"③他做符祝，让民众叩头思过，以符水治病；设立静室，教生病民众在其中反思过错；为奸令祭酒，讲习《老子》五千文，以教化道徒；设置鬼吏职，为病者请祷，作三官手书，"书病人姓名，说服罪之意，作三通"，分别"上之天，著山上"，"埋之地"，"沉之水"。通过张修的改革，五斗米道在教义、教规方面逐渐趋于成熟。

张道陵像

在张修的基础上，张鲁进一步完善了五斗米道的教义、教规。张鲁因其母有姿色，兼挟鬼道，与益州牧刘焉关系密切，得到信任，被任命为督义司马，"与别部司马张修将兵击汉中太守苏固"④。张鲁借此机会占据汉中，以鬼道教民，袭杀张修，夺其道众，完成了一次五斗米道内部的教权转移，其后因刘璋杀其母、弟，又借机夺取巴郡，"遂雄于巴、汉"⑤。张鲁因汉中民"信行修业，遂增饰之"⑥。首先，完善

---

① 向达：《南诏史略论》，《历史研究》1954年第2期。
② （晋）葛洪：《神仙传·张道陵传》，文渊阁四库全书本。
③ 《后汉书》卷八，《灵帝纪》，第349页。
④ 《三国志》卷八，《魏书·张鲁传》，第263页。
⑤ 《后汉书》卷七五，《刘焉传》，第2433页。
⑥ 《三国志》卷八，《魏书·张鲁传》，第264页。

教权体系,以初学者为"鬼卒",信道者为"祭酒",各领部众,多者为"治头大祭酒",祭酒兼摄民事,而不置长吏,张鲁则自号"师君",集教权、政权于一身,实行政教合一;其次,作义舍,置米肉于其中,救济、吸纳路人、流民;再次,加强教化,"行宽惠"之政①,教以诚信、不欺诈,有病则自首其过,有小过则以修路百步除罪,禁酒,又依《月令》,春夏禁杀,犯法者三原其过然后行刑。张鲁推行五斗米道,强化教化与治理,不仅凭借割据政权吸引大批流民,扩大教势,而且促使巴郡、汉中一带形成三十余年相对安定的社会环境,以至"民夷便乐之",对巴蜀民风民俗产生了深远影响,直到南北朝时,巴蜀犹存遗风,"巴俗事道,尤重老子之术"②。不过,张鲁日渐从反叛朝廷转变到割据一方,朝廷封之为镇民中郎将,领汉宁太守,最后则于建安二十年(215)投降曹操,官拜镇南将军,封阆中侯,邑万户,又对五斗米道的官方化起到了重要作用。

(二)《老子想尔注》的道教哲学

汉末出现的《老子想尔注》是我国哲学思想史上第一次站在宗教立场,以宗教神学诠释《老子》的著名作品,成为早期道教哲学的重要代表作之一。六朝道书称:"系师得道,化道西蜀。蜀风浅末,未晓深言。托遘'想尔',以训初回。初回之伦,多同蜀浅。辞说切近,因物赋通。三品要戒,济众大航。"③系师即张鲁,以为张鲁因蜀地风俗浅末,故以切近之说著为《老子想尔注》一书,以便宣传五斗米道教义、教规。

《老子道德经想尔注》残卷

不过,《老子想尔注》一书,《隋志》、新旧《唐志》均未著录,唐初陆德明《经典释文序录》著录《老子想余注》二卷,"余"显系"尔"之误,而注称不详作者为何人,"一云张鲁,或云刘表",而倾向于张鲁。其后唐玄

---

① 《华阳国志校补图注》卷二,《汉中志》,第72页。
② 《北史》卷六六,《泉企传》,中华书局1974年版(下引版本同此),第2331页。
③ 佚名:《传授经戒仪注诀》,《道藏》第32册,第170页。

宗《道德真经疏外传》、五代道士杜光庭《道德真经序目》则以《老子想尔注》为"三天法师张道陵所注"。考葛洪称张陵"著作道书二十四篇",唐释法琳《辨正论》亦云"汉安元年(142),道士张陵分别《黄书》,故注五千文"①,是张陵已对《老子》一书作注。不过,张陵被后世神化,号称天师,而张修为奸令祭酒,主以《老子》五千文教习道徒,张鲁又增饰张修之道,且陶弘景以为"老子《道德经》有玄师杨真人(杨羲)手书张镇南(张鲁)古本"②,是《老子想尔注》为张鲁在前辈基础上完成更为可靠,故有"系师定本"之目。今人饶宗颐先生考证敦煌莫高窟六朝《老子道德经想尔注》手抄写本残卷,以为此书"成于系师张鲁之手,托始于张陵"③。钟肇鹏先生则说:"《老子想尔注》张陵原注,张鲁增订或增补、补订。"④

1. 双重性的道本体论

"道"是老子哲学中的核心范畴,是"天地之始""万物之母",是宇宙的本原,是万物的根本。《老子想尔注》继承老子思想,对"道"作了进一步的阐释发挥。它认为"古今终始共此一道"⑤,道极为尊贵高大,清静自然,主宰一切,为"天下万事之本"⑥,"真天下之母"⑦,"万物皆自宾伏"⑧。天地虽然广大,但"常法道以生"⑨;"道虽微小,为天下母,故不可得臣"⑩。不过,《老子想尔注》又认为道极为隐微,没有形状外貌,只能遵从其训诫,而不能见而知晓。为了尊崇道的特殊地位,《老子想尔注》甚至曲解《老子》"道法自然"之说,以为"自然者,与道同号而异体,令更相法,皆共法道也"⑪。

道生成万物通过气、精来完成。道散而为气,称为"道气"。道气上下

---

① (唐)释道宣:《广弘明集》卷一三,《辨正论》,四部丛刊初编本。
② (元)刘大彬:《茅山志》卷九,《道山册》引陶弘景《登真隐诀》,《道藏》第5册,第591页。
③ 饶宗颐:《老子想尔注校证》,《老子想尔注续论》,上海古籍出版社1991年版,第131页。
④ 钟肇鹏:《〈老子想尔注〉及其思想》,《世界宗教研究》1995年第2期。
⑤ 《老子想尔注校证》第21章,第28页。
⑥ 《老子想尔注校证》第14章,第17页。
⑦ 《老子想尔注校证》第25章,第31页。
⑧ 《老子想尔注校证》第32章,第41页。
⑨ 《老子想尔注校证》第25章,第33页。
⑩ 《老子想尔注校证》第32章,第40页。
⑪ 《老子想尔注校证》第25章,第33页。

流行，而运行于天地内外之间，因其清微，故用眼睛无法观察到它，但万事万物均钦仰于它。道气有"微弱"的特性，所以"久在无所不伏"；水效法道，十分柔弱，但它能"消穿崖石"①。"道"之"别气"为"精"，称为"道精"。它虽未超脱于气，但已开始有了较为独立的，更适合于道教养生之说的意义。道精是万物与人类生成与存在的根本，也是万物所共有的本体，道气"分之与万物，万物精共一本"，所以古代的仙士"实精以生"，而今天的人"失精以死"②。万物内含道精，并作而开始生起。万物又归根于道精，所以人人都当宝慎这个根本。

《老子想尔注》作为道教经典，它又将老子道家思想与神仙学说融会在一起，对"道"这一本体作了人格神化、宗教化。它认为道不可捉摸，无声无臭，无形无影，没有踪迹，"指形名道，令有服色名字、状貌、长短"都是不对的，乃是"世间伪伎"所为，实为"邪伪"之说③。这样的说法并不利于宗教神学，不能构成一个令人崇拜、向往的神学本体。于是，《老子想尔注》以气的聚散来解决这个矛盾。它说："一者道也……一散形为气，聚形为太上老君，常治昆仑，或言虚无，或言自然，或言无名，皆同一耳。"④道无处不在，无所不包，它是主宰一切的宇宙本体，同时还是可以表象的人格神，可以对人类万事万物发号施令。就宇宙本体而言，道可称之为虚无、自然、无名；就人格神而言，道可称之为太上老君。不但如此，作为人格神的道又是一个有机的人体。它有喜怒，喜好人们行善，要求人们"涤除一身，行必令无恶"⑤，从而与道同体。它有知觉，"中有大神气"⑥，不能因为不能见到而轻视它。它有心、有意、有真，君民都要"顺道意，知道真"，要信奉道，遵守施行道。它能够赏善威恶，宰制人世，"道设生以赏善，设死以威恶"⑦；其性不为恶事，神秘而又无所不作，为道之人应当效法它。不过，《老子想尔注》认为被人格神化的道本是气聚而为太上老君的，它"在天地外，入在天地

---

① 《老子想尔注校证》第36章，第46页。
② 《老子想尔注校证》第21章，第27页。
③ 《老子想尔注校证》第14章，第17页。
④ 《老子想尔注校证》第10章，第12页。
⑤ 《老子想尔注校证》第10章，第13页。
⑥ 《老子想尔注校证》第21章，第27页。
⑦ 《老子想尔注校证》第20章，第25页。

间,但往来人身中耳",表里皆是,"非独一处",不像鬼神能附体。所以,道不附身,凡称道附身的都是"世间常伪伎,非真道"①。

总之,道不仅是宇宙的主宰,而且取代了天神行使的职责,是道家自然本体的道与宗教神学本体的神的共同体。它是宇宙的本原,又能劝诫恶人,说之以善,威以天威,使人闻义而服,自行改正。因此,人们只有遵道而行,而"王者行道,道来归往,王者亦皆乐道,知神明不可欺负,不畏法律也,乃畏天神,不敢为非恶"②。

2. 以道为治的政治、伦理观

《老子想尔注》在政治伦理上以道为尚,融入儒家思想,又对偏离儒、道本真的时弊加以批判,而其目的则是成仙成道,天下太平。

《老子想尔注》继承老子之说,主张以道治天下,以为"人君理国,常当法道为政,则致治"③。不仅治国之君要以修行道德为务,忠臣辅佐也要致力于行道。如此,"道普德溢,太平至矣,吏民怀慕,则易治矣"④。《老子想尔注》所讲求的道,在政治、伦理上当然有虚极清静的老、庄之说,但又有浓厚的儒家仁义、慈孝、忠君等思想。《老子》称"大道废,有仁义",大道行时,不存在仁义与不仁义;《老子想尔注》则以"上古道用时,以人为名,皆行仁义","今道不用,人悉弊薄"⑤,以为大道行时才有仁义,大道不行则天下弊薄,仁义不存,与《老子》之意基本相反。《老子》称"六亲不和,有孝慈";《老子想尔注》也一反其意,称"道用时,家家慈孝","今道不用,人不慈孝,六亲不和"⑥。基于这样的立场,《老子想尔注》认为"治国法道"就应当施行仁义,"听任天下仁义之人,勿得强赏"⑦,而"道用时,臣忠子孝,国则易治"⑧。《老子想尔注》还奖善惩恶,以为"天地像道,仁于诸善,不仁于诸恶",而"圣人法天地,仁于善人,不仁恶人"⑨。《老子想尔注》认为

---

① 《老子想尔注校证》第10章,第12页。
② 《老子想尔注校证》第35章,第44页。
③ 《老子想尔注校证》第8章,第11页。
④ 《老子想尔注校证》第30章,第38页。
⑤ 《老子想尔注校证》第18章,第22页。
⑥ 《老子想尔注校证》第18章,第23页。
⑦ 《老子想尔注校证》第19章,第24页。
⑧ 《老子想尔注校证》第18章,第23页。
⑨ 《老子想尔注校证》第5章,第8页。

"国不可一日无君",对意欲篡弑的狂惑之人,极力反对,以为"天必煞之,不可为也"①。

另一方面,《老子想尔注》又曲解《老子》"孔德之容,唯道是从"之"孔"为孔子,用以高扬其道,而贬损孔子,以为"道甚大,教孔丘为知",而"后世不信道文",仅仅崇尚孔子之书,以为至高无尚,"道故明之,告后贤"②,使人们知晓其道比孔子之书更重要。《老子想尔注》甚至诋毁儒家经典,以为"其五经半入邪,其五经以外,众书传记,尸人所作,悉邪耳"③。"五经"与众书传记一样,都是在"真道藏"的情况下出现的,只是比众书略显正派而已。事实上,《老子想尔注》有意批判当时流于表面化的虚伪的儒学。它说:"今之臣子虽忠孝,皆欲以买君父,求功名,过时不显异之,便屏恕之。"当时的臣子表面上尽忠尽孝,实际上关心的是个人的功名,一旦君父不能使其显异,便恶言相向。《老子想尔注》批评此为"外是内非,无至诚感天之行,故今国难知"④。

3. 遵行道诫的修养论

《老子想尔注》通过道气的聚散实现了对"道"自然本体、"神"宗教神学本体的双重阐释,从心理层面将对道的信仰转变为一种发自内心的真诚而自觉的行为,而不存在勉强与强迫;通过明确道士得道成仙、长寿不死的宗教神学目的,从而使宗教修养成为宗教徒的自发行为。所以,"至心信道者,发自至诚,不须旁人自劝"⑤。这样,修养的必要性不言自明,而人心向道成为人们内在心灵的寄托,成为自然而然的客观需要,"道在天下,譬如江海,人一心志道,当如谷水之欲归海也"⑥。

《老子想尔注》认为道人、仙士"但归志于道,唯愿长生",通过对比道人、仙士与俗人的不同,劝人信道、修道。它指出,在日常生活方面,道士"畏死","信道守诫","不乐恶事","不知俗事","不贵荣禄财宝",而俗人虽"畏死",但"不信道,好为恶事","不能积善行",故

---

① 《老子想尔注校证》第29章,第36~37页。
② 《老子想尔注校证》第21章,第27页。
③ 《老子想尔注校证》第18章,第22页。
④ 《老子想尔注校证》第18章,第23页。
⑤ 《老子想尔注校证》第27章,第34页。
⑥ 《老子想尔注校证》第32章,第41页。

道人"与生合",而俗人"未央脱乎死"①。因此,道人与俗人就有不同的归宿,"道人行备,道神归之,避世托死过太阴中,复生去为不亡,故寿","没而不殆",而俗人则"死便真死,属地官去"②,"死者属地官便为亡矣"③。

《老子想尔注》的论证是从批判当时盛行的外教他道出发的。它否定圣人天生、仙有骨录的天命论,以此强调修养的必要性。《老子想尔注》批评当时外教他道之人没有认真修行,才通经艺,还没有通贯道真,便自称圣人;批判他们没有正面劝导百姓,没有告诫百姓如果不因道本,自我揆度《老子》篇章,就不能得到道言;批判他们自顾其身,而不劝导百姓只要勤于修养道真,就可以得到仙一般的长寿。当时,外教他道倡言仙人自有骨录,并非修行所能达到,又称无生道,道书都是欺诳百姓的。《老子想尔注》对此口诛笔伐,认为这样的人罪大恶极,造成后学者不再相信道,做子女的不顾念供养父母,做老百姓的不顾念耕田种地,只一味地追逐邪学,跑到邪师之门,修习邪法,而不能以忠孝至诚感动上天,修养身心也不能长寿,佐助君主却不能致太平之世;以为百姓长期修此邪法,以致城邑虚空,钱财耗散,后果极其严重。因此,《老子想尔注》主张屏弃诈圣邪知之说,而不绝真圣道知之说。

"道"没有状貌,因此《老子想尔注》批判外教他道从形象上去修道,反对淫祀,认为"天地之正法不在祭酳祷祠","祭酳与邪通同",故道"禁祭酳祷祠,与之重罚",而道人终不欲食用余食器物,有道者也不处于祭酳祷祠之间④。既然"道"没有具体形象,就要从内在的道真去探求,故"勉信道真,弃邪知,守本朴,无他思虑,心中旷旷但信道,如谷冰之志,东流欲归海也";当"畏四邻,不敢为非",担心为邻里所知,时常畏敬于行止之间。⑤《老子想尔注》又批判外教他道瞑目内视的修炼之法,认为以五脏为道,要求人们瞑目思虑,企图从中求福之法是不正确的,只能"去生遂远",并不能长寿。⑥它认为真正的修道之法就是要"奉道诫,积善成功,积精成神,神成

---

① 《老子想尔注校证》第20章,第25页。
② 《老子想尔注校证》第16章,第21页。
③ 《老子想尔注校证》第33章,第43页。
④ 《老子想尔注校证》第25章,第31页。
⑤ 《老子想尔注校证》第15章,第18页。
⑥ 《老子想尔注校证》第10章,第12页。

仙寿，以此为身宝矣"①。道由气、精而化生万物，修道则是由精而神而仙，所以《老子想尔注》注重"食气""养精"，力倡"结精为神"②"宝精勿费"③，而接近于后世"炼精化气，炼气化神"的修炼之术。相反，那些"托黄帝、玄女、龚子、容成之文相教"的道士滥行房中术，使人"心神不一"，而"失其所守"，实际上是"伪伎诈称道"，没有领会到道的本真，真正的道并非如此。他主张"道教人结精成神"，"人之精气满藏中，苦无爱守之者，不肯自然闭心而揣挩之，即大迷也"④。

《老子想尔注》充实道诫的内容，将道家所倡导的清静无为、少私寡欲、不计功名利禄、宠辱不惊等准则纳入宗教戒律之中，以为"道贵中和，当中和行之，志意不可盈溢，违道诫"⑤，"名与功，身之仇，功名就，身即灭，故道诫之"⑥。《老子想尔注》将儒、道倡导的"至诚""为善"法则纳入其中，以为"人当积善功，其精神与天通"⑦，而"见恶人，诫为说善"，"就申道诫示之，畏以天威，令自改"⑧，具有浓郁的宗教劝善味道。《老子想尔注》甚至不惜曲解《道德经》，将儒家忠孝仁义也作为道诫的内容而一并要求道人修行，认为要实现天下太平，人得仙寿，"疾要在帝王当专心信道诫"⑨。

《老子想尔注》又将守诫与得道等同起来，以实现其以诫修道的宗教目的。它认为道、诫、人的关系如同渊、水、鱼的关系一样，"诫为渊，道为水，人犹鱼。鱼失渊去水则死，人不行诫守道，道去则死"⑩。《老子想尔注》将守道诫绝对化，以为"今布道诫教人，守诫不违，即为守一矣；不行其诫，即为失一也"⑪。"人行道，不违诫，渊深似道"⑫，"人行道奉诫，微气

---

① 《老子想尔注校证》第13章，第16页。
② 《老子想尔注校证》第6章，第9页。
③ 《老子想尔注校证》第36章，第46页。
④ 《老子想尔注校证》第9章，第11页。
⑤ 《老子想尔注校证》第4章，第7页。
⑥ 《老子想尔注校证》第9章，第12页。
⑦ 《老子想尔注校证》第5章，第8页。
⑧ 《老子想尔注校证》第17章，第21页。
⑨ 《老子想尔注校证》第18章，第23页。
⑩ 《老子想尔注校证》第36章，第46页。
⑪ 《老子想尔注校证》第10章，第12页。
⑫ 《老子想尔注校证》第4章，第7页。

归之"①，只要按诫去做，就可以接近于道，永保道。反复言之，"结志求生，务从道诫"②，要得道长生，就必须遵守道诫。这尚且从目的出发，强调奉诫可以得道，要得道必须守诫。当此观念强化之后，目的已变为其次，而举事守诫成为第一要务，故"人欲举事，先孝（考）之道诫，安思其义不犯道，乃徐施之，生道不去"③。这样，无时不刻，无论思虑是否在得道上，都要按道诫办事，于是专一守诫实际上已成为一种外在的强制法则，强行调节道、人之间的各种关系，带有了鲜明的宗教色彩。正因为如此，要遵循道诫并不轻松，故《老子想尔注》称："道诫甚难，仙士得之，但志耳，非有伎巧也。"④道诫只有记住遵守，没有什么技巧可言，等同于宗教教规。

在实施层面上，《老子想尔注》也明显富有布道传教的用意。它反复强调将为善之人引入习道守道的圈子中来，而对待恶人也要加以引导、教化。"常为善，见恶人不弃也；就往教之，示道诫。"⑤在现实生活中，这样的道诫也有自觉与强制的双重性，与五斗米道所奉行的教以诚信、不欺诈，有病自首其过，犯法三原其过然后乃行刑，有小过者治道百步而除罪，置办义舍等举措相通相融。

---

① 《老子想尔注校证》第15章，第18页。
② 《老子想尔注校证》第28章，第34页。
③ 《老子想尔注校证》第15章，第19页。
④ 《老子想尔注校证》第33章，第42页。
⑤ 《老子想尔注校证》第25章，第31页。

第二章

巴蜀哲学思想在三教互涵互融中演进（蜀汉至五代）

第二章 巴蜀哲学思想在三教互涵互融中演进（蜀汉至五代）

蜀汉、两晋、南北朝、隋唐五代时期是巴蜀哲学由兼容儒、道、百家传统向兼容三教、融会百家发展，在三教互涵互融中演进的重要时期。

蜀汉时期，迁蜀儒士与土著儒士并隆蜀学，传统今文经学与荆州传入的古文经学并兴。这一时期，学术巨变。三国"学者师商（鞅）、韩（非）而上法术，竞以儒家为迂阔，不周世用"①，魏刘廙著书与丁仪共论刑礼，综核名实，南阳谢景则好刘廙先刑后礼之说，而徐幹《中论》、桓范《世要论》，皆受先秦法家的影响。蜀地官僚士绅如刘备、诸葛亮、关羽、姜维、蒋琬、张裔等人皆不免于俗，兼重法术、儒学，并与兵家等诸子之学相融会，别具一格。荆州古文经学的传入改变了巴蜀今文经学一统的局面，并得到了官方的推崇，但今文经学仍兴盛不衰，恪守师法家法，父传子，师传徒，学脉相延，世济其美，出现秦宓、谯周这样上下相承的旷世大儒。两晋时期，巴蜀经学向多元化方向发展。

南北朝时期，巴蜀经学衰落，道教延续汉末三国时天师道，向上层化方向发展。在张鲁北迁后，继任的第四代天师张盛前往江西龙虎山传教，留在巴蜀的有阳平、鹿堂、鹤鸣三大治的祭酒，同时又在各地逐渐产生了一批脱离三大治而自行传道的道教，其中最引人注目的是陈瑞天师道、范长生天师道、李八百李家道，成为变异了的天师道。这时道教中哲学思想也有新的阐发，如范长生对卦变、升降、卦气等传统易学思想进行新阐释，在卦变系统化和条理化方面做出了贡献。巴蜀佛教在晋以后逐渐兴盛起来，其中蜀人卫元嵩由梁入周，出入儒、释、道三教，批判佛教，力劝周武帝毁佛，又著《元包经》，宣扬文质互变、以质代文的思想，在哲学思想史上有独特的贡献和影响。

隋唐时期，巴蜀哲学在三教互涵互融、融贯百家诸子方面有了很大的进步。在儒学方面，隋朝大儒何妥疏释《周易》《孝经》《庄子》，讲论五经大义，论解礼乐，关心治道，学兼南北，融贯儒道。唐中后期资州著名易学家李鼎祚撰《周易集解》一书，以象数为主，适当采集义理易学，体现了其象数、

---

① 《三国志》卷一六，《魏书·杜恕传》，第502页。

义理兼重的本意。其易学哲学兼重天道、人事，而尤契于玄学，赞同道家无为而治的思想，比较尊重易学旧传统。在道教方面，出现了李荣、王玄览为代表的著名的"重玄"学大师，也是全国一流的重玄学者，对道教"重玄"哲学作出了新的阐释，在道教义理化方面成就突出，使道教哲学日趋精微。李荣与佛教徒有过激烈的论辩，却又主张佛道会通，并通过借鉴吸收佛学思想，著《道德真经注》，极力阐发重玄思想，与成玄英一道，共同推进了道教思想的重玄学化。王玄览撰《老经口诀》《老子注》，门人纂集《玄珠录》，更为深入地融会佛道二教思想，大量使用佛学思想语言，使其重玄思想充满了佛学的味道。在晋以后逐渐兴盛起来的巴蜀佛教，随着巴蜀与中原、江南的联系和交流的进一步加强，在唐代取得了长足的发展，南北交融、综合三教的色彩日益明显。这一时期，巴蜀地区禅宗尤盛，在唐代禅宗八家中，巴蜀独占五家，只有北秀、牛头、石头三派无传；在全国禅宗力量中，巴蜀也是最为雄厚。汉州什邡县马祖道一开创洪州宗，独创四层次接引法，提倡"平常心是道"，强调"任心为修"的哲学思想，在佛教理论、教育方法、典籍文献、寺院寺规等方面均作了革新，全面确立禅宗"不立文字，教外别传，直指人心，见性成佛"的风格，从而真正地实现了佛教中国化。果州西充圭峰宗密以荷泽禅、华严教为宗，提出教禅与三教"和会"之论，多角度阐释真心本体，从而建构起集隋唐佛教哲学之大成的哲学思想体系，其思想代表了中国佛家哲学思想的高峰，尤为引人注目。从宗密的佛学成就来看，他显然已有从宗教折入于哲学的倾向。其宗教哲学思想承前启后，在本体论、心性论、修养论等方面对宋明理学产生了深刻影响。唐代巴蜀哲学不仅在融会儒释道方面做出杰出贡献，而且以赵蕤《长短经》为代表，在综汇诸子百家、折中于儒方面贡献突出，并有经世大志，形成了奇正相生、文质互变、长于变通，而立足于儒学之正的哲学风貌。

前后蜀统治下的四川相对安定，基本上保持了唐代以来的承平局面，统治者重视学术，兴建学校，开科取士，使前后蜀时期的巴蜀哲学在三教互涵互融中得到持续的发展演变。后蜀宰相毋昭裔刊刻《蜀石经》、雕版"九经"，对儒学的发展做出了重要贡献。杜光庭长期居蜀，在道教斋仪、典籍文献、哲学理论的集成与提升等方面傲视百代，极大地推进了巴蜀道教哲学的发展，被公认为一代"道门领袖"。彭晓注解《参同契》，阐述真一元气之本，浓缩年月于朝暮，对道教内外炼丹术有了新的阐释，对宋代道教哲学、易图学产生了重大影响。

第一节　蜀汉时期的巴蜀哲学

三国之际，学术巨变，今文经学渐次让位于古文经学。①随着刘备军事集团入蜀，蜀汉经学呈现出土著儒家今文经学与迁蜀儒家古文经学并兴的局面。"豫州入蜀，荆楚人贵"②，古文经学明显占据着官学优势。不过，"蜀、吴地僻，今学尚未尽漓"③，今文经学仍有很大的势力。

一、荆州新学入蜀与儒家、兵家的结合

刘备军事武装集团入蜀，迁入大批以荆州之士为主的外地儒士。他们弘扬古文经学，又将儒家与兵家结合，具有很强的经世致用的特色。刘备师友讲习，具有渊源，在学术上，得于古文家者居多。熹平四年（175），刘备"年十五，母使行学，与同宗刘德然、辽西公孙瓒俱事故九江太守同郡卢植"④。其后，刘备"周旋陈元方（纪）、郑康成（玄）间，每见启告，治乱之道悉矣"⑤。在徐州，北海相孔融劝刘备"今日之事，百姓与能，天与不取，悔不可追"⑥，刘备因此领徐州。屯兵新野，刘备又问世事于司马徽，由此三顾茅庐而得诸葛亮。刘备初定益州，"鸠合典籍，沙汰众学"⑦，即位之后，建太学于成都，州郡也建立相应的教育机构。⑧不过，刘备虽以仁称，但"不甚乐读书"，"好交结豪侠"，以至于"年少争附之"，其《遗诏敕后主》称"可读《汉书》《礼记》，闲暇历观诸子及《六韬》《商君书》，益人意智"⑨，更在意于法家、兵家之学。

诸葛亮读书与石广元、徐元直、孟公威等"务于精熟"不同，而是"观其

---

① 王国维：《观堂集林》卷四，《汉魏博士考》，中华书局1959年版，第191页。
② 《华阳国志校补图注》卷九，《李特雄期寿势志》，第501页。
③ 《两汉三国学案》卷首，《凡例》，第5页。
④ 《三国志》卷三二，《蜀书·先主传》，第871页。
⑤ 《华阳国志校补图注》卷七，《刘后主志》，第409页。
⑥ 《三国志》卷三二，《蜀书·先主传》，第873页。
⑦ 《三国志》卷四二，《蜀书·许慈传》，第1023页。
⑧ 据《晋书》卷九一，《文立传》，文立"蜀时游太学，专《毛诗》《三礼》，师事谯周"，是蜀有太学。据《华阳国志》卷一一，《后贤志》，李毅"诣郡文学受业，通《诗》《礼》、训诂，为学主事"，是蜀州郡有学。
⑨ 《三国志》卷三二，《蜀书·先主传》，第871页、872、891页。

诸葛亮像

大略"①，显示出他好实学，而非一般的章句之儒。他生平不尚浮华，诫其子"静以修身，俭以养德，非淡泊无以明志，非宁静无以致远"，"非学无以广才，非志无以成学"②。诸葛亮对儒家经典及其大义甚为熟悉，于《春秋》更为通达。在奏议中，他多引经书为据，街亭自贬疏称"《春秋》责帅"③，请追尊合葬疏更广引儒家经典，称"《礼记》曰：'立爱自亲始，教民孝也；立敬自长始，教民顺也。'不忘其亲，所由生也。《春秋》之义，'母以子贵'"，又《诗经》"谷则异室，死则同穴"之说。④诸葛亮还将儒家经典作为与人论议的依据，以《春秋》"申生在内而危，重耳在外而安"劝导刘琦。⑤诸葛亮又是一位博学多才之士，对诸子思想也有深切的认识，称："老子长于养性，不可以临危难；商鞅长于理法，不可以从教化；苏、张长于驰辞，不可以结盟誓；白起长于攻取，不可以广众；子胥长于图敌，不可以谋身；尾生长于守信，不可以应变；王嘉长于遇明君，不可以事暗主；许子将长于明臧否，不可以养人物。"唐赵蕤以为："此任长之术者也。"⑥诸葛亮治蜀，刑法峻急，法令严明，赏罚分明，后人称其学申、韩。他继承《孙子兵法·谋攻》"不战而屈人之兵"的理论，在《南征教》中提出"攻心为上，攻城为下；心战为上，兵战为下"⑦，并成功地运用到战事中。《八阵图》更是诸葛亮融会《周易》、兵家之学的经典。他还曾为后主"写《申》《韩》《管子》《六韬》一通已毕"，亦乃法家、兵家相结合。诸葛亮还明显受到道家思想的影响，学者至以"秦汉新道

---

① 《三国志》卷三五，《诸葛亮传》注引《魏略》，第911页。
② 《诸葛亮集》卷一，《诫子书》，中华书局1960年版（下引版本同此），第28页。
③ 《三国志》卷三五，《蜀书·诸葛亮传》，第922页。
④ 《三国志》卷三四，《蜀书·二主妃子传》，第905页。
⑤ 《三国志》卷三五，《蜀书·诸葛亮传》，第914页。
⑥ （唐）赵蕤：《长短经》卷一，《任长第二》，周斌：《〈长短经〉校注与研究》，巴蜀书社2003年版（下引版本同此），第16页。
⑦ 《诸葛亮集》卷二，《南征教》，第33页。

家之'殿军'"称之。① 诸葛亮集思广益,筑读书台于华阳,"以集诸儒,兼以待四方贤士"②,《与群下教》则要求"集众思,广忠益"③。王通甚至认为"使诸葛亮而无死,礼乐其有兴乎!"④ 此外,关羽"好《左氏传》,讽诵略皆上口"⑤,"长而好学,读《左传》略皆上口"⑥;姜维"好郑氏(玄)学",批评刘备"错守诸围,虽合《周易》'重门'之义,然适可御敌,不获大利"⑦。零陵湘乡人蒋琬以州书佐随刘备入蜀,撰《丧服要记》,官至蜀汉大将军。蜀地之士,亦融会儒、兵两家,如成都人张裔"治《公羊春秋》,博涉《史》《汉》"⑧。

东汉末年,荆州在刘表十九年(190~208)的统治期间,政治安定,经济发展,相对于中原扰攘而言,对儒士学术有很强的吸引力,"关西、兖、豫学士归者盖有千数"⑨。刘表既非拨乱之主,又无霸王之才,而以儒学为号召,力图自保。他在荆州搜集遗书,博求儒士,设置学校,开列学官,又命綦毋闿、宋衷诸儒,"改定五经章句,删划浮辞,芟除烦重",成《五经章句后定》,建立起以古文经学为基础,而不同于郑玄之学的荆州新经学。

伴随刘备集团的入蜀,荆州古文新经学在巴蜀渐次传播开来。涪人尹默以"益部多贵今文而不崇章句",其学不博,于是游学荆州,从司马徽、宋忠等受古学,"通诸经史,又专精于《左氏春秋》,自刘歆《条例》、郑众、贾逵父子、陈元、服虔注说,咸略诵述,不复按本"⑩,官劝学从事,后为太子仆射,以《左氏传》授后主刘禅。"当时善于《左氏春秋》的颍容正在荆州讲学","尹默有可能即从颍容受业"⑪。南阳新野人来敏,东汉名士来歙之

---

① 熊铁基:《秦汉新道家之"殿军"诸葛亮》,《道家文化研究》第五辑,上海古籍出版社1994年版,第187~196页。
② 《太平寰宇记》卷七二,《剑南西道一益州》,第1468页。
③ 《诸葛亮集》卷二,《与群下教》,第31页。
④ (隋)王通:《中说》卷一,《王道篇》,文渊阁四库全书本。
⑤ 《三国志》卷三六,《蜀书·关羽传》注,第942页。
⑥ 《三国志》卷五四,《吴书·吕蒙传》注,第1275页。
⑦ 《三国志》卷四四,《蜀书·姜维传》,第1064~1065页。
⑧ 《三国志》卷四一,《蜀书·张裔传》,第1011页。
⑨ 《后汉书》卷七四下,《刘表传》,第2421页。
⑩ 《三国志》卷四二,《蜀书·尹默传》,第1026页。
⑪ 唐长孺:《汉末学术中心的南移与荆州学派》,《唐长孺社会文化史论丛》,武汉大学出版社2001年版,第5~6页。

后，刘璋时入蜀，涉猎书籍，善《左氏春秋》，尤精于《仓》《雅》、训诂，好是正文字，接受的也是荆州之学，后官典学校尉、太子家令。涪人李仁，与尹默俱游荆州，得司马徽、宋忠等荆州新学之传。其子譔具传其业，又从尹默讲论义理，著《古文易》《尚书》《毛诗》《三礼》《左氏传》《太玄指归》，皆依准贾逵、马融，异于郑玄，与王肃殊隔，初不相见，而所述之意归多同。襄阳宜城人向朗年少时师事司马徽，后为蜀汉名臣，潜心典籍，孜孜不倦，年逾八十，犹手自校书，勘定谬误，积聚篇卷，于时最多，开门接宾，诱纳后进，但讲论古义，不干时事。南阳人许慈师事刘熙，善于郑氏学，治《易》《尚书》《三礼》《毛诗》《论语》，建安中，与许靖等俱自交州入蜀。

二、今文经学的延续与内学的盛行

蜀汉今文经学仍然十分兴盛，尤以图谶、灾异名，对当时的学术政治产生了重大影响。其中最重要的一支正是前章所提及的杨厚、任安学派，加以与秦宓学术的融会，更是声势浩大。

西汉末，杨春卿善图谶学，其子杨统从周循学习先祖之法，又就郑伯山受《河》《洛》及天文推步之术。杨统子杨厚少学统业，精力思述，入朝十余年，以内谶、灾异之说名闻当世。晚年称病求退，归家修黄老之学，教授门生三千余人，任安、董扶、周舒、冯颢等俱传其学。周舒少学术于杨厚，名亚董扶、任安，解释《春秋谶》"代汉者当涂高"，以为"当涂高者魏也"，认为魏将代汉而兴。其子周群从小受学于父，专心候业，在三国时以内谶之学名，史称"凡有气候，无不见者，是以所言多中"[①]。任安少游太学，受《孟氏易》，兼通数经，又从杨厚学图谶，究极其术。其弟子杜微传其学，官至谏议大夫；杜琼精究安术，著《韩诗章句》，官至太常。杜琼精通内学，尝传其学于谯周，称"欲明此术甚难，须当身视，识其形色，不可信人"，而"晨夜苦剧，然后知之，复忧漏泄，不如不知"，将天文、术数混而为一，以预言灾异吉凶。他解释周舒"当涂高者魏也"之说，以为魏为阙名，"当涂而高，圣人取类而言耳"，又称"古者名官职不言曹，始自汉已来，名官尽言曹，吏言属曹，卒言侍曹，此殆天意也"，进一步将《春秋谶》含义明朗化，解释成曹魏代汉乃天意所致。其后，谯周缘杜琼之言，触类而长之，以为先主刘备之备训

---

① 《三国志》卷四二，《蜀书·周群传》，第1020页。

作具，后主刘禅之禅训作授，这就好比说刘氏已经具备了，当授予他人，以蜀汉必将亡灭为谶。景耀五年（262），谯周又借宫中大树摧折之事，书写谶语于柱，称"众而大，期之会，具而授，若何复"①，意即曹魏之曹为众，魏为大，刘氏蜀汉必将为曹魏所取代。可以看出，在蜀汉时期，自《春秋谶》而周舒，而杜琼，而谯周，谶纬之学一系相传，并将东汉、蜀汉为曹魏所代替作为潜台词，对政治、思想有着巨大的影响。

谯周内谶学最为知名，他借此影射时政，又力劝蜀汉归降于魏。入魏之后，谯周以"典午忽兮，月酉没兮"书版示文立②，预示司马氏取代曹魏，曹奂死于当年八月。入晋以后，谯周又称"己没三十年后，当有异人入蜀，蜀由之亡"，预言李雄攻占成都；又说"宋岱不死，则孙阜不反币，三旬之间，流、雄之首悬于辕门"③，则又预言李流、李雄之死。此外，他还预知自己的死年。虽然谯周研精六经，号称"通儒"，反倒不如其内谶之学，为当时、后世所重。唐晏称："三国之际，谯周经术最深，著书亦众，而后人不甚重之者，岂非以其晚节之不善自持乎！"④

在蜀汉时，与任安学派相联系而学术造诣高深的还有秦宓。秦宓字子敕，广汉绵竹人。他少有才学，不应州郡之聘。刘备入蜀，辟为从事祭酒。诸葛亮领益州牧，选为别驾、中郎将、长水校尉，其后官至大司农。秦宓精通经学、史学，善文学，而长于辩论。刘备东征吴，秦宓据天文而言人事，"陈天时必无其利，坐下狱幽闭"。吴使张温聘蜀，秦宓回敬其难，据《诗》"乃眷西顾"，以为天有头在西方；据《诗》"鹤鸣于九皋，声闻于天"，以为天有耳，处高而听卑；据《诗》"天步艰难，之子不犹"，以为天有足能步行。此虽以"文辩"称，但显见其以神秘的阴阳灾异之说附会经义。在史学方面，秦宓也有精深的造诣。他不赞同《大戴礼记·帝系》以五帝皆同一族之说，辨其不然之本，又"论皇帝王霸豢龙之说，甚有通理"。秦宓盛赞蜀地历史地理，以为蜀沃野千里，长江为四渎之首，禹生于蜀石纽，疏江决河，功劳最著，益州为天地决政之所，斜谷为三皇祇车出口，并不输于他州。他熟悉蜀地文化，以为任安"仁义直道，流名四远"，"记人之善，忘人之过"，而力加举荐；

---

① 《三国志》卷四二，《蜀书·杜琼传》，第1022页。
② 《三国志》卷四二，《蜀书·谯周传》，第1032页。
③ 《华阳国志校补图注》卷八，《大同志》，第480页。
④ 《两汉三国学案》卷一一，《明经文学列传》，第577页。

认为扬雄"潜心著述，有补于世，泥蟠不滓，行参圣师"；盛赞文翁化蜀之功，对司马相如的教化也十分欣赏，建议为相如、扬雄立祠。秦宓不赞同战国纵横之学，而力主儒家、道家之学，自比于巢父、许由、四皓，以为文采由德而兴，乃"天性自然"的结果，史称其"专对有余，文藻壮美，可谓一时之才士"①。秦宓学传谯周。谯周著《五经然否论》《礼祭集志》《古史考》《后汉记》《蜀本纪》《益州志》《三巴记》《异物志》，又为《仇国论》，而"词理渊通，为世硕儒"②，盖有得于秦宓之学。

此外，孟光博物识古，无书不览，锐意三史，长于汉家旧典，好《公羊春秋》而讥呵《左氏》，常与来敏争此二义，官至议郎，与许慈等并掌制度。胡潜明于丧服制度，祖宗制度之仪、丧纪五服之数，皆指掌画地，举手可采。刘备定蜀，胡潜与许慈并为学士，与孟光、来敏等典掌旧文。

除了杨厚、任安学派体现出师法、家族对学术的重大作用与影响外，蜀汉时期，巴蜀儒学子传父业，世济其美，俱恪守家法，而不见异思迁。许慈子勋传其业，后为博士。来敏子忠博览经学，有父风。尹默子宗传其业，为博士。向朗子条嗣亦博学多识。李仁子譔具传父业，又从尹默讲论义理。周群子巨传其业，为蜀汉博士。

第二节　两晋南北朝时期巴蜀哲学的发展

两晋南北朝时期，巴蜀经学向多元化方向前进；道教沿袭汉末三国时天师道，向上层化方向发展；佛教兼容南北，出现了卫元嵩废佛论，但又力主融会三教。

一、两晋南北朝时期的巴蜀经学

蜀汉时，巴蜀古文经学兴起，形成与今文经学抗衡之势。两晋时虽有蜀豪将家内移，但巴蜀经学还比较兴盛，今古文经并治，兼通众经者众多，谶纬之学继续发展，清谈也有所兴起。到南北朝时，巴蜀地区起义、叛乱不断，加之南北交争，使得学术急剧衰落，"自晋初至于周显德，仅七百岁，而史所纪者

---

① 《三国志》卷三八，《蜀书·秦宓传》，第971～976页。
② 《三国志》卷四二，《蜀书·杜周杜许孟来尹李谯郤传》，第1042页。

无几人"①。

两晋时巴蜀专治今文经学的学者有何随治《韩诗》、欧阳《尚书》，研精文纬，通星历，而兼治今古文经学者则有任熙、王化、寿良、陈寿、王长文等，且大多博通诸经。成都任熙治《毛诗》《京氏易》，博通"五经"，事亲至孝。王化治《毛诗》《三礼》《春秋公羊传》。成都寿良少与犍为张征、费缉齐名，治《春秋》三传，贯通"五经"。巴西安汉人陈寿少受学于散骑常侍谯周，治《尚书》及"春秋三传"。

广汉郪人王长文是两晋时期巴蜀出现的一位奇人。他天姿聪警，高畅敏识，治"五经"，博通群籍，尝独自讲学。继扬雄之后，王长文模拟圣人经典以著书，著《无名子》十二篇，拟《论语》而作；又著《通经》四篇，兼拟《周易》《太玄》，且用于卜筮，颇有效验。王长文以为《公羊》《穀梁》《左氏》三传传经不同，每生讼议，于是据经摭传，著《春秋三传》十二篇，表明他不仅精通三传，而且明显有会通三传的用意，较范宁以《穀梁》为主，兼取三传之长更进一步。王长文对《礼记》的繁杂也有深刻的认识，撰有《约礼记》十篇，除烦举要，对礼学的简约化有特殊的贡献。

两晋时期，更多的学者侧重于古文经学，而又博涉群经诸书。武阳人李密治《春秋左氏传》，博览"五经"，多所通涉，机警辩捷，辞义响起，事祖母以孝闻。广汉郪人李毅少散达，不治素检，年二十余，乃诣郡文学受业，通《诗》《礼》、训诂，为学主事。江原人常勖安贫乐道，志笃坟典，治《毛诗》《尚书》，涉治群籍，多所通览。常骞治《毛诗》《三礼》，清尚知名。常宽治《毛诗》《三礼》《春秋》《尚书》，尤耽《大易》，博涉史传，而谦虚清素，后南入交州，鸠合经籍，研精著述。司马胜之学通《毛诗》《三礼》，清尚虚素，不事荣利。成都人杜轸少事谯周，博涉经书，发明高经于谯氏之门。安汉人阎缵博览坟典，事继母以孝闻。

值得注意的是，自东汉兴起的杨厚、任安学派，在两晋时期仍然绵延不断。其中，成都人高玩少受学于太常杜琼，术艺微妙，博闻强识，清尚简素，少与李密齐名。而谯周上承杜琼、秦宓及谯氏家学，又下传谯氏家族谯熙、谯秀、谯贤、谯登、谯同，陈寿及其诸侄陈符、陈莅、陈阶，文立，李密及其子

---

① （宋）吕大防：《〈华阳国志〉后序》，（明）杨慎：《全蜀艺文志》卷三〇，线装书局2003年版，第794页。

李赐、李兴、罗宪,以及杜轸、杜毗等,势力与影响力仍然十分壮大,于学术也各有独到的造诣。杨厚、任安学派的兴盛,显示出学派、家族在两晋时期对于学术的传播与弘扬起到了十分重要的作用,而学校教育在此时期则明显减弱。

西晋末年,蜀地遭遇到李流、李特流民起义的打击,学术日渐衰微,此就龚壮的遭遇即可见一斑。龚壮字子伟,巴西(今四川绵阳)人,洁己自守,与乡人谯秀齐名,研考经典,覃思文章,每叹中夏多经学,而巴郡鄙陋,兼遭李氏之乱,无复学徒,乃著《迈德论》。

南北朝时期,巴蜀经学罕有史籍的记载。在经学兴盛的梁朝,则有所表现。北魏持节、安西将军、梁秦二州刺史邢峦在占领巴西郡后,上表请求在郡内增设巴州,对该地的学术民风有具体的描述。他说:"彼土民望,严、蒲、何、杨,非唯五三,族落虽在山居,而多有豪右,文学笺启,往往可观,冠带风流,亦为不少。但以去州既远,不能仕进,至于州纲,无由厕迹。"①巴州所在地为少数民族聚居之所,他们当中有势力强大的豪门大族,而且文化水平相当高,只是因为政区设置等原因,才隐没乡里,没有上达于州郡。其中,严氏家族中就出现有博通经书的严植之。严植之字孝源,建平秭归人。其祖严钦乃南朝宋通直散骑常侍。严植之年少时善《庄》《老》,能玄言,精解《丧服》《孝经》《论语》,成年后又遍治郑玄《三礼》《周易》《毛诗》《左氏春秋》等学,所撰有《凶礼仪注》四百七十九卷。梁高祖萧衍诏求通儒治五礼,有司奏严植之治凶礼。天监四年(505),梁初置"五经"博士,各开馆教授,以严植之兼任"五经"博士。严植之开馆潮沟,生徒常百数,每次开讲,五馆生徒必至,听者千余人②。由此可见,地处南北交界处的巴蜀,学术兼容南北,既流传南方盛行的玄学,同时又修习流行于北方的郑玄经学,民风学术相对较为淳朴。此外,梁代陈方庆,梓州射洪人,唐陈子昂远祖,好道术,得《墨子五行秘书》及白虎七变之法,隐于郡之武东山,大同(535~546)中,仕至新城郡司马,反映出巴蜀特有的术数文化仍在南北朝时延续发展。

二、两晋南北朝时期的巴蜀道教

自张鲁投降曹操而北迁后,继任的第四代天师张盛前往江西龙虎山传教,

---

① 《魏书》卷六五,《邢峦传》,中华书局1974年版,第1442页。
② 《梁书》卷四八,《严植之传》,中华书局1973年版,第671页。

留在巴蜀的有阳平、鹿堂、鹤鸣三大治的祭酒,同时又在各地逐渐产生了一批脱离三大治而自行传道的道教徒。其中最引人注目的有陈瑞天师道、范长生天师道和李八百李家道。

(一)陈瑞天师道

陈瑞本为犍为一介平民,最初以"鬼道"来吸引诱惑百姓。在其道发展壮大后,他自称天师,设道治管理徒众,并置祭酒一职来安置为师者。其信徒以千百数,声势较大。显然,陈瑞之道是以天师道为基础来建制的,其自称天师,也说明其道就是一种有所变异的天师道。从其崇奉来看,"其道始用酒一斗、鱼一头,不奉他神。贵鲜洁。其死丧、产乳者,不百日不得至道治","父母、妻子之丧,不得抚殡入吊及问乳、病者。后转奢靡,作朱衣、素带、朱帻、进贤冠"①。陈瑞之道在神祇崇奉方面还没有发展起来,更多的是对民间习俗的继承完善,如祭祀贵鲜洁,对死丧人家、产妇、母乳喂养期间的妇女都有忌讳,禁止他们到道治活动,或者吊问丧者、慰问产乳或生病之人。而随着其道的发展壮大,在好尚方面也发生了变化,日渐奢靡,制作红色衣服、白色系带、红色头巾以及进贤冠,显示出在穿着方面非同一般的要求,可见陈瑞之道逐渐脱离平民色彩,或者说其道上层日渐出现等级分化,向社会上层靠近。

由于陈瑞之道声势过大,引来益州刺史王浚的嫉恨与不安,于是在西晋武帝咸宁三年(277)春,以不孝的名义,诛杀陈瑞及祭酒袁旌等人,并焚毁其传舍。益州民有奉陈瑞之道者,见官二千石长吏巴郡太守犍为唐定等人,都被免官或者除名。经过王浚的打击,陈瑞之道最终销声匿迹。释法琳据《晋阳秋》,以为"陈瑞习道而夷族"②,而其根本原因,或许正如后人所说系"将谋不轨"③。

(二)范长生天师道

西晋末年,秦、雍地区战乱、天旱,李氏随流民入蜀就食。在益州刺史罗尚等人催逼返回故土的压力下,李特、李雄日渐成为流民武装的核心人物,并最终占领成都,建立成汉政权。在李特、李雄起义的艰难斗争中,青城山道士

---

① 《华阳国志校补图注》卷八,《大同志》,第439页。
② (唐)释法琳:《对傅奕废佛僧表(并启)》,《广弘明集》卷一一,四部丛刊初编本。
③ 雍正《四川通志》卷二九下,文渊阁四库全书本。

范长生大力资助钱粮，为成汉政权的建立立下了汗马功劳。

范长生（？～318）自称蜀才，又名延九、九重、支，字符，涪陵丹兴人。范氏乃涪陵大姓，世领部曲，率千余家依青城山而居，拥有可观的武装力量和雄厚的经济实力。李特、李荡战死，起义军极其艰难，范长生资给军粮，起义军因此复振。李雄克成都，欲迎立范长生为君，长生固辞，推步李氏当称王。李雄僭号成都王后，范长生自青城山乘素舆诣成都。李雄迎之于门，拜丞相，尊称范贤。长生因此劝李雄称尊号，即帝位，而他本人则在李雄称帝后被加封为天地太师、西山侯，并得复其部曲不豫军征，租税一入其家。太兴元年（318），长生去世，李氏政权又以其子范贲为丞相。永和三年（347），桓温征蜀，隗文、邓定等复反，立范贲为帝，有众一万，其后为益州刺史周抚、龙骧将军朱寿击破，斩之。

范长生"岩居穴处，求道养志"[①]，"善天文，有术数，民奉之如神"[②]，"以左道惑百姓，人多事之"[③]。李雄亦笃信其术。范长生之子范贲也"以妖异惑众，蜀人多归之"[④]。范长生著有《蜀才易注》十卷、《道德经注》二卷，今仅有佚文传于世。范长生在以王弼为首的玄学义理易学兴起并日渐兴盛之际，力主象数，在卦变、升降、卦气等传统易说基础上做出了新的贡献。范长生对卦变思想系统化、条理化做出了很大贡献，深受后人重视。他从荀爽升降之义，为虞翻卦变之说，不采虞翻一爻动而上下移易，而取荀爽兼用二爻，以升降见义；舍弃虞翻旁通之说，直接以卦变作解，简化消息变化之论；修补完善一阴一阳自《复》《剥》《姤》《夬》来例，但又继承了虞翻卦变中的一些迂回的变例。范长生在升降说上既继承了荀爽之说，又有所发展。他以卦变为基础，将它卦向本卦转变的爻位变化解释为阴阳升降说，发挥荀爽阳升阴降原则，并将之与卦变给合，注意以升降解释卦爻辞，并对荀爽不太在意的阴升阳降说作了进一步发展，从而更加符合客观现实、卦爻变化及《周易》文意。对于反映一年十二个月阴阳二气消长变化的十二消息卦，范长生在解释时，也不拘传统之说，而独树一帜，以《临卦》历八月而至《否卦》，以解释《否

[①] 《晋书》卷一二一，《李雄载记》，中华书局1974年版，第3036页。
[②] 《太平御览》卷一二三引，《十六国春秋·蜀录》，第597页。
[③] 《晋书》卷五八，《周抚传》，第1583页。
[④] 《资治通鉴》卷九四"穆帝永和三年"，第3077页。

卦》"至于八月有凶"之意。①

（三）李八百李家道

李家道是三国、晋代兴起于巴蜀的以李姓人物为代表的一种道教。所谓的李姓之人，多称为李八百。据《神仙传》卷二《李阿传》《抱朴子内篇》卷九《道意》，三国时蜀有李阿者，穴居不食，世号为八百岁公。人问事，李阿无所言语，但观其颜色欢喜、惨戚、含笑或微叹，则知其事之吉、凶、大庆或忧虑。吴有李宽，能蜀语，能祝水治病，人呼为李八百。于是自公卿以下，皆云集其门，而李宽日趋骄贵，不复得常见，宾客但拜其外门而退。其弟子众多，常接近千人，设置有道庐，以事斋戒。其弟子转相转授，布满江表，动不动就有上千人。此外，《神仙传》卷二《李意期传》所载的李意期也与李阿有相似的作为，并尝得到刘备的礼敬，而以画作预示其伐吴之败，最后入琅琊山中，不复见出。

据《集仙录》，蜀人李脱亦号李八百，三次学道于金堂山龙桥峰下炼丹，最终炼成九鼎金丹，并于三月八日在什邡仙居山白日升天，唐代赐号紫阳真人。李脱还有妹李真多，随兄修道，居绵竹中，终得飞升之道，先于八百白日升天，唐赐号妙应真人。实际上，晋代有李脱以"妖术惑众，自言八百岁，故号李八百"。他"自中州至建邺，以鬼道疗病，又署人官位"，逐渐建立起完备的道教管理体制，"时人多信事之。弟子李弘养徒灊山，云应谶当王"②。其目标直指政权，已非单纯的民间宗教组织。东晋明帝太宁二年（324），李脱因"造妖书惑众，斩于建康市"③，而真正的罪名则是"谋图不轨"。显然，李脱夺取政权与东晋朝廷稳定政权相冲突，最终败下阵来。相较于陈瑞、范长生而言，李脱的政治目标更加远大，而应谶称王，又牵附了当时仍然十分流行的谶纬神学。

李家道能够诱惑人的是"妖术"，其以"鬼道疗病"，实则是一种民间方术。李宽之法也不过是"祝水及三部符导引日月行气而已，了无治身之要、服食神药、延年驻命、不死之法"④。因为方术的诱惑性大，所以李八百的名

---

① 范长生易学，参考金生杨：《汉唐巴蜀易学》，巴蜀书社2007年版，第199～224页。
② 《晋书》卷五八，《周札传》，第1575页。
③ 《晋书》卷六，《明帝纪》，第160页。
④ （晋）葛洪：《抱朴子内篇》卷九，《道意》；王明：《抱朴子内篇校释》（增订本），中华书局1986年版，第174页。

号在后世广为传播附会,《崇文总目》《通志·艺文略》《宋史·艺文志》甚至著录有《李八百方》一卷,而北宋初也有自称活了八百岁的李八百,以至好方术、官至度支使加右卫大将军的陈从信要"事之甚谨,冀传其术"①,徽宗时又有蜀黥卒魏汉津,"晓阴阳术数,多奇中","自言师事唐仙人李良号李八百者,授以鼎乐之法"②。

三、卫元嵩与两晋南北朝时期的巴蜀佛教

巴蜀地处南北文化系统的接点之上,作为南北丝绸之路的交会处,历来兼容南北各地文化,而自成一家。先秦两汉时期,巴蜀儒、道兼容。自汉代开始,佛教便传入巴蜀,巴蜀哲学又走上了儒、释、道兼容的道路。两晋南北朝时,"巴蜀地区成为佛教的传法通道",北方中原和江南高僧相继入蜀,弘扬佛法,巴蜀佛教有了显著的发展,"佛教的基本典籍在蜀中已得到广泛传播",并出现了像巴西人释法绍、阆中人释宝海、安汉人释宝彖等受到萧子显、萧纪礼遇的高僧和戒师。③在此时期,北方禅学与南方义学在巴蜀逐渐被融会到一块,巴蜀佛教由此形成了禅、教并具兼容的特色。这一特色一直保持到后世,最终在唐代造就了宗密兼华严、荷泽,而力主融会三教、教禅之最高境界。

两晋南北朝时期的巴蜀佛教哲学以卫元嵩出入三教,著《元包经》,宣扬灭佛最为著名。

(一)卫元嵩生平事迹④

卫元嵩本河东人,因远祖从宦,遂家于蜀,为益州成都什邡县人。卫元嵩年少时不事家产,而潜心至道,明阴阳历算,当时很少有人了解他。⑤萧梁末

---

① 《宋史》卷二七六,《陈从信传》,第9404页。
② 《宋史》卷四六二,《魏汉津传》,第13525~13526页。
③ 龙显昭等主编:《巴蜀佛教碑文集成》前言,四川大学出版社2004年版,第4页;陈世松主编,李敬洵撰:《四川通史》第三册"两晋南北朝隋唐"卷,四川大学出版社1993年版,第322~324页。
④ 卫元嵩事迹及其思想,参考余嘉锡:《卫元嵩事迹考》,《余嘉锡论学杂著》,中华书局1963年版,第235~264页;又钱锺书:《管锥编》第4册,中华书局1986年版,第1538~1542页;陈祚龙:《考证卫元嵩的十二因缘词》,《敦煌文物随笔》,台湾商务印书馆1977年版,第186~189页;陈祚龙:《我所知道的卫元嵩》,《中华佛教文化史散策初集》,台湾新文丰出版公司1978年版,第380~390页。
⑤ 《经义考》卷二七〇,第1370页。

年，出家野安寺，为亡名法师弟子，聪颖不偶，佯狂浪宕。元嵩以蜀地狭小，不足展怀，发挥不了其天才大略，于是着俗服，诈为于长公家人，于天和二年（567）自梁通关入北周。同年，卫元嵩献策北周，建议省寺减僧，废除佛法事。献策后，北周武帝下诏废佛，而卫元嵩自此还俗。天和五年（570）闰十月，卫元嵩作诗，预论周、隋废兴及皇家受命，并有征验。[1]卫元嵩还俗后复为道士，周武帝"赐爵持节蜀郡公，武帝尊礼，不敢臣之"[2]，并加封太保。约于大象元年（579）之前，卫元嵩感恶疾而卒。

（二）非毁佛教

卫元嵩认为，僧人竞相建造佛像、寺舍，苦役百姓，"损伤有识，荫益无情"，不符合唐、虞三代治道的做法，严重威胁着国家政权的稳定和人民生活的安康，也不符合佛教"大慈为本，安乐含生"的教义，所以齐、梁崇尚佛教，反而国运短促。有鉴于此，卫元嵩建议"造平延大寺"，以世俗政权的统治取代佛教的势力。他建议周武帝对"有德贫人，免丁输课；无行富僧，输课免丁"，认为"输课免丁，则诸僧必望停课，争断悭贪；贫人免丁，众人必望免丁，竞修忠孝"。世俗政权利用税收、徭役等手段，扶持"有德贫人"，打击"无行富僧"，从而敦教化，移风俗，抑制寺院经济对政权的威胁。卫元嵩的上书共有十五条，"劝行大乘，劝念贫穷，劝舍悭贪，劝人发露，劝益国民，劝獠为民，劝人和合，劝恩爱会，劝立市利，劝行敬养，劝寺无军人，劝立无贪三藏，劝少立三藏，劝僧训僧，劝敬大乘戒"，并陈有表状及佛、道二论，"立主客，论小大"，意在以理会通佛、道二教，而唯尊北周皇帝，不事佛、道二教，"大略以慈救为先，弹僧奢泰，不崇法度"[3]。卫元嵩还进一步著《齐三教论》七卷[4]，宣扬其安定群生、整齐三教、平治天下的思想。

卫元嵩虽建议取缔佛教，但他的理据是佛教的教义。其所"述佛大慈，含生安乐，斯得理也"，故释道宣也赞同其说，称其"无言毁佛，有叶真道"，主张"比丘造房，先除妨难，有损命者，必不得为"；其所倡行的政教措施与佛教教义本身也并不违背，乃"兴佛法而安国家，实非灭三宝而危百姓也"。王明广上书宣帝，请重兴佛法，而痛诋元嵩，但也不得不说"元嵩乞简，差当

---

[1] （唐）温大雅：《大唐创业起居注》卷三，上海古籍出版社1993年版，第56页。
[2] 《经义考》，第1370页。
[3] （唐）释道宣：《广弘明集》卷七，《叙列代王臣滞惑解·周卫元嵩》。
[4] 《旧唐书》卷四七，《经籍志下》，中华书局1975年版（下引版本同此），第2030页。

有理"①。周武帝面谕更有"是知帝王即是如来，宜停丈六，王公即是菩萨，省事文殊"之语。②

不过，卫元嵩的废佛之议毕竟对佛教的功能有所弱化，不符合佛教的现实地位与作用，而北周武帝的废佛更是对佛教的巨大打击，所以佛教徒对卫元嵩大多切齿痛恨。

（三）长于阴阳历算，宣扬文质互变

卫元嵩通晓阴阳历算，好言将来之事。北周天和五年（570）闰十月，卫元嵩"制千字诗文"，"并符谶纬事"③，预言北周、隋废兴及皇家受命。史称裴寂等曾上其歌谣诗谶，并有征验。最能反映卫元嵩长于阴阳历算的，还在于他所撰著的《元包经》一书。卫元嵩模拟《归藏》，效法扬雄《太玄》而著《元包经》，提出了文质互变，崇尚质朴的重要思想。

卫元嵩认为文质相互转变。他考察古代帝王受命，均能根据实际，"变文质，顺阴阳"。自伏羲以来，直至夏、商、周三代时期，帝王均知道文质互变的道理，从而有效地治理天下，帝王成为明君，其世成为治世，始终受到后人的尊仰。远古之时，有人无君，"上下交杂，品位纷错，阴阳初分，文质未作"。伏羲统治天下，"画八卦，法三才而一之"，乃"尚质之代"。到黄帝、尧、舜时，或取法乾道，垂衣裳而天下治，是为尚文；或取法坤道，是为尚质。其后夏、商、周三代制作《连山》《归藏》《周易》，卦次不同，算术各异，体现出文质互变的观念。

从阴阳术数角度来看，卫元嵩认为数有阴阳老少，因此就有文质的差异。"穷少阳，盖尚文也；极太阴，盖尚质也。"阴阳可以转化，表现就在于穷少阳与极太阴上，所以说"文质之变，数之由"。在《周易》占法里，九六变，七八不变，卫元嵩颠倒其序，在《元包经》中以七八变、九六不变，从而以尚质的《归藏》改变尚文的《周易》。卫元嵩认为文质之道各有长处，也有弊端，二者互补，可以相互矫正。他说："夫尚质则人淳，人淳则俗朴，朴之失，其弊也蠹；尚文则人和，人和则俗顺，顺之失，其弊也诡。诡则变之以质，蠹则变之以文，亦犹宽以济猛，猛以济宽，此圣人之用心也，岂徒苟相反

---

① 《广弘明集》卷一〇，《叙王明广请兴佛法事》。
② 《广弘明集》卷一〇，《叙任道林辨周武帝除佛法诏》。
③ （唐）释道宣：《续高僧传》卷二七，《益州野安寺卫元嵩传》，（梁）慧皎等撰：《高僧传合集》，上海古籍出版社1991年版，第334页。

背，而妄有述作焉？"①尚质则百姓淳洁，风俗质朴，尚文则百姓和谐，风俗顺随。质之失在于蠢而不智，文之失则在于谄而媚俗，所以要宽猛相济，文质互变，以使社会达到最佳的治理。面对奢靡的社会风尚，佛教徒猥滥的社会现实，卫氏主张改文从质，要求沙汰僧徒，废除佛教，使社会风俗返璞归真，以解决现实社会问题。

第三节　唐李荣、王玄览的道教"重玄"哲学

中国历史进入隋唐，政治上出现了由南北分裂走向全国统一的局面。在学术上，儒、释、道既尖锐对立，又相互渗透，互相融会，各自在创新理论上向前迈进。隋唐时期的道教在李唐王室的大力提倡下，随着不同派别的融会以及三教论争的深入开展，呈现出欣欣向荣的局面，道教哲学更有了长足的发展，出现了"唐朝道士成玄英、蔡子晃、黄玄赜、李荣、车玄弼、张惠超、黎元兴，皆明重玄之道"的局面②，对道教义理化做出了重要贡献，道教哲学日趋精微。李荣、王玄览就是此时期巴蜀地区出现的著名的重玄学大师，也是全国一流的重玄学者。李荣与成玄英齐名，但他与佛教徒有过激烈的论辩，却又主张佛道会通，并通过借鉴吸收佛学思想，著《道德真经注》四卷，极力阐发重玄思想，与成玄英一道，共同推进了道教思想的重玄学化。王玄览撰《老经口诀》《老子注》，门人纂集《玄珠录》，更为深入地融会佛道二教思想，大量使用佛学思想语言，使其重玄思想充满了佛学的味道。

在李荣、王玄览光环下的隋唐巴蜀道教哲学中，还有一大批学者、道士有力地推动着道家道教哲学向前发展。隋代著名学者何妥有《庄子义疏》四卷、《三十六科鬼神感应等大义》九卷。唐初著名文学家陈子昂世代好道，中唐李白也有浓厚的道家、道教色彩。成都道士黎元兴有《海空经》十卷、《老子注义》四卷，成都道士张惠超作《志玄疏》二卷，通义郡（今四川眉山）道士任太玄作《老子注》二卷，岷山道士张君相有《三十家道德经集解》四卷，皆是荦荦大者。此外，江油人窦子明，得三一重玄之绪。因此，蒙文通总括巴蜀道

---

① （北周）卫元嵩述，（唐）苏源明传，（唐）李江注：《元包经传》卷一，文渊阁四库全书本。
② （五代）杜光庭：《道德真经广圣义》卷五，《道藏》第14册，第340页。除了杜氏所列诸道外，还有孙思邈、司马承祯、王玄览、吴筠、李筌、张万福等人，因以《老子》第一章"玄之又玄，众妙之门"为阐释《老子》的宗旨，故学界称此学派为重玄宗。

教，以为重玄之学"始于梁、陈，盛于唐初"，"天宝以后，流风余韵，犹存蜀中，任太玄、黎元兴之流是也。李白《送蜀僧晏入中京》诗有'黄金狮子乘高座，白玉麈尾谈重玄'之句，是时蜀中倡重玄者犹多"①。"重玄一宗，创肇江东，入唐后犹余响于西蜀。"②至于巴蜀重玄学流风遗韵，更及于五代杜光庭、宋初陈抟。

一、李荣的道教哲学

李荣道号任真子，绵州巴西人，生卒年不详，活动于唐高宗、武则天时，蒙文通疑之为成玄英弟子，是与成玄英齐名的重玄学大师。李荣之父李怀节，"隐峨眉山，行无辙迹"；兄子李道光，出家为僧，号道光禅师。李荣出生寒微，自诩"蜀郡词人"③，才情雅致，敏捷善辩，而"有文知名"④，"自言少小慕幽玄，只言容易得神仙"，"漫道烧丹祇七飞，空传化石曾三转"⑤。可以看出，李荣好道有家学的影响，而且从小向慕。唐高宗显庆年间（656~661），李荣应诏入京，居东明观，著名诗人卢照邻、骆宾王分别作《赠李荣道士》《代女道士王灵妃赠道士李荣》诗。李荣以精于道教义理，名著京师，当时被誉为"羽流之冠""老宗魁首"⑥，死后可能葬于长安东明观，永乐李正己为其撰写碑文。⑦

李荣富于著述，有《老子注》《庄子注》《西升经注》《洗浴经》等著作。其中《老子注》最为知名，其书残存于《道藏》洞神部玉诀及唐写本敦煌遗书中，今有蒙文通《辑校李荣〈道德经注〉》本（收入《蒙文通文集》第六

---

① 蒙文通：《辑校成玄英义疏》卷首，《校理〈老子成玄英疏〉叙录》，蒙文通：《道书辑校十种》，巴蜀书社2001年版（下引版本同此），第367~368页。
② 蒙文通：《辑校成玄英义疏》卷首，《校理〈老子成玄英疏〉叙录》，蒙文通：《道书辑校十种》，第354页。
③ （唐）释道宣：《集古今佛道论衡》卷丁，《今上在东都有洛邑僧静泰敕对道士李荣叙道事第五》，《大正新修大藏经》第52册（下引版本同此），第392页。
④ （唐）王维：《王右丞集》卷二五，《大荐福寺大德道光禅师塔铭》，（清）赵殿成笺注：《王右丞集笺注》，上海古籍出版社1984年版，第459页。
⑤ （唐）骆宾王：《代女道士王灵妃赠道士李荣》，（清）彭定求等：《全唐诗》卷七七第3册，中华书局1960年版，第838页。
⑥ 《集古今佛道论衡》卷丁，《今上在东都有洛邑僧静泰敕对道士李荣叙道事第五》，第392页。
⑦ （清）徐松撰，李健超增订：《增订唐两京城坊考》卷四，《西京》"朱雀门街西第五街南普宁坊"三秦出版社1996年版，第219页。

卷《道书辑校十种》)、严灵峰《辑李荣〈道德经注〉》辑校本（收入《无求备斋老子集成》初编第三函）。李荣《西升经注》则保存于宋代道教学者陈景元所编《西升经集注》中。

(一) 李荣与佛、儒的论辩与交涉

在唐代，儒、佛、道并重，但统治者也时有轩轾，所以三教为争夺政治地位长期互相攻讦。相互的论辩中既有政治、经济、伦理纲常等内容充斥其间，但也或多或少地涉及哲学思想层面上的交锋。尤其是在与佛教的论辩中，虽佛教徒的记载总以李荣论败，但李荣的论辩明显占有优势，故有"道士李荣，老宗魁首，特恃管见，亲遇微延，屡遭勃敌，仍参胜席"之誉[①]。高宗朝佛道有过多次论辩，其中李荣参与朝廷主持的论辩有五次之多，随着武周崇佛，李荣也因此被贬责。此外，李荣还私下参与了佛、儒的论辩。

显庆二年（657）六月十二日，李荣"开六洞义"，与玄奘门人释慧立论战，赞同佛教"于物通达无拥名洞"，以为太上老君"于物通达无碍"。[②]

显庆三年四月，李荣"立道生万物义"，与大慈恩寺释慧立论战。慧立以道有知或无知相诘，李荣据《道德经》"人法地，地法天，天法道"，以道为有知。[③]

显庆三年冬十一月，李荣"立本际义"，与释义褒论战。李荣以为"道本于际，际为道本，亦可际本于道，道为际原"，但"道法自然，自然不法道"。义褒立"摩诃般若波罗蜜"义，李荣利用佛教中道学说反诘义褒理论中的矛盾，以为"义标般若波罗蜜，斯则非彼非此，何以言到彼岸"；若为叹美之辞，则"叹度彼岸，亦应叹度此岸"；若"彼此两亡，叹彼令离此"，则"叹彼不叹此，亦应非此不非彼"[④]。

显庆五年八月十八日，李荣与释静泰在《老子化胡经》问题上展开论战。李荣反驳静泰《化胡经》为道士王浮伪造之说，以为《化胡经》"老子化胡为佛"、《老子序》"西适流沙"，即显为化胡之事。针对静泰以道教诸经唯

---

① 《集古今佛道论衡》卷丁，《今上在东都有洛邑僧静泰敕对道士李荣叙道事第五》，第392页。
② 《集古今佛道论衡》卷丁，《上以西明寺成功德圆满佛僧刱入荣泰所期又召僧道士入内殿躬御论场观其义理事第二》，第389页。
③ 《集古今佛道论衡》卷丁，《今上召佛道二宗入内详述名理事第一》，第387、388页。
④ 《集古今佛道论衡》卷丁，《帝以冬旱内立斋祀召佛道二宗论议事第三》，第389~390页；另见《续高僧传》卷一五，《释义褒传》第226~227页，记载稍略。

《庄子》《老子》为真之说，李荣以为佛教经典只有《四十二章经》为真，余皆伪作，甚至称"近亦有玄奘，浪翻经论"①。或许是李荣所言犯讳，或许如道宣所记，李荣对论失言，有损道教风采，高宗在第二天便令李荣返还梓州。

龙朔三年（663）六月十二日，李荣重返京师，立"道玄不可以言象诠"义，与释灵辩论，时着袈在身。李荣发挥王弼等玄学家"得意忘言""得意忘象"等"言意之辩"，据龙树《中论》为说，以为"玄道实绝言，假言以诠玄；玄道或有说，玄道或无说，微妙至道中，无说无不说"，而佛、道无殊，"西域名为涅盘，止是此处死灭"②。大概是因为武则天崇尚佛教，佛教势力日增的原因，李荣在论辩中对佛教采取了和谐共处的态度。

麟德元年（664），李荣、姚义玄、刘道合与会圣观道士田仁慧、郭盖宗等"总集古今道士所作伪经前后隐没不行者，更重修改"③。

总章年间（668~670），李荣咏兴善寺火灾，以为"道善何曾善，云兴遂不兴。如来烧亦尽，唯有一群僧"④，虽为时人所赏，但声誉却因此受损，渐至湮灭无闻。李荣才思敏捷，长于讽喻戏谑，亦尝与僧法轨相诘。史载："唐有僧法轨，形容短小，于寺开讲，李荣往共论议，往复数番。僧有旧作诗咏荣，于高座上诵之云：'姓李应须李，言荣又不荣。'此僧未及得道下句，李荣应声接曰：'身长三尺半，头毛犹未生。'四座欢喜，伏其辨捷。"⑤

李荣也曾与儒士相与论道，关系较为融洽。显庆五年（660）六月，高宗御齐圣殿，"命李玄植登讲座，发《易》题，吕才、李荣等以次问难，敷扬经义，移时乃罢"⑥，此显然是阐发玄学化易学。高宗末年（682~683），太学博士罗道琮"每与太学助教康国安、道士李荣等讲论，为时所称"⑦。

（二）"道本虚玄"的本体认知

李荣认为"道本虚玄"，"至真之道"是"虚极之理"。一方面道超越

---

① 《集古今佛道论衡》卷丁，《今上在东都有洛邑僧静泰敕对道士李荣叙道事第五》，第391页。
② 《集古今佛道论衡》卷丁，《大慈恩寺沙门灵辩与道士对论第六》，第393页。
③ （唐）释道世著，周叔迦、苏晋仁校注：《法苑珠林校注》卷五五第4册，中华书局2003年版，第1660页。
④ （唐）刘肃：《大唐新语》卷一三，中华书局1984年版，第190页。
⑤ （宋）李昉等：《太平广记》卷二四八，《李荣》引《启颜录》，第5册，中华书局1961年版，第1925页。
⑥ （宋）王钦若等：《宋本册府元龟》卷五九九，《学校部·侍讲》，中华书局1989年版，第1849页。
⑦ 《旧唐书》卷一八九，《儒学传·罗道琮传》，第4957页。

了空间，它"无形无象"，是"非有非无之真"。道又超越了时间，它"不生不灭"，"不常不断"，"不盛不衰"。道还"超于言象"，是一种不可言说、不可感知的"极玄极奥"的虚玄本体①。另一方面，道本自然之理，"寂不妨动，虽动而非动；动不妨寂，虽寂非寂，动无非寂"②；无而能有，"虚无罗于有象，故言大象"；有不妨无，"大象无象，故曰无形"③。它先于一切事物，为一切事物生成之源，"原其本则先天地生也"④。道又"弥沦于宇宙"，"范围于两仪"，"清虚无为"，不讲求功用，但却为百姓所推戴，若得其道，平民自可知"万境之皆空"，"一身之非有"，而超脱于名利、声色，复归于"内外清静"之境⑤，君主自可"垂拱而清九野，无为而朝万国，凝神常湛"⑥，达到内而身修，外而天下太平的效果。

李荣以道为宇宙的本体，在显庆三年（658）四月与佛教徒的论辩中，李荣就以"道生万物义"立论。道是自我存在的理由，又是化生万物的依据，"自本自根，生天生地"⑦。作为本体的道如何生成万物呢？李荣以《老子》为基础，又借鉴了汉唐传统的元气说。他认为道"自静之动，从体起用"而生元气，也就是"虚中动气"的结果。元气未分无二，所以称为一。元一乃天地所禀，由此"清浊分，阴阳著"而生成二。"阳气热孤亦不能生物，阴气寒单亦不足成形，故因大道以通之，借冲气以和之，所以得生也"。阴阳二气单独孤立时都不能生成有形之物，只有大道贯通阴阳，冲气和合二气，然后阴阳二气才生成三材。"圆天覆于上，方地载于下，人主统于中，何物不生？"⑧万物资禀冲和之气，因三材而生成。道生万物，实际上就是虚玄的道生成未分的元气，元气进而生成清浊的阴阳二气，阴阳二气借大道、冲气的通和作用而产生天地人三材，然后万物因此而生成。总之，万物因天覆地载而生，乃生于有，而天地从道生，则是有生于无，故虚为天地之根，无为万物之源。

---

① （唐）李荣：《道德真经注》上，蒙文通：《道书辑校十种》，第593页。
② （唐）李荣：《道德真经注》下，蒙文通：《道书辑校十种》，第636页。
③ （唐）李荣：《道德真经注》下，蒙文通：《道书辑校十种》，第621页。
④ （唐）李荣：《道德真经注》上，蒙文通：《道书辑校十种》，第597页。
⑤ （唐）李荣：《道德真经注》上，蒙文通：《道书辑校十种》，第607页。
⑥ （唐）李荣：《道德真经注》上，蒙文通：《道书辑校十种》，第568页。
⑦ （唐）李荣：《道德真经注》上，蒙文通：《道书辑校十种》，第606页。
⑧ （唐）李荣：《道德真经注》下，蒙文通：《道书辑校十种》，第623页。

(三)"玄之又玄"的修道之法

李荣《道德真经注》自序以为"魏晋英儒,滞玄通于有无之际,齐梁道士,违惩劝于非迹之域"①,因此超越王弼贵无、裴頠崇有、齐梁道士溺于佛教虚空之论,而双遣有无,以达重玄之道。他说:"借玄以遣有无,有无既遣,玄亦自丧,故曰又玄。"②"须知无物,无物亦无,此则玄之又玄,遣之又遣。"③之所以是重玄,就在于以玄来双遣有无,最终所借之玄也需遣除,于是达到重玄。"道玄德妙,理绝有无,有无既绝,名称斯遣。"④道德玄妙,超越于有无之外,所以不住其迹,也没有其名。这里的名其实就是佛教中观论的中道,李荣借以阐释其说。他说:"中和之道,不盈不亏,非有非无。有无既非,盈亏亦非。借彼中道之药,以破两边之病。病除药遣,偏去中忘,都无所有,此亦不盈之义。"⑤中道不住于盈亏、有无两边,是用来破除偏执贵无、崇有二论的有效药方;一旦破除了有无,便无需此药,所以连中道也要忘却,才能达到重玄之道。

李荣认为对道的认知要破除常识俗见,不可以空间方位的上下、形迹方面的有无来探求。他说:"道者,虚极之理也。夫论虚极之理,不可以有无分其象,不可以上下格其真。是则玄玄非前识之所识,至至岂俗知而得知,所谓妙矣难思,深不可识也。"⑥道为至虚至极之理,因此有无不能分其象,上下不可格其真,用前识、俗知无法体悟道,所以是非常道。道无始无终,不生不灭,也不能用时间观念来加以认识。他说:"道则不生而能示生,虽生而不存;不死而能示死,虽死而不亡。不存不亡,故云寿也。但存亡既泯,寿夭亦遗。"⑦道不住于生死存亡,却生而不存,死而不亡,永恒存在,超越于生死存亡。

在修身上,李荣针对道无形无象、虚极常在的特点,提出顺应自然本性,忘形、息心的无为之法,实际上借用了老、庄之说,重玄之论,以泯是非,齐荣辱,等死生,而回归虚极的自然之道。他说:"修身之理,必先忘于形,形

---

① (唐)李荣:《道德真经注》卷首序,蒙文通:《道书辑校十种》,第562页。
② (唐)李荣:《道德真经注》上,蒙文通:《道书辑校十种》,第566页。
③ (唐)李荣:《道德真经注》上,蒙文通:《道书辑校十种》,第582页。
④ (唐)李荣:《道德真经注》上,蒙文通:《道书辑校十种》,第565页。
⑤ (唐)李荣:《道德真经注》上,蒙文通:《道书辑校十种》,第570页。
⑥ (唐)李荣:《道德真经注》上,蒙文通:《道书辑校十种》,第564页。
⑦ (唐)李荣:《道德真经注》上,蒙文通:《道书辑校十种》,第608页。

有既忘,都无所见,此隐于天地也。然后息心归本,居于万物之始也。"①先忘掉形体,而绝于有无,隐于天地,然后屏息思虑,归本道真,就能重返万物未生的状态。忘形即忘身,"身苟忘也,则死生不能累,宠辱不能惊,何患之有"②,忘记自身,就可以不累于死生,不惊于宠辱,而没有任何祸患;"能忘于身,身将道合,寿命无极"③,忘记自身,就能与虚极大道相合,而寿命无限。圣人尤其注重息心,"神凝于太漠,智寂于虚玄"④,所以能够坦然地面对死生否泰,也不为水火寒热所动,与道为一。一切的争斗、作为皆因心、因事而生起,如果"无心,自然无事,事既无事,无亦无为"⑤。他赞同老子之说,以上古淳朴之世,家悉无为,各怀道德,而不假仁义就是最好的社会。学者因分别而妨道,圣人则顺自然之本性,顺俗同尘,而又玄德不染,纯白光生,终复归于虚静。

综合而言,李荣作为当时与佛教抗争十分激烈的道教代表人物之一,而又适时地调整策略,主张融会三教,和谐共处,对道教哲学的发展做出了重要贡献。李荣对道的规定性较成玄英更进了一步,并使之成为超越有无、动静,而又融贯有无、动静的统一体。在此基础上,他对道生万物的阐释又合理地运用了有无双遣的重玄之道,使阴阳生成万物更有理论性内涵。与此同时,李荣对于道又有不可知、不可见的论述,而在修养论方面强调顺应自然,忘形息心,又多少带有保守消极的不利因素。

二、王玄览的道教哲学

王玄览(626~697),唐初著名道士,俗名晖,道号玄览,道友、门人尊之为"洪元先生",广汉绵竹(今四川绵竹)人。其生平事迹俱载于弟子王太霄所撰《玄珠录序》文中。三十余岁,王玄览弃方术而"习弄玄性",沿着西汉蜀地知名道家学者严君平所著《道德指归》之路,注解《道德经》两卷,并研习道教"神仙方法、丹药节度",而"唯道是务"。在此期间,他又对佛教大乘学加以探求,走融合玄理、佛学之路,于"二教经论,悉遍披讨"。静修

---

① (宋)陈景元:《西升经集注》卷六引,《道藏》第14册,第599页。
② (唐)李荣:《道德真经注》上,蒙文通:《道书辑校十种》,第580页。
③ (宋)陈景元:《西升经集注》卷六引,《道藏》第14册,第598页。
④ (唐)李荣:《道德真经注》上,《道书辑校十种》,第577页。
⑤ (唐)李荣:《道德真经注》下,《道书辑校十种》,第666页。

之后的王玄览再度操起方术之学，并于四十七岁时得到益州长史李孝逸的召见，"与同游诸寺，将诸德对论空义，皆语齐四句，理统一乘"。王玄览在长期研讨道释二教经典，独自修证之后，以独创的四句真言，辩倒诸大德高僧，显示其深厚的佛学、道学修养，受到李孝逸的赏识。随后，因遇恩正式出家为道士，隶籍于至真观。六十岁后，王氏"不复言灾祥，恒坐忘行心"，专门修道。其间因事系狱一年。武则天神功元年（697），奉诏入京，卒于赴洛阳途中，时年七十二岁。

王玄览思想渊源于道家，而杂入佛教内涵，所著有《道德经注》两卷、《遁甲四合图》、《真人菩萨观门》两卷、《混成奥藏图》、《九真任证颂道德诸行门》两卷、《老君口诀》两卷等，均佚。王太霄据谢法师、杜尊师、李炼师及王玄览诸弟子的闻道笔记，集其谈论经教语录，辑为《玄珠录》，后收入《道藏》太玄部（第23册）中，今有朱森溥《玄珠录校释》[①]，《玄珠录》作为语录体著作，缺乏系统性、逻辑性，更缺乏相应的语境，加上大量使用佛学语言，晦涩诘聱，对研究王玄览重玄思想增添了不少困难。

综合王玄览一生行事与修行、著述来看，他思想成熟于晚期，而长期受到道教、佛教经论的熏习，更与巴蜀特有的道家、道教思想有密切关系。他早年沿着严君平《道德指归》之路注解《老子》，晚年又因谢法师、杜尊师、李炼师及诸弟子之请，著《老经口诀》两卷，毕生不断地对《老子》进行研究，故今存《玄珠录》除大量融入佛教大乘般若性空思想外，更多地是在《老子》的基础上阐发其重玄学思想。

（一）可道与常道

王玄览将"道"赋予本体内涵，成为他整个重玄思想中的最高范畴。王玄览据《老子》"道生一，一生二，二生三，三生万物"之说，认为"道"是天地万物之本，是先众生而存在的不生不灭的真实存在的实体。《老子》称"道可道，非常道"，王玄览据此将道分为"可道"和"常道"两个方面。"实性本真，无生无灭。即生灭为可道，本实为真常。"（卷下）可道变动不居，有生有灭，而常道则永恒不变，无生无灭。所以他以可道为假道，而以常道为真道，在可道与常道之间，更看重常道。常道化生天地，而可道化生万物。天地不灭，所以常道

[①] 《玄珠录校释》，巴蜀书社1989年出版。《玄珠录校释》为卷上、卷下两卷，以下所引该书，只随文注出"卷上"或"卷下"。

无生死;万物有生死,所以可道无常,化成万物之形。

可道变动不居,可以有多种表述,因而出现泛滥无归、混杂不实的情况,从而成为万物之所以形形色色的根源。形色各异,可道泛滥,终失于真,所以"此道有可是滥道,此神有可是滥神"(卷下)。可道未能究竟宇宙万物的终极根本与普遍法则,但若"自了于真常",可道也能转为常道。王玄览形象地比喻道:"如镜照色,镜虽受不失本清。此清虽滥,实无生死。"(卷下)镜照见事物正如可道,而镜不因事物的有无而改变清净,此清净便是常道。所以知道镜中所照映的事物无非虚空,不可由镜而得,就可以体悟镜本清净的真常之道。

可道与常道之间又是相因生灭,而不相对待的关系。"不但可道可,亦是常道可;不但可道常,亦是常道常。皆是相因生,其生无所生。亦是相因灭,其灭所无灭。"(卷上)可道与常道相互依存,有可道便有常道,有常道便有可道,可道可变为常道,常道也可以变为可道。不过,常道之常在于它不依存于任何事物和条件,绝对而永恒,一旦与可道相对待,执着于常道,它便不能在时间、空间上遍涉,从而转变成可道。因此,王玄览说:"若住于常者,此常会是可。何者?常独住常而不遍可故。此常对可故,其常会成可。"(卷上)

就具体事物而言,"物无本住,法合则生。生无本常,法散则灭"(卷下)。具体事物没有常住不坏之态,与之相应的法则合会便生成,与之相应的法则离散便消失。此所言法就是可道,也就是说,可道与物相始终。一方面,"道能遍物,即物是道。物既生灭,道亦生灭。"(卷下)可道能该遍于物,与物同生同灭。另一方面,"无常生其形,常法生成实"(卷下)。可道生成事物之形体,常道生成事物之本质。可道随事物的生灭而生灭,而常道不依存于具体事物的存在而永恒存在。但常道又普遍存在于一切事物之中,"体常不住一物,亦非不住物"(卷下)。就此而论,王玄览的可道与常道又隐含了具体与普遍、特殊与一般、个性与共性的关系。

从修行的角度来看,"境尽行周,名为正道"(卷上)。脱离客观世界、外部环境的干扰,能周遍于万物,就能走上正道。这样的方法,其实是将主观之心放大,夸张心的作用,以心容纳万物,以万物为心之所现。所以王玄览称:"舒心遍境,出智依他。他处若周,则为大体。大体既就,即臜小身。"(卷上)夸大人心作用,使主观与客观泯而为一,就可以获得大体,最终毁弃俗身,得道成仙。王玄览最终未能由天地万物而体悟可道,由可道而体悟常道,由客观世界通过主体的能动作用,总结出世界的规律与本原,走上的是主观冥想式的唯心求道之路。

王玄览认为"万物禀道生",道与万物并存,不是有无之别,而有隐显之异。他说:"众生与道不相离。当在众生时,道隐众生显;当在得道时,道显众生隐。只是隐显异,非是有无别。"(卷上)道与万物"互相因",不相分离,道中有众生,众生中有道。如果有众生,就有道;如果众生消失,那么道也就没有了。这样的道显然是可道,它遍及于物,而即物是道。"物既生灭,道亦生灭;为物是可,道皆是物。"(卷上)不过,王玄览认为常道与此不同,常道与众生的差别在于众生有生有灭,处于无常之中,而常道则没有生灭,处于有常之中。这样的认识,颇能揭示规律与物质间的某种关系,值得肯定。

(二)道体玄寂,体用不相是

王玄览认为,作为世界终极根本的道体,有着常寂的特点。他说:"至道常玄寂,言说则非真,为欲化众生,所以强言之。"(卷上)道体玄默宁静,寂然常在,无法用言语表述。用言语表述出来的道也就不是道体,但为了教化人生,又不得不加以表述。

从修行的角度看,道体其实是寂与不寂的统一体。它本然寂静,但又能使修行者心灵不寂,而此不寂又恰好是另一种意义上的寂。王玄览为此立为四句真言。他说:"大道师玄寂。其有息心者,此处名为寂;其有不息者,此处名非寂。明知一处中,有寂有不寂。其有起心者,是寂是不寂;其有不起者,无寂无不寂。如此四句,大道在其中。"(卷上)息心是寂,起心则不寂。要修行道体,就当息心静虑,消除念虑。起心动虑,看似寂静玄默,实际是已然心动,并不宁静;而息心静虑者,看似在动,而实则寂然无声。

从动静的角度看,"有为动,无为寂。要摇始动,不摇自寂。只于动处寂,只于寂处动。只将动,动于寂;只将寂,寂于动。动寂虽异,正性止一;正性虽一,不关动寂。动寂虽二,正性不关,亦如泥印矣"(卷上)。所以,道体是动寂的有机统一,它立足于寂,但寂而能动,动而能寂,是动处寂,寂处动。显然,道体非寂非动,亦寂亦动,故"违则交相隐显,合则定慧二俱"(卷上)。道体寂静玄默,所以为天地万物的根本;道体寂然而动,所以如同泥印,能够生成天地万物。王玄览此说显然受到了佛教《起信论》一心开二门之说的影响,将寂作为道体的自性体,而将动作为道体的自性用。道体如泥印之喻与佛教以真如为镜普照万物之说相似。

在阐发道体的空寂下,王玄览对道用也作了梳理。他以体用相离为前提,进而讨论了体用不二。他说:"体用不相是。何者?体非用,用非体。谛而观之,动体将作用,其用会是体;息用以归体,其体会是用。"(卷下)体用相对立,所以体不是用,用也不是体。就其转变联系来看,体运动产生用,是以用为体,而停息用,反表现出是以体为用。从修行的角度看,"识体是常是清净,识用是变是众生。众生修变求不变,修用以归体,自是变用识相死,非是清净真体死"(卷上)。体是道体,清净常住而能起用,而用是变是相,有生有灭。修行就是断灭变、相,息用归体。

(三)道在境智中间,知见灭尽即得道

王玄览通过对感性认识与理性认识的分析,发现道并不在人的感性认识上,也不在人的理性认识上,而在主观之智与客观之境之间,沟通境智的知见乃是一切烦恼的根源。

王玄览首先分析了感观认知客观事物,并由此上升到主观理性思维。他说:"起即一时起,忘即一时忘。其法真实性,非起亦非忘,亦非非起忘。入等存之,行者自了。得理则存,存中带忘则观,观中得通则存。"(卷上)人通过眼耳鼻舌身等感观系统,感受认识客观事物,所以一念之起,万象森然,一念之忘,群象皆无,而道并不在此起忘之中。人将感观认知的万事万物存于脑海之中,再通过理性认识,内观自照,融会贯通,复存入脑海之中,此存此观,互不相妨,感观认知与理性思维互相促进,增进人们的认知。不过,"知见等法为可道,知见性空为真道"(卷上)。感观认知得来者不脱离于物,理性思虑得来的不脱于心,是随心物变异的可道,道体不在起忘存见之中,只有脱离心物而证悟的一切性空才是真道。所以,"大身""大眼""大耳""大心",脱离于感观认知,从而脱离具体事物,脱离理性思维,从而脱离主观思虑,最终性空漏尽。这样的境界,心身漏尽,"而非无此等,而即体常空",境智两忘。他由此得出"心之与境,各处其方,实不往来"(卷上)。

作为可道的道,无所不在,仅仅是道应,不离于心与境。既然心与境相离而不相交,作为常道,必离心离境,又即心即境。王玄览由此得出:"道在境智中间,是道在有知无知中间。"(卷上)这样的常道在客观存在与主观认识之间,却有沟通心境、生灭万物的潜能。

道在智境中间,心境本各处一方,不相往来,只是因为感观认知与理性思维,才使二者交通。"心中本无知,对境始生知;心中非无知,不对剩无知。"(卷上)心有认知的能力,但原本无知,知起于心境相对,起于主观与客观的交接。若要得道，便要离智离境，泯灭主观与客观，去除感观认知与理性思虑。所以王玄览说："一切众生欲求道，当灭知见，知见灭尽，乃得道矣。"（卷上）或者说，领悟到心境二者"起同不起，即得于心定"（卷上）。这样的说法遇到一个现实的难题，即人死后，知见自然消失，如此就不必苦加修行，强行灭除知见。王玄览借用了佛教生死轮回之说，认为自然的死灭乃不由自主的死灭，是因法离散的结果，有他力的存在，因此也会由他力而轮回再生，知见也随再生而起，终被束缚，而不得真道。只有通过修行，断灭知见，自我解脱，才能斩断因缘，不会轮回再生，从而得道成仙。

王玄览在分析主观与客观即心与境、感性认知与理性思维上即知见方面是很深入而精辟的，所得出的知见源于心境相对，更揭示了知识来源于主观对客观的认知反映，充满了唯物主义的科学因子，但他最终却滑入道在智境中间，离心离境，即心即境，以形而上的诡辩得出唯心的结论。之所以如此，首先缘于他孤立而不对立统一地看待心境，从而以境否定知见，以心否定境。他说："将心对境，心境互起。境不摇心，是心妄起。心不自起，因境而起。无心之境，境不自起。无境之心，亦不自起。"（卷上）心境相对，产生知见，离开任何一方均为不可。一切知识都来源于主观对客观世界的反映，但王玄览将主观认识的能动性变成了主观妄念，从而否定知见的价值，归之为虚妄不实。同时他又诡辩地将心境相对转化为境因心而存在，从而否定境的真实性，甚至反过来，否定心的真实性，从而将主客观均归入虚妄不实，一切皆空。他说："空见与有见，并在一心中。此心若也无，空有之见当何在？一切诸心数，其义亦如是。是故心生诸法生，心灭诸法灭。若证无心，定无生，亦无灭。"（卷上）无论是空还是有，都存在人心之中，是人心对现实的反映，若没有人心，也就没有空与有的主观意识。脱离人类的思维，自然没有办法对客观事物作能动的认识反映，但这并不代表客观事物就不存在。然而王玄览就此唯心地认定一切知见，无论是空见与有见都源于人心，从而否定客观存在。他进而以此否定主体之心，认定人无思虑，一切皆不存在。这是他力图在心境间唯心求道的又一表现，而与佛教中观论双遣空有、否定一切所不一致的地方，在哲学理论上是很独特的创见。

道在境智中间，其实就是要双遣感官认识与理性认识，也就是排除眼耳鼻舌身之感官，与心之思虑。所以王玄览以为得道之后，亦知亦不知，亦见亦不见，而道体永恒常住。他说："草木虽无知，落实会生死；真道虽无知，落实是常住。此处虽无知，会有无知见。非心则不知，非眼则不见。此知既非心，则是知无所知；此见既非眼，则知见无所见。故曰能知无知，道之枢机。"（卷上）得道之后，人与草木并不相同，草木有生死轮回，而真道常住不坏。得道后能知，但非心之知，所以又是无所知；得道后能见，但非眼之见，所以是无所见。王玄览干脆将排除了感性认知与理性认知而后证悟所得的境智之间的道体的关键特性归纳为"能知无知"。

王玄览还通过分析"眼色共生见"这样一种特殊的感官对客观事物的反映情况，来论定知见的虚妄。他说知见要么发生于眼，要么发生于色，要么发生于眼色两方，要么不发生于眼色两方，而均存在问题。知见发生于眼，即不必有色；发生于色，即不必有眼；发生于眼色两方，则有二见；不发生于眼色，则当无一见。这种否定眼色共生一见的客观事实，而以二律背反式的循环否定，认定"见时是化生，不见是化灭"（卷下），从而将知见变成虚妄无意之念，成为万物化生化灭的重要因缘。心物成识也与眼色生见一样，皆虚妄不实。他说："十方所有物，并是一识知。是故十方知，并在一识内。其识若也出，身中复无知；其识若不出，十方复无知。"（卷下）要么主体有知，要么客体有知，境智对立，不能共生。"一切所有法，不过见与知"，修道之时"只将我知知我见，还将我见见我知"（卷下），通过知与见的反观对照，发现所见为万物的幻化，所知等同虚妄，最终灭尽知见，而获境智中间的道。

（四）空有、有无相因相违，双遣空有、有无

王玄览说："天下无穷法，莫过有与无。一切有无中，不过生与灭。一切众生中，不过常与断。所生不过四生，生居不过六道。"（卷上）众生有卵生、胎生、湿生、化生四种出生形态，有天道、人道、阿修罗道、地狱道、饿鬼道、畜生道等六道轮回。众生的烦恼和痛苦归结到根本的一点就是有无。破除有无，也就能够断除生死轮回，使众生得到解脱。

王玄览化用佛教《大乘起信论》之说，以为道体玄寂，而与空有、有无相区别。其论证方法则采纳了佛教中观论思想，双遣空有、有无。王玄览认为道体之空并不是绝对的不存在，而是能够应物的空。他说："道体实是空，不与空同。空但能空，不能应物；道体虽空，空能应物。"（卷上）道体的空是没有依他性的绝对存在，所以不是抽象的虚空。这样的空更不与有相对，因为"因空以立义，此是即空有；因有以立义，此是即有空"（卷上）。从空有的角度来立论，则空有均有对待，而作为道体的空是没有对待的。

王玄览进一步从相因、相违的角度分析空有的关系。他说:"言空之时若有有,有不名空;言空之时若无有,有无空亦无,云何得名空?言有亦如此。有无是相因,有有则有无(有分别空);有无是相违,无时无有有,有无无亦无(无分别空)。前后是相随。前言有分别,后说无分别。在无分别时,有分别已谢,是则前谢后亦谢(真实空)。"(卷下)从相违也就是相对立的角度来看,空与有是对立而不并存的,如果说是空,就不当有有,如果说是有,就不当有空。但从相因也就是相互依存的角度来看,有有就一定存在着无,有无就一定存在着有。王玄览有意将相因相违两个角度混在一起来讲,因此说,说是空,从相因的角度讲便有有,但从相违的角度看,有有便与空相矛盾;说是有,从相因的角度讲便有空,但从相违的角度看,有空便与有有相矛盾。所以,从相因、无分别的角度讲时,相违、有分别之说就不成立;从相违、有分别之角度讲时,相因、无分别之说就不成立。通过《玄珠录》的注释来看,王玄览所说的道体玄寂之空,乃是"真实空",而所谓的"真实空"就不是抽象的虚空,绝对的不存在,而是有别于"有分别空",即有空相违之空,也有别于"无分别空",即有空相因的空。因此,王玄览的道体玄寂是双遣空有。

如果说以上还主要是从空有立论,那么在对待有无上,王玄览也有同样的论述,而且更为直截了当。他说:"相因以为言,因无以为有,有有无亦有,无有有亦有;相违以为言,有时无有无,无时无有有。就无以为言,一无二亦无,何故得有时?就有以为言,一有二亦有,何故得相违?"(卷下)有与无二者有相因、相违两重关系,而这两重关系互相排斥,不可调和。显然,王玄览形而上地机械地理解有无,而不辩证地看待,所以得不出有无辩证统一的正确认识,而自入于矛盾无状之中。对此,他最终选择的双遣有无、空有,即接受佛教中观论的思想,得出亦有亦无,非有非无,非非有非非无的结论,而以真实空的玄寂作道体的本质特征,脱离有无、空有,成就一个没有相因相违而绝对无依他性的道体。显然,王玄览双遣有无、空有固然与佛教同,而所得到的"真实空""玄寂"的道体则并不同于佛教。

(五)修道正心

王玄览重视修道,并以佛教理论来充实完善其道教思想。他说:"一切众生欲求道,当灭知见。知见灭尽,乃是道矣……知见随身起,所以身被缚,不得道矣。若使身在未灭时,自己灭知见,当至身灭时,知见先已无,至己后生时,自然不受生,无生无知见,是故得解脱。"(卷上)这就是说,修道者必须通过"灭知见",摆脱肉身的束缚,才能得道。所谓的"灭知见",就是要灭绝自己的所知所见,超越天生所接受的眼、耳、鼻、舌、身等感观感知的外界现象,而用"恬淡""守一"等方法,以清心寡欲的心灵去体悟本体之道。王玄览通过对"可道"的修为,以求达到"常道"的天地自然。他说:"识体是常是清净,识用是变是众生,众生修变求不变,修用以归体。自是变用识相死,非是清净真体死。"(卷下)在借鉴佛教大乘有宗唯识宗理论基础上,王玄览以体用之论,论其修道成仙在于修得一个清静不变的"识体"。

在王玄览看来,肉身是得道的障碍,要修道成仙就不在于炼形,而在于求心。王玄览曾经与二三乡友共往茅山求道,在途中感到同行者并无仙才,慨叹"长生之道无可共修",于是返回乡里,并由此认识到"此身既乖,须取心证"(《玄珠录序》)。晚年的王玄览更有取于《庄子》所论颜回的"坐忘"之道,"恒众忘行心"。道要内求,显然王玄览所言的"道"生万物,实际上是"心"生万物。他说:"空见与有见,并在一心中。此心若也无,空有当何在?……是故心生诸法生,心灭诸法灭。"(卷上)

第四节 唐马祖道一、宗密的佛学理论与佛教哲学

隋末唐初,中原动乱,大批僧人入蜀,蜀中佛法兴盛,以至玄奘也入蜀问疑求学。唐朝后期,玄宗、僖宗入蜀,进一步促进了四川佛教的繁荣。随着巴蜀与中原、江南的联系和交流进一步加强,巴蜀佛学在此时期取得了长足的发展,南北交融、综合三教的色彩日益明显,佛学典籍激增,大德高僧辈出。梓州慧义神清,著述颇富,受业弟子一千余人,卒于唐元和年间(806~820)。其《北山参玄语录》十卷,统三教玄旨,实而为录,调合佛家各派学说,最为南北鸿儒、名僧、高士所披玩,在佛教史上占有重要地位。中唐时期最重要的佛学家宗密一身兼祧华严教与荷泽禅,倡扬教禅一致、三教合一。

唐朝时期,巴蜀地区禅教尤盛,据宗密《禅源诸诠集都序》,当时国内有十大禅修派别,而巴蜀就有马祖道一开创、其后成为禅宗主流的洪州,禅宗五祖圭峰宗密所传荷泽,五祖弘忍十大弟子之一、与六祖慧能齐名的资州德纯寺智诜的南侁,成都保唐寺无住所传的保唐,以及在果州、阆州传布,也是五祖弘忍下的禅派宣什,加之宗密所说的天台、稠那并非禅宗,四川在当时禅宗八家中独占五家,只有北秀、牛头、石头三派于蜀中无传,显见在全国禅宗力量

中，巴蜀最为雄厚。

隋唐时期，巴蜀佛学中思想深邃，影响后世极大的要数马祖道一、圭峰宗密二禅师。前者继承六祖慧能"平常心是道"的特色，强调各信自心是佛，此心即是佛心；心外别无佛，佛外别无心，把汉、魏以来神秘的佛法，化为着衣吃饭、长养圣胎、任运过时而别无他事的自然的、人的行为。后者则和会三教、教禅，成为第一位也是唯一一位对禅宗作全面系统理论阐述的大师。

一、马祖道一的洪州禅宗哲学

马祖道一（709~788），汉州什邡县（今四川什邡）人，俗姓马，法号道一，于江西嗣法，流布于天下，当时号称马祖，元和年间追谥为大寂禅师。马祖童年时从资州（今四川资中）唐和尚处寂出家，又到渝州（今重庆）圆律师处受具足戒，并曾受法于成都净众寺金和尚无相禅师。唐景元元年（710）前后，慧能弟子怀让到南岳般若寺传法。马祖道一时习禅定于衡岳山中，听闻怀让传慧能之法便前往受学。在怀让门下，道一学法十年，得其真传，形成禅宗南岳怀让—马祖禅系，号称洪州宗，"亲承弟子总八十八人出现于世，及隐遁者莫知其数"[①]，沩仰、临济两大禅宗派别及从临济宗演化出的杨岐派和黄龙派皆属于洪州法系，在禅学史上影响至深至远。马祖道一在佛教理论、教育方法、典籍文献、寺院寺规等方面均作了革新，全面确立禅宗"不立文字，教外别传，直指人心，见性成佛"的风格，从而真正地实现了佛教中国化。其中，他在哲学本体论、修养论上的佛学理论贡献最为深刻。[②]

（一）自心是佛，心外无别佛

关于本体、本心、佛性、真如，马祖道一在继承慧能、怀让之说的基础上为传法方便，也予以多角度的解说与发挥。他一方面认为"自心是佛，此心即是佛心"，自心与佛心并无差别，人人皆有佛心，"心外无别佛，佛外无别心"，离开自心就没有别的佛心，而佛就在自心，而不在心外。心是万事万物的根源与本体，世间的万事万物均是心的显现，"三界唯心，森罗万象，一法

[①] （南唐）静、筠二禅师编纂：《祖堂集》卷一四，《江西马祖》，中华书局2007年版（下引版本同此），第617页。

[②] 邢东风辑校有《马祖语录》一书，中州古籍出版社2008年出版。杨曾文、蒋明忠主编有2005年什邡马祖文化节纪念论文集《马祖道一与中国禅宗文化》，中国社会科学出版社2006年出版。

之所印"①。马祖如此强调自心，用意在说明人人都有佛心，"一切具足，更无欠少，使用自在"，不假外求，用心于"自家宝藏"②。

另一方面，马祖又认为真如佛性并没有自身的存在，乃因万事万物的存在而存在，离开了物质世界，自心也就不存在了，所以说"凡所见色，皆是见心。心不自心，因色故有心"；"于心所生，即名为色。知色空故，生即不生"③。这样就辩证地说明了自心与外物的关系，在不假外求的同时，所谓的外物也就变成了内心，故有"佛不远人，即心而证，法无所著，触境皆如"④，"随处任真"之说。⑤正因为如此，宗密在评判其禅法时，以为马祖之禅以一切皆佛性之用，佛性外更无本体，"触类是道"，"起心动念，弹指、謦咳、扬扇，因所作所为，皆是佛性全体之用，更无第二主宰"；此佛性没有各式各样的差别存在，但又能显现造就一切差别，"佛性非一切差别种种，而能作一切差别种种"⑥。世间的万事万物均因心而存在，"种种成立，皆由一心"⑦，此心不是现象本身，却是现象产生的根源。

综合而言，马祖所说的心其实就是虚无的精神主宰，故当弟子怀晖问他此心是否"真如心，妄想心，非真非妄心"时，他只以"虚空"来回答⑧，既肯定是，又否定是。

（二）四层次接引之法

在佛法修养方面，即所谓的禅法上，马祖道一创造了一系列生动活泼的教学法。他认为一切求佛得道，以通达彼岸世界的佛法都是心法，并将诱人入佛、得道成佛分成"即心即佛""非心非佛""不是物""体会大道"四个层次，层层深入，环环紧扣，既切合实际，又防止弊端。《景德传灯录》卷六

---

① 《祖堂集》卷一四，《江西马祖》，第610~611页。
② （宋）释道原：《景德传灯录》卷六，《越州大珠慧海禅师》，四部丛刊三编本（下引版本同此）。
③ 《祖堂集》卷一四，《江西马祖》，第611页。
④ （唐）权德舆：《唐故洪州开元寺石门道一禅师塔铭》，（清）董诰等编：《全唐文》卷五〇一，中华书局1983年版（下引版本同此），第5106页。
⑤ 《祖堂集》卷一四，《江西马祖》，第614页。
⑥ （唐）宗密：《圆觉经大疏钞》卷三之下，藏经书院编：《卍续藏经》第14册，台湾新文丰出版公司1983年版（下引版本同此），第557页。
⑦ 《景德传灯录》卷二八，《江西大寂道一禅师语》。
⑧ 《景德传灯录》卷七，《京兆章敬寺怀晖禅师》。

《江西道一禅师》载：

> 僧问："和尚为什么说即心即佛？"师云："为止小儿啼。"僧云："啼止时如何？"师云："非心非佛。"僧云："除此二种人来如何指示？"师云："向伊道不是物。"僧问："忽遇其中人来时如何？"师云："且教伊体会大道。"

对于初入佛门的人来说，容易急于想脱离社会生活实际去寻求解脱，追求超越现实而成佛。马祖因其情状，指示信众"即心即佛"，也就是说佛就存在于自心之中，不必超越自我、超越现实去寻求自身以外的所谓的佛。这一方面肯定人人具有佛心，"一心之法各各有之"，人心即佛心的显现，从而使信众产生自信，通过自我修行而达到领悟，排除焦躁、迷茫与因现实而产生的不安心理；另一方面又贴近于生活，肯定了本体与物质之间的相互依存，排斥了玄想、坐禅而流入狂妄与无知的弊端。

当信众已达到"即心即佛"水平时，又往往流于拘泥物质世界，局限于自我、方位、场所，特别是具体的一事一物，或者如马祖弟子普愿所批评的"唤心作佛"[①]。所以盘山宝积说"即心即佛"，"未入玄微"，南阳慧忠也不予认可。"即心即佛"毕竟"是一时间语，是止向外驰求病，空拳黄叶止啼之词"[②]，也就是说"即心即佛"无非如同以空拳诱小儿有物，以黄叶诱小儿有金一样，是防止人们向外追求的权宜之计。因此，马祖又据其修养素质，指示"非心非佛"，也就是说要脱离执着与拘泥，不固执于具体的一事一物，故南阳慧忠以为"犹较些子"。

当信众在参究"非心非佛"时，虽逐渐不执着于一事一物，"犹是指踪极则"，仍不能由形而下上达于形而上，脱离于物质世界而进入到精神世界去探求真如佛性，最多不过不固执于精神层面的某一方面，终不能"向上一路"[③]。因此，马祖道一又进而指示"不是心，不是佛，不是物"[④]，要从形而上的精

---

① （宋）赜藏主编集：《古尊宿语录》卷一二，《南泉普愿语录》，中华书局1994年版，第196页。
② 《祖堂集》卷一六，《南泉和尚》，第705页。
③ 《景德传灯录》卷七，《幽州盘山宝积禅师》。
④ 《景德传灯录》卷七，《伏牛山自在禅师》。

神层面加以领悟，而又不固执于物质的心、意定的佛，或者更等而下之的物。当大珠慧海来时，他便如是回答说："我这里一物也无，求什么佛法？自家宝藏不顾，抛家散走作么！"①

当信众已游心于精神世界时，要通达佛性已逐次到了不可言说的地步，用任何语言也难以表达，要再加指引，也就只有"体会大道"，体悟超绝言象的佛教真理，即真如、实相或法性、佛性。所以说"平常心是道"，要求"无造作，无是非，无取舍，无断常，无凡圣"，而"行住坐卧，应机接物，尽是道，道即是法界"②，取消主观能动的追求，而实现自然适意的生活，"饥来即食，困来即眠"，"热即取凉，寒即向火"。马祖强调"平常心是道"，认为不必外求，只需直观自心，这就"直指人心"，使人们在平常生活中领悟佛性，从而使禅生活化，所谓"随时着衣吃饭，长养圣胎"，而不拘泥于在佛寺中的修持。

（三）任心为修

在马祖看来，"一切法皆是心法，一切名皆是心名。万法皆从心生，心为万法之根本"③。四个层次的划分，也无非是权说佛法，无非是诱人得道的心法而已，因此也就没有固执于言语之表，对于不同的人完全可以有不同的悟入之道。马祖弟子法常（752～839）接受"即心即佛"后，以此悟入，而拒绝接受马祖稍后所指示的"非心非佛"，以为"这老汉惑乱人，未有了日。任他非心非佛，我只管即心即佛"④。马祖对此就颇为赞许。可见，心法就是悟法，只要能悟，言语都是次要的，"发言皆滞"，言语都不能表说第一义。马祖说"道即是心，不可将心还修于心"⑤，就是这个道理。

既然"一切法皆是心法"，故马祖道一还有"任心"的修行法门。他强调保持"自性本来具足"的"自性"，也就是平常心，以为"道不用修，但莫污染"，不起心造恶修善，不滞于善恶，不依怙于净秽两边，即可解脱，从而任心为修。所以平常心就是佛，就是道，只要领会及此，就能顿悟本性。这对于根性本好的信徒来讲，尤为适用，故马祖说："若是上根众生，忽遇善知识指

---

① 《景德传灯录》卷六，《大珠慧海禅师》。
② 《景德传灯录》卷六，《江西道一禅师》。
③ 《景德传灯录》卷二八，《江西大寂道一禅师语》。
④ 《景德传灯录》卷七，《明州大梅山法常禅师》。
⑤ 《圆觉经大疏钞》卷三之下，第557页。

示，言下领会，更不历于阶级、地位，顿悟本性。"①如此便不必非得遵循上述的四个层次的修悟。为此，马祖又创造了灵活多样的所谓"机锋"的教诲引导之法，如暗示、隐喻、回避、幽默、反问、灵转，甚或非逻辑的语言、特殊的动作，尤其是闻名于后世的棒喝之法，即用棒打或大声喊叫的方式来促进弟子的当下顿悟。需要指出的是，四层次说更多地适用于对众、开堂、说法，而机锋式的引导则必是针对个别者使用。

慧能取消染净二门，直陈"佛性常清静"，烦恼客尘都是虚幻妄相。马祖则进一步将显现于人心中的世俗世界当作了佛国净土，寻常意思当作了佛法大意，自然适意生活就是佛法真谛，使禅生活化，更大程度地实现了禅思想的中国化。但马祖的思想也存在着一些问题。他认为一切皆真，不修善，不断恶，"以念念全真为悟，任心为修"②，以为黑暗的污染相本身就是佛性，佛性本体则永不可见，这就在一定程度上混淆、泯灭了佛性与缘相的差别，导致以相为性的偏差。同时，马祖还在一定程度上排斥必要的法事、修行，而只强调道在日用、致力于有为之事，故宗密批评他"阙于方便事行，而乃尽于有为"。这虽对佛教长期以经说教产生了大的震撼，但它的世俗化并不利于佛教的持续长久发展；强调"平常心是道"也在一定程度上弱化、取缔了思辩的意义，不利于佛教哲理的深入持久发展。

二、宗密禅教合一的"和会"哲学

宗密（780～841），果州西充（今四川西充）人，是荷泽宗第四代传人，是该宗继神会以后最为杰出也是最后一代的传人，被尊为荷泽五祖；同时他又是华严四祖澄观的弟子，是华严宗内杰出的人物，被尊为华严五祖，也是华严宗最后的传人。他"终日赞述，未尝以文字为念"③。日本学者镰田茂雄考其著作有三十七种之多，敦煌残存的《禅源诸诠集都序》卷子尾部所附《圭峰大师所纂集著经律论疏钞集注解义及图等件》乃现存最有系统和最为完

---

① （宋）赜藏主编集：《古尊宿语录》卷一，《大鉴下二世（马祖道一大寂禅师）》，第4页。
② （唐）宗密：《中华传心地禅门师资承袭图》，石峻等编：《中国佛教思想资料选编》第二卷第二册，中华书局1983年版，第466页。
③ （唐）裴休：《华严原人论序》，《全唐文》卷七四三，第7688页；（宋）净源：《原人论发微录并序》引裴休《法集序》，藏经书院编：《卍续藏经》第104册，台湾新文丰出版公司1983年版，第180页。

备的一份宗密著作清单，则著录其著作三十种二百五十三卷面。①

宗密生活之世，佛教内部教、禅盛而派系分，外部韩愈谏迎佛骨，倡复儒学，非难佛教。宗密于是以华严教、荷泽禅为主，和会三教、教禅、禅之顿渐。宗密以此闻名于世，加之他所宗奉的华严教义本有"杂家"特色②，总结、综汇了各宗思想，所以宗密的佛教哲学以融会为突出特色，以"会教之人"而"毕一代时教之能事"③。尽管受到后世禅宗徒的轻视、指责④，但作为"唐代中后期最大的禅宗学者"⑤，"唐代最后一位理论大师"⑥，宗密集隋唐佛学理论之大成，其思想"代表了中国佛家最高峰的思想"⑦。宗密"显已有自宗教折入于哲学之倾向"，"在哲学思维上，则实能有所组织，自寻一系统"⑧。其宗教哲学思想承前启后，对宋明理学也产生了深刻的影响。

宗密禅师像

---

① 方广锠编：《敦煌佛教经录辑校》，江苏古籍出版社1997年版，第295～296页。
② 侯外庐主编：《中国思想通史》第四卷上册，人民出版社1959年版，第235页。
③ （唐）裴休：《禅源诸诠集都序叙》，石峻等编：《中国佛教思想资料选编》第二卷第二册，第458页。
④ 明代四大高僧之一的蕅益智旭在《灵峰宗论》卷五中曾贬抑宗密为"知见宗徒，支离矛盾"。
⑤ 任继愈总主编：《佛教史》，中国社会科学出版社1991年版，第302页。
⑥ 冯学成：《四川禅宗史概述》，《巴蜀禅灯录》导言，成都出版社1992年版，第10页。关于宗密的研究，主要有日本学者镰田茂雄：《东京大学东洋文化研究所报告：宗密教学の思想史的研究》，东京大学东洋文化研究所1975年版；张春波：《宗密》，《中国古代著名哲学家评传续编三（唐宋元部分）》，齐鲁书社1982年版；加拿大学者冉云华：《宗密》，台北东大图书公司1988年版；台湾学者何国诠：《中国禅学思想史研究——宗密教禅一致理论与判摄问题之探讨》，台湾文津出版社1987年版；美国伊利诺伊大学教授彼得·格雷戈里：《宗密与佛教的中国化》，普林斯顿大学出版社1991年版；徐湘灵：《华严宗五祖：圭峰宗密大师传》，台湾佛光文化事业有限公司1999年版；董群：《融合的佛教：圭峰宗密的佛学思想研究》，宗教文化出版社2000年版；胡顺萍、释常证：《宗密教禅一致思想之形成与影响》，高雄县佛光山文教基金会2004年版。
⑦ 吕澂：《〈华严原人论〉通讲》，《社会科学战线》1990年第3期。
⑧ 钱穆：《读宗密〈原人论〉》，《中国学术思想史论丛》卷四，安徽教育出版社2004年版，第179、189页。

（一）宗密哲学思想的发展历程

裴休《大方广圆觉经疏序》说："禅师既佩南宗密印，受《圆觉》悬记，于是阅大藏经律，通《唯识》《起信》等论，然后顿辔于华严法界，冥坐于圆觉妙场，究一雨之所沾，穷五教之殊致。"宗密的思想历程大致如此，即初承荷泽宗禅法，精研《圆觉经》，再从澄观学《华严》，最终融会教禅，倡教禅一致，又主张三教合流。著名的宗密研究专家冉云华先生也说：就"宗密思想的发展和依据"来看，他"是以禅宗顿教为开始，再入《法界观门》，从《华严经》疏、钞，达到'和会'，而以《起信论》完成其体系"①。

宗密早年学习儒学，其学术思想则是从怀疑儒、道两家思想开始的。宗密从小便"好道不好艺"，喜欢从思想上去探寻本原，而对技艺不感兴趣，"纵游艺而必欲根乎道"，即便从事技艺性的工作，也要从思想理论上去找出依据、道理来。他"自龆年洎弱冠，虽则诗书是业，每觉无归"。因为"儒教宗意，在道德仁义，礼乐智信，不在于驰骋名利所，令扬名后代者，以道德孝义为名，不以官荣才艺为名"②，而现实生活中学习儒学的人恰好本末倒置。基于儒、道不能解决现实及思想上的困惑，加之佛教的吸引，宗密转而向佛教寻求答案。在修行过程中，他"薄似有寄，决知业缘之报，如影响应乎形声"。也就是说，在初期的佛学修行中，宗密似乎找到了一个不明确的归宿，开始懂得因果业报之论。因此，他向意而求，践履佛教戒律。不过，"以学亏极教，悟非圆宗，不造心源，惑情宛在"。由于没有究极思想的最究竟之境，宗密仍然感到困惑。显然，宗密是从最初浅的佛教理论与实践开始的，这满足不了他对终极之道的追求。

随后，宗密在遂州遇到荷泽法裔大云寺道圆和尚，师资契悟，在参修中，"知世业事艺，本不相关"，懂得了世俗的入世与佛教的出世原本有别，追求出世解脱不能执着于世俗，因此落发出家，勤于修行。显然，宗密在初入佛门后，又先行进入到禅门，并从禅宗顿悟思想开始。宗密对禅门的践行与探索，虽极精苦，"习气损之又损，觉智百练百精"，但在理论上仍然没能释然，"于身心因果，犹怀漠漠，色空之理，未即于心"，有关身心的因果原委、色

---

① 冉云华：《宗密著〈道俗酬答文集〉的研究》，杨曾文、杜斗城主编：《中国敦煌学百年文库·宗教卷二》，甘肃文化出版社1999年版，第66页。
② 《圆觉经大疏钞》卷一之下，第443页。

与空的关系问题，迷惑不解。在得到《法界观门》，尤其是在襄阳从灵峰阇梨手中得到《华严经》和澄观所著《华严经疏》《华严经随疏演义钞》后，宗密才在思想和致学方法方面有了全新的突破，最终"穷本究末，宗途皎如，一生余疑，荡如瑕翳，曾所习义，于此大通"，而达到"外境内心，豁然无隔"的义理圆融的境界。宗密由此对佛教终极哲理有了透脱的理解，以为"义则色空同于中道；教则权实融于圆宗；理则体用即寂，而性相宛然；智则凡圣混同，而因果不坏，显随缘而不变；弘经则理趣周圆，指幻而识真；修观则禅心旷荡"①，无论在任何方面、从任何角度，都辨清了佛性与幻相的关系，而能去妄存真，以真辨妄。

（二）空寂、灵知的真心本体

宗密将真心作为世界万事万物缘起的根源，乃至佛教中的禅教各宗派，以及儒、道二教都可以从真心的迷悟中找到合适的位置与生成的依据。他最著名的作品《原人论》就是从真心的迷悟变迁来说明三教一统、宇宙一元的。

1. 心为本原

宗密将心作为宇宙的本原。他说："染净诸法，无不是心。心迷故，妄起惑业，乃至四生六道，杂秽国界；心悟故，从体起用，四等六度，乃至四辨十力，妙身净刹，无所不现。既是此心现起诸法，诸法全即真心。如人梦所现事，事事皆人，如金作器，器器皆金，如镜现影，影影皆镜。"②作为世界万有的染净诸法，都是心的显现或反映。不清净的万有由心迷所生，而清净的万有则由心悟所生。真心与世界万有如同梦所现事，如同金所作器，如同镜所显影，世界万有成坏住空，唯有真心永恒长存。宗密又说："一切众生，皆有空寂真心，无始本来，性自清静……名为佛性，亦名如来藏，亦名心地。"③因此，他赞同并坚守《起信论》"三界虚伪，唯心所作，离心则无六尘境界"之说。在宗密看来，唯识宗的阿赖耶识并非自性清净心，三论宗的空观思想，以一切皆空，缺少绝对的真心，只有华严宗以真如佛性为心，而通于荷泽宗的空寂之知。

---

① （唐）宗密：《大方广圆觉修多罗了义经略疏注》卷末附《圭峰定慧禅师遥禀清凉国师书》，《大正新修大藏经》第三九卷，第577页上。
② （唐）宗密：《禅源诸诠集都序》卷二，石峻等编：《中国佛教思想资料选编》第二卷第二册，第438页。
③ 《禅源诸诠集都序》卷二，第436页。

2. 真心空寂、灵知

作为宇宙、人生本原的真心，在宗密看来，有空寂、灵知两个基本特征。"以空寂为自体，勿认色身；以灵知为自心，勿认妄念"①，自然就会进入到佛的境界。这样的空寂真心，既没有色、声、香、味等相，也没有分别、缘虑、爱恶等相②，所以称为空，但它又寂然常在，"不生不灭，不增不减，不变不易"③，"无去无来"，"非中非外"，"离性离相"④，而常住不坏，并不虚妄、并不变易，并非空无之义。"不虚妄故云真，不变易故云如"⑤，所以又称之为真如。

宗密弘扬荷泽宗一系所传的"知之一字，众妙之门"，将"知"发挥成联结佛性与现象界的纽带。他说："空寂之心，灵知不昧。即此空寂之知，是汝真性。任迷任悟，心本自知，不藉缘生，不因境起。"⑥佛性的灵知永恒存在，不依附于任何条件，迷亦知，悟亦知。显然，宗密所谓的"知"，既不同于见闻觉知之"知"，也非佛能够辨知一切的"知"，而是从哲学心理学上论证了佛性具有的纯粹的能知之性。由于佛性有灵知本性，所以它尽管不因境起，但是并非无知无觉的木头石块。

3. 三界虚妄，随缘而起

本体与现象有着不可分割的关系，对于现象界，宗密站在真心本体的立场上，分析了一切象的总别、同异、成坏等特征，由此论证一切现象异而同、同而异，而根本上是真心本体的幻化而已，一切皆空，唯真心永恒长存，不住不坏。

宗密赞同《起信论》以一心为法，以真如生灭二门为义，生为缘起，灭即悟佛。"心真如是体，心生灭是相用。"⑦宗密以不变随缘为体用，但其随缘而生灭世界的论说，在哲学形式上却是宇宙生成论与宇宙本体论。

由真心到万有，有渐次而起的层次性，这样的生成是真心因迷而缘起万有的虚幻过程。宗密称："真性虽为身本，生起盖有因由，不可无端忽成身

---

① （唐）宗密：《答山南温造尚书》。
② 《圆觉经大疏钞》卷一之上，第425页。
③ （唐）宗密：《华严原人论》，石峻等编：《中国佛教思想资料选编》第二卷第二册，第393页。
④ 《圆觉经大疏钞》卷一之上，第418~419页。
⑤ 《禅源诸诠集都序》卷一，第428页。
⑥ 《禅源诸诠集都序》卷二，第431页。
⑦ 《禅源诸诠集都序》卷一，第428页。

相。"①在《原人论》第四篇《会通本末》中,宗密详细地论述了真心因迷而出现的生起变化,并以此来会通诸宗。大体而言,空寂灵知的真心作为宇宙本体,不生不灭,当其与生灭妄想和合后,便生成阿赖耶识。阿赖耶识有觉与不觉二义,觉即回归空寂灵知的真心,而不觉就产生最初动念,名为业相;因不知此念本无,于是产生能见之识及所见之境。以境为实有产生法执,以我识与境相殊,于是产生我执。因我执又生成贪爱顺情诸境、嗔嫌违情诸境。诸情展转增长,造就恶业或善业。善业、恶业运于中阴,入母胎中,于是禀气受质,气具四大而成其形体,心具四蕴而成其诸意识。因业的不同,而有贵贱、贫富、寿夭、病健、盛衰、苦乐之不同。

宗密认为儒、道二教所谓的"所禀之气",其根本就是"混一之元气",而"所起的心",其根源在于真一灵心。若推究其实质而言,心外没有别法,元气也是由心变现而来,属于业相转成能见之识的转识,为阿赖耶识的相分所摄。而关于一念业相变现人与天地万物,宗密还和会儒、道,而作了具体的说明:

从初一念业相,分为心境之二。心从细至粗,展转妄计,乃至造业;境从微至著,展转变起,乃至天地。业既成熟,即从父母禀受二气,与业识和合,成就人身。据此,则心识所变之境乃成二分,一分即与心识和合成人,一分不与心识和合,即成天地、山河、国邑。②

宗密以儒、道二家所说的"自然大道",即自太易五重运转,经太初、太始、太素而至太极,太极生两仪,正与佛教所说的"真性"一样,究其实际,只是一念能变的见分;儒、道二家所说的"元气",正与佛教所说的"一念初动"一样,不过是转识所现的境界之相③。人与天地万物不同在于,人与心识相结合而成,天地万物并没有与心识结合起来。所以,儒、道二教元气生成人及天地万物的生成论其实仅仅是佛教真一灵性与生灭妄想合会后,变现虚幻世界的一个阶段而已。

宗密缘起论图示如下:

---

① 《华严原人论》,第393页。
② 《华严原人论》,第394页。
③ 具体解说参考圣严法师:《华严心诠——〈原人论〉考释》,宗教文化出版社2006年版,第191页。

```
真一灵心 ┐                    ┌觉─────────────────────────────────────────┐
         ├阿赖耶识┤                                                         │
生灭妄想 ┘                    └不觉→最初动念(业相)┤能见之识(我执)→造业┤心→诸识┐
                                                                    └气→诸根┤→人
                                                    所见之镜(法执)────────→天地山河国邑
```

(三) 教禅、三教和会论

宗密"以如来三种教义,印禅宗三种法门",融会禅教,乃至三教合一。他将自己融会诸学的工作称为"和会"。这种和会以华严教、荷泽禅为最高境界,以佛教外的儒、道二家为最低境界,以佛性本体幻化诸相为序来协调教禅各宗派。因此,宗密的和会论是一种宗教哲学本体论、宇宙生成论、宗教修为层次论,是利用宗教哲学的深浅层次不同、宗教修证水平的高低不同,以深该浅,以高该低,全拣全收,来实现三教、教禅的融合,可以说是最高、最深层次的文化融会理论。最终通过其建构的宗教哲学思想体系,将三教、佛教教禅各宗派立体式地展示出来,而每宗每派在其中都有适当的位置。

1. 和会的必要性与紧迫性

宗密之所以要和会教禅,还在于当时佛教本身经过南北朝以来的发展,出现了各种宗派,形成以华严、天台、法相、三论宗为主的教家,和以荷泽、洪州、牛头、北宗等为主的禅家。"所谓教家,则是着重于理论法义的探究与阐发,实践为次;所谓禅家,则是注重于实践悟证,而理论为次。"① 教禅之间、教禅内部各宗派在传播发展过程中,形成尖锐的对立,相互批判,相互责难。

裴休指出:"马、龙二士,皆弘调御之说,而空、性异宗;能、秀二师,俱传达磨之心,而顿、渐殊禀。荷泽直指知见,江西一切皆真;天台专依三观,牛头无有一法。其他空有相破,真妄相收,反夺顺取,密指显说。故天竺、中夏,其宗实繁。"马鸣的性宗、龙树的空宗有异,慧能的顿悟、神秀的

---

① 幻生:《宗密教禅一致思想之形成——论〈禅源诸诠集都序〉》,张漫涛主编:《现代佛教学术丛刊》32,第四辑二《华严学概论》(华严学专集之一),台北大乘文化出版社1981年版,第305页。

渐悟不同，乃至荷泽、马祖、天台、牛头等，各有不同宗旨，相互抵牾，互不相下。这样的情况在宗密生活的年代愈演愈烈，"数十年来，师法益坏。以承禀为户牖，各自开张；以经论为干戈，互相攻击。情随函矢而迁变，法逐人我以高低，是非纷拏，莫能辨析"。教禅各宗派各立门户，相互攻击，是非高低，纷然莫辨。宗密对此极为感慨，"吾丁此时，不可以默矣"，故"以如来三种教义，印禅宗三种法门"①，和会教禅，避免教禅纷争伤害佛教自身的发展。

2. 和会的可能性

宗密明确指出之所以能和会诸学，其理论基础在于"深必该浅，浅不至深"，"至道归一，精义无二，不应两存；至道非边，了义不偏，不应单取，故必须会之为一，令皆圆妙"②。只要通达了最高最深的宗教哲学，就可以之拣收一切，即"深者直显出真心之体，方于中拣一切收一切也"。也只有"收拣自在，性相无碍，方能于一切法，悉无所住"，超然于教禅各宗派，而自在适意。宗密追寻人乃至万物的根源，认为直显真性的了义教就是最深最高的层次，其他诸教禅均包含其内，或者说等而下之。

世界的本原是唯一的，也就是了义教，在了义教外的一切均是权教，在最高的空寂灵知本体下，它们都可以圆融无碍，在哲学思想的不同层次上得到合理的位置，可以通过思想的梳理得到整合。宗密判教，认为"经有权实，须依了义"，"文或敌体相违，义必圆融无碍"③，因此会通诸教诸宗，"于佛语相违之处，自见无所违"④。

而通达了义教的前提是会通本末，由末通本。宗密指出："欲成佛者，必须洞明粗细本末，方能弃末归本，返照心源。粗尽细除，灵性显现，无法不达，名法报身。应现无穷，名化身佛。"⑤所以，和会论的另一层理论依据在于通达了义，必先得权教，由末而通本，以本通末在现实中并不可靠。这一点，从《原人论》由儒道而上至一乘显性教，最终会通本末的安排也可以得见一二。

宗密在《禅源诸诠集都序》中，还以禅家的禅语与教家讲用的经文，相

---

① （唐）裴休：《禅源诸诠集都序叙》，（唐）宗密：《禅源诸诠集都序》卷首，第457页。
② 《禅源诸诠集都序》卷一，第426页。
③ 《禅源诸诠集都序》卷一，第426页。
④ 《禅源诸诠集都序》卷四，第447页。
⑤ 《华严原人论》，第394页。

与会通，举出了教禅之所以能和会的十条具体理由："一、师有本末，冯本印末故。"教禅宗派虽多，但诸宗始祖都是释迦，而经是佛语，禅是佛意，原本没有彼此纷争与歧意，凭本印末，教禅可以和会于释迦一身一心。"二、禅有诸宗，互相违阻故。"宗密集诸家诸宗，殆且百家，宗义相别就有江西、荷泽、北秀、南侁、牛头、石头、保唐、宣什、稠那、天台十家。宗密认为十家之说或空，或有，或性，或相，都不是什么邪僻之说，只要俱存其法，俱遣其病，以人就法，而以佛语各示其意，各收其长，就可以和会诸宗，以与教家相会和。"三、经如绳墨，楷定邪正故。"经论是通达佛性的基准，经语可以用来判定禅的邪正。中下根器的人，当然可以师承为准，但上根器的人，只有穷究佛语，才能俱佛知见。"四、经有权实，须依了义故。"佛意是印定经语真伪的基准。佛说诸经，根据不同的情形而论，所以经语有"敌体相违"的矛盾之处，但佛意则圆通无碍，达佛意即可通经语。三、四两点说明，教禅互为准绳，相通无碍。"五、量有三种，勘契须同故。"因明有比量、现量、佛言量，比量以因由譬喻比度，现量在于亲自现见，佛言量则是以诸经为定，只有三量勘契，以佛语为准，亲自比度，证悟自心，才能通达佛心。"六、疑有多般，须具通决故。"对于禅家有诸多疑问与非难，只要开三门义，评一藏经，即可使其无不通彻。"七、法义不同，善须辨识故。"依法解义，依义诠法，则义为分明，法即显著。不变是性，随缘是相，性相不外一心上义。因此，就法与义而言，教禅相互扶持，互相融通。"八、心通性相，名同义别故。"佛经所言种种心，名同而义别，要而言之，略有肉团心、缘虑心、集起心、坚实心四种。四种心本同一体，前三种心为相，后一种心为性。依性起相，会相归性，惟在于迷与悟。"九、悟修顿渐，言似违反故。"宗密总结顿渐之说，约而为顿悟渐修、顿修渐悟、悟修皆顿、悟修皆渐、法无顿渐，顿渐在机五种，而以顿悟渐修会通诸说，使其不但不相乖违，反而相依相资。"十、师授方便，须识药病故。"①师资传授各有权宜之道，总须对症施药，因病而治，根据受者不同的根器，采取适合的接引之法。

当然，之所以能和会，还在于有能和会之人，具备和会之学。对于禅门之旨，"宗密性好勘会，一一曾参，搜得旨趣如是。若将此语问彼学人，即皆不

---

① 《禅源诸诠集都序》卷一，第425页。

招承"①。对于《圆觉》之意,宗密也在"攻华严大部清凉广疏,穷本究末,又遍阅藏经,凡所听习咨询,讨论披读,一一对详《圆觉》,以求旨趣"②。正是因为宗密凡遇释典,无不探讨披览,又一一勘会各家之学,寻求其主旨,并站在客观的立场上,通过客观记叙、辨明深浅、指证得失、会通本末③,才最终实现了三教、教禅的和会为一。

3. 深浅层次性和会理论

宗密以深必该浅和会诸宗派有一个理论前提,即教禅各宗派乃至三教有深浅之别,只有直显真性的了义教为最深最高的层次。宗密在《禅源诸诠集都序》《原人论》等作品中,通过揭示各宗派的具体主张,以深论浅,逐层次说明各宗派在哲学境界上的成就与不足及其哲学深浅差别,然后又以最根本的了义教的哲学本体的存在与展开来说明各宗派在整个完整的宗教哲学上的深浅层次上的位置。

就禅家而言,宗密按其修为层次,所悟佛理深浅,一一划定其次第层级。由下而上,由浅而深,则禅家各派次第如下:一是外道禅,欣上厌下而修;二是凡夫禅,虽欣厌而修,但已正信因果;三是小乘禅,悟我空之偏真之理,不说法空;四是大乘禅,悟我法二空所显真理;五是最上乘禅,顿悟自心本来清净,元无烦恼,无漏智,性本自俱足,此心即佛,毕竟无异。汇而言之,实际有三宗:一则息妄修心宗,众生本有佛性,无始无明覆之不见,须勤加修行,断除虚妄无明,才能见性,南侁、北秀、保唐、宣什的思想属于此宗;二则泯绝无寄宗,在平等法界中,佛及众生都是假名,皆如梦幻,都无所有,本来空寂,故无法可拘,无佛可作,凡是有所作为,都是迷妄,石头、牛头系统属于此宗;三是直显心性宗,一切诸法,若有若空,均是真性的体现,真性无相无为,体非一切,即以一切皆是佛性的作用,而以不起心修道,洪州宗属于此,又有以一切皆妄,诸相皆空,心自无念,以无念为宗,荷泽宗属于此。

就教家而言,与禅家相应的也可归纳为三宗:一是密意依性说相教,即法相宗的唯识佛教,其又分为三类:(1)人天因果教,说善恶业报,求人天乐;(2)断惑灭苦教,说三界不安,须断业惑之集,修道证灭,说众生五蕴,都无

---

① (唐)宗密:《中华传心地禅门师资承袭图》,石峻等编:《中国佛教思想资料选编》第二卷第二册,第466页。
② 《圆觉经大疏钞》卷一之下,第445页。
③ 其方法论模式参考向世山:《论宗密的方法论模式》,《中华文化论坛》1998年第4期。

我主，从无始来，因缘而起，念念生灭，相续无穷；（3）将识破境教，相当于禅家息妄修心宗，众生无始已来，有八种识，其中第八识为根本，转生其他七识，而七识各能变现自分所缘，我之身相及外境均为识所变，故须渐渐伏断我及诸境，而悟心识。二是密意破相显性教，即三论宗的空观佛教，以所变之境及能变之识皆为虚妄，心境俱空，相当于禅家泯绝无寄宗。三是显示真心即性教，即华严宗的如来藏佛教，以一切众生皆有空寂真心，无始本来性自清净，明明不昧，了了常知，相当于禅家直显心性宗。宗密在《原人论》中所分的人天教、小乘教、大乘法相教、大乘破相教、一乘显性教，大致与此各各相应。

在《原人论》中，宗密又特别以一乘显性教之本来会通大乘破相教、大乘法相教、小乘教、人天教之末，以实现教禅一致、三教合一。由末致本乃是宗密宗教修行与证悟的人身经历，而由本至末，乃是其证悟之后和会教禅、三教的宗教哲学思想的建构。

以上各宗派教义哲学有深浅之别，在唐代三教相争、教禅相争、教禅部各宗派相争的历史现实中极其容易为各宗各派所接受，以求能独立胜出，求得发展空间，但谁深谁浅，尤其是谁为了义教则是各宗派争论的焦点。显然，宗密的和会论最大的挑战在于如何协调有序，合理地安排各宗派的哲学深浅次第，使其各就各位，相安无事，共同促进佛教的大发展、大繁荣。在各宗派都以自己为最高深、最能传达佛祖之意的历史现实中，无论宗密如何论证，如何客观，他的理论都不可能为各宗派所接受。但他的努力，无疑会促进各宗派宗教哲学的进步，力图避免宗密所揭示的浅而不深的方面。

宗密的和会说从哲学的高度，以一心开二门的方法，建立起了一个包括佛、儒、道三教思想在内的新的哲学系统，将当时的中国哲学思想系统化，从而打破了三教尤其是教禅各宗派各立门户、各自为政、互相非难的纷繁复杂的思想局面。①不过，三教尤其是教禅在制度、修习的具体方式等实践层面上，往往并不存在深浅之别，而只有权实之异。因此，宗密的和会论就显得牵强附会，甚至根本行不通。如顿悟与渐悟、坐禅与不坐禅、诵经与不诵经都是根本对立的，完全没有办

---

① 冉云华在《宗密》第五章《实践哲学》中称宗密"除开绝对真心以外，他并没有另外建立起一个新的哲学体系"，将其思想"放置于实践哲学的范畴"（第205页）。其实，宗密虽仍以"绝对真心"为本体，但其整个哲学思想体系涵盖教禅、三教，尤其是他提出了顿悟渐修的修行之法，完全已是全新的面貌。这正如朱熹的哲学虽仍以二程所提出的"理"为本体，但并不妨害其建立起全新的哲学体系一样。

法协调起来。应当看到,宗密"和会"方法是文化融合的切实有效之法,因为文化的差异往往是迹异理同,只有在融合中做到神似而排除形似,才能成功。其后宋明理学从哲理的高度融会三教,批判佛道之迹,而暗中整合利用其神理,最终创新儒学,无疑是对宗密"和会"的高层次继承与发扬。

宗教禅教和会图如下:

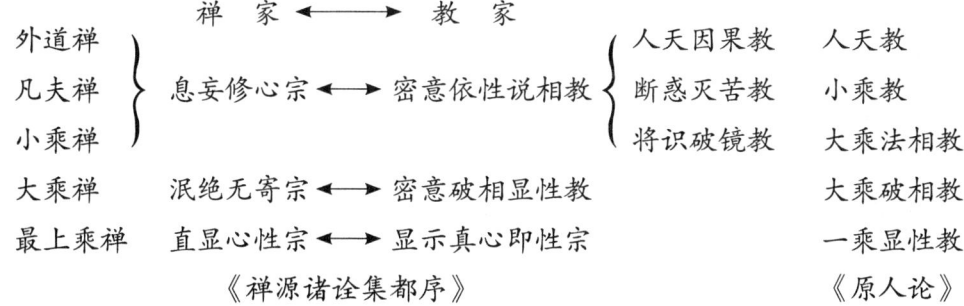

(四)顿悟渐修

宗密依据《大乘起信论》"本觉"之说,认为"一切众生无不具有觉性,灵明空寂,与佛无异",众生所具有的佛性,"灵灵不昧,了了常知,无所从来,亦无所去"[①]。所以,佛性的"灵知"决定了众生的"本觉",有此本觉之义,"人人可以见性成佛"。不过,宗密虽以"本觉"说解决了人人皆可成佛的问题,但究竟如何成佛呢?为此,他又依据《大乘起信论》开出了顿悟渐修的方子。

宗密以众生有"不觉义"解决了众生多而佛少的现实难题。人人皆可以成佛,但并没有多少人成为佛,这难免引起众生的疑惑,怀疑众生与佛仍有异,而并非人人都能成佛,对修而成佛没有足够的信心和动力,因而成为佛教紧迫而必须加以解决的理论问题。宗密指出虽然人人皆有觉性,"但以无始劫来,尚未了悟,妄执身为我相",造成"不觉",亦即"无明",从而使人无法了悟自己具有觉性,能够成佛。也正是由于无明的遮蔽,人们执身为相,于是产生爱恶等感情,而"随情结业,随业受报",从而"生老病死,长劫轮回",生生世世受到烦恼苦难的折磨。所以,众生多而佛少的原因就在于众生

---

① 《答山南温造尚书》。

有不觉义。要成就为佛，就必须以本觉去不觉，去除无明，还归本性。众生之所以为众生在于不觉，众生之所以能成佛在于众生有觉义，修行便须从觉义着手。众生的觉义又有"本觉义""始觉义"。本觉义说明众生能成就为佛的可能性，而始觉义则是明确修行的具体功夫与方法。所谓的始觉，宗密认为包括"顿悟""渐修"两个阶段。"真理即悟而顿圆，妄情息之而渐尽"①，所以首先要"悟此性即是法身，本自无生"，更无"依托"，由此而进，从而证悟"灵知不昧，了了常知，无所从来，亦无所去"的本性。②经过这样的证悟，就在修行上达到了"顿悟"的境界。顿悟并没有使众生立即成佛，所谓"放下屠刀，立地成佛"在宗密看来是不存在的。因为顿悟仅仅使人认识到自身的潜力，认识到佛性，而没有回归到佛性。也就是说，理性认识与身体实践还有很长一段距离。他说："多生妄执，习性以成。喜怒哀乐，微细流注，真理虽然顿达，此情难以卒除。"③习与性成，虽认识本性，但因妄情习性长期熏染，难以一下子扫灭干净，它仍会遮蔽本性，因此要"长觉察，损之又损"，而不可能"一生所修，便同诸佛力用"④。宗密由此主张渐修，通过渐次修行，使根深蒂固的妄情习性，渐次去除，从而实现宗教生活的圆满自在。

宗密还从另一个角度明确指出有离垢清净，离垢净解脱，有种自性清净，性净解脱，但二者并非对立排斥，而是要协同合一，"必须顿悟自性清净，性自解脱，渐修令得离垢清净，离障解脱。成圆满清净，究竟解脱，若身若心，无所壅滞，同释迦佛也"⑤。所以，顿悟与渐修是统一的。他说："觉四大如坏幻，达六尘如空花，悟自心为佛心，见本性为法性，是发心也。知心无住，即是修行；无住而知，即为法味。"⑥顿悟即可发菩提心，从而决定一心向道，而渐修即是无住于相。

顿悟是悟自性，顿悟即圆，而渐修是息妄，必须渐次消尽。对于具体如何渐修，宗密主张以修心为重点，认为"修心之外，别无行门"⑦。修心由初

---

① 《答史山人十问》，《祖堂集》，第289页。
② 《答山南温造尚书》。
③ 《答山南温造尚书》。
④ 《答山南温造尚书》。
⑤ 《禅源诸诠集都序》卷二，第437页。
⑥ 《答史山人十问》，《祖堂集》，第291页。
⑦ 《答史山人十问》，《祖堂集》，第289页。

及高，有三个不同的层次。最初的层次是"受生自在"，就是要辨明色身、妄念诸相，而以空寂为自体，以灵知为自心，在妄念起发之际，不随妄念，如此修行，在临终的时候自然不会被业系缚，从而达到"虽有中阴，所向自由，天上人间，随意寄托"①，达到受生自在。第二个层次是"变易自在"，即泯灭爱恶之念，不受分段之身，从而能够易短为长，易粗为妙。最后也是最高的层次是"究竟自在"，即灭除了一切妄情习性，达到"圆觉"的境界，所谓"微细流注，一切寂灭，惟圆觉大智，朗然独存，即随机应现，千百亿身"，能够"度有缘众生"②，实现自觉、觉他，觉行圆满，成就为佛。此即"离一切相，即名诸佛"③。

在具体的日常生活与修行上，宗密提倡做"有义事"，而不做"无义事"。所谓有义事，包括出世入世的种种修为方法，具体而言有三种义：第一种为世间义，即资益色身之事，也就是儒道二教所宣扬的一切养生之道，如衣食、医药、房舍等；第二种为出世间义，即资益法身之事，也就是佛教所宣扬的戒、定、慧、六波罗蜜等第一义；第三种则通出世入世，即弘正法、利群生，乃至为法诸余缘事。这三种义也非世间的修为，因为宗密认为造作便是结业，此乃虚伪世间之法，只有无作才是修行，才是真正的出世之法。

盛唐时期的佛教修行之法有渐修顿悟、顿修渐悟、渐修渐悟、顿悟渐修、顿悟顿修、法无顿渐而顿渐在机六派。教家一般认为"经云渐修，祗劫方证菩提；禅称顿悟，刹那便成正觉"，即教为渐，禅为顿。不过，禅家内部仍有南顿北渐之争。宗密则认为禅有顿渐，教亦有顿渐，"就教有化仪之顿渐，应机之顿渐；就人有教授方便之顿渐，根性悟入之顿渐，发意修行之顿渐"④。教禅二家，"或只知离垢清净，离垢净解脱，故毁禅门即心即佛；或只知自性清净，性净解脱，故轻于教相，斥于持律，坐禅调伏等行"⑤，顿渐隔阂，相互攻击非难。因此，宗密主张顿悟渐修，在修行上实现禅教合一、禅宗内部南顿北渐的和会。尽管宗密顿悟渐修之论未能在顿悟之下一了百了，而与"不立文字，见性成佛"之说有些隔膜，但他承认禅宗的根本理论，又适当地维系宗教

---

① 《答山南温造尚书》。
② 《答山南温造尚书》。
③ 《答史山人十问》，《祖堂集》，第290页。
④ 《禅源诸诠集都序》卷三，第444页。
⑤ 《禅源诸诠集都序》卷二，第437页。

机构及其功能，从而纠正了狂禅之弊，对保持佛教的长期健康发展有着积极的意义。

宗密修行理论图如下：

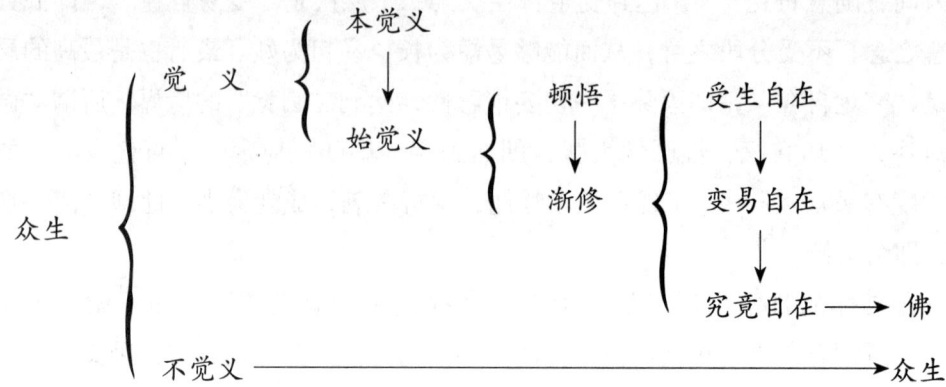

（五）宗密哲学思想与宋明理学

宗密的教禅和会思想没有直接的继承者，仅止宗密一代而断绝。直到唐末五代，永明延寿（904～975）折中法相、三论、华严、天台，与禅融会；以"一心为宗"，继承宗密圆觉妙心、灵知不昧之说。元代中峰明本（1263～1323）、明代云栖袾宏（1535～1615）也都继承了宗密的和会教禅之说。此外，宗密的学说在朝鲜和日本也有很大的影响。朝鲜曹洞宗的知讷（1158～1210）著《真心直说》，被称为朝鲜禅书中的白眉；其《修心诀》，力说顿悟渐修，常常引证宗密之言，并阐发其空寂灵知之心的说法。日本师事高山寺明惠（1173～1232）著《禅宗纲目》一卷，继承宗密和会教禅说，将宗密思想移植到日本。①

宗密和会教禅的思想在中国哲学史的影响，主要是宋明理学在很多方面接受了他的思想方法，而从儒家的立场作了重新的阐释与发挥，而他在《原人论》等书中对儒道二家的大道、自然、元气、鬼神、天命等说的质疑与非难，也引起儒家的反思与正面回应。宗密"将佛教的心识论导入于中国思想，将佛教主体的心性思想打进于中国哲学史上，这是他的功绩之一"，"他一方面主张佛教的优越性，同时又对于儒道二教保留一席地位，这是开拓了后来三教

---

① 以上参考幻生：《宗密教禅一致思想之形成——论〈禅源诸诠集都序〉》，张漫涛主编：《华严学概论》，第350～351页。

融合说之基础的，是为其功绩之二"，其"思想，对于宋明时代的'宇宙即是心'的理学思想，亦有很大的影响力"①。

第一，在本体论上，宗密对"真心"空寂灵知特性的阐释，对宋明理学家阐释其哲学本体"理"的"无形而有理"，"静即太极之体也，动即太极之用也"②等内涵与特性显然有很大的启发。"在宗密的教义中已经把'气'的概念援入'事'的概念，已开'理''气'之说的先河。"③宗密称："所禀之气，展转推本，即混一之元气也"，"究实言之，心外的无别法，元气亦从心之所变"④。宗密有意以佛教真心统儒、道元气，从而提出了心气的范畴，并得出心生气的结论。宋明诸儒以心即理，从而有理生气，"有是理后生是气"，"有是理便有是气"等说⑤。

第二，宗密受《大乘起信论》影响而提出的真心空寂、灵知不昧的双重性也为宋明理学人性论中有天命之性、气质之性的双重人性论提供了借鉴。宗密的真心空寂论，使得真心纯然自正，不受干扰，而其灵知说则一方面有众生本觉义，另一方面也为众生不觉义找到了依据。因为灵知与妄想结合，成为阿赖耶识，此识便形成众生的觉义与不觉义。从修行来讲，就是要"断除凡习"，"返本还源"，重新回归空寂灵知的真心，从而得到解脱，到达彼岸净土。宋明理学家在阐述其人性论时，恰好借此提出天命之性纯然不杂，而气质之性则受到蒙蔽。所以提出要变化气质，回归天命之性，而与宗密去除妄念，回归真心之说异曲同工。张载首先分辨天地之性与气质之性。他说："形而后有气质之性，善反之则天地之性存焉。"⑥这种借鉴宗密哲学思想的人性论有效地解决了人性善恶的问题，也可以说是对宗密《原人论》质疑、批判儒道思想内在矛盾、蔽惑的正面回应。

第三，宗密顿悟渐修的思想对宋明理学的修养论也产生了重要影响。一方面，顿悟在于悟真理，悟自性清净、性净解脱。理学家借此主张发明本心。另一方面，渐修在于离垢清净，离垢净解脱。本性受到无明虚妄的遮蔽，需要勤

---

① 李世杰：《宗密思想的特质》，张漫涛主编：《华严学概论》，第366页。
② 《朱子语类》卷九四，第2372页。
③ 侯外庐主编：《中国思想通史》第四卷上册，第260页。
④ 《华严原人论》，第394页。
⑤ 《朱子语类》卷一，第2页。
⑥ （宋）张载：《正蒙·诚明篇》，《张载集》，中华书局1978年版，第23页。

加拂拭，去除无明虚妄，才能回归本性。理学家借此主张格物致知，"今日格一物，明日格一物"，泛观博览。程颐、朱熹的格物穷理说则颠倒宗密顿悟渐修之次，称"今日格一件，明日又格一件，积习既多，然后脱然有个贯通处"①，大有渐修顿悟的意思。

第四，唐代以来，从法相、三论、华严等学问性的佛教发展到实践性的禅宗，成为时代的潮流。宗密和会教禅，顿悟渐修，又对宋明理学的知行观给予了一定的启示，佛教的悟与修在宋明理学家那里变成了知与行。

第五，在宗教修行论上，宗密将情欲与理对立起来，成为宋明理学理欲之辨的先声。宗密说："情中欲作，而察理不应，即须便止；情中不欲作，而照理相应，即须便作。但由是非之理，不由爱恶之情，即临命终时，业不能系，随意自在，天上人间也。"②宗密认为情欲乃遮蔽本性的无明，是造业受报、生老病死、长劫轮回的根源，只有消除妄情习性，灭除妄念恶欲，才能斩断轮回，回归本性。宗密所谓的理也就是他所谓的义事的义，指义理，而"非谓仁义、恩义意"，也就是一切养生、正法、弘法利生之义。宋明理学家将情欲与天理对立起来，显然在一定程度上受到了宗密思想的影响，并对之加以改造，将其义事改造为宇宙本原的天理，一变而成为理学家的修养论。

第五节　隋何妥、唐赵蕤及李鼎祚的哲学

隋唐时期巴蜀经、子之学有着突出的表现。隋代何妥兼容南北学术，长于礼乐，于《易》《乐》《孝经》《庄子》等都有较深的造诣；唐代继魏晋六朝而后再兴诸子之学，赵蕤身处开元盛世，却察知社会时弊，著《长短经》，注《关氏易传》，兼采百家，纵论王霸经权之要；唐初阴弘道集十八家易学，而中唐李鼎祚集三十余家易学，存汉代象数易学一脉于后，影响深远。

一、何妥的哲学思想

何妥字栖凤，西域人。父细胡，通商入蜀，遂家郫县。何妥少时机警，八岁游梁国子学。十七岁以伎巧事湘东王，被召为诵书左右，与兰陵萧眘并称

---

① 《朱子语类》卷一八，第391页。
② 《答山南温造尚书》。

两俊。入周，武帝授以太学博士，宣帝封以襄城县伯。入隋，文帝除国子博士，加通直散骑常侍，进爵为公，出为龙州刺史，以疾请还。复知学事，论苏夔钟律之短，并上封事，指陈时政得失。不久，何妥任职国子祭酒，卒官，谥曰肃。何妥为时"通儒"，于诸经、乐律、《庄子》、象棋、诗文等学皆有成就，唐贞观十四年（640），诏求其子孙以闻，加以引擢。

何妥长期讲学于外，负笈求学者众。在龙州刺史任上，有负笈游学者，何妥皆为讲说教授之，又作《刺史箴》勒于州门，以之激励士子。何妥撰有《周易讲疏》十三卷、《五经大义》五卷、《孝经疏》二卷、《庄子义疏》四卷、《乐要》一卷、《何妥集》十卷、《何妥家传》二卷，今已不传。

（一）学兼南北，重视玄理

自南北分隔以来，南学长于玄思义理，颇为精致深邃，北学长于名物训诂，较为质朴传统。"大抵南人约简，得其英华；北学深芜，穷其枝叶。考其终始，要其会归，其立身成名，殊方同致矣。"① 何妥自梁入周，再入隋的经历，使其兼习南北之学，成为时代学术发展的典型代表。

魏晋以来，三玄学兴。颜之推《颜氏家训·勉学篇》说："洎于梁世，兹风复阐，《庄》《老》《周易》，总谓三玄。武皇、简文躬自讲论，周弘正奉赞大猷，化行都邑，学徒千余，实为盛美。元帝在江荆间，复所爱习，召置学生，亲为教授，废寝忘食，以夜继朝，至乃倦剧愁愤，辄以讲自释。"少年在梁的何妥明显受到梁朝玄学影响，并注《周易》《庄子》，兼综儒道，以儒立名，以道养身。其玄学还受到隋王朝的重视。开皇三年（583），隋文帝幸道坛，见画老子化胡像，大生怪异，敕集沙门、道士共论其本，又敕朝秀苏威、杨素、何妥、张宾等有参玄理者，详计奏闻②。南北朝时期，北方盛行郑玄《易》注，"梁、陈郑玄、王弼二注，列于国学"，"至隋，王注盛行，郑学浸微"③。何妥《周易讲疏》"用郑玄、王弼之言"④，也体现了他兼重南北之学，象数、义理并重的学术思想。

《周易·系辞上》："子曰：'书不尽言，言不尽意。'然则圣人之意，

---

① 《隋书》卷七五，《儒林传序》，中华书局1973年版（下引版本同此），第1706页；《北史》卷八一，《儒林传序》，第2709页。
② （唐）释道宣：《续高僧传》卷二，《释彦琮传》，第117页。
③ 《隋书》卷三二，《经籍志》，第913页。
④ 《隋书》卷七八，《杨伯丑传》，第1778页。

其不可见乎？子曰：'圣人立象以尽意。'"嵇康作《言不尽意论》，殷融作《象不尽意论》，其后学者于此哓哓不休，何妥患之，"乃为六象之论，曰实象，曰假象，曰偏象，曰圆象，曰义象，曰用象"①，力图阐明《易》象，以释圣人作《易》之意。此乃从玄学义理的角度来解说《易》象。不过，"萧氏又难之，不取偏象、圆象，而立四象之论"②。今《周易正义》引庄氏语，正是何妥四象之说。但在具体的象数解释上，何妥更多地采用了郑玄之说，如解乾、坤二卦采用了郑玄的爻辰说；解"先甲三日，后甲三日"，赞同郑玄，以甲为造作新令之日，甲前三日取改过自新义，甲后三日取丁宁之义。

何妥认为《系辞传》"上篇明无，故曰'易有太极'，太极即无也。'圣人以此洗心，退藏于密'，是其无也。下篇明几，以无入有，故云'知几其神乎'"③。这明显采用了玄学家有生于无的思想。上篇明无，下篇明几，《周易》实际上就成了有生于无思想的载体。所谓"太极即无"，韩康伯说："夫有必始于无，故太极生两仪也。太极者，无称之称，不可得而名，取有之所极，况之太极者也。"④太极是有之极至，实际上就是无，因无法形容，故以太极比况。韩康伯又说："言其道深微，万物日用而不能知其原，故曰'退藏于密'，犹藏诸用。"⑤无之本体不现，本体即藏于万物日用之中。人们常用本无之道，却不知其原，这就是玄学家的巧妙解释。何妥以《系辞传》"圣人以此洗心，退藏于密"释无，实际上就是借韩康伯无藏于用之说。韩康伯又说："几者，去无入有，理而无形，不可以名寻，不可以形睹者也。唯神也不疾而速，感而遂通，故能朗然玄昭，鉴于未形也。合抱之木，起于毫末，吉凶之彰，始于微兆，故为吉之先见也。"⑥显然，何妥又借韩康伯此说以概括《系辞》下篇的宗旨，其思想旨趣也就更明显了。

（二）长于礼乐，用心于治国之道

何妥长于礼乐，自言"少好音律，留意管弦，年虽耆老，颇能记忆"⑦。

---

① （宋）晁说之：《嵩山文集》卷一一，《易规·象》，四部丛刊续编本。
② 《嵩山文集》卷一一，《易规·象》，四部丛刊续编本。
③ 《周易正义》卷七，《系辞上》，第75页下。
④ 《周易正义》卷七，《系辞上》，第82页上。
⑤ 《周易正义》卷七，《系辞上》，第81页下。
⑥ 《周易正义》卷八，《系辞下》，第88页中。
⑦ 《隋书》卷七五，《何妥传》，第1714页。

隋文帝尝命其考订钟律，而苏夔在太常，参议钟律，他又每言其短。何妥推崇礼乐的功用，认为"动天地，感鬼神，莫近于礼乐"，"知乐则几于道"①。他将乐分为奸声、正声两类，认为"奸声感人而逆气应之，逆气成象而淫乐兴与。正声感人，而顺气应之，顺气成象，而和乐兴焉"，赞同孔子"放郑声，远佞人"的主张，以为正声可以修身及家，移风易俗，使君臣和敬，长幼和顺，父子和亲，最终平均天下。何妥考察上古以来朝廷、宗庙之乐，认为古乐长期流行，而自侯景之乱，乐律始为北齐所乱而不用古乐，主张恢复古乐，以正乐音，对隋代音乐，尤其是朝廷音乐的建设做了重要贡献。

何妥又特别关心政治得失，于治国之道多有心得。他上奏称苏威不可信任，又以掌天文律度，皆不称职，上八事以谏，主张选举贤良，除去朋党，随才任官，反对妄意改作。在知学事期间，何妥上封事指陈得失，"大抵论时政损益，并指斥当世朋党"，致使苏威、卢恺、薛道衡等皆坐得罪。在《周易讲疏》中，何妥也特别关注人事，继承并发扬了自孔子以来，经郑玄、干宝等发挥的以史证《易》的传统，以帝舜耕渔之日为"潜龙勿用"之时，以孔子洙泗开张业艺、教授门徒为"见龙在田"之日，以西伯文王事上接下为"终日乾乾"，以武王观兵为"或跃在渊"，以尧舜冕旒之日为"飞龙在天"。在具体的治国之道上，何妥发挥老子的无为而治思想，以为《蛊卦》"山者高而静，风者宣而疾，有似君处上而安静，臣在下而行令也"②。在对《鼎卦》的解释中，何妥主张适度损益，革故鼎新："天子以天下为鼎，诸侯以国为鼎。变故成新，尤须当理，故先元吉，后乃亨通。故曰元吉，亨也。"③他希望君臣相通，以为"君臣相交感，乃可以济养民也"④，而"人志不同，必致离散而乱邦国"⑤。君主治理天下，不可能事事考虑周到，样样做得妥帖，所以他又要求君主纳谏任贤，以为"理国之道，须进善纳谏"⑥。

---

① 《隋书》卷七五，《何妥传》，第1712~1713页。
② （唐）李鼎祚：《周易集解》卷三，《蛊》引，（清）李道平：《周易集解纂疏》，中华书局1994年版（下引版本同此），第219页。
③ （唐）史徵：《周易口诀义》卷五，《鼎》，文渊阁四库全书本。
④ 《周易集解》卷三，《泰》引，《周易集解纂疏》，第164页。
⑤ 《周易集解》卷三，《否》引，《周易集解纂疏》，第174页。
⑥ 《周易集解》卷四，《复》引，《周易集解纂疏》，第268页。

二、赵蕤的经世哲学

赵蕤字太宾,一字云卿,梓州郪县(今绵阳三台)人,博学韬钤,好学不仕,任侠有气,善为纵横学,长于经世,开元中召之不赴。开元四年(716)著《长短经》(亦名《长短要术》《儒门经济长短经》《反经》)十卷[①],谈王霸长短之术。赵蕤兼擅术数,著《相术》一卷、《关氏易传注》一卷。[②]时人苏颋有"赵蕤术数,李白文章"之誉,宋黄庭坚则以"陈子昂之文章,赵蕤之术智"相论。李白尝师事赵蕤,从学岁余,尊之为赵征君,所作《送赵云卿》诗赞其"如逢渭川猎,犹可帝王师"。

诸子之学,纵横之术,兴起于春秋战国之世,与社会动荡密切相关,魏晋六朝曾兴盛一时,刘备、诸葛亮、曹操等人皆习之,李百药《封建论》称晋氏失驭,后魏乘时,华夷杂处,关河分阻,吴楚悬隔,于是出现"习文学者尚长短纵横之术,习武艺者尽干戈战争之心"。魏徵年少孤贫,见天下渐乱,也十分"属意于纵横之说"。入唐以后,诸子学又逐渐为学者所重视,"赵蕤《长短经》综合纵横、儒、法以成一家言"[③],流传至今,极具代表性。民国时,廖承为《长短经》作笺注,称"纵横家自《国策》后,惟是书号专家,即四科言语之支流,为当今之急务","是书虽以纵横为主,而精于治术,尚不流于纵横一家诡诈之见",又称"其为绝学,为蜀人"[④]。

(一)天人相契,修人事以合天命

赵蕤在天人关系上没有完全脱离董仲舒的天人感应思想,但他更强调修人事的重要性,蕴藏了更为积极的经世思想。

[①] 赵蕤《长短经》以述代作,用宏大细密的体系,简易精练的连缀语,将节引先秦至唐朝的百余种书语连通贯穿,形成有独立思想内涵的"编述文献"。故用其书,须辨识何为赵氏语,何为节引的古人之语,更为重要的是从整个宏观的思想体系去分析梳理,并与其《关氏易传注》结合起来探索,方不失为赵氏本人之思想,而不至于张冠李戴。关于书中引用文献的情况,今人周斌曾详考其源,作了一定的梳理,见《〈长短经〉校证与研究》(巴蜀书社2003年版)。不过,该书仍有不少未考出其来源,校勘时也未能使用现存最好的南宋初年杭州净戒院刊本(今有文物出版社1993年影印本)。

[②] 长期以来,学界将《关氏易传》与赵蕤的注一同看作伪书,但从多方面分析来看,此说并不可靠,详见金生杨《汉唐巴蜀易学研究》,巴蜀出版社2007年版,第278~321页。

[③] 蒙文通:《古史甄微》,巴蜀书社1999年版,第370页。

[④] 光绪《井研县志》卷一四《艺文四》。

赵蕤首先承认天道对人事的决定作用。他说："天命，历数是也；人命，道德是也。历数昌则道德亨，历数否则道德塞。是以有命者，亨之、塞之之不离乎仁义之道，此谓之有性也。"① 天命历数决定了人命道德，天命昌隆与否就决定了道德仁义的亨通与阻塞，如"天元则人仁，天亨则人礼，天和则人义，天贞则人知"②。天命也直接决定了人性的善恶，因为天有阴阳，人就有善恶，"天阴阳半，人善恶混"，而"阳昼六时，晚昏皆为阴所侵，其用事惟四时而已"，于是便出现"四分善人，六分恶人"，而有"善人少，恶人多"之说③。不仅如此，天道还决定了社会的治理，"天以阴阳成岁，人以刑德成治"④。

尽管天道决定人事，但"人命合天地，故谓之天命"，天人是和须相契的。"蕤谓天人和须，不可异也。卦以爻成，时以变生，虽云天时人事，及其变则合会一也。"⑤ 就《周易》而言，卦有六爻，爻居六位，爻为人，位为时，爻位变化，天时人事便会合为一。因此，天时与人事因变化而会合在一起，相和相须。"天人相契则性命合矣"⑥，于是"总群变以会乎一"，而"圣人乘之御大器，是谓天人合应也"⑦。变化所以会和，将各种变化会合为一，圣人就是运用这种方法实现了天人合一。

那么圣人是如何变化以合天命的呢？这就在修人事上。关朗作《易传》，"必先人事而后语卦，伊川先生固称其善"⑧。赵蕤受此影响，明确主张修人事以合天命。他说："得天命者必得人事。苟人事不修其道，则天亦废之矣。隋文帝虽混一天下，而任非贤才，不行三五之道，龊龊于骄亢之政，果炀帝篡立，复大乱焉。"⑨ 天命决定人事，但人事不修，也会被天所废弃。隋文帝修人事而得天下，隋炀帝废人事而失天下，就是显著的例子。对于赵蕤身处的唐朝来说，这无疑是时代最近的深刻历史教训。天命可以卜而知，是古人的一贯

---

① （北魏）关朗撰，（唐）赵蕤注：《关氏易传》第七《理性义》，《学津讨原》第一集，江苏广陵古籍刻印社1990年版（下引版本同此）。
② 《关氏易传》第七，《理性义》。
③ 《关氏易传》卷首，《传》。
④ 《长短经》卷二，《文中·君德》，第90页。
⑤ 《关氏易传》第八，《时变义》。
⑥ 《关氏易传》第七，《理性义》。
⑦ 《关氏易传》第二，《统言易义》。
⑧ 《关氏易传》卷末。
⑨ 《关氏易传》第一，《卜百年义》。

认识，但历史的事实却与卜得的结果不尽一致，"或卜得合盛而反衰者，或卜得过数而反不及者"。赵蕤认为这是人事不修而导致天命不永的结果，"此盖人事已弊于典礼，天命不灵于龟策"①。修人事的关键在人，尤其是当政者。有鉴于历史，他不免发出"虽云天道顺，地利不如人和，若使中材守之，而延期挺命可也，岂区区（邓）艾、（王）濬得奋其长策乎"的感叹。蜀汉、东吴皆得地利之险，但邓艾取蜀，王濬得吴，蜀、吴地利比不上魏之人和，如果不是刘禅、孙皓这样的下等之才，而用中等之人做蜀、吴之君，邓、王二氏也是无可奈何。②赵蕤详考历代帝王及其朝代之天命历数，发现因其人事差异而久暂迟速各不相同。"自秦、汉迄于周、隋，观其兴亡，虽亦有数，然大抵得之者皆因得贤豪，为人兴利除害。其失之也，莫不因任用群小，奢汰无度。"③一方面是兴亡有数，另一方面则是兴在任贤除害，亡在任奸小而竞侈汰，修人事之关乎天命，不言自明。

尽管赵蕤只有修人事以合天命之说，甚至还引用干宝等人天命不关人事之论，而没有充分地说修人事可以延长天命，甚至改变天命的思想，但其主张较之汉代所兴起的灾异谴告之说要积极进取得多，值得充分肯定。

（二）王霸经权，奇正相生

在天人和须相契的思想基础上，赵蕤重点讨论如何通过修人事，变化以合天。在这个方面，赵蕤认为有王道之经，也有霸道之权，有孔子儒学之正，也有百家诸子学之奇，所以治天下之道有经有权。此乃清代四库馆臣所言其书"皆谈王霸经权之要"的关键所在。

赵蕤以"王道之治"为理想政治，认为"王道纯而任德，霸道驳而任法"，有"优劣之差"，而以"黄老之风"为"帝道"，"孔氏之训，务德行义"为"王道"，"墨家之议，去奢节用"为"强本道"④。在《君德》篇中，赵蕤首先辨析五帝、三王、五霸之德，然后就历代君王而分析其德，在具体的历史实例中辨别王、霸之别，其间便以唐太宗庶几近于王道，而汉景帝之拟周、康则尚有惭德。

《长短经》成于开元四年（716），正是唐朝鼎盛时期，距天宝年间"安

---

① 《关氏易传》卷首，《传》。
② 《长短经》卷六，《霸纪下·三国权》，第341页。
③ 《长短经》卷四，《霸纪上·霸图》，第299~300页。
④ 《长短经》卷三，《文下·适变》，第197、199、201、203页。

史之乱"（755~763）的爆发尚有三十九年左右。按理说，赵蕤应该大力宣扬王道政治，以维系大唐盛世。然而，他尽管赞同儒家"王道之治"，却力图融合黄、老、孔、墨，乃至申、商、韩非诸家之术，大谈霸道，叙论短长。对于此，赵蕤作过反复的阐释。首先，"当代之士，驰骛之曹，书读纵横则思诸侯之变，艺长奇正则念风尘之会，此亦向时之论，必然之理"，论纵横奇正一度成为风气，也是必然的道理。其次，纵横奇正之说有极大的时弊存在，赵蕤要效法孔子，"深探其本，忧其末"，以"防萌杜渐，预有所抑"，为防范、治理社会动乱未雨绸缪。再次，尽管治道有王霸之分，经权之别，有正有奇，但二者都离不开变通。"御世理人，罕闻沿袭，三代不同礼，五霸不同法"，并不是有意相反，而是意在通变以"救弊"。所以，"国容一致，而忠文之道必殊，圣哲同风，而皇王之名或异"，皆"随时设教"，"因物成务"，如"夏人尚忠，至忠则少敬，故殷人尚敬，盖政弊则救之也，运衰则盛之至也。至敬则不文，故周人尚文，亦救殷政之弊也"①。三代皆以文质不同的政教，来匡救社会之时弊。最后，"期于有成，不问所以，论于大体，不守小节，虽称仁引义不及三王，而扶颠定倾，其归一揆"，所以，赵蕤担心"儒者溺于所闻，不知王霸殊略"，因此"叙以长短术，以经论通变者"②。

不过，奇有正之理，权还在于返经。赵蕤曾专门综汇并分析《汉书·艺文志》《史记·太史公自序》等对诸子百家的评述，赞同范晔"百家之言政者尚矣，大略归乎宁固根柢，革易时弊"之说，认为治理天下，诸家之说各有所长，即杂说亦有其益，诸家"虽经纬殊致，救弊不同，然康济群生"的目的则是一样的③。他取材百家之作，成《长短经》九卷，折中其说，取长补短，就是要"论长短之变"，而"立政道以为经"④，将"兴亡治乱，具载诸篇，为沿袭之远图，作经济之至道"⑤，由权以返乎经。其著"《反经》《是非》《适变》三变，虽博辩利害，然其弊流遁漫羡无所归"，于是又"作《正论》以质之"⑥，同样有着由权返经的用意。

---

① 《关氏易传》第十一，《杂义》。
② 《长短经》卷首，《自序》，第7~8页。
③ 《长短经》卷三，《文下·适变》，第207页。
④ 《长短经》卷一，《文上·政体》，第86页。
⑤ 《长短经》卷首，《自序》，第8页。
⑥ 《长短经》卷三，《文下·正论》，第207页。

（三）通权适变，长于治术

赵蕤舍正而用奇，虽言王道，而专致力于长短纵横之术。其中的关键，赵蕤认为在审时度势、通权适变。

首先，赵蕤继承了孔子作为"圣之时者"的"时"。他说："当霸者之朝而行王者之化，则悖矣；当强国之世而行霸者之威，则乖矣。"①三代行王道，春秋战国行霸道，而汉宣帝则提出汉朝"霸王道杂之"，因时而异，势所必然，必通于明变方可。他约《周易》之《象传》及《系辞上》文而抒发其通变思想，以为"有法无法，因时为业，时止则止，时行则行，动不失其时，其道光明"②，只有至精者，才能通变于此。在《长短经》中，赵蕤专列《权议》一卷，以讲求通权达变。其中又专列《时宜》一章，析形、势、情之异，以为"事有趋同而势异者，非事诡也，时之变耳"③。情、形、势异，则须"随时变通，不可执一"④。事虽趋同，而因为时的变化出现形势之异，所以赵蕤主张随时变通，不可执一而论。

其次，赵蕤非常重视通权适变，讲求随时变通，应物变化。赵蕤认为王道固然重要，但用得不恰当，就不能通权达变，也会有危害。为此，他专著《反经》一章以明其意。赵蕤说："理国之要，以仁义赏罚，此其大略也。然用失其宜，反以为害，故著《反经》一章以明之也。"⑤因此，他引述诸家之说，论反仁、反义、反礼、反乐、反名、反法、反刑、反赏、反书、反圄、反贤、反贵、反富、反勇、反智慧、反貌、反明罚、反明察、反贵孝、反文武、反廉、反忠、反智、反圣法、反仁义之权说。最终，赵蕤发现王道之"仁义、礼乐、名法、刑赏、忠孝、贤智之道，文武、明察之端，无隐于人，而常存于代"，然而"用得其道则天下理，用失其道而天下乱"⑥。在《是非》章中，赵蕤撷取了五十四对正反命题，以明相反相成之理，"损益殊涂，质文异政，或尚权以经纬，或敦道以镇俗"，即便是"前志垂教"，而"今皆可以理违"。在《适变》中，赵蕤更强调因时变化的重要性，以为"先王当时而立

---

① 《长短经》卷首，《自序》，第7~8页。
② 《长短经》卷三，《文下·政论》，第224页。
③ 《长短经》卷七，《权议·时宜》，第433页。
④ 《长短经》卷七，《权议·时宜》，第439页。
⑤ 《长短经》卷三，《文下·反经》，第148页。
⑥ 《长短经》卷三，《文下·反经》，第160页。

法度，临务而制事"，"法宜其时则理，事适其务故有功"，所以"圣人之理故国也，不法古，不修今，当时而立功，在难而能免"，取得了后世未有的治世效果，从而成就理想的盛世。其著《兵权》一卷，则以"自古兵书，殆将千计，若不知合变"，则虽多无益，故举其体要而论之。

最后，赵蕤继承了法家之说，特别长于智术。《长短经》所要论的就是以王霸为主的各家治世之术。赵蕤采撷折中其间，纵横捭阖，无往不适。具体到经世之务上，赵蕤"首简才行，次论政体"，其《大体》《任长》《品目》《量才》《知人》《察相》《论士》诸章皆论用人之道，讲求识大体，品流别，知其长短，量才而用，而《政体》一章，则为"论长短之变"，"立政道以为经"①。其后他纵论长短，广论百家经世之术，但仍以修德择贤为要，以为"德修贤择，黎元乐业，虽有汤、武之圣，不能兴矣"②。他分析三国形势，审吴、蜀利中之害，以明魏家害中之利。其《钓情》论将语者的钓情之术，《诡信》明讲义而不讲信的诡信之术，《诡顺》明诡顺于人之术等，皆言"见本而知末，执一而应万"之术。

总之，赵蕤从天人关系出发，从哲理的高度深刻地论述了修人事以合天的经世之术。

三、李鼎祚的"易"学哲学

李鼎祚，生卒年月不详，唐中后期资州盘石县（今四川资中）人。盘石即资州治所。在州的东部有四明山，李鼎祚兄弟曾经在山上读书，后人因名其地为读书台。唐玄宗幸蜀，李鼎祚进《平胡论》，后召为左拾遗。唐肃宗乾元元年（758），李鼎祚奏以山川阔远，请割泸、普、渝、合、资、荣等六州界，置昌州。二年春，从其议兴建，凡经营相度，鼎祚皆亲自参与其事，是时仍官左拾遗。他尝充内供奉，又辑梁元帝及陈乐产、唐吕才之书，以推演六壬五行，著成《连珠明镜式经》十卷，又名《连珠集》，上之于朝。代宗登基（763）后，献《周易集解》一书，其时为秘书省著作郎，仕至殿中侍御史。③北宋徽宗大观三年（1109），追赠为赞皇子。资州有四贤堂，塑有王褒、董钧、范宗

---

① 《长短经》卷三，《文上·政体》，第79、86页。
② 《长短经》卷五，《霸纪中·七雄略》，第339页。
③ （清）刘毓崧：《通义堂文集》卷一，《周易集解跋》，求恕斋丛书本。

凯、李鼎祚像。

李鼎祚的易学兼重天道、人事，而尤契于玄宗。他比较尊重易学旧传统，对王弼、崔憬等学者改作新说则予以批判。

（一）兼重天道、人事

李鼎祚认为自孔子而后，《周易》传注百家，"唯王、郑相沿，颇行于代。郑则多参天象，王乃全释人事。且《易》之为道，岂偏滞于天人

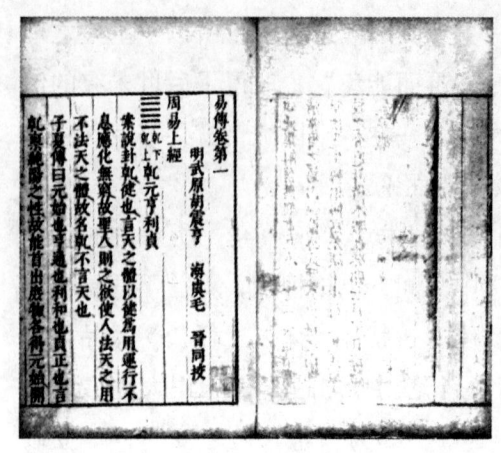

《周易集解》（明刻本）

者哉"①。王弼为首的义理易学与郑玄为代表的象数易学并没有孰轻孰重、孰优孰劣之别，只不过"天象远而难寻，人事近而易习，则折杨黄华，嗑然而笑，方以类聚，其在兹乎"②。象数深微曲折，义理浅近易懂，所以人们避难就易，舍象数而务义理，出现孔颖达《正义》一统天下，"专崇王注，而众说皆废"的局面。因此，"刊辅嗣之野文，补康成之逸象"，以象数为主，适当采集义理易学，就成为李鼎祚编纂《集解》一书的当务之急。

从《集解》一书看，全书二千七百余则，其中虞翻近一千三百则，荀爽三百余则，而王弼五十七则、韩康伯五十八则、孔颖达五十三则，三家总共一百六十八则，只相当于荀爽一家之半略强。所以，李鼎祚在编纂中虽有义理、象数并重的观念，但其以象数为宗的编纂宗旨并没有改变。之所以如此，是因为"人事近而易习"，王弼等义理易学广泛流行，无须多加采录，郑玄等象数易学失散较多，已难于察知。但李鼎祚的做法，却引起后人的广泛误会，以为他以象数为主，重天道而轻人事。宋冯椅称"其所取荀、虞之说为多"；《崇文总目》称"大抵以卦互体，缘爻索变，盖本《易》家师承之旧"③；丁易东将其归入"以象论《易》者"④；郑刚中将其与王弼并举，以为"专用象变三十余家，而不及义者，鼎祚也；尽扫象变，不用古注，而专以意训者，弼也"⑤；晁公武以为李

---

① （唐）李鼎祚：《周易集解》序，《周易集解纂疏》卷首，第5~6页。
② 《周易集解序》，《周易集解纂疏》卷首，第6页。
③ （宋）冯椅：《厚斋易学》卷末，"附录一"，文渊阁四库全书本。
④ （宋）丁易东：《易象义》卷首，《易统论上》，文渊阁四库全书本。
⑤ （宋）郑刚中：《周易窥余自序》，《周易窥余》卷首，文渊阁四库全书本。

鼎祚"盖宗郑学者也"①；明朱睦㮮《周易集解序》称："余尝综其义例，盖宗郑学者也。"

不过，也有学者认识到李鼎祚象数、义理兼重的本意。清黄以周说："李氏自序有云：'刊辅嗣之野文，补康成之逸象。'耳食者遂谓综其义例，实宗郑学。今考书中引郑注者十之一二，而荀慈明、虞仲翔之说特详。李氏盖宗荀、虞之学，非宗郑也。"②陈澧亦称："李氏于郑、王皆有不满之意"，"《郡斋读书志》《困学纪闻》皆谓李鼎祚宗郑学，误矣！"③当然，也有对象数之学抱持不满态度，而对李鼎祚汇集象数遗说不满者。清黄宗羲称："吾读李鼎祚《易解》，一时诸儒之说，芜秽康庄，使观象玩占之理，尽入淫瞽方技之流，可不悲夫！"④皮锡瑞则认为："李氏盖以王不取象而多空言，故欲刊其野文，而补以逸象。然康成注《易》不用逸象，正是谨严，又何必补？是王矫汉儒之失太过，李矫王氏之失太过也。"⑤

有意思的是，李鼎祚将象数易学界定为探讨天道的学问，而义理之学则是关注人事之学，认为天道隐微，人事易晓，这未免有长于知天而短于知人、天人相隔之嫌。不过，在其所作自序中，李鼎祚又依据《系辞》《序卦》等说，将天道、人事有机地结合在一起。在解说天道方面，李鼎祚认为元气分为阴阳二气，二气氤氲，形成天象，八方所系而在地成形。天地形成之后，经过日月运行、山泽通气，加以风雨、雷霆的润育鼓动，万物便产生了。万物与人都受到阴阳变化法则的支配，而"一阴一阳之谓道"，这种阴阳变化神秘莫测，天地万物都不能逾越。在解说人事方面，李鼎祚以为天地形成之后，天高地下，有了尊卑之分，君臣之位列就；五运相继，于是父子之道彰显，加之震巽相索而分男女，咸恒设就而夫妇和睦，人伦之义便阐明了，于是家齐、国治，教化郁然兴起。

就李鼎祚自己的阐释来看，他在以象数为论时，确实用意于探讨天道。

---

① （宋）晁公武：《郡斋读书志》卷一，"李氏集解十卷"，《郡斋读书志校证》，上海古籍出版社1990年版，第18页。
② （清）黄以周：《儆季文钞·李氏周易集解校本叙》，胡玉缙撰，王欣夫辑：《四库全书总目提要补正》卷一引，上海书店1998年版，第19页。
③ （清）陈澧：《东塾读书记》卷四，《易》，生活·读书·新知三联书店1998年版，第72页。
④ （清）黄宗羲：《易学象数论》卷首自序，文渊阁四库全书本。
⑤ （清）皮锡瑞：《经学通论·易经》，《论象数已具于易求象数者不当求象于易之外更不当求数于易之先》，中华书局1954年版，第35页。

对于易象，李鼎祚就认为此乃圣人专门讨论天道的。他解释《坤文言》"积善之家，必有余庆，积不善之家，必有余殃"，道："圣人设教，理贵随宜。故夫子先论人事，则不语怪力乱神，绝四毋必。今于易象，阐扬天道，故曰'积善之家，必有余庆，积不善之家，必有余殃'者，以明阳生阴杀，天道必然，理国修身，积善为本。故于《坤》爻初门阴始生时，著此微言，永为深戒。欲使防萌杜渐，灾害不生，开国承家，君臣同德者也。故《系辞》云'善不积不足以成名，恶不积不足以灭身'，是其义也。"①圣人设教，以随宜为贵，故平时言行主于人事，不语怪力乱神，以为幽冥之事隐，难于言说，而于易象则力阐天道，以阴阳散聚而论庆殃等祸福显著之迹。从天道来看，阳主生，阴主杀，理国修身，重在教化，而以积善为本，只有防萌杜渐，方可灾害不生，而开国承家，必须君臣同德。《复卦》"反复其道，七日来复"，李鼎祚据易轨运行的规律分析，以汉代流行的六日七分之说为据，认为"剥卦阳气尽于九月之终，至十月末，纯坤用事。坤卦将尽，则复阳来，隔坤之一卦。六爻为六日，复来成震，一阳爻生为七日，故言'反复其道，七日来复'，是其义也"②。也就是说，《剥卦》阳气尽，与《复卦》一阳来复相隔一《坤卦》。《坤卦》六爻，爻主一日，是为六日。《复卦》初爻为阳爻，又当一日，故自《剥卦》阳尽至《复卦》初爻阳气来复，一共经过了七日，所以有阳气"七日来复"之说。李鼎祚虽有新解，但对先儒之说却抱有诚挚的敬意，因为先儒多从玄学义理为解，而又事关天道。他说："天道玄邈，理绝希慕。先儒已论，虽各指于日月，后学寻讨，犹未测其端倪。今举约文，略陈梗概，以候来哲，如积薪者也。"③这是说，天道玄远深邃，难于窥测。先儒虽各有所论，指示其宗旨，但后学寻求讨论，仍然未能探得其端倪。自己所述的七日来复之义，也仅仅据先儒之说，约举其梗概而已。李鼎祚此说明显带着浓厚的玄学思想在里面，其所谓的"各指于日月"，更借用佛教常用的譬喻之说，有着汇儒、释、道而玄谈的意思，而对天道的敬畏与学术探讨的虔诚与慎重更让人敬佩。

在义理的解说方面，李鼎祚也确实用心于人事之上，甚至采用了以史证《易》的办法。他释《乾卦》上九爻"亢龙有悔"就说："以人事明之，若桀

---

① 《周易集解》卷二，《坤文言》，《周易集解纂疏》，第87～88页。
② 《周易集解》卷四，《复》，《周易集解纂疏》，第261页。
③ 《周易集解》卷四，《复》，《周易集解纂疏》，第261页。

放于南巢,汤有惭德,斯类是也。"①这是说贤君有阳刚之德,但不可过刚,过刚就会招致悔恨。他解释《乾文言》相关文辞时又说:"此当桀、纣失位之时,亢极骄盈,故致悔恨,穷毙之灾祸也。"②这又从另一个角度来看待问题,那就是不肖之君而有阳刚之德,更不可以过刚,否则就会导致灾害。一正一反,均以人事将其含义合理地表达出来,起到了互补的作用。《乾文言》"知存而不知亡,知得而不知丧"也因"亢"而发,李氏解释说:"此论人君骄盈过亢,必有丧亡。若殷纣招牧野之灾,太康遘洛水之怨,即其类矣。"③

(二)长于术数,深契玄宗

宋鲜于侃赞李鼎祚"以易学显名于唐,方其进《平胡论》,预察胡人叛亡日时无毫厘差,象数精深,盖如此",明朱睦㮮则称赞李鼎祚"以经术称于时"。李鼎祚所著《连珠明镜式经》十卷,修梁元帝及陈乐产、唐吕才六壬书,而推演六壬五行,可谓集众家术数之长。李氏"论五行之所始终,'一曰水,其系包在巳,其胎在午,其养在未,其生在申,其沐浴在酉,其冠带在戌,其临官在亥,其旺在子,其衰老在丑,其病在寅,其死在卯,其入墓在辰'。至于火,则曰'其系包在亥'。至于木,则曰'其系包在申'。至于金,则曰'其系包在寅'。凡巳、申、亥、寅,各称系包之所在"④。五行各自在不同时辰,有着孕育、胎养、旺、相、墓、绝等不同的情况,掌握并灵活地运用五行在各个时辰的不同状态,是推步任术的关键。显然,李鼎祚对术数之学站得高,研究十分深入,并取得了实效。

唐代儒、释、道三教盛行,玄学仍然受到当朝的重视。李鼎祚从小敦尚玄学,自称"少慕玄风,游心坟籍。各列名义,共契玄宗",随时以探秘索隐为务。他认为《易》之微妙与道家之说相契,有"虚室生白,吉祥至止,坐忘遗照"之妙用。在三教中,李鼎祚又以儒为宗,强调了《周易》的首尊地位。他说《周易》"权舆三教,钤键九流,实开国承家修身之正术",认为《周易》是儒、释、道三教的起始,而又管辖着九流,是修身、齐家、治国的正道。⑤

---

① 《周易集解》卷一,《乾》,《周易集解纂疏》,第34页。
② 《周易集解》卷一,《乾文言》,《周易集解纂疏》,第56页。
③ 《周易集解》卷一,《乾文言》,《周易集解纂疏》,第67页。
④ (宋)吴曾:《辨误·五行无绝理》引李鼎祚《连珠集》,《能改斋漫录》卷五,上海古籍出版社1979年版,第110页。
⑤ 《周易集解》序,《周易集解纂疏》,第6、8、4~5页。

尽管如此，李鼎祚对玄理道学尤所留心，甚至对《集解》一书不便发挥之理，也不轻易放过，更著《索隐》一书，以畅其言。他说："至于卦爻象象，理涉重玄，经注文言，书之不尽，别撰《索隐》。"①他所说的"重玄"，大概与唐代兴起的重玄学有关系，看来李鼎祚本人也是重玄学者之一，可谓上承李荣、王玄览诸辈，而有新的进境。

在《集解》中，李鼎祚融会老、庄，承袭王弼、韩康伯的解经方式。对王弼总结《周易》义例而作的《周易略例》，李氏认为"得失相参，采葑采菲，无以下体，仍附经末，式广未闻"②。在注解中，除直接征引王弼、韩康伯的玄学易外，李氏也引用老、庄之说来加以解释。他释《师卦》卦辞道："此《彖》云：'师，众。贞，正也。能以众正，可以王矣。'故老子曰：'域中有四大，而王居其一焉。'由是观之，则知夫为王者，必大人也，岂以丈人而为王哉？故《乾文言》曰：'夫大人者与天地合德，与日月合明，先天而天不违，后天而奉天时。天且不违，而况于人乎？'况于行师乎？以斯而论，《子夏传》作'大人'是也。今王氏（弼）曲解大人为丈人，臆云'严庄之称'，学不师古，匪说修闻。既误讳于经旨，辄改正作'大人'明矣。"③按《师卦》称："师，贞，丈人吉，无咎。"李鼎祚认为"丈人"原本是"大人"，依据是：其一，《师·彖》有"可以王矣"之说，《老子》以王为四大之一，为王者必是大人，而不是丈人；其二，《乾文言》称大人与天地合德，与日月合明，先天而天不违，后天而奉天时，因此大人自然于行师为吉利；其三，《子夏传》作"大人"。因此，他批评王弼以丈人为严威庄重之人，曲解大人为丈人，是一种不尊重学术传统、乱说前闻的行为，与经典原旨相违背，必须将"丈人"改回作"大人"才是正确的。《系辞》"成象之谓乾"，李鼎祚注道："案'道生一，一生二，二生三'。三才既备，以成乾象也。"④《老子》说"道生一，一生二，二生三"，《系辞》以三才为天地人，李氏此说明显融合《易》《老》，再据以注解《周易》。陈澧对李鼎祚以老庄解《易》表示不满。他说："既云'刊辅嗣之野文'，而又云'自然虚室生白，吉祥止止，坐忘遗照'，'微妙元通，深不可识'，'俾达观之士，得意忘言'。此

---

① 《周易集解》序，《周易集解纂疏》，第9页。
② 《周易集解》序，《周易集解纂疏》，第9页。
③ 《周易集解》卷二，《师》，《周易集解纂疏》，第128页。
④ 《周易集解》卷八，《系辞上》，《周易集解纂疏》，第561页。

与辅嗣何以异乎！"①

对于《周易》经典的解释，李鼎祚关注玄理，尤在于其指归，赞同道家无为而治的理想。他说："圣人之言连环可解，约文申义，须穷指归。"②因此，他在解释《周易》文辞时，往往前后对照，相互联系，解释得比较周详。李鼎祚释"乾元用九，天下治也"，以为"此当三皇五帝礼让之时，垂拱无为而天下治矣"③，将儒家三皇五帝垂拱无为而天下得到治理，与道家无为而治结合起来，解释贴切，蕴味颇深。他还进一步论述说："大宝圣君，若能用九天德者，垂拱无为，刍狗万物，'生而不有，功成不居'，'百姓日用而不知'，岂荷生成之德者也。此则三皇五帝，乃圣乃神，保合太和，而天下自治矣。"④使天下得到大治的应该是这样一种大宝圣君，他能灵活运用乾元用九之天德，垂拱无为，以万物为刍狗，而任运自然，生而不有，功成不居，使百姓日用其道而不自知，保持天地之间最大的和谐。他还从反面加以论说，以为"三王五伯揖让风颓，专恃干戈递相征伐。失正忘退，其徒实繁，略举宏纲，断可知矣"⑤，废揖让之礼，而任干戈之征，正是社会动荡不安的根源。

第六节　五代时期的巴蜀哲学

五代前后蜀统治下的四川相对安定，基本上保持了唐代以来的承平。前后蜀统治者重视学术，兴建学校，开科取士，后蜀宰相毋昭裔更刊刻石经，雕版印刷"九经"，对儒学的发展做出了重要贡献。前后蜀时期，统治者对佛教极为礼敬，伴随着一大批僧人入蜀，四川佛教有了进一步的发展，为宋代四川禅宗的全盛奠定了基础。唐末贯休禅师入蜀，王建为之建龙华寺，赐号"禅月大师"，并赐邑三千户。贯休长于诗，与广成先生杜光庭相善。彭州大随法真禅师（834~919）被尊为"西川古佛"，王建曾多次礼请他到成都传法，赐号"神照大师"。道教在前后蜀时期也得到了极大的发展，与江西一道，成

---

① （清）陈澧：《东塾读书记》卷四，《易》，第72页。
② 《周易集解》卷八，《系辞上》，《周易集解纂疏》，第579页。
③ 《周易集解》卷一，《乾文言》，《周易集解纂疏》，第56页。
④ 《周易集解》卷一，《乾文言》，《周易集解纂疏》，第67页。
⑤ 《周易集解》卷一，《乾文言》，《周易集解纂疏》，第67页。

为"素崇重"道教的两大地区。①蒙阳（今成都彭县）道士强思齐，王建赐号"玄德大师"，乾德二年（920）编撰《道德真经玄德纂疏》二十卷，以唐明皇《道德经》御注并疏为主，集河上公、严遵、李荣注，成玄英疏，并加以自己所作的疏，"言明道无为，显德有用，以道德二字为一篇之关键"②，对唐代兴起的重玄学作了进一步的发挥。唐末杜光庭入蜀弘道五十余年，作为"道门领袖"，对巴蜀道教哲学做出了重要贡献。永康（今成都崇州）道士彭晓著《参同契分章通真义》，也对道教发展史产生了重要影响。

一、杜光庭的学术思想

杜光庭（850~933）是唐末五代时期著名的道教大师，更是巴蜀道教史上最杰出的人物之一，对巴蜀哲学做出了重要贡献。杜光庭三次入蜀，对道教典籍作全面的梳理，以道为高，融会三教，发挥有无双遣的重玄学思想，并进一步在修道论方面作新的理论创新，最终集唐五代道教之大成。

（一）杜光庭与巴蜀

杜光庭字宾圣（一云宾至），号东瀛子，处州缙云（一云括苍，一云长安）人。他"博极群书，志趣超迈"③，"初意喜读经史，工词章、翰墨之学"④，于上庠因国子监丰富藏书，"先读天文神仙之书，次览经史子集"，将一个月分为五个阶段，"一日诵经书，二日览子史，三日学为[文]，四日记故事，五日游息"⑤。不过，他最擅长的还在于诗文、翰墨，但不喜"小悼浮艳等诗"。懿宗咸通年间（860~874），杜光庭参加"九经"举，"赋万言不中"，于是"奋然入道，事天台道士应夷节"⑥。乾符元年（874），僖宗登基，郑畋推荐杜光庭之"文于朝，僖宗召见，赐以紫服象简，充麟德殿文章应

---

① 参见（宋）李焘：《续资治通鉴长编》卷七二"真宗大中祥符二年十月甲午"："先是，道教之行，时罕习尚，惟江西、剑南人素崇重。及是，天下始遍有道像矣。"第6册，中华书局1980年版，第1637页。
② （明）白云霁：《道藏目录详注》卷三，《洞神部·玉诀类》，文渊阁四库全书本。
③ （元）赵道一：《历世真仙体道通鉴》卷四〇，《道藏》第5册，第330页。
④ （宋）佚名：《宣和书谱》卷五，《正书三·唐·道士杜光庭》，文渊阁四库全书本。
⑤ （元）赵道一：《历世真仙体道通鉴》卷四〇，第331页。
⑥ （元）赵道一：《历世真仙体道通鉴》卷四〇，第330页。

制,为道门领袖"①。显然,杜光庭仍以文章之能著称,道教似其次者。

1. 三游成都

在"僖宗召见,赐紫衣,出入禁中"不久,杜光庭便"上表乞游成都"②。杜光庭称自己在乾符三年(876)春诣陈评事,访成都青羊宫,问其宫因缘历史③,表明他此时已到蜀中。不过,杜光庭此次留蜀时间不久,很快便回到长安了。

中和元年(881),僖宗因黄巢起义军攻入长安,在掌权宦官田令孜的挟持下南逃至成都。当时,杜光庭"从驾兴元,道游西县"④。七月十五日,僖宗诏杜光庭与内臣袁易简、刺史王滋、县令崔正规诣山修醮,封宁封为五岳丈人希夷真君。八月,杜光庭又"奉敕与高品赐紫郭遵奏于丈人观修周天大醮,宗玄观置灵宝真文道场"。光启元年(885)初,黄巢之乱平定,僖宗"驾将复都,召光庭醮二十四位会"⑤,而光庭"奏置玄元观"⑥,也得到批准。不久,杜光庭在"属兹艰会,漂寓成都"中"扈跸还京"⑦,回到长安。

宋陶岳称:"当僖宗之幸蜀也,观蜀中道门牢落,思得名士以主张之。驾回,诏潘尊师使于两街,求其可者。尊师奏曰:'臣观两街之众,道听途说,一时之俊即有之,至于掌教之士,恐未合应圣旨。臣于科场中识"九经"杜光庭,其人性简而气清,量宽而识远,且困于风尘,思欲脱屣名利久矣。以臣愚思之,非光庭不可。'僖宗召而问之,一见大悦,遂令披戴,仍赐紫衣,号曰广成先生,即日驰驿遣之。"⑧此以杜光庭之贵乃长安潘尊师举荐的结果,而时间在僖宗自成都返长安之后,显与杜光庭随驾入蜀及在蜀中的活动相违背。《十国春秋》称"长安有潘尊师者,道术甚高,雅为僖宗所重,时时以光庭为言。僖宗因召见,大悦,已而从幸兴元,竟留于蜀"⑨,将此事系于从驾成都

---

① (宋)佚名:《宣和书谱》卷五,《正书三·唐·道士杜光庭》,文渊阁四库全书本;(元)赵道一:《历世真仙体道通鉴》卷四〇,第331页。
② 雍正《陕西通志》卷六五,引宋居白《幸蜀记》,文渊阁四库全书本。
③ (五代)杜光庭:《道教灵验记》卷二,《青羊肆验》,《道藏》第10册,第806~807页。
④ (元)赵道一:《历世真仙体道通鉴》卷四〇,《道藏》第10册,第330页。
⑤ (元)赵道一:《历世真仙体道通鉴》卷四〇,《道藏》第10册,第330页。
⑥ (五代)杜光庭:《道教灵验记》卷六,《阆州石壁成文自然老君验》,第821页。
⑦ (五代)杜光庭:《太上黄箓斋仪》卷五二,《道藏》第9册,第346页。
⑧ (宋)陶岳:《五代史补》卷一,《杜光庭入道》,傅璇琮等主编:《五代史书汇编(伍)》,杭州出版社2004年版(下引版本同此),第2483页。
⑨ (清)吴任臣:《十国春秋》卷四一,《前蜀十三·杜光庭传》,中华书局1983年版(下引版本同此),第605页。

以前，就比较合理了。

光启二年（886），河中节度使王重荣联合河东节度使李克用进兵攻打长安，宦官田令孜挟持僖宗再次南逃兴元。杜光庭也在"淹留未几"的情况下，从驾兴元，于是留事成都，"重游三蜀"①，后事前蜀王建、王衍，再也没有返回长安。

2. 搜访遗籍，整齐道经

杜光庭入道后"常谓道法科教自汉天师暨陆修静撰集以来，岁月绵邈，几将废坠"，于是极力收集、整理道教典籍，"考真伪，条列始末"②。不过，杜光庭的收集、整理是感于历代道教典籍的聚散，尤其是"近属巨寇凌犯，大驾南巡。两都烟煤，六合榛棘，真宫道宇，所在凋零，玉笈琅函，十无三二"，黄巢起义，京师被掠，典籍遭到巨大损失的情况下，杜光庭在第二次随驾回京后短暂留住京师时，"再为搜掯，备涉艰难"，"又属省方所得之经，寻亦亡坠"，并在第三次入蜀后，"更欲搜扬"，却"累祖［阻］兵锋，未就前志"③，但明显的是，杜光庭在此方面取得了丰硕的成果，编成《太上黄箓斋仪》五十八卷等众多著作，而最终的完成地正是蜀中。其所撰《道德真经广圣义》五十卷，网罗汉晋以来注疏笺解者达六十余家，单是唐代者就有近三十家，总结了以重玄学为主的各派学说，更是集唐代老学之大成。

杜光庭搜访道教遗籍，整齐道经，重建道藏，使"天下羽橘，永受其赐"④。南宋金允中认为杜光庭"身居翰苑，任兼执正，朝廷典籍，省府图书，两街道宫，二京秘藏，悉可指索，皆得搜扬"，有良好的重建道藏的条件，赞其"著书立言，各有经据，天下后世，无不遵行"⑤。

3. 辅佐前蜀，与议政事

杜光庭不仅长于辞藻翰墨，而且长于治世。王建建立前蜀，召杜光庭为皇子师，"光庭荐儒者许寂、徐简夫"侍太子，而他本人"博学善属文，蜀主重

---

① （五代）杜光庭：《太上黄箓斋仪》卷五二，《道藏》第9册，第346页。
② （元）赵道一：《历世真仙体道通鉴》卷四〇，第330页；（南宋）吕太古：《道门通教必用集》卷一，《历代宗师略传·杜天师传》，《道藏》第32册，第8页。
③ （五代）杜光庭：《太上黄箓斋仪》卷五二，第346页。
④ （元）赵道一：《历世真仙体道通鉴》卷四〇，第330页。
⑤ （宋）金允中：《上清灵宝大法》卷四〇，《道藏》第31册，第625页。

之，颇与议政事"①，又以为"昔汉有四皓，不如吾一先生足矣"。唐代宰相张浚之子张格为王建所用，虽才术高于当时，而于典制故实并不通达，治理前蜀之初，"小大事，每令咨禀"杜光庭，显示出光庭"非止善辞藻而已，有经国之大才"②，对前蜀的治理做出过重要贡献。

杜光庭对修身理国之道也极为重视。他赞赏唐玄宗"躬注八十一章，制疏六卷"，以为此书"内则修身之本，囊括无遗，外即理国之方，洪纤毕举"，故以之为基础，"采摭众书，研寻篇轴，随有比况，咸得备书"③，进一步推阐其修身理国之术。杜光庭在治理国家事务上，也从道教立场出发，主张以道教无为之化，统合权、实二教。他说："人君之理天下也，以实教齐君子，以权教伏小人，以无为之道统权、实二教，以为化本。"④所谓的实教即君子所服行的纲常伦理，而权教乃诱小人改恶入善，最终则需以老子无为返朴之术而统合之。

4. 建设青城，退隐青城

杜光庭曾表请游蜀，并对道教圣地成都青羊宫作过考察访问。第二次入蜀后，僖宗大修道场，以图佑其渡过难关，平安返回京城，于是杜光庭在僖宗的大力支持下，开展了一系列的道教活动，尤其是对青城山的建设做出了卓越贡献。自僖宗中和元年（881）至昭宗乾宁二年（895）间，杜光庭与青城地区官员及崇道之士在青城山修复了丈人、常道、威仪、洞天等道观，此外还修建了金箓道场、紫霞洞等道教场所，使青城山成为"或周天展醮，或黄箓开坛，报国为时，惟严与敬，固可以会真灵而福邦国"的道教圣地。⑤

王建死后，王衍继位，虽对杜光庭敬礼有加，但杜光庭已看透后蜀的腐败荒淫，对其前途已不再寄予期望，故"未几解官，隐青城山，建飱和阁，奉行上清紫虚吞日月气法"，在白云溪过起隐居生活，自号东瀛子，修身养性，怡老终年，于后唐长兴四年（933）溘然长逝，趺坐而化。

---

① 《资治通鉴》卷二六八"后梁纪三太祖乾化三年六月丙子"，第8773页。
② （元）赵道一：《历世真仙体道通鉴》卷四〇，第330~331页。
③ （五代）杜光庭：《道德真经广圣义》卷首，《道德真经广圣义》序，《道藏》第14册，第310页。
④ （五代）杜光庭：《道德真经广圣义》卷二九，《道常无为章》，《道藏》第14册，第453页。
⑤ （五代）杜光庭：《修青城山诸观功德记》，龙显昭等主编：《巴蜀道教碑文集成》，四川大学出版社1997年版，第64页。

（二）以道为高，融会三教

杜光庭作为"道门领袖"，继承了巴蜀融会三教的传统，并加以发扬。前蜀王建以杜光庭为光禄大夫、尚书户部侍郎、上柱国、蔡国公，赐号广成先生，而以僧人贯休为国师，赐号禅月。杜光庭、贯休同侍王建，并相友善。史载："一旦，因舞辔于通衢，而贯休马忽坠粪。光庭连呼：'大师大师，数珠落地。'贯休曰：'非数珠，盖大还丹耳。'"①此虽有相互争长之意，而实则在戏谑中体现出佛道二教相融相谐的互动局面。

杜光庭认为三教并无二致，"三教圣人，所说各异，其理一也"，最佳境界是冥合三教，悟解道化。他说："凡学仙之士，若悟真理，则不以西竺、东土为名分别。六合之内，天上地下，道化一也。若悟解之者，亦不以至道为尊，亦不以象教为异，亦不以儒宗为别也。"②真正体悟大道的人，就没有东西地域的分别，也没有天地六合的差异，而是天人合一，冥会三教。

对于如何融会三教，杜光庭则站在道教的立场上，以道教衡量众教，最终又以道教来融会诸教。他说："世之众教，皆以有执、有为为本。今老君此教以无为、不言为化，故为众教所尊，理道所贵也。"③他认为各教都有弊端，只有道教不执、不为，不言而化，无为而无不为，所以被诸教所尊奉。对于儒家，杜光庭以孔子对老子的景仰之语作为依据，表明道尊于儒。他说："仲尼谓敬叔曰：'吾闻老聃博古而达今，通礼乐之原，明道德之归，则吾师也。'"④认为儒家之祖宗都赞同道教为尊，是其所师。杜光庭认为道教高于儒学，但又涵盖了儒学。他说："无为之至妙，包于道德，统于仁义，合于礼乐，制于信智，囊括万行。"⑤所以，儒家所倡导的仁义礼智，纲常伦理，与道教并不抵牾，相反，二者相资相辅。具体而言，就是用道的自然无为来化解儒的积极有为，将纲常伦理归于自然的本真之下。杜光庭指明其理身理国之要，并"非谓绝仁义圣智，在乎抑浇诈聪明，将使君君、臣臣、父父、子子，

---

① （宋）陶岳：《五代史补》卷一，《贯休与光庭嘲戏》，傅璇琮等主编：《五代史书汇编（伍）》，第2485页。
② （五代）杜光庭：《太上老君说常清静经注》，《道藏》第17册，第187页。
③ （五代）杜光庭：《道德真经广圣义》卷三，《释御疏序上》，《道藏》第17册，第332页。
④ 《道德真经广圣义》卷三，《释御疏序上》，《道藏》第17册，第328页。
⑤ 《道德真经广圣义》卷三四，《天下之至柔章》，《道藏》第17册，第483页。

见素抱朴,泯合于太和,体道复元,自臻于忠孝"①。也就是说,儒家所讲的仁义礼智信五常、君臣父子之理,忠孝节义之道,道教同样赞同,但乃是返璞归真、任运自然的结果,而不是人为的伪饰造作。

对于佛教,杜光庭也站在道教的立场上,大力借用其般若中观学说,而反批评佛教徒之执着。他释"有无之相生",称"老君叹彼常徒,迷乎正道,妄生封执,滞此幻情,故明此义,以祛其执",以为"但无偏执,自契中道,便入玄妙正观之门矣"②。

(三)有无双遣的识道论(道体论)

杜光庭认为道是体、用、性合而为一的统一体,虚无为道之体,自然为道之性,通生为道之用。作为虚无的道体,无色,无声,无形,无象,无为,变化生成,不见其迹,但又自彰、自立、自化,所以称为大道,是万物生成的根本。杜光庭以自然为道性,继承了唐玄宗道法自然而非道仿法自然的观点,认为道"虚无为体,自然为性,莫能使之然,莫能使之不然,不知其所以然,不知其所以不然",其性"自然而然"③,从而将道的动作云为归功于道本身,而剥离了人为的主观性。杜光庭重道之体,以为妙体、妙无,也重道之用,以为妙用、妙有。他说:"妙体展转生死,生化之物,任乎自然,有生可见,而不为主,故谓之用,此妙用也。"④道任乎自然,生化万物,既不为之主,也不居其功,它应变随机,神妙莫测,这就是道之妙用。从道体到道用,就是道家道教所说的无中生有,有生于无,是杜光庭生成论的重要内容。他说:"妙无为本,妙有为迹。本则澹然常存,迹乃资生运用。由是言之,一切物象,皆由道生;一切形类,皆道之子矣。"⑤所以,作为本体的道是集宇宙论、生成论为一的统一体。

如何认识体、性、用三位一体的道呢?杜光庭继承并弘扬了重玄之学,并灵活运用重玄学有无双遣的理论来阐发道体,通过批判执着于有无、有为与无为的俗弊,而明了虚无道体、自然道性、通生道用。对道教宗旨,杜光庭最看重的就是重玄之道。他考察历代对《道德经》一书加以诠疏笺注的六十余家

---

① (五代)杜光庭:《道德真经元德纂序》,《全唐文》卷九三一,第9699页。
② 《道德真经广圣义》卷七,《天下皆知章》,第346页。
③ 《道德真经广圣义》卷二,《释老君事迹氏族降生年代》,第316页。
④ 《道德真经广圣义》卷四,《释御疏序下》,第335页。
⑤ 《道德真经广圣义》卷一九,《孔德之容章》,第402页。

之说，以为"严君平以虚玄为宗，顾欢以无为为宗，孟智周、臧玄静以道德为宗，梁武帝以非有非无为宗，孙登以重玄为宗"，"所释之理，诸家不同"，而要其归趣，"宗旨之中，孙氏为妙"①。因此，他把老子神化为道教教主，"既不滞有，亦不滞无，因果两遗，粗妙双遣，先天后劫，尊为教主"，实为"玄玄道宗"②。

杜光庭借助佛教中观思想，破除执有执无之偏，主张有无双遣，既非有也非无，最后非非有、非非无，连有无本身也不存在。他说："明道之为无，亦无此无；德之为有，亦无此有。斯则无有、无无，执病都尽，乃契重玄，方为双绝。"③不执着于有还是无，也不执着于无有、无无，才能双遣有无，冥合于道，契合于重玄。有无双遣正好说明了道教之虚无道体不滞于有无。他解释"玄之又玄，众妙之门"也说："夫摄迹忘名，已得其妙。于妙恐滞，故复忘之。是本迹俱忘，又忘此忘，吻合乎道。有欲既遣，无欲亦忘，不滞有无，不执中道，是契都忘之者尔。"④已舍弃外在之迹与名，又对内在之妙也加以忘却，甚至连忘本身也忘了，于是不执着于有无，也不执着于中道，最终就达到了重玄的境界。

对于有为、无为，杜光庭也采用了中观论的方法加以排遣，从而有效地说明了道性自然，道用通生，息灭主观妄念，而复归于道体自然而然的生化之妙用中来。《周易·系辞上传》称："《易》无思也，无为也，寂然不动，感而遂通天下之故。非天下之至神，其孰能与于此？"杜光庭借用此说，将其融会到《道德经》中。他说："寂然不动，无为也；感而遂通，无不为也。无为者，妙本之体也；无不为者，妙本之用也。体用相资，而万化生矣。"⑤道妙本之体在于无为，而无为之用在于无所不为。不过，道本身并不存在有为与无为，体道悟道还在于破此执着。他说："至道自然，亦非有为，亦非无为。故至道自然，湛寂清静，混而不杂，和而不同，非有非无。凡学仙之士，无以执非，俱无执见，则自达真道。"⑥在杜光庭看来，世人与修道之士的差别就在

---

① 《道德真经广圣义》卷五，《释疏题明道德义》，第340页。
② 《道德真经广圣义》卷三，《释御疏序上》，第325页。
③ 《道德真经广圣义》卷五，《释疏题明道德义》，第338页。
④ 《道德真经广圣义》卷六，《道可道章》，第344页。
⑤ 《道德真经广圣义》卷二九，《道常无为章》，第454页。
⑥ （五代）杜光庭：《太上老君说常清静经注》，第188页。

于有执无执。他说:"世人不能知道,妄动营为,非道营为,必至隳败,或妄于教体,执着有无,不能任以自然。守常知分,有执必失,有为必败,此乃常理也。欲使化理之君,无为则无败。修道之士,无执则无失也。"①有执是世人的常态,常滞于有为,结果是不能任运自然,而招致失败。推究世人有为有执的根源,杜光庭将其归结为嗜欲。他说:"世态纷纶,真心难固,嗜欲牵役,妙道易忘,始从事而立功,忽进退而生惑,亦缘有为有执,所以败于垂成尔。"②世人为嗜欲所蒙蔽,而不能体悟至道自然真心,所以执着于有为,最终功败垂成,与道不合。显然,杜光庭的有为论是针对以儒家为代表的世俗社会。

对于佛教断灭私欲,遁入空门,杜光庭也在其道体论中有所分析,而将其归于执着于无,讲求无为之列。也就是说,杜光庭所讲的重玄之道,非有非无,有无双遣,对于有为、无为,同样如此,儒家所倡导的积极有为的人生态度不能冥合自然大道,佛教倡扬的消极无为的人生态度也不符合自然大道。杜光庭认为道本身不存在有无、空假的问题,以有无、空假论道乃是一个伪命题,是魏晋儒士、佛教徒们的一种方便之说,而与道不相契合。他说:"道法自然,本无空假。天尊慈悲,乃立空假之相。"③自然没有空假,效法自然的道也不存在空假的问题。天尊有鉴于众人不悟道真,所以慈悲为怀,以空假方便之说来比喻说道,实际上是一种假相,并非真实,目的则是以"善巧方便,随机应化,教人天皆归至道"。就道本身而言,"非无非有非名为道。道本无形之形,真之能名。德本无象之象,是谓真象。杳杳冥冥,其中有精,其精甚真,非无为也。万法俱无,是为空无。空无之道,亦非自然。破此空无,还归于无也"④。佛教讲空讲无,与道教所讲的道德的无形无象并不相同,因为道教所讲的无形无象的道德之中有精有真,冥合自然,是无为而无不为的无为。他明确解释"无为":"无为者,非谓引而不来,推而不去,迫而不应,感而不动,坚滞而不流,卷握而不散也,谓其私志不入公道,嗜欲不枉正术,循理而举事,因资而立功,事成而身不伐,功立而名不有。"⑤道教的无为是排除了个人的私志、嗜欲,而依循自然之理而办事,并非呆滞不动,无所作

---

① 《道德真经广圣义》卷四三,《其安易持章》,第534页。
② 《道德真经广圣义》卷四三,《其安易持章》,第535页。
③ (五代)杜光庭:《太上老君说常清静经注》,第186页。
④ (五代)杜光庭:《太上老君说常清静经注》,第186页。
⑤ 《道德真经广圣义》卷八,《不尚贤章》,第354~355页。

为，所以杜光庭主张破除佛教的空无、无为，并由此认识道真。

（四）息念而静、穷理尽性的修道论（道性论）

学道成仙既要通过有无双遣的重玄学方法认识道真，还需要通过一定的修为，最终达到道真。杜光庭对此极为重视，他常常将道体论与修道论结合起来，以践履其道教理论方法。不过，杜光庭的修道论已转向心性论，以老庄之学为基础，借助儒、佛理论，着重从情欲、心性的角度加以阐释与修养。

杜光庭将情欲看作修道的大碍，认为只有消除情欲的滞碍，才能最终通达性命本原，而致道真。他说："人以逐欲而动则迁情，息念而静则合道；迁情则流遁，合道则还元。所以静而致道者，是复归所禀妙本之性命也。"①这就是说，人逐欲而动，就会随情而迁，丧失本性，从而流遁不返。只有灭息欲念，以静修养，才与道真相合，才会复归到人所禀受的神妙之本的性命上来。他所谓的妙本，实际上就是超越于有无，不滞于有无，有无双遣的重玄之道。"苟能洗心易虑，澄欲含虚，则摄迹归本之人也。"②显然，息念而静，灭除欲念乃是杜光庭修道论的重要内容，而直指性命情欲，主张返情复性。杜光庭还大力借鉴佛教的理论，认为"人之禀生有三业十恶"，乃是"众罪之源"，"人若纵此三业十恶，则必从生趣死"③，放纵这些与生俱来的恶业，只能由生而趋向死亡，不可能得道升仙，享受快乐。只有消除恶业，灭绝情欲，不滞于声色气味，才能"返性归元"，"人若能断得其华饰，远其滋味，绝其淫欲，去此三事，谓之曰三毒消灭。三毒既灭，则神和气畅精固，三元安静，三业不生，自然清静"④。灭绝情欲，就能体会到得道之后神气和畅、精气稳固、清静自如的无上之境。

《周易·说卦传》称圣人作《易》，"穷理尽性以至于命"，可以"顺性命之理"。杜光庭也将此借用过来，作为其修道论的一部分。他说："穷达妙理，了尽真性，想缘俱忘，乃可得道。"⑤更具体地说，就是"穷极万物深妙之理，究尽生灵所禀之性，物理既穷，生性又尽，以至于一也"⑥。穷究万

---

① 《道德真经广圣义》卷四，《致虚极章》，第334页。
② 《道德真经广圣义》卷六，《道可道章》，第344页。
③ 《道德真经广圣义》卷三六，《出生入死章》，第498页。
④ （五代）杜光庭：《太上老君说常清静经注》，第185页。
⑤ 《道德真经广圣义》卷四，《释御书序下》，第333页。
⑥ 《道德真经广圣义》卷四，《释御书序下》，第332页。

事万物内在深邃莫测的神妙之理，究极穷尽生灵所禀的自然之性，二者相合，归于至一，从而消灭念欲，而获得至道。恰如宋代道学家所讲的格物之说一样，杜光庭的穷理尽性也并非一事一物一一去穷究，而明显是将道家的"无心""坐忘"与佛教的禅定思想结合起来，将灭欲念与冥合自然的内心调适作为修道的重要方法。也就是说，杜光庭的修道方法不是向外的唯物式的穷理尽性，而是向内的心性修为，是一种唯心的修炼之道。他说："修道之士，黜嗜欲，隳聪明，凝然无心，淡然无味，收视返听，万虑都冥，然后虚空生胎，吻合自然，观化之初，穷物之始，浩然动息，与道为一矣。"[1]杜光庭所谓的穷理尽性，乃是在废黜外在的嗜欲，隳坠内在的聪明，无动于心，不惑于味，闭塞视听，消除念虑之后，用空灵内心的冥想，去感悟自然，去观察万化初始、万物始生的状态，使自己的一呼一息、一动一静与大道冥合为一。

二、毋昭裔与孟蜀石经

前蜀王建"为神策军将时，宿卫禁中，见天子夜召学士，出入无间，恩礼亲厚如寮友，非将相可比"[2]，故对儒生有特别好感。当时，"唐衣冠之族多避乱在蜀"，王建"虽目不知书，好与儒生谈论，粗晓其理"，因"礼而用焉，使修举故事"，故前蜀"典章文物有唐之遗风"[3]。王建以为"国之教化，庠序为先；民之威仪，礼乐为本。废之则道替，崇之则化行"[4]，故建立国子监，修善诸州旧文宣王庙，以时释奠于其中，并于永平元年（911）"作新宫，集四部书，选名儒专掌其事"[5]。他听从宰相王锴建议，兴用文教，于通正元年（916）八月，起文思殿，购置群书放于其中，以清资五品正员官管理，以内枢密使毛文锡为文思殿大学士。其子王衍"颇好经史诗赋"，继位后，也大力推行文教政治。

后蜀孟知祥踵有蜀汉，以文为事，凡草创制度，都因袭唐朝旧轨。他"好

---

[1] （五代）杜光庭：《毛仙翁传》，《全唐文》卷九四四，第9814页。
[2] 《新五代史》卷六三，第787页。
[3] 《资治通鉴》卷二六六"梁太祖开平元年九月"，第8685页。
[4] （宋）句延庆：《锦里耆旧传》卷五，傅璇琮等主编：《五代史书汇编（拾）》，第6032页。
[5] （前蜀）王锴：《奏记王建兴用文教》，《成都文类》卷一九，文渊阁四库全书本（下引版本同此）。

学问，性宽厚，抚民以仁惠，驭卒以恩威，接士大夫以礼"①。其子孟昶即位以后，更"劝农恤刑，肇兴文教，孜孜求治，与民休息"②。宰相毋昭裔则出私财百万营学馆，又请刊刻蜀石经，雕版印制"九经"，并获朝廷批准。

（一）蜀石经的刊刻

毋昭裔，河中龙门人，性嗜藏书，酷好古文，精经术，博学有才名。贫贱时，昭裔"尝借《文选》于交游间，其人有难色"，因此发愤道："异日若贵，当板以镂之，遗学者。"孟知祥镇西川，辟之为掌书记，及知祥登极，擢为御史中丞。后主孟昶时，毋昭裔拜相，因践其贫贱时言，出私财营学馆，立黉舍，请后主镂版印"九经"，又令门人句中正、孙逢吉书《文选》《初学记》《白氏六帖》，刻版行之。

后蜀广政七年（944），在宰相毋昭裔主持下，据雍都旧本"九经"即开成石经，刊刻蜀石经。广政十四年（951）冬十月，蜀石经刻成，前后凡历时八年，用石数千块，共成《孝经》《论语》《尔雅》《周易》《尚书》《周礼》《毛诗》《仪礼》《礼记》《左氏传》十种儒家经典及注解，立于益州州学即文翁石室遗址中。其中《左氏传》只刻了前十七卷，十八卷至三十卷为入宋以后续刻。因刻于广政年间，孟蜀石经又称广政石经。

蜀石经款式与开成石经相同，但又有所区别。汉、魏、唐石经只刻经文，蜀石经不但镌刻经文，而且用双行小字镌刻注文，于《易》更刻有王弼

蜀石经

《略例》，内容更丰富。蜀石经校刻精善，质量很高，书丹入石者有张德钊、杨钧、张绍文、孙逢吉、孙朋吉、周德贞，皆长于书法。史称"伪蜀刻五经，备注、传，为世所称"③，而"其字体亦皆精谨"，"有贞观遗风，故不庸

---

① （宋）张唐英：《蜀梼杌》卷下，傅璇琮等主编：《五代史书汇编（拾）》，第6091页。
② （清）吴任臣：《十国春秋》卷四九，《后蜀二·后主本纪》，第743页。
③ （宋）晁公武：《郡斋读书志》卷三，"石经公羊传十二卷"引，孙猛校证：《郡斋读书志校证》，第102页。

俗，可以传远"①。此外，蜀人林罕善文字之学，著《说文》二十篇，目曰《林氏小说》，亦刻石其中。

孟蜀石经的刊刻使蜀中文学复盛。两宋时，蜀石经得到了进一步完善。北宋皇祐元年（1049），蜀守田况补刻《左传》后十三卷，续刻《公羊》《穀梁》二传；元祐（1086~1094）中，蜀守胡宗愈补刻汉石经和魏石经，并作堂以贮之；宣和五年（1123），益帅席贡始奏镌《孟子》，运判彭慥继其成。南宋乾道六年（1170），晁公武又刻《古文尚书》及《石经考异》。此外，张焘又校注文同异，为《石经注文考异》四十卷。

（二）兴建学校、雕版"九经"

毋昭裔既以俸金刻石，又大力兴建学校，作都内二县学馆，置师弟子讲习，以儒选人，其中，广政十二年（1949）建成的华阳县学即孟氏太学。②此外，在孟昶、毋昭裔的主持下，后蜀又雕版印制了"九经"。

雕版印刷书籍起源较早，唐代开始大量印制，但以日历、韵书、占梦等书为主。后唐田敏奏称："尝见吴、蜀之人鬻印板文字，色类绝多，终不及经典。"③因请求刊刻"九经"，明宗从之。长兴三年（932），冯道、李愚、田敏等用开成石经为蓝本，刻印经书出售，至后周广顺三年（953），凡经二十二年完成，"由是，虽乱世，九经传布甚广"④。后蜀在刊刻石经之后，蜀主孟昶"崇尚六经，恐石经本传流不广，乃易为木板"⑤。"自唐末以来，所在学校废绝"，广政十六年（953）五月，"蜀毋昭裔出私财百万营学馆，且请刻板印九经，蜀主从之。由是蜀中文学复盛"⑥。

蜀版"九经"虽在冯道等人刻印"九经"之后，但其费时短，效率高，对于经书广泛传播仍起到了重要的作用。尤其是分裂割据的五代，蜀"九经"的刊刻无疑有利于蜀地经学的发展与经书的传播。学馆的兴建、"九经"的广泛流布，为蜀学的发展与繁荣打下了坚实的基础。宋灭蜀时，将蜀地书板运到汴

---

① （宋）洪迈：《容斋续笔》卷一四，《周蜀九经》，（宋）洪迈：《容斋随笔》，上海古籍出版社1978年版，第387页。
② （宋）张俞：《华阳县学馆记》，（宋）张行成：《华阳县学记》。俱见《成都文类》卷三一。
③ 《册府元龟》卷六〇八，《学校部》，第7305页。
④ 《资治通鉴》卷二九一，第9495页。
⑤ 《蜀中广记》卷一〇二《诗话记第二》，第592册，第648页。
⑥ 《资治通鉴》卷二九一，第9495页。

京，所以蜀刻"九经"甚至影响了宋代经学的发展。

三、彭晓的内丹思想

彭晓（？~955）字秀川，四川永康（今成都崇州）人，自号"昌利化飞鹤山真一子"。他本姓程，孟蜀时明经登第，迁金堂县令。后蜀广政初（938），授朝散郎，守尚书祠部员外郎，赐紫金鱼袋。彭晓尝遇异人，得道家丹诀，注《阴符经》《参同契》《金钥匙》《真一诀》等，经常用"铁扇符"治病救人。他"能长啸，为鸾凤声，飞鸟闻而皆至"，虽"身披朱紫，食禄利"，但"未尝懈怠于修炼，去作一代之高人，终不为下鬼者"①。蜀主孟昶累次召见他，问以长生久视之道。他却以儒家仁义之说加以讽谏，认为"以仁义治国，名如尧、舜，万古不死，长生之道也"②。今有《周易参同契分章通真义》三卷、《明镜图诀》一卷及《还丹内象金钥匙》传世。

巴蜀内丹术在唐初已出现，而与《周易参同契》有着密切的关系。唐初文学家陈子昂世好道术，对《参同契》有很深的研究。高宗龙朔年间（661~663），临邛人刘知古字光玄，出家为太清观三洞道士。玄宗开元年间（713~741），刘知古知绵州昌明县，以奉《参同契》为名，著《日月玄枢论》一卷献上。其中贬斥以铅、汞等矿物质炼制丹药的外丹之士为"世之浅见者"，而主张"还丹"，即修炼内丹③。后蜀彭晓接续陈子昂、刘知古的传统，崇尚《参同契》，主张修炼金液还丹。

（一）真一元气之本

彭晓以真一元气为最高本体，是宇宙之本，是生化万物之源。他说："太易、太初之前，虽含虚至妙，则未见兆萌。太始、太素、太极之际，因有混成，乃混沌也。中有真一之精，为天地之始，为万物之母。"④彭晓继承汉代的元气说，以宇宙原初为太易、太初，"含虚至妙"，"未见兆萌"，无形无象，而神妙莫测，实际上就是道家所谓的虚无大道。由无入有，便到了太始、太素、太极阶段，此时虽有兆萌，但混沌一气，没有具体的形象可言。彭晓认为此混沌一气之中有精气存在，这就是他所谓的真一之气，又称为元气。真一

---

① （宋）陈葆光：《三洞群仙录》卷一二，引景焕：《野人闲话》，《道藏》第32册，第317页。
② （元）赵道一：《历世真仙体道通鉴》卷四三，《程晓传》，《道藏》第5册，第348页。
③ （唐）刘知古：《日月玄枢论》，《全唐文》卷三三四，第3384~3388页。
④ 《周易参同契分章通真义》卷上，《乾坤者易之门章第一》，《道藏》第20册，第133页。

元气"为天地之始,为万物之母",才是真正的宇宙本体、万物生成的根源。显然,彭晓有脱离道家以无为本而入于唯物的元气说的倾向。彭晓又将真一元气称为黑铅水虎、红铅火龙,以为它的基本特性是"无质而有气""有气而无质",是"天地妙化之根"①,是万物生成之本,天地、阴阳、日月、水火、五行、三才、万物、千灵,一切的一切都因此产出而成变化。

彭晓又将真一元气作为成鬼成仙的原始依据,而关键在于元气所析出的阴阳二气的纯杂与清浊。彭晓认为元气"无涯",是"天地阴阳长生真精圣父灵母之气",而普通常人"有限之形躯",乃是"阴阳短促浊乱凡父母之气",要想"与天地同寿",长生不死,就必须"以真父母之气,变化凡父母之身,为纯阳真精之形"②。这是他从道教的立场上立论的。在彭晓看来,常生不死其实有鬼道、仙道之别。他继承传统之说,以为阳气轻清而上浮于天,阴气重浊而下沉于地。"九地之下无阳精,而纯阴浊气也;九天之上无阴精,而纯阳清气也。"纯阳之气,有中炼无,是神仙之本;纯阴之气,无中炼有,神妙莫测,是阴爽之鬼的本质。"有修积阴之士者,尽弃魂神,于无中炼妙有,任定而性寂静,故死而为阴爽之鬼也。有修纯阳之精者,谓存神气,而于有中炼妙(无),全身形而入无形,故生无死,为天上神仙也。"③佛教修炼积阴之气,是为鬼道;修炼积阳之气,是为仙道。彭晓主张修炼神仙之道,认为"金液还丹是白日冲天之上道",还丹因元气而成,若能炼成纯阳之身,"阳气积而动,动即返阳,阳即归生,生即得仙不死"④,就可得道升天。所谓的金液还丹,就是体内炼养的内丹,炼丹的药物就是"天地根"的先天真一元气。

(二)浓缩年月于朝暮

彭晓认为乾坤阴阳在真一元气生成万物过程中起着关键性的作用。他说:"一气既形,二仪斯析,然后有乾坤焉,有阴阳焉,有三才、五行焉,有万物众名焉。故配乾坤为天地之纲纪,运阴阳为造化之橐龠。是以乾坤立而阴阳行乎其中矣。"⑤元气形而两仪分,乾坤生,阴阳立,然后产生天地人三才、水

---

① (后蜀)彭晓:《还丹内象金钥匙·黑铅水虎论》《红铅火龙诀》,(宋)张君房:《云笈七签》卷七〇,中华书局2003年版(下引版本同此),第1548~1549页。
② 《周易参同契分章通真义》卷中,《将欲养性章》,《道藏》第20册,第148页。
③ (后蜀)彭晓:《还丹内象金钥匙·红铅火龙诀》,《云笈七签》卷七〇,第1554页。
④ (后蜀)彭晓:《还丹内象金钥匙·红铅火龙诀》,《云笈七签》卷七〇,第1555页。
⑤ 《周易参同契分章通真义》卷上,《乾坤者易之门章第一》,《道藏》第20册,第133页。

火木金土五行，最后生成万物，乾坤作为天地的纲纪，阴阳作为造化的橐籥，在元气生成万物过程中起到了至关重要的作用，要炼成金液还丹，就得以乾坤阴阳为基础。

彭晓借助《参同契》，以乾坤为鼎器，以坎离为符火，一体一用，交相作用，以炼真丹。他说："阴鼎阳炉，刚火柔符，皆依约六十四卦，周而复始，循环互用。"①也就是说，乾坤鼎炉、阴阳符火确定之后，就按照屯蒙之次，依约《周易》六十四卦顺序，周而复始地调节火候，炼制丹药。因为阴阳变化，气候转易，要炼成纯阳真精，必须根据一年四季、二十四节气、七十二候的气候变化、天道运行的法度来调节火候。根据阴阳变化的实际来看，一辰与一昼夜十二辰、一月三十日、一年十二月的气候变迁是相当的，"年与月同，月与日同，日与时同"②。因此，在具体修炼中，就能够"以一年十二月气候蹙于一月内，以一月气候陷于一昼夜十二辰中"③。也就是说，一昼夜十二辰犹如一年十二月，同样可以分春夏秋冬四季，而按时调节火候，"自子、丑、寅为春，卯、辰、巳为夏，阳火候也；午、未、申为秋，酉、戌、亥为冬，阴符候也"。如果每时每刻火候调节得当，"不失鼎内四时，不专象中寒暑，则其丹必成矣"④。彭晓内丹的炼制，每时都按照天地阴阳变化调节火候，浓缩了天地时日。据其所言，"凡一时夺得三百六十年正气，一日夜夺得四千三百二十年正气，一月夺得十二万九千六百年正气，一年夺得一百五十五万五千二百年正气"，也就是说炼一时辰的金丹，就相当于体内已受全了三百六十年的正气年寿，如此一来，"人服金液还丹一粒如稻米许，三年限满，必获上升"⑤。

综合来看，彭晓注解《周易参同契》，对后世道教哲学产生了极大影响，不仅在理解《参同契》方面深受朱熹、俞琰等名家的重视，而且在道教外丹向内丹的转化过程中也地位突出，甚至对宋代兴起的图书易学也有积极的影响。

---

① 《周易参同契分章通真义》卷上，《牝牡四卦章第二》，《道藏》第20册，第133页。
② 《周易参同契分章通真义》卷上，《火记六百篇章第三十六》，《道藏》第20册，第142页。
③ 《周易参同契分章通真义》卷上，《牝牡四卦章第二》，《道藏》第20册，第133页。
④ 《周易参同契分章通真义》卷上，《赏罚应春秋章》，《道藏》第20册，第134页。
⑤ （后蜀）彭晓：《还丹内象金钥匙·红铅火龙诀》，《云笈七签》卷七〇，第1552页。

第三章 巴蜀哲学思想从学统四起到理学化的大发展（两宋）

两宋时期是巴蜀哲学发展的高峰时期。继巴蜀哲学在汉代的发展，经历了三国两晋南北朝和隋唐五代的流传演变，至宋代巴蜀哲学进入发展的高潮。其时，与全国学术发展的潮流相适应，重义理的宋学逐步取代重训诂的汉学，由儒释道三教鼎立到三教融合，巴蜀哲学也走过了"学统四起"，以儒为主，吸取佛、道，由汉学向宋学、由训诂考释向义理进而到思辨性的哲理，由宋学到理学，蜀、洛融合，理学逐渐成为蜀学发展的主要趋势的发展演变的历程。

宋代蜀学之"学统四起"主要表现在，从北宋初到北宋中叶，宋代蜀学的发展呈现出一个诸学并起的局面：宋初龙昌期崇尚老佛，融贯三教，诋毁周公，杂糅诸家；章詧隐居不仕，调和儒、道；北宋范氏家学范镇、范百禄以儒为本、重视义理，游心经史，清心寡欲，批评功利主义和王安石新学；黎锌将《春秋》三传融于心，提出以经为主，易简明白，"专经而信道"的思想；鲜于侁以儒为主，重道乐道，提倡儒家伦理，谨守孔子之道，批评老庄思想和象数派观点；吕陶从"经者所以载道"、重视义理的思想出发，批评了当时蜀地仍然流传的章句训诂之学，提倡讲义理、以简易为宗的学问，其"经者所以载道"的思想与理学家二程"经所以载道"的思想比较接近，吕陶提出"蜀学之盈，冠天下而垂无穷"的见解，表明当时蜀学的影响之大；宇文之邵以儒家的政治伦理思想作为治国理政的基本原则，与当时思想家们复兴儒学、重整伦理纲常，以维护社会治理与稳定的努力相一致，也体现了当时蜀地"学统四起"、诸学并进的主流仍然是儒学。但以上蜀学人物均未把宋学提升为重视哲理的理学。

宋代巴蜀理学的兴起主要表现在，宋初陈抟在四川游访，他的易学思想不仅对整个理学，而且对巴蜀理学的兴起和发展都产生了重要影响。其后，著名理学家周敦颐入蜀活动，教授学者，促进了宋代巴蜀理学的兴起。此外，程氏父子入蜀活动，尤其是北宋理学的创立者和代表人物程颐两度入蜀，在蜀著书立说、传道授业，产生了重要影响，直接促进和推动了宋代巴蜀理学的兴起。著名蜀学学者范祖禹又认同理学，赞成二程的学问，亦是沟通蜀、洛的人物，客观上为宋代巴蜀理学的兴起和发展起到了促进作用。

宋代巴蜀哲学的发展与三苏蜀学有密切关系。三苏蜀学在哲学上也有较高造诣，这主要体现在三苏提出道本论宇宙观、善恶非性的人性论和阴阳相资的辩证法思想等方面，对宋代巴蜀哲学产生了重要影响。不仅二程洛学在形成和发展的过程中与三苏蜀学有着相互交往的关系，二者存在着相同相异之处，而且理学与蜀学的相互关系也影响了北宋以来巴蜀哲学的演变和发展。三苏蜀学更多地体现了儒佛道三教的融通合一，并公开宣扬这一点，倡导儒道同源，共尊孔子和老子为二圣人；而包括二程洛学在内的理学派别则公开批佛老，只是对佛道的思辨哲学有所吸取和借用，以维护儒家文化在中国文化和社会意识形态领域中所居的主导地位。同时，三苏蜀学儒佛道三教融通合一的学风与张商英三教"鼎足之不可缺一"的思想相互映衬，反映了北宋时期巴蜀哲学的一个特点，并在一定程度上反映了整个中国哲学在当时的一个走向。

周敦颐、程颐的理学思想对巴蜀理学产生了重要影响，一方面，宋代理学的代表人物周敦颐、程颐在蜀的学术活动和讲学、著述，直接体现为宋代巴蜀理学的一部分，并通过程颐的蜀中弟子谯定及其涪陵学派、谢湜等影响了巴蜀理学；另一方面，程颐的著名弟子尹焞也入蜀活动、讲学，传播程颐的理学思想，扩大了其在巴蜀的影响。此外，程颐的蜀中后学张浚、李石等也继承、传播了二程的学说，为南宋巴蜀理学的大发展起到了承上启下的作用。

继北宋时期蜀学和理学等各派学术的发展，巴蜀哲学至南宋发展到一个高峰，主要体现在南宋时与朱熹齐名的著名理学家张栻不仅为宋代理学的发展做出了突出贡献，而且也对宋代巴蜀理学的发展产生了深广影响，直接促进了巴蜀理学的大发展。此外，朱熹的蜀籍高足度正提出更具包容性的道统论，发扬了朱熹的道统思想；并撰《周敦颐年谱》，宣传、表彰程颐的理学思想及周、程在蜀的学术活动；刻印朱熹的理学著作，传播理学于四川，扩大了理学在巴蜀地域的影响。著名理学家魏了翁以理学思想为主体，融合蜀、洛之学，集宋代巴蜀理学之大成，同时也集广义的宋代蜀学之大成。魏了翁不仅在理学史上占有重要地位，他继承并发展了张栻、朱熹的思想，预示着理学及整个学术发展的方向，在确立理学正统地位的过程中发挥了重要作用，而且魏了翁提出了一系列有价值的思想，直接促进了巴蜀理学的发展。张栻、度正、魏了翁等的学术思想和学术活动不仅促进了南宋巴蜀理学的大发展，而且其精致的思辨性哲理也使两宋巴蜀哲学得到长足的发展，使得整个巴蜀哲学在宋代发展到一个新的高度。

第一节 宋代蜀学之"学统四起"

巴蜀哲学历经西汉至隋唐五代的流传演变,到宋代进入一个新的发展时期。从北宋初到北宋中叶,宋代蜀学的发展呈现出一个"学统四起"的局面,这与全国各地域文化发展演变的情形大体相当,即相对于汉学在汉唐时期的发展演变,中国学术思想之重要内涵的经学思想在宋代的发展,兴起了重义理的宋学各流派,巴蜀学术的演变也出现了由重训诂注疏的汉学向重义理发挥的宋学转向的趋势,以及儒释道兼容,不局限于一家的状况。

北宋初,四川刚脱离五代乱俗,人们尚未更多地接受儒学教化,而石洵直的祖父石昌龄则筑书台以储书籍,以儒家经术教化子弟,而里人化之,使儒家思想得以传播开来。这反映了五代至北宋初,蜀地由五代乱俗到接受儒家思想的转化过程。"始蜀人去五代乱俗,未向儒。屯田君(石洵直的祖父)即其居,构层台以储书。以经术教子弟,里人化之。弦诵日闻,号书台石家。"[①]石昌龄乃眉州人士,筑书台以教化里人,其子石待闻卒其业,咸平中及进士第,又登贤良方正科。

宋代蜀学的"学统四起"主要表现在龙昌期、章詧、范镇、范百禄、黎錞、鲜于侁、吕陶和宇文之邵等人融合各家、杂用佛老、重视儒学、提倡义理、讲求伦理的治学实践和学术思想里,为宋代巴蜀哲学的进一步发展提供了多元的思想环境和文化背景。

一、龙昌期杂糅诸家的思想

龙昌期,陵州(今四川仁寿)人。北宋初杂糅诸家,贯通三教的学者。生卒年不详,约生于北宋初太祖开宝年间,卒于仁宗嘉祐年间。据李焘撰《续资治通鉴长编》卷一九〇记载,仁宗嘉祐四年(1059)时,"昌期年几九十"。另据《宋史》卷二九九、《胡则传》记载,至仁宗嘉祐年间(1056~1063),"昌期时年八十余"。此时翰林学士欧阳修、知制诰刘敞等劾龙昌期异端害道,批评龙昌期违古背道,诡僻不经,要求毁弃其板本,不宜推奖。乃追夺龙昌期所赐,遣归,卒。表明龙昌期于嘉祐中罢归,卒于乡,此时他年已八十,或将近九十。

[①] (宋)吕陶:《净德集》卷二二,《中大夫致仕石公墓志铭》。

据吕希哲《吕氏杂记》卷下记载,龙昌期少时曾为僧,朱台符劝其业儒。真宗大中祥符年间(1008~1016),龙昌期注解了《易》《诗》《书》《论语》《孝经》《阴符》《道德经》等,这里面包括了儒家和道教、道家的经典。龙昌期虽博极群书,但议论怪僻。龙昌期携所注典籍游京师开封,被范雍荐之朝,不用。

后来于仁宗天圣年间,应知福州陈绛的邀请,龙昌期到福州为众人讲《易》,得酬钱十万。返回家乡后,陈绛坐罪罢官。官差把龙昌期从成都押解到福州,继任知州胡则以宾礼出俸钱为龙昌期赔偿了这笔官钱。[1]

仁宗宝元二年(1039),韩琦使蜀,奏授龙昌期等试国子四门助教。

庆历五年(1045),知益州文彦博又奏授龙昌期校书郎,充任益州州学讲说。文彦博年少时曾从龙昌期学,"彦博少从昌期学,因力荐之"[2]。此前文彦博曾作《送龙昌期先生归蜀序》,对龙昌期颇为推崇。他说:"达斯道者,其惟武陵先生龙君乎!先生陵阳人也,藏器于身,不交世务。闭关却扫,开卷自得。著书数万言,穷经二十载。浮英华而沉道德,先周孔而后黄老。杨墨塞路,辞而辟之。名动士林,高视两蜀。"[3]认为龙昌期是"先周孔而后黄老",并辟杨墨,而在蜀地士林中享有盛誉。因而此次文彦博又向朝廷推荐龙昌期,对龙昌期评价较高。由此龙昌期被授以官职。又因明镐再奏,授太子洗马,明堂泛恩,改殿中丞。

此后,龙昌期又注《礼论》,撰《政书》《帝王心鉴》《八卦图精义》《入神绝笔书》《河图》《照心宝鉴》《春秋复道论》《三教圆通论》《天保正名论》《竹轩小集》等。其书虽不传,但从书名不难看出龙昌期兼取儒释道、思想不拘、融贯三教的特点,这从一个侧面反映了当时宋初蜀学乃至全国思想界的情形。此时承唐五代佛道盛行、儒学式微的局面,尚没有一家学术居思想界的统治地位。曾在北宋绍圣年间任知忠州的王辟之评价龙昌期说:"昌期该洽过人,著撰虽多,然所学杂驳。"[4]其对龙昌期"所学杂驳"的评论,即杂糅诸家的思想,这恰恰反映了当时宋初蜀学的情形。

然而,当时讲义理的宋学已然兴起,思想家们批佛老,兴儒学,重整伦

---

[1] 参见吴天墀:《龙昌期——被埋没了的"异端"学者》,《固原师专学报》1989年第3期。
[2] (宋)李焘:《续资治通鉴长编》卷一九〇"仁宗嘉祐四年",文渊阁四库全书本。
[3] (宋)文彦博:《潞公文集》卷一一,文渊阁四库全书本。
[4] (宋)王辟之:《渑水燕谈录》卷七,文渊阁四库全书本。

理纲常，为社会的治理与稳定服务，而龙昌期杂用释老，诋毁周公的治学倾向为人们所不容并遭到批评。宋初著名宋学人物刘敞《上仁宗论龙昌期学术乖僻》，批评龙昌期违古背道，诡僻不经，要求毁弃其板本。他说："前日朝廷以龙昌期所著书下两制，臣等观其穿凿臆说，诡僻不经，甚至毁訾周公，疑误后学，难以示远，乞下益州毁弃板本……按昌期之书，违古背道，所谓言伪而辨，学非而博，是王制之不听而诛者也。陛下哀其衰老，未便服少正卯之刑，则幸矣。又何赏之哉……纵昌期之妄而不诛，乃反褒以命服，厚以重币，是非贸乱，沮劝颠倒，使迷国之计行于侧，而非圣人之俗倡于下，臣窃为陛下不取也。"①刘敞指出，龙昌期所著书不仅穿凿臆说，而且"毁訾周公，疑误后学，难以示远"，应予以纠正，然而一些朝廷官员却欣赏龙昌期的作品，并使朝廷下诏表彰，以致出现不好的影响，使得是非观念淆乱，阻恶劝善难以推行。不仅刘敞，而且欧阳修也"言其异端害道，不当推奖，夺所赐服"，使得龙昌期遭"罢归，卒"②。在欧阳修、刘敞等人看来，龙昌期便是个离经叛道的人物。表明在当时，既有如龙昌期这样崇尚佛老，融贯三教，诋毁周公的蜀籍学者，亦有如欧阳修、刘敞等维护儒学正统，重整纲常，批佛老、尚周公的思想家。即在"尤勇攻佛老，奋笔如挥戈"③的背景下，亦有蜀籍人士对佛老的相对包容，体现了蜀学学者龙昌期杂糅诸家的思想。

二、章詧——调和儒、道的隐士

章詧（993~1068），字隐之，成都双流人。北宋隐士、蜀学学者。原本闽人，迁于成都数世。章詧三岁丧父，七岁丧母，由兄嫂抚养，后以所事父母者来侍奉兄嫂。北宋吕陶（1027~1103）撰有《冲退处士章詧行状》，载于《净德集》卷二八；《宋史·隐逸传》述其生平，记述章詧博通经学，尤长于《易》《太玄》。章詧著有《太玄经发隐》三篇，《太玄图》一卷，《太玄讲疏》四十五卷。吕陶指出章詧治学，好扬雄《太玄经》，明用蓍索道之法，知玄以数寓道之用、三摹九据始终之变，即通过占卜来探索事物的规律，明白玄以数来体现道的作用，以三摹九据表现自然之道的始终变化。吕陶认为前世治《太玄》的

---

① （宋）刘敞：《公是集》卷三二，文渊阁四库全书本。
② 《宋史》卷二九九，《胡则传》，第9942页。
③ （宋）欧阳修：《文忠集》卷三，《读徂徕集》，文渊阁四库全书本。

学者如陆绩、宋东、王涯等都有所不及,而对章詧加以肯定。

里人范百禄从章詧探究《太玄》,章詧为其解述大旨:"'君子能强其所不足,而拂其所有余,《太玄》之道几矣。'此子云仁义之心。予之于《太玄》也,述斯而已。若苦其思,艰其言,迂溺其所以为数,而忘其仁义之大,是恶足以语夫道哉?"①认为增不足,损有余,体现了《太玄》之道。并认为这就是扬雄的仁义之心。其实这是老子道家的思想。《老子》第七十七章云:"天之道,损有余而补不足。"章詧把老子的思想说成是扬雄的仁义之心,这在一定程度上是把儒家的仁义与道家思想结合起来。章詧自称他本人对于《太玄》,不过是述其实而已。如果苦其思,难其言,迂滞于其所以为数,而忘却了仁义之大,则何足与之论道?即对数的探讨,不能妨碍对仁义的追求。

庆历四年(1044),枢密直学士知益州蒋堂向朝廷推荐章詧。皇祐三年(1051),仁宗祀明堂,赐粟帛。皇祐四年,端明殿学士知益州杨察又荐之,除本州岛助教,不就。至和二年(1055),宣徽使张方平奏请以处士号旌之,不报。嘉祐四年(1059),天章阁待制何郯又向朝廷推荐章詧,时任殿中侍御史的赵抃以其学行之懿条悉闻,仁宗乃赐章詧为冲退处士。翰林侍读学士王素时为益州守,遂命所居之乡曰处士里,曰通儒坊,曰冲退,以表彰这位不愿入仕的隐士。"詧由是益以道自裕,尊生养气,忧喜是非亦不以挠其心形。"②于是章詧更加以道为自足,"尊生养气",此乃道家思想,而不论忧喜、是非都不足以扰乱其心。

章詧当时治学,主要注意力放在治扬雄的《太玄》,虽其解经著作已不传,但扬雄的儒道兼收的治学倾向难免不影响到章詧。作为处士,章詧还曾撰有歌诗杂文二十卷行于世,并有《卦气图》刻石于府学之西,《太玄经图》并《文集》刻于中兴寺子云祠堂。以上著述今已不传。熙宁元年(1068)六月九日章詧卒于冲退坊所居之第,享年七十六。次年九月壬申葬于华阳县普安乡白土里。吕陶赞曰:"处士道义充于身,文章传于世,惜乎固高节,隐居不仕。今朝廷方修一代之史,则处士之清名皆可书也。"③认为章詧道义充身,文章传世,其志向高远,道德精微,而隐居不仕,其清名应得到表彰以传诸后世。

---

① 《宋史》卷四五八,《隐逸中》,第13446~13447页。
② 《宋史》卷四五八,《隐逸中》,第13446页。
③ 《净德集》卷二八,《冲退处士章詧行状》。

章詧的学术著作虽不传，但他存世的一篇记文《逸心亭记》却反映了他调和儒、道的思想倾向。他说："或燕游嵇阮以乐天和，或集会荀陈以声名教。"① 其中"燕游嵇阮以乐天和"，是指怡然游乐于嵇康、阮籍的自然之境，与天和乐为一；而"集会荀陈以声名教"，则指集会荀、陈二氏族的礼仪，以宣扬儒家之名教。荀、陈是服膺儒学的两个氏族。可见，此《逸心亭记》体现了章詧调和儒、道之名教与天和的思想。即怡然走江湖，任自然，无我无待，天人和乐，乃老庄道家追求；身常系天下，以身行道，居庙堂，扬名教，是孔孟儒者理想。章詧在一定程度上把二者结合起来，体现了宋初蜀学"学统四起"之时的情形和特色。

三、范镇、范百禄②以儒为本的思想

范镇、范百禄均为北宋蜀学著名学者。范百禄乃范镇兄范锴之子。二范同为北宋范氏家学，思想相近，均以儒为本，故合论。然亦有各自的特点。

（一）范镇的学术思想

范镇（1008～1089），字景仁，成都华阳人。《宋史》卷三三七有《范镇传》。韩维撰有范镇的《神道碑》，见《南阳集》卷三〇。苏轼撰有《范景仁墓志铭》。《宋元学案·范吕诸儒学案》全祖望案云："庆历以后，尚有诸魁儒焉，于学统或未豫，而未尝不于学术有功者，范蜀公、吕申公、韩持国，一辈也。"把范镇等作为北宋庆历以来的大儒，认为他们虽于学统或有未豫，但仍是有功于学术而不可忽视的著名人物。

范镇其先为长安人，其六世祖于唐僖宗广明年间（880～881）入蜀，葬成都之华阳。淳化五年（994）五月，宋将王继恩率兵攻陷成都，但与部下恃功暴横，专以宴饮为务。太宗以蜀土未平，于本年九月诏张咏知益州（即成都府），此时范镇之父范度任孔目官，赠开府仪同三司，有愚善之心，为蜀守张咏所知。张咏在任上采取措施，平定蜀土，理刑恤狱，益州大治。张咏离任后牛冕到任，政务松弛，四川酿成王均叛兵之乱。真宗于咸平六年（1003）诏张咏再知益州出守成都。当时张咏知益州，政绩斐然，蜀地得到治理。由于屡

---

① （宋）章詧：《逸心亭记》，（宋）扈仲荣等编：《成都文类》卷四三；另清嘉庆《四川通志》卷四一《艺文》亦收有《逸心亭记》。
② 参见胡昭曦：《宋代"世显以儒"的成都范氏家族》，《胡昭曦宋史论集》，西南师范大学出版社1998年版。

遭战乱，益州已二十年不行贡举，府州县学荒废。张咏访邀地方人士，督导兴学，恢复贡举，聘请学者讲学，补贴参加贡举考试的举子旅费，鼓励士子参加科举考试。一些学行兼优的士人后来学而优则仕，使蜀地多入仕之人。其中有彭乘、张及、李畋、张逵等人。范镇后来记述："初，蜀人虽知向学，而不乐仕宦。张公咏察其有闻于乡里者，得张及、李畋、张逵，屡召与语民间事，往往延入卧内，从容款曲，故公于民情无不察者，三人佐之也。其后，三人皆荐于朝，俱为员外郎，而蜀人自此寖多仕宦也。"①范度有子三人，长曰镃，终陇城令；次曰锴，终卫尉寺丞；范镇为其三子，四岁而孤，从二兄为学。薛奎守蜀，范镇时年十八。薛奎与之交谈，十分赏识范镇，召置门下，俾与子弟一起讲学读书。及薛奎还朝，把范镇一起带到朝廷。有人问薛奎入蜀何所得。薛奎回答说："得一伟人，当以文学名世。"②看好范镇将来的发展。

仁宗宝元元年（1038），范镇举进士，礼部奏名第一。不久调任新安主簿。累迁知谏院。仁宗在位三十五年，未有继嗣，朝廷上下都不谈论此事，范镇却认为天下事未有大于此者，多次上疏请仁宗建储，结果遭罢知谏院。神宗即位，复为翰林学士兼侍读，知通进银台司。王安石为政，实行以青苗法为代表的新法，范镇力争之，认为青苗行于唐之衰世，不足法。并五次上疏批评新法，指责王安石以喜怒为赏罚，"陛下有纳谏之资，大臣进拒谏之计；陛下有爱民之性，大臣用残民之术"③。王安石看到奏疏，大怒，以至手颤，亲自草制诏书极诋之。范镇便以户部侍郎致仕。范镇临行前上表谢恩，仍坚持己议，批评王安石变法，请求神宗"集群议为耳目，以除壅蔽之奸；任老成为腹心，以养和平之福"④。尽管范镇遭王安石诋之深切，然人更以为荣；其身虽退，但名益重。

哲宗即位，拜端明殿学士，提举中太一宫兼侍读，范镇雅不欲起，从孙范祖禹亦劝止之，遂固辞。年八十一卒。赠金紫光禄大夫，谥曰忠文。参与编修《新唐书》《仁宗实录》《玉牒》《日历》等，自著有《文集》一百卷、《谏垣集》十卷、《内制集》三十卷、《外制集》十卷、《正言》三卷、《乐书》三卷、《东斋记事》十卷等。今尚存者有《东斋记事》一书。

---

① （宋）范镇：《东斋记事》卷四，文渊阁四库全书本。
② 《宋史》卷三三七，《范镇传》，第10783页。
③ 《宋史》卷三三七，《范镇传》，第10788页。
④ 《宋史》卷三三七，《范镇传》，第10788页。

由于范镇的著作大多不存,所以不能据此以详细分析他的学术思想。北宋学者韩维(1017~1098)撰《范公神道碑》评价范镇曰:"其学本于六经,口不道佛、老、申、韩之说。其为文章,温润简洁,如其为人。"①比韩维稍后的著名文学家苏轼(1037~1101)亦称:"其学本于六经、仁义,口不道佛、老、申、韩异端之说。"②后来《宋史·范镇传》加以引用。以此大致可知范镇的学术思想以儒家"六经"为本,重视仁义,而不言佛、老二教之说和申不害、韩非的法家思想。这相比蜀学人物龙昌期杂糅诸家的思想和章詧调和儒、道的思想来说,范镇较为纯正地保持了儒家经典之学,这也体现了当时蜀学人物的一种主要治学倾向,即儒家思想还是占据了其学术思想的主要位置。范镇在文学和史学方面有较为突出的成就,苏轼称"其文清丽简远,学者以为师法"③。并通晓唐史和当时的历史,曾参与《新唐书》和当时宋廷当代史的修撰。

从现存的范镇著作《东斋记事》一书,可知一些当时蜀地文化的状况。此书成于神宗元丰年间,是范镇所写的关于时事见闻的笔记。所记内容涉及北宋典章制度、士人逸事,以及蜀地风土人情等。该书《宋史·艺文志》记录是十二卷,《文献通考》作十卷,苏轼《范景仁墓志铭》亦作十卷,但以上已失传。今天我们看到的本子是清乾隆时修《四库全书》时采辑的《永乐大典》中所收,以类编次,厘为五卷,又删除重复,续为补遗一卷,共六卷。在《东斋记事》中记述了当时成都府学的情形:"成都府学有周公礼殿,及孔子像在其中。其上壁画三皇、五帝及三代以来君臣……殿下有二堂:曰温故,曰时习,东西相对,堂各有碑。碑曰:左生某、右生某,皆隶书,亦西汉时诸生姓名也……其西有文翁石室……殿之南面有石刻九经,盖孟氏时所为,又为浅廊覆之,皆可读也。自注:周公礼殿乃古之学,祀周公为先圣,孔子为先师。至唐明皇,始以孔子为先圣也。"④范镇的这一记载很重要,可知当时北宋初成都府学建有周公礼殿,孔子像供奉其中。周公礼殿的壁上画有伏羲、神农、黄帝以及尧、舜、禹等三皇五帝的画像,以及三代以来君臣的画像,已初具儒家道统的序列。成都府学以"温故"和"时习"来命名周公礼殿下二堂的名称,说明对孔子教育思想的重视。二堂东西相对,堂各有碑。碑上用隶书书写西汉时文翁石室诸生的姓名,表明成都

---

① (宋)韩维:《南阳集》卷三〇,文渊阁四库全书本。
② 《苏轼文集》卷一四七,《范景仁墓志铭》,《三苏全书》第15册,第385页。
③ 《苏轼文集》卷一四七,《范景仁墓志铭》,《三苏全书》第15册,第385~386页。
④ 《东斋记事》卷四。

府学的悠久办学历史，这都是值得夸耀的。文翁石室位于西侧。而殿之南面有石刻"九经"，系五代后蜀主孟昶所为，又用浅廊覆盖，石刻"九经"皆可读。范镇自注云：周公礼殿是古之学，祀周公为先圣，孔子为先师。后至唐明皇时，开始以孔子为先圣。表明孔子的地位在提高。另外，在《历代名臣奏议》里，辑录了范镇的佚文，从中可略知范镇的思想。

  知制诰范镇议取士状曰："窃以取士之敝患于以文而不以行，非一日之积也。……贡举之法不孝不悌不得举，举者罚，是亦责行之本也。然而每一下诏，应书而起，以数万计，不可以人人知也。故必考之以文也，今之诗赋论策是也。周之制行同能耦，则决之以射，其所谓诗赋论策，不犹愈于射乎。故取之以文不可废者，其势然也。今天下非无学也，无良师也，待之不以礼也。……推其尤善者而进之，曰某人尝为某事为有行；推其不善者而退之，曰某人尝为某事为无行，以谨士之终也。如是而本末俱得，则天下之士相率而入于善矣。其于诗赋策论，虽无更之可也。"①

  范镇批评科举考试只看文而不重行，认为应以行的善与不善决定一个人的取舍，如此使天下之士皆以善行为取向，至于诗赋策论，则放在第二位，即使不变更，尽管"取之以文不可废"，但也不放在首位，不以诗赋策论之文来决定一个人的取舍。另《宋名臣奏议》也辑录了一段范镇的佚文："陛下以上圣之资厉精求治，宜先道德，以安民心而服四夷；有司乃皇皇于财利，使中外人心惊疑不安，臣恐四夷有以窥我也。"②主张先道德，安民心，批评王安石的青苗法是皇皇于财利。这体现了范镇重视道德的价值观和安民思想与王安石汲汲于功利的价值观和重视朝廷聚敛思想的差异，也反映了宋代蜀学与新学的区别。

  范镇与司马光相交甚好，均在当时产生了较为重要的影响。"熙宁元丰间，士大夫论天下贤者，必曰君实、景仁。其道德风流，足以师表当世；其议论可否，足以荣辱天下。二公盖相得欢甚，皆自以为莫及，曰吾与子生同志，死当同传。而天下之人亦无敢优劣之者。二公既约更相为传，而后死者则志其

---

① （明）杨士奇等：《历代名臣奏议》卷一六五，文渊阁四库全书本。
② （宋）范镇：《上神宗论新法》，（宋）赵汝愚编：《宋名臣奏议》卷一一一，文渊阁四库全书本（下引版本同此）。

墓。"①在某些方面,范镇和司马光有着一定的相似之处,即都批评王安石变法,属于旧党系列;并都与理学家的思想存在着一定的相同相异之处,在同为宋学,重视义理和道德理性,批评功利主义和王安石新学方面,与理学同。但二人均未把宋学提升为重视哲理的理学,这是与理学的相异处。也体现了宋学中不同于理学的非理学流派的思想特征。

(二)范百禄的学术思想

范百禄(1030~1094),字子功,成都华阳人。范镇兄范锴之子,北宋蜀学学者。少颖悟好学,其父范锴带入京师,年十六游太学,虽年少,然其文词声名却在众人之上。嘉祐二年(1057)中进士,又举才识兼茂科。英宗治平时,京师水灾,制策降问,范百禄对策曰:"简宗庙、废祭祀,则水不润下。昔汉哀尊共皇,河南、颍川大水;孝安尊德皇,京师、郡国二十九大水。盖大宗隆,小宗杀;宗庙重,私祀轻。今宜杀而隆,宜轻而重,是悖先王之礼。礼一悖,则人心失而天意暌,变异所由起也。"②考官第策入三等,英宗亲览,嘉叹欲不次用之为执政。当时宋朝对策仅有范百禄、吴育、苏轼三人入三等。"国朝制策三等惟吴育、苏轼及公凡三人焉。"③范百禄曾从章詧治《太玄》,章詧为之解述大旨,范百禄受到章詧的一定影响。

历仁、英、神、哲四朝,任提点江东、利、梓路刑狱,加直集贤院,召知谏院,刑部、吏部侍郎,兼侍读,进翰林学士,以龙图阁学士知开封府,拜中书侍郎,既辅政,知无不为。后因右仆射苏颂稽留除书而遭免,而范百禄以同省也责不可逃,罢为资政殿学士、知河中,徙河阳河南。年六十五卒,赠银青光禄大夫。

范百禄好学,终生不释卷。经术尤长于诗。主要著作有:《诗传补注》二十卷,《文集》五十卷,《内制集》五卷,《外制集》五卷,《奏议》十卷等。今均不传。但从《宋名臣奏议》和一些生平材料里可找到一些记述范百禄思想的片段资料,以此来分析他的学术思想。

哲宗元祐五年(1090),范百禄在吏部侍郎兼侍读任上,上疏分别邪正共十个方面,以告诫哲宗区分邪正。其中涉及重德义还是重功利,安民还是劳

---

① 《苏轼文集》卷一四七,《范景仁墓志铭》,《三苏全书》第15册,第379页。
② 《宋史》卷三三七,《范百禄传》,第10790~10791页。
③ (宋)范祖禹:《范太史集》卷四四,《资政殿学士范公墓志铭》,文渊阁四库全书本(下引版本同此)。

民，恭俭清净还是骄奢淫逸等政治伦理问题。他说：

> 臣愚窃以为分别邪正自古所难，惟察言观行，考其事实，所谓正直之人或天资亮直，或家世忠义，或有志报国，或自立名节；所谓奸邪之人或逢迎上意，或希合权贵，或性识颇僻，或冀望宠利，凡此二端，其情非一，不可遍举。今辄疏其条目如后：导人主以质直使之虚中听纳则为公正，导人主以谄谀使之讳过拒谏则为奸邪。导人主以德义则为公正，导人主以功利则为奸邪。导人主以尊宗庙敬祭祀则为公正，导人主以简宗庙略神祇则为奸邪。导人主以亲睦九族惠养耆老则为公正，导人主以疏薄骨肉弃老遗年则为奸邪。导人主以恭俭清净奉循典法则为公正，导人主以骄侈放肆不顾旧章则为奸邪。导人主以稼穑艰难惠及鳏寡则为公正，导人主以轻鄙农事不恤茕独则为奸邪。导人主以柔远息兵则为公正，导人主以用兵攻战则为奸邪。导人主以原情谨罚则为公正，导人主以峻法立威则为奸邪。导人主以安民利众则为公正，导人主以劳民动众则为奸邪。导人主以进君子用善良则为公正，导人主以近小人用恶德则为奸邪。右谨具进呈伏望特留圣意推此事类，以观人情则邪正可分而聪明无惑矣，臣不胜惓惓犬马之忠。①

范百禄主张导人主以公正，反对把君主引向邪恶。他主张开言路，虚心听纳意见，反对"讳过拒谏"，搞一言堂。主张"导人主以德义"，反对"导人主以功利"，体现了范百禄重道义轻功利的价值观，这与理学有相近之处。并主张亲睦九族，惠老养老，批评疏薄骨肉，遗弃老人。这体现了儒家亲亲仁民，孝敬老人，推己及人的思想。强调统治者应奉循典法，反对君主骄侈放肆，不顾旧章的行为。并劝谏统治者重民，懂稼穑之艰难，应惠及鳏寡等弱势群体；批评轻鄙农业生产，不体恤孤独无依靠之人。要求统治者"柔远息兵"，批评一味"用兵攻战"。重视人情，主张"原情谨罚"，反对严刑峻法，"以峻法立威"。强调"安民利众"，批评"劳民动众"，体现了其爱民思想。强调朝廷之上应进君子，用善良之人，反对亲近小人，用道德品行恶劣之人。以上可见范百禄重道义的价值取向和他的爱民重民思想，而与王安石变法所提倡的功利观念格格不入。

---

① （宋）范百禄：《上哲宗分别邪正条目》，（宋）赵汝愚编：《宋名臣奏议》卷一六。

范百禄还要求哲宗皇帝专事讲筵，游心经史，重视讲经教育，推行天下之教化。他说："陛下专事讲筵，游心经史，而祖宗以来至天圣故事，犹有未遑暇者乎！臣愚伏望陛下特诏有司，检举祖宗视学故事，以待万几之暇，而赐临观焉。令耆儒博士横经进说，以示天下文明之化，岂不盛哉！"①一方面，请哲宗效仿祖宗视学的故事，亲临国子监，以体现其朝廷隆儒师古之意；另一方面，又请德高的老儒、古代专掌经学传授的学官即博士来传授经说，目的是引导人们接受天下文明之教化。认为这是一件很隆重的事。

范百禄并劝谏哲宗皇帝安身、修身，清心寡欲，戒之在色。这实际上是对封建帝王骄奢淫逸行为，以致人欲横流的针砭。他说："三圣人之所以养生禔身，以永保天下生民之福，以长固国家无穷之休……愿陛下观其所以致福寿康宁之术，取法而行之，览其反此而致不善者规警而戒之。孔子曰：少之时，血气未定，戒之在色。易颐之象曰：君子以谨言语，节饮食，言语犹节，而况其余乎！臣戆愚匹夫之虑，不足为陛下至计，方出守外郡，远去阙庭，臣子之心，不胜悃愊，伏惟留神省察。"②范百禄劝告哲宗养生修身，对其放纵性欲深以为忧虑，在他出守外郡，远离朝廷时，专门上疏哲宗。奏疏引用孔子所说："少之时，血气未定，戒之在色。"告诫哲宗应注意养生修身之道、"福寿康宁之术"。然而哲宗对于这类忠告，置若罔闻，沉湎于女色，纵欲无度。最终一病不起，于元符三年（1100）病故，年仅二十三岁。

尽管范百禄著作今已不传，但从以上不完全的材料中仍可看出他重道义，轻功利；爱民，重人情；提倡道德自律，批评统治者和帝王贪图享乐、放纵物欲的不良行为。这体现了当时思想家重视伦理，重整儒家伦理纲常的学术思想，而值得进一步探讨。

以上可见，范镇和范百禄在学术上均重视儒家经学和讲经教育，主张"游心经史"，"学本于六经"；在价值观上均重视道义和德义，以儒家伦理为本，批评重财利，"有司乃皇皇于财利"，兴起事功以变法和"导人主以功利"的行为。二人的思想体现了宋代蜀学以儒为本的学术特征。

---

① 范百禄：《上哲宗乞循祖宗故事视学》，《宋名臣奏议》卷七九。
② 范百禄：《上哲宗论黄帝尧舜养生禔身之道》，《宋名臣奏议》卷五。

四、黎錞"专经而信道"的思想

黎錞（1015~1093），字希声，广安军（今四川广安）人。北宋蜀学学者。幼年好学，长与仲兄游京师，当时儒宗孙复、石介皆赞其才，枢密副使韩琦特召置门下，其声望益显。宋仁宗庆历六年（1046）中进士。调利州路节度推官。复除成德军观察推官，监延州折博务。转大理寺丞，改殿中丞，知阆州南部县。迁太常博士、屯田员外郎。以欧阳修荐为学官，任国子监直讲。当时在国子监讲学，诸博士要先行撰口义，讲座时徐读而退，不须辨析旨要。而黎錞却不这样，他讲座时置经于前，按文以释义。使听者乐闻其说，遂以黎錞为宗。后出知蜀地之雅、蜀、眉、简等四州。在从政治理的实践中，黎錞先德后刑，临政必重民，务存治体，有古循吏之风，受到百姓的爱戴。在唐安时，乘岁饥募民完成堤堰，使救济灾民和兴修堤堰两得其利。在知眉州任上，修远景楼于州治北，苏轼为之作《眉州远景楼记》：

吾州之俗有近古者三，其士大夫贵经术而重氏族，其民尊吏而畏法，其农夫合耦以相助。盖有三代汉唐之遗风，而他郡之所莫及也。始朝廷以声律取士，而天圣以前，学者犹袭五代文弊，独吾州之士通经学古，以西汉文词为宗师。方是时，四方指以为迂阔……今太守黎侯希声，轼先君子之友人也。简而文，刚而仁，明而不苛，众以为易事。既满将代，不忍其去，相率而留之。上不夺其请，既留三年。民益信，遂以无事。因守居之北墉而增筑之，作远景楼，日与宾客僚吏游处其上。轼方为徐州，吾州之人以书相往来，未尝不道黎侯之善，而求文以为记……酒酣乐作，援笔而赋之，以颂黎侯之遗爱，尚未晚也。元丰元年七月十五日记。①

苏轼盛赞黎錞，并提及眉州学风与周边地区不同，当时蜀地袭五代文弊（不尚儒），但眉州之士人则通经学古，崇尚西汉文词。而黎錞是他父亲苏洵的友人，称其"简而文，刚而仁，明而不苛"，深得百姓爱戴。在黎錞知眉州任期既满将要离任时，百姓舍不得他离去，相率而留之。朝廷不夺眉州百姓之请，于是黎錞留下来又干了三年，眉州百姓更加信任，平安无事。

---

① 《苏轼文集》卷一一九，《眉州远景楼记》，《三苏全书》第14册，第482~483页。

神宗元丰七年（1084），以朝请大夫致仕。哲宗即位，加朝议。闲居则穷经立言，日夕不倦数年，元祐八年卒于家。享年七十九岁。著有《春秋经解》十卷，《校勘荀子》二十卷，均佚。《四川通志》有传，吕陶《净德集》有《朝议大夫黎公墓志》等。

黎錞善学知原本，穷经立言，名噪一时。时欧阳修为中书令，"英宗以蜀士问欧阳修。对曰：'文行苏洵，经术黎錞。'帝大悦"①。黎錞以经术闻名于世，在当时的蜀士中与苏洵齐名。其平生重视经学，尤致力于《春秋》。"渠江黎希声，专经而信道。常谓《春秋》缘旧史之文，假圣师之笔，行王者之事，其文坦易，其法简严，思之不必太深，求之不必太过，则有得。乃探索蕴奥，敷畅厥旨，著《春秋经解》十卷，大率以经为主，不泊于异家曲说之纷纭。传诸士林，信之深，从之众。"②认为黎錞治经，能够"专经而信道"。其治《春秋》，以经为主，易简明白，主张思之不必深，求之不必过，则有所得，而不受异家曲说的影响。其《春秋》说传诸士林，得到了人们的认同。而王安石出于变法的政治需要而著《三经新义》，诋《春秋》为"断烂朝报"而不列太学。故与之对应的黎錞的《春秋经解》自然不被朝廷看重。"熙宁初，丞相韩魏公上其书（指《春秋经解》）于朝，谓可置文馆。翰林王禹玉辈援之甚力。会贡举更制，《春秋》不为科议，乃寝。"③丞相韩琦将黎錞的《春秋经解》上于朝，认为可置文馆。翰林诸人也援之甚力。但终因贡举更制，《春秋》不列为科议，使《春秋经解》未能如愿置于文馆。到后来，"今天子向儒重道，谓一经不可辄废，为置博士用以取人，则公之亡久矣。呜呼！道之明也，有至是乎？徇一时之好恶，而经术用舍系焉，亦儒者之不幸矣。此所以古之人著书立说，或藏之山岩屋壁，或投之煨炉，而不欲传于后世，盖有谓也。"④当后来的天子崇儒重道，强调一经不可辄废，即恢复《春秋》的地位。然而此时黎錞已过世多年。尽管如此，当时的学者仍给予黎錞及其《春秋经解》以较高评价。苏轼以"治经方笑《春秋》学，好士今无六一贤⑤"的诗句

---

① （宋）祝穆：《方舆胜览》卷六五，《广安军》，文渊阁四库全书本（下引版本同此）。
② 《净德集》卷二二，《朝议大夫黎公墓志》。
③ 《净德集》卷二二，《朝议大夫黎公墓志》。
④ 《净德集》卷二二，《朝议大夫黎公墓志》。
⑤ 《苏轼诗集》卷一四，《寄黎眉州》，《三苏全书》第7册，第333页。

赞其行。并自注："君以《春秋》受知于欧阳文忠公，公自号六一居士。"①宋朝学者吴荐对黎錞亦很推崇，他在《宋朝议大夫黎公錞赞》一诗中写道："三传融心，六一攸契，经术扬庭，结知英帝，学仕兼优，借留斯致，笺简遗言，百世争媚。"②盛赞黎錞将《春秋》三传融于心，与欧阳修相契合，把经术发扬于庭，由此为英宗所知。赞扬黎錞能够做到学仕兼优，以致其笺简遗言，流芳百世。

通过以上对搜集到的片段材料的分析，可知黎錞在经术上尤其在治《春秋》学方面有较深的造诣，并能"专经而信道"，在一定程度上把治经与信道结合起来，这与理学家二程"经所以载道"③的思想有某种契合之处。

五、鲜于侁的乐道思想

鲜于侁（1019~1087），字子骏，阆州（今四川阆中）人。北宋蜀学学者。仁宗景祐五年（1038）进士。调京兆府栎阳县主簿。庆历中迁秘书丞、通判绵州。神宗熙宁初，除利州路转运判官、转运副使。哲宗元祐元年（1086），拜右谏议大夫，除集贤殿修撰、知陈州。元祐二年卒，年六十九。《宋史·艺文志》著录鲜于侁著有《诗传》六十卷、《周易圣断》七卷、《集》二卷。均佚。晁公武撰《郡斋读书志》，记述鲜于侁有《鲜于谏议集》三卷，认为其"治经术有法，论者多出新意"④。作诗平淡渊粹，长于《楚辞》，作《九诵》，苏轼读之，谓近屈原、宋玉，自以为不可及也。《宋史》卷三四四有传，事见《淮海集》卷三六《鲜于子骏行状》。

鲜于侁的著作多不流传，从现存少量诗词、片段语录答问等材料看，可知其思想以儒为主，重道乐道，提倡儒家伦理。于《易》批评老庄思想和象数派观点，虽其易学著作《周易圣断》不可得见，但通过当时人们对它的评价，仍可知其易学的基本倾向。朱熹门人冯椅著《厚齐易学》，在该书的附录二《先儒著述下》中，冯椅专门介绍了鲜于侁的《周易圣断》："中兴书目《周易圣断》七卷，元祐中左谏议大夫集贤殿修撰鲜于侁撰，每卦为一篇，皆斥王弼之失，侁字子骏，阆州人。晁氏云：本之王弼刘牧而时辨其非，且云众言淆乱，

---

① 《苏轼诗集》卷一四，《寄黎眉州》，《三苏全书》第7册，第333页。
② （明）周复俊编：《全蜀艺文志》卷四四，文渊阁四库全书本。
③ 《河南程氏遗书》卷六，《二程集》，第95页。
④ （宋）晁公武：《郡斋读书志》卷四下，文渊阁四库全书本。

则折诸圣,故名曰圣断。"

宋学者俞琰著《读易举要》,亦对鲜于侁的《周易圣断》作出评价:"谏议大夫阆中鲜于侁子骏,年二十登景祐五年科,撰《周易圣断》七卷,多辨王弼、刘牧之非,乾坤二卦不解爻象,欲学者观彖象文言而自得之。卒年六十九。苏东坡跋其传后。"[①] 从以上评价可知鲜于侁站在儒家义理学派立场斥王弼之失,对王弼以老庄思想解易加以驳斥;又批评象数派的解易方法,辨刘牧不解爻象之非;并以圣人之言作为判断众说纷纭之言论是非的标准,故名"圣断"。

从鲜于侁流存下来的诗作《九诵·孔子》中,亦可明显地看到他信奉儒家仁义道德的价值观和重视三纲五教的治世原则。他说:

曲阜兮遗墟,先师兮阙里。神仿佛兮如在,涕潺湲兮不已。穷天地兮一人,揭日月而照临。生无万乘之位兮,三千之徒心服而四来。嗟愚陋之不明兮,乃商赐之为疑羌。纷纷其妄作兮,悖道违义而弗自知。顾六艺之折衷兮,取舍纵横而协于道。后世苟轻肆于胸臆兮,必遽贻于诟病。三纲立而五教明兮,实治世之宏矩。履厚地而载高天兮,胡一日之可舍。宜万龄之庙貌兮,春秋不乏其时祀。合仁义以为冠兮,结忠信而为佩。集道德以为裳兮,服文章而为带。列笾豆为左右兮,苹藻牲牢而洁肥。酌玉醴以为酒兮,错琼瑶而为粱。升堂而北面兮,望冕旒之巍巍。惟神明之降鉴兮,洞精神其来歆。[②]

此处《九诵·孔子》诗词的正文描写,显现出鲜于侁对孔子先师的景仰,对道义的坚守,对六艺的折中取舍,而其目的在于协于道,即六艺之深层次的基础在于道,也就是道本艺末。强调立三纲、明五教实乃治世之宏矩,而不可一日无之。其对仁义忠信的谨守和对道德文章的重视,充分体现了鲜于侁的醇儒本色。

尽管鲜于侁对孔子之道尽力谨守,但与理学家相比,仍有不同之处。其表现在,鲜于侁乐道、重道,然未能深究道的深层本质,以及道与主体之心是什么关系。而理学家则把道与心性联系起来,将其心性哲学与代表中国哲学和

---

① (宋)俞琰:《读易举要》卷四,《魏晋以后唐宋以来诸家著述》,文渊阁四库全书本。
② (宋)鲜于侁:《九诵·孔子》,(宋)吕祖谦编:《宋文鉴》卷三〇,文渊阁四库全书本。

文化最本质、最普遍范畴的道联系起来,强调心与理一,心与道一,其理论更为精辟,哲学思辨性更强,主体能动性更为突出,这为鲜于侁所不及。《河南程氏外书》载程颐与鲜于侁的一段对话:"鲜于侁问伊川曰:'颜子何以能不改其乐?'正叔曰:'颜子所乐者何事?'侁对曰:'乐道而已。'伊川曰:'使颜子而乐道,不为颜子矣。'侁未达,以告邹浩。浩曰:'夫人所造如是之深,吾今日始识伊川面。'"①鲜于侁认为,颜子所乐即是乐道,这也反映了鲜于侁本人的思想。而程颐则不以为然,他认为如果使颜子而乐道,则不为颜子了。即在程颐看来,颜子并不是为乐道而乐道,而是天理浑然,从容自得,无适不乐,无须有意去乐道。朱熹对此加以解释:

"程子答鲜于侁之问,其意何也?"曰:"程子盖曰:'颜子之心无少私欲,天理浑然,是以日用动静之间,从容自得而无适不乐,不待以道为可乐,然后乐也。'"②

问:"伊川先生答鲜于侁之问,曰:'若颜子而乐道,则不足为颜子',如何?"曰:"心上一毫不留,若有心乐道即有著矣。"愚按程子之言,但谓圣贤之心与道为一,故无适而不乐。若以道为一物而乐之,则心与道二而非所以为颜子耳。某子之云,乃老佛绪余,非程子之本意也。"③

朱熹在此处肯定程颐心道为一的思想,批评鲜于侁将心与道分二,认为这不仅不能成就颜子,而且是老佛之绪余。"(伊川)又曰:'仁者在己,何忧之有。凡不在己,逐物在外皆忧也。乐天知命故不忧,此之谓也。若颜子箪瓢,在他人则忧,而颜子独乐者仁而已。'鲜于侁问:'颜子何以不改其乐?'曰:'知其所乐,则知其不改。君谓其所乐者何也?'曰:'乐道而已。'曰:'使颜子以道为可乐而乐之,则非颜子矣。'侁以语毗陵邹公浩。公曰:'吾今始识伊川面。'"④鲜于侁与程颐思想之不同在于:程颐是仁者在己,故何忧而乐;鲜于侁则以道为乐,以道为乐,则非颜子。理学家程朱认为,道应该是在己的,而不在外。主张心道为一,所以自然而乐。朱熹批评鲜

---

① 《河南程氏外书》卷七,《二程集》,第395页。
② (宋)朱熹:《四书或问》卷一一,《论语》,文渊阁四库全书本。
③ 《朱熹集》卷七〇,《记疑》,第3681~3682页。
④ (宋)朱熹:《论语精义》卷三下,《雍也第六》,文渊阁四库全书本。

于侁以心乐道，那么心与道为二，是受了佛老的影响，并非程子的本意。从中可以看出鲜于侁的乐道思想与理学家"心与道为一"的思想存在着不同，这也是北宋蜀学与理学的区别。

六、吕陶"经者所以载道"的思想

吕陶（1028~1104），字符钧，号净德，成都人。北宋蜀学学者，曾入元祐党籍，王梓材谨案："以其为川党羽翼，则亦蜀学之魁也。"①其在蜀学中应占有一定的重要地位。皇祐四年（1052）中进士，调铜梁县令。英宗治平中，知太原寿阳县。熙宁三年（1070），应制科试，于御试策中历数王安石新法之过，虽入等，仅得通判蜀州。熙宁末，知彭州，力陈四川榷茶之害，为蒲宗闵所劾，谪官，责监怀安商税。元丰末，起知广安军，召为司门郎中。元祐元年（1086），擢殿中侍御史，力主废熙、丰之法，贬黜当时之臣，迁左谏议大夫。《四库全书〈净德集〉提要》云："（吕陶）于邪正是非之介，剖晰最明，而据理直陈，绝无洛蜀诸人党同伐异之习。"历梓州、淮西、成都府路转运副使。元祐七年（1092）召还，入拜右司郎中、起居舍人，迁中书舍人。奉使契丹回，进给事中。哲宗亲政，以集贤院学士出知陈州，徙河阳、潞州。绍圣三年（1096），坐元祐党籍被贬，提举潭州南岳庙。元符三年（1100），提举成都玉局观，差知邛州，改梓州。崇宁元年（1102），致仕。卒年七十七。

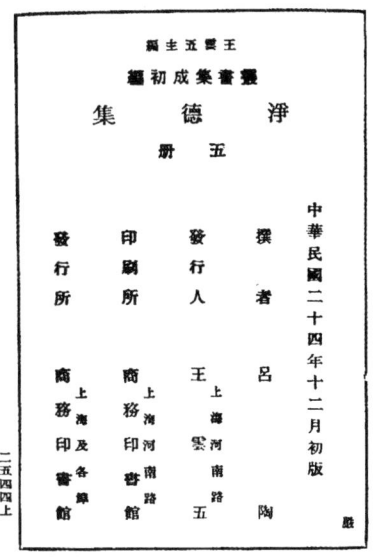

《净德集》书影

吕陶与理学家周敦颐（1017~1073）交好，周敦颐曾于仁宗嘉祐元年至五年（1056~1060）入蜀任合州判官事。吕陶时任铜梁令，周敦颐于嘉祐五年任职届满离开合州之时，吕陶以文相送："春陵周茂叔，志清而材醇，行敏而学博。读《易》《春秋》探其原，其文简洁有制，其政抚而不柔……其信道笃而自知明欤……今年（嘉祐五年）夏六月，官满南归，士大夫皆文以送。陶既序

---

① 《宋元学案》卷九九，《苏氏蜀学略》。

又继以诗。"①对周敦颐的学问给以较高的评价,当时士大夫皆以文相送,表明周敦颐入蜀活动影响甚大。这正是北宋理学兴起之初,周敦颐在蜀的活动,传播了他的理学思想,这对促进宋代四川理学的兴起及以后的发展,具有重要意义。元祐初,吕陶任殿中侍御史,因与苏轼兄弟同贾易、朱光庭、程颐等争论,被目为蜀党。然而吕陶亦认为苏轼戏程颐为"不谨言","非无过也"②。崇宁元年,吕陶被列入元祐党人碑。吕陶的著作《宋史·艺文志七》著录《吕陶集》六十卷,久无传本。四库馆臣自《永乐大典》辑出诗文,编为《净德集》三十八卷。

北宋庆历年间,蜀人治学重训诂注疏,重名物度数,偏重于汉学。而以常琪为代表。对此,吕陶记云:"(常琪)泛观群籍,好《周官》《戴氏礼》。凡先儒注释,异同微显,错出互见,悉能通之。尤精于名数制度。"③当时天下兴学,常琪就学于成都文翁石室。吕陶也肄业其间,与常琪相从。其后,吕陶对汉唐训诂章句之学,提出一定的批评:"自微言既息,章句之学,随流而兴,百家异骛,众说殊骋,各习其师,忘失统要。"④认为章句之学"忘失统要","幽远而难明,阔疏而难施,汗漫而不可考信"⑤。主张舍繁就简,以简易为宗。"陶闻之圣人之所谓道者,以简易为宗,以该天下之理……陶尝读六经,探索要归,舍章句之习,而务以简要明切为之本。"⑥认为圣人之道即是以简易为宗,以融摄天下之理,所以读六经典籍也应去章句烦琐之习,而以简要明切为本。这表明吕陶在当时章句训诂之学仍然流传的情况下,提倡与其不同的讲义理、以简易为宗的学问。这正是宋学与汉学的区别所在。

尽管吕陶站在重义理的宋学立场,对汉学章句烦琐之习提出批评,但他对传注之学也不是完全反对,而对宋学内部的王安石新学也不全然否定。他说:

且经义之说盖无古今新旧,惟贵其当。先儒之传注,既未全是;王氏之

---

① (宋)吕陶:《送周茂叔殿丞序并诗》,《周敦颐全书》卷六,江西教育出版社1993年版(下引版本同此),第296~297页。
② (宋)李焘:《续资治通鉴长编》卷三九三"元祐元年",文渊阁四库全书本。
③ 《净德集》卷二二,《朝请大夫知邛州常君墓志铭》。
④ 《净德集》卷一〇,《应制举上诸公书》。
⑤ 《净德集》卷一〇,《应制举上诸公书》。
⑥ 《净德集》卷一〇,《应制举上诸公书》。

解，亦未必尽非善，学者审择而已，何必是古非今，贱彼贵我，务求合于世哉。方安石之用事，其书立于学官，布于天下，则肤浅之士莫不推尊信，向以为介于孔孟。及其去位而死，则遂从之而诋毁，以为无足可考。盖未尝闻道，而烛理不明故也。隐亦能诵记安石新义，推尊而信，向之久矣。一旦闻朝廷欲议科举，以救学者浮薄不根之弊，则讽谕其太学诸生，凡程试文字不可复从王氏新说，或引用者类多黜降，何取舍之不一哉？①

吕陶对经义之说取一种融通态度，无论古今新旧，均以适当为贵。认为先儒之传注既不全是，王安石《三经新义》的解说也未必尽非。要在学者审视选择而已。不必是古非今，贱彼贵我，而以"务求合于世"为审视选择的标准。批评对王安石经说的过分尊信或过分诋毁，对黄隐一类的取舍不一态度提出贬斥。这既与汉唐先儒传注经说不同，不同意"是古非今"，又与理学家全盘否定王安石新学有别。

然而，吕陶提出"经者所以载道"的思想则与理学家二程"经所以载道"②的思想比较接近。他在《策问》出题时阐明了这一思想。"问：经者所以载道，而道者适治之路也，士之穷经探道而有志于从政者，岂区区章句而已乎？必能推明圣奥而适于用也，且《礼》有九经，《书》有八政，皆治道之要，务施之于今，无不可也，请条其目而陈其效焉。"③与二程相似，吕陶亦主张经所以载道，不必局限于章句训诂，而是要从经书中推明圣人之奥，并付诸适用。认为《礼》之"九经"，《书》之"八政"，都包含有治道之要，务必使之施之于今，而不可或缺。强调将经典所载之道挖掘出来，穷经探道以适用于今，与政治治理结合起来，并与实际效果挂钩，这与后世通经致用的思想比较接近。体现了吕陶重经典之道而非局限于经典之文的思想，而与当时宋代义理之学崛起的时代精神相一致。

从"经者所以载道"、重视义理的思想出发，吕陶进一步批评了章句训诂之学。他说：

---

① 《净德集》卷四，《请罢国子司业黄隐职任状》。
② 《河南程氏遗书》卷六，《二程集》，第95页。
③ 《净德集》卷二〇，《策问》。

圣人之道布于方策，非高远而难知，迂阔而难行，汗漫而不可考信，大概以简易为宗，以尽天下之理；以仁义为用，以成天下之务。自微言既弊，章句之学承流而兴，百家异论，众说殊指，学者各习其师，亡失本统。释数字之文，有至十数万言，而是非无所取，正求之以经世范民之用，为天下治国家之大略，盖阙如也。岂故教贻训之深旨哉？……学者不穷六经之用，以推治乱之变，规于章句之习，务为衍说，而滋破碎之弊，亦足惜焉。①

圣人之道蕴藏在儒家经典方策之中，而非高远难知，迂阔难行，汗漫不可考信之事。它在形式上是以简易为宗，而在内容上却囊括了天下之理。通过贯彻儒家仁义思想之内涵，将圣人之道推行于天下。然而自微言绝响，圣人之道不传，章句之学盛行，以致百家异论，众说殊指，学者各习其师，遂失去儒家思想之本旨。以至于释数字之文，有至十数万言之多，汲汲于烦琐考据，而道理是非则不求掌握。更有甚者，由于汉唐学者沿袭章句注疏之学，丢掉了儒家的经世致用的传统，治理天下国家之大略，则付诸阙如。学者不把六经之道贯彻于社会实践，以推治乱之变，而滋生破碎大道之弊，导致祸乱之萌，天下难以治理。吕陶认为这已不是圣门"故教贻训"之旨，而应补偏救弊，纠正章句训诂之学带来的危机。

吕陶提出"蜀学之盈，冠天下而垂无穷"的见解，反映了北宋时人们对蜀学的看法，可见当时蜀学的影响之大。这主要体现在三个方面。他说：

蜀学之盈，冠天下而垂无穷者，其具有三：一曰文翁之石室，二曰周公之礼殿，三曰石壁之九经。盖自周道衰微，乡校毁废，历秦之暴，至汉景武间，典章风化，稍稍复讲，时文翁为蜀郡守，起学于市，减少府用度，以遗博士，遣诸生受业京师，招子弟为除更徭，且以补吏或与之行，县民用向劝，几比齐鲁。自尔郡国皆立学，实文翁倡之。所谓石室者存焉。至东汉之季，四海板荡，兵火相仍，灾及校舍，弦诵寂绝，儒俗不振。兴平中郡将陈留高眹修旧补废，作为庙堂，模制闳伟，名号一新，所谓礼殿者见焉。及五代之乱，疆宇割裂，孟氏苟有剑南，百度草创，犹能取易、诗、书、春秋、周礼、礼记刻于石，以资学者，吾朝皇祐中枢密直学士京兆田公加意文治，附以仪礼、公羊、

---

① 《净德集》卷一五，《论略》。

穀梁传所谓九经者，备焉。①

吕陶在成都府学经史阁落成之时，作《记》指出，蜀学之盛，从空间上讲，冠于天下而超出其他学派；从时间上看，是从古到今绵延流传而无穷。其主要表现，一是汉景帝时蜀郡太守文翁创建文翁石室，它是中国的第一所地方官办学校。文翁兴学化蜀，培养人才，又遣张叔等十多人东受七经，还教吏民，于是"蜀学比于齐鲁"。二是东汉之季，由于四海动荡，战火相加，烧及文翁石室校舍，以致教学中断，儒风不行。此时兴平年间蜀郡太守陈留人高联修旧补废，恢复原石室，又新修周公礼殿，名号一新。到了五代之乱，国家分裂，后蜀孟氏在战乱之中仍能刊刻蜀石经，至宋朝蜀守田况又加以补刻，使得"九经"齐备。吕陶所论蜀石经，尚未包括《孟子》，可知《孟子》当是在吕陶之后补刻入蜀石经的。从吕陶所述蜀学之盛，表明蜀学产生了较大影响。

七、宇文之邵重道义的思想

宇文之邵（1029~1082），字公南，汉州绵竹（今属四川）人。北宋蜀学学者，与张浚、杨绘并称绵竹宋代三贤。进士及第，为文州曲水县令。在曲水县令任上，转运使要宇文之邵将轻缣以高价抑配卖给曲水百姓。当时正值岁饥，宇文之邵回答不可，拂转运使意。时遇神宗即位求言，上疏言政事，不报，遂以太子中允致仕，不到四十岁便辞官回到绵竹隐居治学。自强于学，不易其志，退居十五年，常为经史琴酒之乐，学者称止止先生。司马光、范镇等盛誉之，"司马光曰：'吾闻志不行，顾禄位如锱铢，道不同，视富贵如土芥。今于之邵见之矣。'范镇亦曰：'之邵位下而言高，学富而行笃。'"②赞誉其重道义而笃行，轻禄位与富贵。元丰五年卒。著有《止止先生宇文公集》22卷。魏了翁曾作《止止先生宇文公集序》，序曰："凡得诗八百二十余首，合杂著简启，凡为二十有二卷。"③今已佚。

《宋元学案·士刘诸儒学案》祖望谨案：

---

① 《净德集》卷一四，《府学经史阁落成记》。
② 《宋史》卷四五八，《隐逸中》，第13450页。
③ 《鹤山集》卷五五。

庆历之际，学统四起。齐鲁则有士建中、刘颜夹辅泰山而兴。浙东则有明州杨、杜五子，永嘉之儒志、经行二子。浙西则有杭之吴存仁（吴师仁之误，参见《宋元学案·士刘诸儒学案》吴师仁条），皆与安定湖学相应。闽中又有章望之、黄晞，亦古灵一辈人也。关中之申、侯二子，实开横渠之先。蜀有宇文止止，实开范正献公之先，筚路蓝缕，用启山林，皆序录者所不当遗。述士刘诸儒学案。

所谓庆元之际，学统四起，是指理学形成之前齐鲁、浙江、福建、关中、蜀地等各处名儒辈出，其中齐鲁有士建中、刘颜辅"宋初三先生"之一的泰山孙复先生同时讲学，士建中反对浮虚诡谬之学，为孙复所推重。刘颜好古学，不专章句，体现了宋学兴起的时代风尚。浙东则有明州杨适、杜醇等五子，永嘉王开祖、丁昌期二人，浙西则有吴师仁，皆与安定胡瑗之学相应。福建有章望之、黄晞，为古灵先生陈襄同调。关中之申颜、侯可二子，实开横渠关学之先。而蜀中有宇文之邵，则开范祖禹之先而被列为"蜀学之先"，可见宇文之邵在理学形成之前占有重要地位，与全国各地的名儒一起，形成了"学统四起"的局面，促进了全国学术的兴旺和发展。而宇文之邵开著名蜀籍学者范祖禹之先，直接促进了宋代蜀学的兴盛。

宇文之邵的著作已失传，其思想难以详知。然南宋吕祖谦所编《宋文鉴》里收有宇文之邵的《上皇帝书》一文，从中大概可知其政治伦理思想。其书云：

陛下新服厥命，惟以祖宗为念，以天人为畏，则大小之事不懈矣……《诗》曰："天难谌。"斯言天不可不畏也。《书》曰："民可近，不可下。"言民不可不畏也……为今之计，不过多鬻爵以浊入仕之流，广度僧以夺可耕之民，终非计也……陛下又责躬引咎，宽狱讼、出宫女、斥哀敛之吏、蠲苛虐之政、罢无名之费、省剽民之役，凡所以蠹政而召乖怨之气者，举更革之。如此，则大异可塞，王化可兴也。京师者，诸夏之本也。今荐绅之士，不励名节而以势利离合，器皿衣服穷于侈丽，车马宫室过于轨制，奸声乱色盈溢耳目，衢巷之中，父子兄弟不敢肩随，孰谓王者之都而风俗一至于此哉？愿陛下思所以澄源之法，以礼节廉耻磨切臣下，崇奖敦厚，而都下亦少为之厉禁。涤去佻薄之弊，淫渎败教之具一加遏绝，凡侍从、辅弼，宜慎简修洁，方严之臣，俾宅其任，以允清议……今监司、郡守皆以劝农为目，然而未尝省民。臣愿立考课之法，以农政为殿最。言之似迂，而富国之良术也。郡县之政，类多因循，而不甚治者。臣知其由也。上下牵制，不得尽其才固也。千里之郡，不能兴利除害，受制于郡守也；百里之邑，不能兴利除害，受制于郡守也。郡县之吏，宁违天子之诏条，而不敢违按察之命。盖违天子之诏条，未必获咎；而违按察之命，其祸可立而待也……夫居忧而约，居乐而泰，人情之常也。今陛下处则谅暗，服则端衰，行则苴杖，无纷华之事交戟于前，诚能以此时远念将来之失，慎微杜渐，克己复礼，使其志一定，则他日虽有可欲之物，亦无以胜其习成之性也。伯益之戒舜曰："罔游于逸，罔淫于乐。"傅说之戒高宗曰："无以逸豫，惟以治民。"夫舜起于耕稼陶渔，高宗避于荒野，极知小民之劳，而二臣犹或以此戒之，况陛下生长富贵，临御方始，则安可不豫为之防哉？愿陛下听政之间，则命通经之士讲明古训，究观败亡之主，以自创艾，尽孝两宫，咨谋故老，则恐惧修省，习而成性矣！①

从其劝诫神宗皇帝即位之初要畏天人，表现出宇文之邵的天人感应思想，同时也反映出他的重民思想。他还对当时出卖官职以败坏官场风气，出家僧众过多而使可耕之民减少的不良社会风气加以针砭。在宇文之邵看来，神宗皇帝的轻徭薄赋、省费节用，宽松的刑政措施，革除弊政，这些都是值得肯定的。但对当时京师出现的不顾名节而以势利作为离合的基础的不良朝风，炫耀服饰器物的奢侈华丽，车马宫室过于排场，以至于奸声淫色盈溢于耳目，这些有损王者之都的不良风俗，宇文之邵提出了严厉的批评。由此，他提出"以礼节廉耻磨切臣下"的主张，要求除去轻浮浅薄之弊，遏绝淫渎败教之具，以返朴还淳，整顿朝风。凡侍从、辅弼之臣，都宜谨慎地选用，使之修洁。对那些方正严肃之臣，使之担当其任，以体现清议。宇文之邵认为，虽然当今之监司、郡守都以劝农为标榜，然而却未尝收效。所以他提出以农政为衡量标准的考课之法，认为这是富国的良术。并指出，郡县之政所以不能得到治理，是因为上下牵制，而不能兴利除害。以至于出现郡县之吏宁违天子之诏条，而不敢违按察之命的反常现象。

宇文之邵指出，居父母之丧而简约，居于安乐则奢侈，这是人情之常。他赞赏神宗皇帝处则居丧，服则穿丧服，行则用居父丧时孝子所用的竹杖。这样

---

① （宋）宇文之邵：《上皇帝书》，（宋）吕祖谦编：《宋文鉴》卷五三，文渊阁四库全书本。

就能不受外界纷华之事的干扰，防微杜渐，克己复礼，定立志向，即使有外界可欲之物，也不能战胜其习成之性。这是讲道德修养以去物欲的干扰，开理学家存理去欲思想之先路。又引伯益之戒舜、傅说之戒高宗的言论来劝告神宗：不要游于逸，淫于乐，贪图享乐，要知小民之劳，并要提前为之预防。这是对统治者以儒家伦理加以一定的约束。并希望神宗于听政之间，招通经之士讲明古训，吸取败亡之主的历史教训，尽孝道于两宫，听取朝廷故老的意见，"则恐惧修省，习而成性"，如此使国家得到治理。这些反映了宇文之邵以儒家的政治伦理思想作为治国理政的基本原则的思想，与当时思想家们复兴儒学、重整伦理纲常，以维护社会治理与稳定的努力相一致。

二程之父程珦于治平四年（1067）至熙宁四年（1071）知汉州，程颐入川随侍。正值大兴州学之际。为此，程颐还两次撰写《为家君请宇文中允典汉州学书》与《再书》，特请宇文之邵出典州学。书云："窃闻执事懿文高行，为时所推，仕不合则奉身而退，不为荣利屈其志，归安田间，道义为乡里重……愿执事从乡人之望，枉屈轩驭，来憩郡庠，俾后进子弟得所依归。不独一郡学者渐被善教，四方之士闻风慕义，亦将奔走门下。是执事之道虽未用于时，而所及人者固已博矣。孟子所谓天下之乐也，执事岂无意乎？或赐允从，不胜幸甚。"①当时宇文之邵辞官回到绵竹故里隐居治学，而绵竹县就属于汉州管辖。从程颐代其父所写的书中，可知宇文之邵以其"懿文高行"，在当时影响较大，而"为时所推"，尽管已致仕返乡，但其道义仍为乡里所推重。"程珦为守，二子曰颢、曰颐，实侍焉。公为郡日，尝以书币请绵竹宇文之邵典学。士人从学者甚众。邦人今绘三先生之像，祠于学。"②这说明在程珦的邀请下，宇文之邵出典了汉州州学，当地士人从学者甚众，其思想也得到传播。

以上可见，从北宋初到北宋中叶，宋代蜀学的发展呈现出一个"学统四起"的局面，诸学并进的主流仍然是儒学。通过对上述八位北宋蜀学人物思想的挖掘和论述，把他们置于"庆历之际，学统四起"的全景之中来分析和考察，可知他们除个别人外，大多可纳入讲义理的宋学范畴之中，即重视义理和儒家伦理，而轻视训诂考据，体现出与前代汉学家不同的学术特色。但他们与随后兴盛的同属于宋学的理学思潮也不完全一样，而是存在着相异之处。其相

---

① 《河南程氏文集》卷九，《二程集》，第594页。
② （宋）祝穆：《方舆胜览》卷五四，《汉州》。

同处在于，宋代早期蜀学与理学都重视义理和儒家伦理，批评汉学之训诂考据、烦琐释经的学风，由此同属于宋学。其不同处在于，宋代早期蜀学对佛道的"异端"色彩比较淡化，如龙昌期、章詧所主张的融贯三教、调和儒道的思想；而理学家则公开批评佛、道二教，将其视为类似于杨朱、墨翟的异端。再就是宋代早期蜀学的哲学思辨性不如理学，尚有待发展，如鲜于侁虽然乐道、重道，但未能深究道的深层本质以及道与主体之心是什么关系。不如理学家把道与心性联系起来展开论述，其理论更为精致，哲学思辨性更强，这为鲜于侁等宋代早期蜀学学者所不及。虽然以上蜀学人物均未把宋学提升为重视哲理的理学，但宋代蜀学也有向理学进一步发展演变的倾向，如吕陶早年与理学家周敦颐相交，后提出"经者所以载道"的思想，这与理学家二程"经所以载道"的思想相近，均重视对经典之道的诠释，而不满足于对经典文字的诠释。

第二节　宋代巴蜀理学的兴起

宋代理学思潮是中国文化发展史上的一个重要里程碑，对中国文化与中国社会的发展影响很大。宋代巴蜀地区的理学是宋代理学十分重要的组成部分，对促进宋代理学和巴蜀文化的发展产生了重要影响，在巴蜀文化史发展上占有重要地位。本节旨在探讨宋代巴蜀理学的兴起，以此揭示其产生、发展演变的脉络及其在巴蜀文化史上的重要地位。

总的来讲，宋代巴蜀理学产生的根源和背景主要有以下方面：一是佛教盛行，动摇了儒家文化的主导地位；二是旧儒学发展停滞；三是自唐五代以来，伦常扫地，"人无廉耻"；四是三教融合，为理学的产生准备了条件；五是周敦颐、程颐等著名理学家入蜀，传播理学，交流学术，促进了蜀地理学的兴起与发展。

除上述根源和背景外，宋代经济、科学技术的大发展，给巴蜀理学的产生奠定了基础。巴蜀经济的发展，促进了文化事业的发展。北宋仁宗时，铁的年产量达到七百二十四万斤。一些地区出现了以从事纺织业为主的机户，如梓州在仁宗时，已有几千家机户，这说明梓州等地的家庭手工业日益得到发展。宋代水利兴修以及灌溉技术提高很快。宋高宗时，眉州农民修筑通济堰，使蜀州新津和眉州眉山、彭山等县三十四万多亩田得到灌溉。宋代四川的刻版印书很盛行，这对书籍的保存和传播十分有利，推动了宋代巴蜀文化事业的发展。北宋和南宋均有官刻、私刻的大量雕版经书印行，而经书刊刻风气的兴起和技术的改进，则直接促进了宋代巴蜀经学的研究风气。宋代四川书院林立，经学讲论之风盛行，实有赖于此。同时，此亦具有研讨学术、传播理学的作用和功能。①

经济、科学技术的发展，促进了文化教育事业的发展。宋代巴蜀理学的兴起与发展，既与整个宋代理学的产生和发展分不开，也与川内外学者的学术交流有直接关系。其间，陈抟、周敦颐、程颐、朱熹等对巴蜀理学及蜀地学术的发展产生了重要影响，同时巴蜀著名理学家张栻、魏了翁等也为整个宋代理学的发展、流传与兴盛做出了重要贡献。而周敦颐、程颐在蜀的学术活动本身就是宋代巴蜀理学的组成部分，尤其是程颐，其代表著作《伊川易传》即写作于涪州。他们在巴蜀著书立说、传道授业，直接促进和推动了宋代巴蜀理学的兴起与发展。在这个过程中，范祖禹对理学的认同，张栻对理学的发展及对朱熹思想的刺激和启发，魏了翁继承张栻和朱熹，又会合蜀、洛，集宋代巴蜀理学之大成，都与当时全国和四川的时代背景分不开。所以，知人论世是探讨和研究宋代巴蜀理学兴起与发展的重要前提。

一、陈抟对理学的影响

陈抟（？~989），五代宋初著名道士、学者。字图南，普州崇龛人（今重庆潼南区西境）。少年好学，"及长，读经史百家之言，一见成诵，悉无遗忘"②。陈抟出身低微，早年熟读经史百家之言，"颇以诗名后唐"。后隐居武当，服气修真。后晋天福年间（936~942），游访四川邛州，师天庆观高道何昌一，学"锁鼻息飞精"之术。后隐修华山四十余年，精研易学、道学，务穷宇宙之秘，开拓新风，成为两宋学术肇始之人。

陈抟一生于老、易皆有建树，他的老学通过弟子张无梦传给陈景元，推动了宋代之后道教教理的研讨。③在易学方面，好读《易》，读之爱不释手，常自号"扶摇子"，以传《易》而闻名，宋人易图（包括《龙图》《太极图》《无极图》等）多传自陈抟。陈抟生平事迹主要见《宋史·陈抟传》《东都事略·陈抟传》。陈抟著述很多，据史籍所载，共有十余种。如《宋史·陈抟

---

① 参见胡昭曦：《四川书院史》，巴蜀书社2000年版，第7~44页。
② 《宋史》卷四五七，《隐逸上》，第13420页。
③ 参见詹石窗：《道教文学史》，上海文艺出版社1992年版，第411页。

传》记云：有《指玄篇》八十一章、《三峰寓言》及《高阳集》《钓潭集》，诗六百余首。又据郑樵《通志·艺文略》著录，陈抟著有《赤松子八诫录》一卷、《九室指玄篇》一卷、《人伦风鉴》一卷。《宋史·艺文志》易类载：麻衣道者《正易心法》一卷、陈抟《易龙图》一卷。《宋文鉴》有《龙图序》一文。此外，相传陈抟又刻《无极图》于华山石壁，著《太极图》《先天图》，并传《河图》《洛书》于世间。这些著作或存或佚，现存题名陈抟所撰约有十余种。然自宋元以来，历代学者对其真伪有不同的看法，分歧颇多，时至今天，仍难以统一。较能够确定为陈抟自著，并体现陈抟的象数观念的是《易龙图》及其序。

有学者认为，《先天图》《无极图》《太极图》，当为陈抟所传，应是研究陈抟思想的重要资料。如黄钊主编《道家思想史纲》中的《陈抟及其内丹理论》曰："陈抟在学术上成就最大的，是他研究《周易》所得的《龙图》《先天图》和《无极图》。"也有学者如李申在《话说太极图：〈易图明辨〉补》一书中声称皆属后人伪书，不能引用。据传陈抟将《先天图》传穆修，穆修传李之才，李之才传邵雍，邵雍遂创先天易学。南宋朱熹治《易》，重其象占本义，将此《先天图》冠于其著《周易本义》卷首，遂得以流行天下。朱熹在其《周易本义》卷首云："右伏羲四图（《先天图》），其说皆出邵氏。盖邵氏得之李之才挺之，挺之得之穆修伯长，伯长得之华山希夷先生陈抟图南者。所谓先天之学也。"可见陈抟的《先天图》对理学的影响。

陈抟《易龙图》自有它存在的价值和意义。林忠军先生认为，其一，它复活了象数易学。象数易学发展到汉末达到了顶峰，一字一句必有其证的以象注《易》法已山穷水尽，经晋唐玄学易的冲击，很快趋向式微。陈抟从道家入手，参证易学，发明图说，彰显象数，一改象数易学原有的烦琐、乏味的注经方式，使象数易学绝处逢生，再度向前发展，在易学史上占有重要的地位。其二，在总结前人研究成果基础上，以新的形式注经。陈抟的龙图说，是由《系辞》"河出图，洛出书"而发，故可以视为是对《系辞》图书的诠释。这种诠释有两个方面可以肯定：一方面把图书和数联系起来，以数衍图，以图表数，这是他的独创；另一方面紧紧围绕《周易本义》（以《周易》为卜筮之书）来阐发其中蓍、卦、爻等问题，这对厘清《周易》性质，批判玄学易有重要意义。其三，陈抟的图书之学对后世有深远的影响。由他开启的图书之学，经过师承传授，逐渐受到宋人关注，成为宋学一个重要组成部分。尤其当它被置入朱子《周易本义》之后，其声望随着朱熹地位的升高而升高，这种来自道家的文化很快被儒家吸收，遂即成为正宗的官学，对中国文化产生了重要的影响。中国的医学、兵法、丹术、算学、文学、堪舆、遁甲等学科皆援引之、吸收之。因此，陈抟对易学乃至中国文化的发展做出了贡献。①陈抟继承汉代以来的象数学传统，并把黄老清静无为思想、道教修炼方术和儒家修养、佛教禅观会归一流，对宋代理学有较大影响。由于陈抟身为四川人，又在四川游访，他的易学思想不仅对巴蜀理学而且对整个理学的兴起和发展都产生了重要影响。

二、周敦颐入蜀及影响

著名理学家周敦颐入蜀活动，教授学者，促进了宋代巴蜀理学的兴起。周敦颐（1017～1073），字茂叔，北宋道州营道（今湖南道县）人。因其筑书屋于庐山莲花峰下小溪旁，以濂溪名之，故称他为濂溪先生。周敦颐是北宋初哲学家，理学先驱。所创学派被称为"濂学"。周敦颐的理学及哲学思想大多通过其《太极图说》和《通书》加以阐发。对《太极图》的来源，学术界存在着不同的见解，历代大致有三种说法：一是朱熹（1130～1200）的"濂溪自创说"；二是朱震（1072～1138）提出的"来自陈抟"的"因袭说"；三是黄宗炎（1615或1616～1686）与毛奇龄（1623～1716）提出的变易道教与佛教的"改造说"。朱熹的观点所依据的材料是周敦颐的友人潘兴嗣（字延之，自号清逸居士）作的《濂溪先生墓志铭》，潘云："（周敦颐）尤善谈名理，深于易学。作《太极图》《易说》《易通》数十篇，诗十卷，今藏于家。"②对此，朱熹指出："潘清逸志先生之墓，叙所著书，特以作《太极图》为称首。……及得志文考之，然后知其果先生之所自作，而非有所受于人者。公盖皆未见此志而云云耳。"③认为朱震等人的说法是未见潘兴嗣所作的周敦颐墓志的缘故。今人李申先生经过详细考证，认定朱震、毛奇龄、黄宗炎等人的说法都是站不住脚的，他认为："从朱震以来，一切关于《太极图》非周敦颐自作，而是别有传授的说法都是不可靠的，因而都是应该被否定的说法。在否定了这些说法以后，我们只能回到潘兴嗣《濂溪先生墓志铭》的结论：《太极

---

① 参见林忠军：《象数易学发展史》第二卷，齐鲁书社1998年版，第134页。
② 《周敦颐全书》卷一，第22页。
③ 《朱熹集》卷七五，《周子太极通书后序》，第3942～3943页。

图》乃周敦颐自己的作品。"①如果说，周敦颐的《太极图》不出自所说的道士陈抟，而他通过《太极图说》阐发的太极说对二程也没有产生多大的影响，却不能否认其对朱熹以及蜀地理学家张栻和魏了翁影响甚大。

周敦颐入蜀的学术活动对宋代巴蜀理学兴起和发展产生了直接影响。周敦颐入蜀活动是在宋仁宗嘉祐元年至五年（1056～1060）。其时，周敦颐迁太子中舍签书，署合州（今重庆合川）判官事。他在合州待了四年，当时的乡贡之士，闻其学问，多来求见。遂宁人傅耆（字伯成，一字伯寿，官至知汉州）经陆丞介绍，与周敦颐书信往来，又往合州见周敦颐，从之学。周敦颐手书《家人》《艮》《姤》等说赠之。傅耆致书周敦颐谓："蒙示《姤说》，意远而不迁，词简而有法。"②其后傅耆知嘉州平羌县，又致书周敦颐云："蒙寄贶《同人说》，徐展熟读，较以旧本，改易数字，皆人意所不到处。宜乎使人宗师仰慕之不暇也。"③傅耆所著《同人卦说》，当是受到周敦颐思想的影响。全祖望按："元公（周敦颐）弟子甚少，……蜀中学派当首先生（傅耆），其后范醇夫学于司马氏，谯天授、谢持正学于程氏，马巨济学于关中吕氏，以启南轩、鹤山诸公之盛。予故特表而出之。"④认为傅耆受周敦颐影响较大，而居蜀中学派的学者之首。其他的巴蜀学者如范祖禹学于司马光，谯定、谢湜受教于程颐，状元马涓拜师于张载门人吕大忠，他们共同开启了以南宋张栻、魏了翁等为代表的巴蜀理学之盛。故全祖望将他们与受教于周敦颐的傅耆一道表彰，表明周敦颐对宋代巴蜀理学产生了一定的影响。

蒲宗孟（1028～1093），字传正，阆州新井人，拜尚书左丞，《宋史》有传。也是周敦颐在蜀期间交往的学者。《周敦颐年谱·嘉祐四年》载："先生年四十三，左丞蒲宗孟，阆中太常丞师道之子也。从蜀江道于合，初见先生，相与款洽，连三日夜，退而叹曰：'世有斯人欤！'乃以其妹归之，为先生继室。"⑤熙宁六年（1073）周敦颐卒时，蒲宗孟为之作《濂溪先生墓碣铭》，记其入蜀之事云："改太子中舍，金书合州判官事，转殿中丞，赐五品服。一郡之事，不经君手，吏不敢决，苟下之，民不肯从。蜀之贤人君子莫不喜称

---

① 李申：《易图考》，北京大学出版社2001年版，第42页。
② （宋）度正：《周敦颐年谱·嘉祐二年》，《周敦颐全书》卷一，第13页。
③ 《周敦颐年谱·熙宁元年》，《周敦颐全书》卷一，第17页。
④ 《宋元学案·濂溪学案下》。
⑤ 《周敦颐年谱·嘉祐四年》，《周敦颐全书》卷一，第13页。

之。"① 以往有学者认为周敦颐的《太极图》可能通过蒲宗孟的传递而与陈抟易图有关,但经过李申先生《易图考》对此事的考证,恐应重新认识。

周敦颐在蜀期间,传道授业,有不少学者前往求学,其中以张宗范为佼佼者。据《周敦颐年谱·嘉祐五年》记载:"先生(周敦颐)在合,士之从学者甚众。尤称张宗范有文有行,故名其所居之亭曰养心亭,语以圣学之要。其汲汲于传道授业也如此!在郡四年,人心悦服。"张宗范构亭于山之麓,周敦颐至而爱之,为其亭题名曰"养心"。张宗范谢而求说,于是周敦颐为之作《养心亭说》以勉之。其说云:"予谓养心不止于寡而存耳,盖寡焉以至于无。无则诚立、明通。诚立,贤也;明通,圣也。是贤圣非性生,必养心而至之。养心之善有大焉如此,存乎其人而已。"② 认为养心应由寡欲以至于无欲,无欲才能诚立、明通,即成为圣贤,强调圣贤不是先天性生的,而是须通过养心而至于成为圣贤。其养心说对张宗范产生重要影响,周敦颐的思想也通过张宗范得以在蜀流传。以至一百多年后的南宋绍定六年(1233),理学家魏了翁知泸州任上,合州士人税申之持张宗范《养心亭说》示魏了翁,魏了翁认为其养心说大抵与《通书·圣学章》相表里,受到其一定的影响。

此外,周敦颐入蜀期间,与成都人吕陶也有学术交往。吕陶时任铜梁令,周敦颐于嘉祐五年(1060)任职届满离开合州之时,吕陶以文相送,并作《送周茂叔殿丞序并诗》,对周敦颐的学问评价较高。当时士大夫皆以文相送,表明周敦颐入蜀活动影响较大。这正是北宋理学兴起之初,周敦颐在蜀的活动,传播了他的理学思想,对促进宋代巴蜀理学的兴起及以后的发展,具有重要意义。

三、程氏父子在蜀的学术活动及"易学在蜀"

程氏父子入蜀活动,尤其是北宋理学的创立者和代表人物程颐两度入蜀,在蜀著书立说、传道授业,产生了重要影响,直接促进和推动了宋代巴蜀理学的兴起。程颢(1032~1085),字伯淳,人称明道先生;程颐(1033~1107),字正叔,人称伊川先生。二程兄弟是宋代理学的奠基人,因二程是洛阳人,故称二程创立的理学学派为洛学。二程的父亲程珦

---

① (明)吕柟编:《周子抄释》附录,文渊阁四库全书本。
② 《周敦颐全书》卷五,《养心亭说》,第275页。

（1006~1090）曾知汉州（今四川广汉），对二程思想产生一定的影响。以往认为，治平四年（1067）程珦知汉州时，程颢、程颐兄弟皆入川随侍，即兄弟二人均到过巴蜀。如朱熹的《跋度正家藏伊川先生帖后》云："程太中公（程珦）知汉州，大夫公（傅耆）时为邑西川，又得交伊川兄弟间，手笔相问，往往皆在。"①朱熹的《伊洛渊源录》卷四亦云："王霖公择言：明道、伊川，随侍太中知汉州，宿一僧寺。明道入门而右，从者皆随之；伊川入门而左，独行，至法堂上相会。伊川自谓，此是颐不及家兄处。盖明道和易，人皆亲近；伊川严重，人不敢近也。尹焞云，亦尝闻先生言之。"尹焞是程颐的弟子，也曾有此闻。其后，魏了翁于嘉定元年（1208）作《成都府学三先生祠堂记》，记云："周子尝仕合阳，传谓蜀之贤人君子皆喜称之。二程先生则尝仕太中公游于广汉、成都。最后伊川久居涪，著录甚众，今其遗风余泽，犹被诸人。"②认为二程兄弟均随其父程珦入蜀，游于广汉和成都。撰著于元代的《宋史·谯定传》亦云："初，程颐之父珦尝守广汉，颐与兄颢皆随侍，游成都。"根据以上材料及其他一些材料，故以往认为程颢、程颐均来过巴蜀。但程颐亲撰的《明道先生行状》却不载程颢入蜀之事，使人对此事产生怀疑，以致认为程颢"不可能'随侍'程珦"③。

考程颢于英宗治平元年（1064）任泽州晋城县令，任期三年，于治平四年（1067）届满离任。后任著作佐郎等职。关于此时的经历，据《明道先生行状》载："在邑（晋城）三年，百姓爱之如父母，去之日，哭声震野。用荐者，改著作佐郎。寻以御史中丞吕公公著荐，授太子中允，权监察御史里行。"④程颢在晋城县令离任后，著作佐郎就任前，是否有时间随其父程珦入蜀？仍需进一步考察。由于《明道先生行状》及其他材料未记载程颢就任著作佐郎的具体时间，所以较难判断。神宗熙宁二年（1069）二月，王安石被起用为参知政事，议行新法。四月，从三司条例司之请，程颢以属官被派遣到各路去检察农田、水利、赋税等情况。八月，经吕公著推荐，程颢由秘书省著作佐郎升任太子中允、权监察御史里行。在这段时间程颢是不可能入蜀的。但在就

---

① 《朱熹集》卷八四，第4318页。
② 《鹤山集》卷三八，《成都府学三先生祠堂记》。
③ 参见胡昭曦：《析"易学在蜀"》，《胡昭曦宋史论集》，西南师范大学出版社1998年版，第269页。
④ 《河南程氏文集》卷一一，《明道先生行状》，《二程集》，第633页。

任著作佐郎之前，有没有可能随父入蜀？考程珦是在英宗嗣位之年，即仁宗嘉祐八年（1063）任知磁州事的。是年四月英宗嗣皇帝位，"英宗嗣位，覃恩，迁库部员外郎，知磁州事"①。而于"神宗即位，覃恩，迁司门郎中。……代还，知汉州事，迁库部郎中"②。神宗即位是在英宗治平四年（1067）的正月，程珦知汉州事也当在此年。这年正是程颢任晋城县令届满离任的当年。从时间上看，程颢不是没有可能随父入蜀。但程颐所撰的《明道先生行状》未载程颢入蜀之事，不知是程颢未曾入蜀，还是程颐在撰《明道先生行状》时省略了此事？

程珦知汉州时，重视教育，大兴州学，士子受学从化者甚众。程颐随侍其父于汉州，为其父代写了汉州州学的策问。以学问之道、诸经大要及当世之务策问学子，其中也包含了他的理学思想，以协助其父从事州学教育。程珦并请宇文中允出典汉州州学，以教乡人弟子。程颐为此作《为家君请宇文中允典汉州学书》及《再书》，提出"生民之道，以教为本"的重视教育的思想。

程颐此次入蜀期间，曾有成都之行。据《河南程氏外书》卷一一记载："先生过成都，坐于所馆之堂读《易》。有造桶者前视之，指《未济》卦问。先生曰：'何也？'曰：'三阳皆失位。'先生异之，问其姓与居，则失之矣。《易传》曰：'闻之成都隐者。'"③对成都治《易》隐者关于《未济》卦"三阳皆失位"的见解感到惊异。后来《宋史·谯定传》对此事的描述是："初，程颐之父珦尝守广汉，颐与兄颢皆随侍，游成都，见治篾箍桶者挟册，就视之则《易》也，欲拟议致诘，而篾者先曰：'若尝学此乎？'因指'《未济》男之穷'以发问。二程逊而问之，则曰：'三阳皆失位。'兄弟涣然有所省，翌日再过之，则去矣。其后袁滋入洛，问《易》于颐，颐曰：'易学在蜀耳，盍往求之？'"这即是"易学在蜀"论断的出处。指出二程游成都时，见一篾匠带有一本《易》书，正欲诘问，而篾匠先说话：你们曾学过《易》吗？并问二程为什么《未济》卦是"男之穷"。二程思有所不及而问之。篾匠回答：是因为"三阳皆失位"。即《未济》卦卦象之九二、九四、上九都是阳爻居阴位，皆位不当而失位，由于阳爻有象男、象刚之义，因为一卦之三阳爻皆

---

① 《河南程氏文集》卷一二，《先公太中家传》，《二程集》，第648页。
② 《河南程氏文集》卷一二，《先公太中家传》，《二程集》，第649页。
③ 《河南程氏外书》卷一一，《二程集》，第412页。

失位，所以称为"男之穷"。程颐兄弟涣然有所省悟，但第二天再去时，箧匠已不见踪影。后来袁道洁入洛阳，拜程颐为师学《易》，程颐则对他说："易学在蜀耳"，为何不去求之？应该说，程颐所说的这句话是有根据的，因为在当时蜀中确有不少易学大师，而且在整个两宋时期，蜀学大盛，注《易》者不绝，就是程颐本人的《伊川易传》也作于蜀地涪陵。鉴于此，说宋代"易学在蜀"是符合实际的。而应客观理解程颐提出这一论断的背景和特定历史时期，以及对巴蜀哲学发展的影响。

宋以前，易学便在蜀地流传，如汉代赵宾撰《易论》，严君平撰《周易骨髓》，景鸾撰《易说》；三国李譔著古文《易》；晋蜀才撰《周易注》；隋何妥撰《周易讲疏》；唐袁天罡撰《易镜元要》，阴洪道撰《周易新论传疏》，赵蕤撰《关朗易传注》，李鼎祚撰《周易集解》；等等。这些都为易学的发展做出了一定的贡献。

至宋代，蜀地易学有了进一步的发展。虽然从整个经学发展的情况看，宋代的"四书"之学有取代宋以前的"五经"之学，而成为经学发展的主体的趋势，但由于《易》为"五经"之首，历来在儒家经学中占有重要地位，所以宋代巴蜀之易学仍有大的发展。自北宋真宗朝龙昌期撰《周易绝笔》、李见撰《易枢》以来，蜀地的易学研究逐渐形成气候。代渊撰《周易旨要》，张公裕撰《周易注解》，杨绘撰《易索蕴》，陈希亮撰《制器尚象论》，李畋撰《易义》，至与程颐同时的苏轼撰《苏氏易传》，苏辙撰《易说》，乃至程颐的蜀中弟子谢湜撰《易义》，谯定撰《易传》。加上程颐在涪州撰成《伊川易传》，并为之作序，这是宋代理学与易学的重要代表著作，由于其撰著于蜀地，亦是宋代蜀学及易学的组成部分。由此在北宋时期形成了巴蜀易学发展的高潮，故理学家程颐得出了"易学在蜀"的著名论断。易学在蜀的流传发展，不仅促进了整个宋代易学的发展，而且促进了宋代蜀学的发展，在巴蜀哲学史上占有重要地位。

《伊川易传》书影

程颐的第二次入蜀是在宋哲宗绍圣四年（1097）十一月，诏送涪州编管。次年元符元年（1098），程颐在编管地涪州北岩撰其易学及理学代表著作《伊川易传》，于第二年即元符二年（1099）正月撰成。在这期间，程颐的巴蜀弟子涪陵本地人谯定从其学《易》。在此之前，谯定曾往洛阳问学于程颐。此时又在家乡向程颐求教。谯定曾撰有《易传》。通过谯定，程颐的理学及易学得以在蜀地传播。

在涪州编管期间，程颐的另一蜀中弟子谢湜也与程颐保持着学术交往关系。元符元年十一月九日，程颐撰《与金堂谢君书》，与谢湜讨论《春秋》大义，并论及如何治《易》的问题。其书云："若欲治《易》，先寻绎令熟，只看王弼、胡先生、王介甫三家文字，令通贯，余人《易》说，无取枉费劲。"①《宋元学案·刘李诸儒学案》亦载："谢湜，字持正，金堂人。……《尹和靖语录》云：'蜀人谢湜，以所著《春秋》请正程子。程子答以更二十年，方可讲此。'"谢湜不仅就《春秋》与程颐讨论过，而且还撰有《易义》，显然受到了程颐思想的影响。

程颐在蜀著书立说、传道授业，产生了重要影响，其学术活动不仅直接促进和推动了宋代巴蜀理学的兴起与发展，而且其理学代表著作《伊川易传》写作于涪州，这本身就可视为宋代巴蜀理学的组成部分，为巴蜀理学的兴起做出了贡献。程颐的理学除通过谯定传给张浚、张行成、冯时行等蜀籍学者，进而影响到张栻、魏了翁等巴蜀著名理学家外，还通过其门人尹焞，再传而至巴蜀理学人物李石。李石著有《方舟集》《方舟易学》等，并曾任成都学官，主讲于石室，"就学者如云，闽、越之士万里而来，刻石题诸生名几千人，蜀学之盛，古今鲜俪"②。如此扩大了程颐理学在蜀地的影响。

四、范祖禹对理学的认同

作为蜀地著名学者，范祖禹当理学产生之初，尚处在人们的质疑问难之时，便认同理学，这对理学在巴蜀地区的兴起和流传，起到了重要作用。范祖禹（1041～1098），字淳夫，北宋成都华阳人，司马光门人，从司马光修《资治通鉴》。著有《唐鉴》，并著有《古文孝经说》《帝学》《中庸论》《范太史集》等。范祖禹以司马光为师，又受到二程理学的影响，而认同理学。他对理学的认同，客观上起到了扩大二程学说在巴蜀的影响，会合蜀、洛之学的作用。

---

① 《河南程氏文集》卷九，《与金堂谢君书》，《二程集》，第613页。
② 《四库全书〈方舟集〉提要》。

元祐年间，以程颐为首的洛党和以苏轼、苏辙为首的蜀党互相攻讦，范祖禹独不立党，并游于洛蜀两党之间。洛蜀两党皆敬之。苏轼尤服范祖禹之文，称其为"不刊之作"。范祖禹虽为蜀人，但他不参与蜀党等对程颐的批评和诘难，对程颐以洛党之名被罢官表示不满和同情。后来他在《荐讲读官劄子》中请哲宗恢复程颐的讲官之职，以示公正。他说：

臣伏见元祐之初，陛下召程颐对便殿，自布衣除通直郎，充崇政殿说书，天下之士皆谓得人，……而才及岁余，即以

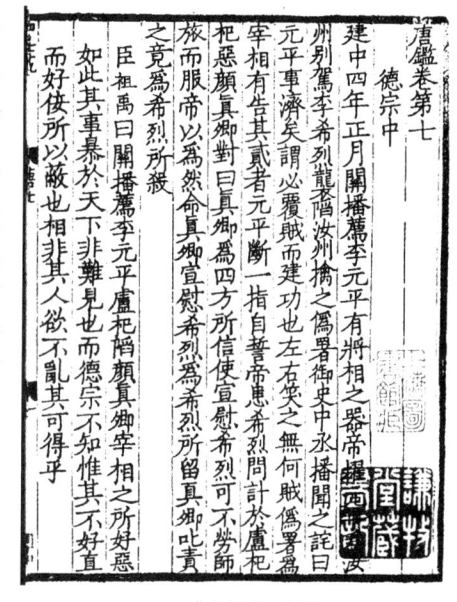

《唐鉴》书影

人言罢之。颐之经术行谊，天下共知。司马光、吕公著皆与颐相知二十余年，然后举之，此二人者，非为欺罔以误圣听也。颐在经筵，切于皇帝陛下进学，故其讲说，语常繁多。颐草茅之人，一旦入朝，与人相接，不为关防，未习朝廷事体，迂疏则固有之。而言者谓颐大佞大邪，贪默请求，奔走交结；又谓颐欲以故旧倾大臣，以意气役台谏，其言皆诬罔非实也。盖当时台谏官王岩叟、朱光庭、贾易皆素推服颐之经行，故不知者指以为颐党。颐匹夫也，有何权势动人，而能倾大臣、役台谏？自古处士入朝，无有不被谤毁。……如颐之贤，乃足以辅导圣学。至如臣辈，叨备讲职，实非敢望颐也。臣久欲为颐一言，怀之累年，犹豫不果，使颐受诬罔之谤于公正之朝，臣每思之，不无愧也。今臣已乞去职，若复召颐劝讲，必有补圣明，臣虽终老在外，无所憾矣。①

指出程颐乃贤人，足以辅导圣学，而非言者所说的大佞大邪之人。并认为当时把王岩叟、朱光庭、贾易等人指为颐党，即所说的洛党，是不合适的，其实他们只不过是素服程颐的经术和行谊罢了。这实际上是在当时的党争中对程颐等的过火的排斥行为表示不满。范祖禹对程颐的同情，是建立在认同二程理学的基础上。

---

① 《范太史集》卷二六，《荐讲读官劄子（二）》。

范祖禹对理学的认同，在他所撰《明道先生哀词》中得到充分的体现。元丰八年（1085）程颢卒，范祖禹为程颢作哀词，他说：

先生为人，清明端洁，内直外方。其学本于诚意正心，以圣贤之道可以必至。勇于力行，不为空文。其在朝廷，与道行止，……先生以亲老，求为闲官，居洛阳殆十年，与弟伊川先生讲学于家，化行乡党。……士之从学者不绝于馆，有不远千里而至者。先生于经，不务解析为枝辞，要其用在己，而明于知天。其教人曰："非孔子之道，不可学也。"盖自孟子没，而《中庸》之学不传，后世之士不循其本，而用心于末，故不可与入尧舜之道。先生以独智自得，去圣人千有余岁，发其关键，直睹堂奥，一天地之理，尽事物之变。故其貌肃而气和，志定而言厉，望之可畏，即之可亲，叩之者无穷，从容以应之，其出愈新，真学者之师也。①

在这篇哀词中，范祖禹充分肯定程颢所提倡的理学，字里行间，处处以至"圣贤之道"、行"道"、学"孔子之道"、入"尧舜之道"来概括程颢之学，并加以充分的肯定，认为圣人之道自孟子没而失传，程颢以独智自得，在离圣人一千多年后，直睹堂奥，继承了道统之传。范祖禹指出，程颢在治经学上独辟蹊径，一反孟子之后，汉唐诸儒专务解析，用心于末的传统，以求孔孟之道为治经学的目的，在圣贤之后千余年，提出天理论来论证道统，把孔孟儒学、尧舜之道发扬光大。在这里，范祖禹不仅认同理学之传，而且肯定程颢自得之天理，其所说"一天地之理，尽事物之变"就是对天理论的认同。

范祖禹肯定理学，与二程有着相似的道统观。他说："学始于伏羲，至于成王，《易》《诗》《书》所称，圣人所述，为万世法。由汉以下，其道不纯，故可称者鲜。自古以来，治日常少，乱日常多，推原其本，由人君不学也。"②认为圣人之学始于伏羲，而为儒家经典所载，孔子所述，为万世法，而自汉以下，其道不纯。这与二程超越汉唐，直接孟子的观点很接近。并且范祖禹也重视"四书"之《中庸》，这也与二程"《中庸》乃孔门传授心法"，以之论证道统的观点相似。

---

① 《范太史集》卷三七，《明道先生哀词》。
② （宋）范祖禹：《帝学》卷八，《神宗英文烈武圣孝皇帝下》，文渊阁四库全书本。

范祖禹作为蜀籍学者，他认同理学，赞成二程的学问，客观上为宋代巴蜀理学的兴起和发展起到了促进作用。由于他同蜀洛两党均保持良好的交往关系，这对扩大二程理学在巴蜀的影响，较为有利，并具有会合蜀、洛之学的作用。

宋代文化是中国文化发展的高潮，亦是巴蜀文化发展的高峰。其时，理学蔚然成为一代学术思潮。宋代巴蜀地区的理学是整个理学思潮不可分割的重要组成部分，并最终成为主导宋代蜀地文化发展的主流。在宋代巴蜀理学兴起、发展的历史过程中，离不开与全国各地学者的交流，周、程的入蜀传播理学，对宋代巴蜀地区理学的兴起和发展具有重大意义，同时也促进了整个理学思潮乃至中国文化的发展。由此可见宋代巴蜀理学的兴起和发展不是孤立的，而是与中国文化发展的大背景、大环境、大趋势有着密切的联系。从地域文化发展的角度讲，宋代巴蜀地区的理学不仅是广义的宋代蜀学发展的高峰，亦是整个巴蜀文化发展的高峰，并以其丰富的内涵和独到的理论深刻地影响了宋代中国文化的发展。从整个中国文化发展的角度看，中国宋代文化和理学的发展，离不开宋代巴蜀理学的发展，并以其为重要的组成部分。越是具有地域学术特点的文化，越是具有全国性的影响，这从后来南宋张栻、魏了翁对理学发展所做出的突出贡献，便可充分得到证明。宋代巴蜀理学的兴起和发展，与巴蜀文化在各个历史时期的发展交相辉映，构成了巴蜀文化发展的多维视野，展现出巴蜀文化深厚的历史积淀。认真清理这份珍贵的文化资源，加以充分的研究，为现代社会的发展提供一定的借鉴，是摆在我们面前的一项重要任务。

第三节 三苏蜀学之哲学思想及其三教合一倾向

苏洵（1009~1066）、苏轼（1037~1101）、苏辙（1039~1112）为北宋时期蜀学代表人物。皆眉州（今四川眉山）人，著名文学家、思想家。

三苏蜀学亦是广义的宋代蜀学的重要组成部分，宋代巴蜀哲学的发展与三苏蜀学有着密切的关系。作为产生于蜀地又在与全国各地学术文化流派的交往中确立并占有重要地位的三苏蜀学，其在宇宙观、人性论和辩证法等哲学领域有较深造诣，客观上对宋代巴蜀哲学产生了重要影响。

如果说，宋代以来中国文化的发展出现儒佛道三教融合的趋势，而与宋以前三教的关系以相互对立为主有所不同的话，那么，三苏蜀学则更多地体现了儒佛道三教的融通合一，并公开宣扬这一点，倡导儒道同源，共尊孔子和老子为二圣人；而包括二程洛学、张载关学等在内的理学派别则公开批佛老，只是对佛道的思辨哲学有所吸取和借用，以维护儒家文化在中国文化和社会意识形态领域中所居的主导地位。

一、三苏蜀学的哲学思想

三苏为北宋时期蜀学代表人物，其虽以文学见长，但在哲学上也有较深造诣。这主要体现在三苏提出道本论宇宙观、善恶非性的人性论和阴阳相资的辩证法思想等方面。

（一）道本论宇宙观

三苏哲学以道为最高范畴，道与其他诸哲学范畴逻辑地联系在一起共同构成三苏哲学的理论体系。三苏哲学的道多来自道家，指无形的宇宙本原、非有非无的精神实体、事物的规律等。下面依次述之。

1. 道为万物之本

苏辙说："道者，万物之母，故生万物者，道也……形虽由物，成虽由势，而非道不生。"[①]以道为产生万物的本原，万物非道不生。道作为万物之本，具有形上性、观念性，与具体有形的事物不同。"物之有形者皆丽于阴阳，故上皦下昧，不可逃也。道虽在上而不皦，虽在下而不昧，难以形数推也。"[②]认为具体事物附着于阴阳，所以是在上明亮，在下昏暗，皆有形可见而不可逃，而道则不明不暗，恍惚不可捉摸，不能以有形物及其数目来推论。表明道具有形上超验的性质，不为人们的感官所感知。道虽无形，但却是有形万物之所以存在的根据。"圣人之所以知万物之所以然者，以能体道而不去故也。"[③]万物之所以存在，是因为其以道为体。苏轼说："道者，器之上达者也；器者，道之下见者也，其本一也。"[④]以道为形而上，以器为形而下，道是器的本体，器是本体道的表现。虽然道器一本，但却本之于道。按苏辙的话说，即道为"万物之宗"，而万物为"道之末"。他说："道，万物之宗也；万物，道之末也……故万物宾其所宗。"[⑤]道为本，为主，万物为末，为宾。

---

① 《老子解》卷下，《道之生章第五十一》，《三苏全书》第5册，第454页。
② 《老子解》卷上，《视之不见章第十四》，《三苏全书》第5册，第414页。
③ 《老子解》卷上，《孔德之容章第二十一》，《三苏全书》第5册，第426页。
④ 《苏氏易传》卷七，《系辞传上》，《三苏全书》第1册，第370页。
⑤ 《老子解》卷上，《道常无名章第三十二》，《三苏全书》第5册，第437页。

认为天下万物之所以为物，其原因在于道。道作为其哲学的最高范畴，既是万物的基始，具有宇宙本原的意义；又是宇宙万物之宗，是万物存在的根据，具有宇宙本体的意义。所以三苏的道是宇宙生成论与本体论统一的哲学范畴。三苏哲学的道虽多来自道家，指无形的宇宙本原，但也关涉儒家穷理尽性之伦理道德。苏洵说："夫尧不能穷理尽性，安能行道？古之所谓行道者，尧舜而已。"①把穷理尽性作为行道的前提，可见道不离穷理尽性。这是对儒家推行伦理道德规范以治国行道原则的继承。但三苏之道与儒家伦理没有直接的联系，作为儒家伦理道德的仁智之善，在苏氏看来，只是"道之继，而指以为道则不可"②。

2. 道非有非无、亦有亦无

苏辙说："道非有无，故以恍惚言之，然极其运而成象，著而成物，未有不出于恍惚者也。"③道恍惚而非有非无，但有形有象的万物都产生于它。这个超越有无，又产生万物的道，只能是精神性的实体。

从道的非无而言，苏辙认为："道虽常存，终莫得而名，然亦不可谓无也。"④在万物产生以前，作为本原的道就已存在，这时的道不叫无。苏轼说："廓然无一物，而不可谓之无有，此真道之似也。"⑤虽然空无一物，但道作为生物的根据已经存在，既然有这个根据存在，就不能说无有。所以道是非无。非无，并不是说道就是有，而是说道不是绝对的虚无。

从道的非有而言，苏辙认为，有是指有形的万物，而道无形，超然于形上，所以道不是有。他说："道非有无，故谓之大象。苟其昭然有形，则有同有异，同者好之，异者恶之，好之则来，恶之则去，不足以使天下皆往矣。"⑥道不是无，也不是有，如果说道是有形的事物，那么就会产生同异的差别和好恶的取舍，道就不是万物之所以存在的根据了。道的非有，不是说道就是无，而是指道的无形，道与有形的万物相区别，这就是它的非有。

道产生万物，是从无形到有形的过程。道既非有非无，也即亦有亦无。

---

① 《谥法》卷一，《圣》，《三苏全书》第3册，第287页。
② 《苏氏易传》卷七，《系辞传上》，《三苏全书》第1册，第352页。
③ 《老子解》卷上，《孔德之容章第二十一》，《三苏全书》第5册，第425页。
④ 《老子解》卷上，《道冲章第四》，《三苏全书》第5册，第406页。
⑤ 《苏氏易传》卷七，《系辞传上》，《三苏全书》第1册，第352页。
⑥ 《老子解》卷上，《执大象章第三十五》，《三苏全书》第5册，第438页。

讲道的非无时，要注意苏轼说的"不可谓之无有"是指道乃万物存在的根据，有这个根据，就不可谓之无有。讲道的非有时，要区分绝对的虚无与无形的界限，无是指道的无形，不是指绝对的虚无。苏辙对此总结说："非有，则无无以致其用；非无，则有无以施其利。是以圣人常无以观其妙，常有以观其徼，知两者之为一而不可分，则至矣。"①道非有非无，亦有亦无，超越有无，又兼有无，这就是苏氏论道的思辨之处。

3. 道是事物的规律

道不以人为的主观追求为转移，它是事物自然而然的规律。苏轼说："道可致而不可求。何谓致？孙武曰：'善战者致人不致于人。'子夏曰：'百工居肆以成其事，君子学以致其道。'莫之求而自至，斯以为致也欤。"②认为道是可致而不可求的。所谓致，是指"莫之求而自至"，这种客观的、自然而然的道是存在于具体事物之中的，因而它具有事物规律的含义。苏轼举例说，"南方多没人，日与水居也，七岁而能涉，十岁而能浮，十五而能没矣。夫没者岂苟然哉？必将有得于水之道者，日与水居，则十五而得其道。"③这里所说的道，是指游泳的规律。苏轼认为，事物的规律不能脱离事物而存在，如果脱离水而谈水之道，那么"未有不溺者也"④。苏轼在这里说明了道不以人主观意志而转移，事物的规律只能存在于事物之中，通过具体的事物来表现。

（二）善恶非性的人性论

三苏提出善恶非性的人性论，认为性乃人之所以为人的本质属性，即指饮食男女此等人之大欲的生物属性；性非善非恶，不可以善恶言性，据此批评了孟、荀的性善、性恶论；在性情问题上，三苏主张性情合一，二者没有善恶之别，批评韩愈"离性以为情"；并重视人情，提出"礼沿人情"的思想，体现了巴蜀哲学情理结合、性情不离的思想特色，而与程颐主张的"性无不善"的性善论区别开来。

1. "性者，其所以为人者也"

苏轼说："性者，其所以为人者也，非是无以成道矣。"⑤认为性就是人

---

① 《老子解》卷上，《三十辐章第十一》，《三苏全书》第5册，第412页。
② 《苏轼文集》卷一一五，《日喻》，《三苏全书》第14册，第414页。
③ 《苏轼文集》卷一一五，《日喻》，《三苏全书》第14册，第414页。
④ 《苏轼文集》卷一一五，《日喻》，《三苏全书》第14册，第414页。
⑤ 《苏氏易传》卷七，《系辞传上》，《三苏全书》第1册，第352页。

之所以为人的本质属性，即指人的生物属性，人离开了饮食男女人之本性，就无以成道。"性所以成道而存存也，尧舜不能加，桀纣不能亡，此真存也。存是则道义所从出也。"①这种人的本质属性是不因圣人或暴君而有所改变的。苏轼进一步指出："人生而莫不有饥寒之患、牝牡之欲，今告乎人曰：饥而食，渴而饮，男女之欲，不出于人之性也，可乎？是天下知其不可也。圣人无是，无由以为圣。而小人无是，无由以为恶。"②认为性是指饥寒之患、牝牡之欲，即饮食男女之欲，不能将之排除于人性之外。指出圣人离开了饮食男女，就无由以为圣；小人离开了饮食男女，也无由以为恶。可见不论圣人还是小人，均不离性。

2. "善恶果非性也"

从性乃人之所以为人的本质属性的思想出发，三苏提出善恶非性的人性论。苏辙说："孔子曰：'性相近也，习相远也。'夫虽尧桀而均有是性，是谓相近；及其与物相遇，而尧以为善，桀以为恶，是谓相远。习者，性之所有事也，自是而后相远，则善恶果非性也。"③认为善恶乃习，而不是性。不仅善恶非性，而且，性与情也没有善恶之别。苏轼说："情者，性之动也。溯而上，至于命；沿而下，至于情，无非性者。性之与情，非有善恶之别也。"④这与李翱等人的"性善情恶"的思想有别。

从善恶非性出发，苏辙批评了孟、荀的性善、性恶论。苏辙说："孔子曰：'性相近也，习相远也。'圣人之言性，止于是而已矣。孟子学于子思，得其说而渐失之，则指善以为性。至于孙卿，自任而好异，因孟子而反之，则曰人性恶。夫善恶皆习也，指习以为性，而不知其非，二子之失一也。然而性之有习，习之有善、恶，譬如火之能熟，与其能而焚也。孟子之所谓善，则火之能熟者也，是火之得其性者也。孙卿之所谓恶，则火之能焚者也，是火之失其性者也，孙卿之失则远矣。"⑤批评孟、荀的性善、性恶论，认为善恶皆习；指习以为性，而不知其非，这是孟、荀二人共同的失误。指出善恶不过是性之有习的表现，习之有善恶，正像火能熟物、焚物一样，但不能把习作为性本身。

---

① 《苏氏易传》卷七，《系辞传上》，《三苏全书》第1册，第358页。
② 《苏轼文集》卷一〇一，《扬雄论》，《三苏全书》第14册，第201页。
③ 《苏辙集》卷六七，《孟子解二十四章》，《三苏全书》第18册，第136页。
④ 《苏氏易传》卷一，《乾卦》，《三苏全书》第1册，第142页。
⑤ 《古史》卷三四，《孟子孙卿列传》，《三苏全书》第4册，第237~238页。

苏轼也指出："夫仁智，圣人之所谓善也。善者，道之继，而指以为道则不可……昔者孟子以善为性，以为至矣，读《易》而后知其非也。孟子之于性，盖见其继者而已。夫善，性之效也。孟子不及见性，而见夫性之效，因以所见者为性。性之于善，犹火之能熟物也，吾未尝见火，而指天下之熟物以为火，可乎？夫熟物则火之效也。"①认为善是道之继、性之效，是按道、性的要求行事而表现出来的效果，而不是道、性本身。这与理学家主张的性善论迥然相异。

3. "礼沿人情"，性情不离

与善恶非性的人性论密切相关，三苏提出"礼沿人情"，性情不离的思想。苏辙说："夫礼沿人情，人情所安，天意必顺。"②强调礼建立在人情的基础上，天意也必须顺从人情。人情与天意相关，把人情的地位提高到天意的高度。

苏轼亦重视人情。他说："夫礼之初，始诸人情，因其所安者，而为之节文。凡人情之所安而有节者，举皆礼也，则是礼未始有定论也。然而不可以出于人情之所不安，则亦未始无定论也。执其无定以为定论，则涂之人皆可以为礼。"③指出礼产生于人情，依据人情，加以节文而形成礼，礼须符合人情所安。苏轼进一步指出："君子之欲诚也，莫若以明。夫圣人之道，自本而观之，则皆出于人情。不循其本，而逆观之于其末，则以为圣人有所勉强力行，而非人情之所乐者。夫如是，则虽欲诚之，其道无由。故曰莫若以明。"④认为圣人之道，从根本上讲，则皆出于人情。而人情就是性，最终饮食男女之欲是圣人之道的来源，圣人之道建立在喜怒哀惧爱恶欲之情、饮食男女之欲的基础上。圣人对此加以调节而使之趋向于善。

进而，苏轼提出性情不离的思想，批评性情相分。他说："儒者之患，患在于论性，以为喜怒哀乐皆出于情，而非性之所有。夫有喜有怒，而后有仁义；有哀有乐，而后有礼乐。以为仁义礼乐皆出于情而非性，则是相率而叛圣人之教也。老子曰：'能婴儿乎？'喜怒哀乐，苟不出乎性，而出乎情，则是相率而为老子之'婴儿'也。儒者或曰老、《易》，夫《易》，岂老子之徒欤？而儒者至有以老子说《易》，则是离性以为情者，其弊固至此也。嗟夫！

---

① 《苏氏易传》卷七，《系辞传上》，《三苏全书》第1册，第352页。
② 《苏辙集》卷四二，《论明堂神位状》，《三苏全书》第17册，第292页。
③ 《苏轼文集》卷九八，《礼以养人为本论》，《三苏全书》第14册，第128页。
④ 《苏轼文集》卷九八，《中庸论中》，《三苏全书》第14册，第141页。

君子之为学，知其人之所长而不知其蔽，岂可谓善学邪？"①批评儒者之患，患在于论性时把喜怒哀乐作为情而排除在性外。苏轼认为，有喜怒而后才有仁义，有哀乐而后才有礼乐。认为仁义礼乐皆出乎喜怒哀乐之性，不能把喜怒哀乐排除在性外。如果把仁义礼乐说成皆出于情而非性，那就是相率而叛圣人之教。苏轼强调，性包含了人情，批评韩愈把性情分离开来。"韩愈欲以一人之才，定天下之性，且其言曰：'今之言性者，皆杂乎佛、老。'愈之说，以为性之无与乎情，而喜怒哀乐皆非性者，是愈流入于佛、老而不自知也。"②批评韩愈把性与喜怒哀乐之情割裂开，认为这是流入于佛、老而不自知。苏轼认为喜怒哀乐是情，也是性，反对性情相分，主张性情合一。批评韩愈"离性以为情"，其以才为性，其论终不能通。

（三）阴阳相资的辩证法思想

苏轼通过对离卦的解释，提出阴阳相资的辩证法思想。离卦九三爻辞云："日昃之离，不鼓缶而歌，则大耋之嗟，凶。"象曰："日昃之离，何可久也。"苏轼对其注解云："火得其所附，则传；不得其所附，则穷。初九之于六二，六五之于上九，皆得其所附者，以阴阳之相资也。惟九三之于九四，不得其传而遇其穷，如日之昃、如人之耋也，君子之至此命也，故鼓缶而歌，安以俟之。不然，咨嗟而不宁，则凶之道也。"③他认为离即是附丽，"万物各以其类丽也"④，"火之为物不能自见，必丽于物而后有形，故离之象取于火也"⑤，以火喻离，火只有得其所附丽之物，才能薪火相传，否则将不能传。苏轼以离卦之初九与六二，六五与上九，都是阴阳相附，表达他阴阳相资的辩证法思想。只是离卦之九三与九四，都为阳爻相对立而不得其传而为穷，就像西边的太阳不久将落、人到晚年将不久于人世一样，所以要鼓缶而歌，安享晚年，如果咨嗟而不宁，则为凶之道。

苏轼看到阴阳的相互作用产生万物的重要性。他说："阴阳相蕴而物生。乾坤者，生生之祖也。是故为易之蕴。乾坤之于易，犹日之于岁也。除日而求岁，岂可得哉？故乾坤毁则易不可见矣。易不可见，则乾为独阳，坤为独阴。

---

① 《苏轼文集》卷一〇一，《韩愈论》，《三苏全书》第14册，第207页。
② 《苏轼文集》卷一〇一，《韩愈论》，《三苏全书》第14册，第202页。
③ 《苏氏易传》卷三，《离》，《三苏全书》第1册，第240页。
④ 《苏氏易传》卷三，《离》，《三苏全书》第1册，第239页。
⑤ 《苏氏易传》卷三，《离》，《三苏全书》第1册，第239页。

生生之功息矣。"①认为阴阳的相互作用产生万物,而阴阳对立之乾坤乃"生生之祖"。不能离开乾坤而谈变易,如果只看到乾坤独阳独阴的一面,而看不到阴阳相蕴、乾坤共成岁功的一面,取消了阴阳的对立统一,就会使得"生生之功息矣"。表明万物产生和变化的根源就在于阴阳的相互作用,这体现了苏轼的辩证法思想。

苏辙亦讲阴阳相荡的辩证法。他说:"阴阳相荡,高下相倾,大小相使,或行于前,或随于后,或呴而暖之,或吹而寒之,或益而强之,或损而羸之,或载而成之,或隳而毁之,皆物之自然,而势之不免者也。"②认为"阴阳相荡"的自然规律是"物之自然",不以人为的因素而转移,但世之愚人却为了一己之私利而违背阴阳相荡的客观事物之法则,自取其祸,以至于遭受挫折。只有圣人明白客观自然规律不可违逆而只能加以顺应的道理,去除极端、奢侈和过度,不至于因人为的过分而伤害事物,如此则天下无患。可见对于阴阳对应、相资相荡的自然辩证规律,苏辙是充分重视的。并把阴阳相对应,视为事物的普遍规律。"阴阳之相下,物无不然。"③指出"阴阳有定数,开塞亦常理"④,阴阳规律有定数而不得违反。

苏洵也讲阴阳的辩证法,强调矛盾双方不得偏废。他说:"阴不至于涸,而阳不至于亢。苟不能先审观己之为阴,与己之为阳,而以阴攻阴,以阳攻阳,则阴者固死于阴,而阳者固死于阳,不可救也。是以善养身者,先审其阴阳;而善制天下者,先审其强弱,以为之谋。"⑤苏洵强调,就阴而言,不能干涸;就阳而言,不至于过度。须掌握阴阳平衡,不能偏向于某一方。

二、三苏蜀学的三教合一倾向

三教合一是以苏洵、苏轼、苏辙三苏父子为代表的蜀学之学风。三教合一的教,非纯指宗教,它既指佛、道二宗教,又指儒家、老庄道家之学说,其中老庄与道教的联系比较紧密。三教合一,既分为三,又相互联系。与二程洛学相比较,三苏蜀学较多地接受了佛老的思想,并不忌讳谈到这一点。这与洛学

---

① 《苏氏易传》卷七,《系辞传上》,《三苏全书》第1册,第370页。
② 《老子解》卷上,《将欲取天下章第二十九》,《三苏全书》第5册,第434页。
③ 《诗集传》卷一四,《小雅·白华》,《三苏全书》第2册,第476页。
④ 《苏辙集》卷一四,《河冰》,《三苏全书》第16册,第356页。
⑤ 《苏洵集》卷九,《审势》,《三苏全书》第6册,第116页。

既一定程度地吸收佛老的思辨哲学，又公开辟佛老有所不同。三苏蜀学虽然比洛学更多地接受佛老的思想，然而儒家思想在蜀学中的重要地位却不容忽视，尤其在政治治理方面，三苏仍是以儒家思想为主。以下就三教合一的蜀学学风加以分析。

与北宋以来统治者重视和提倡儒家政治伦理思想的时代风尚相适应，三苏倡儒家仁义之道，认为道本身虽不具有仁义礼智等道德规范的内容，但道却无所不在，它存在于仁义礼智、君臣上下之中，作为这些道德规范之所以存在的根据。苏轼说："仁义之道，起于夫妇、父子、兄弟相爱之间；而礼法刑政之原，出于君臣上下相忌之际。相爱则有所不忍，相忌则有所不敢。夫不敢与不忍之心合，而后圣人之道得存乎其中。"①认为圣人之道存在于仁义礼法、君臣父子夫妇兄弟的道德原则之中，通过仁义礼法而得到外在的表现。为此，三苏积极提倡儒家圣人之道，主张通过对礼的遵循而得道。苏辙说："孔子不以道语人，其所以语人者，必以礼。礼者，器也。而孔子必以教人，非吝之也。盖曰：'君子上达，小人下达。'君子由礼以达其道，而小人由礼以达其器。由礼以达道，则自得而不眩；由礼以达器，则有守而不狂。此孔子之所以寡言道而言礼也。"②指出礼虽为器，但通过对礼的遵循可以达道，"由礼以达道"，这就是所谓的性命自得。与二程洛学相比，三苏以礼为器，二程则以礼为道，这是他们的不同点，但双方都主张通过对礼的遵循，以求得儒家圣人之道，这却是相同的。只不过二程以循礼即为循道，礼与道是一回事；而三苏则以循礼为得道的步骤，礼为器，不为道。这体现了三苏蜀学与二程洛学的区别及相同之处。

三苏受老子思想的影响，最主要的莫过于他们吸取了老子以道为宇宙本原的思想。三苏为建立自己思想体系的需要，从老子的道论那里吸取了可供利用的思想，把道作为自己哲学的最高范畴，并对老子的道论加以发挥，对道生万物的过程加以具体的论述，以阴阳相交作为道生万物的中介，并以水作为构成万物的基本物质元素。苏辙说："道者，万物之母，故生万物者道也……形虽由物，成虽由势，而非道不生。"③认为道是宇宙万物产生的本原，万物非道

---

① 《苏轼文集》卷一〇一，《韩非论》，《三苏全书》第14册，第185页。
② 《苏辙集》卷六九，《历代论·王衍》，《三苏全书》第18册，第168页。
③ 《老子解》卷下，《道之生章第五十一》，《三苏全书》第5册，第454页。

不生。然万物的产生要经过阴阳相交这一中间环节，苏辙说："物之有形者，皆丽于阴阳。"①苏轼亦说："圣人知道之难言也，故借阴阳以言之，曰：'一阴一阳之谓道。'一阴一阳者，阴阳未交而物未生之谓也，喻道之似，莫密于此者矣。"②阴阳不是物，无形可见，"凡可见者皆物也，非阴阳也"③。阴阳是"物未生"时就已存在，可看作道的属性。苏轼说："阴阳之未交，廓然无一物，而不可谓之无有，此真道之似也。"④道在阴阳未交，万物产生以前就已存在，从道到物的过程，是由道的属性阴阳相交为其中介的，"阴阳交而生物"⑤，可知阴阳交是万物产生的中介。虽然苏氏提出以阴阳相交作为道生万物的中介，但须解决怎样从无形的阴阳过渡到有形的万物这一问题。于是，苏氏提出了水这一范畴，认为水是构成万物的基本元素，道生万物，通过阴阳相交，首先生水，然后由水去构成万物。苏轼说："阴阳一交而生物，其始为水。水者有无之际也，始离于无而入于有矣。老子识之，故其言曰：'上善若水。'又曰：'水几于道。'"⑥苏轼借用了《管子·水地篇》提出的水为"万物之本原也"的观点，并吸取老子以水喻道的思想，把水作为构成万物的基本物质元素。他说："万物皆有常形，惟水不然，因物以为形而已。"⑦又说："阴阳之始交，天一为水。凡人之始造形，皆水也。"⑧万物与人都由水所构成，水无具体的形状，"因物以为形"。道与水都存在于事物之中，然而道在物中，是作为万物的根据而存在；水在物中，是作为构成万物的材料而存在，这是它们的不同。正因为三苏对老子思想多有吸取，故苏辙把孔、老皆称为圣人，表现出调和儒道的倾向。

三苏蜀学明显受到佛教思想的影响。苏辙公开主张兼容佛老，认为佛老之教不可去，自有其不可去之理，而没有什么害处。他说："尧、舜、周、孔之道行于天下，无一物而不由，无一日而不用，而佛、老之教常与之抗衡于世。世主之欲举而废之者屡矣，而终莫能，此岂无故而能然哉？诸生皆学道者也，

---

① 《老子解》卷上，《视之不见章第十四》，《三苏全书》第5册，第414页。
② 《苏氏易传》卷七，《三苏全书》第1册，第351~352页。
③ 《苏氏易传》卷七，《三苏全书》第1册，第351页。
④ 《苏氏易传》卷七，《三苏全书》第1册，第352页。
⑤ 《苏氏易传》卷七，《三苏全书》第1册，第352页。
⑥ 《苏氏易传》卷七，《三苏全书》第1册，第352页。
⑦ 《苏氏易传》卷三，《三苏全书》第1册，第236页。
⑧ 《苏轼文集》卷一一五，《续养生论》，《三苏全书》第14册，第417页。

请推言其所以然，辩其不可去之理，与虽不去而无害于世者。"①苏辙将这些兼容佛老、三教合一的内容作为朝廷策问的题目，要求诸生作答，说明当时调和儒释道三教的风气也影响到了朝廷和科举。

可以说，苏氏在构筑其思想理论体系时，对儒释道三教的学说都有所吸取和借用，但他们并不是把相互矛盾的三家思想简单地糅合、混杂在一起，而是有所选择，有所取舍。具体说来，苏氏在建构其思想理论体系时，吸取了儒家仁义礼智、君臣父子夫妇的伦理政治思想，认为必须通过遵循仁义礼智、君臣父子的原则才能得道。苏氏吸取了儒家的伦理思想，并吸取了老子的道为宇宙本原、为万物存在的根据的思想，为建立自己的哲学体系服务。此外，苏氏在吸取佛老思想的同时，又舍去了佛老蔑君臣、废父子之弊，强调儒家伦理道德原则的重要性，这是苏氏与佛老的基本不同处。

苏氏不仅在思想理论上对儒释道三教都有所取舍，主张三教合一，而且他还直言不讳地宣称这一点。指出佛教之道、老子之道与儒家经典《周易》所谓形而上之道是一回事，对于佛老思想的全盘肯定或全盘否定都是不对的，因为佛老之道非一人之私说，它是与天地共始终的，佛老之道无所不在，因而不可去掉。然而，行道不可舍去礼乐政刑，如果把佛老的蔑君臣、废父子之说推行于世，其弊必有不可胜言者。因此，苏氏主张，以儒家的礼乐政刑为本位，尤其在政治治理时更是如此，而吸取佛老的有关思想，将儒家的伦理学与佛老的本体论、有无说结合起来，以建立自己的思想理论体系。这体现了三教合一的蜀学学风。

第四节　张商英三教"鼎足之不可缺一"的思想

张商英（1043~1121），字天觉，北宋蜀州新津（今成都新津）人，历经神宗、哲宗、徽宗三朝，徽宗时两度为相，在北宋中后期政坛上有一定影响。他一生喜欢研习佛学，造诣颇深，著有《护法论》等，体现了他儒释道三教"鼎足之不可缺一"的思想。张商英三教融合的思想与苏氏蜀学的三教合一思想相互映衬，反映了北宋时期巴蜀哲学的一个特点，并在一定程度上反映了整个中国哲学在当时的一个走向。它与理学在北宋时期的兴起，有着各自不同的

---

① 《苏辙集》卷七二，《策问一十六首》，《三苏全书》第18册，第198页。

思想旨趣及相同相异之处。

一、唐宋以来三教融合互补思想

张商英三教融合思想的产生不是孤立的，而是有其深刻的时代背景和思想根源。由唐至宋，儒、佛、道三家既相互排斥，又相互融合，逐渐出现由三教鼎立到三教融合互补的趋势，这为理学的产生准备了条件。在中国哲学发展史上，儒、佛、道三教相互辩难，又相互融合，这充分体现了中国文化多元互补的特色和格局。儒、佛、道三教作为中国传统文化的三大构成，各以其不同的文化特征影响着中国文化及哲学；三者又相互融合，共同作用于中国文化与哲学的发展，这有其深刻的思想根源。

从思想理论的特点来分析，三教各有其长短。儒学长于社会治理，以伦理纲常教化民众，维护社会的稳定和民族团结；其短处是缺乏思辨哲学来影响人、打动人。佛学长于治心，以心性哲学和思辨哲理来论证其教旨教义，发挥宗教消除内心紧张、求得心灵安宁的社会功能；其短处是不讲社会治理，其出世主义的宗教信仰与中国宗法等级社会及其社会制度形成矛盾，因此与适应宗法社会伦理关系的儒家思想尖锐对立。道教长于养身，通过修炼，得道成仙，与大自然合一，因而宣扬道为宇宙之本、万物之源；其短处是既在思辨哲理上不及佛学，又在治世上不及儒学，故其迎合、吸取儒、佛处较多。正因为三教各有长短，单用一家之说，均有弊病，故三教融合、互为补充，成为社会与文化发展的客观需要。这即是三教融合的思想根源。

早期三教相互关系，以对立冲突为主，到后来则在各自保持和认同自家思想特点的基础上，相互吸取，互为补充。儒、佛、道三家思想的融合互补，在隋唐以前已有发端。隋代王通明确提出了以儒为本，三教可一的思想，他说："三教于是乎可一矣。"①由唐至宋，李翱、柳宗元、三苏父子均主张融合三教。如果说，儒家学者主张的三教融合，是站在儒家文化的立场，以儒为本，来援佛、道入儒的话，那么，佛、道学者主张的三教融合，则是站在自家立场上，援儒以入佛或道。北宋高僧契嵩主张融合儒学与佛教，以佛教的"五戒"来会通儒学之"五常"，认为佛儒同样有益于治道，并著《原教论》，以反驳排佛者。宋初道士张伯端通三教典籍，著《悟真篇》，反复宣扬道、佛、儒

---

① （隋）王通：《中说》卷五，《问易篇》，文渊阁四库全书本。

"三教一理"的思想。

唐宋以来,三教融合互补成为趋势。但三教的融合,不是三者简单相加,混杂而处,而是以儒家的伦理学说为本位和中国文化的基本构成,吸取佛教的思辨哲学及道教的道本论、道法自然的思想,三者有机地结合,从而形成新儒学即理学思想体系。可以说,以儒家伦理为本位,吸取了佛道二教思想的宋代理学的创立,即是三教合一思潮的形成和完善。这使中国哲学发展到一个新的阶段。但张商英的三教融合思想却与理学家的以儒为主,吸取佛道的三教合一思想有所不同,似乎他更以佛教为根本来整合三教学说。然就其把儒学称之为"吾儒""吾教"来说,表明他在一定程度上还是以儒为主来调和儒佛、融合三教的。

二、张商英的三教融合论

中国文化乃多元复合体的综合性文化,其中儒学长期居于中国文化发展的正统地位,尤其在政治、伦理方面。而隋唐时期佛教的盛行则动摇了儒学在社会意识形态领域的主导地位。张商英作为世俗社会曾任宰相的高官,儒学文化的日常熏陶和习染,对他影响很大。在其《护法论》里,他开宗明义地把孔子所言之道与佛教的识心见性、无上菩提之道相提并论,以调和儒佛两家。他说:

孔子曰:朝闻道,夕死可矣。以仁义忠信为道耶?则孔子固有仁义忠信矣。以长生久视为道耶?则曰夕死可矣。是果求闻何道哉?岂非大觉慈尊识心见性无上菩提之道也!不然则列子何以谓孔子曰:丘闻西方有大圣人,不治而不乱,不言而自信,不化而自行,荡荡乎民无能名焉。列子学孔子者也,而遽述此说信不诬矣。孔子圣人也,尚尊其道,而今之学孔子者,未读百十卷之书,先以排佛为急务者,何也?岂独孔子尊其道哉,至于上下神祇无不宗奉,矧兹凡夫,辄恣毁斥,自昧己灵,可不哀欤![1]

指出孔子所言之道即是仁义忠信之道,孔子之道以仁义忠信为内涵。并认为孔子所求闻的道也就是佛教的识心见性、无上菩提之道。其立论的依据是列子所引述孔子所说的"丘闻西方有大圣人,不治而不乱,不言而自信,不化

---

[1] 《护法论》,《大藏经》第52册,第638页。

而自行,荡荡乎民无能名焉"之语。认为列子学于孔子,其所引述孔子之言不诬。然而《列子》为晚出之书,多为民间故事、寓言和神话传说,其可信程度值得怀疑。况且所说的"西方有大圣人"也不能指为释迦牟尼。张商英以作为儒家圣人的孔子尚尊释氏之道为由,批评了今之儒家学者的排佛,其目的是调和儒佛,将儒家的仁义忠信之道与佛教的识心见性、无上菩提之道联系起来相提并论。并认为不仅孔子尊释氏之道,而且上下神祇也无不宗奉其道,这当包括了道教之神祇在内。

从儒释融合、肯定佛教出发,张商英的《护法论》针对北宋欧阳修等人的反佛观点而提出批评。他说:"欧阳修曰:'佛为中国大患,何言之甚欤!'岂不尔思,凡有害于人者,奚不为人所厌而天诛哉,安能深根固蒂于天下也?桀纣为中国天子,害迹一彰,而天下后世共怨之。况佛远方上古之人也,但载空言传于此土,人天向化若偃风之草。苟非大善大慧、大利益、大因缘,以感格人天之心者,畴克尔耶?一切重罪皆可忏悔,谤佛法罪不可忏悔,诚哉是言也。谤佛法则是自昧其心耳。其心自昧,则犹破瓦不复完、灰不重木矣,可忏悔哉!"①张商英反对欧阳修"佛为中国大患"的批评,他认为,此言过甚,如果如其所言,那就该人厌天诛,就像对桀纣一样,而佛教却能够在中国大地扎下根来,人之向化有如偃风之草一样,如果说没有大善大慧、大利益、大因缘,怎么能"感格人天之心"呢?由此,张商英把批评佛法视为"自昧其心"而不可忏悔。可见他对佛教的回护。

北宋时理学兴起,以程颢、程颐为代表的新儒学者面对佛老思想的挑战和儒学式微、伦常扫地、人无廉耻的局面,以儒家伦理为本位,批判地吸取佛、道精致的思辨哲学,结合社会发展的需要,创建以"天理"论为核心的理学思想体系。对佛教出世主义的批判,最能够体现二程所维护的儒家世俗文化与佛教宗教文化的本质区别。程颢抨击佛教"大概且是绝伦类,世上不容有此理。又其言待要出世,出那里去?又其迹须要出家,然则家者,不过君臣、父子、夫妇、兄弟,处此等事,皆以为寄寓,故其为忠孝仁义者,皆以为不得已尔。又要得脱世网,至愚迷者也"②。认为佛教的要旨是"绝伦类",不讲儒家三纲伦理,出家出世,逃脱世俗社会关系之网,以追求个人独身修道。

---

① 《护法论》,《大藏经》第52册,第638～639页。
② 《河南程氏遗书》卷二,《二程集》,第24页。

而张商英则调和儒、佛,把佛教的色、受、想、行、识称为世间法,而不是程颢、程颐所批评的出世主义。他说:"近世伊川、程颢谓,佛家所谓出世者,除是不在世界上行,为出世也,士大夫不知渊源而论佛者,类如此也。殊不知色、受、想、行、识,世间法也;戒定慧、解脱、解脱知见,出世间法也。学佛先觉之人,能成就通达出世间法者,谓之出世也。稍类吾儒之及第者,谓之登龙折桂也,岂其真乘龙而握桂哉?佛祖应世,本为群生,亦犹吾教圣人吉凶与民同患,五百年必有王者兴,其间必有名世者,岂以不在世界上行为是乎?超然自利而忘世者,岂大乘圣人之意哉!"①认为程颢、程颐批评佛家所谓的出世,应是离开世界上的行才称之为出世,而佛教的色、受、想、行、识五蕴则不脱离世界,故为世间法,而不能称为出世。虽然佛教的戒定慧、解脱、解脱知见等为出世间法,其学佛的先觉之人,能成就通达出世间法者,可以谓之出世,但在张商英看来,佛教的出世间法使人得以出世,类似于儒家的登龙折桂而科举及第。并指出,佛祖并非脱离民众,他还是提倡要应世的,其应世的目的在于为芸芸众生,就像吾教(儒家)圣人的吉凶与民同患一样,即儒家圣人与民众有福同享,有难同当。佛教的圣人也是这样,"本为群生",并不像人们所批评的那样是脱离世间只追求自私自利而忘世,认为这不是大乘佛教圣人之意。张商英在回应理学家对佛教出世主义的批评时,一再把儒学称为"吾儒""吾教",表明他在一定程度上还是以儒为主来调和儒佛、融合三教的。

进而,张商英站在治世的立场,认为佛教有补于治世即社会治理,而不应全然排斥。他说:"佛之为法甚公而至广,又岂止缁衣祝发者得私为哉?……殊不知天下之理,物希则贵,若使世人举皆为儒,则孰不期荣,孰不谋禄?期谋者则争竞起,争竞起则妒忌生,妒忌生则褒贬胜,褒贬胜则仇怨作,仇怨作则挤陷多,挤陷多则不肖之心无所不至矣。不肖之心无所不至,则为儒亦不足为贵矣,非特儒者为不足贵也,士风如此,则求天下之治也亦难矣。"②认为佛法甚公至广,而不为私。指出如果天下人都为儒,人人谋进取,追求荣禄,导致竞争起、妒忌生,褒贬盛行而结仇怨,那么就会使排挤陷害的恶习盛行而不肖之心无所不至,以致不以儒为贵。士风民俗至此,天下也难以治理。在这里,张商英一定程度上看到了儒家治世之流弊,提倡以佛法济儒教之穷。他说:

---

① 《护法论》,《大藏经》第52册,第642~643页。
② 《护法论》,《大藏经》第52册,第639~640页。

佛以其法付嘱国王大臣，不敢自专也。欲使其后世之徒无威势以自尊，隆道德以为尊，无爵禄以自活，依教法以求活……且导民善世莫盛乎教，穷理尽性莫极乎道。彼依教行道求至乎涅槃者，以此报恩德，以此资君亲，不亦至乎？……外富贵若浮云，视色声如谷响。求道则期大悟而后已，惠物则念众生而不忘。今厌僧者其厌佛祖乎？佛以持戒当行孝，不杀不盗不淫不妄，不茹荤酒，以此自利利他，则仁及含灵耳，又岂现世父母哉！盖念一切众生无量劫来，皆曾为己父母宗亲故，等之以慈而举期解脱，以此为孝，不亦优乎？……间有世智辩聪者必为功名所诱，思日竞辰，焚膏继晷，皇皇汲汲然涉猎六经子史，急目前之应对尚且不给，何暇分阴及此哉！或有成名仕路者，功名汩其虑，富贵荡其心，反以此道为不急，罔然置而不问。不觉光阴有限，老死忽至，临危凑亟，虽悔奚追。世有大道远理之如此也，而不窥其涯涘者，愧于古圣贤多矣！既不闻道，则必流浪生死，散入诸趣。而昧者甘心焉，是谁之过欤？①

认为佛法在政治治理上也可发挥其作用，使国王大臣等统治者不敢自专，以隆道德、依教法为原则。指出佛教依教行道以求至于涅槃，可达至导民善世、穷理尽性的目的，以此可报恩德，资君亲。此外，佛教求道以期大悟，视富贵如浮云，视声色为谷响，这些都有补于儒家的修养成圣之业。并且佛教的持戒可资行孝，其不杀生，不盗窃，不淫乱，不妄作，不茹荤酒，严持戒律，这些都是自利利他之举，也在一定程度上体现了儒家的仁德观念和孝道，反映了北宋时期士大夫调和儒佛的思想。由此，张商英批评了世间为功名所诱的儒者，指出其涉猎儒家"六经"的目的是追求功名利禄，一旦陷于功名富贵之窠臼，则对世间的道理置若罔闻，而与世沉浮。为了使众生远离俗世尘垢，以佛法济儒教之穷，是必要的。

为了救社会时弊，端正社会风气，张商英主张融合三教，提倡儒、释、道不可或缺的融通调和论。他说："余尝爱本朝王文康公著《大同论》，谓儒释道之教沿浅至深，犹齐一变至于鲁，鲁一变至于道，诚确论也。"②肯定当时王曙所著三教会通的《大同论》，认为儒、释、道三教沿浅至深，均有补于治世。他说：

---

① 《护法论》，《大藏经》第52册，第640～641页。
② 《护法论》，《大藏经》第52册，第643页。

余谓群生失真迷性，弃本逐末者，病也；三教之语以驱其惑者，药也。儒者使之求为君子者，治皮肤之疾也；道书使之日损，损之又损者，治血脉之疾也；释氏直指本根，不存枝叶者，治骨髓之疾也。其无信根者，膏肓之疾不可救者也。儒者言性，而佛者见性；儒者劳心，而佛者安心；儒者贪著，而佛者解脱；儒者喧哗，而佛者纯静；儒者尚势，而佛者忘怀；儒者争权，而佛者随缘；儒者有为，而佛者无为；儒者分别，而佛者平等；儒者好恶，而佛者圆融；儒者望重，而佛者念轻；儒者求名，而佛者求道；儒者散乱，而佛者观照；儒者治外，而佛者治内；儒者该博，而佛者简易；儒者进求，而佛者休歇。不言儒者之无功也，亦静躁之不同矣。①

对于世间芸芸众生弃本逐末，迷失自己的真性而出现的社会弊病，张商英认为儒释道三教学说均有治理社会、驱病解惑之药方。但三家各有侧重，其中儒家学说要求人们成为君子，这是治皮肤之疾；道家宣扬使之日损，损之又损，这是治血脉之疾；而佛教则强调直指本根，不存枝叶，这是治骨髓之疾。虽然三教在对治社会弊病、教化人心方面具有一致性，但佛教能够悟其真性，治其根本。洞察儒佛之差异与互补，不仅儒、佛具有差异和互补性，而且道、佛亦是相反相成，相互融通的。他说：

老曰道法自然。楞伽则曰前圣所知转相传授；老曰物壮则老，是为非道。佛则一念普观无量劫，无去无来亦无住，以谓道无古今，岂有壮老？人之幻身亦老也，岂谓少者是道老者非道乎？老则坚欲去兵。佛则以一切法皆是佛法；老曰道之出言，淡乎其无味。佛则云信吾言者，犹如食蜜，中边皆甜。老曰上士闻道勤而行之，中士闻道若存若亡，下士闻道大咲之。若据宗门中则勤而行之，正是下士，为他以上士之士两易其语。老曰塞其穴闭其门。释则属造作以为者败，执者失又成落空。老欲去智愚民，复结绳而用之。佛则以智波罗蜜，变众生业识为方便智，换名不换体也。不谓老子无道也，亦浅奥之不同耳。②

认为道家老子与佛教在本体论、自然观、心性论、时空观、语言观、知

---

① 《护法论》，《大藏经》第52册，第643页。
② 《护法论》，《大藏经》第52册，第643页。

识论、智慧观等方面存在着差异，体现出佛、道两家各自不同的旨趣。但亦不可谓老氏无道，只是与佛教相比，有"浅奥之不同"。就其承认道家的有道而言，反映了张商英融合三教，相兼并用的思想。

进而，张商英明确指出："虽然，三教之书各以其道善世砺俗，犹鼎足之不可缺一也。若依孔子行事，为名教君子；依老子行事，为清虚善人，不失人天，可也……读佛书者，则若食苦咽涩而至神仙。"① 尽管儒、道、佛三教各有不同的学术旨趣和教旨教义，但张商英强调，三教又都各自以其道来"善世砺俗"，促进美风良俗的形成，其三教融合，有如鼎足而不可缺一。就儒家而言，可使人成为名教君子；就道家而言，可使人成为清虚善人；佛教则可使人成为神仙，体现了张商英融合三教而反对排佛的思想。虽然从表面上似乎他更以佛教为根本来整合三教学说，如张商英把儒家学说视为治皮肤之疾，道家学说是治血脉之疾，而佛教则是治骨髓之疾。并认为道家与佛教有"浅奥之不同"，但就其一再把儒学称为"吾儒""吾教"而言，表明他在一定程度上还是以儒为主来调和儒佛、融合三教的。这在一定程度上反映了北宋时期巴蜀哲学的特点，亦是当时理学兴起的背景下，佛、道思想仍有相当社会影响的表现。

第五节　宋代巴蜀理学的流传演变

著名理学家周敦颐入蜀活动四年，传道授业，蜀人多从之，促进宋代巴蜀理学的兴起和发展。另一著名理学家程颐两度入蜀，其理学代表著作《伊川易传》写作于涪陵，这本身就是宋代巴蜀理学的组成部分。周程的理学思想不仅促进了宋代理学的发展，而且对巴蜀理学产生了重要影响。一方面，宋代理学的代表人物程颐在蜀的学术活动，他的著述、讲学，直接体现为宋代巴蜀理学的一部分，并通过其蜀中弟子如谯定及其涪陵学派、谢湜等影响了巴蜀理学；另一方面，程颐的著名弟子尹焞在程颐之后也入蜀活动、讲学，传播程颐的理学思想，并扩大了其在巴蜀的影响。此外，程颐的蜀中后学如张浚、李石等也继承了程颐的学说，使理学在蜀地进一步流传，为南宋巴蜀理学的大发展起到了铺垫和过渡的作用。

---

① 《护法论》，《大藏经》第52册，第643页。

一、谯定、谢湜

谯定、谢湜是亲炙程颐的两位蜀中弟子,两人都对易学有研究,并都曾就易学问题向程颐请益。除易学外,谢湜还对《春秋》作了研究,并请教于程颐。谯定、谢湜作为程颐的蜀籍弟子,在程颐入蜀期间,都曾与其师程颐保持着学术联系。谯定后来将其易学传授给胡宪和刘勉之,以及张浚,通过他们,对南宋理学两大家朱熹和张栻均产生了某些影响。

(一)谯定与涪陵学派

谯定,字天授,涪州(原四川涪陵,今属重庆)人。年轻时好佛,后弃佛归儒。曾学《易》于郭曩氏。郭曩氏易学乃象数易学,与程颐之义理易学不同。以后谯定从学于程颐,弃其所学而学于程颐之学。据《宋史·谯定传》记载:

> 谯定字天授,涪陵人。少喜学佛,析其理归于儒。后学《易》于郭曩氏,自"见乃谓之象"一语以入。郭曩氏者,世家南平,始祖在汉为严君平之师,世传易学,盖象数之学也。定一日至汴,闻伊川程颐讲道于洛,洁衣往见,弃其学而学焉。遂得闻精义,造诣愈至,浩然而归。其后颐贬涪,实定之乡也,北山有岩,师友游泳其中,涪人名之曰读易洞。①

谯定曾两次问学于程颐,第一次是谯定至北宋都城汴梁时,听说程颐在西京洛阳讲道,于是洁衣前往,放弃过去的学问而向程颐求学,并闻其精义,达到一定的造诣而浩然归四川。第二次是程颐贬官涪陵时,谯定作为涪陵本地人,自然与其师相处,向其问学,师生相与探讨易学,以至涪陵人将其读书处称为"读易洞"。程颐的理学和易学通过谯定得以在蜀流传。谯定也将程颐之学传之后世,形成以他为首的涪陵学派。谯定上承程颐,下启胡宪、刘勉之、冯时行、张行成、张浚等人,间接影响到朱熹。

据《宋史》本传载:"定易学得之程颐,授之胡宪、刘勉之,而冯时行、张行成则得定之余意者也。"②可知谯定的门人有胡宪、刘勉之、冯时行、张行成等,这当是涪陵学派的组成人员。

---

① 《宋史》卷四五九,《隐逸下》,第13460~13461页。
② 《宋史》卷四五九,《隐逸下》,第13461页。

关于涪陵学派的组成，《宋元学案·刘李诸儒学案》亦云：谯定"后以易学授刘白水勉之、胡籍溪宪，而冯时行、张行成则得先生之余意者也"。谯定将其学传给张浚、张行成、冯时行等蜀籍学者，进而影响到张栻、魏了翁等巴蜀著名理学家。又通过胡宪、刘勉之影响到朱熹。对巴蜀以至宋代理学的发展起到了一定的作用。

然而，谯定却没有什么著作留下来，尽管他曾撰有《易传》，但却不传，故没有太大的影响。虽然如此，谯定也对后世产生了一些影响。朱熹早年之师胡宪、刘勉之曾从胡安国习二程之学，从谯定学《易》，这对朱熹产生了一定的间接影响。朱熹对谯定有所评价，他说："渠说又云：谯天授亦党事后门人。熹见胡、刘二丈说亲见谯公，自言识伊川于涪陵，约以同居洛中。及其至洛，则伊川已下世矣。问以伊川易学，意似不以为然。至考其他言行，又颇杂于佛、老子之学者，恐未得以门人称也。"①朱熹不同意把谯定说成是伊川门人的说法。他从自己早期的两位老师胡宪、刘勉之那里得知一些谯定当年与程颐交往的情况。了解到谯定易学与伊川易学不大相合。考谯定的其他言行，又杂于佛老之学，故朱熹认为谯定恐未得以程颐门人相称。《朱子语类》对谯定的易学作了一些记载：

问曰："'公岂不思象之在道，犹《易》之有太极耶？'此意如何？"曰："如此教人，只好听耳。使某答之，必先教他将六十四卦，自《乾》《坤》起，至《杂卦》，且熟读。晓得源流，方可及此。"

问："籍溪见谯天授问《易》，天授曰：'且看见乃谓之象一句。通此一句，则六十四卦，三百八十四爻皆通。'籍溪思之不得。天授曰：'岂不知《易》有太极者乎？'"先生曰："若做个说话，乍看似好，但学《易》工夫，不是如此。不过熟读精思，自首至尾，章章推究，字字玩索，以求圣人作《易》之意，庶几其可。一言半句，如何便了得他！"谯先生说"见乃谓之象"，有云："象之在道，乃《易》之在太极。"其意想是说道，念虑才动处，便有个做主宰底。然看得《系辞》本意，只是说那"动而未形有无之间者几"底意思。几虽是未形，然毕竟是有个物了。

涪人谯定受学于二郭载、子厚。为象学。其说云："《易》有象学、数

---

① 《朱熹集》卷三〇，《与汪尚书（十一）》，第1286页。

学。象学非自有所见不可得,非师所能传也。"谯与原仲书云:"如公所言,推为文辞则可,若见处则未。公岂不思象之在道,乃《易》之有太极耶?"①

显然,朱熹对谯定易学评价不高,尽管朱熹对象数易学也很重视,但却认为谯定说《易》,只说得"一言半句",未能从总体上把握其源流。朱熹主张,对《易》要"熟读精思,自首至尾,章章推究,字字玩索,以求圣人作《易》之意",而不能象谯定那样,只是"乍看似好,但学《易》工夫,不是如此"。可见朱熹对谯定易学并没有怎么认同。联系到朱熹未把谯定视为程颐及门弟子,似以私淑相看,可知谯定对朱熹没有产生多大影响。

然而,在朱熹之后的蜀籍理学家魏了翁却把谯定看作二程的"大徒高弟",他说:"大徒高弟,如谯天授、谢持正皆班班可考。"②认为谯定等受二程影响,且把程氏理学在巴蜀发扬光大,给予较高评价。就张浚曾受学于谯定,并影响到其子著名理学家张栻而言,谯定确实对宋代巴蜀理学的发展产生过一定的影响,同时在宋代巴蜀理学发展史上也占有一定的地位,而值得肯定。

(二)谢湜

谢湜,字持正,金堂(今成都金堂)人,元丰进士,官至博士。程颐高弟,曾往洛阳见程颐,从程颐学。著有《易义》十二卷③,以及《春秋义》二十四卷,又《总义》三卷④。均不传。《河南程氏外书》对谢湜问学于程颐作了记载:"昔又有蜀人谢湜提学字持正,解《春秋》成,来呈伊川。伊川曰:'更二十年后,子方可作。'谢久从伊川学,其《传》竟不曾敢出。"⑤表明谢湜撰有解《春秋》的著作,将其呈程颐。而程颐答曰:二十年后,你方能作此书。说明程颐对学生著书,要求很严格,如果不是确有心得,不要轻易著书。不仅对学生,即使对自己,程颐也要求非常严格。他的《伊川易传》的写作,历时多年,成书以后,也反复修改,不轻易示人,直至晚年才传给学生。《宋元学案》也对谢湜的事迹作了一些记述:

---

① 《朱子语类》卷六七,第1676~1677页。
② 《鹤山集》卷四二,《简州四先生祠堂记》。
③ 参见《宋史》卷二〇二,《艺文一》,第5036页。
④ 参见《宋史》卷二〇二,《艺文一》,第5061页。
⑤ 《河南程氏外书》卷一二,《二程集》第433页。

谢山答临川杂问曰：谢湜于宋儒林中无所见。尹和靖语录云：蜀人谢湜，以所著《春秋》请正程子。程子答以更二十年方可讲此。则当与刘绚同时，胡氏行辈稍后之矣。今观其书，亦无甚精蕴，以之备《春秋》一种可耳。湜尝赴京，先至洛，见程子。问以何往？答曰：将试学官。程子曰：求为人师，而试之乎？湜遂不行。事见遗书，则当以布衣终也。①

认为谢湜问学于程颐，将其解《春秋》的著作请正伊川的时间，当与刘绚问学于程颐同时。按刘绚，字质夫，元祐三年（1088）卒，如果《宋元学案》谢山所言不差的话，那么谢湜初入洛阳问学程颐的时间当在元祐三年刘绚逝世之前。

其后，程颐贬官涪州，谢湜托人带书给程颐。并向程颐请教一些学术问题。程颐遂于元符元年（1098）十一月九日撰《与金堂谢君书》，其书云：

颐启。前月末，吴斋郎送到书信，即递中奉报，计半月方达。冬寒，远想雅履安和。侨居旋为客次，日以延望，乃知止行，甚怏怏也。来春江水稳善，候有所授，能一访甚佳。只云忠涪闲看亲，人必不疑也。

颐偕小子甚安。来春本欲作《春秋》文字，以此无书，故未能，却先了《论》《孟》或《礼记》也。《春秋》大义数十，皎如日星，不容遗忘，只恐微细义例，老年精神，有所漏落。且请推官用意寻究，后日见助，如往年所说，许止、蔡般书葬类是也。若欲治《易》，先寻绎令熟，只看王弼、胡先生、王介甫三家文字，令通贯，余人《易》说，无取枉费功。②

程颐收到吴斋郎送来的书信，得知路上走了半月。在回书中，他向谢湜表达了自己侨居涪陵忧愁不安的心情。并希望来年春天，谢湜能来涪陵一访，为避免人怀疑，只说来看亲。以此可知程颐贬官涪陵时的处境及心情。从程颐的《与金堂谢君书》中，大体上可以看到谢湜在来信时，曾向程颐提了一些学术问题，包括有关《春秋》《易》等方面的问题。也可知程颐当初在涪陵侨居时，曾打算撰写《春秋》方面的书，只因当地无《春秋》方面的书可看，故

---

① 《宋元学案·刘李诸儒学案》。
② 《河南程氏文集》卷九，《与金堂谢君书》，《二程集》，第613页。

只得作罢,而把精力放到了撰写《伊川易传》上。程颐又向谢湜传授了如何治《易》的思想,由此表现出程颐的义理易学的治学倾向,而与象数派不同。谢湜作为程颐的蜀中弟子,通过向程颐问学和自己的学术活动,使理学在巴蜀得到流传。

二、尹焞在蜀的活动及思想

尹焞(1171~1142),字彦明,一字德充,号和靖,河南洛阳人,北宋理学家。年二十受学于程颐。程颐教尹焞以《大学》《西铭》,又令看敬字。后应进士举,因策问中有诛元祐诸臣之议,尹焞对此不满,遂不对而出,告于程颐,遂不复应进士举。又从程颐学《易》。程颐从涪陵归来后,传其《易》于尹焞。大观初年,新学日兴,谏官范致虚上言,称程颐倡为异端,而尹焞和张绎为其羽翼。在程颐同时的两个弟子中,张绎以高识,尹焞以笃行而著称。程颐去世后,尹焞聚徒于洛阳讲学,士大夫皆宗仰之,在当时具有一定的影响。靖康元年(1126)九月,同知枢密院事、京畿河北东路宣抚使种师道上表推荐尹焞,乞召置经筵。尹焞辞不受。后朝廷再下旨促召。尹焞不得已赴阙,然仍不愿做官。朝廷知不能留,乃于此年十月诏赐"和靖处士"放归。

靖康二年(1127),金兵陷洛阳,尹焞全家遇害。尹焞本人也伤重不能行动,弟子将其藏匿于山谷间免于一死。后于绍兴二年(1132),尹焞入蜀,到阆中。时张浚任川陕宣抚处置使,尹焞门人吕稽中为计议官,延请尹焞馆于阆中。在阆中居住时,尹焞寻程颐的《伊川易传》,于吕稽中处得到上十卦。后到武信,其女婿邢纯多方寻求,获《伊川易传》全书,尹焞并为此作《书易传后序》,其言曰:"焞至阆中,求《易传》,得上十卦于吕稽中,实余门人也。后至武信,婿邢纯多方求获全本。以所收纸借笔吏成其书,为生日之礼。殆与世俗相视者异矣。敬而受之,乃言曰:誓毕此生,当竭吾才,不负吾夫子传道之意。壬子七月二十五日门人尹焞书。"①尹焞在蜀中求其师程颐《伊川易传》的目的乃在于继承程氏易学,"不负吾夫子传道之意"。因《伊川易传》写作于涪陵,并在蜀地流传,以至于尹焞都要到四川寻找。而在程颐的家乡洛阳,因被金兵占领,兵荒马乱之际,恐原有的《伊川易传》已散失。尹焞在蜀地找到该书全本后,将其作序推出,进一步扩大了程氏易学及理学在巴蜀的影响。

---

① 《和靖集》卷三,《书易传后序》,文渊阁四库全书本(下引版本同此)。

绍兴四年（1134）七月二十三日，邢纯任监涪陵酒税一职，迎侍尹焞往涪陵居住。尹焞居住涪陵期间，将在蜀中得到的数本记录程颐讲学言论的文字编为《师说》一书，并为之作序。其序云：

  焞年二十始登先生之门，被教诱谆谆垂二十年。昔得朱公掞所编杂说呈先生，"此书可观否？"先生留半月。一日请曰："前日所呈杂说如何？"先生曰："某在，何必观此。若不得某心，只是记得他意，岂不有差。"经兵火来蜀中，得数本。窃观之其间或详或略，因所问而答之。盖学者所见有浅深，故所记有工拙，未能无失，不敢改易。焞虽未尽识其意，以所见无疑者，辄成此书。目为《师说》。览者各自得焉，不能详告也。绍兴六年四月二十一日门人尹焞记。①

可知此《师说序》作于绍兴六年四月尹焞寓居涪陵期间。其成此书的目的在于传播程颐的理学思想。这使得程颐的学说在蜀地进一步流传开来。

在蜀地居住四年后，尹焞奉诏入朝，离开涪陵。从绍兴二年（1132）入蜀，到绍兴六年（1136）九月离开涪陵，尹焞共在四川待了四年。其中在涪陵寓居两年，其他时间在阆中、武信、巴中、广安等地活动。在蜀期间，尹焞寻求《伊川易传》，为之作《书易传后序》，并编著《师说》一书。与此同时，他还讲学授徒，传播理学，为理学在巴蜀的传播推广起到了重要作用。

尹焞继承二程的天理论，认为天理即实理，主张不为人欲所蔽，以循其天理。他说："民之秉彝也，故好是懿德。万物皆有理，顺之则易，逆之则难。各循其理，何劳于己哉！人心莫不有知，惟蔽于人欲，则亡也。天理皆实理也，人而信者为难。"②指出天理存在于万物之中，应循理而不逆于理。认为尽管天理是实理，但如果蔽于人欲，也会使天理亡，可见天理与人欲不并存。

虽然尹焞继承了二程的天理论，但也表现出某种心本论的思想倾向。他说："身生天地后，心在天地前，天地自我出，自余何足言。"③认为尽管人的身体生在天地之后，但心却在天地之前就已存在。并且天地也是出自吾心，

---

① 《和靖集》卷三，《师说序》。
② 《和靖集》卷四，《壁帖·圣学》。
③ 《和靖集》卷四，《壁帖·圣学》。

即天地万物是我心的产物。这具有一定的心学倾向。在二程兄弟的天理论哲学体系里,其心本论与理本论之分并不明显。而到了南宋,则有了朱熹、陆九渊两家学术的分野。尹焞的心本论倾向则是处在这个过程中的中间环节。

"理一分殊"是宋代理学的重要理论,程颐在与杨时论《西铭》时,把张载的《西铭》用"理一分殊"加以概括。程颐说:"《西铭》明理一而分殊,墨氏则二本而无分。"① 尹焞对此也提出了自己的想法,他在《跋西铭》一文中说:

> 横渠先生作此铭,或疑同于墨氏之兼爱,寓书以问伊川先生。答曰:《西铭》之为书,推理以存义,扩前圣所未发,与孟子性善养气之论同功(注云:二者亦前圣所未发),岂墨氏之比哉!《西铭》明理一而分殊,墨子则二本而无分(注云:老幼及人,理一也;爱无差等,二本也)。分殊之蔽,私胜而失仁;无分之罪,兼爱而无义。分立而推理一,以止私胜之流,仁之方也。无别而迷兼爱,至于无父之极,义之贼也。子比而同之,过矣。且谓言体而不及用,彼欲推而行之,本为用也。反为不及,不亦异乎?②

认为老吾老以及人之老,幼吾幼以及人之幼,即是理一;而爱无差等,则是二本。这是儒家与墨家的区别之处,而尹焞则强调理一,批评无别而二本的墨子观点。他看到分殊的弊病是私胜而失仁,主张在分殊的继承上推理一,以理一作为事物的根本,把理一分殊与兼爱说区分开来,这是对其师程颐思想的继承。

《师说》一书是尹焞在蜀期间所编著的记载程颐讲学言论的书,其中也记录了尹焞本人的思想。关于程颐的经学,《师说》记云:

> 时敏问先生:"伊川五经皆有解乎?"先生曰:"只有《易传》,他经则分与门人理会,俟他时却欲会作一处看,不期谪涪。启手足时,却有《中庸解》取出烧了。曰:'《易传》足矣,何以多为。'"先生又曰:"得他留此书在也好,烧了可惜。《春秋》闻分与刘质夫,《诗》《书》不知分与谁。

---

① 《河南程氏文集》卷九,《答杨时论西铭书》,《二程集》,第609页。
② 《和靖集》卷三,《跋西铭》。

《诗序》二篇则先生自为之,不可不知。"①

尹焞门人王时敏问尹焞,是否程颐对"五经"都作了注解?尹焞回答:程颐只是作了《易传》一书,而其他诸经则分给门人去理会,准备等以后再把诸经会作一处看,不料程颐被朝廷谪往涪陵居住。等到谪期满,回到洛阳时,却把自己所作的《中庸解》烧掉,而对门人说,有一部《易传》就足够了,何必多为他书。尹焞则认为如果留下《中庸解》就好了,烧掉它可惜。并听说程颐把理会《春秋》的任务交给了弟子刘绚,《诗》《书》则不知分给了谁。并指出,《诗序》二篇是程颐自己所作,对此不可不知。从尹焞《师说》中可知,程颐于"五经"只是注解了《周易》,而作《伊川易传》一书。并曾作《中庸解》,但因自己不满意,已将它烧掉。程颐的只作《易传》,与朱熹的遍注群经有所不同。

尹焞作为程颐晚年的著名弟子,于南宋初入蜀,在蜀中的阆中、巴中、广安、涪陵等地活动,通过讲学著述、与蜀中学者交流,传播了二程理学,扩大了理学在巴蜀的影响,同时也促进了洛学及整个理学的持续发展。

三、张浚的易学思想

张浚(1097~1164),字德远,号紫岩居士,汉州绵竹(今四川绵竹)人,南宋政治家、军事家,亦是程颐二传弟子,受到理学思想的影响,精于易学。曾受学于程颐的蜀中门人谯定,是伊川、东坡的再传弟子,为程颐在蜀后学。伊洛之学经由张浚在蜀中得昌。又得到张浚之子张栻的发展,使得理学不仅在巴蜀,而且在全国大盛。张浚于北宋徽宗时中进士,钦宗靖康时为太常簿。高宗即位建立南宋王朝,张浚除枢密院编修官。历任尚书右仆射、同中书门下平章事、兼知枢密院事、都督诸路军马等职。力主抗金,反对议和。率部屡次破金,给金兵以沉重打击。后被罢官,免去节度使,贬往连州等地居住二十余年。孝宗即位后起用张浚,派兵出击金兵,在宿州克捷。后在符离之战中,为金兵所败。隆兴二年(1164),张浚又被主和派排挤,罢去相位,出判福州。张浚在去职路上听说朝廷议和,继续上书反对。途经余干病逝。

张浚不仅是一位著名抗战将领和政治家,而且是一位邃于易理、博览群书

---

① 《和靖集》卷六,《师说》。

的思想家。著有《紫岩易传》《春秋解》《中庸解》《论语解》《中兴备览》《奏议》《张魏公集》等，有的已不传。其易学思想是他学术思想的主要内容。张浚易学以象数为本，亦受到图书学的影响，同时把义理建立在象数的基础上，从中阐发性理之学，这体现了理学思潮崛起的时代特征。

（一）"圣人作《易》，将以载道"

张浚继承二程"经所以载道"的思想，将其运用于易学研究，提出了"圣人作《易》，将以载道"的论断。他说：

> 圣人作《易》，将以载道，而传之天下后世也。书不能尽言，言不能尽意，无他，至道之妙，见于言者，非书可得而悉；寓于意者，非言可得而穷耳。不然，虽累千万言，亦何补于《易》哉！圣人为是，揲数以起象，因象以成卦，凡天下情伪不得遁其情。圣人之意既已默传，然后系之以辞，以发其象。故道以象显，言以书尽，意以言尽。书足于言，言足于意，皆本于自然之象，无毫厘丝发之差也。《易》之为道，于是无余蕴。变而通之，爻之所错也；鼓之舞之，道之所行也。天下之吉凶，至此而定，不亦尽利欤；天下之大业，因此而成，不亦尽神欤。①

认为圣人作《易》的目的是为了以《易》载道和传道，由于道妙不易把握，所以书不能尽言，言也不能尽意。也就是说，《易》作为载道之书，仅从书中之言辞是难以完全把握其所寓之道的。于是，圣人"揲数以起象，因象以成卦"，以反映天下事物之情伪；然后系辞以发象，道通过象得以表现，书中之言意都本于自然之象而无差，由此《易》道通过象表现出来。爻变通相错，道鼓舞而行，以此定天下的吉凶，以成天下的大业。张浚把《易》作为载道之书的思想，与纯粹将《易》视为卜筮之书的见解有所不同，尽管他也指出《易》有着揲数起象，因象成卦的内容和功能，但他强调道通过象数得以显现，道寓于天地自然物象之中，象和数也是反映自然物象的。就其重视道，把《易》作为载道的工具而言，张浚易学体现了理学崛起的时代精神，而与仅以《易》为卜筮之书，而不重阐发《易》中之道理的治《易》方法有别。

张浚所谓道，即太极之道，它是存在于天地之先，由太极之虚而产生万

---

① （宋）张浚：《紫岩易传》卷七，《系辞上》，文渊阁四库全书本（下引版本同此）。

有，万物由此而得以产生。他说：

《易》以载道，于《易》书而违之，是背道也，其何以行于世哉？《易》本于天，肇于数，形于象，具于卦，变于爻，成于自然。盖太极之道在天地先，以我至虚，流出万有。圣人会太极于一心，因其自然，揲数以出之，立象以阐之，设卦以命之，画爻以通之，天地神明之理，阴阳不测之用，万物无穷之化，自形自色，自纤自悉，神理妙用，总括无遗。舍《易》而天地之理或几乎息，阴阳之用或几乎泯，万物之化或几乎绝矣。是故《易》道尚变，非故多变也，数不得不变，圣人不得于《易》而不变之。是故六爻之位谓之六虚，其道自太极虚中来，惟变所适，吻合于天地阴阳之数，圣人体其虚而用之，天下万物由是而得其生。①

张浚指出，正因为《易》是载道之书，所以违背了《易》书，也就是违背了道。《易》书所载，自有它所依据的，即本于天，肇于数，形于象，具于卦，变于爻，而成于自然。《易》书不过是圣人因其自然，把数、象、卦、爻等加以记录下来而已，以发明天地神明之理、阴阳不测之用、万物无穷之化等宇宙大法。在这里，张浚认为，《易》书所载的太极之道存在于天地之先，圣人会太极于一心，太极即圣人之心，由我心之虚，流出世界万有，天地万物因此而产生。张浚的这一思想明显受到邵雍"道为太极""心为太极"而产生天地万物之思想的影响。

（二）穷理尽性建立在象数卦爻的基础上

受时代思潮和二程理学的影响，张浚重视对义理思想的阐发，这也体现在他的易学思想里。他认为，《易》是载道之书，圣人作《易》的目的是为了载道和传道，这本身就是张浚义理思想的反映，而与只以《易》为卜筮而不及义理的治《易》者相区别；而且他在注解《易》的过程中，对义理多有阐发，反映了他对义理的重视。

儒家道统论的一个基本特征就是提倡从道不从君，强调仁义之道高于、重于君主之位。孟子、朱熹等均反对不行仁义的暴君，认为桀纣虽居君主之位，但却是贼仁贼义的独夫，独夫可诛，诛独夫不是诛君。这是儒家思想及理学道

---

① （宋）张浚：《紫岩易传》卷八，《系辞下》。

统论的一个基本出发点。张浚的易学也提倡这一观点，他在对《周易·革卦》的解释中亦盛赞汤武革命，反对桀纣暴君，从中阐发自己义理思想。他说：

> 文王德孚天下久矣，武王继之，始用革孚而革也。惟汤之革夏亦然。呜呼！革非德明著见之君莫能行之矣……"天地革而四时成，汤武革命顺乎天而应乎人。革之时大矣哉！"圣人因天地以明革也，天地以生物为心，其革也所以成四时，而生物之功于是不穷，春夏生养，秋冬肃杀，循环致用，于以见天地之仁。汤武法天，拯天下于涂炭中，而纳之于仁寿之域，汤武之心配天地，革于时为大，殆未可轻议也。①

指出汤武革命乃德明著见之君才能进行。汤武顺天应人，适时而革桀纣之命，"拯天下于涂炭中"，使亿兆民心信服；而桀纣之恶，则陷民于水火，失去了民心，为天地所不容。汤武法天，"圣人出而应天下之革"，革除暴政，推行仁政，故于时为大。张浚通过解《易》，肯定汤武革命，这充分体现了他的义理思想。

张浚还以天理论为指导，批评了那种违背天理，动于情欲，而迁于物的行为。他说："惟夫性以情动，情以欲肆，欲以物迁，邪伪滋生，天理蔑弃。易简至善，于是而丧。内之不足以利一身，外之不足以利天下。而乾坤妙用始不明于天下。天下万物将不得遂其生矣。"②主张"清明其性，以奉天心"③，反对以情动性，以欲肆情，而迁于物欲，认为这样做只会导致邪伪滋生，而造成"天理蔑弃"的后果。十分明显，张浚在这里提倡的是天理，而批评的是为物欲所迁，这也是他易学思想重视义理的体现。

虽然张浚易学重视义理，但他主张义理思想要建立在象数卦爻的基础之上，其整个易学是以象数为本，而理则是在象数之后而有。他说：

> 自道术为天下裂，诸子百家之书纷然并出，言天者主于虚无，言道者弃夫仁义，言俭者不知约之以礼，言刑者不知本之以德，为己者不知有人，为人者

---

① 《紫岩易传》卷五，《下经·革卦》。
② 《紫岩易传》卷八，《系辞下》。
③ 《紫岩易传》卷八，《系辞下》。

不知有己，道德之中，于斯失之。圣人作《易》，本诸心，体诸天，通诸神，著诸用，无往而不得其中。故能和顺道德而天人之道周不协备。用之于一身，一身得其宜；用之一家，一家得其宜；用之天下，天下得其宜。纤悉小大，一一有伦，为用妙矣。象数既立，天下之理于是而穷；卦爻既成，天下之性于是而尽。从之而吉，违之而凶；顺之而福，逆之而祸。①

指出诸子百家之说自有其不同的学术之道，言天者主于虚无，而忽于实有；言道者弃仁义，把仁义与道对立起来不并存；言俭者不知约之以礼，而失去了礼；言刑者不知本之以德，即单纯讲刑罚而不以德治仁政为本；为己者不知有人，为人者不知有己，即把为人与为己对立起来，而不知二者相结合。如此丧失了道德之中，即中道原则。鉴于此，圣人作《易》，本诸心，体诸天，通诸神，著诸用，无不贯彻了中道的原则。所以能和顺道德而使天人之道相合。将此易道用之于一身，用之一家，用之天下，均能得其宜。无论大小事物，皆能发挥其妙用。张浚强调，就《易》而言，"象数既立，天下之理于是而穷；卦爻既成，天下之性于是而尽"，也就是说，象数是穷理的基础，卦爻是尽性的前提，有了《易》之象数卦爻，才可能在此基础上穷理尽性。可见尽管张浚重视义理，但仍是把象数作为易学之本，在此基础上把义理与象数结合起来。对此，张浚指出："夫天下万物一神耳，数变象显，理无逃焉。"②理寓于象数之中，与象数不脱离。这与程颐易学以理为本，直接发挥义理，而不是通过象数去阐发义理的治《易》路数有所不同。

由此，张浚对离开象数而求义理的治《易》方法提出批评。他说："《易》无非象，数立而象具矣。所以神而明之，则自于圣人行。象也者，像也，言象之所从，本诸天，成诸人也。且夫书不尽言，言不尽意，圣人立象以尽意，系辞焉以尽其言。是言必拟于象，象必参于意。后之学者乃欲舍象以求言意之旨，胡可得焉？"③指出《易》无非是象，数立而象具。象来源于物像，它本之于天，而成之于人，是对天地人物形象的反映。由于书不尽言，言不尽意，所以圣人立象以尽意，系辞以尽言。就此而言，言意之旨不得离开象

---

① 《紫岩易传》卷一〇，《读易杂记》。
② 《紫岩易传》卷七，《系辞上》。
③ 《紫岩易传》卷八，《系辞下》。

数而存在，言意之旨中蕴含着的理不得舍象而求。张浚在解《易》中都是依据卦爻的象数关系来阐发道理，而不是脱离象数虚谈义理，这是他易学思想的一个特点。

张浚的易学别具特色，他既吸取了义理学派重视义理的思想，又以象数作为易学之本，把理建立在象数卦爻的基础上，体现出与程颐易学有所不同，而后来朱熹易学在一定程度上则与张浚易学比较相近。

四、李石的三教融合思想

李石（1108～?），卒年不详，当卒于南宋孝宗淳熙年间（1174～1189），年七十以上。字知几，资州银山（今属四川）人。李石以范淑为师，是程颐三传弟子。范淑乃伊川高弟尹焞的门人，李石通过范淑继承了程颐的学说。

李石九岁举童子，自称从幼到老无一日不读书，蜀人称方舟先生。后中进士乙科，被召官太学，绍兴末迁太学博士，又除成都学官。后历知合州、黎州、眉州，除成都路转运判官。其乡人赵雄比李石年少二十余岁，李石以晚辈视之，不与通书。赵雄秉政，李石便不复起，晚年生活贫困。赵雄免去丞相，王季海代之。王季海与李石有学官之旧，正议为李石除官，而李石去世。李石一生除在各地任职外，也开门授徒，传播他的学说。当他任成都学官时，讲学于"石室"，四方学者从之甚众，"就学者如云，闽、越之士万里而来，刻石题诸生名几千人，蜀学之盛，古今鲜俪"[1]，如此扩大了程颐理学在蜀地的影响。李石除继承程颐的思想外，也有他自己的特点，三教融合思想就是其特点的反映。

需要指出，在融会三教的儒学学者中，既有公开辟佛、道，而暗地或不自觉地吸取借鉴佛、道思想的，也有公开倡导三教融合的。李石就是公开提倡三教融合的一位学者。

借鉴吸取佛教思想，是李石学说的一个特征。他称赏"佛心"说，指出："大哉佛一心，广大包四极，我以一心观，诸佛等虚空……佛事倘可作，先以此心观。"[2]认为佛教的一心，深藏宇宙，包罗万象，从佛心出发，就可观察到天下的一切事物。这是李石崇佛思想的体现。李石打破儒家传统的排佛老观

---

[1] 《四库全书〈方舟集〉提要》。
[2] （宋）李石：《方舟集》卷一四，《灵泉寺慈氏阁铭》，文渊阁四库全书本（下引版本同此）。

念，认为不光"吾儒百行以孝为本，而二氏亦以孝为本"①。就佛教原本的教旨教义而言，佛徒出世出家，不受儒家伦理纲常的约束，是无亲无父，所以他们谈不上孝。但后来佛教为了能够在中土站住脚，逐步附会、适应、吸取居中国文化主导地位的儒家学说，在这个过程中，也一定程度地接受了儒家的孝道思想，这在宋以来比较明显。不仅佛教，道教也是如此，一定程度地接受了儒家的孝的思想。对此，李石指出："若夫吾儒以孝为德，老氏以孝为功行，佛氏以为补报推己以利人，尽心以及物，未尝不同本而出也。"②认为儒、佛、道三教都讲孝，就三教都讲孝这个意义上，"中不得不异，而本则同"③，倡三教同本之说。

李石还吸取了道家、道教的道本论以及"以无为本"的思想，为建构其本体论哲学作论证。如上述他提出"以道御气"的思想，以及"无者，有之极而《易》为之端"的思想等。并认为老子也知仁义，以此来调和儒、道。他说："老子岂不知仁义与道浑然中物，因其失，而致其严，以为散乱之防。"④这些是他受道家及道教思想影响的表现。道家代表人物老子提出"大道废，有仁义"⑤的命题，倡道与仁义不并行之说。而李石则以为老子也是知仁义与道浑然合一的，如此把儒、道合为一体。

需要指出，李石融会三教是以儒为本，而以佛、道为之补充。尤其在政治伦理方面，他仍坚持儒家文化的主导地位。由此他提出二氏为圣人之助的思想。他说：

天下之人可与为善也，久矣。闻释氏之寂灭、老氏之清净，则慕之，盖将诱天下之人而纳之于善，虽圣人不能破也。且以中国圣人尧舜文武周公孔子之道、三纲五常可以修身，可以治人，粲然人伦具矣。二氏者，本物外为己之学，初绝意于世，然不即人而人即之，何也？人性之乐于为善，二氏者适以为圣人之助甚多。凡趋福而避祸，惜生而恶死，人情之所同。其徒因此求售曰：我可以致福，我可以得生，凡有求者无不获。于是始抗衡吾道。有从之而炽其

---

① （宋）李石：《方舟集》卷一一，《安乐院飞轮藏记》。
② （宋）李石：《方舟集》卷一一，《安乐院飞轮藏记》。
③ （宋）李石：《方舟集》卷一一，《安乐院飞轮藏记》。
④ （宋）李石：《方舟集》卷一三，《老子辨上》。
⑤ 《老子》十八章。

说者，纷纷多吾儒矣……二氏之教，因以流传，诚使中国仿其教以立治，寂寞而自乐，清净而无为，无乱兵以扰其耕稼，无烦刑以滥其诛戮，驱天下之民而纳之于善，虽尧舜文武周公孔子复生，无以易此说也。何至与之相矛盾而乍兴乍废乎？悲夫！①

强调中国儒家圣人之道、三纲五常思想既可修身，又可治人，于人伦道德处十分完满。这是居中国文化主导地位的不可变易之道。而佛道二教则可为圣人之助，如佛教宣扬的"寂寞而自乐"，道教主张的"清净而无为"，以及劝人为善，趋福避祸，惜生恶死等，这些都是人情之所同，对广大民众有较大的吸引力，并可使无乱兵，无烦刑，使人向善，而有利于社会稳定。李石认为即使圣人复生，也不可能改易此说。这是因为在人性中本来就具有乐于为善的内容，而趋利避害、趋福避祸、求生免死也是人之常情。在这方面，佛道二教长于治心、养身，注意发挥宗教消除内心紧张，求得心灵安宁自乐的社会功能，并提倡通过静修，得道成仙。而这些都是儒学所无。也就是说，三教的存在都有其客观的社会基础。正因为三教各有长短，单用一家之说，均有弊病，故三教融合，互为补充，成为李石思想产生的根源。尽管李石主张三教融合，但在社会生活的实践中，他仍是提倡以儒为主，要求人们尽自己的本分和社会责任，不要出家为僧。如他劝赵道源秀才去佛从儒，安于家庭生活，就是一个明证。

李石三教融合的思想与三苏蜀学及张商英的思想较为接近，表明他作为程颐洛学的蜀中后学，也一定程度地受到四川本地蜀学的影响。并且他提倡元祐学于蜀士，具有调和洛蜀之学的倾向。他说：

王安石以新说行，学者尚同，如圣门一贯之说僭也。先正文忠公苏轼首辟其说，是为元祐学，人谓蜀学云，时又有洛学，本程颐；朔学，本刘挚，皆曰元祐学。相羽翼以攻新说，卒之不胜，酿成乱阶，尚同之过也。仰惟靖康定正国是，投其徒于四裔，凡悉力以尊崇元祐学者，皆得为专门名家，轼其倡也。逮绍兴至淳熙四十余年，尧父舜子授受圣学一出天纵，犹夫子一贯之说，无彼此异同之尚。先日拒王氏说，以策勋圣门者，皆录用其后子孙。苏氏一家尤被

---

① （宋）李石：《方舟集》卷九，《释老论》。

旌眷……以元祐学榜之……与蜀士大夫共之。①

李石在这里回顾了从王安石新学推行,到南宋淳熙年间一百余年学术发展变迁的概况。指出当时与王安石新学对立的,有蜀学、洛学和朔学。三学在批评王学上,具有一致性,故通称元祐学。虽然在元祐三学之间,相羽翼以批新学,但未能取胜,李石认为,其原因就在于当时的学风是尚同。而到了南宋绍兴至淳熙年间,尧舜禹相传授受之学兴起,而无彼此异同之尚,即此时的学风与北宋时的尚同学风不同。也就是说,尚同的学风必然对与己不同的学派和学说持排斥态度;而"无彼此异同之尚"的学风,则对与己不同的学术持较为宽容的态度。正是以这种心态,李石对元祐学中的蜀洛之学,没有更多的门户之见,而是主张与蜀中学者共之。李石三教融合的思想,也是他所称赏的"无彼此异同之尚"学风的表现。

第六节 南宋巴蜀理学的大发展

宋代巴蜀哲学思想发展到一个高峰,其主要趋势是从学统四起到逐渐理学化的过程,这与整个中国哲学、时代思潮的发展趋势相适应。在这个过程中,两宋巴蜀哲学发展到一个新的高度,尤其体现在南宋重思辨性哲理的巴蜀理学的大发展上。与朱熹齐名的著名理学家张栻不仅为宋代理学的发展做出了突出贡献,而且也对宋代巴蜀理学的发展产生了深远影响,直接促进了巴蜀理学的大发展。此外,朱熹的蜀籍弟子度正提出更具包容性的道统论,而与程朱有所不同,是对朱熹思想的发挥。度正撰《周敦颐年谱》,宣传、表彰程颐的理学思想及周、程在蜀的学术活动,刻印朱熹的理学著作,传播理学于四川,扩大了理学在巴蜀地域的影响。私淑张栻、朱熹的著名理学家魏了翁在理学史上占有重要地位,他以理学思想为主体,融合蜀、洛之学,集宋代巴蜀理学之大成,同时也集广义的宋代蜀学之大成。他不仅预示着理学及整个学术发展的方向,而且在确立理学正统地位的过程中发挥了重要的作用,魏了翁提出了一系列有价值的思想,促进了巴蜀理学的发展。张栻、度正、魏了翁等的学术思想和学术活动不仅促进了南宋巴蜀理学的大发展,而且其思辨性哲理也使两宋巴

---

① (宋)李石:《方舟集》卷一三,《苏文忠集御叙跋》。

蜀哲学得到长足的发展。而三苏蜀学与洛学之间存在的差异，也使理学家对其提出批评。最终与时代思潮发展的潮流相适应，理学思潮不仅占据了中国学术文化发展的主导地位，而且也逐步占据了宋代巴蜀学术文化发展的主导地位。

一、张栻对巴蜀理学发展的影响

张栻（1133~1180），字敬夫，又字乐斋，号南轩，学者称南轩先生，谥曰宣，又称张宣公。南宋汉州绵竹（今四川绵竹）人。张栻是南宋时与朱熹齐名的著名理学家、哲学家、教育家，对宋代理学的发展做出了突出贡献。其主要表现在，张栻哲学发展了宋代理学，张栻对理学道统论作了发展，与朱熹"交须而共济"①而共同发展了二程理学，张栻确立了理学之湖湘学派。张栻并对宋代巴蜀理学的发展产生了深远影响，其蜀中弟子及私淑弟子的学术活动促进了巴蜀理学的发展，其弟子吴猎入蜀传播张栻理学，也扩大了理学在巴蜀的影响。

张栻像

张栻父亲张浚曾受学于程颐的蜀中门人谯定，为程颐在蜀后学。二程理学经由张浚在蜀中得昌，又得到其子张栻的发展，使得理学在四川乃至全国大盛。张浚对张栻的思想产生了一定的影响，张栻出生于四川，从小随其父在四川、湖南、广东等地居住，在家庭受到了儒家忠孝仁义思想的教育。绍兴三十一年（1161），张栻二十九岁，前往衡山拜胡宏为师。并于此年在潭州城南妙高峰筑城南书院，以教来学者。此城南书院后为著名的湖南第一师范学校。乾道三年（1167），张栻主讲岳麓、城南两书院。朱熹闻张栻得衡山胡宏之学，并在长沙讲学授徒，遂抵长沙，向张栻请教并相互交流学术。两人在一起讨论了《中庸》的已发、未发和察识、涵养之序以及太极、仁等理学的重大理论问题，相互展开了激烈的争辩。开创了书院自由讲学的新风，促进了理学的发展。这次张栻、朱熹的"潭州嘉会"历时两月，听者甚众，盛况空前，成为理学史上的大事。此后，张栻与朱熹继续就未发、已发和省察、涵养之序的中和问题展开辩论。其中涉及心、性、情，察识与涵养等哲学和修养方法的重

---

① 《朱熹集》卷八七，《又祭张敬夫殿撰文》，第4477页。

要学术问题。张栻、朱熹中和之辩的意义在于：通过辩论，促进了理学内部的交流和发展，使得若干哲学范畴在含义和相互关系上更加明确。纠正了胡宏性体心用，已发为心的观点，刺激朱熹提出性体情用，而心统性情的思想，这成为朱熹哲学及其心性论的重要内容。而张栻在放弃胡宏性体心用之说的基础上，形成了心主性情的思想。在辩论中，张、朱双方都修正了胡宏先察识后涵养的思想，最后认识到察识与涵养可以相兼并进，交相助，强调平时的道德修养与临事按道德原则办事是互相依赖、互相促进的。这对于理学道德修养论的完善与丰富具有重要意义。

张栻的著作主要有：《南轩论语解》《南轩孟子说》《南轩易说》《南轩文集》《诸葛忠武侯传》《南岳倡酬集》等。清四川绵竹知县陈钟祥将《南轩文集》四十四卷、《南轩论语解》十卷、《南轩孟子说》七卷合编为《张宣公全集》，有道光二十九年绵邑洗墨池刊本和咸丰四年绵邑南轩祠刊本。今人杨世文、王蓉贵将张栻著作整理点校，编为《张栻全集》，内容包括：《南轩易说》三卷、《论语解》十卷、《孟子说》七卷、《南轩集》四十四卷、《南轩集补遗》一卷、《汉丞相诸葛忠武侯传》一卷。

张栻与朱熹，志同而道合，都以继承和发扬孔、孟、周、程的思想为己任。他们虽然为友，又同为二程传人，但立说不苟同，对存在于他们之间的某些学术观点的分歧，他们抱着开诚布公、虚心求教、有理必辩、互相切磋的态度来解决。这对于学术的发展大有裨益。

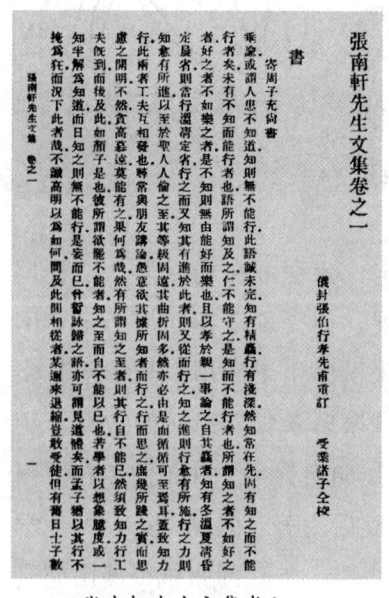

张南轩先生文集卷之一

他们之间的分歧与差异，非但没有成为门户之见，而且还成为使双方相得益彰、"交须而共济"的前提。张栻与朱熹的关系，堪称学者之楷模。《宋史·道学传》称："张栻之学，亦出程氏，既见朱熹，相与博约又大进焉。"这是对张栻与朱熹在相互切磋中发展二程学说的肯定。张栻和朱熹作为南宋时期两大著名理学家，他们在相互的学术交往中所表现出来的相同相异之处，共同促进了宋代理学的大发展、大繁荣。

（一）张栻之学回流四川，促进了巴蜀理学的发展

作为蜀人，张栻长期在湖湘一带活动，而促进了宋代理学的发展。从全

国性文化与地域文化相互沟通、相互体现，以及思潮与各地流派及思想互涵的角度讲，张栻对宋代理学的发展，实际上就是对宋代巴蜀理学的发展，并通过讲学和学术交往，使宋代湖湘学与宋代巴蜀理学相沟通，扩大了理学思潮在蜀地的流传和影响，由此促进了宋代巴蜀理学的持续发展。而宋代巴蜀理学的发展，实际上也就是整个宋代理学发展的表现。张栻之学除盛行于湖南一带外，还回流四川，在蜀地产生了重要影响。张栻讲学于湖湘，蜀人多从之。不少蜀中学者从学张栻后，又回到巴蜀讲学，传播了张栻的理学思想。另一些四川学者则私淑张栻，以求南轩之学为己任，在这个过程中，也传播和发展了张栻的思想，这就促进了宋代巴蜀理学的进一步发展。全祖望指出，张栻的四川后学不亚于其在湖湘的弟子。他说："宣公居长沙之二水，而蜀中反疏。然自宇文挺臣、范文叔、陈平甫传之入蜀，二江之讲舍，不下长沙。黄兼山、杨浩斋、程沧洲砥柱岷峨。蜀学之盛，终出于宣公之绪。"[1]传张栻理学于巴蜀的主要有张栻的蜀中门人宇文绍节、陈概、范仲黼等学者，以及张栻私淑弟子中的蜀籍学者虞刚简、魏了翁等。

宇文绍节（？~1213），字挺臣，成都华阳人，张栻外弟，从张栻学。其祖父宇文虚中，签书枢密院事；父宇文师瑗，显谟阁待制，两人均出使金国而遭金焚死。宋孝宗念其无子，命其族子宇文绍节为后。宇文绍节举进士，历官宝谟阁待制、知庐州、湖北京西宣抚使、知江陵府、试吏部尚书、签书枢密院事等职。

吴曦据蜀叛乱，宇文绍节被任以西讨之事。他建议：如果进攻四川，吴曦必固守瞿唐关；如果驻军荆南，则有损威望。听说随军转运安丙素怀忠义，不如授以密旨，必能使安丙除掉吴曦。结果宇文绍节的建议被采纳，吴曦遭诛，叛变得以迅速平定。

宇文绍节继承了张栻知以统行、知行并进和重行的思想，并将其贯彻到治理国家的实事中去。张栻曾为宇文绍节作《顾斋铭》，教以重行、惟实的思想。其言曰：

广汉张某名华阳宇文绍节之斋曰"顾"，且为之铭：
人之立身，言行为大。惟言易出，惟行易怠。伊昔君子，聿思其艰。严其

---

[1] 《宋元学案·二江诸儒学案》。

枢机，立是防闲。于其有言，则顾厥为。毫厘之浮，则为自欺。克谨于出，内而不外。确乎其言，惟实是对。于其操行，则顾厥言。须臾弗践，则为己怨。履薄临深，战兢自持。确乎其行，惟实是依。表里交正，动静迭资。若唱而和，若影而随。伊昔君子，胡不慥慥。勉哉勿渝，是敬是保。①

张栻告诫宇文绍节要加强道德修养，时时顾及自己的言行，将道德原则贯彻于日常生活的实践中，亲身践履，如履薄冰，如临深渊，战兢以持，做到"确乎其行，惟实是依"。其所谓"表里交正，动静迭资"，即是指要把里、静之知与表、动之行结合起来，不能只知不行，只静不动。张栻的这一思想无疑影响到宇文绍节，并在宇文绍节的践行中得到体现。

陈概，字平甫，普城（今四川剑阁境）人，张栻弟子，乾道进士。《南轩集》收有张栻答陈平甫书信十三篇。师徒两人讨论了仁、天理、心等有关宋代理学的重大学术问题。先是陈概来书求教，把自己的论著"连缄累牍"寄给张栻，然后张栻把自己的观点"批呈"给陈概。通过这样的方法，陈概得益于张栻，掌握其学说。

关于仁，陈概问："不可息者，非仁之谓欤？"②张栻回答说："仁固不息，只以不息说仁，未尽。程子曰：仁道难名，惟公近之，不可便以公为仁。须于此深体之。"③陈概对于仁与不息的关系有疑问，张栻告诉他，仁固然是不停息的，仁无时不在，无处不有，但仅以不息说仁，还不全面。正如公与仁相近，但不可把公作为仁一样，仁的含义是较为广泛的，不能仅以不息和公来概括仁。

关于对天理含义的认识，陈概开始仅把天理理解为事物自然而然的规律。张栻肯定了陈概的这一认识，但他接着指出，天理的含义不仅如此，天理还有爱亲敬长的道德伦理的含义。张栻向陈概传授天理是客观规律与儒家伦理相结合的范畴这一理学要旨。

陈概问：

吾心纯乎天理，则身在六经中矣。或曰：何谓天理？曰：饥而食，渴而

---

① 《南轩集》卷三六，《顾斋铭》，《张栻全集》，第1045~1046页。
② 《南轩集》卷三〇，《答陈平甫》，《张栻全集》，第969页。
③ 《南轩集》卷三〇，《答陈平甫》，《张栻全集》，第969页。

饮，天理也；昼而作，夜而息，天理也。自是而上，秋毫加焉，即为人欲矣。①

张栻答：

此意虽好，然饥食、渴饮、昼作、夜息，异教中亦有拈出此意者，而其与吾儒异者，何哉？此又不可不深察也。孟子只常拈出爱亲敬长之端，最为亲切，于此体认，即不差也。②

张栻认为，仅认识到饥食、渴饮、昼作、夜息等客观规律是天理，还不能把儒家学说与"异教"区别开来，要从爱亲敬长的伦理规范中体认出天理，这才是最重要的。

陈概通过向张栻问学，不仅继承了张栻的理学思想，而且带动了蜀中学士纷纷求学于张栻之书，于是张栻学说盛行于四川。《宋元学案》记云："淳熙、嘉定而后，蜀士宵续灯、雨聚笠以从事于南轩之书，湖湘间反不如也。然则平甫之功大矣。"③这说明宋孝宗淳熙年间至宋宁宗嘉定年间，张栻学说在四川广为流传，相比之下，湖南一带反不如四川。这里面，陈概的倡导之功不容抹煞。陈概曾言于张栻，打算收集自汉唐以来诸儒之嘉言懿行编为一书，目的是为了明道统。然惜其著述无所传，无以进一步了解其思想。

范仲黼，字文叔，成都人，张栻弟子，正献公范祖禹之后。历官通直郎、国子博士兼皇侄许国公府教授、著作郎知彭州。学者称其为月舟先生。庆元党禁时，被列入"伪学逆党籍"。

范仲黼从张栻问学时，蜀人对张栻学说还知之甚少。这是因为张栻虽为四川人，但自幼居湖湘一带，后来创办城南书院，主教岳麓书院，对湖南的文化教育事业多有贡献，对四川的影响反而不如湖南。但自从范仲黼等蜀人求学于张栻后，把张栻的学说传播到四川，其在四川的影响渐渐大起来。范仲黼拜张栻为师，杜门十年，专心求学，不着意于功名进取。张栻嘉其志，特为其书房作铭。张栻题曰：

---

① 《南轩集》卷三〇，《答陈平甫》，《张栻全集》，第970页。
② 《南轩集》卷三〇，《答陈平甫》，《张栻全集》，第970页。
③ 《宋元学案·二江诸儒学案》。

成都范文叔以"主一"名斋，予嘉其志，为铭以勉之：

人之心，一何危？纷百虑，走千歧。惟君子，克自持。正衣冠，摄威仪。澹以整，俨若思。主于一，复何之？事物来，当其几。应以专，匪可移。理在我，宁彼随？积之久，昭厥微。静不偏，动靡违。嗟勉哉，自迩卑。惟勿替，日在兹。①

张栻在此勉励范仲黼，要主一自持，敬守此心，不要被外物所引诱。他指出，理在心中，岂能随物而流？只要专一功夫积累多了，心体自然会昭然而明。范仲黼通过问学于张栻，成为南宋道学阵营中的重要一员。在庆元三年（1197）的党禁中，范仲黼等五十九人被列入"伪学逆党籍"而遭打击。

范仲黼晚年讲学于四川的二江之上，"南轩之教，遂大行于蜀中"②。当时二江有九先生，都是传张栻学说的南轩弟子或私淑弟子。其中有"四范"：范荪、范子长、范子该、范仲黼。另外有薛绂、邓谏从、虞刚简、程遇孙、宋德之等。二江九先生中以范仲黼为最著名，"乾、淳以后，南轩之学，盛于蜀中，范文叔为之魁"③。一些来不及直接师事张栻的四川学者，纷纷通过范仲黼而私淑南轩，求得南轩理学，并将其传播开来。当时任成都府通判的李修己，曾从南轩游。他也参加了二江九先生的讲学活动。"二江范月舟者，南轩高弟也。方聚同志讲学，先生（李修己）与上下其议论。时蜀中后进盛从事于南轩之教，而先生与延平张仕佺子真参焉。"④李修己乃江西豫章人氏，也为张栻弟子。当范仲黼在二江讲学时，他与张栻的另一弟子张仕佺也参加进来，相互议论。范仲黼等人的讲学活动，使得南轩之学大行于蜀中，促进了巴蜀理学的发展。

虞刚简（1164～1227），字仲易，一字子韶，四川仁寿人，张栻私淑弟子，南宋理学家。其祖父虞允文官至丞相，曾率宋军抗击来犯金兵，取得采石之战的胜利。虞刚简举于礼部，淳熙十六年（1189）任监成都府郫县犀浦镇酒税。后历任知华阳县、绵州通判、知永康军、知简州、利州路提点刑狱等职。在成都华阳时，虞刚简与张栻门人范仲黼、范荪、范子长、范子该、李修

---

① 《南轩集》卷三六，《主一斋铭》，《张栻全集》，第1043～1044页。
② 《宋元学案·二江诸儒学案》。
③ 《宋元学案·二江诸儒学案》。
④ 《宋元学案·二江诸儒学案》。

己、张仕佺、宋德之,以及张栻的私淑弟子薛绂、邓谏从、程遇孙,蜀学学者李心传、李道传等十二人"相与切磋义理之会"①。其中有著名的"二江九先生",以及著名学者李心传、李道传等。他们以讲求义理及南轩之学为己任,使南轩之教盛于蜀中。其后,张栻的另一私淑弟子、著名理学家魏了翁任职西川幕府时,与虞刚简相识如故交。在魏了翁的《鹤山集》里,涉及虞刚简的内容比比皆是。魏了翁反复引用虞刚简的一句话是:"昔者虞侯仲易尝为我言:'伊洛之学,非伊洛之学,洙泗之学也;洙泗之学,非洙泗之学,尧舜三代之学也。'余以其言为然。其后又见侯以是赠言于朋友,勒石于斯宫,率缕缕申言之。"②表明虞刚简把二程理学与孔子儒学结合起来,也就是儒家推崇的尧舜三代圣人之学。这与张栻等理学家的学术具有共同性。

虞刚简筑室于成都之合江,以教授学者。范荪为之题榜曰"沧江书院"。学者称其为沧江先生。虞刚简研读儒家"六经",于《易》尤为精研,集十六年之功,将周敦颐、二程、邵雍、朱震等各家之说融会贯通,随文申义,著为《易说》。大旨在于把探讨阴阳五行之奥秘与日用躬行相结合,使学者迁善远罪。另著有《语解》《诗说》。张栻高足吴猎曾评价说:湖湘是张栻学说流风所据之地,但像虞刚简这样掌握了南轩之学的人却很少。给虞刚简以很高的评价。讲学二十年来,学子不论知或不知,都称他沧江先生。士子学者登门求教者盈门,座无虚席,灶无停炊。虞刚简去世时,蜀之士民深切怀悼,学于成都的学子二百余人,聚哭于沧江书院。魏了翁为之作《墓志铭》,赞其学"博以致约","敛华以实","维蜀有人,虽死而固存"。对虞刚简在宋代四川学界的地位给以较高的评价,这体现了张栻之学对虞刚简及巴蜀理学的影响。

(二)吴猎传理学于四川

吴猎(1143~1213)是张栻弟子、南宋理学家,字德夫,号畏斋,潭州醴陵(今属湖南)人。乾道初,年二十三岁时从学于张栻。乾道三年(1167),朱熹访张栻于长沙,吴猎直接受到朱张二人的教诲。曾任岳麓书院堂长,对书院的教学起过积极作用。淳熙二年(1175),赐同进士出身。历官知无锡县、除监察御史、江西转运判官。庆元党禁,吴猎等五十九人被列入"伪学逆党籍"。弛禁后,吴猎起为广西转运判官、除户部员外郎、总领湖广江西京西财

---

① 《鹤山集》卷七六,《朝请大夫利州路提点刑狱主管冲佑观虞公墓志铭》。
② 《鹤山集》卷四二,《简州四先生祠堂记》。

赋。后加宝谟阁待制、京胡宣抚使,又任四川安抚制置使兼知成都府。嘉定六年（1213）卒,谥文定。著作有《畏斋文集》。

吴猎发扬了张栻理学主张抗战、反对投降的传统,直接投身于抗金斗争。为了平定吴曦叛变,吴猎留住离京返蜀的魏了翁,请为参议官,委以西事。又报请朝廷,派王大才、彭辂分兵守险,以待王师。后安丙诛吴曦,宁宗下诏,令吴猎入蜀,处理善后之事。吴猎上报倡义之士十五人、守节二十九人、去官二十三人、受伪命九人,各为奖惩。又指出蜀之弊病,莫盛于赋敛,请蠲赋役。于是便将无名之供、繁重之赋,一切蠲减,安定了民心。吴猎死后,"蜀人思其政,画像祠之"①。吴猎治蜀的政绩,深得人心。

吴猎不仅在抗击侵略、治理国家方面卓有成效,而且敢于上疏直言,坚持自己的学术观点,不怕打击排斥。当禁"伪学"之际,吴猎上疏反对。他说:"陛下临御未数月,今日出一纸去宰相,明日出一纸去谏臣,昨又闻侍讲朱熹遽以御札畀祠,中外惶骇,谓事不出于中书,是谓乱政。"②吴猎反对把朱熹等人罢官,认为禁理学必将导致乱政。结果宋宁宗不听劝谏,反把吴猎罢官,打入"伪学逆党籍"。这亦表现出吴猎在逆境下坚守信念、敢于评政议政、不惧权势的精神。这正是理学精神的体现。

吴猎在学术上继承了张栻的思想,从张栻闻求仁之要,终身诵而行之。他不仅在岳麓书院任堂长时教授、传播张栻的学说,而且在知成都府任上,"与士子讲正学"③,宣传张栻的理学思想。嘉定元年（1208）,吴猎在四川安抚制置使兼知成都府任上,命知成都府华阳县度正在成都府学汉文翁石室建"三先生祠堂",以祠周敦颐、程颢、程颐三先生,并配祠朱熹、张栻。为此,度正代吴猎作《祭府学三贤文》,积极宣扬理学,这也代表了吴猎的思想。又揭朱熹白鹿洞书院学规教诲之,请魏了翁记其事。使包括张栻学术思想在内的理学在嘉定之初得以流传于蜀,扩大理学在四川学界的影响,为促进理学在四川的发展做出了一定的贡献。

---

① 《宋史》卷二九七,《吴猎传》,第12088页。
② 《宋史》卷二九七,《吴猎传》,第12086页。
③ 《宋元学案·岳麓诸儒学案》。

二、度正的理学思想及对程朱道统论的发挥

度正（亦称庹正，1166~？），年六十八以上。字周卿，合州（原四川合川，今属重庆）人。朱熹弟子，南宋理学家。绍熙元年（1190）进士，历任国子监丞、知华阳县、礼部侍郎等职。著有《性善堂稿》《周敦颐年谱》等。度正早年于庆元党禁期间从朱熹问学，历经艰辛，后努力弘扬师说；在政治思想上把劝农桑、兴学校、宽赋役、表廉洁作为治国大计，并对封建君主专制提出一定的批评和异议；度正在继承程朱道统论的同时，也对道统论提出了自己的见解并加以发挥，而别具特色；度正作为蜀籍理学家，不仅通过入闽求学于朱熹，努力弘扬周程邵张朱等人的理学，而且亲为周敦颐作《年谱》，在蜀地大力宣扬理学，传播理学于四川，扩大了理学在巴蜀的影响，使之深入人心，流传社会，为宋代巴蜀理学的发展做出了贡献。

（一）求学朱熹，弘扬理学

1. 求学于朱熹

度正于庆元三年（1197），从四川到福建建阳考亭问学于朱熹。时值"庆元党禁"，对理学严加禁止，朱熹等五十九人被列入"伪学逆党籍"，其书也被列为禁书。朱熹有的学生出于利害考虑，背朱熹而去。但度正"慨然内断"，决心向朱熹问学，以服膺朱熹理学为己任。度正后来回忆其问学于朱熹的经过，并批评了"庆元党禁"。他说：

伏念臣既忝科名，退求学问。考伊洛求仁之指要，靡不研精，慕东南名世之师儒，深思质问。会权臣将除其善类，取学术先加以恶名。庠序禁而不言，科举弃而不录。后生小子靡然从之。《大学》《中庸》几乎废矣。臣宁身之厄，誓志不回，奋然为云谷之游，直欲适风雩之乐，往返万里，夷险一心。遂得"收放心"一言以归。乃知"不远复"三字之训……问道于伪学禁锢之时。①

度正在获得科名之后，仍追求于学问，研读伊洛理学求仁之旨，后慕东南名世之师儒即朱熹之名，而前往福建问学。当时"庆元党禁"方炽，度正"问道于伪学禁锢之时"，凡"道学"有关内容，"庠序禁而不言，科举弃而

---

① 《性善堂稿》卷五，《怀安到任谢表》。

不录",学校、科举都排斥理学而不用,《大学》《中庸》也废而弃之,使得当时学风为之一变。度正对"庆元党禁"提出批判,他不为逆境所动,在逆境下坚守信念,毅然决然,往返万里,前往考亭问学,得朱熹"收放心"一言以归,从而在伊洛之学的基础上,进一步得到朱熹理学的要旨。度正决定前往福建。由于家贫,既无车马之资,也无王公大人的援助,度正在往福建拜师求学路上的艰难可以想象。他身着粗衣,脚穿草鞋,以藜藿等植物叶充饥,往返万里,寒来暑往,沐雨栉风,屡次差点成为道路旁的饿死鬼,历尽千辛万苦,克服种种人们难以想象的困难,抱着拜师求学的坚定信念,终于来到朱熹教学的考亭书院(考亭沧洲精舍),而与那些害怕受到牵连,在禁"伪学"之时离开书院的朱门弟子形成鲜明的对照。朱熹为度正的远道而来,志向之高,不为禁"伪学"所畏惧的精神所感动,于是将度正收为徒,教其所未知,并告之以"收放心"之旨。度正也为能受教于朱熹这样的学者,而谓得其师。

朱熹对度正来考亭求学也有记述,他在给刘德修(刘光祖)的书信中说:"度周卿来访,志趣不凡。知尝出入门墙,固应如此。"① 评价度正"志趣不凡",并有一定的基础。

2. 弘扬理学

度正在拜师求学于朱熹后,接受了朱熹的理学思想,并在自己的学术实践中,努力加以弘扬。关于朱熹的易学,度正客观地指出,朱熹是把义理与象数相结合,集周邵程张于一体,从而发展了宋易。他说:

《易》有太极,是生两仪,两仪生四象,四象生八卦,因而重之,其别为六十四。伏羲得之,而为伏羲;文王得之,而为文王;周公、孔子得之,而为周公、孔子。乾之象曰元亨利贞,坤之象亦曰元亨利牝马之贞。何也?盖自其理而言之也。乾之策二百一十有六,坤之策百四十有四,何也?盖自其数而推之也。孟子既没之后,此理固已湮晦不明,而其所谓数者,亦遂流于术家,其学不传亦已久矣。本朝周子、两程子、张子得其理,邵子复得其数。然言理者详于理而略于数,考数者详于数而略于理,惟吾先生自致知格物诚意正心扩而充之,有以极夫治国平天下之道,自太极动静生阴生阳,引而伸之,有以尽夫天地万物之变,圣门所传,至是粲然复明矣。然则孔子之道岂非集伏羲、文

---

① 《朱熹别集》卷一,《刘德修(十一)》,《朱熹集》,第5358页。

王、周公之大成，吾先生之学岂非集周子、两程子、张子、邵子之大成也欤。正也，用述所知，以为赞。①

在这里，度正用述其所知的方法，来赞其师朱熹的易学，也就是努力弘扬朱熹的易学。度正继承了朱熹师说，他认为，宋易中的周敦颐、二程、张载等义理派代表人物是"言理者详于理而略于数"，而邵雍等宋易中的象数派人物则"考数者详于数而略于理"，不论义理派或象数派均有偏差。只有其师朱熹易学融合义理和象数两派，把义理与象数结合起来，"集周子、两程子、张子、邵子之大成"，从而发展了宋代易学。

度正对理学遭禁十分不满，努力为理学正名，恢复名誉，并积极传播理学于巴蜀，如此扩大了理学在蜀地的影响。他说："学禁初行好断魂，《中庸》《大学》委尘昏。如今天子都除却，正学何忧更屈伸。"②正是在理学遭禁之际，度正问学于朱熹，表现出在逆境下坚守信念的勇气。其后，学禁稍弛，度正为恢复理学的正学地位而努力。嘉定元年（1208），度正在知成都府华阳县任上，受张栻弟子、时任四川安抚制置使兼知成都府吴猎的委托，在成都府学汉文翁石室建"三先生祠堂"，以祠周敦颐、程颢、程颐三先生，并配祠朱熹、张栻。为此，度正作《祭府学三贤文》，积极宣扬理学，扩大周程在巴蜀学界的影响，并追述周程当年在四川及成都的活动，将其与蜀地理学的兴起与发展直接联系起来。此祭文当为度正代吴猎而作，也代表了度正本人的思想。度正指出，周敦颐不仅在一千年后继承孔孟绝学，"建图立极，昭示后世"，而且还曾游于蜀，在度正的家乡合州任判官，"蜀之贤人君子率师尊之"。为此，度正搜集周敦颐遗事，于嘉定十四年（1221）撰《周敦颐年谱》成。度正并叙自己作《周敦颐年谱》的由来和始末。可知度正年少时读二程之书，开始推尊周敦颐。而周敦颐又曾仕于度正的家乡合州，这也是度正撰《周敦颐年谱》的一个缘由。于是度正在重庆任上，根据平日搜集的材料，撰写了自己的这部《周敦颐年谱》，其中对周敦颐入蜀经历的记述尤为详尽，这说明度正撰《周敦颐年谱》主要是记录了周敦颐在四川的学术活动，其中的一个重要目的就是为了推广、传播理学于巴蜀，使愿学于理学者能够通过《年谱》了解到周

---

① 《性善堂稿》卷一二，《晦庵先生画像赞》。
② 《性善堂稿》卷四，《七言绝句》。

敦颐的生平事迹、思想言行，而服膺于周敦颐理学。

度正不仅通过撰《周敦颐年谱》，宣传、传播理学，而且指出巴蜀也是程颐的"旧游之地"，通过宣传、表彰程颐的理学思想及其在蜀的学术活动，来达到传播理学于巴蜀的目的。此外，度正还将其师朱熹的理学著作刻印于四川，以广其传，扩大了理学在巴蜀的影响。

（二）对程朱道统论的发挥

度正继承了程朱的道统论，并加以发挥，体现了自己思想的特点，而与程朱有所不同。关于儒家道统说，度正提出了自己的见解。他说：

师焉者，道之所在，而门人弟子者，所以承斯道而传之者也。夫子负尧舜禹汤文武周公之道，以立于世，天下从而师之者凡三千人。颜子之礼乐，曾子之一贯，固已许之不疑矣……孟子受业子思，从者数百人，其高弟弟子乐克公孙丑之徒，尤其所深许者也……逮汉之兴，费直传《易》，伏生传《书》，申公传《诗》，戴德传《礼》，董仲舒传《春秋》，皆自孔氏，而孔子之书赖之以存。史氏从而系之曰官卿相者几人，官列卿者几人，官郡邑者又几人。所以叹其徒之盛，而美其师道之不替也。下而迄于唐，其所以扶持斯道而振起之者，莫如韩、柳。昌黎先生雅以师道自任，故其成就者尤为俊伟，而河东先生凡所指教者亦皆有闻于世，故唐之文物，所以光明硕大，驾两汉而追三代者，皆两先生涵养作成之力，而推挽之功也。①

在儒家圣人之道的相传授受上，度正认为孔子继承了尧、舜、禹、汤、文、武、周公之道，并将其传给门人。从孔子而师之者凡弟子三千，而颜、曾、思、孟得孔子之传。到汉代，费直传《易》，伏生传《书》，申公传《诗》，戴德传《礼》，董仲舒传《春秋》，他们所传经典，皆出自孔子。由于他们的传授，使得孔子之书得以保存。度正认为，汉代经学盛行，其徒众多，其列高官者不在少数，使其师道盛而不衰。下而相传至唐代，韩愈、柳宗元两人出而扶持斯道，使之振起。其中韩愈以弘扬儒家圣人之道自任，柳宗元所教也闻之于世。度正给韩、柳两人以高度评价，认为其"驾两汉而追三代者，皆两先生涵养作成之力，而推挽之功也"。从这里可以看出，度正讲儒家

---

① 《性善堂稿》卷七，《上费尚书书》。

圣人之道的传授，充分肯定汉唐诸儒在传道中的作用，推崇韩、柳二人。这与程朱贬汉唐，认为汉唐诸儒未能接续儒家圣人之道，致使圣人之道失传、道晦而不明的观点有所不同。与程朱道统论相比，度正所讲的道统，其包容性更多一些。他说："恭惟洙泗，笃生圣人，天实命之，以作六经。六经之道，揭若日月，孟子既没，其学遂绝。千有余载，非无大贤，自以为是，而非其传。维兹舂陵，濂溪之滨，是生大儒，以兴斯文。其兴维何？穷理尽性，明我此心，以合前圣。前圣之心，至是靡藏，百年之间，愈久弥光。"[①]指出圣人之道载诸六经，而孟子之后，其学失传，周敦颐奋起于千年之后，以兴斯文、继道统为己任，讲穷理尽性之学，超越时代，以心传心，使前圣之心，得以复明。百年后至南宋，其所传之道"愈久弥光"，愈发光明。给周敦颐以充分的肯定和称赏。不仅如此，度正还作《又告四贤文》，以周敦颐、张载、程颢、程颐为四贤，肯定他们在继承传授儒家圣人之道中的地位和作用，又推广其师朱熹的理学，使周、张、程、朱成为宋代以来理学道统中的传道人物，在朱熹之后，发扬了理学道统论。

度正的道统论体现了理学之时代特色及其理论针对性，他认为，圣人之道载于六经，儒家经典是载道之文，须于经典发明义理，而不停留在对经文的训诂考释上，通过循序渐进，不越等级，则圣人之道可得。他说：

是道也，载之六经，故太子不可不讲明经义。夫所谓讲明经义者，非若文生才士破碎章句，穿凿义理，以幸于有司也。是将以格物致知，将以诚意正心，将以齐家治国，是三者而已。是故辅导之选，惟其学，不惟其科第；惟其道德，不惟其文采。盖有文采者，未必知道，有科第者，未必知学……夫六经之义，浩如渊海，学者所造，当有先后……是以明经之序，当先《论语》，次七篇，次而《大学》，次而《中庸》，次而《诗》，次而《书》，次而《礼》，次而《春秋》，而终之以《易》焉。夫《易》，穷理尽性之书。而《论语》者，切问近思之书也。学者必先切问近思，而后可以穷理尽性。则不躐等，不陵节，圣人之道为可得，圣人之事业为可有矣。[②]

[①] 《性善堂稿》卷一二，《青石刘申孙企濂斋铭》。
[②] 《性善堂稿》卷七，《通刘侍郎书》。

度正通过批评破碎章句，穿凿义理，来提倡讲明儒家圣人之道。体现出与汉学重文字训诂，不重发明义理治学重心的区别。他认为，道寓于经典之中，治经的目的在于求道，而不在于考释文字、破碎章句。并强调，明经求道，有其次序，而不得超越躐等。从度正所排列的明经之序看，他是主张先求学于《论语》《孟子》《大学》《中庸》等"四书"，然后再及于《诗》《书》《礼》《春秋》《易》等"五经"。这一求学入道之序与其师说大抵相同，均是把"四书"放在"五经"之前，对"四书"的重视程度超过"五经"，目的在于通过"四书"以发明义理，为建构理学道统思想体系作论证，这也是对其师说的弘扬。

三、魏了翁集宋代巴蜀理学之大成

魏了翁（1178～1237），字华父，号鹤山，学者称鹤山先生，谥曰文靖，后又称魏文靖公。南宋邛州蒲江（今成都蒲江）人。魏了翁是南宋末著名理学家，时与真德秀齐名，并称"真魏"。魏了翁在理学史上占有重要地位，他在朱熹、陆九渊之后超越朱学，折中朱陆，而又倾向于心学，预示着理学及整个学术发展的方向；并在确立理学正统地位的过程中发挥了重要的作用，使理学由民间传授、受压制状态逐步被统治者所接受而成为官方哲学。魏了翁的学术思想别具特色，促进了宋代理学及巴蜀理学的发展；并通过创办鹤山书院、传播义理之学、确立鹤山学派，又融合蜀、洛之学，集宋代巴蜀理学之大成，同时也集广义的宋代蜀学之大成。

（一）魏了翁在理学史上的地位

魏了翁作为南宋末著名理学家，在宋明理学史上占有重要的地位，这主要通过以下两方面表现出来：一是在朱熹、陆九渊之后不久，便和会朱陆，超越朱学，而又倾向于心学，预示着理学及整个学术发展的趋向；二是在确立理学统治地位的过程中发挥了重大的作用，经魏了翁等的表彰、宣扬、传播和积极活动，使理学由民间传授、受压制状态逐步成为社会意识形态领域的指导思想和占统治地位的学说。

1. 超越朱学，折中朱陆

魏了翁的理学具有超越朱学而折中朱陆，又向心学演变的倾向，这个思想转变经历了一个过程。他先接受了朱熹的理学，后又超越朱学，将朱学与陆学相结合，后又转到以心学的心本论宇宙观为主，又保留朱熹理学的基本精神但加以一定的创新的立场上去。

嘉泰四年（1204），魏了翁入仕之初，在都城临安与朱熹弟子辅广和李方之结识后，他们便经常在一起"同看朱子诸书，只数月间便觉记览词章皆不足以为学"①。这使魏了翁放弃了过去"只喜记问词章，所以无书不记"②的治学方法，转而接受了朱熹理学，在哲学上以理作为"参天地、宰万物"的唯一根源。他说："自有乾坤，即具此理……是乃天地自然之则，古今至实之理，帝王所以扶世立极，圣贤所以明德新民，未有不由之者。"③魏了翁指出，濂洛诸儒奋起于千载之下的目的，就在于"倡明此理"，因为理学乃是"天下万世之学"④。在这段时间，魏了翁的思想以倾向朱熹理学为主。

随着时间的推移，朱熹理学本身的弊病也逐渐暴露出来。由于朱学的泛观博览，带来了其烦琐、迂阔的弊端，使学者不易掌握。并且朱学"论说益明，适以为藻饰词辩之资；流传益广，适以为给取声利之计"⑤，成为人们获取名利、追求高官厚禄的手段。使当时的学风开始背离理学开创者的本旨，它与设科取士以来存在着的以缀缉为文章，以渔猎为学问，追求文辞工整、辞藻华丽以通过科举做官的不良学风相结合，带来了士风的涣散。面对当时士风、学风的日益涣散，魏了翁一方面保留了朱熹理学以义理治天下的要旨，另一方面又力图扬弃朱学烦琐、迂阔的弊端，另辟蹊径。他在与陆氏后学的接触中，受到陆学的影响，逐步掌握了陆学发明本心、简易自得的功夫，把朱熹理学与陆九渊心学结合起来，折中朱陆，融合心、理。他说："义理之说，千百载而一日，千百人而一心也。"⑥义理既在天下，又在人心，心、理相兼为一。又指出："民心之所同，则天理也。"⑦民心即是天理，强调心与理的融合。他认为朱熹提倡的天理，就存在于千万人的善心之中，不必在心之外去寻求天理，只要天下人都能够"推是心也，见善而迁，有过而改，必将如风厉雷迅，不暑刻安也"⑧。把包含了义理的人心推广开来，就能由内圣开外王，使天下得到

---

① 《鹤山集》卷三五，《答朱择善改之》。
② 《鹤山集》卷三五，《答朱择善改之》。
③ 《鹤山集》卷四二，《简州四先生祠堂记》。
④ 《鹤山集》卷四二，《简州四先生祠堂记》。
⑤ 《鹤山集》卷四九，《宝庆府濂溪周元公先生祠堂记》。
⑥ 《鹤山集》卷六五，《题周子靖理斋铭后》。
⑦ 《鹤山集》卷五二，《达贤录序》。
⑧ 《鹤山集》卷五〇，《邛州白鹤山营造记》。

治理。表明魏了翁在这一时期，已折中朱陆，并逐渐转向以心学为主。魏了翁转向以心为主，即是在某种程度上对朱学的超越。

从思想史发展的轨迹和趋势看魏了翁在其中所起的作用，是一件有意义的事。朱熹理学形成之际，以其内涵丰富、逻辑严密、博大精深著称于当时。但其弊病又恰恰在于由此而引起的支离烦琐、流于形式，这对后世学者产生不良的影响。魏了翁为了挽救当时的社会危机，扭转学术界靠记诵词章来猎取功名的坏学风，他吸取陆九渊的心学思想，从整顿人心出发，既开阐正学，以倡明义理治天下，又树立起心的最高权威；既继承朱熹思想，又不盲从朱学，而是在朱熹思想的基础上超越朱学，折中朱陆，在融合心、理的过程中向心学转化，从而发展了理学。为心学思潮由陆九渊心学阶段发展到王阳明心学阶段，进而取代朱学在理学发展史上的主导地位，起到了重要的过渡和铺垫作用。

2. 积极确立理学在意识形态领域的正统地位

由于受"庆元党禁"的牵累，理学受到压制，时"讳言道学"，使当时的士风、学风受到很大的影响。以魏了翁为代表的理学人物，在当时的社会背景下，通过服膺程朱之学，以理学的眼光来观察社会，对现实社会的的学术、学风，进而对教育、政治形成了自己的见解，认为理学确能够救社会弊病。他们力图通过表彰理学来开阐正学，反对俗学，树立社会正义，以革除学术、教育、时政的种种弊端，挽救南宋社会内忧外患的危机，使理学摆脱受压制状态而成为全社会的指导思想，在教育、学术、社会风俗和治理国家等各个方面发挥理学的指导功能，以使社会长治久安。于是在"庆元党禁"后的十几年，开展了一场积极宣扬和表彰理学及其代表人物，为理学争社会地位的活动。从当时的时代背景及思想家的动机看，这具有一定的历史必然性。

嘉定九年（1216）魏了翁上疏宋宁宗，表彰周敦颐和程颢、程颐，请为周程三人定谥号。其疏云：

盖自周衰孔孟氏没，更秦汉魏晋隋唐，学者无所宗主，爽离判涣，莫适与归。醇质者滞于占毕训诂，俊爽者溺于记览词章，言理则清虚寂灭之归，论事则功利智术之尚，诬民惑世至于沦浃肌髓，不可救药斯民也。尧舜三代之所以治也，涉秦而后千数百年，治之日少，乱之日多，宁不以此？而敦颐独奋乎百世之下，乃始探造化之至赜，建图著书，阐发幽秘，而示人以日用常行之要，使诵其遗文者，始得以晓然于洙泗之正传。而知世之所谓学者，非滞于俗师，则沦于异端，有不足学者矣。又有河南程颢、程颐亲得其传，其学益以大振。虽三人皆不及大用于时，而其嗣往圣，开来哲，发天理，正人心，其于一代之理乱、万世之明暗所关系，盖甚不浅……臣愚欲望圣慈详臣所陈，如以为可采，乞下之礼官，如先朝邵雍、徐积等故事，将周敦颐特赐美谥，使海内人士咸知正学之宗，其于表章风励，诚非小补。如程颢兄弟并得在易名之典，则尤足以章明时崇儒重道之意。①

魏了翁上疏表彰周敦颐、程颢、程颐，请为三人定谥号，这在当时具有重大的社会意义和学术意义，它与一般为已故官吏请定谥号不能相比。其时周程已逝世一百多年，在他们去世时的北宋尚没有为他们定谥号，一百多年后南宋，尤其在"庆元党禁"之后，魏了翁提请赐谥，目的在宣扬、表彰和提倡周程所创立的理学，"使海内人士咸知正学之宗"，彰明朝廷"崇儒重道之意"。可见魏了翁上疏朝廷的目的是要朝廷把理学作为"正学之宗"，为理学正名，以取代和改变"庆元党禁"把理学定为"伪学"的境遇。疏中魏了翁把周敦颐称为在孔孟之后，奋起于"百世之下"，继承正学，将孔孟儒学发扬光大的新儒学者。将周敦颐在儒学史上的地位提高到孔孟之后一千多年无人达到的高度。魏了翁大力表彰周敦颐及二程在创立理学过程中的作用和功绩，并系统阐述了理学的思想源流和社会功能，极力为理学争社会地位，力图纠正和改变自"庆元党禁"以来对理学的种种曲解。其目的在于，希望南宋的最高统治者能够认识理学对维系社会稳定、巩固封建中央集权制的作用，并将其确立为"正学之宗"，定为统治阶级及全社会的正统思想。

为达此目的，魏了翁于嘉定十年（1217），再次上疏申述前奏，为周敦颐、程颢、程颐三人请谥。他认为这关系到"学术之标准，风俗之枢机"②，强调应以周程的思想来"风厉四方，示学士大夫趋向之的，则其于崇化善俗之道，无以急于此者"③。在魏了翁等人的一再奏请下，宋宁宗根据当时的政治和形势的需要，于嘉定十三年（1220），赐周敦颐谥号曰"元"，赐程颢谥号曰"纯"，赐程颐谥号曰"正"，使周程的学术地位得到官方的正式承认。这

---

① 《鹤山集》卷一五，《奏乞为周濂溪赐谥》。
② 《鹤山集》卷一五，《奏乞早定程周三先生谥议》。
③ 《鹤山集》卷一五，《奏乞早定程周三先生谥议》。

在理学发展史上是一个重大的转折点，它为程朱理学成为南宋后期的官方哲学，并为后世的统治者所尊崇，起了先导的作用。

（二）融合蜀、洛，集宋代巴蜀理学之大成

魏了翁不仅是南宋后期著名理学家，而且是继张栻之后宋代巴蜀理学的代表人物，他不仅对宋代巴蜀理学，而且对整个理学的发展做出了突出贡献。如果说，张栻虽为蜀人，但他长期在湖湘一带活动，确立了著名的湖湘学派，其对湖湘文化的贡献还大于巴蜀文化的话，那么，魏了翁虽也曾在湖湘、江浙等地活动过，但他的主要活动是在四川，他居官、讲学，传道授业，不仅以濂、洛之学为主，而且融合蜀、洛，调和三苏蜀学与洛学之间存在的差异，肯定其共同点，使巴蜀学术最终与时代思潮发展的潮流相适应，理学思潮不仅占据了中国学术文化发展的主导地位，而且也逐步占据了宋代巴蜀学术文化发展的主导地位。魏了翁在与众多蜀中学者的交往切磋交流中，共同发展了蜀地理学，而成为集宋代巴蜀理学之大成的人物。魏了翁集宋代巴蜀理学之大成，主要表现在他在四川创办了著名的鹤山书院；融合蜀、洛之学；在四川大力传播理学，扩大了理学在四川的社会影响；并确立了具有四川地域文化特色的理学之鹤山学派，成为该学派的理论代表。

1. 创办鹤山书院

创办鹤山书院是魏了翁一生最重要的学术活动之一，通过办书院，教学授徒，充分体现了他理学教育的宗旨和目的，也为蜀地理学的兴盛培养了众多人才。

南宋书院教育盛行，这与理学的成熟和发展有密切关系。南宋书院教育在孝宗朝乾道、淳熙年间形成高潮。一时书院各处建置，诸理学大师主教书院，讲学大盛，著述成风，理学成为一代学术思潮。但至宁宗朝庆元年间，宁宗、韩侂胄禁理学，理学遭到严重打击，一时门庭冷落，就连朱熹的门人故交，也有过其门而不敢入者。开禧北伐失败后，主持禁理学的韩侂胄被史弥远等杀，朝廷为了争取人心，稳定统治，对理学采取较为宽容的态度。宁宗于嘉定二年（1209）诏赐朱熹遗表恩泽，谥曰"文"，称朱文公。并陆续起用了一批受打击的"伪学逆党籍"中的人物，理学开始由受压制状态转而复苏。正是在这种背景下，魏了翁在四川创办了著名的鹤山书院。

鹤山书院的创建，始于嘉定二年，完成于嘉定三年（1210）。嘉定二年三月，魏了翁的生父卒于家乡蒲江。为葬其父，魏了翁在蒲江长宁阡卜得墓地，并于此年冬葬其父。在为其父卜墓地的同时，又卜得鹤山书院的地址，即与长宁阡"属连"的白鹤冈。于是"即其地成室,是为今白鹤书院"①。白鹤书院即为鹤山书院。鹤山书院于第二年即嘉定三年春建成于蒲江白鹤山,正值准备参加秋试的邛州学子没有讲习之所。于是魏了翁把他们作为书院的第一批学生,招来鹤山书院授业。由春至秋,在书院学习半年后,这批学生参加类省试,考中者"自首选而下拔,十而得八。书室俄空焉,人竞传为美谈"②。其中包括考取第一名即"类元"的王万里。尽管鹤山书院开办的第一年就取得了考中"十而得八"的好成绩,被人们所赞誉,但魏了翁却认为"是不过务记览为文词,以规取利禄云尔。学云学云,记览文词云乎哉?"③并不以记览文词以通过科考而获取功名利禄为然。可见,魏了翁办书院的目的不在于科举考取率的高低,并不是为科举服务的。

此年秋试以后,魏了翁又招四方学者与之共学。蜀中各地学者慕名而来,"负笈而至者,禙属不绝"④。为了满足书院教学发展的需要,魏了翁在原来书院的基础上,增修房屋,扩大了规模。书院内有一室,取名"立斋",由功利学派著名人物叶适为之题铭。魏了翁家中过去就有一些藏书,后入京任秘书省正字时,又将禁中书籍抄录了一些带回,并搜集寻访公家、私人所刊行之书,共得十万卷,附在一起而珍藏在书院的阁楼上。取《六经阁记》中的文字,称藏书楼为"尊经阁",由四川著名学者、被打入"伪学逆党籍"的刘光祖为之作记。魏了翁在记述扩建书院的经过时,称自己是"穷乡晚进"之人,虽然通过了科举,涉入官场,但过去所学未能尽信。请免官回乡,退而聚友在书院藏修息游,与诸学者诵读经典之遗言以及朱熹的著作,随事省察,以求不失善良之本性和人之初心,"尚不虚筑室、贮书之意也"⑤。这就是魏了翁筑室藏书建书院讲学授徒的目的。

对此,《宋史·魏了翁传》称:"丁生父忧,解官心丧,筑室白鹤山下,以所闻于辅广、李燔(当为李方之)者开门授徒,士争负笈从之。由是蜀人尽知义理之学。"这段话记述了魏了翁通过朱熹弟子了解到朱熹理学,并在四川建鹤山书院以传授朱子理学,由此使蜀人尽知义理之学。这个描述是客观的。

---

① 《鹤山集》卷九二,《赠王彦直》。
② 《鹤山集》卷四一,《书鹤山书院始末》。
③ 《鹤山集》卷四一,《书鹤山书院始末》。
④ 《鹤山集》卷四一,《书鹤山书院始末》。
⑤ 《鹤山集》卷四一,《书鹤山书院始末》。

嘉定十四年（1221），魏了翁收到叶适寄至蒲江鹤山书院的诗。在此之前，魏了翁曾写信给叶适。叶适收到信后，寄诗为复。此诗名为《魏华甫鹤山书院》，收入叶适的《水心文集》卷七。这表明魏了翁在鹤山书院讲学时，通过与叶适的交往，也一定程度地受到叶适思想的影响。

魏了翁长期在巴蜀活动，而他在鹤山书院的讲学是其重要的活动。除去居官在外的时间，前后有两次主教书院，共约四年半的时间。主要是教授朱熹之书和包括"三礼"在内的儒家经典，并在教学中，力图端正学者的求学态度。

书院教育的内容以教授宋代理学和儒家经学为主，同时也教授一些文字训诂的内容，对宋以前关于儒家经典的注疏释文也包括在教学的范围内。

2. 融合蜀、洛

魏了翁创办鹤山书院，教授理学，集宋代巴蜀理学之大成，这是在融合蜀学和洛学的过程中完成的。这里所说的融合蜀、洛之蜀学是指狭义的北宋三苏蜀学，即苏氏之学。魏了翁以理学思想为主体，融合蜀、洛，集宋代巴蜀理学之大成，同时也集广义的宋代蜀学之大成。

魏了翁融合蜀、洛主要体现在他肯定苏氏之学而非排斥。他说："是恶知苏氏以正学直道周旋于熙丰祐圣间，虽见愠于小人，而亦不苟同于君子。盖视世之富贵利达，曾不足以易其守者，其为可传，将不在兹乎？"①认为苏氏在宋神宗熙宁、元丰年间和宋哲宗元祐、绍圣年间周旋其时，虽遭到小人的怨恨，也与君子不完全相同，但也算是正学直道。对其做出正面评价。并指出："蜀人之可贵者，如范氏父子、苏氏兄弟率能以廉耻自励，节义相高。臣虽晚进，犹及亲炙先朝耆旧遗风余烈，凛然有存。"②认为苏氏兄弟在道德上是可贵的。

魏了翁肯定："苏氏兄弟平生大节在于临死生利害而不可夺，其厚于报知己，勇于疾非类，则历熙丰祐圣之变如一日，而后知世之以文辞知二苏者，末也。"③认为苏轼、苏辙兄弟注重大节，在生死利害关头保持其气节而不可夺。但后世却以文辞来概括二苏，这是知其末而不知其本的表现。在此基础上，魏了翁赞赏苏氏之学亦是重道崇性，以此作为文辞之本的。这与洛学之理学宗旨相似。他说："人之言曰：尚词章者乏风骨，尚气节者窘辞令。某谓不

---

① 《鹤山集》卷五三，《黄太史文集》序。
② 《鹤山集》卷二五，《再乞祠奏状》。
③ 《鹤山集》卷六二，《跋苏文定公帖》。

然，辞虽末伎，然根于性，命于气，发于情，止于道，非无本者能之……人知苏氏为辞章之宗也，孰知其忠清鲠亮，临死生利害而不易其守，此苏氏之所以为文也。"①认为辞章与风骨、气节与辞令应结合起来，不赞同将二者分离的倾向。强调辞章虽为末伎，但也是根于性，止于道的。既肯定苏氏作为辞章之宗，但亦是"忠清鲠亮，临死生利害而不易其守"的守道之人。认为这即是苏氏之所以为文的根本。并没有把苏氏视为文道脱离，是理学的对立面。表现出魏了翁调和蜀、洛的倾向，而与正统理学家排斥三苏蜀学有所不同。

由此，魏了翁较为客观地看待苏氏蜀学与程氏洛学在历史发展过程中遭受的不同境遇，对双方并没有特别的褒贬。尽管他更为重视濂、洛之学，推崇朱熹和张栻，极力提高理学的社会地位，但并没有因此而贬低苏学。他说："王氏之盛也，江南学者争称门生；其黜也，讳焉。苏氏之学争尚于元祐，而讳称于绍圣，以后又大显于阜陵褒崇之日。至程子诸儒，亦莫不随时之抑扬而为轻重。迨近世，则朱张子诸儒，一话一言散落人间者，无一不显。"②对苏氏之学的历史命运加以分析：其在元祐之时得到推崇，而讳称于绍圣年间，彰显于阜陵褒崇之日。并指出程氏诸儒也为人们随时加以抑扬。而朱熹、张栻则其言论显于人间。表明对历史人物褒贬、尊黜、崇讳的评价都是在随时而不断变化的。既然对苏、程二学的评价都在变化，所以不应持一定之规，过分肯定或贬低某一学说。体现了魏了翁会同兼取，融合蜀、洛的倾向。陈元晋在评论魏了翁的学术思想时指出："潜心大业，会同蜀洛，上通洙泗之一源。"③这个评价是客观的。

3. 传播理学

魏了翁集宋代巴蜀理学之大成，还体现在他在四川大力传播理学，扩大了理学在蜀地的影响，使之占据了巴蜀学术文化发展的主导地位。

在魏了翁之前，理学已经流传入蜀。早在北宋时，周敦颐，程珦、程颐父子以及张载之弟张戬就曾到巴蜀做官、游学，特别是程颐的《伊川易传》写作于巴蜀涪陵，这对蜀学及全国学术的发展影响很大。程颐之后，蜀人谯定传其学。二程门人荆州袁道洁游蜀时，也曾"谓伊洛轶书多在蜀者"④，其中包

---

① 《鹤山集》卷五五，《杨少逸不欺集》序。
② 《鹤山集》卷六四，《题朱文公帖》。
③ （宋）陈元晋撰：《渔墅类稿》卷二，《上魏左史了翁启》，文渊阁四库全书本。
④ 《鹤山集》卷四二，《简州四先生祠堂记》。

括已在战乱中散失又由尹焞在蜀中寻得全本的《伊川易传》。至南宋,理学有了新的发展并趋于成熟。但魏了翁年幼求学时,仅读过《伊川易传》《河南程氏遗书》及《二程先生语录》等书。也就是说,还停留在读北宋理学著作的阶段。而代表理学走向成熟的南宋朱熹等理学家的著作,尚未多见。不久,张栻的蜀中弟子如陈概、范仲黼等人把张栻的理学著作带回蜀地,并在巴蜀的二江等地讲学,传播了张栻的义理思想,使蜀人得知南宋理学之发展。与此同时,朱熹的蜀中弟子如度正等也把朱熹的理学思想在一定范围内传播。但至魏了翁在京师结识朱熹弟子辅广、李方之,把朱熹晚年定稿的著作带回巴蜀以前,由于缺乏书籍,朱熹的理学思想在巴蜀还没有大的流传,影响也有限。当然这与朱学遭到"庆元党禁"的打击排斥有关。

魏了翁于开禧三年(1207)离朝回到四川以后不久,便陆续刻印朱熹著作,使得理学在蜀地广泛传播,也使巴蜀的文化教育水平进一步提高。

嘉定元年(1208),魏了翁到成都与度正商议印朱熹著作的问题。度正建议立即把魏了翁从京城带回的朱熹著作付梓刊印,"以惠后学"。魏了翁则担心马上刻印会带来只顾"缀说缉文",而不读先圣之书的消极后果,于是两人的意见是先不刻印。在此以后魏了翁将他所藏的朱熹著作拿出付梓,以广其传。

魏了翁记述了他将朱熹的《论语集注》和《孟子集注》等书刊印的情形。其言曰:

王师北伐之岁,余请郡以归,辅汉卿广以《语孟集注》为赠。曰:此先生(指朱熹)晚年所授也。余拜而授之……前辈(亦指朱熹)讲学工夫皆于躬行日用间真实体验,以自明厥德,非以资口笔也。故历年久,阅天下之义理多,则知行互发,日造平实,语若近而指益远。余读之累岁,每读辄异他日,故不敢秘其本,以均淑同志之士云。①

魏了翁不仅回忆了他得到并刊印朱熹著作的经过,而且讲明了他印行朱熹之书的目的,这就是使学者通过读其书而求其理,并贯彻到躬行践履中去,通过日常生活的体验,以明其德。因此,他反对把"以资口笔"作为求学于朱熹之书的目的,亦反对把朱熹之书作为"缀说缉文"的手段。可见其刊行朱熹著

---

① 《鹤山集》卷五三,《朱氏语孟集注》序。

作带有明确的求义理的目的。

经过魏了翁的努力，朱熹著作在巴蜀广泛流行开来。他说："某之生也后，不及从游于朱文公先生之门，而获交其高弟，尽得其书，以诒同志，凡今蜀本所传是也。"①从这里可以得出两点：魏了翁从辅广那里得到的几乎是朱熹所有的著作；而且，凡当时蜀本所传，都出自魏了翁处。如果说，张栻的理学著作流传于蜀，是通过其蜀中门人从湖南带到巴蜀的话，那么，比张栻更为重要的理学之集大成者朱熹，其著作流传于蜀，则是通过魏了翁从京城杭州带回巴蜀这一渠道。这对于提高巴蜀的文化教育水平，起到了积极的促进作用，也加速了巴蜀学术理学化的过程。

魏了翁在巴蜀大力传播理学，他不仅重视刻印、传播朱熹的各种著作，以扩大其影响，而且对其他理学人物也大力宣传。如嘉定元年（1208），魏了翁为成都府学撰《成都府学三先生祠堂记》。记述了周程三先生在巴蜀活动的事迹，并抨击"庆元学禁"，宣传理学思想。魏了翁在蜀中传播理学的过程中，还较为详细地记述了宋代理学在巴蜀的流传情况，目的是为了进一步扩大理学在蜀地的传播和影响。他在为四川简州的周敦颐、程颢、程颐、张载四先生祠堂所作的《记》中，记述了理学在蜀地的流传，这具有较高的地方思想史料的价值。其《记》云：

元公官巴川，纯公、正公侍亲入蜀，张少公出宰金堂，蜀之人士于是数君子皆未尝不得从焉。今言河南之学者，指《易传》为成书，而尝闻诸成都之隐者，其后，卒成于涪陵之北岩。蜀人之笃信其说，如范太史大徒高弟，如谯天授、谢持正皆班班可考。荆州袁道洁及登河南之门，其游蜀访薛翁，亦谓伊洛轶书多在蜀者，是此书流传于巴蜀既有年矣。

余为儿童时，犹及从长老授《伊川易传》及《河南遗书》。又及见学者多传写二程先生语录。特为其说者，未能无科举之累，故缀其说以缉文，而未暇得其所以言。庆元之元，学禁所怵，则例以伊洛目之，以诚敬汕之。甚者，亦一口附和曰："此伪学也。"自是以来，往往屏其书而不复省。曾不思四先生之教人，赜诸天地万物之奥，而父子夫妇之常不能违也；验诸日用饮食之近，而鬼神阴阳之微不能外也。大要使人近思反求，精体熟玩，而有以约之于己，

---

① 《鹤山集》卷五五，《朱文公五书问答》序。

期不失其本心焉耳。奚为伪？①

　　这是一篇关于宋代巴蜀理学的重要材料，对于研究理学在巴蜀的流传、发展，理学对巴蜀学术的影响，以及蜀学与理学的融合，具有重要的意义。事实上，宋代理学作为一代学术思潮，对于促进中国思想文化的发展，它不受地域的限制，而具有全国性的影响和意义。然而，理学思潮的产生、发展和演变，又离不开各地学术的发展。换言之，理学思潮的兴起与发展，正是建立在各地学术发展的基础上，并通过各地、各流派学术的发展得以体现。所以说，理学思潮的发展离不开宋代巴蜀理学的发展，而宋代巴蜀理学的发展与广泛传播，即是整个宋代理学发展的一个具体体现。由此，魏了翁记述了诸理学大师在巴蜀活动的情况，以及程颐写作理学的代表著作——《伊川易传》时，曾闻于成都之隐者，完成于涪陵之北岩的情况。这些事实说明，理学思潮的形成与宋代巴蜀理学的发展，从某一方面、某个角度讲，实际上是相关的。理学家在巴蜀的学术活动（包括著述、讲学等）成为宋代巴蜀理学的一个重要的组成部分，并对宋代巴蜀理学的演变发展产生了重要影响；而宋代巴蜀理学的发展演变，又体现为整个理学思潮及宋学发展的一个方面。

　　魏了翁长期在巴蜀活动，他居官、讲学、创办书院，主持书院教学，确立鹤山学派。并通过刊印理学书籍、著书立说，传播和发展了宋代巴蜀理学，由此扩大了理学在蜀地的影响，使之逐步占据了巴蜀学术文化发展的主导地位，从而集宋代巴蜀理学之大成。

　　在理学盛行之后，又出现脱离实际，空谈心性，追求功名利禄，把圣贤之书束之高阁，并不实行的弊端。魏了翁为批判社会流弊，借鉴了苏轼的思想。他说："余少诵苏文忠公山房记谓秦汉以来，作者益众，书益多，学者益以苟简。又谓近岁市人转相摹刻，书日传万纸而士皆束书不观，游谈无根。呜呼！斯言也，所以开警后学，不为不切至矣。"②通过吸取苏轼对"束书不观，游谈无根"的批评，来解决理学盛行后出现的流弊。这实际上是对蜀、洛之学的沟通和融合。

　　质言之，魏了翁占据了南宋后期思想界的重要位置，对宋代巴蜀理学的

---

① 《鹤山集》卷四二，《简州四先生祠堂记》。
② 《鹤山集》卷四九，《洪氏天目山房记》。

发展做出了突出贡献，并对全国学术文化的发展产生了重要影响。魏了翁的理学及学术思想别具特色，预示着理学及整个学术发展的方向；他在确立理学正统地位的过程中发挥了重要的作用；他融合蜀、洛之学，促进了巴蜀理学的发展，而集宋代巴蜀理学之大成，成为巴蜀文化发展史上的一位著名人物。

第四章

巴蜀哲学思想对理学的批判性反思（元明清）

元明清时期，巴蜀哲学对理学的批判性反思，反映了在宋明理学思潮官学化后，对其流弊的批评，形成一股社会批判的思想倾向，并对明清启蒙、经世致用、重考据训诂学术新风产生了重要影响，而使巴蜀哲学在对理学的批判性反思中继续得到流传演变和发展。

这一时期，作为社会意识形态指导思想、官方哲学的理学，随着流弊日显，遭到了人们的批判。人们纷纷把批判的目标指向理学及其各派。元明清时期巴蜀哲学思想对理学的批判性反思主要体现在，由南宋广泛流传而蔚为大观、主导社会意识形态发展主流的理学思潮逐渐向以批评理学流弊，批判封建专制主义，提倡实事，崇实黜虚，融贯博通，经世致用，重视考辨训诂，肯定情欲，提倡理欲结合，重视人情，重视事功和功利等为内涵的实学思潮转型。使巴蜀哲学和蜀学在流传演变中得到持续发展，并为近现代巴蜀哲学的进一步发展打下了坚实的基础。

元代思想家虞集一方面崇道宗朱，表彰和传播巴蜀理学和魏了翁之学；另一方面又不囿于朱陆之争，而重视心学，预示着学术发展的趋向。虞集还融通三教，"博涉于百氏"，这是他对理学排他性流弊的批评和对宋元以来各派学说流传发展的总结和综合，集中体现了元代学术的特色。

明代巴蜀状元杨慎和巴蜀隐士来知德均对理学提出了批评和疑辨，并重视和提倡实学，体现了巴蜀哲学思想的发展趋向。杨慎是明代中期独具新风的思想家，他站在实学的立场上，对正宗的程朱理学和后起的王阳明心学展开了尖锐的批判；并在批判中，大力主张恢复两汉经学的考证方法，提倡一种多闻、多见、尚实、重传注疏释的学风。他为纠正理学流弊，促进学风的转向做出了贡献，在巴蜀哲学史和明代学术史上占有重要地位，并对后世产生了重要影响。

著名隐士学者来知德对宋明理学既提出批评和疑辨，亦有所肯定，总的来讲是以孔子为源头，寻求对理学的超越。来知德强调继承发扬孔子思想，并贯彻到躬行实践中，认为言行一致，躬行践履就是"实学"，并以气本论批评了朱熹的理本论和太极论。来知德形成了自己独特的"舍象不可以言易"，假象以寓理,"理寓于象数之中"的易学思想,并提出"太极不过阴阳之浑沦"的观点,认为太极之理以气的聚散、流行为其存在的根据;并错综取象以注《易》,对象、错、综、变、中爻等加以说明,把错综中爻的理论与卦、爻辞紧密结合,用象数释义理,对《周易》予以新解,发展了传统易学。

明清之际的费密和唐甄都是巴蜀哲学史上的著名思想家,在全国也产生了重要影响。费、唐二人进一步批评了宋明理学之流弊,重视人情和事功,为实学思潮的兴起和蔚为大观,以及巴蜀哲学的创新发展做出了重要贡献。

费密提出"中实之道"的思想,成为当时实学思潮的重要组成部分,体现了明清之际的时代精神。费密主张"欲不可禁",也不可纵,批评"专取义理"而压制人欲的倾向。他的弘道论别具特色,主要是提出了帝王统道的"道脉谱论",以代替理学道统论;并提出"舍经无所谓圣人之道"的思想,主张不受宋儒说经的束缚,从汉唐诸儒对儒家经典的注疏中求得圣门本旨。由此尊崇汉儒,重视训诂注疏,开清朝汉学之风气,给后来的汉学复兴以重要影响。为此,胡适给予了费密很高的评价。

唐甄提出"凡为帝王者皆贼也"的思想,其对封建帝王专制主义的批判,产生了很大的影响,是其思想的一大亮点;唐甄在治学中,重视事功,批评程朱理学,主张道不离欲,把道德原则建立在实事实功和客观物质欲望的基础上。其对理学的批判,反映了时代的变迁和社会风尚的转移,由重道德自律转向事功之学和关注人生日用。唐甄并提出心为本,经为末,"五经"不过是明心之助,"四书"重于"五经"的思想,而具有自己的特色。这些方面体现了唐甄的社会批判、启蒙和实学、心本经末的思想,而在当时的思想界和巴蜀哲学史上占有重要位置。

清中叶著名思想家刘沅的学术思想集中反映了那个时代蜀学的面貌。其对理学的扬弃,对三教的融合,对经学的"恒解",既具时代精神,又呈现个人特质。由此表现出既与理学、清代汉学不同,又不完全舍弃。确有自己独到的见解和深厚的理论积淀。刘沅创造性地提出先天、后天说,这是对理学的扬弃和发展。刘沅不仅批评理学流弊,而且在对理学批评和扬弃的基础上,也予以继承发展,并非一味反对。刘沅重视人情,又以天理为指导,是在价值观上一定程度认同于理学的表现;刘沅对理学的经学观也基本认同和肯定,在这个过程中他阐发自己的新思想。同时,不论自觉与否,刘沅都不能完全摆脱一代学术思潮理学对他的深刻影响,客观上对理学有所承袭和发展,使之具有了新的时代特色。

第一节　虞集融贯博通，会归于道的思想

虞集（1272～1348），字伯生，号道园，元代著名学者、理学家。祖籍四川仁寿，为南宋丞相、抗金名将虞允文（1110～1174）五世孙。其曾祖父虞刚简（1164～1227），南宋理学家，与著名理学家魏了翁交往密切，同倡理学，将理学与孔子之学和尧舜三代之学相提并论，在当时产生了重要影响。其父虞汲，曾任黄冈尉，宋亡后隐居乡里，与草庐吴澄为友。虞集生于湖南衡州，十四岁居江西崇仁。宋元战乱，南宋名公卿家多流寓江西。后从游吴澄，受到其融会朱陆思想的影响。

虞集历任大都路儒学教授、国子助教、国子博士、太常博士、翰林待制兼国史院编修官、礼部考官、奎章阁侍书学士、翰林侍讲学士、通奉大夫等职。主张国家科举取士以程朱经注为主。病卒于私第，封仁寿郡公。虞集著述甚丰，四库馆臣云："（虞）集著作为有元一代冠冕，平生为文万篇，存者十之一二。"[①] 传于世的有：《道园学古录》五十卷、《道园遗稿》六卷、《平瑶记》一卷、《道园集》等。今人王颋对虞集的著作进行编辑、点校，整理为《虞集全集》出版，并将收集到的与虞集相关的传、行状、神道碑以及时人的唱酬文字，计诗、文总二百余篇，编成外集，附于该书之末。

虞集崇道宗朱，表彰和传播巴蜀理学，在元代提倡将心性义理与传注训诂相结合的魏了翁之学。虞集学术思想的特色是融贯博通，会归于道，体现了元代理学的走向，扩大了理学在元代社会的影响。虞集不囿于朱陆之争，而对心学较为重视，预示着学术发展的趋向。虞集融贯博通的思想除调和朱陆外，还表现在他主张融通三教，"博涉于百氏"，而不重区别对待上，这是对理学排他性流弊的批评和对宋元以来各派学说流传发展的总结和综合，也体现了元代学术的特色。

一、崇道宗朱，表彰和传播巴蜀理学

对儒家圣人之道的尊崇和以朱熹为宗，这是虞集治学的宗旨。虞集学本朱

---

① 《道园学古录·提要》，文渊阁四库全书本。

熹传人，他以吴澄为师，为朱熹五传弟子。程朱之学经元代理学家许衡、吴澄等的传播和推广，得到元统治者的重视，从而被确立为官方指导思想。其道统论经吴澄、虞集等的宣扬和整理，也日益深入人心，逐步成为一时之定论。虞集不仅继承了程朱道统，而且还突出巴蜀理学家魏了翁在传授道统过程中的作用，从而建构起完整的道统体系，在当时产生了重要影响。虞集指出：

> 昔者儒先君子论道统之传，自伏羲、神农、黄帝、尧、舜、禹、汤、文、武、周公，至于孔子而后学者传焉。颜子殁，其学不传，曾子以其传授之圣孙子思，而孔子之精微益以明著，孟子得以扩而充之。后千五百年以至于宋，汝南周氏始有以继颜子之绝学，传之程伯淳氏，而正叔氏又深有取于曾子之学，以成己而教人。而张子厚氏又多得于孟子者也。颜、曾之学均出于夫子，岂有异哉？因其资之所及，而用力有不同焉者尔。然则所谓道统者，其可以妄议乎哉？朱元晦氏论定诸君子之言而集其成，盖天运也。而一时小人用事，恶其厉己，倡邪说以为之禁，士大夫身蹈其祸，而学者公自绝以苟全，及其禁开，则又皆窃取绪余，侥幸仕进而已。论世道者能无尽然于兹乎？方是时，蜀之临邛有魏华父氏起于白鹤山之下，奋然有以倡其说于摧废之余，拯其弊于口耳之末，故其立朝，惓惓焉以周、程、张四君子易名为请，尊其统而接其传，非直为之名也。及既得列祀孔庙，而赞书乃以属诸魏氏，士君子之公论，固已与之矣。及我圣朝奄有区夏，至于延祐之岁，文治益盛，仍以四君子并河南邵氏、涑水司马氏、新安朱氏、广汉张氏、东莱吕氏，与我朝许文正公十儒者，皆在从祀之列。①

认为伏羲、神农、黄帝、尧、舜、禹、汤、文、武、周公、孔子、颜子、曾子、子思、孟子一脉相承，使得儒家圣人之道得以承传授受，并扩而充之。但颜、孟之后其学不传。直到一千五百年后北宋周敦颐出，才开始继承颜子之绝学，再传给二程兄弟。而程颐吸取了曾子之学，以成己而教人。张载则得于孟子。对北宋周、程、张四大理学家作了充分肯定，认为这形成了所谓道统，而不可妄议。至南宋朱熹论定诸君子之言，而集道统之大成，认为这是天运。但一时小人用事，韩侂胄禁道学，把朱熹等五十九人打入"伪学逆党籍"，其

---

① 《虞集全集》，《鹤山书院记》，第606页。

学被禁，士大夫身蹈其祸。其后解除党禁，又出现俗学窃取程朱绪余而不行道，靠记诵程朱辞章来猎取功名利禄的不良学风。针对当时的学界流弊，巴蜀著名理学家魏了翁出而创办鹤山书院，大力倡导和传播朱熹义理之学于摧废之余，以拯救当时流于口耳之末的学界弊端。并一再上疏宋宁宗，表彰周、二程、张四君子，请为其定谥号，以尊其道而接其传。为理学由民间传授、受压制状态到成为社会意识形态的指导思想，发挥了重要作用。至元代，经许衡、吴澄、虞集等理学家的大力表彰，元统治者开始接受理学及其道统论，采纳了治天下必用儒学的建议，以期收到武功所达不到的效果。元仁宗延祐年间，不仅诏定科举以朱熹的《四书章句集注》为标准取士，而且诏以周敦颐、程颢、程颐、张载、邵雍、司马光、朱熹、张栻、吕祖谦、许衡等十儒从祀孔子庙。

此时，魏了翁的曾孙魏起隐居吴中，当读到诸理学家从祀孔子庙的诏书后，感叹道："此吾曾大父之志也！"①鉴于当年魏了翁创建的蒲江鹤山书院在元朝已莽为茂草，而其谪居靖州时所办的鹤山书院也"存亦亡几"，魏起准备在魏了翁去世及安葬地苏州请建一所鹤山书院。并将此意告诉了魏了翁的好友虞刚简之曾孙虞集。虞集对魏起在苏州魏氏第宅重建鹤山书院之举极为称赞，愿与魏起共同倡魏了翁、虞刚简两家之"家学"，把儒家道统传续下来。虞集对此事的记述是："至顺元年（1330）八月乙亥，上在奎章之阁，思道无为。鉴书博士柯九思得侍左右，因及魏氏所传之学与其曾孙起之志，上嘉念焉，命臣集题鹤山书院，著记以赐之。"②于是，虞集奉元文宗之旨，于此年十二月作《鹤山书院记》，记述了魏了翁的理学思想，表彰和传播巴蜀理学。他说：

臣闻魏氏之学，即物以明义，反身以求仁，审夫小学文艺之细，以推致乎典礼会通之大，本诸平居屋漏之隐，而充极于天地鬼神之著，岩岩然立朝之大节，不以夷险而少变，而立言垂世又足以作新乎斯人，盖庶几乎不悖不惑者矣。③

虞集指出，魏了翁的理学以"即物以明义，反身以求仁"为宗旨，将文字考据之小学与朝廷典礼，日常生活之实事与天地鬼神之著现结合起来，努力

---

① 《虞集全集》，《鹤山书院记》，第606页。
② 《虞集全集》，《鹤山书院记》，第606页。
③ 《虞集全集》，《鹤山书院记》，第607页。

贯彻，立言垂世，作育新人，而不因外界环境的险恶而改变，做到于理不悖不惑。然而，由于自濂洛之说经朱熹发明而盛行于世，使得学者只知趋乎道德性命之本，而对于圣贤所传之经传则不重视，"惟日不足"，"博文多识之事若将略焉，则亦有所未尽"①。以至于出现两种弊端：要么只求博文多识，而忽略身心探求；要么内求于心，而不及于详博。如此造成传注流传，出现不少错误，而无以明辨其是非，而追求名物度数的考证训诂，又不能察其身心之本原，使得圣人作经之本意难以明白。有鉴于此，"魏氏又有忧于此也，故其致知之目，加意于《仪礼》《周官》、大小戴之《记》及取"九经"注疏、正义之文，据事别类而录之，谓之《九经要义》。其志将以见夫道器之不离，而有以正其臆说聚讼之惑世，此正张氏以礼为教，而程氏所以有彻上彻下之语者也，而后人莫究其说，以兼致其力焉。昔之所谓卤莽，日以弥甚，甘心自弃于孤陋寡闻之归。呜呼！魏氏之学其可不讲乎？"②虞集记述魏了翁为了纠正学界弊端，作《九经要义》，将义理与训诂、形上之道与形下之器相结合，以克服心性之学缺乏根据和传注之学存在的臆说之惑世的流弊。虞集在新形势下提倡将心性义理与传注训诂相结合的魏了翁之学，有其一定的历史必然性。虞集说："臣之曾大父实与魏氏同学于蜀西，故臣得其粗者，如此敢辄书以为记。"③即虞集的曾祖父虞刚简作为南宋理学家，与魏起的曾祖父魏了翁当时交往密切，在巴蜀同倡理学，所以虞集要继承发扬巴蜀蜀学学统，把魏氏鹤山之学弘扬开来。

二、调和朱陆，重视心学

元代理学发展的趋势是朱陆合流，由朱学向心学转化。这在刘因和吴澄的思想里均有体现。虞集作为吴澄的弟子，受其影响，亦具有调和朱陆的思想特征。并提出心本论思想，肯定陆学，批评朱陆两家弟子后学的门户之见，主张融合朱陆两家之学，重视心学，预示学术发展的趋向。这种治学倾向，也是对魏了翁超越朱学，折中朱陆而以心学为主的思想的继承。

（一）调和朱陆

在虞集的著文立说之间，常言陆九渊和朱熹相互对应，相辅相成，皆对

---

① 《虞集全集》，《鹤山书院记》，第607页。
② 《虞集全集》，《鹤山书院记》，第606页。
③ 《虞集全集》，《鹤山书院记》，第607页。

圣人之道有所发明和贡献。他说:"陆先生之兴,与子朱子相望于一时,盖天运也。其于圣人之道,互有发明。"①指出对于圣人之道而言,朱陆双方相互补充、互有发明,一时相望,共同促进了儒学的发展。与吴澄等人一样,虞集无门户之见,而具有调和朱陆的特色。同时也指出朱陆双方存有小异。他说:"陆公之学,前代诸儒盖未之有也。朱子之起,与之相望以扶植斯道者,岂不重且远哉?然而入德之门容或不同,教人之方容有小异,其皆圣人之徒也。"②认为尽管在入德之门和教人方法上,朱熹和陆九渊或有不同,存有小异,但他们都是圣人之徒,共同扶植儒家圣人之道,任重而道远。在调和朱陆的前提下,虞集赞赏陆学提供了"前代诸儒盖未之有"的思想,予以充分肯定。

对于陆九渊及其与朱熹的相同相异之处,虞集做出自己的评价。他说:"其南渡也,陆子静先生生乎临川之青田,高明卓异,前无古人,与朱文公起而相望于当世。学者从之入德之门,或小异焉。尝观陆先生之在白鹿也,讲君子喻于义、小人喻于利一章。学者闻之,感动流汗。朱子亲执笔而请其书焉。其相尊敬如此……鹅湖之会,固将以一道德也,而简易支离之说,终不合而罢。然二家之精微,非大贤相与剖击,则下二贤一等者,殆无从而知之矣。"③认为陆氏生于江西临川,其出"高明卓异,前无古人",与朱熹相望并立于当世,为学界两大家。指出二人的学问虽不尽相同,但在坚守理学的价值观上,则是一致的。这是指陆氏在白鹿洞讲堂,讲儒家义利之辨,使学者深受感动,朱熹也对陆九渊表达了很高的敬意。而在吕祖谦召集的鹅湖之会上,虽欲调和朱陆异同,但终因两家在治学方法上存有简易、支离之说的不合而罢。尽管如此,在虞集看来,通过两大贤在鹅湖之会的相与剖击,使学者明白了行道、明道之方,以避免过或不及的偏差。当时虞集的思想趋向是把陆氏的尊德性与朱熹的道问学结合起来,要求学者去短集长,而不堕于一偏,即主张融合朱陆两家之学,这体现了元代理学发展的趋势。

(二)重视心学

虞集不仅崇道宗朱,调和朱陆,而且深受陆九渊的影响,提出心本论思想,而重视心学。他说:"天地之覆焘,无限量也;日月之照临,亦无限量

---

① 《虞集全集》,《题江右六君子策后》,第460页。
② 《虞集全集》,《赠李本伯宗序》,第558~559页。
③ 《虞集全集》,《乡试策问》,第371页。

也。人心之妙,其广大光明,盖亦如之。局于耳目之所接,限于识虑之所及,果能尽其心之体用者乎?方外之学,虽设教不同,而其所致力者,亦唯心而已矣。"①认为人心的广大光明有如天地无不持载、覆盖万物,日月无不照临一样,是无限量的。正因为心无限量,为万物之本,所以要求破除局限以尽心。方外之学亦唯心而已,突出了心的重要性。并指出:"古之所谓学者,无他学也,心学而已耳。心之本体,盖足以同天地之量,而致用之功又足以继成天地之不能者焉。舍是勿学而外求焉,则亦非圣贤之学矣。然而其要也,不出于仁义礼智之固有,其见诸物,虽极万变,未有出乎父子、夫妇、君臣、长幼、朋友之外者也。"②认为心学古已有之,以心为学,即为心学。心之本然足以同天地之量,是包罗天地的本体,而其致用之功又足以继成天地之所不能。虞集强调,心的内涵即是仁义礼智之固有,亦不脱离父子、夫妇、君臣、长幼、朋友之五伦。如果舍心学而外求,这就不是圣贤之学。

虞集所谓心,就存在于事物之中,而作为事物之所以存在的根据。他说:"洒扫之时,则心在乎洒扫;应对之时,则心在乎应对;入事父兄,出事长上,则心所在,亦无有二也。"③无论是洒扫应对,还是出入进退,都有心存于其中,与事物不相脱离。心存在于事物之中,是作为事物之所以存在的根据,故具有心本论的倾向。

虞集提出心本论思想,重视心学,具有由朱学的烦琐向心学的简约转化的趋向,这体现了元代学风的转向。他说:"以亿兆众人之资而欲求往圣于至微至简,至难也。是故即此而反求,近思以得之者,善学之能事也。自此而诵说援引,愈详而愈远者,支离之流弊也。"④可见心学学风求简,主张反求近思,反对烦琐诵说援引,批评其愈详而愈远,流于支离之弊。虞集肯定陆学,表彰吴澄,主张融合朱陆两家之学,提倡简易功夫,这预示着学术发展的趋向及元代学风之转向。

---

① 《虞集全集》,《可庭记》,第750页。
② 《虞集全集》,《思学斋记》,第729页。
③ 《虞集全集》,《学存斋记》,第730页。
④ 《虞集全集》,《尊经堂记》,第769页。

三、融通三教，"博涉于百氏"

就虞集的理学思想而言，他调和朱熹、陆九渊之学体现了其学术思想融贯博通的特色；就他的整个学术思想而言，其融通三教，"博涉于百氏"又是他融贯博通，不重区别对待的学术思想特点的表现。这也是在理学思潮兴起和发展的过程中，中国哲学及思想文化儒、释、道三教融合的反映；亦是虞集对宋元以来各家各派学说流传发展的总结和综合，体现了元代学术所具有的融通、包容之特色。

（一）融通三教

唐宋以来，三教融合互补成为趋势。至元代，随着理学被确定为官方哲学和社会意识形态的指导思想，以及朝廷对当时佛教、道教的扶持，以儒为主，融通三教的思潮更为人们所接受。虞集就是其中的一位代表人物。

对于佛教，虞集主张去芜存菁，有所保存。他说："去其繁杂谬妄，存其证信不诬。而佛道、世道污隆盛衰，可并见于此矣。"[①]虞集与佛教禅师多有来往，以此吸取佛教思想。并认为佛道与世道的兴衰相联系，而不可去佛。

虞集受佛教的影响主要表现在他对佛教的心学思想加以吸取。他说："铭曰：佛语心为宗，无门为法门。"[②]佛教以心为宗，受佛教心学影响，虞集也重视心的本体地位。并指出："昔西方圣人为一大事，出见于世，法流中土。时至缘熟，达摩之来，直指人心而已。"[③]把佛教视为西方圣人所传，其法流入中土，有它的缘由。而达摩所传，即是直指人心而已。

在一定程度地吸取佛教思想的基础上，虞集主张融合儒、佛。他说："虽以寂灭为宗，而孝爱之心，油然动乎其中而不可遏。"[④]认为佛教虽以寂灭为宗，但亦存在着孝爱之心。其所说佛教亦讲孝道，这是受儒家思想的影响，表现出虞集调和儒、佛的意图。

除调和儒、佛外，虞集亦受到道家道教的影响，而主张调和儒、道。他说："集幼时尝得其老子、庄子说而读之，未尽解也。以请于吴幼清先生。先生曰：嘻！非孺子所知也，后当知之。后十余年，集来京师，见今翰林待制袁

---

① 《虞集全集》，《佛祖历代通载序》，第596页。
② 《虞集全集》，《铁关禅师（法枢）塔铭》，第1006页。
③ 《虞集全集》，《断崖和尚（了义）塔铭》，第998页。
④ 《虞集全集》，《法海禅庵记》，第746页。

公伯长作空山墓铭，而后叹曰：嗟夫！易、老之相表里久矣，世之知者或寡矣。"①虞集早年曾读老、庄之书，逐步受到道家思想的影响。后认为易、老相表里，有相互沟通之处，而世人知道这点的则很少。

虞集还把理学的核心范畴"天理"与道教的神仙之学相提并论，以调和儒、道。他说："天理民彝，历千万古，无可泯灭之理，一息不存，人之类绝矣。神仙之学，岂有出于此之外者乎？知乎此，则长生久视在此矣，无为之化在此矣。"②认为神仙之学不出天理之外，长生久视、无为之化皆在天理的包容之内。虽然调和儒、道，但可看出，虞集仍是把天理放在更为重要的位置，以天理来包容神仙之学。这表明，虞集的融通三教是以儒为主，兼容二氏的。儒家思想天理即道仍占据了虞集思想的主导位置，融贯博通最终会归于道。

（二）兼取各家各派，"博涉于百氏"

除融通三教外，虞集也主张兼取各家各派，其指导思想是提倡做一个通儒，而不是盲目排他的狭隘儒者。他说："辨传注之得失，而达群经之会同，通儒先之户牖……以穷物理之变……考据援引，博极古今，各得其当，而非夸多以穿凿。"③通过考辨传注，以会同群经。提倡会通，将考据与穷理结合起来，而不是夸多以穿凿。

虽身为理学家，但虞集并不排斥理学以外的其他学术派别，对非理学的各家各派包括功利学，他都积极吸取，以学术的繁荣促进社会的发展。虞集认为，如果不是这样，那将带来后患以致亡国。他说："乾、淳之间，东南之文相望而起者，何啻十数，若益公之温雅，近出于庐陵。永嘉诸贤，若季宣之奇博，而有得于经；正则之明丽，而不失其正。彼功利之说，驰骋纵横其间者，其锋亦未易婴也。文运随时而中兴，概可见焉。然予窃观之朱子继先圣之绝学，成诸儒之遗言，固不以一艺而成名。而义精理明，德盛仁熟，出诸其口者，无所择而无不当，本治而末修，领挈而裔委，所谓立德立言者，其此之谓乎？……而宋之末年，说理者鄙薄文辞之丧志，而经学、文艺判为专门，士风颓弊，于科举之业，岂无豪杰之出，其能不浸淫汩没于其间，而驰骋凌厉以自表者，已为难得。而宋遂亡矣。"④指出南宋乾、淳年间，讲学大盛，著述

---

① 《虞集全集》，《书玄玄赘稿后》，第463页。
② 《虞集全集》，《净明忠孝全书序》，第598页。
③ 《虞集全集》，《送李扩序》，第539～540页。
④ 《虞集全集》，《庐陵刘桂隐存稿序》，第500页。

成风,东南之文相望而起。包括理学和非理学的功利学等在内的各家各派会友讲学,辩难争鸣,相互吸取,融贯各家,使得南宋文运随时而中兴,学术大繁荣,社会也得到治理。可是到了宋末,理学鄙薄文学,经学与文艺判然二分,导致士风颓弊,而宋朝也随之灭亡。可见综罗百家,学术繁荣与社会兴衰有密切关系。体现了虞集对理学排他性流弊的批评。

与几乎所有的理学家对王安石的一致声讨不同,虞集对王安石给予了适当的肯定,体现了其融通与包容精神。他认为王安石是"千百人中之一人,千百世而一见者也。文公高峻明洁,前无古人"[1]。并试图调和程颢与王安石之间的分歧。指出王安石变法时,"明道先生从之为三司条例司,未尝与之争,亦未尝委曲而从之也。而公心服其言,无不从者。使明道久与公处,其所谓高明精洁者,智足以知之,则潜融默化,以入圣人之域。从公之所立,必有大过人者,岂有后世之祸哉?"[2]认为如果程颢与王安石相处久一些,使王安石受程颢影响,可能就不会发生"后世之祸"了。所以说程颢不得久与王安石相处,这不仅是王安石的不幸,而且也是天下之不幸。虞集对王安石的称赞和评价,不囿于理学家的立场,这是难得的。

虞集融通三教,兼取诸家,"博涉于百氏"的思想是他对中国学术发展史上,尤其是宋元以来各家各派学说的综合和总结,体现了元代学术所具有的融通、包容之特色。与虞集同时代的危素为虞集的《道园遗稿》作序云:"公贯通经史,而博涉于百氏,故犁然各尽其蕴,而无所偏滞。"[3]指出虞集贯通经史,又"博涉于百氏",对诸家之说都能够做到使之释然自得,各尽其蕴,而不偏滞于一方。

如上所述,虞集崇道宗朱,继承道统,传播巴蜀理学;调和朱陆,重视心学,提倡简易功夫;融通三教,"博涉于百氏",在此基础上而加以融贯博通,使之会归于道。由此体现了元代理学发展的走向,为理学的流传发展做出了贡献。也预示着学术发展的趋向及元代学风之转向,并对后世产生了重要影响。

---

[1] 《虞集全集》,《赠李本伯宗序》,第558页。
[2] 《虞集全集》,《赠李本伯宗序》,第558页。
[3] 《虞集全集》,《道园遗稿序》,第1176页。

第二节　杨慎对理学的批评及开一代学术新风

杨慎（1488～1559），字用修，号升庵。四川新都人。正德六年（1511）殿试第一，是明朝四川唯一的状元。授翰林院修撰。豫修"武宗实录"，禀性刚直，每事必直书。武宗微行出居庸关，上疏抗谏。世宗继位，任经筵讲官。

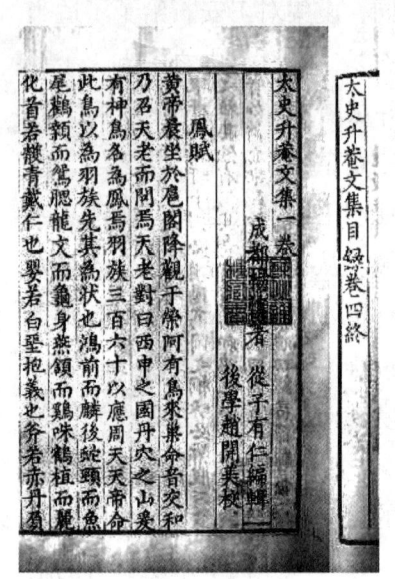

《太史升庵文集》

嘉靖三年（1524），杨慎因"议大礼"，违背世宗意愿受廷杖，谪戍云南永昌卫（今云南保山），居云南三十多年，死于戍地。杨慎著述宏富，不下三百余种。大多是在他谪戍云南后所著，最初是以《丹铅录》为名，后又撰有《丹铅余录》《丹铅续录》《丹铅摘录》《丹铅总录》等。万历年间，四川巡抚张士佩取杨慎的"丹铅"诸录及《谭苑醍醐》诸书删除重复，分类编次，附其诗文于后。所订内容有赋及杂文十一卷，诗二十九卷，又杂记四十一卷，编为《升庵集》八十一卷。

杨慎是明代中期独具新风的思想家、学者。他站在实学的立场上，把"实学"作为"虚谈"的对立面，对正宗的程朱理学和后起的王阳明心学展开了尖锐的批判。并在批评中，大力主张恢复两汉经学的考证方法，提倡一种多闻、多见、尚实、重传注疏释的学风。为纠正理学流弊，促进学风的转向做出了贡献，在巴蜀哲学史和明代学术史上占有重要地位，并对后世产生了重要影响。

一、对理学流弊的批评

程朱理学到了明中叶，尽管流弊日显，但由于统治者的尊崇，仍居于正统地位。王阳明心学虽风靡一时，仍不能挽救封建社会的危机。面对缺乏生气的思想界，杨慎站在时代的前列，从程朱理学的营垒中分化出来，对理学采取了认真批判的态度。他好学博览，提倡求实，对于打破当时学术界的僵化状态，具有振聋发聩的作用。杨慎由拥护程朱到批判理学流弊，表现出时代的觉醒和他的革新精神。

嘉靖三年（1524），杨慎在"议大礼"中，为反对桂萼、张璁等人上疏说："臣等与萼辈学术不同，议论亦异。臣等所执者，程颐、朱熹之说也；萼等所执者，冷褒、段犹之余也。"①这时他是信守官方程朱理学的学者，但由于"议大礼"涉及封建君主的皇族矛盾，触犯了明世宗，所以杨慎遭到了专制主义的残酷打击，两受廷杖，最后被谪戍云南。以此为转机，促使杨慎从官方程朱理学的束缚中分化出来，进而发展到对理学展开批判。

杨慎揭露当时思想界的恶劣学风说："彼外之所行，颠倒错乱，于人伦事理大戾。顾异巾诡服，阔论高谈，饰虚文美观而曰：吾道学、吾心学，使人领会于渺茫恍惚之间，而无可着摸，以求所谓禅悟。此其贼道丧心已甚，乃欺人之行，乱民之俦，圣王之所必诛而不以赦者也。何道学、心学之有？"②指出宋明理学的两个派别——道学和心学都是不求实际，高谈阔论，使人堕入虚无渺茫之中而无所获。它们耽于佛教的"禅悟"，而美其名曰道学、心学，实则是丧心害道，只会带来"欺人"与"乱民"的恶果。所以"圣王"对待它们是"必诛而不以赦"。在这里，杨慎借圣王必诛来表示他对道学和心学的批判态度。

杨慎还揭露了理学家陈陈相因的弊病。他说："予尝言：宋世儒者失之专，今世学者失之陋。失之专者，一骋意见，扫灭前贤；失之陋者，惟从宋人，不知有汉唐前说也。宋人曰是，今人亦曰是；宋人曰非，今人亦曰非。高者谈性命，祖宋人之语录；卑者习举业，抄宋人之策论……如此皆宋人之说误之也吁异哉！"③思想界一旦缺乏生气，以前人的是非为是非，就已经走向衰落。杨慎的这些批评，恰好切中了明代思想界的时弊。他以清醒的头脑批评当时的学者一味照抄宋人的语录和文章，而不知有汉唐训诂考据之说，把自己的思想完全束缚在宋儒的格套里。他指责当时的学者是"今之学者吾惑之，摭拾宋人之绪言，不究古昔之妙论，尽扫百家而归之宋人，又尽扫宋人而归之朱子。"④杨慎对宋学提出批评，反对"不究古昔之妙论，尽扫百家而归之宋人"。对朱熹这位被奉为圣贤的宋学代表人物也敢于提出不同意见，表现出他不盲从旧权威的思想解放精神。杨慎对宋儒和朱熹的批评，对汉唐前说的肯定，预示着学风的转向，给明中叶的思想界注入了一缕新风。这与王阳明既批评朱学，又打着"朱子晚年定论"的招牌相比，实则大不相同。

---

① 《明史·杨慎传》。
② （明）杨慎：《升庵集》卷七五，《道学》，文渊阁四库全书本。
③ 《升庵集》卷五二，《文字之衰》。
④ 《升庵集》卷七一，《先郑后郑》。

杨慎认为，中国经学发展到了朱熹而意义昭明，然而它的弊端也正是从朱熹开始。他说："经学至朱子而明，然经之拘晦实自朱始。"①朱熹为了发挥他的义理之学和理学思想，在材料的引证上有一些不实之处。杨慎指出："岂可谓出于朱子，一仍其误而不敢改正者乎！"②认为不能因为出于朱熹之手就不敢纠正其错误。杨慎还进一步批评朱门后学盲从其师，墨守成规的流弊。他说："专守一艺而不复旁通他书，掇拾腐说而不能自遣一辞……此则嘉定以后朱门末学之蔽，未有能救之者。"③杨慎认为，朱熹学说在宋宁宗嘉定年间以后，出现了固守师说、排斥他说、照搬照抄而没有自己独立见解的弊端。他们只知陈陈相因，抄袭旧说，把理学、朱子学作为沽名钓誉、猎取功名利禄的手段。对此，杨慎是深恶痛绝的。他说："谈性理而钓名利者，以之其流莫盛于宋之晚世，今犹未殄！"④对晚宋以来以至杨慎所处的时代，将性理作为钓取名利的工具的学风深为指责。

杨慎既批判了处于正宗地位的程朱理学，又针砭了当时广为流传的王阳明心学。他说："迩者霸儒创为新学，削经划史，驱儒归禅。"⑤指出当时所谓的"新学"（心学）不过是"霸儒"离经背史，把儒学妄改为佛学。他们不读书，不稽古，师心自用，背离了真正的儒者之学。真正的儒者治学应该是"博我以文，约我以礼，无文则何以为礼？无博则何以为约？"⑥反对心学"厌博而径约，屏文而径礼，曰：六经吾注脚也，诸子皆糟粕也"⑦的学风。杨慎在这里批判了王阳明发明本心的"厌博"和"屏文"的学风，反对心学家把"六经"之书作为吾心之注脚的经学观，表明他对盛行一时的阳明心学的批判态度。

二、提倡实事，反对虚谈

杨慎站在实事实功的立场，指责理学家"使实学不明于千载，而虚谈大误于后人"⑧。反对自宋以来的空谈性理和崇尚虚无的学风而提倡"实学"。

---

① 《升庵集》卷六，《答重庆太守刘嵩阳书》。
② 《升庵集》卷四一，《朱子引用误字》。
③ 《升庵集》卷六五，《琐语》。
④ 《升庵集》卷四六，《庄子愤世》。
⑤ 《升庵集》卷六，《答重庆太守刘嵩阳书》。
⑥ 《升庵集》卷四，《云局记》。
⑦ 《升庵集》卷四，《云局记》。
⑧ 《升庵集》卷四五，《夫子与点》。

他说："余窃妄论宋朝多议论，少成功，虽盛时犹然也，况积习消靡之余。夫人皆喜逸而恶劳，图安而惧危。"①杨慎在批评理学虚谈误人的同时，进一步抨击了当时科举制度的弊病。指出："本朝以经学取人，士子自一经之外罕所通贯，近日稍知务博，以哗名苟进而不究本原，徒事末节。"五经"诸子则割取其碎语而诵之，谓之蠡测；历代诸史则抄节其碎事而缀之，谓之策套。其割取抄节之人已不通经涉史，而章句血脉皆失其真……噫！士习至此，卑下极矣。"②批评当时科考以朱熹的《四书章句集注》及程朱学为标准而造成的流弊，使得学子不务本原，只是追求末节，割裂诵读经典的言语而不能通其道，又不能通经涉史，使章句血脉失其真。甚至出现"有以汉人为唐人，唐事为宋事者，有以一人折为二人，二事合为一事者"③这种可笑现象。杨慎主张，讲"道"不能离开事业，科举也必须以事业取人。他说：

大道散而有六经，六经散而有诸子，诸子之是非取裁于六经，六经之删修折衷乎圣道。三代而上道见于事业而流衍于文章，三代以还道寓于文章而不纯于事业。故乡举里选取其事业矣……今士习何如哉？其高者凌虚厉空，师心去迹，厌观理之烦，贪居敬之约，渐近清谈，遂流禅学矣；卑焉者则掇拾丛残，诵贯酒魄，陈陈相因，辞不辩心，纷纷竞录，问则呿口。④

杨慎反对清谈、掇拾的恶习，强调治经须求道，而道见于事业、寓于文章，故乡举里选和科举须"取其事业"。所谓"事业"，在杨慎看来，"曲工小技""传兵论剑"等实际知识和技能都是"与道同符"的事业。他说："古者君子之于物也，无所苟而已矣。曲工小技罔不致其极焉，故曰传兵论剑与道同符。今人不及古人而高谈欺世，乃曰：吾道在心，六经犹赘也……君子宜无苟也，苟于物将苟于道。"⑤杨慎认为，君子对待道的态度应该是道不离物，如果离开了"曲工小技""传兵论剑"等具体知识和技能，就无所谓道，也谈不上什么事业。由此批评理学家"吾道在心"的"欺世"之论。他还强调

---

① 《升庵集》卷五一，《虞雍公功烈》。
② 《升庵集》卷五二，《举业之陋》。
③ 《升庵集》卷五二，《举业之陋》。
④ 《升庵集》卷三，《云南乡试录序》。
⑤ 《升庵集》卷二，《书品序》。

"道以器寓"①，"学道其可以忘言乎？语理其可以遗物乎？"②主张"道不离器"，"理不离物"，以重视实事实物的观点反对"语理而遗物"的错误观点。并以实、虚划分儒、佛之界限。他说："儒教实以其实，实天下之虚；禅教虚以其虚，虚天下之实。陈白沙诗曰：'六经皆在虚无里'，是欲率古今天下而入禅教也。岂儒者之学哉！"③批评明代心学家陈献章提倡"六经皆在虚无里"的观点是入于佛教，而非儒者之学。

杨慎在强调实学，反对虚无的同时，还十分重视力行。他明确反对老子"不出户知天下"的观点，认为"天下诚难以不出户知也"④。为此，杨慎主张身体力行，行重于知。他说："其旨深，玩之于书，不若体之于身者；其理实，言知不若行也。"⑤杨慎不仅提倡力行实学，而且主张六艺皆游。他说："君子立教之不隐也，如影矣。受命之不讳也，如响矣。礼以考敬，乐以敦和，射以平志，御以和心，书以缀事，数以理烦，皆艺也。礼中容，乐中声，射中鹄，御中轨，书中文，数中算，皆游也。"⑥提出礼、乐、射、御、书、数六艺皆游的主张，反对"专守一艺"的"朱门末学之蔽"。杨慎本人就是一位博学多才的学者，对经、史、古文、音韵、词曲、天文、地理、生物、医学、书画、金石等许多方面，都有广泛的研究和独到的见解。杨慎所提倡的日用实学和六艺皆游的思想，不仅对当时的思想界，而且对后来的颜李"习行"学派以深刻的影响。

三、肯定情欲，主张性情不离

杨慎批评理学流弊的又一重要方面，表现为他肯定人的自然情欲，主张性与情不能分离。自宋以来，理学家为了纠正前代统治者伦常失序，人无廉耻而造成社会动荡的危机，提出"存天理，去人欲"的主张，这在当时具有一定的历史必然性。但经过历代统治者的歪曲利用，不断缩小其对自身的约束，而不断强化其对下层民众的束缚，逐渐演化成为压制人民求生欲望的礼教枷锁。杨

---

① 《升庵集》卷六五，《琐语》。
② （明）杨慎：《谭苑醍醐》原序，文渊阁四库全书本。
③ 《升庵集》卷七五，《儒教禅教》。
④ 《升庵集》卷二，《滇记序》。
⑤ 《升庵集》卷六五，《琐语》。
⑥ （明）杨慎：《丹铅余录》卷七，文渊阁四库全书本。

慎站在理学流弊的对立面，充分肯定人的自然情欲。他说："六欲皆得其宜，全生也；六欲分得其宜，亏生也；六欲莫得其宜，迫生也。"① 就是说，人的"六欲"合理地得到满足，就叫作"全生"；部分得到满足，叫作"亏生"；完全得不到满足，叫作"迫生"。在这里，杨慎以"六欲皆得其宜"来反对"六欲莫得其宜"，强调给人的情欲以合理的满足，这有一定的合理成分。

在性与情的关系问题上，杨慎主张性情不离，缺一不可。他引用前人的话来表达自己的见解："许慎曰：'性者，人之阳气，性，善者；情者，人之阴气，有欲者。'李善曰：'性者，本质也；情者，外染也。'"② 认为性的本质是善的，但它必须通过情欲表现出来。在杨慎看来，性与情就像阴与阳一样是不能分离的。他说："合之则双美，离之则两伤。举性而遗情，何如？曰死灰；触情而忘性，何如？曰禽兽。"③ 就是说，如果"举性而遗情"，就丧失了人的自然本性，成为"死灰"一般的东西；如果"触情而忘性"，就失去了人的社会属性，离开了正常的道德伦理关系，沦为"禽兽"一样的动物。二者都是不可取的。正确的态度应该是性情"合之则双美，离之则两伤"。

杨慎赞成《周易》、庄子、王弼的性情不离，以性统情的观点，批评了孟、荀、扬、韩愈、李翱和宋儒的观点。他说："《尚书》而下，孟、荀、扬、韩至宋世诸子，言性而不及情。言性情俱者，《易》而已。《易》曰：'利贞者，性情也。'庄子云：'性情不离，安用礼乐。'甚矣！庄子之言性情有合于《易》也。"④ "李翱云'灭情以复性'不若王弼云'性其情，久行其正也'。李杂乎禅，王协于《易》。"⑤ 杨慎指出，孟子等"言性而不及情"是分割性情的关系，李翱"灭情以复性"是杂于佛教的主张。而宋儒提出义理之性与气质之性相分的主张违背了孔子的"合性情"之说。他说："'性相近也，习相远也'，是合性情言之也……宋儒析性情为义理、气质之分，似也，而曰：'孔子之论性乃气质之性，孟子之论性乃义理之性。'力主孟子而阴若不足孔子者，非也。"⑥ 并对宋儒把孟子之论性视为义理之性，而把孔子

---

① 《丹铅余录》卷六。
② 《升庵集》卷五，《性情说》。
③ 《升庵集》卷五，《性情说》。
④ 《升庵集》卷五，《性情说》。
⑤ 《升庵集》卷六五，《琐语》。
⑥ 《升庵集》卷五，《广性情说》。

之论性看作气质之性表示不满。

杨慎不仅强调性与情的统一，而且主张以性统情，使情欲在性的指导下合理地得到满足。他说："君子性其情，小人情其性。"①认为以性来节制情欲，是符合君子的道德标准的。反之，放纵情欲，不加节制，则是小人所为。所以他主张"约情之偏而合性之中"②，对情欲加以约束，而不是禁止。这样，既避免了恣情纵欲，又与过分压抑人情划清了界限。

四、反对"束书不观，游谈无根"，提倡考据、训诂

宋明以降，儒家经典经过历代的流传，不仅有传写错漏，而且伪造掺假，因而使本义难寻。宋明理学家较少在考证上下功夫，有的甚至断章取义，牵强附会，以至于错上加错，杨慎在批评这些流弊时说："其割取、抄节之人已不通经涉史，而章句血脉皆失其真。"③又说："宋儒不达，妄为之解……嗟乎！不能达古文之文而能达古文之义者，鲜矣。"④他批评当时的思想界是"束书不观，游谈无根"⑤，不认真钻研经史，而喜好空发议论，因而所谈的义理不仅没有根据，而且也不是儒学真谛。杨慎对当时思想界的批评，对后世产生了重要影响。杨慎认为，要破除理学家谈空说妙的弊病，求得"圣贤之经"的本旨，就得复兴古学，重视考据、训诂。他说："予谓解圣贤之经，当先知古人文法……故必晓古人文法，而后可以解圣贤之经。"⑥如果"字义不明"，就会造成"文理不通"⑦，甚至歪曲古人原意。他要求学者注意研究古今文字的演变，弄懂古文字的确切含义，反对妄改古书，主张保留古书的本来面目。他说："古书转刻转谬，盖病于浅者妄改耳……皆大失古人语意。"⑧这与宋儒以己意解经、改经的学风形成对照。

杨慎不仅提倡对古文字的了解，而且重视对音韵学的研究。他认为"字有

---

① 《升庵集》卷五，《性情说》。
② 《升庵集》卷五，《广性情说》。
③ 《升庵集》卷五二，《举业之陋》。
④ 《升庵集》卷四四，《文王之为世子》。
⑤ 《升庵集》卷五二，《邵公批语》。
⑥ 《升庵集》卷四一，《数往者顺知来者逆》。
⑦ （明）杨慎：《丹铅摘录》卷一，文渊阁四库全书本。
⑧ 《升庵集》卷七一，《世说误字》。

古今，音有楚夏"①，如果不纠正音韵多讹的现象，就会影响对词义的理解。为此，他撰写了《转注古音略》一书，并在序中说到：

> 古人恒言"音、义，得其音，斯得其义矣。以之读奥篇隐帙，涣若冰释，炳若日烛。又以所粹合之古人成编，裁其烦重，补其遗漏，庶无蹈于雷同，兼有益于是正，乃作《转注古音略》。大抵详于经典而略于文集，详于周汉而略于晋以下也……今之所采，必于经有裨，必于古有考。扶微广异，是之取焉。匪徒以逞博□累卷帙而已。方今古学大昭，当有见而好之者，不必求子云于后世也。"②

杨慎作《转注古音略》的目的是为了通过读准其音，来了解文字的意义，进而弄懂儒家经书的原义，有裨于读经考古，使"古学大昭"于"奥篇隐帙"之中。虽然杨慎的考辨有昧于古音之处，但以其引证较博，也对后世音韵学产生了一定的影响。《四库全书提要》云："本以其引证颇博，亦有足供考证者。故顾炎武作《唐韵正》，犹有取焉。"③其后顾炎武撰《唐韵正》，以古音正《唐韵》之讹，亦对杨慎的《转注古音略》有所取。

杨慎研究古代文字，尤其重视汉唐训诂与注疏。他认为离开了汉唐的训诂注疏，就不可能求得儒家经典的本旨。他说："六经自火于秦，传注于汉，疏释于唐，议论于宋，日起而日变，学者亦当知其先后。近世学者往往舍传注疏释便读宋儒之议论，盖不知议论之学自传注疏释出，特更作正大高明之论尔，传注疏释之于经，十得其六七，宋儒用力之勤，铲伪以真补，其三四而备之也。"④杨慎的这一"议论之学自传注疏释出"的观点是对元代学者刘因思想的继承发挥。杨慎指出，自从秦始皇焚书，儒家经典便残缺不全，但通过汉代的"传注"、唐代的"疏释"，可以了解经典的原义；就是宋儒的"议论之学"（理学）也出自汉唐的"传注疏释"。所以，他反对学者"舍传注疏释便读宋儒之议论"，批评"宋以后则学者知有朱子，而汉唐诸儒皆废"⑤的治学

---

① （明）杨慎：《丹铅总录》卷一九，《上林赋连绵字》，文渊阁四库全书本。
② （明）杨慎：《转注古音略》原序，文渊阁四库全书本。
③ 《四库全书〈转注古音略〉提要》。
④ 《升庵集》卷七五，《刘静修论学》。
⑤ 《升庵集》卷四四，《三农》。

倾向。

杨慎之所以"多取汉儒而不取宋儒",是因为在他看来,"汉世去孔子未远",而"宋儒之失在废汉儒而自用己见耳"①。

> 或问杨子曰:子于诸经多取汉儒而不取宋儒,何哉?答之曰:宋儒言之精者吾何尝不取?顾宋儒之失在废汉儒而自用己见耳。吾试问汝六经作于孔子,汉世去孔子未远,传之人虽劣,其说宜得其真。宋儒去孔子千五百年矣,虽其聪颖过人,安能一旦尽弃旧而独悟于心邪?六经之奥譬之京师之富丽也,河南、山东之人得其十之六七,若云南、贵州之人得其十之一二而已,何也?远近之异也。以宋儒而非汉儒,譬云贵之人不出里闬,坐谈京邑之制,而反非河南、山东之人,其不为人之贻笑者,几希!然今之人安之不怪,则科举之累,先入之说胶固而不可解也已噫。②

在经典的传授上,杨慎反对"以宋儒而非汉儒"。他认为汉世离孔子未远,其说比较符合孔子的真实。而宋儒所处时代则远离孔子和先秦儒家经典。并以地理上的远近来譬喻年代的先后,把"六经之奥"比作"京师之富丽",把汉儒比作靠近京师的河南、山东之人,把宋儒比作远离京师的云、贵之人。把汉儒得六经之真比为河南、山东之人得京师富丽的十分之六七,把宋儒离经背史比为云、贵之人仅得其富丽的十分之一二。杨慎在复兴古学的过程中,提出的"于诸经多取汉儒而不取宋儒"的观点,揭示了从明中叶到清乾嘉时期学术发展的趋向,为后来的汉学兴起奠定了一定的基础。

质言之,在当时宋明理学居于统治地位的时代,杨慎敢于批判程朱理学和陆王心学,并在批判反思的过程中,大力主张对古文的考证与研究,提倡一种多闻、多见、尚博、尚实的治学新风,这对于打破当时学术界的旧传统、旧思想,对于以后的"经世致用"之学和考据学的兴起和发展,都产生了一定的重要影响,体现了杨慎是一位开一代学术新风的思想家,在巴蜀思想史和中国学术史上,均占有重要地位。

---

① 《升庵集》卷四二,《日中星鸟》。
② 《升庵集》卷四二,《日中星鸟》。

第三节　来知德对理学的疑辨及其易学的特点

来知德（1525~1604），字矣鲜，号瞿唐，明夔州府梁山（原属四川，今重庆梁平）人。嘉靖三十一年（1552）乡试中举人，后多次赴京师考进士，均不第。后绝意仕途，旋返梁山，"杜门谢客，穷研经史"。万历三十年（1602）经总督王象乾、巡抚郭子章推荐，特授翰林待诏，以老疾辞，诏以所授官致仕，有司月给米三石终其身。万历三十二年（1604）去世，终年八十岁。来知德去世后，朝廷于万历三十五年（1607）下旨在来知德墓前建石牌坊，上书"聘君仁里"四字，并御赐"崛起真儒"匾额，以褒其贤。

来知德著作颇丰，有《理学辨疑》《省觉录》《省事录》《河洛图书论》《入圣功夫字义》《心学晦明解》《大学古本》等，以上收入《来瞿唐先生日录》，共十三卷。来知德另著有《周易集注》，于此书用功尤笃，二十九年而成书，是易学史上用象数结合义理注释《易经》取得重要成就的人物。来氏其名、事在《明史》和《明儒学案》（列之《诸儒学案下》）中均有记载，现依据《日录》与《周易集注》等著作和相关材料研究来氏的哲学与易学思想，以展现来知德学术思想的特色。

一、以孔子为源头，疑辨理学

来知德对宋明理学既有批评和疑辨，亦有所肯定，总的来讲是对理学的扬弃、超越和批判性自我反思，而以孔子为源头。

来知德强调继承发扬孔子思想，并贯彻到躬行实践中。他说："孔子曰：'文莫吾犹人也，躬行君子，则吾未之有得。'以孔子而犹曰'躬行君子，则吾未之有得'，况学者乎！又曰：'君子之道四，丘未能一焉，有所不足，不敢不勉；有余不敢尽，言顾行，行顾言，君子胡不慥慥尔？'必至慥慥，此之谓实学。"①来氏引孔子之言，强调既要有书本知识，又要身体力行，努力付诸实践。指出连孔子这样的圣人都强调躬行践履，何况一般的学者。来知德认为，做到了诚实而言行相应，并将其贯彻到父子、君臣、兄弟、朋友的人伦关系中去，这就是"实学"。"所谓躬行者，岂有别道，不过出孝入弟，人情

---

① （明）来知德：《来瞿唐先生日录》内篇卷三，《入圣功夫字义·躬行》，四川省图书馆藏清道光十一年刻本。

物理上用功夫。"①强调在人情物理上用功夫，这就是所谓的躬行。可见其对"实学"的重视。

由此，来知德以孔子为准则，对理学提出批评。周文在为来氏《理学辨疑》作序时称：来知德"有功圣门，恐非宋儒所可及……谈笑自若，绝口不及心学……以领绢大书'愿学孔子'四字系之于臂"②。指出来知德于理学中，绝口不提心学，而以"愿学孔子"为宗旨，表明来氏之学与理学存在着差异。

或问："朱子云天外无水，地下是水载。"北溪陈氏亦云"地是水载"，不知是否？曰："此正坐不理会造化大头脑也。地既是水载矣，水之外又何物耶？水之外如又是地，则地之外又何物耶？将振河海而不泄此一句说不通了。盖地虽如此厚载，周身全是气……气者水之母，水者气之子……天才有此许大形体，就载得此许大水。五行金、木、水、火、土皆在天地之中，不出地之外……地在天之中周身都是气。"③

来知德强调，地由水载，而地如此厚载的原因则在于气，"盖地虽如此厚载，周身全是气"。地虽是水载，但水则由气产生。即"气者水之母，水者气之子"，由此他批评朱熹及弟子陈淳之失在于未曾理会造化大头脑。所谓"造化大头脑"即宇宙万物产生的本原，在来知德看来，这个宇宙造化的本原就是气。金、木、水、火、土五行作为构成万物的材料皆在天地之中，不出地之外，而地在天之中，周身都是气，天地万物最终以气为本。这与朱熹的理本论哲学划清了界限，亦是对理学的疑辨和扬弃。

此外，来知德通过对乾卦《象传》的解释，还提出了他的气本论观点。来知德在解释《周易·乾卦·象传》之"大哉乾元！万物资始，乃统天。云行雨施，品物流形"时说："有是气即有是形。资始者，气也，气发泄之盛，则'云行雨施'矣。'品'者，物各分类，'流'者，物各以类而生生不已，其机不停滞也。'云行雨施'者，气之亨；'品物流形'者，物随造化以亨也。"④认为气为资始者，气发泄出来，为"云行雨施"，万物流形生生不

---

① 《来瞿唐先生日录》内篇卷三，《入圣功夫字义·躬行》。
② 《来瞿唐先生日录》内篇卷六，《理学辨疑序》。
③ 《来瞿唐先生日录》内篇卷六，《理学辨疑·天地》。
④ 《周易集注》卷一，第158页。

已。表现出来氏的气本论哲学倾向。并且，来氏不同意朱熹理在天地之先的观点，认为物是理存在的前提。他说："朱子说：'未有天地之先，毕竟先有此理。'此句说得少差，有物方有理。程子说：'在物为理。'说得是。"① 认为理存在于事物之中，有了事物才有事物之理。并认为太极与阴阳的关系不是本原与派生的关系，而是无所谓先后。这是对朱熹太极论的质疑。他说："'《易》有太极，是生两仪'，不可执泥'是生'二字，盖无先后也。"② 在来知德看来，"自有太极含阴阳"③，太极包含了阴阳，但"阴阳浑沦，盖有不外乎太极，而亦不附乎太极"④，阴阳不依附于太极，不是太极的产物。这就与太极生阴阳的思想区别开来。来知德并找出孔子与朱熹思想的差异，而肯定孔子。他说："朱子云：'不言无极则太极同于一物，而不足为万化之根；不言太极则无极沦于空寂，而不能为万物之根。'若如此论，是孔子之言未明备，必俟周子之言始明备矣。盖孔子之言已明备无欠缺，包括无极在其中矣。周子恐人认错了太极二字为有形之物，故云无极，正所以解太极也。朱子说平了。"⑤ 来氏看出朱熹思想与孔子有别，而回护孔子，但实际上朱熹是以无极来说明太极即理的无形，以此论证二程的天理论，而来知德则认为此说与孔子之言有别而提出批评。

来知德以孔子为源头，疑辨和超越理学，认为孔子所强调的躬行就是"实学"。这在当时产生了较大影响，时人予以较高的评价。曾任桂林知府的傅时望，为《日录》作序，给来知德以充分的肯定。谓来知德"始知千载真儒，直接孔氏之绝学者，先生也。虽朱、程复生，亦必屈服，岂知孔氏之学至今日方大明也哉！"⑥ 认为来知德直接继承了孔子的绝学，使之在明代得以大明，即使程朱复生，也必屈服于来氏。

二、来氏易学的特点

来知德的易学别具特色，针对宋儒不言象只言理，象数与义理相脱节的弊

---

① 《来瞿唐先生日录》内篇卷一，《弄圆篇》。
② 《来瞿唐先生日录》内篇卷六，《理学辨疑·太极》。
③ 《周易集注》末卷，《心易发微伏羲太极之图》，第841页。
④ 《周易集注》末卷，《心易发微伏羲太极之图》，第841页。
⑤ 《来瞿唐先生日录》内篇卷六，《理学辨疑·太极》。
⑥ 《来瞿唐先生日录》序。

端，来知德客居万县求溪注《易》，通过累年的探讨，形成了自己独特的"舍象不可以言《易》"，假象以寓理，"理寓于象数之中"的易学思想；又提出"太极不过阴阳之浑沦耳"的观点，认为太极之理以气的聚散、流行为其存在的根据；并错综取象以注《易》，对象、错、综、变、中爻等加以说明，把错综中爻的理论与卦、爻辞紧密结合，用象数释义理，对《周易》予以新解，发展了传统易学。

（一）"舍象不可以言《易》"，"理寓于象数之中"

针对易学史上只重义理不讲象数的倾向，来知德提出"舍象不可以言《易》"，"理寓于象数之中"的思想。他说："《易》卦者，写万物之形象之谓也。舍象不可以言《易》矣。象也者，像也，假象以寓理，乃事理仿佛近似而可以想象者也，非造化之贞体也。象者象之材也，乃卦之德也。爻者效天下之动者也，象之变也，乃卦之趣时也。是故伏羲之《易》惟像其理而近似之耳，至于文王有象以言其材，周公有爻以效其动，则吉凶由此而生，悔吝由此而著矣。而要之，皆据其象而已。故舍象不可以言《易》也。若学《易》者不观其象，乃曰得意在忘象，得象在忘言，正告子所谓不得于言，勿求于心者也。若舍此象，止言其理，岂圣人作《易》，前民用以教天下之心哉？"①来氏指出，所谓《易》卦不过是模写反映万物的形象而已，所以不可离象而言《易》。而所谓象，即是事物的形象通过卦象得以反映。象是对客观事物形象的反映，理则寓于象之中，"假象以寓理"，理通过事物的形象表现出来，但理不是"造化之贞体"，即万物之所以然的根据，认为理在象中，无象则无理。如果学者不观其象，舍象而只言其理，就违背了圣人据象而作《易》，以教天下的本意。

来知德批评了易学之义理派只重义理而忽视象数的倾向。他说：

自王弼扫象以后，注《易》诸儒皆以象失其传，不言其象，止言其理，而《易》中取象之旨遂尘埋于后世。本朝纂修《易经性理大全》，虽会诸儒众注成书，然不过以理言之而已，均不知其象……夫《易》者，象也，象也者，像也。此孔子之言也……若《易》，则无此事无此理，惟有此象而已。有象，则大小远近精粗千蹊万径之理咸寓乎其中，方可弥纶天地；无象，则所言者止一

---

① 《周易集注》卷一四，《系辞下传》，第666~667页。

理而已,何以弥纶?故象犹镜也,有镜则万物毕照;若舍其镜,是无镜而索照矣。不知其象,《易》不注可也。①

认为自王弼扫象以来,注《易》者就只言理,不言象,使得易学中的象数学不得其传,《易》中取象之旨亦湮没于世。至明朝纂修《五经大全》之《周易大全》,这在来氏看来,其涉及《易经》的,虽然汇集了诸儒众注而成书,但不过只是以理而言之,均不知其象。所以来知德强调"《易》者,象也,象也者,像也",并将此说成是孔子之言,以增加其权威性。认为《易》唯有此象,有了象,则大小远近精粗千蹊万径等万事万物之理皆寓于象之中,方可统摄包罗天地;无象,则所言者仅是一理而已,如何能统摄包罗天地?所以象就像镜子一样,有镜则万物毕照;如果舍其镜,怎能反映万事万物呢?最终,来知德的结论是"不知其象,《易》不注可也",注解《易经》是不能离开象的,离象则理不可寓,事物之理通过象数得以体现。他说:"太极者,至极之理也,理寓于象数之中,难以名状,故曰太极。"②可见,来知德提出"舍象不可以言《易》","理寓于象数之中"的思想,其易学融象数与义理为一体,这体现了来氏易学的特点。

(二)"太极不过阴阳之浑沦耳"

来氏易学的太极论别具特色,他提出"太极不过阴阳之浑沦耳"的观点,认为太极不过是阴阳之气聚散流行变化的条理,太极之理不是凌驾于阴阳二气之上的本体,而是以气的聚散、流行为其存在的根据。

太极论是来知德易学思想的重要组成部分,此处以来知德的《太极图》(亦称《圆图》)来分析。他认为太极即是至极之理,理作为主宰,它寓于象数之中,因其难以名状,故称之为太极。来知德的太极图即圆图为黑白互环相间,中间有一白圆圈。其白者为阳仪,黑者为阴仪,黑白二路,阴阳互生,阴者可分为二,即太阴、少阴;阳者亦可分为二,即太阳、少阳。他说:"白者,阳仪也;黑者,阴仪也。黑白二路者,阳极生阴,阴极生阳,其气机未常息也,即太极也。其中间一圈,乃太极之本体也。"③其白线居于黑中,黑线

---

① 《周易集注》原序,第10~11页。
② 《周易集注》卷一三,《系辞上传》,第645页。
③ 《来瞿唐先生日录》内篇卷一,《弄圆篇·太极图》。

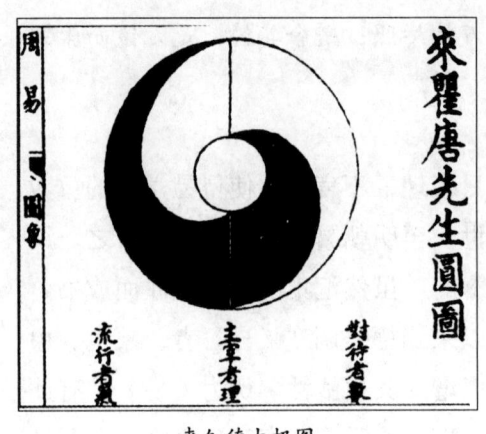

来知德太极图

居于白中,说明阴中有阳,阳中有阴。黑中分太阴、少阴,白中分太阳、少阳,取太极生两仪、两仪生四象、四象生八卦之义。阴阳二气生生不息,"其气机未常息",即是太极。这里所说的"中间一圈,乃太极之本体",是指太极的本然面貌,而不是以太极为整个宇宙的本体,太极之理也是寓于象数之中。他说:"太极者至极之理也,理寓于象数之中,难以名状,故曰太极。生者,加一倍法也。两仪者,画一奇以象阳,画一偶以象阴,为阴阳之仪也。四象者,一阴之上加一阴为太阴,加一阳为少阳,一阳之上加一阳为太阳,加一阴为少阴。阴阳各自老少,有此四者之象也。八卦者,四象之上又每一象之上各加一阴一阳为八卦也。曰八卦,即六十四卦也。"①其黑白二路,阳极生阴,阴极生阳,表明气机生生不息、循环不绝之理,即太极含阴阳互动之理。来知德主张把理、气、象、数统一起来。他说:"流行者气,主宰者理,对待者数。"②所谓"流行者气",是指"《易》之气也,流行不已者也"③。气的属性就是流行,"流行者气"的"气"指阴阳二气,阴阳二气的流行变化之理就是阳极变阴,阴极变阳。这里的"理"即是阴阳变化的规律,气的流行变化必然遵循着这个规律。这即是所谓"主宰者理"。所谓"对待者数",指有象而有数(爻位),爻数所表现的阴阳奇偶之数是相互对待的。他说:"《易》之数也,对待不移者也。故伏羲圆图皆相错,以其对待也。"④在来氏看来,伏羲八卦及六十四卦都是相互对待的,卦、爻象及其阴阳奇偶之数的对待,即是《易》之对待。由此,来知德强调气运必流行而不已;阴阳二气的流行变化遵循其规律即理,气的流行本身就有对待,即阴阳二气的互动;有气的流行,其象数必对待而不移,体现了来知德把理、气、象、数结合起来的思想倾向。

---

① 《周易集注》卷一三,《系辞上传》,第645页。
② 《周易集注》卷首上,《梁山来知德圆图》,第2页。
③ 《周易集注》卷首上,《文王八卦方位之图》,第6页。
④ 《周易集注》卷首上,《伏羲八卦方位之图》,第5页。

在来知德看来，"太极不过阴阳之浑沦耳。原非先有太极，而后两仪生"①。明确反对太极生阴阳的思想，这也是对宋代理学家易学思想的批评。

可见，来知德重视气的流行变化对太极之理的影响，这体现了来氏不同于宋儒的特点。

（三）错综取象以注《易》

来知德在其《周易集注》的原序中，述其注《易》之原委，指出自己根据《周易·系辞》之"错综其数""非中爻不备""二与四同功""三与五同功"以及"参伍其变"数语，又悟伏羲文王周公之象、文王《序卦》、孔子《杂卦》之义，以此为指导，加以自己创新性的发挥，从而形成错综取象以注《易》的思想，从象、错、综、变、中爻五个方面注《易》，把错综中爻的理论与卦、爻辞紧密结合，用象数释义理，对卦、爻辞予以新解，发展了传统易学。

来氏的错综取象说是针对虞翻和朱熹的卦变说而提出的注《易》方法。他不同意虞翻的卦变说以及朱熹对此说的信从。他说："又如以某卦自某卦变者，此虞翻之说也，后儒信而从之。"②认为卦变说不符合《周易》的本旨，因而他提出了自己的错综取象解《易》说。

来知德从"舍象不可以言《易》"的思想出发，重视象，以象解《易》，而易象却有多种。他说："《朱子语录》云：'卦要看得亲切须是兼象看，但象失其传了。'殊不知圣人立象，有卦情之象，有卦画之象，有大象之象，有中爻之象，有错卦之象，有综卦之象，有爻变之象，有占中之象。正如释卦名义，有以卦德释者，有以卦象释者，有以卦体释者，有以卦综释者，即此意也。所以说：'拟诸其形容，象其物宜。'但形容物宜可拟可象，即是象矣。自王弼不知文王《序卦》之妙，扫除其象，后儒泥滞《说卦》，所以说'象失其传'，而不知未失其传也。"③来氏对朱熹"象失其传"的观点持反对态度，认为圣人立象有多种，象"未失其传"，而在诸易象中，错综之象的注《易》方法集中体现了他以象解《易》的易学特色。所谓错综，来氏云："伏羲之卦主于错，文王之卦主于综，故次之以错综……错综二字，无论六爻变与不变，皆不能离者也。若无错综，不成《易》矣。"④对错综说高度重视。其

---

① 《周易集注》末卷，《古太极图说》，第843页。
② 《周易集注》原序，第11页。
③ 《周易集注》卷首上，《易经字义·象》，第76页。
④ 《周易集注》卷首下，《易学六十四卦启蒙》，第85页。

所谓"错",来知德指出:"错者,阴与阳相对也。"①指两卦相同爻位上的爻,其爻性相反。天地万物独阴独阳不能生成,故必有错,错是对阴阳相对现象的反映。如乾、坤两卦相错,乾的各爻都为阳爻,坤的各爻都为阴爻,从初爻到上爻,每爻都是阴阳一一相对应的。再如艮卦与兑卦相错,艮卦的初爻为阴,兑卦的初爻为阳,从初爻到上爻,两卦的每一爻也都是阴阳一一对应的。

其所谓"综",来知德指出:"综字之义,即织布帛之综,或上或下,颠之倒之者也。"②综指上下颠倒,两卦中的一卦颠倒为另一卦。如损、益相综,即是损与益卦象相互颠倒。他说:"如损益相综,损之六五即益之六二,特倒转耳。"③卦之所以有综,在来知德看来,"天地间万物……阴阳循环之理,阳上则阴下,阴上则阳下,故必有综"④。综是对阴阳对立、上下颠倒转换的反映。

总之,来知德以"错综"二字,极易象之变,以悟天下之象,用以表达宇宙间独阴独阳不能生成,有刚必有柔,有男必有女的阴阳对待之理,以及阴阳循环,阳上则阴下,阴上则阳下,故颠之倒之,可上可下,而非死物胶固一定、一成不变的阴阳流行之理。以错综之象作为易理的表达方式,借错综之说来反映宇宙间万事万物的阴阳对待流行之理。

来知德不同意虞翻的卦变说以及朱熹对卦变说的认同,而提出卦的错综说。并重视变,强调"至变者《易》也,至神者《易》也"⑤。来氏把变视为《易》的本质属性。所谓变,来氏认为,"变者,阳变阴,阴变阳也。"⑥阴阳的变化和相互转化是变的基本内容。然变的主要表现则是爻变而非卦变。这是来知德与虞翻及朱熹的不同之处。他说:"盖爻一动即变。"⑦重视爻变,这是来知德易学的特点。

来知德在注《易》的过程中,还提出中爻说,把错综中爻的理论与卦、爻辞结合起来,使每一卦能旁通于其他的卦,从而扩大了解释的空间。关于

---

① 《周易集注》卷首上,《易经字义·错》,第77页。
② 《周易集注》卷首上,《易经字义·综》,第78页。
③ 《周易集注》卷首上,《易经字义·综》,第78页。
④ 《周易集注》卷首下,《易学六十四卦启蒙》,第85页。
⑤ 《周易集注》原序,第11页。
⑥ 《周易集注》卷首上,《易经字义·变》,第80页。
⑦ 《周易集注》卷首上,《易经字义·变》,第80页。

"中爻",来知德云:"中爻者,二、三、四、五所合之卦也。"①即一卦中的二、三、四、五爻可连接组合成其他的卦。比如来知德说:"离卦中爻为巽(☴),绳之象也。"②即离卦的二爻为阴,三、四爻为阳,二、三、四爻合成的卦是巽卦,巽卦乃绳子之象。又说:"中爻者,阴阳内外相连属也。"③中爻可由阴阳爻相连属而组成他卦。来知德说:"周公作爻辞,不过此错、综、变、中爻四者而已。"④并云:"伏羲之卦主于错,文王之卦主于综……文王、周公系辞,皆不遗中爻。"⑤表明来知德的中爻说,与其错、综、变说相连,把六十四卦各卦中的内外卦联系起来,形成一个有机整体,以反映客观事物的普遍联系。⑥

质言之,来知德从阴阳对立的普遍性原理出发,提出自己独特的"舍象不可以言《易》",假象以寓理,"理寓于象数之中"的易学思想;又提出"太极不过阴阳之浑沦耳"的观点,认为太极之理以气的聚散、流行为其存在的根据;并错综取象以注《易》,运用错、综、变、中爻的理论来注解《周易》,用象数释义理,阐释理寓于象中的思想,对易学的发展做出了贡献。

第四节 费密的中实之道与弘道论

费密(1625～1701),字此度,号燕峰。四川新繁(今属成都新都)人。其父费经虞(1599～1671),明崇祯举人,曾任云南昆明县知县,为当时知名学者。费密的学术思想经历了从早年好程朱、崇佛教、习静坐,到后来厌烦理学弊端的空虚无用,而倡明实学、批评道统的转变过程。

费密早年为了躲避战乱,往返于四川的彭县、什邡、新繁之间的诸山村中。后一人到昆明找父亲费经虞。顺治九年(1652),费密二十八岁。饱经战乱的费密陪同父母举家北行,逃离四川。第二年,费密全家逃难到汉中府沔县(今陕西勉县),居住四年。顺治十五年(1658)春,全家迁移到江苏扬州伯

---

① 《周易集注》卷首上,《易经字义·中爻》,第81页。
② 《周易集注》卷一四,《系辞下传》,第660页。
③ 《周易集注》卷首上,《易经字义·中爻》,第81页。
④ 《周易集注》卷首上,《易经字义·中爻》,第81页。
⑤ 《周易集注》卷首下,《易学六十四卦启蒙》,第85页。
⑥ 此处参见陈德述:《儒学文化论》,《来知德的易说及其自然哲学》,巴蜀书社1995年版。

费密像

外父杨云鹤家中。至此,费密结束了多年的流亡生活。在以后的四十多年时间里,他潜心于学术研究,根据自己在社会大动荡中的亲身体验,结合社会人事来研究儒家经典,逐步形成了自己独具特色又与时代思潮紧密联系的思想。

费密除潜心于古经的研究和开门授徒、居家讲学外,还周游各地,寻师交友。他遍历江浙、山东、河北、山西、北京、河南、江西、广东等地,广泛与社会各阶层人士交往。其中包括著名学者、将军、官吏、市民等。从学造访者络绎不绝。他拜孙奇逢为师,与颜元、李塨为友。他与当时著名人物唐大陶(唐甄)、万斯同、阎若璩、朱彝尊、魏禧、屈大均、吕留良、孔尚任等"纵横经史",为密切的文字之交。康熙四十年(1701),费密卒于江都县夜田村,终年七十七岁。费密死后,其门人私谥为"中文"先生。

费密在当时很有影响,其一生著述甚富,但不少著作今已失传。据《中文先生家传》和《新繁县志》等记载,其主要著作有:《中传正纪》,纵论儒林人物二千多人,以此驳斥宋儒的道统论,今已不传;《弘道书》十卷(今本三卷);《圣门旧章》二十四卷;《文集》二十卷;《外集》三十二种,一百二十二卷。张邦伸说:"蜀中著述之富,自杨升庵后,未有如密者。"①《中文先生家传》称:"以上诸书,皆手自钞录,家贫未能镌刻行于世。"这恐怕是费密的著作大部分失传的主要原因之一。民国年间,成都唐鸿学将费密遗留的著作搜集整理,并经过校刊,于庚申年(1920)刻印《费氏遗书三种》(《弘道书》《荒书》《燕峰诗钞》),收入"怡兰堂丛书"。其中《弘道书》是研究费密学术思想的主要材料。

费密肯定"七十子"以来汉唐诸儒"相传共守之实学",提出的中实之道,成为当时实学思潮的重要组成部分,体现了明清之际的时代精神。费密主张"欲不可禁",也不可纵,批评"专取义理"压制人欲的倾向。他的弘道论

---

① (清)张邦伸:《锦里新编》卷五,成都存古书局1913年刻本。

别具特色，主要是提出了帝王统道的"道脉谱论"，以代替理学道统论；并提出"舍经无所谓圣人之道"的观点，主张不受宋儒说经的束缚，从汉唐诸儒对儒家经典的注疏中求得圣门本旨。费密尊崇汉儒，重视训诂注疏，开清朝汉学之风气，给后来的汉学复兴以重要影响。

一、中实之道

费密饱经战乱，经历了明王朝灭亡的社会大变动，他把批判的目标指向了理学。并在批判理学的过程中，提出了一系列革新思想、革新学术的主张。其思想影响正如胡适先生所说："费氏父子一面提倡实事实功，开颜李学派的先声；一面尊崇汉儒，提倡古注疏的研究，开清朝二百余年'汉学'的风气。"[①]费密在叙述其学术思想的要旨时指出："何谓吾道？曰：古经所载可考也。谓之吾道者，所以别于诸子百家偏私一隅而自以为道，不中不实也。中而不实，则掠虚足以害事；实而不中，过当亦可伤才。圣人慎言谨行，终身于恕，事不行怪，言不过高。既中且实，吾道事矣。"[②]以中、实来概括其学术之道的要旨。费密所谓的"中"，就是指"通诸四民"，即言论和行动都必须为农、工、贾、士四民所"皆通""共识"；所谓的"实"，就是指"见诸日用常行"，即体现为日用常行之实事。费密说："通诸四民之谓中，信诸一己之谓偏；见诸日用常行之谓实，故为性命恍忽之谓浮……欲明道行道，实焉中焉，言人所共识，行众所皆通也。"[③]以"通诸四民"反对"偏私一隅"，以"日用常行"反对空言性命，把道的内容规定为"中"与"实"。提高农、工、商的地位，以为"四民"行实事作为道的内涵。这就既批评了理学流弊的空疏，又朦胧地反映了市民意识的觉醒，展示了未来社会的前景。

费密从中实之道的理论出发，批评了宋明理学的空谈性命和崇尚虚无之弊。他说："自魏晋老氏之说始入于儒，吾道杂乱之所由起，浮虚之所由出也……朱陆异同之辨起矣，王程朱陆之说再倡，学者皆谈性命神化为闻道，以治天下国家为绪余……自宋佛氏之说始入于儒，吾道杂乱之所由盛，浮虚所以日炽也。"[④]费密认为，理学以空谈性命为宗，却忽视治理国家的大事。他指

---

① 胡适：《胡适文存》二集，上海亚东图书馆1924年版，第138页。
② 《弘道书》卷中，《吾道述》。
③ 《弘道书》卷中，《吾道述》。
④ 《弘道书》卷下，《圣门定旨两变序记》。

出，佛、道杂入儒学是产生"浮虚"的根本原因。费密看到理学流弊的危害，认为后世统治者把杂入佛、道的理学拿来从政、治理天下，结果造成日用伦常未能合道，即已不是真正的儒家之道。费密还指出，空谈心性必然导致国家积弱。他说："宋遂卑弱不堪，令人痛哭。皆诸儒矜高自大，鄙下实事，流入佛老，专喜静坐而谈心性，全不修当务。"①认为"鄙下实事""专喜静坐"是理学的流弊之一。

由此，费密把宋明理学各派人物的理论列在《吾道变说表》中加以批驳。诸如周敦颐的"无极而太极"，程颢的"静坐会活泼泼地"，程颐的"冲漠无朕，万象森然已具"，邵雍的"天根月窟"，张载的"天地之帅吾其性"，陆九渊的"本心，六经注我，我注六经"，朱熹的"格物穷理，一旦豁然贯通"，陈献章的"静中养出端倪"，王阳明的"致良知，向上一机"等，费密认为这统统是儒家圣人之道的异端变说。他不仅批评了程朱理学，而且批评了陆王心学、张载关学等，对它们的总评价是："此后世所变之说，偏浮，为道大害。不久而改。"②统统应在改正之例。

费密还从历史和现实的经验出发，提出以有代无，以力行代清谈的主张。他说："有、力行，二者圣门为学之方。"③并将"吾道"本旨——有、力行与"吾道"变说——无、清谈对举。认为无是老子、佛氏所称，而清谈是魏晋初变古学，应把以"有、力行"为本旨的圣门之学与"无、清谈"为代表的佛老之学严格区别开来。

费密所谓的有，即实有，"实则日用寻常"④，就是日常生活中的实事。"习实事如礼、乐、兵、农、漕运、河工、盐法、茶、马、刑算，一切国家要务皆平日细心讲求。"⑤费密认为一切有关国计民生的实事都应该认真讲求，习行实施，而空谈则误国，于事无补，与民无益。他说："若不垦荒则田地芜缩，不漕运则京师空虚，非两税无以使民休息，不募兵无以御敌制胜，不关税则赏赐诸费无所出，如悉取足于田亩则农愈困，积蓄寡而动多掣肘矣……盖文

---

① 《弘道书》卷上，《原教》。
② 《弘道书》卷中，《吾道变说表》。
③ 《弘道书》卷中，《吾道本旨表》。
④ 《弘道书》卷下，《圣门定旨两变序记》。
⑤ 《弘道书》卷上，《原教》。

事武备，先王之所不可少。空谈仁义恶可以治平耶？"①费密这一"习实事"的思想涉及垦荒、漕运、两税、募兵、关税等文事武备、治理国家的各个方面，是他"中实之道"思想的体现和贯彻，亦是当时兴起的实学思潮的表现。

与整个时代思潮相呼应，费密提倡经世致用之学，主张"通人事以致用"②。他轻视那种脱离实际，死读书做八股文的书呆子。他叹息道："有问以簿书钱谷之数，天下几何？茫茫不能对也。始知书不可多读。平日为八股误了许多工夫，徒成不识时务，良可叹也。"③费密反对死读书不识时务，强调读书必须与实事相结合。他说："舍实事而传空文，必入于虚浮幽寂矣。"④读书的目的在于实用，发议论必须本诸事实，反对议论与实事两不相干。他指出："自宋以来，天下之大患在实事与议论两不相侔，故虚文盛而真用薄。"⑤把宋以来议论脱离实际的情形看成天下的大患。费密进一步提出："浮言荒说，高自矜许，诬古人而惑后世，非圣人所取也。圣人所取，修之有益于身，言之有益于人，行之有益于事，仕则有益于国，处则有益于家。"⑥认为修、言、行、仕、处都必须以有益于身、人、事、国、家为标准。总之，注重实事，反对空言是费密学说的特点，他提出的"中实之道"成为当时批判理学的实学思潮的组成部分，体现了明清之际的时代精神。

二、"欲不可禁"

肯定人的正当物质欲望，反对禁欲主义，是费密实学思想的又一鲜明特点。费密站在理学弊端的对立面，从人的自然本性出发，充分肯定人欲的合理性。他说："饮食男女，人之大欲存焉，众人如是也，贤哲亦未尝不如是也。"⑦费密明确指出，饮食男女是人人都具有的自然本性，不仅众人如此，而且贤哲等上层人物也如此。他说："男女衣食之事，自上逮于草野，无有殊也。"⑧可见，"欲"并不是万恶之源，而是人所不可缺少的。费密还进一步

---

① 《弘道书》卷中，《先王传道述》。
② 《弘道书》卷下，《圣门定旨两变序记》。
③ 《弘道书》卷上，《原教》。
④ 《弘道书》卷中，《吾道述》。
⑤ 《弘道书》卷中，《先王传道述》。
⑥ 《弘道书》卷上，《原教》。
⑦ 《弘道书》卷上，《统典论》。
⑧ 《弘道书》卷上，《弼辅录论》。

提出：

> 生命，人所甚惜也；妻子，人所深爱也；产业，人所至要也；功名，人所极慕也；饥寒困辱，人所难忍也；忧患陷厄，人所思避也；义理，人所共尊也。然恶得专取义理，一切尽舍而不合量之与？论事必本于人情，议人必兼之时势，功过不相掩，而得失必互存。不尽律人以圣贤，不专责人以必死，不以难行之事徒侈为美谈，不以必用之规定指为不肖。①

在费密看来，生命、妻子、产业、功名等等，是和义理同样重要的东西。言义理不得舍去这些人所不可缺少的欲望和需求。这些都是人的本性，因而他主张"论事必本于人情"，反对把义理与人情、人欲割裂开来，以义理压制人之情欲。对于理学家"律人以圣贤""责人以必死"的要求，费密认为这是人们无法做到的"刻隘臆说"②。他的这种"论事必本于人情"，反对理学"专取义理""律人以圣贤""责人以必死"的思想，不仅是对巴蜀哲学史上三苏、魏了翁等重人情思想的继承发展，而且开戴震"今以情之不爽失为理，是理者存乎欲者也"③的天理存在于情欲之中思想的先河，同时对刘沅重视人情的思想也产生一定的影响。

费密肯定人欲，反对禁欲，但不主张纵欲。他所主张的是在充分肯定人欲的基础上，以义理和刑罚来节制它。他说："欲不可纵，亦不可禁者也。不可禁而强禁之，则人不从；遂不禁任其纵，则风俗日溃。于是因人所欲而以不禁禁之。制为礼乐，定为章程，其不率者，俟之以刑，使各平心安身而化。"④对待人欲，费密主张，欲不可禁，也不可纵，应该"以不禁禁之"。就是说，既不能禁欲，又不能纵欲。他反对走两个极端，而主张将义理与人欲在自然的基础上加以结合，使人们在"礼乐"和"章程"的指导下节制人欲，有违反者，再加之以刑罚，使人人做到"平心安身而化"。

---

① 《弘道书》卷上，《弼辅录论》。
② 《弘道书》卷上，《弼辅录论》。
③ 《孟子字义疏证·理》。
④ 《弘道书》卷上，《统典论》。

三、弘道论

发掘和论证古代经书中所载的圣门之道的演变脉络，打破程朱理学的道统论，是费密弘道论所宣扬的内容。由此他提出了与传统理学道统论不同的道脉谱论，以此弘扬经书所载的圣门之道；并强调"舍经无所谓圣人之道"，重视经学训诂注疏，以批评宋儒"改经更注""乱旧章"的弊病。

（一）道脉谱论

费密提出的道脉谱论理论针对的是程朱的道统论。费密从帝王传道、统道的立场出发，不承认道统的存在。只主张"从古经旧注发明吾道"①，给程朱道统以彻底的否定。费密认为，道统之说，孔子在任何书里都没有讲到，只是到了后世才出现，因而是无根据的。他说：

> 不特孔子未言，七十子亦未言，七十子门人亦未言。百余岁后孟轲、荀卿诸儒亦未言也……何尝有道统之说哉？……流传至南宋，遂私立道统。自道统之说行，于是羲、农以来尧、舜、禹、汤、文、武裁成天地，周万物而济天下之道，忽焉不属之君上而属之儒生。致使后之论道者，草野重于朝廷，空言高于实事，世不以帝王系道统者，五六百年矣。②

费密以圣人不言、古经不载作为道统为非法的理由。他斥责理学家"道统私创，违悖圣门，与经不合也"③。这种以复古的形式来批判现实的手法，反映了那个时代的特点。费密在力辟程朱道统论时指出，宋儒所谓自孔孟以后一千多年才出了周程接续道统的说法是不符合历史事实的。他认为，"孟子既没，周程未生，中间千有余年，人心不死，纲常不移，孰维持是？程朱谓道统绝于孟子，续于明道，亦属偏陂之说。"④他历叙七十子以来汉唐诸儒"相传共守之实学"⑤，表明儒学的传授系统并未中断。并指出，奠定程朱理学基础的邵雍、周敦颐的学说，才是与孔孟无关。他们的理论一是来自道教，一是来

---

① 《弘道书》题词。
② 《弘道书》卷上，《统典论》。
③ 《弘道书》卷上，《弼辅录论》。
④ 《弘道书》卷上，《道脉谱论》。
⑤ 《弘道书》卷上，《道脉谱论》。

自佛教,如果硬说他们是孔孟的传人,那就是对圣道的侮辱。费密说:"言邵雍之图得于老氏陈抟,周敦颐之道妙得于佛氏林总。羲、文、周、孔至宋,乃托二氏再生于天地之间,吾道受辱至此!"①然须指出,尽管理学家有对佛老吸取借鉴的因素,但以儒家伦理为本位,却是理学与二氏的原则区别。费密在对理学批判时,却忽视了这一点。

在否定旧的理学道统论的同时,费密提出了自己的道脉谱论。他所论证的儒家圣门之道的传授、演变的脉络是以万世帝王相传为中心的。他说:

盖羲、农尚矣,尧命舜称允执厥中,舜亦以命禹,汤执中,文、武、周公无偏无陂,皆中也。万世帝王传焉,公卿用之,至孔子曰中庸。古今学者守之,庠序布焉。是中者,圣人传道准绳也。不本中以修身,僻好而已;不本中以言治,偏党而已;不本中以明学,过不及而已。故谓之中传。师友闻见,世世不绝,使斯文未坠,故谓之道脉也。②

费密所谓的"道脉",是以上古帝王为首,"万世帝王传焉",而"公卿用之""学者守之",都不离"中"。虽然费密的这个道脉谱论与他所批判的理学道统论都重视"中",强调执中、本于中,但费密的道脉谱论却把传道、统道系之于帝王,其主导道的传授的是历代帝王,而与理学道统论所宣扬的圣贤、儒生统道、传道,道统中没有周公以后历代帝王的地位的观念迥然不同。表明费密提出的道脉谱论的主体是帝王将相。他说:

后儒以静坐谈性辨理之道,一切旧有之实皆下之,而圣门大旨尽失矣。密少逢乱离,屡受饥馑,深知朝廷者,海宇之主也;公卿者,生民之依也。稍有参差,则弱之肉强之食。此时"心在腔子""即物穷理""致良知"有何补于救世?岂古经之定旨哉!言道而舍帝王将相何称儒说?③

费密以帝王道脉来代替理学道统,把国家的治乱寄托于帝王将相,固然是

---

① 《弘道书》卷上,《道脉谱论》。
② 《弘道书》卷上,《道脉谱论》。
③ 《弘道书》卷上,《文武臣表》。

对理学道统论及其"从道不从君"、仁义之道重于君主之位观念的否定,殊不知确立理学正统地位,使理学流弊行于天下的,也正是历代帝王。费密既反对程朱的道统论,又提出帝王统道,公卿用之、学者守之的道脉谱论,这反映出在费密的头脑里,封建正统思想仍占有主要位置。这种情形在明末清初的学术界里,构成了一种新旧杂陈、错综复杂的思想状态。中国早期思想启蒙运动正是在这曲折的道路上行进着。

(二)"舍经无所谓圣人之道"

与对理学道统论的批判相关,费密提出"舍经无所谓圣人之道",这也是其弘道论所宣扬的理念。自明末清初以来,进步思想家们为了摆脱理学弊端的束缚和影响,出现了一种"是汉非宋"的倾向,即以汉儒对儒家经典的注释为标准,来反对宋儒对经的诠释发挥。

费密从时代的艰难困苦中走出来,抛弃了宋儒义理之学,把注意力放在古经注疏上,试图从中寻找"通人事以致用"的道理。费密曾自言:"密事先子多年,艰苦患难阅历久,见古注疏在后。使历艰苦患难而不见古注疏,无以知道之源;使观古注疏而不历艰苦患难,无以见道之实。"①费密认为:"圣人之道惟经存之,舍经无所谓圣人之道。"②他指出,不能离开儒家经典而谈道,圣人之道载诸古经,是明明白白的,后儒妄改古经,不足为信。他说:"古经之旨何也?圣人之情见乎辞,惟古经是求而通焉,旨斯不远矣。大道之行圣王不一,皆敦本务实以率天下……古经备矣,不待后世有所发明,其旨始显也……后儒自取私说,妄改古经,追贬七十子,尽削汉唐守道诸儒,恶足信乎?"③费密指出:"古今远隔,舍遗经而言得学,则不本圣门,叛道必矣。"④要冲破宋儒说经的束缚,就得从汉唐诸儒对儒家经典的注疏中求得圣门本旨。他说:"舍汉唐注疏,论人心道心,致成虚浮杳冥,皆非圣人本旨也。"⑤并认为,由于时代变迁,古今文字不同,故只有通过训诂才能明白古经的本义。他说:"古今不同,非训诂无以明之,训诂明而道不坠。后世舍汉儒所传,何能道三代风旨文辞乎?故汉儒之于圣门,犹启甲成康之于禹汤文武

---

① 《弘道书》卷下,《圣门定旨两变序记》。
② 《弘道书》卷上,《道脉谱论》。
③ 《弘道书》卷上,《古今旨论》。
④ 《弘道书》卷上,《道脉谱论》。
⑤ 《弘道书》卷中,《先王传道述》。

也。"①在这里，费密把汉儒与圣门之间的关系描述得十分紧密，可见他对汉儒的尊崇。

费密之所以是汉唐而非宋学，是因为他认为汉唐诸儒的年代皆在宋儒之先，尤其是汉儒"去古未远"，其对经典的注释比起后世宋儒妄改古经，以己意说经的解说来，更为真实可信。费密的这个分析有其一定的道理。儒家经典经过历代流传，传写错漏，文字古奥，意义不确，甚至伪造掺假，而宋学的特点是重义理而对训诂考据不予更多重视，有的就直接依据这些经典材料阐发义理和理学思想，甚至以己意改经，并把自己的观点加于经典，以至于出现错上加错。费密对此指出："宋之理学则改经更注，以就其流。入佛氏之曲说，而儒害益深益大……朱熹，二程之巨浪也；王守仁，九渊之余焰也，四家之书俱在，与古经相睽者，远矣……皆诸儒作聪明，乱旧章，其可叹者，岂胜言哉！"②费密看到了宋明儒者"改经更注""乱旧章"的毛病，于是寻本探源，从汉代的注解中寻找思想理论的依据，肯定汉儒在传授儒家经典中的功绩和作用，从而否定宋儒发挥的义理。他说："然汉儒，冢子也；后儒，叔季也。汉儒虽未事七十子，去古未远，初当君子五世之泽，一也；尚传闻先秦古书，故家遗俗，二也；未罹永嘉之乱，旧章未散失，三也。"③费密以汉代"去古未远"，先秦遗书尚传等理由，反宋复汉，给后来的"汉学"运动以一定的影响。费密在考据学和古注疏方面，做出了自己的贡献。他和顾炎武的考据学给予清代乾嘉考据学以相当的影响。

通过以上对费密批判理学的实学思想和弘道论的分析论述，可以看出，费密的学术思想是明清实学思潮的重要组成部分。他为明清之际实学思潮的高涨以取代理学做出了贡献，并具有自己鲜明的特色。因而在巴蜀哲学史、明清实学思潮史上占有重要地位，对清代乾嘉汉学的崛起也产生了重要影响。

第五节　唐甄的社会批判与心本经末思想

唐甄（1630~1704）原名大陶，字铸万，后改名为甄，别号圃亭。四川

---

① 《弘道书》卷上，《原教》。
② 《弘道书》卷下，《圣门定旨两变序记》。
③ 《弘道书》卷上，《道脉谱论》。

达州人。唐甄祖先是浙江兰溪人，元末入蜀做官，定居达州。其祖父唐自华官为郎中，当明末农民军进入四川时，不惜毁家纾难，组织地主武装对抗农民军。其父唐阶泰（？～1650），系明末著名学者黄道周的弟子，明崇祯十年（1637）举进士，授苏州府吴江知县。唐甄八岁遂离开达州老家随父宦居吴江等地。明亡，唐甄随父避难于江浙一带。唐阶泰于清顺治七年（1650）病卒，此时唐甄二十一岁，家贫无所得，乃学为时文，还蜀参加乡试，于顺治十四年（1657）二十八岁时考中举人。次年到北京考进士，会试不第。曾出游河北、河南、浙江、江苏、山西、湖北、安徽等地。并于康熙十年（1671）四十二岁时出任山西省潞安府长子县知县。然任职十个月即被革职。在长子县罢任后，唐甄返归吴江，再迁苏州，与魏禧相识。中年以后，唐甄生活逐步陷于穷困，仍志于学，勤于诵读，笃于筹策，探讨圣人之道及圣人治天下之法。唐甄晚年生活穷困，家贫少食，卒于清康熙四十三年（1704），享年七十有五。

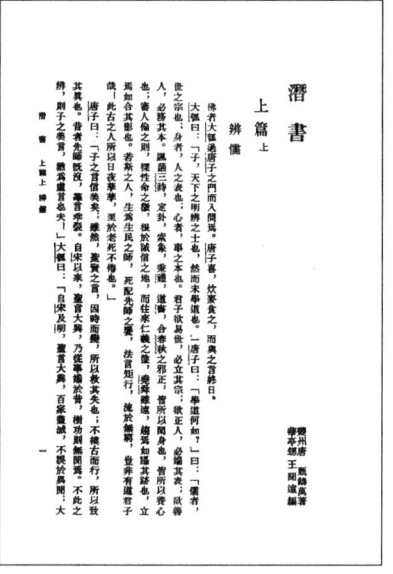

《潜书》书影

其代表著作为《潜书》九十七篇。原名《衡书》，表示其政治抱负"志在权衡天下"，五十岁时得魏禧之助刊于苏州。后以连蹇不遇，改名《潜书》，刻印于唐甄卒后。唐甄的著作还有《圃亭集》《日记》《毛诗传笺合义》《春秋述传》《潜诗》和《潜文》等，已散失。

唐甄在治学中，批判封建帝王专制；重视事功，批评程朱理学，主张道不离欲，把道德原则建立在实事实功和客观物质欲望的基础上。其对理学的批判和反省，反映了时代的变迁和社会风尚的转移，由重道德自律转向事功之学和关注人生日用。唐甄并心为本，经为末，"五经"不过是明心之助，"四书"重于五经的思想，具有自己的特色。这些方面体现了唐甄的社会批判、启蒙和实学、心本经末的思想，而在当时的思想界和巴蜀哲学史上占有重要位置。

一、"凡为帝王者皆贼也"

唐甄经历了明清之际的社会大动荡，目睹明王朝的覆灭和人民遭受的苦难，他站在儒家仁政和民本的立场，把批判的目标指向自秦以来的封建帝王专制。他说："大清有天下，仁矣。自秦以来，凡为帝王者皆贼也。"① 唐甄是把"仁"作为大清之有天下的前提，即在儒家仁政的基础上来批判秦以来的帝王皆为贼。可见儒家仁政思想是唐甄批判封建专制主义的参照系。正因为历代封建帝王站在了"仁"的对立面，所以才为"贼"，这遭到了唐甄的激烈批判。他说：

> 杀一人而取其匹布斗粟，犹谓之贼；杀天下之人而尽有其布粟之富，而反不谓之贼乎！三代以后，有天下之善者莫如汉。然高帝屠城阳，屠颍阳；光武帝屠城三百。使我而事高帝，当其屠城阳之时，必痛哭而去之矣；使我而事光武帝，当其屠一城之始，必痛哭而去之矣。吾不忍为之臣也。②

唐甄指出，杀人越货被人称为贼，这是比较容易辨认的，但帝王杀天下之人而尽掌握其所有的财货，反而不被认定是贼，这就有问题了。他以汉高祖刘邦屠城阳、颍阳，光武帝刘秀屠城三百为例，断定这些封建帝王就是贼。唐甄所引刘邦屠城、刘秀纵容大将耿弇屠城之事见于《史记》《汉书》和《后汉书》等的记载，当是历史事实。对此，唐甄站在民本的立场，予以深刻的批判，"必痛哭而去之"，而坚称如果放在当时，自己不会与这样的屠城之君同朝为臣，而会选择离去。表现出对专制帝王的唾弃和对无辜百姓的同情。并把封建专制王朝杀人的总祸根最终归之为天子。他说：

> 大将杀人，非大将杀之，天子实杀之；偏将杀人，非偏将杀之，天子实杀之；卒伍杀人，非卒伍杀之，天子实杀之；官吏杀人，非官吏杀之，天子实杀之。杀人者众手，实天子为之大手。天下既定，非攻非战，百姓死于兵与因兵而死者十五六。暴骨未收，哭声未绝，目眦未干，于是乃服衮冕，乘法驾，坐前殿，受朝贺，高宫室，广苑囿，以贵其妻妾，以肥其子孙。彼诚何心，而忍享之！若上帝使我治杀人之狱，我则有以处之矣。匹夫无故而杀人，以其一身抵一人之死，斯足矣；有天下者无故而杀人，虽百其身不足以抵其杀一人之

---

① 《潜书》，《室语》，第196页。
② 《潜书》，《室语》，第196页。

罪。是何也？天子者，天下之慈母也，人所仰望以乳育者也。乃无故而杀之，其罪岂不重于匹夫！①

指出大将、偏将、士卒、官吏杀人，实际上都是按照天子的旨意行事，所以在唐甄看来，表面上是众手在杀人，而实则天子为杀人之大手。尤其在天下已定，非战争的状态下，"百姓死于兵与因兵而死者"还占到了十之五六，这更是天子的罪责。唐甄揭露，一方面是百姓生活极端困苦，暴骨未收，哭声未绝，眼泪未干，统治者放任杀人给民众带来了空前的灾难；另一方面则是君王穿礼服、戴礼帽、乘法驾，坐前殿，接受朝贺，增高宫室，扩大苑囿，穷奢极欲，为满足个人私欲而贵其妻妾、肥其子孙。两相对比，百姓的苦难与天子的奢侈富贵形成鲜明的对照，以致唐甄发出"彼诚何心，而忍享之"的谴责。并借上帝的权威假设让他来处理杀人讼案的话，就主张把封建王朝杀人的总祸根天子处死，并认为即使处死天子一百次也不足以抵其无故而杀天下人之罪。可谓是对封建社会"君为臣纲"权威的颠覆。

唐甄对自秦以来封建帝王皆为贼的批判，与他看到君主治天下的决定作用分不开。他认为"治天下者惟君，乱天下者惟君。治乱非他人所能为也，君也"②。治乱均非他人所能为，而在君王的掌控之中。因此唐甄不仅一般地讲天地、君臣、夫妻的上下关系，更强调以君下于臣、夫下于妻为德。他说："盖地之下于天，妻之下于夫者，位也；天之下于地，夫之下于妻者，德也。古者君拜臣；臣拜，君答拜……君不下于臣，是谓君亢；君亢，则臣不竭忠，民不爱上。夫不下于妻，是谓夫亢；夫亢，则门内不和，家道不成。施于国，则国必亡；施于家，则家必丧，可不慎与！"③唐甄赞赏古代君臣相互尊重的关系，认为古代是君拜臣，君臣互拜，臣拜君时君也会答拜，君并非脱离臣而高高在上，而应以君下于臣为美德。以此批评君亢、夫亢之流弊；认为如果君主过分强势，在君臣关系上就会出现臣不竭忠，民不爱上的局面；丈夫过分强势，在夫妻关系上，就会出现门内不和，家道不成的局面。这体现了唐甄对三纲中的"君为臣纲"和"夫为妻纲"这两纲的批判和对君、夫提出新的要求和

---

① 《潜书》，《室语》，第197页。
② 《潜书》，《鲜君》，第66页。
③ 《潜书》，《内伦》，第77页。

约束。并对"夫为妻纲"进一步展开批评而主张男女平等。他说:"今人多暴其妻,屈于外而威于内……盖今学之不讲,人伦不明;人伦不明,莫甚于夫妻矣。人若无妻,子孙何以出?家何以成?"①认为暴其妻是丈夫无能而逞于内的表现。这为唐甄所不齿。他强调明人伦最重要的莫过于处理好夫妻关系。如果没有妻子,子孙无法延续,家亦不成其为家。表现出其同情妇女和男女平等的思想。

唐甄在批判封建帝王专制的过程中,看到君主对于天下治乱的重要性,为了使国家得到治理,唐甄提出"天下之主在君,君之主在心"②的观点,既客观地看到君为天下之主这个封建社会的现实,又指出君之主在心,强调君心乃为君之主,看到君心对于治天下的重要性。尽管这个君心要与治天下的各个地方的实际结合起来,而不可脱离实际专执于心。

二、重视事功,道不离欲

明清之际,封建社会危机日益严重,作为社会正宗思想的宋明理学,盛极而衰,其末流弊端已充分暴露出来,阻碍了社会的进一步发展。从理学中分化出一种新的经世致用思潮,"崇实黜虚"成为时代之风尚。唐甄重视事功,批评舍欲求道的思想体现了当时的这一社会时尚。

唐甄批评宋明儒脱离事功的虚言。他说:"圣贤之言,因时而变,所以救其失也;不模古而行,所以致其真也。昔者先师既没,群言乖裂。自宋以来,圣言大兴,乃从事端于昔,树功则无闻焉。不此之辨,则子之美言,犹为虚言也夫!"③唐甄强调,即使圣贤之言,也是因时而变,须与社会发展的实际相结合,所以救其失。从与时俱进,联系社会发展的实际出发,唐甄主张"不模古而行",即不模仿、照搬照抄圣贤原文,而是要因时而变通;不以文本为中心,而是要重视实践,开拓出由圣贤之言到社会生活的真实实践,目的是为了"所以致其真也"。由此,唐甄批评宋明儒所追求的对古昔之圣言的解析,而对于事功则无所闻,认为这不过是"虚言"罢了。对脱离事功的学问,唐甄提出批评:

---

① 《潜书》,《内伦》,第77页。
② 《潜书》,《良功》,第52页。
③ 《潜书》,《辨儒》,第1页。

大瓠曰："吾闻儒者不计功。"曰："非也。儒之为贵者，能定乱，除暴，安百姓也。若儒者不言功，则舜不必服有苗，汤不必定夏，文武不必定商，禹不必平水土，弃不必丰谷，益不必辟原隰，皋陶不必理兵刑，龙不必怀宾客远人，吕望不必奇谋，仲尼不必兴周，子舆不必王齐，荀况不必言兵……事不成，功不立，又奚贵无用之心。"①

唐甄反对所谓"儒者不计功"的说法，他认为，儒之所以为贵，正是在于能够做出定乱、除暴、安百姓的事功。如果说儒者不言事功，那么儒家所推崇的圣人舜就不必服有苗，汤、武也不会革暴君桀、纣之命而推翻残暴的夏、商王朝，禹也不必治理河流水土，弃、益、皋陶、龙、吕望、仲尼、子舆、荀况等也都不会做出各自的事功修为。所以说诸圣贤都是有所作为的，否则与匹夫匹妇有何异？对于所谓"心者事之本"的说法，唐甄指出，如果只是一味地强调心，而不把心建立在事功的基础上，那将是"事不成，功不立"的无用之心，不足为取。这是对阳明心学空谈心性弊端的修正。

受时代思潮"崇实黜虚"的影响，唐甄也提倡"实"，把道德原则建立在实事实功的基础上。他说："古人多实，今人多妄。"②以古人的"实"来批评今人的虚妄。并指出："天下莫强于仁。有行仁而无功者，未充乎仁之量也。"③仁是儒家思想的核心，但唐甄则明确把仁与事功联系起来。在唐甄看来，仁的内涵就包括了事功，无功则不足以体现仁之量。强调"仁义礼智俱为实功"④。这是对儒家仁说的发展，也是对脱离功利而空谈仁义的理学流弊的针砭。并指出程朱理学乃"精内而遗外"⑤，批评程朱只重视内在的心性修养，而忽视外在的客观事物。以至后儒所言"皆空理，无实事也……皆空言，非实行也"⑥，表现出唐甄批判空理、空言，提倡实事、实行的思想倾向。他甚至宣称："我不喜道学，有以道学进者，我必廷辱之。"⑦如此使得表面标

---

① 《潜书》，《辨儒》，第3页。
② 《潜书》，《尊孟》，第5页。
③ 《潜书》，《尊孟》，第6页。
④ 《潜书》，《宗孟》，第9页。
⑤ 《潜书》，《有为》，第50页。
⑥ 《潜书》，《良功》，第53页。
⑦ 《潜书》，《除党》，第164页。

榜孔孟者望风沮丧。而对于名节的立之与否，关键要看其物质生活能否得到满足。他说："节之立不立，由于食之足不足。"①在道义与物质生活的关系问题上，唐甄更看重衣食等物质生活之实事。

唐甄重视事功，把仁义道德原则建立在丰谷、衣食等客观物质利益的基础上，与此相关，他批评了遏制人的感情欲望的"舍欲求道"的倾向。他说："人皆以欲为心……舍欲求道，势必不能。谓少壮之时不能学道者，以是故也。"②唐甄客观地看到"人皆以欲为心"这一人之常情，所以他指出离开了人的物质欲望去求道，是不可能做到的事。尤其是当人少壮之时，五欲为之主，此时学道就更加难。唐甄自认"向以从身之欲而远于道"，以及"血气方壮，五欲与之俱壮；血气既衰，五欲与之俱衰"③这些实情，即承认自己以往受人身物质欲望的影响而离道较远，这是因为，自己当少壮之年，血气方刚，因而五欲也比较强烈。而到了年老血气既衰之后，欲望减退，心归于寂，"五蔽既撤，一心渐露。如素坠于泥中，湔之而易复；如珠遗于室中，求之而易获。是故老而学成"④。在唐甄看来，人的身、目、口、耳、鼻之五蔽既撤，排除了人身物质欲望的干扰，就会使一心得以显露出来，进而达到"老而学成"，掌握人心之道。由此可见，对待人欲，唐甄持一种客观承认的态度，认为不能舍欲求道，当人们追求自己的物质欲望时，不能废弃不讲。表现出唐甄对人欲的重视。

但唐甄在承认人欲的客观性，主张不可舍欲求道的同时，也看到了人欲的危害，故提出"欲为乱根"的观点。他说："道为治本，欲为乱根。世之攘攘藉藉者，皆由欲起。有欲不除，除之不尽，而欲治天下，欺天下乎！"⑤指出就治理国家而言，道是治国之本，而欲则为乱世之源。世道之所以难治，就在于贪欲横流。贪欲不除，或除之不尽，要想平治天下，那是不可能的。这里唐甄所说的人欲，当指人的客观物质欲望之外的贪欲，因从唐甄的"舍欲求道，势必不能"的思想看，他是主张满足人们的基本物质欲求的。他反对的只是那些给社会治理带来危害的过分的贪欲。就此，唐甄指出："贪财淫色，小人之

---

① 《潜书》，《养重》，第91页。
② 《潜书》，《七十》，第37页。
③ 《潜书》，《七十》，第37页。
④ 《潜书》，《七十》，第37页。
⑤ 《潜书》，《格定》，第57页。

欲也。"①对待小人的这种"贪财淫色"之欲，唐甄是反对的。

三、"五经者心之迹"，"四书者皆明言心体"

唐甄提出心为本，经为末，"五经"不过是明心之助，"四书"重于"五经"的经学观点。他认为，"五经"不过是心之迹，是心的表象，而不是心。他说："五经者，心之迹，道之散见，非直心也。"②"五经"既是心之迹，又是道的散见，其地位在心、道之下。这既与二程的"经所以载道"③的思想相关，又受到王阳明"六经者，吾心之记籍"④思想的影响。在唐甄看来，"五经"从属于心、道，心为本，经为末，"五经"中包含着各种事物，通过博学而求之，加以会通，这可起到明心的作用，但并不能直接把经说成是心。他说：

> 五经何可已也。于《易》观阴阳，于《书》观治法，于《诗》观美恶，于《春秋》观邪正，于《礼》观言行。博而求之，会而通之，皆明心之助；第不可务外忘内，舍本求末耳。若务外忘内，舍本求末；三五成群，各夸通经；徒炫文辞，骋其议论；虽极精确，毫无益于身心。则讲五经者，犹释氏之所谓戏论，庄周之所谓糟粕也，与博弈何异？是故阳明子曰："心如田，经则田之籍也。心已亡矣，而日穷经，犹祖父之遗田已鬻于他人，而抱空籍以为我有此田，可乎？"此学经之准也。⑤

唐甄看到于"五经"中所求得的阴阳、治法、美恶、邪正、言行等有助于明心，但他强调的则是心。而心为内，为本，反对务外忘内，舍本求末，舍心而专务于治经。如果是那样，满足于传统的以经书文本为中心，三五成群，以通经相夸，炫耀文辞，恣意议论，即使所论甚为精确，但对于身心而言却毫无裨益。唐甄指出，这种讲"五经"的途径与释氏、庄子的所谓戏论、糟粕，以及不讲义理的博弈又有什么区别呢？由此，他引用王阳明的话来说明心与经的

---

① 《潜书》，《格定》，第57页。
② 《潜书》，《五经》，第61页。
③ 王孝鱼点校：《河南程氏遗书》卷六，《二程集》，第95页。
④ （明）王守仁著，吴光等编校：《王阳明全集》卷七，《稽山书院尊经阁记》，上海古籍出版社1992年版，第255页。
⑤ 《潜书》，《五经》，第61页。

关系，认为心如田，经则是记录田之多少和状况的登记册。如果只顾穷经而不顾本心，致使心已亡，那么你穷经还有什么用？就像你祖父的遗田已卖给了别人，你还抱着空籍以为我有此田，难道这样可以吗？即强调心为本，经不过是记录心的形式。所以应以心为本，而不应以经为本，主体之心的权威在经典之上，这就是唐甄所说的学经、治经之准则。

在"五经"与"四书"的关系问题上，唐甄认为"四书"重于"五经"，"四书"与心体有着较为直接的关系。他说："至于直指其心，因人善诱，则在《论语》一书，而继之者又有《大学》《中庸》《孟子》。此四书者，皆明言心体，直探道原；修治之方，犹坦然大路。学者幸生仲尼之后，入其门者，随其力之大小，取之各足，尚何藉于五经乎！取而譬之：五经如禾稼，四书如酒食。酒食在前，即可醉饱；乃复远求之五经，是舍酒食而问之禾稼也，岂不迂且劳哉！"①认为"四书"是明言心体，直接探讨道原的，与"五经"相比，"四书"更为重要。这是因为"四书"直指其心，比"五经"更加贴近于道。"五经"与道只有间接的联系。所以他把"五经"譬之于禾稼，而把"四书"比作酒食。认为"四书"在前，"五经"在后。批评舍"四书"而专事"五经"。

对当时以"五经"为对象的专门的穷经之学，唐甄认为不可。他说："今人于五经，穷搜推隐，自号为穷经。此尤不可。"②对穷经之学不以为然，而重视心性。他说："夫心之不明，性之不见，是吾忧也；五经之未通，非吾忧也。"③强调心性的地位在"五经"之上。不忧"五经"未通，而忧心之不明，性之不见。

就中国经学的发展演变的脉络分为"五经"学系统和"四书"学系统两个系统而言，"五经"学系统的汉唐学者比较重视训诂考据，而"四书"学系统的宋明学者则比较重视义理和天理，以己意解经。但对于重"四书"轻"五经"的唐甄来说，他又对宋明儒的以己意说经的治学倾向提出批评。他说："自宋及明，世之学者，好争讼而骂人，为创见以立异；以其意断百世以上之事，繁引曲证以成其自是。凡周汉以来授受之有本者，皆草刈而粪除之。暴秦烧之于前，世儒斩之于后，其亦甚悍矣哉！"④唐甄崇汉儒，肯定其在传授儒

---

① 《潜书》，《五经》，第61页。
② 《潜书》，《五经》，第62页。
③ 《潜书》，《五经》，第63页。
④ 《潜书》，《五经》，第62页。

家经典中的作用，批宋明儒以己意解经，但他又重"四书"，重心性，推崇阳明心学，而阳明心学即是以己意解经，不重视经典文本的典范。在对"五经"学和"四书"学的评价中，唐甄既批评以"五经"为解释对象的穷经之学，认为"四书"重于"五经"，"四书"与心体有着更为直接的关系，又批评宋明儒以己意解经，妄断百世以上之事。这表现出唐甄经学思想的自相矛盾之处，亦是当时思想界汉宋杂陈、朱王对峙局面在唐甄思想里的反映。

质言之，唐甄在当时明末清初社会大动荡的时代背景中，以儒家仁政思想批判封建帝王专制，颠覆三纲观念，强调以君下于臣、夫下于妻为德，表现出对君主权威的挑战、对妇女的同情和男女平等的思想。重视事功，批评程朱理学，主张道不离欲，把道德原则建立在实事实功和客观物质欲望的基础上。提出以心为本，以经为末，"五经"不过是明心之助，"四书"重于"五经"的经学观点，批评以"五经"为对象的穷经之学。反映了时代的变迁和社会风尚由重心性之学向重事功之学和关注人生日用的转移，而具有时代和自己思想的特点。这些方面体现了唐甄的启蒙、社会批判和求实思想，这在当时思想界产生了重要影响，亦对后世产生了深远影响，在巴蜀哲学史上占有重要地位，值得认真探讨和进一步深入研究。

第六节 刘沅对理学的扬弃

刘沅（1768～1855），字止唐，一字讷如，号清阳居士。四川双流人。清中叶著名蜀学学者、思想家。刘沅自幼身体较差，"愚幼羸善病，自孩提至弱冠，濒死者数矣"①。其父刘汝钦，精于易学。刘沅少时从其父学习儒家经典"四书""五经"。后来刘沅遵父遗命，遍注群经，为之补注，名曰"恒解"，既借鉴吸取汉学和宋学，又对汉、宋学加以一定的批评，并以此阐发自己的新思想。刘沅少时也曾涉猎佛老典籍，这为他日后以儒为本，融合三教打下了思想基础。乾隆五十年

刘沅像

---

① 《槐轩杂著》卷四，《自叙示子》，《槐轩全书》（增补本）九，第3473页。

（1785）刘沅十八岁，入双流县庠。乾隆五十三年（1788）刘沅二十一岁，选拔明经。次年，其父卒。乾隆五十七年（1792）由拔贡中试举人。以后又三次参加会试不中，遂无心仕进，归家养母。并潜心研究儒家经典，也通过接触道、佛，受到二氏的影响。

至嘉庆十二年（1807）迁居成都南关纯化街。此后刘沅即在此设馆讲学，著述不辍。道光六年（1826），刘沅已五十九岁，被选授湖北天门县知县。他不愿赴任而推辞。"安贫乐道，不愿外任，改国子监典簿，寻乞假归，遂隐居教授。"①六十岁至八十岁，刘沅连举八男，皆能传其学。

刘沅的著述主要有：《易经恒解》六卷、《诗经恒解》六卷、《书经恒解》六卷、《礼记恒解》四十九卷、《春秋恒解》八卷、《四书恒解》十四卷（包括《论语恒解》《孟子恒解》《大学恒解》《中庸恒解》）、《周官恒解》六卷、《仪礼恒解》十六卷、《大学古本》一卷、《拾余四种》四卷、《正讹》八卷、《槐轩约言》一卷、《槐轩杂著》四卷、《子问》二卷、《又问》一卷、《俗言》一卷、《壎篪集》十卷、《下学梯航》一卷、《史存》三十卷、《孝经直解》一卷、《明良志略》一卷、《蒙训》一卷等，今收入《槐轩全书》，共十册。

刘沅的学术思想很丰富，限于篇幅，本节主要就其与理学的关系加以探讨，亦涉及经学。刘沅创造性地提出先天、后天说，这是对理学的扬弃和发展。刘沅不仅批评理学流弊，而且在对理学批评和扬弃的基础上，也予以继承发展，并非一味反对。刘沅重视人情，又以天理为指导，是在价值观上一定程度认同于理学的表现。在这个过程中他阐发自己的新思想。同时，不论自觉与否，刘沅都不能完全摆脱作为一代学术思潮的理学对他的深刻影响，客观上对理学有所承袭、反省和发展，使之具有了新的时代特色。

一、对理学的批评

刘沅对理学的批评主要表现在以下方面：

（一）批理学道统论

刘沅在他的著作《正讹》里，列"道统之名"作为正讹的对象。他说：

---

① 《国史馆本传》，《槐轩全书》（增补本）一，第5页。

道者，天理。惟人得其全，故异于禽兽。学道止是全生人之理，人人有天理，则人人皆可为圣人，非绝异事也。自韩昌黎创为异说，宋儒宗之，遂有道统之名，天下古今止有数人知道，止有数人才算得人，已可笑矣。且其言尧以传舜，舜以传禹，禹传之汤，递传至孔孟者，所传何事？却未言明。且舜禹之圣非学于尧而得十六字相告诫，特以敬慎不替，乃修己治人之常。不是才做功夫，以为传授心法已谬。舜禹与尧同时，谓其传受犹可强通。禹与汤、汤与文武、文武、孔孟，相去数百年，从何而传之？其说盖误解孟子见知闻知之义而然。愚于《孟子恒解》附解已详……不以道为人所共有之理，而以为一人独得之奇，其见已为太妄。天止此理，人亦此理，人人皆有天理，则人人皆有道，必求道之所统，其惟天地乎！圣人纯全天理，亦不敢自言道为己私。学者以天为统，以圣为师，实求其所以为人之理，而践行圣人，则在天之道皆人之道，无所谓统，实未尝不分道之绪，孔孟所以为万世师也。①

刘沅批评理学道统论及其超越时代的心传说，认为在道统论中，尧舜禹汤至孔孟相传什么，所传何事，均未言明。并认为尧舜禹并非以"十六字心传"相告诫，以为传授心法已谬。指出舜禹与尧同时，如果说是相传授受尚可强通，但禹与汤、汤与文武、文武与孔孟之间，均相去数百年，从何而传？认为道统说误解了孟子的见知闻知之义，不以道为人所共有之理，而以为一人独得之奇，其见解已是太妄。强调天人皆是此理，人人同具天理，则人人皆有道，如果必求道之所统，那只有天地。指出圣人都不敢自言道为己私，道无所谓统，也不分道之传授统绪，只是强调孔孟为万世师表即可。从而否定了理学基本理论之一的道统论。

刘沅认为，道统的确立与理学之名的标举是相互联系的。他说"后世标理学之名而道统以立"②，但却使得世人只守宋儒之说而不知孔孟之说。"世人恪守先儒反不遵孔孟之说，将道说得太远，将学圣人说得太难，人不知圣人从何学起，以为必如先儒始可学道。即如先儒亦不能至圣，于是以先儒为别有奇妙，圣人更不待言。"③他以圣人之道作为判断是非的标准，对理学道统论将

---

① 《正讹》卷一，《槐轩全书》（增补本）九，第3481~3482页。
② 《大学古本质言》，《槐轩全书》（增补本）九，第3291页。
③ 《正讹》卷一，《槐轩全书》（增补本）九，第3480页。

道说得太远,将学圣人说得太难,人不知圣人从何学起的治学倾向提出批评,由此主张遵孔孟之说。刘沅的思路是去先儒(理学)道统,直接求之于孔孟之说,论道不必曰统,也不必言绪。这是他处清代中期对理学道统论的审视,具有其时代的特色,但对理学道统论形成的历史必然性却缺乏应有的把握。

(二)提出先天、后天说,批评理学心性论

刘沅对理学心性论提出一定的批评。他说:"自宋以来,朱陆分门,以阳明为陆派。其实朱陆皆以心为性者也。特象山教人,先静心而后学问;朱子教人,先穷理而后静心。门人各执师说,遂分党类,继而竟如仇敌。"①指出自宋以来,理学分为朱陆两个门派,而以王阳明为陆氏心学一派。但认为朱陆在心性论上皆是以心为性,均持心性一元的观点。只不过陆象山教人,是先静心而后学问;朱子教人,则是先穷理而后静心。刘沅创造性地提出先天、后天说,这是对理学的扬弃和发展,也是刘沅思想独特的创新之处。宋明理学家除继承孟子,讲先天性善论,以及在易学方面,邵雍讲先天象数学外,基本上不讲先天说,也谈不上讲与之相关的后天说。在刘沅看来,正因为宋儒混淆了先天之性与后天之心的界限,使得圣人经书之义不明,所以他提出了有关心性的先天、后天说。他说:"心性原无二,而人自二之。愚之必分言心性,非于心外求性,正欲人以正心复性,毋偏任其心,遂谓为性耳……后儒因不明先天后天之义,以后天知觉之心为性,而不得天人合一之原,遂令此等书义不明。"②刘沅提出先天、后天说理论针对的是"宋儒以心为性,出于禅家……但以后天之心为性"③。他批评宋儒不明先天后天之义,而以后天知觉之心为先天义理之性,混淆了二者的区别。宣称自己提出先天、后天说是为了要人们正其心而复其性,纠正偏任其心的毛病,而错误地把后天知觉之心视为性,不明天人合一之大原。他说:"人皆知心为一身之主,而不知心有先天、后天之分。未生以前秉天地理气之正,而后为人物则偏驳矣。故人心之量原是粹然,在先天则浑然无名象,如天地太极之浑含,此时心即是性。迨既生以后,则气质之心足以梏其浩然之气,而心之本体非旧矣。"④强调心有先天后天之分,先天之心为性,后天之心杂于气质而非先天之本。

---

① 《四书恒解》,《孟子·尽心上》,《槐轩全书》(增补本)二,第579页。
② 《四书恒解》下论下册,《槐轩全书》(增补本)一,第359页。
③ 《四书恒解》,《大学凡例》,《槐轩全书》(增补本)一,第13页。
④ 《四书恒解》,《孟子·尽心上》,《槐轩全书》(增补本)二,第571页。

刘沅提出先天后天说，强调先天之心是以天理为内涵，此先天之心亦即是性，而后天之心则或明或暗，不得以后天知觉之心为性。他说："盖人之所以承天而不朽者，心也，其实则性也。心与性辨在毫厘。自宋儒以心为性，后之论者谓心外别无性，不知性非心比也。先天心即性，后天心夹阴识不尽为性。人秉父母之精气而育，实禀天地之理气而生，天之理气浑然粹然者，太极也，人得之以为性，孟子曰人性皆善者，此也。"①认为心性有别，批评宋儒（应是心学一派）以心为性。强调先天心即性，后天心不尽为性。天之理气浑然、粹然为太极，但气质有纯杂之分。并指出："朱子解仁字，只说心存而不放，不知心有先天后天之分。先天之心即仁，后天之心拘于质，蔽于欲。故孟子言存其心，养其性，存有觉之心，养虚明之性，以养气为基，神化为极，其功夫次第，非旦夕可几。后人以守空空之心为尽性，不知心本。"②认为心有先天之心与后天之心的分别，这是刘沅的创新之处。就心而言，他认为心分为先天之心和后天之心，先天之心即仁，也就是性；后天之心则拘于质，蔽于欲。所以孟子要人存心养性，但后人却忽视存养，但守空空知觉之心以为尽性，而不知先天之心即仁，此乃心本。并指出就是朱熹也不知心有先天后天之分，不知先天之心为仁，后天之心蔽于欲。这是对朱熹心性论的批评。

由此，刘沅进一步指出先天之心与后天之心的区别所在："万物皆天所生，惟人得此天理以为心，此先天之心，即所谓性也。迨后天气拘物蔽，则性梏而情扰。然此不忍人之良必不能尽斩，故无论智愚，感触皆有此心，第或明或暗，不常不真。"③指出先天之心是以天理为内涵，亦即是性。而后天之心则由于拘于气、蔽于物，使其先天之善性、不忍之良心受到情和气质的干扰和影响而不能尽，以至于或明或暗，不常不真。所以先天之心与后天之心的区别就在于性与情的区分。"愚尝曰：先天之心，情中之性；后天之心，性中之情……自先儒言心而不分先、后天，是以沦于即心即佛之说而越椒羊舌之生，即朱子不能无疑。"④尽管性与情不相分离，但先天之心是指情中之性，而后天之心则是指性中之情，性与情本身是有严格区别的。正因为"先儒"即宋儒理学家言心而不分先天、后天，以致沦于佛教以知觉之心为性的心即性之说。

---

① 《四书恒解》，《孟子·公孙丑上》，《槐轩全书》二，第430页。
② 《四书恒解》下论下册，《槐轩全书》（增补本）一，第383~384页。
③ 《四书恒解》，《孟子·公孙丑上》，《槐轩全书》（增补本）二，第436页。
④ 《四书恒解》，《孟子·离娄下》，《槐轩全书》（增补本）二，第501页。

刘沅批评朱陆两家门人各执师说，以致分为两党，对立如仇敌。刘沅又认为朱陆双方皆以心为性。他说："阳明良知及紫阳格物，虽各张一帜，而以心为性实同。则以先天后天之义不明也。"①认为阳明提出致良知，朱熹提出格物说，虽各持一说，相互区别，但双方皆不明先天后天之义，而同主以心为性之说。在这里，尽管刘沅对"心即性"之说提出批评，但认为朱陆双方皆是以心为性，却是有误解的。如果说陆王一派心学家主以心为性之说，还确是如此。但说朱熹一派也主以心为性之说，则是刘沅对宋明理学心性论及其各派理论的区别理解不深的表现。事实上，受张载"性无意"、心有觉思想的影响，朱熹持心性有别的观点。朱熹强调道德理性的超越性，其性是超越主、客体之上的绝对理性。其"性即理"，性、理均为宇宙本体。虽然理在心中，性在心中，但心以理为存在的根据，且是理气结合的产物。朱熹在肯定心性紧密联系的前提下，强调心性二元，心性有别。他说："心与性自有分别。灵底是心，实底是性。灵便是那知觉底。"②十分明确地反对把主体本体化和把本体主体化的倾向。朱熹本人从未说过"心即理"或心即性这样的话，这与陆九渊、王阳明心性不分、心即性的思想有严格区别。朱熹强调道德理性的超越性，一方面是为了给儒家伦理提供本体论的哲学依据，另一方面是为了批佛，以心性二元来否定佛教的心性一元。朱熹批评佛教以心之"知觉运动"为性的思想，提倡"识心见性"，反对佛教以心为性，不假存养。他认为佛教所谓性，其性空无理，只是觉，与儒家性中有仁义之实理不同。他说："吾儒以性为实，释氏以性为空。若是指性来做心说，则不可。"③批判佛教性即心、心性一元的思想，并援天理以论性，把佛教的佛性改造为儒家的实理，即世俗化的道德理性。要之，朱熹心性有别的思想，以性为最高原则，以发挥主体的能动性来认识道德理性为主要目的。在这个过程中，强调内外结合，先知后行，由知识积累到道德践履，其前提是心性有别，反对"指性来做心说"，因心性有别，故有认识论与价值论的结合。

刘沅看到"孟子因异端言心而外仁义，儒士言学而昧人心，故特为指明人以为心即是性，不知性无为，心有觉，动而当理，由静而无为。无为者非无

---

① 《四书恒解》，《孟子·尽心上》，《槐轩全书》（增补本）二，第580页。
② 《朱子语类》卷一六，第323页。
③ 《朱子语类》卷四，第64页。

为也，浑然粹然未发之中，乃为天命之全体耳。"①指出孟子之所以指明心即是性，以仁为心，是因为异端言心而外仁义，儒士言学而昧人心，故强调心与性、心与仁的联系，提出"仁，人心也"②的命题。但刘沅认为性无为，心有觉，心性是有区别的，然性虽无为，但无为者非无为也，性的浑然粹然未发之中，乃为天命之全体。实际上刘沅的观点与朱熹的比较接近，均主张心性有别，批评心即性之说，但不知为何刘沅却把朱熹混同于陆王而认为他们都是主以心为性之说的心即性观点的持有者。

（三）批理学知行观

刘沅认为，《大学》论述了知行问题，《大学》之道注重知行二者不可偏废。而宋儒重在先知，圣人"孔子不遇于时，仅得私以诲其弟子而又虑不能永传，遂为此篇以授曾子。秦火以后，文献无征，而此书尚存。盖诸儒抱残守缺，其功苦矣。流传至宋程子昆季，倡为改窜，而朱子继之。此书遂非其旧。然圣人之书非等寻常文字，可有可无，固将使人实体于身，为成己成人之本。此书综前圣之法，为后学之津梁，字字皆有实功，次第不容稍紊，岂可未践其功，遽以私心窜易？"③批评程朱均对《大学》作了改动，强调不应以私心窜易《大学》。并指出："《大学》之道，知行不可偏废。人知之而其用功，知行一时并到，人或不知也。先儒重在先知，圣人则曰：知之匪艰，行之维艰。盖天下事物不能

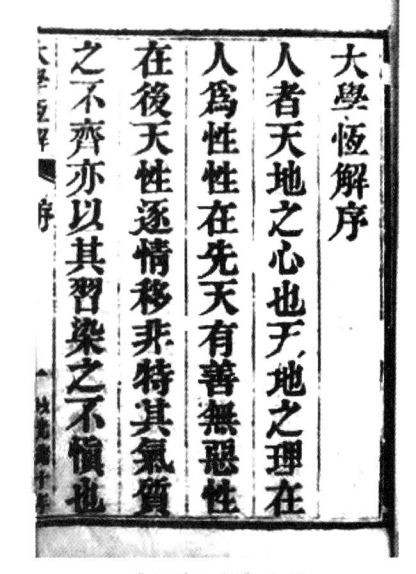

《大学恒解》书影

尽知，亦不必尽知。盖不必行者则不必知。夫子所以言有弗学问思辨行也，知之无益于行，或反有害于德，安可不慎之？惟其有弗知弗行者，所以为择善，而何乃以物物穷理为知哉？"④刘沅引《古文尚书·说命中》"非知之艰，行之维艰"的话强调重行，认为天下事物不必尽知，不必行则不必知。以是否需

---

① 《四书恒解》，《孟子·告子上》，《槐轩全书》二，第553页。
② 《四书恒解》，《孟子·告子上》，《槐轩全书》二，第553页。
③ 《大学古本质言叙》，《槐轩全书》（增补本）九，第3290页。
④ 《大学古本质言》，《槐轩全书》（增补本）九，第3307页。

要行，作为有没有必要去知的前提，掌握了弗知弗行的道理，懂得了哪些需要知，哪些需要行，哪些不必知，哪些不必行，才为择善。即对知行都须有选择地去知去行。由此反对朱熹以物物穷理为知，对理学知先行后的思想和朱熹即物穷理的知行观提出批评。

刘沅论述了致知与格物的关系，并批评宋儒把注意力放在"物物而穷其理"上，而成无用之学。他说：

格物之法内外交致其功，志气清明，义理自然昭著，所以致知在格物也。先儒改为物物而穷其理，格读各额反，释曰至也，物犹事也，至物至事，岂成文理邪？增一字解之曰穷至事物之理，已觉牵强，况事物之理既不胜穷，穷之亦多无用。子曰：女以予为多学而识之者，与非也，君子多乎哉？博文亦必约之以礼，何尝教人物物而穷究？……一念之动，即有是非，不知何以能行？故知者知身心性命之理、日用伦常之道而已……夫致知与力行岂为二事？致知在格物岂外身心而格哉？若必物物而穷究，逐逐于事为，忽忽于方寸。日用伦常，当知者不知；名物技术，不必知者求知。道在迩而求诸远，事在易而求诸难，《大学》之道不将至如画饼乎？……先儒不知此理，则不知一贯之义，擅改古本，添格物之说，孔曾实义将何由而明邪？故愚不得不反复辨之也。①

认为"致知在格物"，不能离开身心而格，如果追求物物都去穷究，逐于事而忽视方寸日用伦常，就会导致当知者不知，不必知的名物技术却去求知，而道在迩而求诸远，就会背离《大学》之道。批评朱熹擅改《大学》古本，而增添格物之说。强调应以身心为重，不必追求外事外物。刘沅对"格物而后知至"的解释是：

上文言致知而此言知至，先儒误以至为极至，遂谓必物物而穷究，知始造乎其极，不知此至字训达也，由此至彼之意……所知者不过心性伦常，与凡成己成人之理，其它不必知者，不在其内，且心性伦常之理无穷，知之原不易尽，惟圣人非礼之礼、非义之义不为，始得为知之至，岂有初学穷究物理便可一旦豁然，表里精粗无不到者乎？先儒疑事物之理，必一一穷究，又泥有物有

---

① 《大学古本质言》，《槐轩全书》（增补本）九，第3309页。

则之义，故以格物为物物穷理，然有物有则，非谓凡事物也……岂万物万事皆一一穷究邪？夫子言择善，必云有弗学问思辨，正恐人误认耳，奈何反失夫子之志。①

刘沅认为朱熹误解《大学》的"格物而后知至"，将知至的"至"错误地理解为极至之义，而不是由此至彼之义，遂提出物物而穷究物理的主张，导致扩大求知的范围，把不必知的事物纳入认知的对象，而有违于孔子之志。刘沅对朱熹增加的《大学》之《格物致知补传》提出疑问，朱熹以穷究物理作为格物的目的，最终一旦豁然贯通，使对万物的认识无所不到。但在刘沅看来不必去一一穷究万事万物，及事物之理，而应择善而行，有所选择，不必物物而穷究。只有非礼之礼、非义之义的事不去做，才能达到知之至的地步，这也是圣人才能做到。刘沅对宋儒及朱熹《补传》的批评，反映了他与理学主要是朱学不同的知行观。

二、对理学的继承和发展

理学的产生具有一定的历史必然性，是对汉唐儒家经学重训诂注疏，轻理论发挥之流弊的修正；亦是对佛教等宗教文化冲击传统儒学的回应，因而是对包括孔孟之学在内的传统儒学在哲学理论上的发展和创新，而不是对先秦孔孟儒学的异化。它成功地回应了当时社会各个方面的挑战，而把儒学发展到一个新阶段。但随着时间的推移，其流弊也日渐显现。刘沅既对传统理学提出批评和反思，同时也在对理学批评和扬弃的基础上，予以继承和发展，并非一味反对。

（一）对理学价值观的基本认同

理学家重在阐发义理和天理，而不是拘泥于训诂考释。面临信仰失落、伦常失序、道德沦丧和价值观念的重建等重大社会问题，理学家讨论的核心话题落入对天理人欲的关注，如何为儒家伦理学寻找哲学本体论的依据问题，而有别于汉唐经学所着重关注的"天人感应""君权神授"的问题。对理学存理去欲的价值观，刘沅基本上是认同的。他说："朱子之言曰：因时君之问而剖析于几微之际，皆所以遏人欲，而存天理。其法似疏而实密，其事似易而实难，

---

① 《大学古本质言》，《槐轩全书》（增补本）九，第3309~3310页。

若诚好货好色,亦安能清心致治,推以及民哉?"①批评好货好色所导致的不能清心致治推以及民的流弊,而认同于理学存天理遏人欲的价值观。

刘沅强调,"宇宙只有理欲两途,仁民者以安人为心,不求自利而天下自从之;虐民者以富强为志,不顾损人而天下必亡之。一念之公私而祸福昭然。"②认为宇宙间只有天理和人欲两途,凡以天理为治,怀仁民安人之心,不追求自利,天下之人也自然会来追从;而虐民者以追求富贵功利为志,不顾损人而利己,这样的人天下必亡之。并以公私与理欲相连,凡重公轻私、贵理贱欲就会带来福祉,反之则遭祸害。这也是认同于理学存理去欲价值观的表现。

刘沅提倡"寡欲清心",这也与理学家类似。他说:"修短有数,固在乎天;寡欲清心,亦在乎儒。"③刘沅既提倡"寡欲清心",这是他与理学的相类似之处;又重视人情,这是他的独特之处,他认为"六经"本于人情而为教。他说:"《易》《诗》《书》《礼》《乐》《春秋》,皆本乎人情之自然而为教也。"④儒家经典亦本于人情,自然而施教。

刘沅在基本认同理学价值观的同时,亦重视人情,强调人情的重要性。他认为,所谓天理,不过是人情得其正而已。离开了人情,则无所谓天理。他说:

夫人莫不禀天理而生,亦莫不有事。理著于事,事必当理。人情得其正,即天理;合其常,圣人亦人耳。因天理纯全,故言行得乎人情之正。其书籍之重,亦以其本天理而洽人情,尽乎物理之变,即其书而实践之,乃可以成己成人。⑤

强调人情得其正即天理。就人之常情而言,"圣人亦人"。只不过圣人因天理纯全,故言行得乎人情之正。圣人所著之典籍亦是本天理而合人情,尽乎物理之变化的。只有将其书中的人情物理付诸实践,才能成己成人。可见刘沅对人情的重视,天理亦不能离开人情而存在,主张把天理与人情结合起来。

由此出发,刘沅顺应民心向背,赞同汤武革命,认为天心取决于民心。他说:"孟子言天意决于民心,如武王取殷是顺民心,非贪纣之国。文王不取,

---

① 《四书恒解》,《孟子·梁惠王下》,《槐轩全书》(增补本)二,第417页。
② 《四书恒解》,《孟子·告子下》,《槐轩全书》(增补本)二,第566页。
③ 《史存》卷一一,《槐轩全书》(增补本)七,第2612页。
④ 《礼记恒解》卷二六,《槐轩全书》(增补本)四,第1538页。
⑤ 《春秋恒解》卷一,《槐轩全书》(增补本)五,第1643~1644页。

亦是因民心未去商，即天心未厌商。引文武只是指明民心，以破天与之说，非文武果有欲取商之意。而因民心不悦止也。"①刘沅赞同武王革纣之命，重视民心，这是他"仁民者以安人为心"，以理为治，"天下自从之"思想的表现。虽然他对理学道统论有所批评，但不会反对道统中的文武之王。这与朱熹等理学家的道统论无异，而与苏轼反对武王诛纣有别。

刘沅把天理建立在人情的基础上，强调在人们基本的物质生活之中体现了天理，但人情又必须符合天道即天理的准则。他说："盖养生送死，人情所同即天理所肇……天道固不外乎人情，人情必准于天道。"②既认为天理肇端于人所同有的养生送死之人情，天道不脱离人情；又强调人情必以天道为准，以天理为指导。天理是人情物理的主宰。他说："盈世间事不过人情物理二端，而天理为之宰。故圣人制礼节文，其太过不及而适合乎中。正于理，安于情，顺则五伦浃洽，万物和畅，乐在其中矣。常人纵其情逐于物，不准天理，但图逞一时私心。"③强调人情物理以天理为主宰。认为盈世间事不过人情物理两端，以天理宰制人情物理，使之适合于"中"，才能正于理，安于情。批评常人纵情逐物，违背天理，但图逞一时私心的行为。

对于违背天理，不讲儒家伦理纲常的唐太宗李世民，刘沅则极力贬斥。他说："太宗杀其兄弟而纳其弟妇，惑于妖淫，立武氏为昭仪，不孝不友，天大罚及之。其始由一念之邪，其继贻子孙之害，人知恨之，而不知正心敦伦，当豫之于早也。"④批评唐太宗为了争权夺位，逼迫其父退位，杀死其亲兄弟，又霸占弟妇，并迷惑于妖淫，立武则天为昭仪，以至于"不孝不友"，招致上天的惩罚。这都是由于唐太宗的"一念之邪"所引起，并"贻子孙之害"，使唐王朝纲常不正。这即是"不知正心敦伦"，不讲儒家伦理之过。所以为了防止祸乱邪淫的出现，就得"豫之于早"，防患于未然。在这里，刘沅的这种对唐太宗的批评，与理学家十分类似。也可见刘沅与理学家有类似的价值观。

在认同理学存理去欲价值观的同时，刘沅亦指出天理也应与时俱进，随时而变通。他说："世变无穷则所以因时制宜，维持天理民彝者亦不可执一。"⑤

---

① 《四书恒解》，《孟子·梁惠王下》，《槐轩全书》（增补本）二，第420~421页。
② 《礼记恒解》卷四九，《槐轩全书》（增补本）四，第1625页。
③ 《春秋恒解》卷二，《槐轩全书》（增补本）五，第1685页。
④ 《春秋恒解》卷二，《槐轩全书》（增补本）五，第1686页。
⑤ 《四书恒解》，《孟子·滕文公下》，《槐轩全书》（增补本）二，第475页。

认为世变无穷，天理亦不可执一。这种天理须随时而变通的思想是对理学的继承和发展。

从总的价值评判标准来讲，刘沅尽管对理学提出批评，但对天理却不否定，只是指出应随时变通，并强调以天理作为取舍权衡事物的标准。他说："凡圣人之书恪遵钦定注疏等义，参以诸家，沉潜诵习，久阅星霜，觉道本至常，愚柔可勉，人人皆有天理，即人人皆可圣贤……全之则为圣贤，得半亦为君子，背之即为禽兽，凡异端杂学悉以此权衡折衷之，不患不能择别也。"①指出天理人人皆有，如果得天理之全，完全按天理办事，则为圣贤；得天理之半，也能够成为君子；如果违背了天理的原则，那么就沦为禽兽。所以从理论上讲，刘沅认为，"人人皆可圣贤"，其前提是得天理之全。并以天理作为权衡折中异端杂学的标准，而加以"择别"。可见对天理论的重视，而天理论正是理学家提出来的，并作为理学公认的核心理论。刘沅既认同于天理和理学存理去欲的核心价值观，又在其他地方批评理学，表现出刘沅的自相矛盾之处。可见他不可能摆脱理学对他的影响，但又要提出一些不同于理学的思想理论、观点。刘沅既批评朱熹，又恪遵钦定注疏。然朱注"四书"亦是钦定。刘沅所遵的钦定注疏不会与朱注相悖，而是与朱学精神相一致的。

（二）对理学经学观的基本认同和肯定

虽然刘沅的经学思想与理学的经学观不完全相同，但提倡以义理解经，发挥圣人义理，重视"四书"，则是刘沅与理学经学观的相通之处，亦体现了刘沅对理学经学观的认同。他说：

> 其以《论语》《孟子》与《大学》《中庸》为四书，则自朱子始。是朱子之功大矣……明人之书虽或驳异朱子，而大旨不能出其范围。若永乐所纂《四书大全》剽剟成书，专为科举而设，自是时文取士，恪守朱注，虽有他书，人每视为赝说矣……但朱子本意亦不过欲发挥圣人义理，使后人易知，而千虑岂无一失？苟有细心读书，善会圣言，补朱子之所未及者，朱子当必不禁。②

汉学与宋学经典诠释之不同，其中的一个重要方面就是就经典诠释所依傍

---

① 《子问·弁言》，《槐轩全书》（增补本）十，第3825~3826页。
② 《四书恒解》上论凡例，《槐轩全书》（增补本）一，第134~135页。

文本的重心而言：汉学以"五经"系统为主，而宋学则以"四书"系统为主。程颢、程颐之学是以"四书"为标的和宗旨，在此基础上而达于"五经"。然二程只是开程朱"四书"学之先河，提出基本的思想线索，其"四书"学尚不完备。二程少有系统论述"四书"的专门著作，其关于"四书"学的思想大多散见于《遗书》《外书》等语录里，有待系统化和进一步发展。但二程的思想却启发和影响了朱熹，朱熹在二程"四书"学的影响下，于儒家诸经中，予"四书"以更多的重视，倾其毕生的精力解说"四书"，著有《四书章句集注》等多种阐释"四书"的著作，在撰著这些著作的过程中，又不断修改，不断完善，逐步确立了自己的"四书"学思想体系，并将"四书"结集。后又对《四书章句集注》反复修改、完善，直至临终前仍在进行修订，最后达到自己满意的程度。"四书"一词也始由朱熹提出，从而将"四书"的形式与"四书"学的内容统一起来。朱熹以毕生精力诠释"四书"，著《四书章句集注》，从中阐发义理和天理，成为中国经学史上流传最广、影响最大的一部经书，从而以"四书"作为宋学学者和理学家经典诠释的主要文本。程朱的这一思想得到了宋学学者和理学家的广泛认同并产生了深远的影响。对此刘沅予以充分肯定并加以发展，其所著《四书恒解》在不少地方对程朱"四书"学有所拓展和创新。刘沅客观地指出，"以《论语》《孟子》与《大学》《中庸》为四书，则自朱子始。是朱子之功大矣"，盛赞朱熹于"四书"学功劳之大，并产生了重要影响。即使明代学者著书驳斥朱子，与朱学相异，但其大旨也未能出朱学的范围。指出永乐时所编纂的《四书大全》，不过是剽剟缀辑成书，专为科举而设，致使当时的科举考试谨守朱注，以之为标准，而视他书为赝说。这就束缚了人们的思想。并又指出，朱子的本意不过是要发挥圣人之义理，使后人易知易行，然而千虑岂无一失？既肯定朱熹的"四书"学，又批评其在流传过程中出现的流弊及注疏中的错失。认为后人如有细心读书，善于理会圣人之言，以补朱子之所未及和错失者，朱子当必不会禁止。可见刘沅对朱熹"四书"学及其以义理解经之经学观的认同和肯定。

对理学家高度重视的《古文尚书·大禹谟》之"十六字传心诀"，刘沅的注解是："道心性也，人心情也，性为体，情为用，本不可分，但情动易入于妄，故危；性静难极于纯，故微。精以晰其几，一以守其至，正常守至中德，乃无瑕。执固守之意,尧舜禹皆圣人相戒以守道之意如此。"①此处刘沅讲道心人心、性情、体用、静动、微危、纯妄、难易,精一固守中德,以上即体现了道。这与理学思想无甚差别,并对尧、舜、禹等圣人相戒以守道之意也基本肯定,这与理学道统论所宣扬的尧、舜、禹圣人相传授受之道的思想亦是基本吻合。可见刘沅对道统论并非完全否定。

由此,刘沅认为《大禹谟》不是伪作而予以充分肯定。虽与朱熹怀疑《古文尚书》的思想有别,但与朱熹以"《书》有两体"②来加以回护,充分重视《大禹谟》的思想较为相似。他说:"此篇(《大禹谟》)历来疑其伪者甚多,然词义粹美,非后人所能伪造也。第中有错简,宜酌之。"③认为《大禹谟》不是伪作,但亦承认其中有错简。就维护《大禹谟》中的义理而言,刘沅与朱熹具有相同的思想取向,这体现了双方在以义理解经而不拘泥于考据训诂和文献真伪方面所具有的一致性,这也是刘沅认同和肯定理学经学观的表现,而与他本人所处时代的清儒的经学思想不同。他说:"尧舜禹相戒允执厥中,而孟子曰:汤执中。其圣功至德即此篇可见。阎百诗等乃以为伪作,岂非不明其词义而妄相訾嗷乎?夫中者,天地之奥而人受此以生,未生以前浑然粹然之理在此,既生以后七情分而物欲甚,受中之本然失其旧矣。"④批评阎若璩将其视为伪作,其论"中"的思想与理学类似,但分先天、后天之说,此理学家未明确分先天、后天之说,这是刘沅思想的特点和对理学的发展。

从重视性理,以义理解经出发,刘沅亦肯定了程朱的易学思想,指出程颐的《伊川易传》和朱熹的《周易本义》为学者所遵,有其优于前人之处。他说:"程朱《易传》《本义》,学者所遵,谓其优于前贤也。然其瑕疵亦复不少,不可概为附会。今亦折衷取之。学者若无穷理尽性之功,而但求诸文字,其不穿凿矫勉而失真者几希。"⑤强调以穷理尽性为重,批评只求诸文字,致使穿凿矫勉而失其真。可见刘沅是以穷理尽性而不以文字作为判断真伪的标准。

从以上刘沅对理学价值观的认同,对理学经学观的认同和肯定,可以看

---

① 《书经恒解》卷二,《大禹谟》,《槐轩全书》(增补本)三,第897页。
② 《朱子语类》卷七八,第1980页。
③ 《书经恒解》卷二,《大禹谟》,《槐轩全书》(增补本)三,第894页。
④ 《书经恒解》卷三,《汤诰》,《槐轩全书》(增补本)三,第934页。
⑤ 《周易恒解》卷首,《槐轩全书》(增补本)三,第1059页。

出，不论自觉与否，刘沅都不能完全摆脱作为一代学术思潮的理学对他的深刻影响，客观上他对理学有所继承、改造和发展，使之具有了新的时代特色。

三、刘沅的地位

刘沅作为清中叶著名蜀学学者、思想家，他遍注群经，名曰"恒解"，既借鉴吸取汉学和宋学，又对汉、宋学提出一定的批评，并以此阐发自己的新思想。他除潜心研究儒家经典外，也通过接触探讨道、佛，受到二氏的影响。

刘沅弟子遍布巴蜀大地，其学术亦流传蜀外，产生了较大的影响。刘沅以其独到的学术思想教人，"平日裁成后进，循循善诱，著弟子籍者，前后以千数，成进士登贤书者百余人，明经贡士三百余人，熏沐善良得为孝子悌弟贤名播乡间者，指不胜屈"①。其学术在其身后流传尤盛，以至"闽人称沅为川西夫子云"②，在蜀学史以及清代学术史上占有重要地位。

刘沅以求圣人中正之道作为判断是非、取舍事物的标准，对理学道统论、理学心性论、理学知行观及其流弊提出了批评，在对理学批评的过程中他阐发自己的新思想，一定程度上反映了清儒的思想观点。他所主张的性、道、理乃至天理与理学家的理论立异而不同，尽管他不能完全摆脱理学的影响。刘沅的思路是去理学之道统，直接求之于孔孟之说，论道不必曰统，也不必言绪。这是他处清代中期对理学道统论的审视，具有其时代的特色，但对理学道统论形成的历史必然性却缺乏应有的把握。实际上刘沅心性论的观点与朱熹的思想比较接近，均主张心性有别，批评心即性之说，但不知为何刘沅却把朱熹混同于陆王而认为他们都是主以心为性之说的心即性观点的持有者。刘沅对宋儒及朱熹《补传》提出批评，反映了他与理学主要是朱学有不同的知行观。刘沅既对传统理学提出批评，同时也在对理学批评和扬弃的基础上，予以继承和发展，并非一味反对。这表现在他对理学价值观的认同，对理学经学观的一定程度的认同和肯定等。在这些方面表明，不论自觉与否，刘沅都不能完全摆脱一代学术思潮——理学对他的深刻影响，客观上对理学有所继承和发展，使之具有了新的时代特色。

刘沅重人情的思想表现出他对民生日用之常情的关心重视。他把天理建

---

① 《国史馆本传》，《槐轩全书》（增补本）一，第6~7页。
② 《国史馆本传》，《槐轩全书》（增补本）一，第7页。

立在人情的基础上,强调满足人们基本的物质生活,认为天理肇端于人所同有的养生送死之人情。这是对蜀学史上三苏和魏了翁等重视人情思想的继承和发挥,体现了蜀学的一大特色。刘沅又以天理为指导,提倡"寡欲清心"和道德自律,这是在价值观上一定程度认同于理学的表现。刘沅重视人情和人情以天理为指导的思想,体现了他本人思想和当时社会价值观的特点,而有别于前代及近代社会发生变迁后的思想观念。

以上表明,刘沅在蜀学史和中国学术思想史上占有重要的地位,为巴蜀哲学、中国经学、宋明理学、清代学术的发展做出了重要贡献,在当时并对后世产生了深远影响,值得认真总结和深入研究,以进一步挖掘其学术思想的价值。

第五章 巴蜀近现代哲学思想的转型与兴盛(近现代)

第五章 巴蜀近现代哲学思想的转型与兴盛（近现代）

1840年，鸦片战争的爆发，拉开了中国近代历史发展的序幕。西方列强利用坚船利炮轰开了中国紧锁的大门，使中国一步步地沦为半封建半殖民地社会。一方面它使中华民族遭受了前所未有的掠夺和破坏，另一方面又促进了民族资本主义的发展和文化的进步，造成了民族矛盾、阶级矛盾和社会矛盾异常复杂尖锐。所有这些，又必然要求改变中国封建社会长期维持的社会制度格局和思想文化格局。

国门一打开，思想文化上的欧风美雨便开始在近代中国传播开来，且以强力之势冲击着中国传统思想文化。中国近代社会在各个领域无不受到西方思想的影响，催生着国人思想的更新和政治、军事、经济上的变法图强。其集中表现就是洋务思潮、维新变法思潮和民主革命思想的产生及由此引导下产生的洋务运动、维新变法运动和辛亥革命的爆发。出生巴蜀的青年才俊以极大的热忱接受新思想，以强烈的历史责任感积极投身到变法革新的运动之中。有的走出偏僻的巴蜀之地，到全国政治文化的中心或沿海地区学习先进思想和参加革新斗争，甚至远涉日本留学，涌现出了在中国近代史上有着重要影响的三个重要人士：被称为"六君子"之一的变法志士杨锐，有清末"新学巨子"之称的维新改良思想家宋育仁，以及被喻为"革命军中马前卒"的民主革命者邹容。他们都接受了西方民主、自由、法制、进化等新思想，为中国的社会革新做出了积极的贡献。特别值得一提的是，在近代巴蜀之地还有一位中国经学殿军人物、经学大师廖平。他虽然一生均在四川从事学习、教学研究等活动，了解西方思想的机会较少，但还是或多或少地受到西方思想，尤其是西方进化论观念的影响，且在其经学研究中有着若隐若现的表现。与此同时，他所倡导的"托古改制"之说，使古代经学赋有近代政治思想色彩。康有为受其启迪，从而为资产阶级改良主义找到理论依据。而且，廖平穷辨伪古文经学，开启学术界厚今疑古之风，对历史学研究的影响甚大。另外，出生于四川乐至县的谢无量（1884~1964）也是一名四川籍的著名学者，他1901年入南洋公学，清末曾任成都存古学堂监督，于民国时任孙中山先生秘书长和参议长，以及黄埔军校教官等职。以后，谢无量从事教育和学术研究，前后任中国人民大学、东南大学、四川大学等多所大学教授,新中国成立后又任川西博物馆馆长、中央文史馆副馆长。他被称为国学大师、学术大师、诗人和书法家,其研究范围甚广,包括哲学、经学、文学、史学等诸多领域,著作等身,其中有不少是研究哲学的著作,主要有《中国哲学史》《老子哲学》《王充哲学》《朱子学派》《阳明学派》《韩非》《佛学大纲》《中国大文学史》《诗经研究》《楚辞新论》《中国古田制考》《中国妇女文学史》《诗学指南》等。谢无量的《中国哲学史》于1916年出版,比胡适的《中国哲学史大纲》(卷上)早三年问世,尽管不如胡适的《中国哲学史大纲》那样声名远扬,但它是名副其实的中国哲学史学科的开山之作。冯其庸将谢无量的学术著作概括为通、变、用三个字[①],这也是谢无量学术之特征。所谓"通"主要是指精通经史,对西学也有兼攻,且淹博通达,有的著作还接近于通俗,因此通就是精通、通达、通俗之意;所谓"变"是指谢无量的一些著作中鲜明地体现了所研究对象的发展变化或变革的历史脉络;所谓"用"则是指谢无量的学术研究不是为学术而学术,而是具有实际的功用价值。如他在任孙中山先生秘书长和参议长等职所做的革命工作以及宣传新文化运动,宣传平民文学和白话文等均体现了"用"之价值。

近代各种巴蜀书院对人才的培养,尤其是各种报刊和学会对新思想的宣传,四川保路运动和辛亥革命对封建主义、帝国主义的批判斗争等,对巴蜀哲学思想的孕育和发展起到了积极的推进作用,同时也标志着巴蜀近代哲学学术思想的复兴。在近代各种巴蜀书院中,尊经书院的开办在四川近代教育史上具有重要的历史意义。该书院于同治十三年(1874)由当时任四川学政的张之洞在四川成都创立,是一所官办书院,由薛焕、张之洞、王闿运、宋育仁等先后任山长(院长)。该书院一改以前时文贴括、研习八股文,不知读书,到毕业时不知《史》《汉》之状况,让学生主要学习儒家经典,培养通经致用的精英人才,而以经学理解西学是尊经书院的一个特色。与此同时,尊经书院对近代蜀学的兴起起到了举足轻重的作用,因为在科举制病入膏肓之际,它"以通经学古课蜀士""绍先哲,起蜀学"以及偏重朴学为学术使命,培养了一大批优秀的蜀学学者,也为近代四川文化的勃兴培育了一批新旧学兼通的人才。如经学家廖平、戊戌六君子之一的杨锐、四川维新领袖宋育仁、"只手打倒孔家店的老英雄"吴虞、京师大学堂副监督骆成骧、保路运动领袖人物蒲殿俊与罗纶、著名

---

① 参见《谢无量文集》第一卷,中国人民大学出版社2011年版,第12页。

民主主义革命家及共和国副主席张澜、老一辈无产阶级革命家吴玉章、著名学者文人吴之英等均出于该书院。

洋务运动未能从根本上改变中国积贫积弱的状况，维新变法、辛亥革命也相继失败，在文化思想上掀起了一股尊孔复古的逆流，为袁世凯复辟帝制推波助澜。复辟与反复辟、革新与保守、侵略与反侵略、中学与西学之间的斗争仍然十分激烈。在政治层面上，中华民族仍处于生死存亡的危机时刻。在思想文化层面上，国人陷入了深度的本体迷茫、价值迷茫、意义迷茫之中。与此同时，这也引起了有识之士的深刻反思，他们逐渐认识到中国不仅在物质、制度层面，而且在文化上也不如西方。中国向何处去，包括政治向何处去、文化向何处去仍然是摆在国人面前的重大的历史问题。回答和解决这些问题无疑具有典型的现代特性。这决定着在思想文化上，由以前儒家思想长期居于统治地位的局面逐渐向现代新思想、新观念形态转型。

五四运动的爆发，带来了一场具有深远历史意义的反帝反封建的斗争，同时引发了一场唤醒国人意识的五四新文化思想运动，国人普遍以开放的心态接纳西方文化，于是各种西方思想纷至沓来，马列主义也被介绍进来，且逐渐得到广泛的传播。五四新文化思想运动带来了百家争鸣、百花齐放的思想大解放，各种思想派别和观点学说如雨后春笋般涌现出来，其中形成了具有举足轻重的三大思潮：保守主义、自由主义、激进主义。保守主义是指以中国传统的思想文化，尤其是以儒家思想为宗，并有选择性地吸取西方思想文化的现代新儒学思潮，又称现代新儒家。自由主义是指西化思潮，它对以三纲五常等为中心的价值观的传统儒学给予了猛烈批判和根本否定，主张全盘西化或充分西化。激进主义是对马克思主义不确切的称呼（这种称呼之所以不确切，是因为马克思主义不是激进主义，而是科学的理论体系）。中国马克思主义者坚信马列主义，且以马克思主义为指导，对中国传统文化和西方资产阶级思想文化采取批判继承的态度。

现代的巴蜀之地不是真空地带，上述的政治思想斗争在巴蜀之地如火如荼地进行着，全国的思想解放运动也在巴蜀大地回荡，各种思潮对巴蜀学人产生了强烈的影响。走出巴蜀，乃至漂洋过海的巴蜀学子的思想观念发生了革命性的变革，他们以热忱的心态接纳了西学思想和马克思主义，有的积极参加革命斗争，有的在学术思想上取得了突出的成就，有的甚至成为全国乃至世界都有影响的著名哲学家。如出生和成长于巴蜀之地的贺麟和唐君毅先生均是学贯中西的著名哲学家。

当时中国主要的学术思想也几乎都在巴蜀哲学思想中反映出来。一是就马列主义学习与传播来讲，在五四运动的推动之下，1919年夏天，从日本留学归来的王右木在成都成立了马克思读书会，于是马列主义开始在巴蜀传播。此后，创办了宣传、学习马列主义的刊物，在巴蜀各地建立了共产党的组织，马克思主义在巴蜀大地逐渐深入人心。马列主义者郭沫若运用马列主义思想对先秦诸子哲学思想进行考察批判，并且运用辩证唯物论、历史唯物论的方法研究历史、文学、戏剧等，取得了丰硕的成果。二是在对传统儒学的批判方面，巴蜀也不乏其人，吴虞就是"只手打倒孔家店的老英雄"。三是在西学思想的学习研究和吸取方面，更是有留学海外的贺麟、张颐和唐君毅等先生。

以上这些彰显出巴蜀哲学思想的近现代转型。一是在政治哲学上，由以前的具有封建制度核心价值意义的"三纲"向民主、自由思想的转变。如邹容的民主革命思想、吴虞对儒家"三纲"论的批判，以及几乎所有的巴蜀现代哲学家或思想家对西方的民主、自由、科学等思想的信仰和传播。不仅如此，杨锐、宋育仁、邹容、郭沫若等还亲身参加反对和改革封建制度的斗争。二是在哲学体系方面，贺麟、唐君毅为了改变中国传统哲学中本体论薄弱的状况，借鉴西方近现代本体论哲学思想，建构起了唯心主义的哲学思想体系。三是在认识论上，贺麟、唐君毅在考量和继承中国传统认识论基础上，借鉴西方认识论思想，形成了具有开拓创新特性的近现代认识论。四是在伦理道德方面，郭沫若等宣传以人民利益至上，以集体利益、国家利益、社会利益为首位的马克思主义伦理道德观。五是在思想工具方面，巴蜀哲学家以西方近现代哲学思想和马克思主义理论对中国传统哲学思想进行批判、研究。如吴虞批判孔孟之道运用的是西方近现代资产阶级的民主、自由、法律等思想，郭沫若研究先秦诸子和蒙文通中年以后研究宋明理学所运用的指导思想均是马克思主义。

巴蜀近现代哲学思想转型期，也就是中国传统哲学思想和近现代哲学思想的彼此斗争和相互交织、融合的时期。其对立斗争是双向的，即既有运用近现代哲学思想，包括马克思主义批判中国传统的哲学思想，又有运用中国传统思想批判近现代的西方哲学思想。具体表现为吴虞运用西方思想批判孔孟之道，郭沫若运用马列主义批判道、墨、法三家思想等。与此同时，主张中国文化本位论的唐君毅先生，以中国传统儒家的心性仁学批判西方以经济利益和自然科学至上的思想。在巴蜀近现代哲学家的批判和研究中，体现出中国传统思想和近现代思想的交织、融合，或者说二者之间有着相互贯通、彼此为用的关系。如郭沫若运用马克思主义和西方思想批判道家、法家和墨家，但又对先秦孔孟的儒家思想给予了充分的价值认定。又如吴虞运用西方资产阶级思想批判孔孟之道，但是又同样运用西方思想去论证法家思想的合理性。另外，贺麟在文化哲学观上，不仅有选择性地批判西学，同时还主张复兴中国文化必须学习西方的近现代科学、民主等先进思想，特别是提出了复兴儒家文化，必须与西方文化融通，主张大规模地、无选择地输入西洋文化学术，以西方的哲学发挥儒家的理学，以基督教的精华充实儒家的礼教，以西洋的艺术发扬儒家的诗教。

就整体而言，巴蜀近现代哲学思想是中国近现代哲学的重要组成部分。其产生、发展与全国近现代哲学的产生与发展是基本同步的。其主要表现于：除实证论之外，几乎所有的中国近现代思想，包括维新变法哲学观、民主革命的政治哲学思想、马列主义哲学、新儒家哲学，以及对孔孟之道的批判，对西方哲学，特别是对黑格尔哲学、新黑格尔主义、康德哲学等的批判吸取等，无不在巴蜀哲学家或思想家那里体现出来。出现这种状况的原因是多方面的，第一，近现代巴蜀地区同全国大多数地区一样，有着半殖民地半封建社会和受外敌侵略掠夺的历史背景；第二，巴蜀之地经历着与全国一样的维新变法、辛亥革命、新民主主义革命的洗礼；第三，出生在巴蜀之地的大多数哲学家或思想家都到我国思想文化发达的地区，有的甚至漂洋过海，从而接受了新的哲学观，掌握了新的研究方法，开阔了哲学研究的视野。这样，巴蜀哲学思想的产生、发展与全国基本同步就在情理之中。

与此同时，巴蜀近现代哲学思想还有自己的特质。主要表现于以下几点：

一是继承古代蜀学学术的传统，且予以发扬光大。古代蜀学学术有以儒教为主，会通儒释道三教及刘咸炘所说"崇实，玄而不虚"等特点，巴蜀近现代哲学研究继承了这一特点，这主要表现在刘咸炘、谢无量、贺麟、唐君毅等人的学术研究无不贯通着儒释道三教之思想，而且在中西文化碰撞的新的历史条件下，有的哲学家将蜀学会通三教的特性发扬光大，开创出中西会通，以吸取西学的优长丰富发展中学的新的学风。而且，与古代蜀学一样，现代巴蜀一些哲学家或思想家也主要崇尚和继承中国传统儒学，这以贺麟、唐君毅为代表，贺麟和唐君毅由此成为现代新儒家人物。另外，还有四川双流的刘咸炘，他学术思想上宗儒道两家，但同样认为他自己的学术思想属于儒家一派，只是把道家思想当作一种方法或工具而已。与此同时，巴蜀近现代思想家将自己的学术研究同现实的政治革新、文化发展、国家的前途命运有机地结合起来研究，充分体现着蜀学之崇实与玄而不虚的特性。

巴蜀近现代思想家还继承了古代蜀学重经学，而又勇于创新，突破旧说之传统。廖平是全国著名的经学大师，刘咸炘、蒙文通等人也有非常深厚的经学功底，对经学有着较深的研究。廖平创造性地研究经学，其经学思想之六变表现了他对经学的各种不同的理解，尤其是他的第一变以礼制平分今古和第二变尊今抑古更是体现了其对经学研究鲜明的超越性特色。刘咸炘崇奉章学诚"六经皆史"的思想，且以常道释经，认为六经中所蕴涵的大道具有永恒性，而且六经是一种价值之学，所以对时下之社会具有价值。蒙文通既继承廖平，又提出诸如"汉代经学乃会通百家，终其旨要于儒家而创立的新儒学"等新见解。

二是黑格尔哲学、新黑格尔主义研究成就突出。在这方面，贺麟先生是黑格尔哲学和新黑格尔主义研究大家；唐君毅先生也是研究黑格尔哲学至深的哲学家。此外，张颐对黑格尔伦理学有着独到的研究。

三是现代新儒家思想凸显。中国现代新儒家主要人物有梁漱溟、熊十力、冯友兰、贺麟、唐君毅、牟宗三、徐复观、方东美等，其中巴蜀出生的就有贺麟、唐君毅两人，他们都建立了自己的现代新儒学体系。

四是批判孔孟之道方面涌现出了在全国有较大影响的学者。这就是吴虞先生。我们暂且不评论这种批判的价值。当时全国对孔孟之道批判最为激烈的除胡适、陈独秀外，再就是巴蜀的吴虞。胡适称他是"只手打倒孔家店的老英雄"。

但是，与全国近现代整体哲学相比较，巴蜀近现代哲学思想尚有不足之处。如有的学者虽然对中国传统哲学或经学思想有着较深的研究，但对西方哲学思想接触和了解甚少。廖平、蒙文通、刘咸炘便属此类。廖平是经学大师，但是对西学思想只有零星的了解；蒙文通是国学大师，但其哲学思想研究主要局限于先秦儒家哲学思想和宋明理学的范围；刘咸炘也称得上是国学大师，但对西方哲学思想了解也非常有限，虽然其研究范围较广，且不乏新的见解，但中年早逝，尚谈不上建立一个哲学体系。近现代巴蜀一些思想家对西方哲学思想接触少和未能建立起一个内容丰富的哲学体系，主要在于他们几乎终生活动在政治、经济、文化等发展相对滞后的巴蜀之地，其次与他们无此方面的知识结构、无此方面的浓厚的学术志趣等亦有着密切的关联。

巴蜀近现代哲学思想的发展是一个先经学哲学，再政治哲学，后理论哲学（凸显哲学的学术性）的过程，但这是就其内在逻辑或发展规律而言，并不否认各个阶段中的某些思想或理论有经学哲学、政治哲学、理论哲学之间的交叉性。经学研究的代表人物是廖平。他既是巴蜀地区，又是全国范围内近代经学研究的典型代表。其经学研究经过"六变"之后，其经学思想越变越无前途，这标志着旧时代经学的终结。紧接着，在巴蜀地区出现了变法维新和旧民主主义革命的政治哲学思想的代表人物杨锐、宋育仁、邹容等，他们提出了并且实践着变法维新思想和资产阶级的旧民主主义革命思想。此后，吴虞对孔孟之道的批判及郭沫若对孔子思想的批判虽然具有思想文化的属性，但又无不具有浓厚的政治色彩。再后来，蒙文通、贺麟、唐君毅的哲学思想同政治有一定的瓜葛，但是他们的哲学思想无疑有着非常强的学术性，包括理论性、方法论、逻辑性、说理性等均十分凸显，而且其思想理论愈来愈丰富，愈来愈具有开拓性和创新性。

本来，巴蜀近现代哲学思想中包括原四川籍的无产阶级革命家的哲学思想，特别是无产阶级革命家、我国改革开放的总设计师邓小平的哲学思想既是对马克思主义哲学的继承，更是在我国新的历史条件下的开拓创新，从而丰富和发展了马克思主义哲学。但是，他们的哲学思想主要不是地域性的，更具有整个中华民族的特性，邓小平哲学思想更是全党智慧的结晶，所以我们不将他们的哲学思想放在本章论述。

巴蜀各个少数民族都有自己或多或少的哲学思想，它们是巴蜀哲学中不可或缺的组成部分，共同构建了多元一体的巴蜀哲学，以显示出巴蜀哲学思想的丰富多样性。而且各民族哲学既有其个性，体现了本民族个性化的风格，亦有其体现各民族哲学本质的共性，即探索人类爱智和抽象思维的共同本质。相对而言，四川藏族和彝族的哲学思想较为丰富，尤其是藏族哲学中的藏传佛教哲学思想不仅学理高深，而且自成系统。本书所阐述和研究的主要是藏族和彝族传统的哲学思想。

第一节 巴蜀近代经学哲学与政治哲学思想

贫穷落后的近代中国，遭受到帝国主义的侵略蹂躏，社会严重动荡，贫困大众处于水深火热之中，中国传统文化开始受到西学的冲击，在中国封建社会长期居于统治地位的儒学也已风雨飘摇。但是，国人并不甘心于落后挨打的局势长期下去，他们奋发图强，振兴中华。儒学的信奉者也殚精竭虑地捍卫儒学,力图保住其主流文化的地位。这必然要在学术研究和思想文化上反映出来。巴蜀的经学家廖平终身从事儒家经学的研究,产生经学六变之论,神话孔子,抬高儒学的地位,提出消极遁世的思想等,这些无不是对儒学的统治地位在近代开始摇摇欲坠和社会历史变迁的反映。维新派人士为了国家强盛,在思想上提倡变法维新,掀起了一场资产阶级的改良运动。巴蜀之地的宋育仁(四川自贡人)、杨锐(四川绵竹人)等具有强烈的爱国主义思想,是维新变法思想的提倡者和实践者。宋育仁运用儒家传统的变易观呼吁变法维新,认为在当时历史条件下的变法维新,是因时制宜的必然选择,而变法维新的准则是"善",即"公理"。在中国的善或公理就是传统儒家的六经。同时,他竭力推崇西方的议会制,试图用改良的手段在中国推行"君民共主"的议会制,而且制定了托古改制的蓝图,参加维新变法的实践。为了维新变法,杨锐更是义无反顾,视死如归,为变法事业献出了自己年轻而宝贵的生命。实践证明,维新变法是注定要失败的。此路不通,于是由变法转向革命。为此,出生于巴蜀的邹容,大量宣传和系统阐发资产阶级民主革命思想,发展了孙中山提出的资产阶级革命理论,成为中国旧民主主义革命的思想家和宣传家。受篇幅所限,下面仅仅探析廖平和邹容的有关思想。

一、廖平经学及其哲学思想

廖平(1852~1932),字季平,号四译,晚年更号为六译,近代著名经学家和思想家,四川井研县人。光绪五年(1879)中举,光绪十五年中进士。光绪二年,入四川尊经书院学习,曾受到四川尊经书院创始人、时任四川学政的张之洞的赏识和提携,师承四川尊经书院山长、近代著名学者王闿运。1887~1897年任成都尊经书院襄校,先后主讲四川井研来凤书院、嘉定书院、资州艺风书院、安岳凤山书院等。辛亥革命之后,任四川军政府枢密院院长、成都国学专门学校校长,且兼任华西大学、成都高师等校教授。

廖平幼时钝而好学,困而求知,在学术上走的是一条矢志经学之路,即使在艰难时期也从未放弃。除经学之外,对医学也颇有研究。生平著述丰硕,计一百一十八种。他治经学的最大成就是他的经学六变思想,他也因此成为中国近代相当有影响的著名学者,甚至对康有为的托古改制思想也产生了一定的影响。

(一)经学六变思想

经学是训解、阐发儒家经书的学问,分为今文经学和古文经学。前者是研究儒家今文经籍的流派，后者是研究儒家古文经籍的流派。所谓经学六变，是指廖平经学思想的六次变化，而每一次变化都有相应的著述问世。他的经学六变，不仅仅是经学思想的复杂变化，而且蕴含着深刻的哲学观念的转变。

1. 平分今古

这是廖平经学六变的第一变。这一变不是变他自己的思想，变的是自东汉郑玄以来，在经学史上一直占统治地位的"混合今古"的经学传统思想。本来在经学上今文经和古文经两个派别是分明的，各有其家法，但是自郑玄以今注古以来，便使今古相混，后人难以弄清二者的本来面目。

为了纠正今古相混的问题，廖平提出了平分今古的观点。所谓平分今古是指划清今文经学和古文经学的界限，并且以平等的眼光看待它们。那么他是如何平分今古的呢？为此，我们首先要弄清楚廖平划分今文经和古文经的标准。他所提出的划分标准就是他于1886年所著的《今古学考》中提出的制度标准。以制度为标准是廖平在经学史上的创新。

有了这一标准，于是廖平就以此分出今文经学和古文经学派别。在廖平看来，孔子早年是遵从周朝礼制的，但在晚年创作《王制》。①《王制》是"所谓继周之王也……《王制》改周制，皆以救文胜之弊，因其偏胜，知其救药也"②。在建国立官方面，《王制》多用殷制。由此可见，孔子作《王制》是为了托古改制。因为周制积弊甚多，继周改制是为了救弊，但是又不改其"仪礼节目与一切琐细威仪"。今文经学就是以《王制》中所言礼制为划分标准的。正如他本人所说："群经之中，古多于今，然所以能定其为今学派者，全据《王制》为断。"③准确地说，凡言礼制以《王制》为主就是今文经学。凡经学皆祖《王制》之礼制，万变不离宗。

那么古文经学又是以什么为划分标准的呢？这就是廖平所说的"古学主《周礼》，隐与今学为敌"④。也就是说，古文经学是以《周礼》所言礼制为划分标准的。古文经学所言礼制是以《周礼》为宗，所有的古文经学的典籍和

---

① 《王制》为《礼记》篇名，比较系统地记述了诸如封国、朝觐、爵禄、刑政、丧葬、狩猎、学校等典章制度。廖平认为《礼记》为孔子所作。
② 廖平：《今古学考》卷下，李耀仙主编：《廖平选集》上，巴蜀书社1998年版（下引版本同此），第70页。
③ 《今古学考》卷下，《廖平选集》上，第70页。
④ 《今古学考》卷下，《廖平选集》上，第69页。

学派均出于《周礼》。

平分今古的思想不仅纠正了今古相混之说，而且还批驳和否定了此前以是否立于学官、文字的不同、师说的不同划分今文经学和古文经学的观点。平分今古是经学史上首次提出的观点，具有独创性，并且给今文经学和古文经学以平等的地位，因而有着客观特性而不持有主观之偏见。

2. 尊今抑古

这是廖平经学思想的第二变。所谓"尊今"就是尊今文经，"抑古"就是压制古文经。其代表作是他于1888年所著的《知圣篇》和《辟刘篇》。其中《知圣篇》的主要内容是尊今，《辟刘篇》（后经修改而成《古学考》）的主要内容则是抑古。在廖平看来，今文经均为孔子受命于托古改制而作，并且孔子所著各经之微言大义，可传于后世。所谓托古，就是托于先王，"以取征信"。廖平盛赞和拔高孔子，如他在《知圣篇》说孔子"存空言于六经，托之帝王，为复古反本之说"①。这就把儒家之六经统统说成是孔子所著。他不仅把孔子看成是生而知之者，而且称他是圣人、素王。孔子之所以为圣为王，是因为他制作"六经"，在"六经"中改制度，从而为帝王立制度，并且改立制度只能是孔子一人。孔子之所以是素王，是因为孔子有王之才德而无王之地位，不能见之实施。

廖平甚至认为孔子之教虽然尚未推及海外，但合于全球，因此可用孔子之教去开化西方，且用孔子之教使世界归于大同。对于释、道两家而言，也要归于孔子所作的《诗经》和《易经》。

由于今文经学是研究孔子所创"六经"的，因此廖平抬高孔子同时也就是提升今文经学的地位。

廖平指出，东汉刘歆以前实无古文经学派，古文经是识古擅长的刘歆用古文伪造而成，属古文经的是臆造而成的《周礼》。此后，古文经学派便以《周礼》为宗。廖平认为真正称得上古文经的，只有《周礼》《古文尚书》和《毛诗》。刘歆为什么要伪造故经？廖平给出的理由有两点：一是学术之目的，即为了攻击、报复今文经学博士。二是政治目的。廖平指出：刘歆的伪经《周礼》是为了迎合王莽篡夺汉室，为王莽新朝制度而作。同时，廖平指出刘歆攻击孔子、今文经学博士有两个手段，一是把"五经"全归周公作，甚至认为

---

① 《知圣篇》，《廖平选集》上，第176页。

《周礼》《仪礼》是周公所订，《尔雅》为周公所作，以此来攻击孔子；二是攻击"五经"皆为不全，以此造成人们怀疑孔子之经不全，博士之本未足，经学杂而不纯，博士缺而不备，以此达到攻孔攻博之目的。

与此同时，廖平认为古文经学所谓治经，完全是一派离经叛道、乱伦败化的胡言乱语。

我们暂且不论廖平经学二变所反映的思想的历史可信度，仅仅就其历史作用而言，正如黄开国教授所说，廖平的抑古思想对后来的疑古辨伪运动有所影响，在某种意义上讲，后来史学界的疑古辨伪运动是廖平抑古之论的继续和发展。不仅如此，更为重要的是，有一些研究者认为，廖平的《辟刘篇》的抑古之论，对康有为的《新学伪经考》的形成起着积极的作用，康有为在《新学伪经考》中通过对古文经学的否定，对整个封建制度予以了批判。李耀仙先生曾指出：廖平在其经学二变时期所著的《辟刘篇》和《知圣篇》两部著作，进行了详细而深入的研究，得出了令人信服的结论，均曾分别给予康有为的《新学伪经考》和《孔子改制考》以强烈的影响。[①]

廖平的经学二变思想是对经学一变的否定，因为它不再是以平等的眼光对待古文经学，而是从根本上否定古文经学，有意识地提出了今文经学独尊论，这也就是尊孔尊经的理论的建立。至此，廖平始终不渝地持守这一理论，是孔子之道的忠实守护者。但是这就难免产生武断臆说。如缺少根据地说《周礼》为刘歆所伪作，西汉古文经的史料为刘歆增加和窜改等。

3. 小统大统

小大统说的提出，是廖平于1898年著《地球新义》开始的，经历了前后七年完成，这一学说又在其《小大学考》《帝国疆域图》等著述中论及。小统、大统不是就制度而言，而是就疆域而言。所谓小统是指王霸之小疆域，大统则是指皇帝之大疆域。小大二统是怎样提出来的？廖平对《礼记·王制》《尚书·禹贡》《周礼·秋官·大行人》《周礼·夏官·大司马》所记述的疆域经过一番比较研究，然后认为《王制》中疆域方三千里，是三王、五伯时的疆域，其面积比五帝时的小，因而是小统；但是《尚书·禹贡》《周礼·秋官·大行人》《周礼·夏官·大司马》等对应的疆域比《王制》为大，所以称

---

① 参见李耀仙：《廖季平的〈古学考〉和康有为的〈新学伪经考〉》一文，李耀仙：《梅堂述儒》，四川大学出版社2005年版。

为大统。如《禹贡》疆域方五千里,《大行人》为五帝时一州之面积,五帝各辖一州,合方一万五千里;《大行人》疆域,九帝分别管辖,各方九千里,合方二万七千里;《大司马》疆域,是九皇的疆域,方三万里。而廖平的"大统",主要是指《大司马》的方三万里疆域。从以上可以看出,小、大之疆域,主要是在《礼记·王制》和《周礼》中所记述,所以小统和大统之分,主要就是以《王制》和《周礼》的疆域而言的。《周礼》属古文经,《王制》则属今文经,《周礼》为大统,《王制》为小统,所以大小统又称古大今小。

廖平的小大统不是就疆域而论疆域,而是就孔子思想的功用的大小范围而论的。也就是说,他将《王制》《周礼》都归于孔子所作,《王制》之小统范围在中国,《周礼》之大统范围是全球,因此孔子之说不仅适用于方三千里领土的中国治法,而且还适用于方三万里的全球治法。正由于此,廖平把《周礼》视为周知天下的大统之经典。廖平指出:周礼"与《王制》一小一大,一内一外,相反相成,各得其所,于经学中开此无疆之世界。此书未出以前,为洪荒之混沌。'小''大'既分,轻清者上浮为天,重浊者下凝为地,而后居中之人物,乃得法天则地,以自成其盛业,孔子乃得为全球之神圣,六艺乃得为宇宙之公言"①。我们由此而推知,廖平小大统思想既是为了把孔学抬高到具有世界意义的地位,又是为了解决当时存在的中西之间的矛盾,在客观上达到了一箭双雕之目的。

在二变中,廖平认为《王制》是孔子所作的真经,而视《周礼》是刘歆所作的伪经,从而把二者绝对对立起来,实际上也就是把古文经学视为与今文经学水火不相容的绝对对立面。但是三变彻底推翻了二变的思想,把《周礼》也看成是真经,也就消解了今古文的对立。

为什么有此根本性的转变?其原因是多方面的,其中有主因和次因之分。主因就是上面提到的为了解决中西之间的矛盾和抬高孔学之地位,次因是出于有恩于他的张之洞的劝说。这可能就是在他《三变记》中所说的"盖有迫之使不得不然者"。康有为的《孔子改制考》的问世受到了廖平二变思想的影响,此书发表后立即受到顽固派的攻击,当时任湖广总督的张之洞著《劝学篇》破斥之,且劝告弟子廖平改变说经方向,于是廖平撰《地球新义》以自批旧说,阐述小大统之论。

---

① 《四益馆经学四变记》,《廖平选集》上,第551页。

4. 人学天学

廖平前三变的共同点是讲今古之学，后三变是讲天人之学。

什么叫天学和人学？廖平指出："'人学'为六合之内，'天学'为六合之外。"①孔经中小统、大统所讲的是人类社会之事，这属于六合之内的人学，孔经中还讲六合之外的天学。这就是人学与天学之分界。

廖平四变思想是于1905至1912年逐渐形成的。中国古代哪些典籍是讲天学和人学的呢？廖平认为就经而言，《尚书》《春秋》为人学二经，其中《尚书》言帝皇，《春秋》言王霸，而就制度而言，《周礼》《王制》就是讲皇帝王霸制度的。此外，《礼记》中的《大学》专讲人学，《黄帝内经》也有人学的内容。专讲天学的也有二经，即《诗》和《易》，《诗》为天学中的神游学，《易》为形游学。此外，廖平视《礼记》的《中庸》是专言天学的，把《黄帝内经》《山海经》《楚辞》等也包括在天学范畴，甚至认为道家诸书，道教、佛教之书也无不是讲天学的。这样，孔学中的天人之学的典籍就成了一个庞大的集群。

那么，人学和天学的各自的主要内容是什么呢？廖平所讲的人学主要就是指人类社会之中的政治统治、政治制度及治国平天下的理论、伦理道德等，天学主要是讲鬼怪神灵。前者是人之学，后者是神学。人天之分，是人神隔绝。人学言道、诚、德、圣，其中最高境界是圣人，所谓"以圣人为止境"。天学言神游、形游，所谓周游六漠，魂梦飞身，或轻身飞举，游于六合之外、无何有之乡和游于尘垢之外。人学的最高境界是圣人，进一步便可以升华为天的境界，天学世界中都是境界极高之人，称之为至人、神人、化人、真人等。人神隔绝，但二者还能相应，所谓"天之所有，下应于地，故上下相同"②。廖平运用西方进化论推导，通过由人至天的次第，人类可以升天成佛，即他所说的"将来世界进化，与众生皆佛，人人辟谷飞身，无思无虑"③。但是这要经过数千万年的历史进程才能实现。由此可见，其天学理论在很大程度上是主观臆说。

---

① 《四益馆经学四变记》，《廖平选集》上，第553页。
② 《四益馆经学四变记》，《廖平选集》上，第556页。
③ 《四益馆经学四变记》，《廖平选集》上，第557页。

5. 融合天人大小

这是廖平1913至1918年经学五变思想。此变是四变思想的深化和发展,并且还重新提出了中国的文字——六书——是孔子所造的观点。

五变中廖平非常强调经史的区分,认为六艺均为孔子所作的新经而非旧史,孔子之"新经"具有普遍性的意义,不仅适用于过去,而且适用于现在和将来,而旧史不具有普遍的指导价值,这被廖平弟子黄熔称为"刍狗陈迹"。

在肯定孔子之经的基础上,把孔子之六经分为天学和人学两大部分。

廖平认为人学和天学各有其代表性的典籍,这些典籍就是孔子之六经。人学和天学各有其中的三经,人学三经是《礼经》《书经》《春秋》,天学三经是《诗》《易》《乐》。

人学之三经无不是讲人类社会之事,其中《礼经》"乃修身、齐家事,为治平根本"[①]。《春秋》是"王霸之学,以仁义为主"[②],而《王制》为其传。《春秋》又是人学之小标本(小统),儒家、名家和法家主之。《书经》是"平天下学。地方三万里,与《春秋》比较则为大。全球正名天下"[③],以道德为本,因此它是人学之大标本(大统),是统全球的皇帝学,道家、阴阳家主之,《周礼》为之传。

同时,廖平认为《周礼》与《书经》一样,也是属于皇帝学,而统全球的皇帝学就是"大同"之学。但是当今世界各国相互交流往来,列强角逐,中国遭到侵略蹂躏,无所谓"大同"可言,但是廖平坚信,"《春秋》'王学',中国行之也著成效;《书经》'皇学',将来施行于天下,亦必令如流水,造车合辙。大略润泽,是在后圣。此天生至圣,所以为天下后世也"[④]。

人学和天学有着共同之处,这就是"皆以修身为基础"。但是廖平主要指出的是二者的区别:"'人学'主行,'天学'主知。"[⑤]行是人存与政举,同时在明辨笃行,在愚柔必奋。总之,人学务在先行于世。人学的境界依次为贤人、圣人。而天学则在于知上天之理,其境界分为至人、化人、真人。

根据上述人学和天学的先后次序,人学的《春秋》《书经》等用于今时,

---

① 《五变记》,《廖平选集》上,第559页。
② 《五变记》,《廖平选集》上,第563页。
③ 《五变记》,《廖平选集》上,第565页。
④ 《五变记》,《廖平选集》上,第580页。
⑤ 《五变记》,《廖平选集》上,第590页。

天学的《诗》《易》待后世之用，待天学实行之时，人人可以飞升，人人可以成佛。

6. 以《内经》解说《诗》《易》天学

廖平六变思想是于1919至1932年完成的。这主要通过廖平这一时期的《诗经经释》《易经经释》和其门人柏毓东所作的《六变记》反映出来。

六变的旨趣在于用《黄帝内经》的五运六气解释和发挥《诗》和《易》之天学。所谓五运是指金木水火土，六气即风湿热火燥寒。五运属地，六气属天，而五运六气理论是把天地的自然变化与人的生理、病理之变化看作是有机联系的，表明天人是合一的，在学理上融通了天学和人学。

廖平为什么有经学六变？在西学严重冲击孔学的历史条件下，他作为孔学的忠实护卫者，要尊孔保孔，崇圣宗经，又要被迫适应时代的剧变，于是不断改变其学说。也就是说，经学六变，是他既要尊孔卫孔，又要适应不断变化的新形势的需要的内在矛盾的反映。为了建立无所不包的孔学体系，难免有不少牵强附会之处，甚至不顾歪曲历史事实，邪说也由此而生。

学界对于廖平经学思想给予了评价，以各自的标准指出了它的利弊得失，人们普遍对其前三变思想有所肯定，尤其对一变、二变思想肯定最多。如称一变是独创以礼制分辨古今，解决了如何区分今文经学和古文经学这个两千年来悬而未决的重大问题，二变的尊今抑古在学术上有独特之贡献，且有益于解放被封建经义束缚的中国近代知识分子，并且其托古改制论，启悟了康有为《新学伪经考》的成书和后来的疑古辨伪运动。不仅如此，对于改革当时现状，启迪变法维新运动等也有着积极的意义。但也有人认为三变的讳言改制与改说疆域，是一个倒退。

对于后三变，学界基本上是持批评、否定的态度，说它是远离实据、好为臆度、混同仙佛、流于荒诞的天人之学。此外，有的学者还指出廖平经学思想建立了孔圣独尊的经学一统，并且把孔子和孔经抬高到了无以复加的地步，这不仅没有达到尊孔尊经之目的，反而表明这只不过是尊孔尊经的一次哀鸣而已。① 廖平的经学理论把古今中西的各种学说统统纳入自己的经学理论之中，

---

① 参见李耀仙：《梅堂述儒》，四川大学出版社2005年版，第372~380页；黄开国：《国学与巴蜀哲学》，巴蜀书社2008年版，第293~302页；贾顺先、戴大禄：《四川思想家》，巴蜀书社1988年版，第535~542页。

并且从其经学六变的状况看,其经学思想越变越暗淡,直至无可再变,从而标志着旧时代经学的终结。

对于廖平的经学思想,我们基本上同意学界的普遍看法。要对廖平经学思想中包含着的对封建主义批判的积极因素予以充分肯定;他在经学二变中提出"尊今抑古"的思想,而且认为古文经是刘歆等人的伪造,托古改制是孔子"微言大义"的真谛,这不仅有着不可否认的学术价值,还有着因时救弊的政治意义,而且其政治意义要大于它的学术价值。古文经是中国一些封建王朝,包括清王朝专制统治的重要理论基础,一旦被廖平宣布为伪造,就有打破无人敢疑、无人敢违的两千年来的旧传统,把人们的思想从禁锢中解放出来的思想启蒙的积极意义。但是,还有待进一步对后三变的思想进行辩证分析,既要看到上述流弊,又要把握其人学中道德论、境界论中的合理成分,以及天学中五气、六运、天人合一思想中的积极因素。

(二)宇宙观与天人哲学

什么是哲学?对此廖平有自己的界定。廖平在《孔经哲学发微》中指出:哲学一词,发表于东瀛(日本),是讲哲理而与事实相反,"唯孔子空言垂教,俟圣知天,全属思想,并无成事,乃克副此名词。如中外诸学人,木已成舟,皆不洽此名义,故书名《孔经哲理》,示非史法"①。在这里,廖平所说的孔经哲学之内涵是指不着具体事物,仅仅空言思想的理论。可以肯定,有的"空言思想"中有哲学思想,但并非所有"空言思想"都是哲学,因此廖平显然是把哲学的内涵夸大了。因为就思想而论,仅仅对思想进行反思才是哲学。从马克思主义哲学看来,哲学是理论化的世界观。但是,这并不表明说廖平没有世界观,实际上在他的经学理论中透显出自己不少的哲学思想。

1. 宇宙观

廖平在《孔经哲学发微》中有"地球成住毁三劫九十年命运表",此表所言地球是指整个宇宙,因为它不仅讲地球的长度,而且还以佛教的大千世界论地球,这大千世界实际上就是整个宇宙。这样,地球可以说是整个宇宙的缩影。因此廖平把此表的标题名为宇宙观。其主要内容如下:

第一,宇宙是有限的。因为廖平认为宇宙在空间上是可以用数量计算的,即使在大千世界中,其空间范围也只是三千万里。但是,在我们看来,可以计

---

① 《孔经哲学发微》,《廖平选集》上,第299页。

算的空间是自然科学的空间概念，而不是哲学的空间理论。哲学之空间不是可计算的具体的空间，而是对空间的无限性和有限与无限的空间关系作阐释的理论。

第二，宇宙中有两个世界。一个是人的世界，一个是鬼神的世界。鬼神之世界是地球之天堂，是神仙往来之天仙世界，并且上有各种星辰，所以关于鬼神世界的学问是鬼神学和星辰学。天仙世界的星辰是客观存在的，而鬼神却是廖平捏造出来的。廖平相信谶纬之学，且以谶纬解经，这里又讲鬼神世界，这无疑是其谶纬思想在宇宙观上的表现。

第三，宇宙是一个不断变化的过程，即宇宙是由无到有，由低级向高级发展的。原本无宇宙可言，是空无一物的"空虚"，发展到一定的阶段就产生了地，这是由细微的物质"微尘"凝聚而成。地产生出来之后，便由小逐渐变大，再由大变为小，以至于毁灭，而成"空"，这时动植物灭绝，人死而化。整个过程就是廖平所说的成住毁三劫。这是合乎宇宙辩证发展思想的。

第四，宇宙是由物质微粒所构成的。这是廖平借用的佛教宇宙论的观点。正如他所说"初本虚空，由微尘所积而为地，如人之胚胎"①。这具有唯物论的倾向。

第五，宇宙万物的本质是空。在宇宙万物的本质和现象的关系上，廖平借用的是佛教的"色即是空""空即是色"的观点。所谓色就是物质或物质性的事物，空是指宇宙中万事万物（包括物质性事物）的空性。空性是万事万物或世界的本质。这个本质是与现象而言的。也就是说，佛教把宇宙中的万事万物视为虚幻不实的现象，而空性才是其本质。为什么是空性的呢？因为万事万物是缘起的，缘起就是因缘和合而生，是无自性的，无自性就是空。廖平宇宙万物本质空的观点，不是他的独到之见，而是对佛教本质观的赞同或转述而已。

2. 天人关系论

第一，天人相分。在人类认识史上，凡讲天人关系实质上就是讲人与自然的关系。人的广义就是人类社会，即廖平所说的是指人类社会之事，或在讲"六合之内"之事，其学问就是人学。自然是讲"六合之外"的事，即宇宙太空之事，其学为天学。可见天人的界限是分明的。廖平认为道、佛两家均言天学，而没有将天人统一，只有孔学讲人天一统。

在廖平看来，人天有着不同的内容规定，人类社会有皇帝王霸等位，有

---

① 《孔经哲学发微》，《廖平选集》上，第380页。

格物、致知、修身、齐家、治平之理，有制度与仁义礼等道德，而天没有人类或社会的制度、道德规范。天包括地球、日月星辰，其中有至人、真人、神人等神仙。不仅如此，人学与天学还有一个区别，即人学力行，天学主知。所谓行，不是指改造自然的物质性的实践活动，而是道德践履，或道德修养，其达到的最高境界是圣人。廖平所讲之知，就是思辨哲理之思，就是"致知""意诚"，这是人的精神领域。它虽然高明，但是不能为人所实践。人天是有次序的，人学之行在先，天学之知在后，宋儒讲先知而后行，颠倒了二者的先后关系。人的精神灵魂遨游于六合之外，称为神游。除此之外，还有形游，可以自由地上天入地，乘云御风。只有在数千万年之后，人学尽，天学方能实行，也才能达到天学的境界。这含有主观幻想的成分，且最后归于至虚妄之心体，同时也反映了作为知识分子的廖平，面对中华民族处于内忧外患的深重灾难之中，却看不到美好前景的消极的心理状态。现实生活中虽然没有希望，但可以向往精神领域的自由，追求自己的社会理想。

第二，天人合一。廖平认为天人之分是相对的，二者不仅有分，而且有相合之处，而孔学实现了人天之一统。

一是天人有共同的物质基础。廖平在六变之中讲五运、六气，认为大小天地均由五运、六气所构成，且归之于五行与阴阳，同时它们都受到阴阳、五运、六气等运行规律的支配。这是廖平关于天人共同的物质基础和运动规律的思想，具有朴素唯物论的性质。

二是天人之交。廖平明确提出"人天之交"①论。他指出《中庸》的"诚者，天之道；诚之者，人之道"，这是讲天人之相分。但是"'诚意'由人企天，为天人之交"②。这就是说，通过人之"诚意"去契合天之"诚"，从而实现天人之交。这又是如何可能的呢？按照儒家思想来讲，"诚"是指真实而无妄，"意"是指心之所发。"诚"是天道之本质，是世界万物得以存在的根据，所以子思在《中庸》中说："诚者，天之道。"人若经过道德修养，在内心中达到诚之境界，就是诚其意，即毋自欺，从而做到了诚。这就是所谓"诚之"，即人之道。天道是"诚"，人道是"诚之"，于是就实现天人之交。

廖平还指出，天人之交还表现为天人感通。《黄帝内经·灵·素》就讲人

---

① 《孔经哲学发微》，《廖平选集》上，第371页。
② 《孔经哲学发微》，《廖平选集》上，第332页。

之形气与天是感通的。天人之感通，这就是《列》《庄》所讲的"天和""天倪"之旨。

三是人可以升天。廖平的天之境界不是排斥人的，有形体的人可以飞跃于天，以形游六合之外，人通过修养可以在精神上达到天之境界，从而神游于六合之外。人升上天之后，方成为至人、真人、化人、神人等。这是廖平为人们开启的一条进入天国之路。廖平认为孔子的修养程度是相当高的，已经达到了至人之境界。

四是天地人相和而乐。廖平引用《庄子·天道篇》人和、天和谓之和的论说来讲天人之和，并且引用了《乐记》中如何实现天地之和而达到乐的论说："地气上齐（上升之意），天气下降。阴阳相摩，天地相荡。鼓之以雷霆，奋之以风雨，动之以四时，煖之以日月，而百化兴焉。如此，则乐者，天地之和。"什么是天乐？天乐就是《庄子·天道》所说的"虚静推于天地，通于万物"。在此基础上，廖平提出与天地合德，与日月合明，与四时合序，这样方能"喜怒哀乐与穆清之气相感应"。如何才能实现这一点呢？这就是人要"直养浩气，充塞宇内，虚静恬淡，寂寞无为"①。这样就可以无己无我，虚以待物，与天地同于一体，实现人天之和乐。

3. 社会进化观

廖平运用西方近代的进化论来谈人类社会发展的历史进程，认为社会是"先野蛮而后文明"②。人之所以成为人，就在于有礼，礼是判别人与禽兽的标准。无礼者，就是禽兽，就是庶人，就是野人。他还列出了进化七等表，其排列次序是禽兽、野人、众庶、都邑之士、大夫及学士、诸侯、天子等。并且指出先野蛮后文明，是"进化公理，人事所必经，天道不能易"③。

廖平认为今胜于古是社会发展的客观规律，"由开辟以至今日，又今日以至千秋万岁，初蛮夷而继文明，日新不已，臻于完美。今之文明远过古人，后来又必远过今日，一定之例也"④。他以辩证的观点对待社会发展中的优劣，认为典章文物后胜于前，但纯朴之风则古胜于今，以今日之文明和古之纯朴并存相行，使二者并行不悖，继之以纯朴，是谓"反朴还纯，至新之中有至旧之

---

① 《五变记》，《廖平选集》上，第606~607页。
② 《孔经哲学发微》，《廖平选集》上，第326页。
③ 《孔经哲学发微》，《廖平选集》上，第323页。
④ 《知圣续篇》，《廖平选集》上，第268页。

义"。但是又不能没有文明,因为文明为纯朴之根。

廖平又认为儒道两家均讲大同,并且指出:"新则至新,旧则至旧。由小康以臻大同,是由春秋以返古之皇帝,疆域最大,风俗最纯。"①可见大同是廖平的社会理想,而他所向往的大同社会是无私而民风纯朴的社会。如何才能归于大同?在他看来只有尽用孔子之道才是唯一的正确之选择。由此可见,廖平无处不在挺立孔子儒学。

从上述中可以看出,廖平哲学思想是零碎而非系统的,且以儒家哲学为主,对道、释哲学思想和西方的进化论多有引用或阐释,几乎没什么创新性。但是其变化发展观和进化论思想,反映了廖平社会进步的观念和对未来理想社会的追求。在宇宙观上的鬼神世界论,天人关系上的升天思想,则是他对现实社会的各种矛盾异常尖锐,中华民族处在深度的灾难之中,又找不到摆脱困境的出路,而同时又要追求自由理想等在思想上的消极反映。

二、邹容的革命思想

邹容(1885~1905),四川巴县(今重庆市)人,生于富商家庭。少年聪慧,六岁入私塾读书,十二岁时读完"四书""五经"及《史记》《汉书》等儒家典籍。十三岁时,在重庆入经学书院,曾拜成都的知名学者吕翼文为师。不久之后,因菲薄尧舜、孔子,攻击清儒学说被该书院除名。尔后,又向日籍教员学习日文和英文,且阅读赫胥黎的《天演论》《时务报》等各种新书新报,接触西方思想文化。清光绪二十七年

邹容的《革命军》

(1901)入上海广方言馆学习英文,接受"新学",赞同变法图强。次年,去日本留学,阅读卢梭的《民约论》、孟德斯鸠的《万法精理》、美国的《独立宣言》、法国资产阶级革命史书籍,深受资产阶级革命思想的影响。同时,参

---

① 《知圣续篇》,《廖平选集》上,第269页。

加中国留日学生的爱国运动,从事反清宣传。因剪除清政府留日学生监督姚文甫的发辫,清政府驻日公使照会日本外务省,要求捉拿问罪,邹容被迫潜回上海,加入由章太炎、蔡元培创办的"爱国学社",后由他倡议创立"中国学生同盟会",从事革命活动,宣传民主思想,并且完成了他在日本东京开始撰写的表达民族民主革命主义思想的檄文——《革命军》。1903年,《革命军》在上海大同书局出版发行之后,邹容被清政府逮捕入狱。在狱中被清政府和帝国主义分子迫害致死,年仅二十岁。

(一)革命思想

1840年鸦片战争以来,中国进入了半殖民地半封建社会,广大人民深受帝国主义、封建主义、官僚资本主义的压迫剥削。清政府腐败无能,弄得民不聊生,国力积弱不振,加之在帝国主义面前卑躬屈膝,割地赔款,使山河破碎,主权丧失,中华民族处在危难之中。有识之士康有为、梁启超、谭嗣同等力图通过变法维新,强我中华,但以失败而告终。必须进行铲除封建制度,推翻清王朝封建统治,击退帝国主义的侵略压迫的民族民主革命,才能使中国独立自主、繁荣富强。邹容是一个极具革命热忱的青年,富有革命的头脑,有着内涵丰富的革命思想和坚定的革命意志,忠诚于革命,自称是"革命军中马前卒"。在宣传革命中,进一步阐发孙中山提出的资产阶级革命思想。在进行革命活动之中坚韧不拔,视死如归,为了革命事业献出了宝贵的年轻生命。

邹容既倡导民主革命,又痛恨西方列强的侵略扩张,主张进行反对帝国主义的民族斗争。在他看来,帝国主义在中国横行霸道,践踏我中华民族,侵犯我国主权,抢夺人民财产,霸占我国土,中华民族面临着灭国之危险,所以我们要自强、勇进,坚决反对帝国主义的侵略行径,绝不做亡国之奴。而中华民族的危难是由腐败无能的清朝政府造成的。因此,他主张"欲御外辱,先清内患",推翻清王朝的统治才是当务之急。

邹容反封建制度,以及他的自由、民主、革命思想集中体现于《革命军》一书中。《革命军》不仅是资产阶级革命思想的宣言书,而且是革命的动员令,具有重大的实践价值和深远的历史意义。

《革命军》对于革命的普遍必然性、革命的原因和宗旨、革命的性质和对象、革命的主要任务等进行了较为全面的阐述和论证。

邹容指出:"革命者,天演之公例也;革命者,世界之公理也;革命者,争存争亡过渡时代之要义也；革命者，顺乎天而应乎人者也。"①这里所言之革命，是指资产阶级性质的革命。天演，即进化。所谓天演之公例，就是说革命是不以任何人的意志为转移的社会历史发展之必然规律。不仅如此，革命还具有"世界之公理"之特质，即革命是全世界各个国家、各个民族都普遍适用的法则，中国也不例外。

不仅如此，革命还是"争存争亡过渡时代之要义"，从而说明革命不是人们的主观臆想，而是由封建制转变为资产阶级民主共和制的时代要求。同时革命还是顺应民心民意的，即邹容所说的"顺乎天而应乎人"。

邹容认为满人（这里应为清朝统治者）犯下了种种罪恶，造成许多社会之弊端。如推行民族歧视政策，导致满汉的不平等：本来汉族人数远远多于满人，但是在参与各级政权为官者满人大大多于汉人，且在官制上抑制汉人；为了防止汉人造反，满人监督汉人；立功受奖满汉不平等；在物质生活待遇上满汉不平等。这必然造成汉人的怨恨之心。又如，汉人无自主权，地位低下：强迫汉人剃头拖辫着"胡服"，视汉人为牛马，汉人成了奴隶，甚至滥杀汉人。再如，在满人的统治下，大兴文字狱等，使知识分子死气沉沉，毫无复仇锐志。与此同时，满族统治者残酷地压迫剥削农民，不顾士兵死活，歧视和盘剥商人；肆意搜刮民脂民膏，骄奢淫逸，铺张浪费；腐败无能，卖国求荣，割地赔款给外国侵略者；等等。

为此，邹容义愤填膺地指出："主人之转卖其奴也，尚问其愿不愿意。今以我之土地送人，并不问之，而私相授受；我同胞亦不与之计之较之，反任之听之。若台湾，若香港，若大连湾，若旅顺，若胶州，若广州湾，于未割让之先，于即割让之后，从未闻有一纸公文，布告天下。"②由此可见，邹容对清政府的卖国行径痛恨之极。

总之，清朝统治者"驱策我，屠杀我，奸淫我，笼络我，虐待我之惨状于我同胞前"③，造成同胞之"不平等""无主性""无种性"。哪还有平等、自由、独立可言？！

这样，我中华民族有灭国灭种之危险。所以，要救亡图存，必须要革命。

---

① 邹容：《革命军》，中华书局1958年版（下引版本同此），第2页。
② 《革命军》，第16页。
③ 《革命军》，第19页。

邹容还号召同胞勇往直前、自强自立进行革命。"天下事不兴则亡，不进则退，不自立则杀，徘徊中立，万无能存于世界之理，我同胞速择焉。"①只有迅速地行动起来，勇往直前，视死如归，才能实现中华民族的复兴。

邹容认为革命就是"以驱除凌辱我之贼满人，压制我之贼满人，屠杀我之贼满人，奸淫我之贼满人"②。这里把整个满族人确定为革命的对象，是缺乏阶级分析的错误观点。中国旧民主主义革命的对象应该是中国的封建势力和在中国搞侵略扩张的外国帝国主义。

邹容指出，革命的任务和目的是扫除阻碍人民天赋权利之恶魔，"以收回我天赋人权，以挽回我有生以来之自由，以获取人人平等幸福"③。这种争人权、民主、自由，集中反映了中国近代资产阶级的民主革命要求。

（二）革命措施与造就革命力量

1. 革命的具体措施

邹容在《革命军》中提出了十九条措施，就民主革命而言，主要包括取消一切服从满州人的义务；推翻满州人建立的清王朝，即推翻专制统治及其君主；建立中央政府；实行议会制和总统制；国人一律平等，天赋的权利不可剥夺，政府若侵犯人民的权利，人民即可进行革命以推翻之；人人有承担国民之义务，忠诚于新建立的共和国等。通过革命建立的国家是资产阶级的共和政体，即建立自由而独立的中华共和国。

2. 以革命教育造就新国民

革命是广大人民的伟大事业，而人民群众是历史的创造者，是取得革命胜利的决定性力量。要充分发挥人民群众的革命的主体力量，离不开宣传群众，教育群众，以提高其革命的自觉性、主动性和创造精神。中国资产阶级革命也是如此。在邹容之前的严复，就已提出"新民德"的口号：开民智，奋民力，和民德。与邹容同时期的章太炎倡导对民众进行主体性的培养，尔后的梁启超提出了"新民说"，陈独秀提出了培养"新青年"，胡适提倡培养国民的自由自主的人格等，其核心思想就是培养国民或青年的资产阶级的自治法律观念，冲破封建道德的束缚，用资产阶级新道德代替之，培养国民具有爱国和社会义

---

① 《革命军》，第20页。
② 《革命军》，第20页。
③ 《革命军》，第20～21页。

务之观念，树立独立、平等、自由的观念和自由自主的人格理想等。邹容也充分认识到通过教育以提高国民的革命素质的极端重要性。

他说：革命与教育并行，革命前和革命后均须教育，有教育则国强，无教育则国亡。西方资产阶级非常重视革命之教育，其教育的宗旨是鼓舞民气，宣战君主，推倒封建专制国家，倡导自由、自治、平等，提高革命者的道德、学识水平等。西方培养和锻造出来像拿破仑、华盛顿这样的"大豪杰"。"今日之中国，固非一华盛顿一拿破仑所克有济也，然必须制造无量无名之华盛顿、拿破仑，其庶乎有济。"[1]为此，邹容提出了通过教育的途径以培养革命者的革命精神、革命的人格理想：一是须知革命是每一个国民之神圣天职，是为了人民大众的利益而非一人一家之私利。二是"当知中国者，中国人之中国也"[2]，意即推翻清之统治，恢复汉民族的一切权利。三是"人人当知平等自由之大义"[3]。也就是说，要树立资产阶级的自由平等之观念，争取天赋的自由、平等、自主之权利，根除奴隶之根性。四是"当知政治法律之观念"[4]。如果无政治之观念，则亡，如果无法律则无自由。五是要养成不屈从任何淫威的独立不羁之精神，养成不惧任何艰难困苦的视死如归之气概，养成具有大敬大爱的为民鞠躬尽瘁的公德等。国民只要具备了这些素质，就是造就了一支庞大的革命队伍，那么革命之胜利就指日可待了。

我们从上文可以看出，不论是革命的必然性、革命的原因、革命对象，还是革命任务和目的、具体措施、造就新国民等，均是以西方资产阶级的理论来分析和阐释的。具体地讲，革命的必然性是以严复翻译介绍到中国来的《天演论》中的进化论思想论证的，如说"革命者，天演之公例也"。对革命原因的分析运用的是西方资产阶级平等、民主、自由自主等理论。因此，邹容指出满人压迫和剥削汉人就是民族上的不平等，强迫、压制就是剥夺了汉人的自由，强迫汉人剃头拖辫、视汉人为牛马，从而使汉人丧失了自主权。既然平等、民主、自由、自主等权利被剥夺了，所以不得不起来革命，而革命就是要革剥夺汉人的平等、独立、自由、自主者的命，也就是满人的命。邹容论证革命的任务和目的运用的是西方资产阶级的天赋人权论，因而他认为革命的任务就是扫

---

[1] 《革命军》，第23页。
[2] 《革命军》，第23页。
[3] 《革命军》，第23页。
[4] 《革命军》，第24页。

除阻碍人民天赋权利实现的恶魔，革命的目的是收回人民本来具有的自由、平等、独立和自主的天赋的权利。争取平等、自由、民主等正是资产阶级民主革命的重要表征，邹容运用西方资产阶级的有关理论来阐释和论证中国当时反对清王朝的封建专制统治，以通过革命获得天赋权利，充分凸显了他的思想的资产阶级民主主义革命的性质。

但是不可否认，邹容革命思想中有着局限性。一是他在论证民族平等的时候，没有（也不可能）运用阶级分析方法去深入到民族内部分析其阶级性。实际上，在阶级社会中，民族是分阶级的，即分为剥削阶级和被剥削阶级两大对抗的阶级。同时也没有把一个民族中的统治者与被统治者区分开来。而在多民族的国家中，每一个民族在一段时期内居于统治地位，但不是此民族中的所有的成员都是统治者，所以要把这个民族中的统治者和被统治者区分开来。正由于此，邹容在革命原因、革命对象等的分析中，把造成当时丧权辱国、各种腐败和罪恶，以及专制、奴役、压迫、剥削等通通归咎为满族人，而不是把它们看成清朝的满族和汉族统治者共同之所为，同时也没有认识到这是清王朝的封建制度之必然。所有这些均是由于邹容所宣传的资产阶级旧民主主义革命的性质和所代表的阶级局限性决定的。

第二节　巴蜀现代思想家对中国传统哲学思想的批判继承与考察

五四运动以来，西方思想被广泛地引了进来，马克思主义得到了广泛的传播，且逐步深入人心。围绕着中国向何处去的历史课题，学术思想界对中国传统文化，特别是儒家文化的价值和意义进行了深入的探讨，有着各自不同的价值认定，由此也决定着文化抉择的不同。这与研究者的阶级立场、指导思想上的差异密切相关。吴虞作为资产阶级民主主义者运用西方资产阶级的民主、自由、法制等思想，对孔孟之道进行了彻底的批判和根本否定，郭沫若则站在无产阶级的立场，以人民大众利益至上为原则，在马克思主义的指导下研究先秦诸子，对孔子思想予以了充分的肯定和褒扬。蒙文通作为国学大师，中年以后服膺列宁哲学，并且运用列宁哲学思想对宋明理学进行研究，得出了与先前不同的研究成果和价值评价。

一、吴虞对孔孟之道的批判

吴虞(1872~1949),四川成都人,1905年留学日本,回国后任成都中学堂教习和《蜀报》主编,又先后任教于北京大学、四川大学、成都大学,曾在北京师范大学、中国大学等校兼课。由于激烈批判孔孟和礼教而在全国名声大振,被赞誉为"蜀中名将""只手打倒孔家店的老英雄"。在政治上由一个改良主义者转变为资产阶级民主主义者。

(一)对孔孟之道的彻底批判

鸦片战争以来,在外国帝国主义的铁蹄之下,中国一步一步地沦为半殖民地半封建社会。中国传统文化在欧风美雨的强大冲击之下败下阵来。有识之士为了祖国的富强,先后开展了洋务运动、戊戌变法运动,革命的先行者孙中山先生又发动了辛亥革命。这些运动或革命都有其一定的历史意义,特别是辛亥革命推翻了清王朝的统治,结束了中国长达两千多年的封建帝制,开启了民主共和的新纪元,但是这些都失败了,国内掀起了一股复辟帝制和立孔教为国教的逆流。几十年革新除旧的斗争终无善果。

在这种历史境遇之下,吴虞洞察到了中国近代以来的时弊,以及由孔孟之道或儒学造成政治的、道德的、文化的种种弊端。如他指出儒家不言功利之弊,在于不能富国强兵,造成国之危亡,阻碍文化之发展等。但是,当时有些人还继续维护孔孟之道,且利用孔孟之道反对新思想和新道德,大肆鼓吹复辟。为了救亡图存和民族的振兴,吴虞对孔孟之道进行了全方位和颠覆性的批判,而他的批判又是以西方资产阶级思想为武器的。

1. 以西方平等观与法治思想批判儒家礼教

中国封建礼教是指中国封建社会政治制度、道德规范和生活方式的统一体,是儒家重要的政治主张和伦理思想。孔子强调"克己复礼为仁",建立起了仁与礼统一的伦理模式,并且主张用礼来规范人们的言行,实质上是以礼来维持社会统治秩序,即礼治。荀子提出"礼者,法之大分"[①],从而赋予礼以法的含义。后来以礼代法成为历代封建统治者所通行的原则。

吴虞对儒家的礼教非常痛恨,因为在他看来,礼教有悖于人伦,是吃人的礼教。主要从以下几个方面进行批判:

---

① 《荀子·劝学》。

第一，用西方资产阶级的平等观批判礼教之等级制。吴虞非常赞赏建立在天赋人权基础上的资产阶级平等观，认为欧美主耶教，重平等、自由、博爱之义，因此可演为君民共主。中国儒家的礼教破坏了人的自然平等的权利，其实质是封建等级制。这个等级制就是君君、臣臣、父父、子子的具有尊卑贵贱特征的等级差别制，吴虞把它叫作"阶级制度"。孔子所主张的尊卑贵贱的等级制度，由天尊地卑演绎到人类社会为君尊臣卑、父尊子卑、夫尊妇卑、官尊民卑。尊卑既严，贵贱遂别，所谓"礼不下庶人，刑不上大夫"；又所谓"王臣公，公臣大夫，大夫臣士，士臣皂，皂臣舆，舆臣隶，隶臣僚，僚臣仆，仆臣台"①。这几无一事不含有阶级之精神意味。

有了等级制，就没有平等可言，"尊卑、贵贱、上下、男女之阶级观念深入人心，故皇帝虽去，而皇帝思想乃遍伏于尊贵长上之脑中，而潜滋暗长。民贵而实不能贵，君轻而实不能轻，视民如草芥，不妨杀之劫之……何则阶级制度既立，专制主义既成，则凡属公平之言论，仅供陋儒依草附木、茶前酒后之谈。"②同时，封建等级制既已确立，虽有公平之言论，也断不能行。再者，儒家所讲的公平之理是极其虚伪的，因为封建等级制是对尊贵长上男子施予恩惠，而不是给卑贱幼下女子应享受之权利。

吴虞分析了封建专制制度通行之原因："再以世界各国通行之宪法、民法、刑法所规定者，比较对勘，于是本孔学而成之制度，其为偏于尊贵、长上、男子之阶级制度耶？其为普及于卑贱、幼下、女子之平等制度耶？"③由此可见，吴虞分析产生封建等级制的根源也是以西方的法律制度为依归的。

儒家等级制观念最核心的是三纲之说。所谓"三纲"就是指君为臣纲，父为子纲，夫为妻纲。三纲以仁义礼智信之五常保证之。吴虞认为三纲起源于孔子，孔子说："君不君，臣不臣，虽有粟不得而食。"又曰："君臣之伦，如之何其废之？"孟子虽略有"民贵君轻"之语，然其辟杨、墨，则以无君者比之禽兽，以君臣、父子、夫妇列为三纲。但是孔孟均未明确讲三纲。三纲始于董仲舒。所以孔子为祸本，董仲舒把孔子的君臣、父子、夫妇的关系推向极致，而帝王师表之，由此造成了中国之祸。

---

① 吴虞：《儒家主张阶级制度之害》，《吴虞集》，四川人民出版社1985年版（下引版本同此），第95页。
② 《对于祀孔问题之我见》，《吴虞集》，第245页。
③ 《对于祀孔问题之我见》，《吴虞集》，第241~242页。

吴虞对孔孟之道不是为批判而批判，而是通过批判构建新思想、新的社会制度和社会秩序。这可叫作不破不立，而立又在破中。因此，儒家的礼教造成不平等，就必须打破这种不平等。吴虞指出："孔二先生的礼教讲到极点，就非杀人吃人不成功，真是残酷极了！"必须进行革命，才能冲破不平等的封建等级制的严重束缚。他大声疾呼："我们不是为君主而生的！不是为圣贤而生的！也不是为纲常礼教而生的！"①我们要通过革命的手段争取平等的权利。

第二，用西方以法治国的思想批判儒家以礼代法。作为日本法政大学毕业生的吴虞，是比较了解西方法律的。他对西方的法治赞赏有加。日本学者青木正儿认为，中国在五四新文化运动时期，陈独秀和吴虞都是批判孔孟之道的急先锋，他们均是从政治学出发，得出孔孟之道不合于现代的结论；但二者的区别在于，"陈氏底议论，由政治学的见解上，加以根据西洋底伦理及宗教之说；吴氏是征于中国古来底文献，而由法制上去论儒教底不适用于新社会"②。由此可见，从法律上批判孔孟之道正是吴虞批判的特点。

在吴虞看来，西方国家是法治之国，其社会是法治社会，凡是政治、经济和文化之事无不以法律为准绳，无论是人道的推行还是公民的自由平等之权利的享受，就有了根本性的保障。但是，在两千多年的中国封建社会，儒家重德治主义，不重法治。"儒家皆重德治主义，故子产铸刑书，孔子伤之曰：'导之以德，齐之以礼，有耻且格；导之以政，齐之以刑，民免而无耻。礼乐不兴，则刑罚不中。'此儒家主德礼与礼乐而不贵法治之证也。"③但是，如果一个社会纯粹没有法的规治，人们的行为就没有了控制，恶的行为也就没有了惩罚，这样社会秩序便遭受到严重的破坏。在吴虞看来，中国封建社会并非没有真正的法的控制功能，而是把礼提升到法的高度，以礼代替了法。什么是儒家以礼代法？"儒家制礼，首重等差……盖儒家之论等差，一曰亲疏之别，二曰贵贱之差。凡名物制度，咸因此而生差别。是儒家以礼为法也。"④这也就是以尊卑贵贱的封建等级制代法。吴虞十分赞同鲁迅把儒家之礼教痛斥为"吃人"之礼教，因此他把儒家以尊卑贵贱的"阶级制度"代替法律视为不人道的行为。

---

① 《吃人与礼教》，《吴虞集》，第171页。
② 《吴虞底儒教破坏论》，《吴虞集》，第477页。
③ 《荀子之政治论》，《吴虞集》，第203页。
④ 《礼论》，《吴虞集》，第136页。

第三，用西方以法律保障公民的平等思想批判礼教的随情势转移。西方资产阶级的思想家把平等自由视为人的自然权利，公民给统治者以治理国家的权利，但是君王也就必须保障公民的自然权利，为此公民便与统治者订立契约，以实现自己的神圣权利不受侵犯。

吴虞认为在中国，由于儒家以礼代法，所以"不重成文之法典。以为古代圣王，准理以制礼，即用理以止刑……儒家制礼，首重等差，因亲疏贵贱之不同，而恒异其制。以礼定分，以分为理，凡犯分即为犯律，故出乎礼者入乎刑。盖儒家所谓法典者，不外礼制之文而已"①。因此造成无法（无成文的法律）可依，只能"随情与势为转移，则情有厚薄，势有强弱，人各应其情与势而利用之，将有法律与无有法律等，民无所措手足，而大乱且屡随其后"②。因情势而定，不仅无平等和公平可言，实为人治，最容易产生剥夺和践踏民主自由的专制行为的产生。

即使在近代民国成立，不仅无根本之宪法，而且已成之民法中也没有保证人民生命财产不受侵犯的法律条文，人民也置有无法律之规定于不问，于是被独夫民贼所利用，搞复辟称帝和以武力镇压革命者。

2. 以西方三权分立与学术自由思想批儒家专制主义

第一，以西方三权分立批儒家政治专制主义。吴虞指出西方立宪国家，三权分立，司法为独立之机关；三权各司其职，又相互制约，且有议院弹劾总统之权，以防专制主义之弊；我国三权不分，长期混合，以此形成专制主义之祸。就儒家而论，"主张人治，故必以统治之权，奉之君主，而绝不知三权分配之法，卒之养成专制"③。人治是专制主义的温床。孔子偏重于礼治，孟子主张德治，荀子是德法并举，礼刑并用，教而后诛，但是最后均入于专制。这并不是说礼制、德治和德法并举等都是专制的思想和孔孟荀都是专制主义者。实际上，吴虞并不是对所有的儒家人物都进行彻底否定和批判，其批判主要是就其思想而言的。如不否定孔子是圣人，帝王利用孔子之说，罪不在孔子；肯定孟子有为民的思想；不批判荀子主张法治的思想，等等。孔子和孟子思想中没有明显的专制主义倾向，只是其后继者与帝王利用其思想搞专制主义。即使

---

① 《情势法》，《吴虞集》，第112页。
② 《情势法》，《吴虞集》，第113页。
③ 《荀子之政治论》，《吴虞集》，第202页。

孔子之修《春秋》，也为后世君主所利用，不外诛贼子、黜诸侯、贬大夫、尊王攘夷而已。但是，又不可否认，孔孟思想中仍然有可被利用之处。如孔孟之礼制思想就可以用来为专制主义服务，即使是儒家之乐也可助专制主义之威。同时，"国家既不能去刑，而儒者立言，偏于德化，则对于立法之事，恒无列举之条文，于是刑法之任，委之法吏。故中国政治，表面用儒家礼教之虚言，内容行法家刑法之专制"①。即使是孔子，在这样的条件下，一旦当了官，便诛杀少正卯。少正卯是法家之先驱，是代表新兴地主阶级反对奴隶制统治秩序的人物，孔子以五条罪状将其杀害，毫无公理可言，有搞专制之嫌。但是，吴虞认为荀子又不同于孔孟，荀子反对孟子的性善论，主张性恶论，偏重于人君，因此中国专制可推源于荀子之说。也就是说，中国自秦形成专制局面，追根溯源，荀子的学说起到了关键性的作用。

第二，以西方学术自由思想批判文化专制主义。对于西方的学术自由，吴虞是非常欣赏和羡慕的。他非常赞同弥勒·约翰关于"无新思想、新言论，则其国亦无由兴"之说，指出"辩论愈多，学派愈杂，则竞争不已，而折衷之说出，于是真理益明，智识益进，遂成为灿烂庄严之世界焉"②。但是，儒家之道却推行文化专制主义，严重禁锢着人们的思想，严重阻碍着学术自由与创新。秦始皇焚书坑儒，堵塞了出版和言论之自由；董仲舒建议汉武帝罢黜百家，独尊儒术，既是政治专制主义，同时又是文化专制主义；清朝兴文字狱，更是把文化专制主义推到了登峰造极的地步。儒者和封建统治者把不同于儒家之观点称为异端邪说，因此吴虞把我国学术落后归罪于儒家。

第三，以西方共和制思想批判儒家专制之谬。吴虞把中国古代的大同思想类比于西方的共和思想。但是，他指出《礼记·礼运》中的大道之行，天下为公，选贤与能，讲信修睦，故人不独其亲，不独其子等大同思想不属于儒家，而是儒家"窃道家之绪余"。孔子所重视的是小康而非大同，所以其后继者们便利用孔子的尊卑贵贱的等级思想推行专制主义，甚至搞为己之私。儒家主专制显然不合于西方的共和。

吴虞针对儒家不重法律，主张人治，造成专制主义的状况，尤其是儒家不重成文之法典而造成无依据之法文，随情势为转移，从而使独夫民贼复辟称

---

① 《荀子之政治论》，《吴虞集》，第205页。
② 《辨孟子辟杨墨之非》，《吴虞集》，第13页。

帝，造成天下大乱等现状，提出变法的主张：礼义法度因时而变，变法则进，各国莫不如此。他还具体地指出：大彼得不变法，无今日之俄罗斯；睦仁不变法，无今日之日本；威廉不变法，无今日之德意志。因此坚决主张施行法制。不仅如此，他还主张法律规定弹劾制，使"庶民贼独夫有所惩惧，全国人民免遭蹂躏，民国基础不至动摇"①。

中国历史上，由于把道德与法律混为一谈，所以两千余年来，人民不能享受宪法上平等自由之幸福。而自由实际上就是法律上的自由，平等是法律上的平等，以此铲除阶级制度。

吴虞作为资产阶级民主主义者，终身都在寻求共和，但是如果不改革封建等级制就不能共和，所以他主张破除君尊臣卑、父尊子卑、夫尊妻卑的封建等级制和家族制，以实现民主共和。

3. 以西方独立、自由、平等观批判儒家孝本论

第一，儒家大肆宣扬以孝为本之谬说。吴虞认为西方盛行独立自由之观念，在家庭之中，子女在恋爱、婚姻、生儿育女、经济、择业等方面均有独立自由的权利。西方立宪国文明的法律中有"父母在别籍异财""居父母丧自嫁娶""闻父母丧匿不举哀"等条文，而没有中国古代的"父母在，不远游"之说。与此相反，中国儒家却大肆渲染孝之观念。孝的观念充斥着社会生活的方方面面。

吴虞引用儒家经典《孝经·开宗明义章》以下之语，说明儒家以孝为大："夫孝，德之本也，教之所由生也。"不仅如此，之所以以孝为本，还由于孝之范围无所不包，孝为百行之本："详考孔子之学说，既认孝为百行之本，故立其教，莫不以孝为起点，所以'教'字从孝。"②而历代封建帝王利用孔子此说大力提倡"孝"。既然以孝为本，那么自然也就以不孝为恶中之大，而清朝律例"十恶"中便以不孝为大。

第二，儒家所提倡的孝是愚孝。吴虞认为孝字的最初意义是感恩，由于子生三年不离父母之怀，所以父母亡后儿子便要行三年之丧。孝是以父母为轴心的，所以对父母之孝是绝对的。子女孝敬父母主要在"养"。孟子曰："不孝者五，惰其四支，不顾父母之养，一不孝也；博弈好饮酒，不顾父母之养，二

---

① 《情势法》，《吴虞集》，第114页。
② 《家族制度为专制主义之根据论》，《吴虞集》，第62页。

不孝也；好货财，私妻子，不顾父母之养，三不孝也；从耳目之欲，以为父母戮，四不孝也；好勇斗狠，以危父母，五不孝也。"吴虞并不反对孝养父母，但是"由孝养之意义，推到极点，于是不但做出活埋其子、大悖人道的事，又有自割其身，以奉父母为孝的"①。这是吴虞坚决批判的。另外，吴虞指出所谓三年之孝虽然为人尊重，但是虚伪的，不过是以沽一时的称誉而已。

第三，孝之观念与封建专制、家族制度紧密相连。在中国封建制社会，家与国不分而同体，忠与孝、家长制与君主专制之间也是相互关联：家是国之缩影，国是由众多家构成，是家之扩大，而家庭之"孝"，在国就是"忠"，家是由"家长"所治，国就是由"君主"所治。君主专制，就是家庭制度的扩大。这样，君与父无异，在父这里是孝，在君那里就是忠，事君不忠，即非孝。忠臣何处寻？就在孝子之门。

第四，儒家之孝以达到愚弄人民，维持封建专制之功用。吴虞引用以下孟德斯鸠语以论证之："支那孝之为义，不自事亲而止；盖资于事亲，而百行作始。彼唯孝敬其所生，而一切有近于所生，如长年、主人、官长、君上者，将皆为孝之所存。自支那之礼教言，其相资若甚重者，则莫如谓孝悌为不犯上作乱之本是已。"②孝养不仅能养成家长之威，而且也能铸就君主之威。君主之威势成，便能保社稷。同时，吴虞指出孝在统治者那里，其实质就是愚弄人民不要犯上作乱，把中国变成"制造顺民的大工厂"。

第五，儒家之孝造成地位和权利的不平等。因为儒家之孝是"实以偏重尊贵长上，压抑卑贱，责人以孝敬忠顺"，所以"太不平等"③。吴虞还把这种不平等看成是我国领事裁判权不能收回之根源。他的推论是：我国领事裁判权不能收回，实由法律不良之故，而为什么法律不良，其深层次原因在于儒家之孝的不公平，所以归根到底我国领事裁判权之不能收回之根源是儒家之孝产生的不公平。如此之推论不免有南辕北辙之嫌。

4. 以西方男女平等思想批判儒家男尊女卑论

吴虞不仅接受了西方资产阶级的政治法律思想和伦理思想，而且还积极宣传和倡导西方男女平等之新思想。他与其妻曾兰（1875～1917）一道共同运用

---

① 《说孝》，《吴虞集》，第175页。
② 《吴虞集》，第65页。
③ 《家族制度为专制主义之根据论》，《吴虞集》，第64页。

西方男女平等思想批判孔孟之道的男尊女卑论。

第一，用西方男女平等思想，揭示男尊女卑的不平等的实质。吴虞不仅指出西方倡导男女平等，而且列举了许多男女平等的事例。而中国儒家却大肆宣扬男尊女卑的观念。在吴虞代曾兰写的《书女权评议》一文中指出："据《易》之义，则女内男外，同于天尊地卑。男尊在上，女尊在下，无所谓平等。"① 这就深刻地揭示了男尊女卑的实质是男女在权利上的不平等，妇女应该享受的与男子相同的自然权利被剥夺殆尽。

第二，用西方妇女享受的具体权利与中国妇女相比，说明中国妇女卑下的状况。吴虞指出由于西方近代提倡女权，所以西方妇女与男子具有同等之地位，而在中国古代，由于孔子把女子与小人并称，故视妇女为奴隶和玩物；西方女子在经济上与男子有同等之权，在中国家庭中男子掌握经济权利，女子却没有私有财产，经济不能独立；在婚姻上西方男女同权，而在中国许男子纳妾，有的甚至妻妾成群，且又许男子妇死得娶，但女子夫死不得再嫁，从一而终；西方女子在家庭中享有同其他成员的平等权利，中国女子既受丈夫之拘制，又受父兄翁姑之压迫，酒食之外，别无生趣；西方妇女与男子有同样的享受教育的权利，所以西方妇女文化知识和能力都不落后于甚至超过男子，受儒家女人无才便是德之影响，中国妇女普遍没有知识；宋儒宣扬"饿死事小，失节事大"，在此基础上儒家提倡和褒扬节妇烈妇贞妇，不知有多少妇女死于非命。总之，由于长期受儒教之束缚压迫，中国妇女的地位极为低下。

第三，提倡男女同权。吴虞积极倡导男女有着平等的权利或曰同权。他用西方启蒙思想家的自然权利或天赋人权论解释男女平等：女子与男子一样是人，既然是人，"他这一切权利义务是原于有生根于人类本然的道德，自然而然就有的所谓天赋人权的道理便是了"②。西方妇女的权利究竟有哪些呢？主要有经济权、教育权、政治权、婚姻权、人民权。吴虞对于妇女的人民权的解释是，凡国中人民所应享的公权，男子得到的，女人也应该一样享受，不得显分高下。特别值得称道的是，吴虞肯定社会主义男女同权理论。

吴虞进一步指出，当今男女不平等，需要进行革命，女子要起来为自己争权，以实现男女之间的真正同权。

---

① 《书女权平议》，《吴虞集》，第456页。
② 《弥勒·约翰女权说》，《吴虞集》，第421页。

（二）吴虞孔孟之道批判评析

我们以马克思主义的辩证方法和历史唯物论观点以及现代阐释学的原理，审视吴虞对孔孟之道或儒学的批判就可以看出，其批判是合理性和局限性并存。

1. 合理性

第一，批判的整体性和全面性。这是指吴虞把儒家的各种思想之间及其同封建制度之间、封建社会各种具体制度之间当作一个相互联系的有机体加以批判。主要表现在以下两个方面：

一是把忠孝礼当作统一体加以批判。他引用《大戴礼·礼三本》篇关于礼三本的论述：天地者，生之本；先祖者，类之本；君师者，治之本。无天地焉生？无先祖焉出？无君师焉治？故礼，上事天，下事地，宗事先祖而隆君师，是礼之三本也。他认为这就把孝与忠与礼视为一气相连的，其实质在于儒家"就是利用忠孝并用、君父并尊的笼统说法，以遂他们专制的私心"①。所以，吴虞主张既批礼又批忠孝，三者中只批一或二均有偏。不仅如此，他又将儒家的礼、政、刑、乐一起批判。因为这四者是互为表里，相互为用的。礼、政、刑是用强制的形式从外部束缚人民，乐则是以愉快的或缓和的形式从内部即内心调和顺化人民。

二是把封建社会的宗法制度、家族制度、封建专制制度当作三位一体加以批判。他在《家族制度为专制主义之根据论》一文中指出：欧洲脱离宗法社会已久，而我国终颠顿于宗法社会之中而不前进。这是何种缘故呢？这实为家族制度作梗。也就是说，在宗族组织和国家组织合而为一、宗法等级和政治等级一致的中国封建社会，宗法制度是建立在血缘亲情关系的家族制度的基础之上的。家族制度以孝悌为核心，在家和国统一的中国封建社会，家庭之孝就是国家政治社会的忠；建立在父子、君臣等级关系上的忠孝，使封建专制制度得以确立。这样，家族制度、宗法制度和封建专制制度连为一体，形成封建社会统治的网络结构，共同起着维护封建专制统治的作用，所以吴虞指出"儒家以孝悌二字为二千年来专制政治与家族制度联接之根干，而不可动摇"②。

第二，把儒家思想同维护封建统治联系起来批判。吴虞指出无论是儒家的忠孝礼思想还是刑政乐思想，都同封建制度有着千丝万缕的联系，共同发挥着

---

① 《说孝》，《吴虞集》，第173页。
② 《家族制度为专制主义之根据论》，《吴虞集》，第63页。

维护封建专制统治的功能。

这种整体性批判的特征不仅正确反映了儒家思想的实际及其同封建统治的密不可分的内在联系，而且显示了批判的全面性，在一定的意义上也深刻地反映着儒家思想的实质。

第三，批判的指导思想体现了近现代性，批判的原则体现了人民性。吴虞批判孔孟之道所运用的指导思想是西方民主、自由、平等、博爱、自然权利、法律等，即从实质上讲，都是西方资产阶级反对封建专制和神学的思想，体现了资产阶级革命性质，反映了西方资产阶级的意识形态和价值观念，因此具有近现代特性。同时，吴虞对孔孟之道批判坚持人民利益的原则，也就是说，在儒家思想中，凡是反映人民利益或有利于人民利益的因素，吴虞均给予赞扬。如对孟子的"为民制产""民为贵"等给予充分肯定，尤其赞扬孟子民贵君轻思想合乎民主之说。与此相反，对儒家以上为尊，以下为贱，以尊压下，以贱奉上以及"上智与下愚不移""唯女子与小人难养"等蔑视和压制人民的思想予以坚决的批判。

第四，批判的视角具有现代性。从上述批判中可以看出，吴虞是以现代性为坐标的，即在当时张勋复辟、袁世凯称帝情况下，中国亟须解决的是如何用民主共和代替封建专制；人民长期受封建制度乃至外国帝国主义的压迫，女子仍处于卑贱的地位，这就面临着解决独立、自由、平等等问题；同时当时的中国无论是科学技术还是文化都落后于西方，客观上面临着开发民智的问题。这些问题都是中国所要解决的重大的、现代的历史性主题。但是，孔孟之道却同民主、自由、独立、共和、科学等大相径庭，它已经成为解决中国现代历史性主题的严重桎梏，所以吴虞批判孔孟之道正是为解决或实现现代性主题扫除障碍的。

第五，提出思想上以新代旧和革命的主张。从前面的论述中我们看到，吴虞对孔孟之道的批判是积极的。也就是说，批判不是目的，而是通过对孔孟之道的批判，揭示出儒家思想不适合当今时代，提出用西方资产阶级民主、共和、平等、自由等先进思想取代之，特别值得称道的是他提出的思想革命的主张。

2. 局限性

第一，浅尝辄止。吴虞批判的根本特征是把西方的思想同儒家思想"比较对勘"，虽然具有一定的合理性，但是把批判的着重点放在类比和指出不合于西方的某些思想上，而对儒家思想本身缺乏深入的理性分析，也没有揭示出儒家思想产生发展和被封建统治者所利用的历史条件，所以不能深入把握儒学的个性特征和实质，没有深刻揭示儒学不合现代性的内在联系。

第二，运用思想的片面性。不可否认，吴虞运用西方资产阶级的民主、平等、独立、自由、共和等思想批判儒学具有一定的合理性。因为这些正是西方资产阶级批判欧洲封建制和基督教神学的思想武器，而儒学具有服务中国封建统治的功能，所以运用西方资产阶级的这些思想批判儒学能够对接。但是，在19世纪末、20世纪初，随着西方资本主义社会的发展，资本主义制度已没有昔日的辉煌，开始逐渐退化其优越性，资产阶级革命性和进步性也开始丧失。与之相对应，西方资产阶级思想的先进性也逐渐丧失。无产阶级革命时代已经到来，人类已经开始看到新的历史曙光。此时，马克思主义理论更显示出其科学性和先进性。在这样的历史条件下，吴虞仅仅用资产阶级民主、自由、平等、共和等思想批判孔孟之道已经远远不够，只是停留在旧民主主义的水平上。

第三，批判的深刻性和科学性不足。吴虞的批判缺乏用马克思主义的经济基础决定上层建筑的理论分析，所以吴虞没有揭示出孔孟之道产生的经济根源和为封建制经济基础服务的性质。又如缺乏马克思主义的历史分析方法，吴虞虽然承认"孔子自是当时之伟人"，但未能把孔子的思想置于当时的历史条件下去具体地指出和分析哪些思想是合理的和进步的，有抽象肯定而具体否定之嫌。正由于此，吴虞对《论语》等儒家经典缺乏辩证分析态度，一味地反对尊孔和读经，甚至把尊孔读经之弊绝对化，即认为读经尊孔必然会导致无廉耻和国亡天下乱。

不仅如此，由于吴虞缺乏马克思主义阶级理论和阶级分析方法，所以把孔孟之道主张的尊卑贵贱的等级制等同于阶级制。按照马克思主义的阶级理论，阶级的实质是一个经济关系问题，不是政治、思想和社会地位问题。所以，在封建社会的尊卑贵贱的等级制中，既有剥削阶级及其统治者，又有劳动阶级或被统治者；在统治集团中，君主的地位至高无上，而臣却是君主的附庸；在劳动者中既有在家庭关系中地位较高者，如男子，又有地位低下者，如女子；在男子中父亲的地位高，儿子的地位低；妇女在社会的地位低，但母亲在家庭中的地位却高于女儿和媳妇，等等。所以，不能简单地把等级制等同于阶级制。而吴虞对孔孟之道的尊卑贵贱的等级思想的批判太简单化了，没有深刻揭示和分析它们的内涵及其不同的复杂关系。由此可见，吴虞对孔孟之道的尊卑贵贱的等级制思想的批判的科学性明显不足。

第四，提出的革新主张缺乏具体内容。虽然吴虞提出了用革命的手段破除封建专制等主张，但使人觉得仅仅是说说而已，几乎没有提出具体的办法，充分凸显了其革新理论的极度贫乏。

二、郭沫若对孔子思想的批评性的反思

郭沫若（1892~1978），著名历史学家、考古学家、古文字学家、诗人和社会活动家。四川乐山人。幼年入家塾读书，先后在四川嘉定府中学、四川高等分设中学堂、成都高等学校就学，1914年赴日本留学，1923年在日本获得医学学士学位。1924年以后，接受马克思主义思想。先后参加过北伐、南昌起义、抗日救亡运动等，曾任全国文联主席、政务院副总理、中国科学院院长、全国人大常委会副委员长等职。郭沫若学识渊博，研究领域较为宽广，为后人留下了大量的著述，其中有著名的《中国古代社会研究》《甲骨文研究》《青铜时代》《甲骨文字研究》《殷周青铜器铭文研究》《十批判书》等；他运用马克思主义观点研究中国古代社会和先秦诸子，多有创造性的见解，且处处表现出哲学观点；在历史、考古、古文字等研究方面亦多有贡献。

五四新文化运动时期，中国传统思想文化遭受到了前所未有的批判否定，在历史上被奉为素王和至圣先师的孔子也难逃厄运。有人提出打倒孔家店的口号，斥责孔子为"历代帝王专制之护符"；用"重估一切价值"的理念评判孔子学说"已不适于今日之时代精神"，且要把孔子之道"洗刷得干干净净"，等等。这就从根本上否定了孔子在中国思想史上的地位及其思想价值。但郭沫若通过对孔子思想批判的反思，得出了与批判者截然相反的结论。

（一）对孔子思想肯定性的价值评价

1944年，为了激发和鼓舞全国人民的抗日斗争的坚强意志，郭沫若撰写了《孔墨批判》一文，运用其深厚的知识学养对《论语》进行了探讨，尤其是对五四新文化运动时期学术界批判孔子思想进行了深刻的反思。尽管郭沫若对孔子有所批评，如批评孔子的"生而知之"完全是"莫须有的幻想"，但是从总体而言，他冲破众说，高度评价和充分肯定孔子思想。

1. 孔子的立场是顺乎时代潮流与同情人民解放的[①]

这一评价是郭沫若针对有批判者认为孔子的思想是代表奴隶主阶级利益，企图复辟腐朽没落的奴隶制而做出的。

---

① 郭沫若：《十批判书》，东方出版社1996年版（下引版本同此），第77页。

其根据何在？一是以《论语》中的一段故事为据：子疾病，子路使门人为臣。病间，曰："久矣哉，由之行诈也。无臣而为有臣。吾谁欺？欺天乎！且予与其死于臣之手也，无宁死于二三子之手乎？且予纵不得大葬，予死于道路乎？"①

这就是说，孔子病危，其弟子子路（仲由）让孔子的其他弟子充当孔子的家臣准备料理丧事。孔子病好转知道后非常生气，批评子路强行用家臣来料理丧事，这使本来无家臣的级别抬升到有家臣的级别，是骗人的行为；与其死在家臣手中，不如死在弟子手中。即使不能享受像天子、诸侯那样的大礼安葬，也不至于没有人安葬。为此，郭沫若指出在奴隶制时代，臣是奴隶，主人死后用奴隶殉葬，而子路把门人用来假装成奴隶，以此为孔子办丧事；子路的本来之意仅仅是沿守旧的奴隶制社会的丧葬制度来为孔子撑撑门面而已，但是孔子认为时代变了，不应沿用旧制。这表明孔子有着在制度上除旧革新之思想，是同情奴隶的。郭沫若还进一步将孔子的这一思想和情感升华为顺应历史潮流和同情人民解放的层面来加以肯定。

郭沫若认为孔子顺应历史潮流和同情人民解放的另一个根据是，孔子的社会地位低下，整个人生都不得意，甚至一个时期任何人都可以歧视甚至侮辱他。郭沫若由此推论出孔子政治立场是顺应时代潮流的，其阶级情感是同情人民解放的，言下之意是说孔子绝不会主张开历史倒车，鼓吹复辟奴隶制。恰恰相反，他主张把被视为会说话的工具的广大奴隶从奴隶制中解放出来。

2. 孔子大体上是代表人民利益的

有批判者认为孔子是代表奴隶主阶级利益的。与此相反，郭沫若认为"大体上他（孔子）是站在代表人民利益的方面的，他很想积极地利用文化的力量增进人民的幸福"②。

郭沫若这一观点的依据是《论语》中孔子关于"仁"的思想。《论语》讲："樊迟问仁，子曰'爱人'"③；"夫仁者，己欲立而立人，己欲达而达仁。能近取譬，可谓仁之方也已"④；"志士仁人，无求生以害仁，有杀身以

---

① 《论语·子罕》。
② 《十批判书》，第79页。
③ 《论语·颜渊》。
④ 《论语·雍也》。

成仁"①。在郭沫若看来，这些辞句所讲之仁的共同之义是克己而为人的利他行为，即"仁者爱人"。这个"人"是什么？中国古代所说的"人"不是别的，就是人民大众，所以爱人就是爱人民。"爱人"为仁也就是"亲亲而仁民"的"仁民"了。对民之爱或仁不仅仅是对人民发自内心的真情之爱，而且表现在行为上就应该是为了惠及人民的实际的利益。

《论语》讲："巧言令色，鲜矣仁。"②"巧言令色"是对上层的阿谀奉承之媚态，媚上必然傲下，所以是"鲜矣仁"，即很少有仁义道德。《论语》又讲："刚、毅、木、讷，近仁。"③"刚毅木讷"是对下层百姓的，刚是刚强，毅为果断，木为质朴，讷为说话谨慎，这都是具有品德之义，人有了对于下层的此四种品德就接近于仁。这也不难看出，孔子的"仁道"实在是为大众的行为。

"颜渊问仁。子曰：'克己复礼为仁'。"④这是批判者把孔子判定为复辟腐朽没落的奴隶制，代表奴隶主阶级利益的一个强有力的证据。因为在他们看来，"复礼"之"礼"就是指以奴隶主阶级为统治阶段的奴隶制，"复礼"就是复辟奴隶制，因此孔子鼓吹"克己复礼为仁"是为复辟奴隶制鸣锣开道。郭沫若对于孔子的"复礼"另有新说：复礼，复者返也，"礼是什么？是一个时代里所由以维持社会生活的各种规范，这是每个人应该遵守的东西。各个人要在这些规范之下，不放纵自己去侵犯众人，更进宁是牺牲自己以增进众人的幸福"⑤。如何才能做到呢？这就要"克己"，所谓"克己"就是"要人们除掉一切自私自利的心机，养成为大众牺牲的精神"⑥。凡视听言行均要合乎或遵守维持社会所需的各种道德行为规范，所谓"非礼勿视，非礼勿听，非礼勿言，非礼勿动"。如果真正做到了"克己复礼"，这就是"仁"，而且是牺牲自己利益而为人民谋利益的的"仁"。这里的"人民"是何含义？所谓人民主要是受剥削和压迫的广大劳动群众，特别是广大奴隶群众。孔子力图通过克己以"复"为增进人民大众幸福之礼，显然是站在代表人民大众利益的立场的。

---

① 《论语·卫灵公》。
② 《论语·学而》。
③ 《论语·子路》。
④ 《论语·颜渊》。
⑤ 《十批判书》，第80页。
⑥ 《十批判书》，第80页。

3. 孔子的"仁"是人道精神

有批判者认为孔子提倡的"仁者爱人"是有差等的，宣传的是奴隶社会的等级制。郭沫若认为作为孔子思想体系的核心是"仁"，是仁者爱人的人道精神，而"'人'是人民大众"①。

孔子也讲到仁是有等次的，但这并不是指对人之爱分为社会的不同等级之爱，抑或只爱某一部分人而不爱另一部分人。这就是说，不是社会等级之爱。那么其仁爱又是什么呢？郭沫若指出："仁是有等次的，说得太难了，谁也不肯做，故教人以'能近取譬'。或者教人去和仁人一道慢慢地濡染，这就叫作'亲仁，也就是所谓'里仁为美。'"②换句话说，孔子的仁有等次之说是指施仁是一个由近及远的过程，绝不是仁爱的高低贵贱之分。郭沫若指出："人对于自己的父母谁都会爱的，对于自己的子女也谁都会爱的。但这不够，不能就说是仁，还得逐渐推广起来，要'老吾老以及人之老，幼吾幼以及人之幼'。假使推广到'博施于民而能济众'，你是确确实实有东西给民众而把他们救了，那可以说是仁的极致，他便称之为'圣'了。"③因此可以确定孔子是主张将仁施与一切人的，也就是泛爱众，而郭沫若将其解读为爱广大的人民群众。这就把孔子的仁爱精神看成是超越具体时空和民族，具有普遍性的绝对存在。

4. 孔子主张开发民智

针对有人把孔子"民可使由之，不可使知之"理解为愚民政策，郭沫若指出，这不是愚民政策，而是主张"教之"，目的是开发民智。

近人把孔子在《论语》中所讲的"民可使由之，不可使知之"引为孔子主张愚民政策的证据。郭沫若认为这是值得商榷的。把"民可使由之，不可使知之"说成是愚民政策，不仅和孔子的"教民"的基本原则不符，而且在文字本身的解释上也是有问题的。郭沫若作了这样的分析论证："'可'和'不可'本有两种意义，一是应该不应该；二是能够不能够。假若原意是应该不应该，那便是愚民政策。假若仅是能够不能够，那只是一个事实问题。人民在奴隶制时代没有受教育的机会，故对于普通的事都只能照样做而不能明其所以然，高

---

① 《十批判书》，第80页。
② 《十批判书》，第81页。
③ 《十批判书》，第81~82页。

级的事理自不用说了。原语的含义，无疑是指后者，也就是'百姓日用而不知'的意思。旧时的注家也多采用此种解释。这是比较妥当的……就因为有这样的事实，故对于人民便发出两种政治态度：一种是以不能知为正好，便是闭塞民智，另一种是要使他们能够知才行，便是开发民智。孔子的态度无疑是属于后者。"①不仅为政者要教民，使民不愚，而且孔子本人是教民的典范，被后人尊奉为至圣先师。孔子到卫国去的时候，弟子冉由求教道：如何对待庶人——百姓，孔子答曰："富之。"冉由又问：他们已经富了又怎么办？孔子答曰："教之。"即开展文化方面的工作去教育他们。孔子教的是什么？教的就是他所主张的仁道和诗书礼乐等。他不仅在教学方法上采取的是"因材施教"，而且在所教的对象上是"有教无类"，这是孔子开发民智的基本精神的体现。

5. 孔子所讲之"命"是自然界的必然性

孔子讲"命"在《论语》中有多处记载，譬如，"不知命无以为君子"；"君子有三畏：畏天命，畏大人，畏圣人之言"；"五十而知天命"；"知命不忧"等。郭沫若认为，这些看来是一片宿命论，但孔子是不讲鬼神的："子不语怪，力，乱，神"②；"季路问事鬼神，子曰：'未能事人，焉能事鬼？'"③批判者认为孔子所说之"命"是意谓人力无可奈何者。这里存在着一个实质性的问题：孔子是否在宣扬宿命论。郭沫若指出："他既否认或怀疑人格神的存在，那么他所说的命不能被解释为神定的运命。他的行为是'学而不厌，诲人不倦'，'发愤忘食，乐以忘忧，不知老之将至'的；为政的思想是'先之劳之'而益以'无倦'；一切都是主张身体力行，颇具有积极进取的精神，也不像一位宿命论者。故我们对于他所说的命不能解释为神所预定的宿命，而应该是自然界中的一种必然性。"④

郭沫若进一步指出，这种自然的必然性有点类似于前定，是人力所无可如何的，故孔子说："道之将行也与，命也；道之将废也与，命也。"无论是"前定""无可如何"也好，还是"命"也罢，在郭沫若看来，都是孔子关于自然必然性或自然法则（所谓"道"）是不依人的意志为转移的客观实在，人

---

① 《十批判书》，第90页。
② 《论语·述而》。
③ 《论语·先进》。
④ 《十批判书》，第95～96页。

们绝不能改变和消灭之,只能顺应之的思想。这具有唯物论的色彩。这是一方面。另一方面,郭沫若还指出,孔子认为人们并不盲从于自然必然性,甘心情愿地做必然性的奴隶,而是尽其在我,勇敢地面对之,这正如《庄子·秋水篇》引用孔子所说的那样:"知穷之有命,知通之有时,临大难而不惧者,圣人之勇也。"

同时,孔子在主观努力和客观世运相适调的时候主张顺应,在二者不相适调的时候主张固守自己。他在主观努力上抱定一个仁,而在客观的世运中认定一个命。所谓认定一个命就是指确信自然的必然性的客观实在性,而抱定一个仁就是在主观上持守先天的、具有善性的仁:"志士仁人,无求生以害仁,有杀身以成仁"①;"笃信好学,守死善道"②。

总之,孔子在对待客观必然性和主观能动性的关系上,不相信鬼神,怀疑上帝和否定意志之天,认定必然性是客观实在的,人们只能顺应,但又要发挥自己的主观能动性,以扬弃旧命而宰制新命,存善而守仁。这是对客观必然性和主观能动性关系的理性认知和较为正确的把握。

(二) 郭沫若肯定孔子思想的意识形态性质

郭沫若指出:"我对于古代社会的面貌更加清楚明了之后,我的兴趣便逐渐转移到意识形态的清算上来了。"③对古代社会面貌的"清楚明了"主要体现在他于20世纪20年代撰写的《中国古代社会研究》一书中,书中首次提出"西周社会奴隶制"说,详细论证了中国古代社会经历了原始公社制、西周社会奴隶制和春秋以后的封建制等。郭沫若此后开始着手进行意识形态"清算",其中包括于1944年撰写的《孔墨批判》对《论语》批判的反思。所谓意识形态清算,他认为就是判断意识形态上的是非曲直,其实质就是意识形态考察批判。它带有强烈的意识形态的特征,主要是指考察批判所持守的政治立场、阶级情感色彩等。与之相对应的是学术考察批判,后者重学理探讨,包括重视在学理探讨中学术思想的合理性、论证的逻辑性等。郭沫若所进行的意识形态考察批判,既有学术性的探讨,又贯穿着无产阶级的政治立场和劳动阶级的情感、马克思主义的社会历史观,以及考察批判对象时所带有的较强的政治

---

① 《论语·卫灵公》。
② 《论语·泰伯》。
③ 郭沫若:《我怎样写〈青铜时代〉和〈十批判〉》,《郭沫若全集·历史编》第二卷,人民出版社1982年版。

性倾向的批评、否定，抑或褒扬和吸取。他通过对《论语》的探索而肯定《论语》中所记载的孔子思想，就属于意识形态考察批判的范畴。主要表现于以下几个方面：

1. 无产阶级的革命立场

此处所说的无产阶级立场，主要是指无产阶级的革命和为人民大众谋利益的立场。郭沫若积极投入伟大的新民主主义的革命斗争之中，并且他作为无产阶级"革命文化的班头"（周恩来语）大力赞扬和宣传革命，所以在对先秦诸子意识形态批判中他以无产阶级革命的立场，去评判其是革命的还是保守的，抑或是革新还是复古，并以此立场去讴歌革命和进步，反对保守和复古。

郭沫若对于先秦诸子所处的时代有一个总的定位："战国时代，整个是一个悲剧的时代，我们的先人努力打破奴隶制的束缚，想从那铁的桎梏中解放出来。"①因此批判奴隶制，提倡奴隶解放和为人民谋利益就是顺应时代发展潮流的。只要是顺应这一潮流的思想，郭沫若就予以充分肯定和赞扬。所以，当学术界普遍认为孔子宣传的"克己复礼为仁"是宣扬复辟奴隶制之时，郭沫若却认为孔子批评和反对子路让弟子充当自己的家臣是同情人民解放的革命思想，孔子宣扬"克己复礼为仁""仁者爱人"之"仁道"思想是站在人民利益的立场的。由此可见，由于政治立场的不同，即使考察同一对象，也会得出截然相反的结论。

2. 辩证唯物论与历史唯物论的指导思想

郭沫若在《蜥蜴的残梦——〈十批判书·改版书后〉》中指出，对先秦诸子的批判，他采取的是历史唯物论的观点。紧接着又讲，他褒扬儒家是因为儒家在历史上曾经起着进步作用。然而郭沫若不是现代新儒家人物，因为他认为现代新儒学已经不是中国思想文化的主流，更不是指导思想，作为指导思想的只能是马克思主义。郭沫若在20世纪20年代就已经接受了马克思主义，他于20年代撰写的《中国古代社会研究》一书就是他运用马克思主义唯物史观，分析解剖中国古代社会的具有划时代意义的历史著作。郭沫若对《论语》中记载的孔子思想的考察和价值肯定也是以历史唯物论为指导思想的。

一是郭沫若运用历史唯物论关于社会历史运动是有着由低级向高级、由简单向复杂的有规律性地向前发展之原理，从思想文化层面评价孔子对过去的

---

① 郭沫若：《献给现实的蟠桃》（论文）。

文化加以整理是为了"托古改制",他所建立一个新的思想体系是"以为新兴的封建社会的韧带",且认为孔子之仁道"很显然是顺应着奴隶解放的潮流的"。也就是说,孔子的思想是符合历史发展的规律的,所以是革命的。正因为孔子思想文化具有革命性,所以郭沫若从根本上否定孔子是复辟腐朽没落的奴隶制,代表奴隶主阶级利益的观点,奋力挺立孔子思想,对孔子主张革新,代表人民大众利益予以高度评价。

与此相反,逆历史发展的规律而动,宣扬复古思想,郭沫若是坚决反对的。由此对老子所说的"不尚贤使民不争,不贵难得之货使民不盗,不见可欲使民心不乱"予以批判,认为这是使人回到原始社会的开倒车思想。有人说荀子是进化论者,郭沫若则认为荀子不是进化论者,而是开倒车的复古主义者。因为荀子曾讲:"王者之制,道不过三代,法不贰后王。道过三代谓之荡,法贰后王谓之不雅。"凡主张革新郭沫若就赞扬,宣扬倒退就批判,这是何等的鲜明!

二是郭沫若运用历史唯物论关于人民群众是历史的创造者,人民群众的利益高于一切的群众史观,去讴歌孔子的"仁",认为仁者爱人的人道精神,其实质是要人们除掉自私自利之心,养成为人民大众献身的思想;讴歌孔子"修己以安百姓"是"博施于民而能救济众";重新评价孔子之礼,认为孔子之礼把不下庶人的东西下到庶人来了。

三是郭沫若运用辩证唯物论关于发挥主观能动性要以尊重客观规律性为前提,尊重客观规律又必须发挥主观能动性的理论,认为孔子在《论语》中所讲的"君子有三畏:畏天命,畏大人,畏圣人之言","子不语怪,力,乱,神","道之将行也与,命也;道之将废也与,命也",以及"志士仁人无求生以害仁,有杀身以成仁"等是不相信鬼神,怀疑上帝和否定意志之天,肯定必然性的客观实在性,且认为人们只能顺应,但同时又要发挥自己的主观能动性,以达到扬弃旧命而宰制新命,存善而守仁的目的。由此也才给被人戴上宿命论"罪名"的孔子平了反。

这样也就表明,郭沫若运用科学的辩证唯物论和历史唯物论观点研究《论语》,给其研究注入了新的观点、方法,开阔了新的视野。

3. 人民本位的价值取向与人民大众的情感

郭沫若批评古人,依据的道理是什么呢?"便是以人民为本位的这种思想。合乎这种道理的便是善,反之便是恶。我之所以比较推崇孔子和孟轲,是因为他们的思想在各家中是比较富于人民本位的色彩。"①因此，他将新文化运动时期的以个体为本位的思想转化为以人民为本位，在其内心中蕴藏着深厚的人民大众的情感。对孔子"仁"和"礼"的肯定，以及对孔子托古改制的赞扬，均体现了郭沫若以人民为本位的价值取向和深厚的大众情感。

4. 追求真理的人格精神

在当时各种思潮风起云涌的历史背景下，郭沫若对中国先秦诸子思想的探索，既不站在现代新儒家的中国传统文化优越论的立场，又不赞同西化派根本否定中国传统思想文化的观点，而是站在人民本位的无产阶级立场，运用唯物史观对此进行深入的分析和阐释，在不少问题上提出了自己的新观点，得出了自己的新结论。特别是在儒家思想研究方面，他以历史唯物论为指导，以自己丰富的历史知识和较为坚实的理论基础，通过追根溯源的研究找到先秦的"原儒精神"，对五四以来被人们鞭笞的孔子进行了新的评价，他认为本真意义上的孔子是"兼有康德与歌德那样伟大的天才，圆满的人格，永远有生命的巨人"②。与此相联系，他认为后来孔子和由他创立的儒学被人们歪曲了，所以他要"反对孔子的这个歪斜了形象"。也就是说，他要正本清源，恢复孔子及其创立的儒学的本真面目。这表现出郭沫若勇于排除众说的追求真理的人格精神。

5. 革命目的性意识

郭沫若指出：进行历史研究的目的"不是为了崇拜古人，而是为了今天、明天，找出历史发展的规律，用历史上的人民生活斗争教育人民；把优秀的历史人物介绍出来，鼓舞人民；使人们从小养成唯物主义的历史发展观"③。简言之，研究历史就是为了当今革命。这就是革命目的性意识。无论是郭沫若对于历史研究，还是他的其他学术研究和文化宣传，其目的都是为了反帝反封建反官僚资本主义的革命事业。他在抗日战争时期从事的文化抗战，就是将纯学术研究转化为意识形态研究，且将其推进到推翻压在人民头上的三座大山的政治斗争的实践层面。所以，郭沫若重新解读《论语》，把孔子批评和反对子路强行用家臣来为自己料理丧事理解为，孔子有着在制度上除旧革新之思想。由

---

① 《十批判书》，第454页。
② 郭沫若：《中华文化之传统精神》，《郭沫若全集·历史编》第三卷，人民出版社1984年版。
③ 郭沫若：《关于红专问题及其他》，《郭沫若全集·文学编》第十七卷，人民出版社1984年版。

此，郭沫若在《十批判》一书中还批评老子"不尚贤使民不争"是开倒车言论，批评庄子明哲保身的滑头主义的处世哲学和消极无为的厌世主义，且一针见血地指出这有足使人民安贫乐道，泯灭其斗志的严重危险。郭沫若赞扬孔子，批判老庄，旨在激发全国人民以不屈不挠的精神坚决抵抗日本帝国主义的侵略，以夺取抗日战争的胜利。他本人更是身先士卒，积极投身于抗日战争之中，周恩来称赞郭沫若在抗战时期的文化生活中是以"斗士的姿态"去"勇敢地战斗"。这种精神对推翻国民党的统治，解放全中国也具有十分重要的价值和意义。

郭沫若对《论语》中记载的孔子的思想的理论分析，尤其是意识形态层面上考察与价值评价，有着理论的合理性和积极的文化的、政治的功用。他在有人企图完全否定和打倒孔子历史境遇中，褒扬和挺立孔子，不仅有思想理论上的勇气，而且有远大的眼光，因为社会历史发展到今天，孔子的思想仍然被当代人所继承弘扬，孔子本人也仍然被世人所敬仰。

但是毋庸讳言，郭沫若的探讨也有理论上的不足。譬如，把孔子反对子路让弟子充当自己的家臣以料理自己的丧事说成是同情和提倡奴隶解放，这显然仅仅是他自己的理解和猜度，缺乏直接的证据。也就是说，孔子在《论语》中并没有解放奴隶的言说。又譬如，郭沫若把孔子的社会地位低下，受到人们的歧视甚至侮辱当作孔子同情奴隶，站在奴隶解放的立场之根据，也明显是一种纯逻辑的推导，难免使人有牵强附会之感。再譬如，郭沫若把《论语》中的"不知命无以为君子"，"君子有三畏：畏天命，畏大人，畏圣人之言"，"五十而知天命"，"道之将行也与，命也；道之将废也与，命也"等孔子言论，理解成肯定自然必然性，而不是宣扬宿命论。但是，这没有运用现代阐释学原理，以现代概念和术语对其中的每一句话进行深入理解和剖析。一句话，他得出孔子主张自然必然性的结论显得太简单，缺乏充分的说服力。

三、蒙文通理学观与哲学思想

蒙文通（1894～1968），四川盐亭县人，中国现代国学大师，著名学者。在成都读完小学、中学。1911年，入存古学堂，受业于经学大师廖平先生。1923年，前往南京师从欧阳竟无大师学习唯识学。先后在成都大学、成都师范大学、成都国学院、中央大学、北京大学、河北女子师范学院、华西大学、四川大学任教，兼任中国科学院历史研究所研究员、学术委员会委员，且曾任成都市人民代表、政协委员及中国民主同盟四川省委委员等。他学识渊博,其学术由经入史,贯通经、史、诸子,旁及佛道二教,精通宋史、经学、古地理学、佛学、道教、先秦史、秦汉史、巴蜀史等。尤其对宋明理学研究和体悟最深。著述累累,有专著十余部,论文一百多篇,取得了卓越的学术成就,为中国文化思想的发展做出了突出的贡献。

蒙文通像

蒙文通先生理学史观主要体现在《儒家哲学思想之发展》的《后记》《理学札记》及与张表方、洪廷彦等人的书信之中。此三者分别发表于20世纪40年代与40年代末至60年代后期。这里特别需要指出的是,《理学札记》是他读宋明理学的笔记和心得,其中包括对宋明思想家的思想,甚至孔孟的思想的理解和阐释,有的是他自己的思想或看法。1981年,萧萐父先生指出:蒙文通先生的《理学札记》"因系自记心得,未加详证;有借以表达思想的旧范畴、旧命题,往往古今异义,难以确诂;尤其某些论述,沿袭了宋明儒者的思想途径,往往把理论认识和道德意识、逻辑判断和价值判断混合在一起,颇不易真正把握作者的思路而加以确切的评断;至于以人性论为基础的关于人的精神境界和修养方法的论述,更久为人们所漠视而骤难论定"①。不仅如此,蒙文通先生在《理学札记》对有关思想的论述和阐释中,在许多地方均没有明确指出它们是谁的思想,这更增加了评断和理解蒙文通先生思想的难度。笔者在下面对蒙文通先生的思想所作的判断和论述完全是根据他在《理学札记》和有关书信中的明确表述,所以是蒙文通先生本人思想的真实表达。

蒙文通先生认为"学理学固须能疑,亦复须能深信",然而,"盖疑非否定,信非迷信,苟不能疑,则学无进境,苟不能信,则不能深自体念省察,不能探求古人立言之意,故须能疑复能信,且须能信复能疑,乃能真有所入、真有所得"②。由此可见,蒙文通先生的疑信结合的过程,就是对宋明理学探索的不断深入,其思想不断试"错"或纠"偏",最后达到成熟,得出定论的过

---

① 萧萐父:《含英咀华,别具慧解》,蒙默编:《蒙文通学记》(增补本),生活·读书·新知三联书店2006年版(下引版本同此),第106页。
② 蒙文通著、蒙默整理:《理学札记》,《蒙文通文集》第一卷,巴蜀书社1987年版(下引版本同此),第132页。

程。同时，这也是肯定与否定的辩证的致思过程。

他在1952年《致张表方书》中讲，他对宋明理学研究的心路历程经历了三个阶段：第一阶段是少年时服膺宋明人学到三十岁大有所惑而不得解，第二阶段是四十知朱、王末流之弊到五十始稍知有以救之而宗陆象山，第三阶段是五十以后又渐独契于陈乾初。这充分展现了蒙文通学治宋明理学的真实的历史进程：少年初学而无学识根底，所以只能对宋明理学抱有崇拜敬仰之诚，而到三十岁思想活跃和有一定的知识积累，但尚无哲学研究之能力，所以虽有疑而不能解之所疑。而在"不惑"和"知天命"之年，有着豁然开朗之悟，看到了朱熹和王阳明思想之弊，然后有能力去克服陆王之弊而宗陆象山之说。在五十岁以后，也主要在全国解放之后，蒙文通先生有了新的哲学信仰，从中找到了研究宋明理学的思想方法，从而最终形成了他赞同和肯定陈乾初、王船山等，并以此为基点批判地继承程朱、陆王的理学思想。

（一）理气分合的哲学观与对朱王的批判推崇

1. 理气分合的哲学观与对朱熹王阳明的批评

理气相分合是蒙文通在四五十岁时的思想，主要反映于20世纪40年代发表的《儒家哲学思想之发展》的《后论》之中。

蒙文通先生指出："窃尝论之，朱子曰'理与气既不相离，亦不相杂'，其言美也。"[①]这里的理气不相离就是相合，不相杂即是相分。为什么说朱熹的这一看法是"美"的呢？因为以不杂言则"气"之万殊，而善恶分，万事出，但"理"又未能在"气"中，与具体事物脱离，于是须以理气不相离济之，因而理在气中，而气又不能脱离理。这就符合理气相合的哲学原则，所以蒙文通先生给以充分的肯定。但是，蒙文通先生又认为"朱子毕竟偏于'理气离'之说也"[②]。而以理与气为离，理则成为与任何具体事物无涉的"顽空"，因而冥然无适于用，不足应对事事物物。这是不足取的。

"以愚思之……诚以此理充塞宇宙，人与万物受之天者，莫非此理。故曰'诚者天之道也'。时行物生，生生不已，鸟啼花落，山峙川流，无非此理，谓'理''气'之不相离可也。唯人则有知……此正知之所有事，而物不

[①] 蒙文通：《儒学五论》，广西师范大学出版社2007年版（下引版本同此），第28页。
[②] 《儒学五论》，第28页。

与焉。故曰'思诚者人之道也'。于此谓之'理''气'不相杂可也。"①由此可见，20世纪40年代，蒙文通先生在理气关系上是主张理气相合又相分的。他又指出："后之学者，莫不相从于朱王二家之言，未能或外，其有离此者，殆皆妄也。然朱氏'即物穷理'之言，王氏'满街尧舜'之旨，其流弊诚不可讳。"②为什么"即物穷理"和"满街尧舜"会成流弊？对此，蒙文通以他当时的理气相合又相分的哲学观给予了较为深入的分析论证。

蒙文通先生对于朱熹、王阳明的批评，又是以他的理气相合又相分的观点为立足点的。他认为，总的说来，"即物穷理"与"满街尧舜""即源于'理''气'之说，推而致之，有必至之势。就'不杂'言，其弊非至'即物穷理'之说不止。就'不离'言，非至'满街尧舜'之说不止。二家为说之弊虽殊，要即一义之两端、必然之结论，而无可避者。"③具体地说，朱熹在理气关系上，由于最终偏于离"理""气"以为二，即理气相离之说，这是将理与气辟为两片，没有看到理气相合，理就在气中，所以只有"即物"或"格物"才能"穷理"。这就是蒙文通所说的"就'不杂'（相分而不合——笔者注）言，其弊非至'即物穷理'之说不止"。对于"满街尧舜"，则是根据"理气不离"之说的："无'气'外之'理'，亦无'理'外之'气'，无往而离'理'，即无往而非善，此阳明之旨，而'满街尧舜'之说所由生也。"④蒙文通之所以有此种推论，是因为王阳明所说的"理"具有道德含义，即"理"是指封建社会的纲常伦理。它与至善又是同义语，只要符合封建纲常伦理就是至善的，即"无往而离'理'，即无往而非善"。在道德境界上达到了此种至善就是尧舜一类的圣人。在王阳明看来，世界的本原是"本心"，本心又是纯善的，而人人无不具有纯善或至善的本心。本心是什么？本心就是"理"，理在心中，"天下无心外之理"。既然人人皆具有纯善的本心，所以人人均可以成为圣人，即"满街尧舜"。所以，归根到底，这是由于只看到理即本心与气即万事万物相合（万事万物无不在心中），而否认万事万物离开"本心"而独立存在即相分的一面之结果。理是道，气是器，器就是事事物物，包括自然界万事万物、社会环境和社会的人事等，而社会环境和万事万物中包含着私欲即

---

① 《儒学五论》，第29页。
② 《儒学五论》，第28页。
③ 《儒学五论》，第29页。
④ 《儒学五论》，第28~29页。

恶的因素。因此，按照蒙文通的理气相合又相分的哲学观，就不难看出在实际的社会生活中不仅存在善，而且存在恶。

王阳明认为本心是纯善的，那么他是否承认恶的存在呢？笔者认为，王阳明并没有否认社会中有恶的存在。因为在他看来，本心虽然是纯善而又先天的，但是由于受到后天的社会环境的影响等，人们的本心即天理被私欲即人欲所遮蔽污染，这就是恶。所以需要发明本心或求放心，而其根本途径就是进行道德修养。王阳明的这一思想被蒙文通忽视了。

2. 对本心、性、意、知的阐释与对陆象山的推崇

蒙文通引用了先秦儒家经典《大学》《中庸》《孟子》关于本心、性、意、知等的论述，且对其予以了阐释。他认为《大学》之"'意'者即《中庸》所谓'性'，孟子所谓"本心"，而'知'者即'心'之觉察也"①。这四者都是对主体意义的认定。在此基础上，提升主体能动性，这就是尽心、尽性、诚意、致知、择善等。这几者之间又是相互联系而不可分离的统一体。

蒙文通先生对陆象山（陆九渊）的推崇主要有两点，一是对陆象山的"心气合一""道器一体"和"理气一致"的推崇。他说："卒之言理言气言太极言心性之类，朱王不免于两困而皆失，岂儒道之固不能无弊，而有必至之势哉！要为驰心于先圣所未语，而自溺于歧违之说而然耳！唯象山于此，卓然不惑，孟氏之本末，即象山之本末。陆氏之旨要，即孟氏之旨要，无溢义，无欠语。"②那么，蒙文通对象山推崇的是何事？他所推崇的就是陆象山以"心即理"为中心所发挥的"收拾精神，自作主宰"，"才自警策，便与天地相似"等主、客观抽象同一的唯心主义论题。二是对象山思诚、择善方面的推崇。孟子主张性善论，与性恶论对立。人的先天的善性就是人的本心，即恻隐之心、不忍仁之心；人性本善又有先天赋有的仁、义、礼、智四端。蒙文通接过王阳明的话说，"无善无恶"就是本心，即本心是绝对的至善，无所谓善恶之分。因此不能把"思诚"和"择善"分为二途，因为"本心"不仅是纯善的，而且灵觉之本心有着能动性，即它自能"思诚"，也自能"择善"，本心、思诚和择善是有机统一而不可分的；"诚者"是天之道，"思诚者"是具有主观能动性的人之道。这就是子思和孟子学派所注重的内心省察修养的方法。"唯象山

---

① 《儒学五论》，第31页。
② 《儒学五论》，第32页。

之言曰：'古人教人，不过存心，养心，求放心。此心之良，人所固有。'是其于孟子言'心'言'思'之学，得其真切，无毫黍之逾越。其言又曰：'念虑之不正者，顷刻而知之，即可以正。念虑之正者，顷刻而不知，即可以不正。'则其于操存毫忽之间，剖析至尽，思、孟'择善''思诚'之学，安得不谓象山真得其传哉！"①也就是说，蒙文通认为象山准确地理解了孟子关于本心、思诚和择善三者之间的关系，所以是得到了思孟学派的真传。这是对象山的高度赞扬。这是以思孟所主人心具有"良知""良能"，能够"思诚""择善"等为立足点的。

（二）服膺列宁哲学后的理学观

这是蒙文通先生1949年以后（五十岁以后）的思想，其著作是由蒙默整理的1949至1965年《理学札记》和《理学札记补遗》。

蒙文通经过几十年的漫长探索，迎来解放，终于研读马列著作而找到思想归宿。1952年，他在《致张表方书》中讲："文通解放后一二年，研读马列著作，于列宁哲学尤为服膺。"所谓"服膺"实质上就是崇尚与信仰，并且以列宁哲学思想为方法论指导，这就是他在《致张表方书》中所说的"不徒有科学之论据"，于是他以新的哲学思想境界去改造宋明理学。其改造之结果又以"马列之说征之"。

1. 调和程朱理学与陆王心学的思想倾向

蒙文通先生认为，宋明理学家之间有着大同小异的各种争论，往往陷于概念烦琐。但是，其中有着界限分明的两种思想分途：二程朱熹之理学与陆九渊王阳明之心学。二者在以下几个方面有区分：第一，"考亭（指朱熹——笔者注）说理在事，阳明说理在心"②。"说理在事"是指理在事中，而理是一，事是多，朱熹借用佛教的术语"月映万川"为喻。"说在心"是指陆王主张的"心外无理""心即理也"。第二，在对理的论证上，"朱子就物上说理多"，"阳明于心上说理多"③。第三，从理的显现未显现的阐释上，"只此一理，延平（指李侗，朱熹的老师，认为理是天地万物之本原——笔者注）从未发处说，象山从已发处说"，"晦翁（指朱熹——笔者注）从物上说，阳明

---

① 《儒学五论》，第30页。
② 《含英咀华，别具慧解》，《蒙文通学记》（增补本），第99页。
③ 《含英咀华，别具慧解》，《蒙文通学记》（增补本），第99页。

从知上说"。①尽管理学和心学之间存在着诸多的差别，但是在蒙文通先生看来，它们实际上是一样的。如朱熹和阳明虽然有说理在事和说理在心的差别，但蒙文通认为二者"本无不同"。又如虽然有朱熹在物上说理多与阳明在心上说理多的差别，但蒙文通认为朱熹在物上说理多，"其实何尝离得心"，在心上说理多，"其实何尝离得物"。又如尽管朱熹和阳明之间有着从已发和未发说理的区别，但是蒙文通认为"已发和未发，一也"。萧萐父指出："此类持平之论，近乎折衷。"②蒙文通先生所说的理学家和心学家在上述三个方面无什么区别，即是"一"或"本无不同"，如果是从本质上讲，有一定的道理。这是因为：第一，朱熹的"理"是宇宙的本原，而理是在万事万物产生之前就存在的，即他所说"未有天地之先，毕竟也只是理"③，在此意义上讲，此理只是一个抽象的精神本体，而这与王阳明所主张的精神性的本心是世界的本原在实质上是一样的。第二，就未发和已发讲，这是指主体能动的认知心的体用或未显现已显现的问题，就心的体而言，是未发，即未体现为用或未显现，这时心是"寂然不动"的；就用而言，它是心体之用或显现，此时之心是"感而遂通"的。这就是说，无论是心之已发还是未发都是讲心的问题，所以二者"一也"。第三，就理的阐释上讲，无论是朱熹在事上说理还是阳明在心上说理，都是说的精神性之理，同时理和物无论如何都是不可分的，所以二者"本无不同"。但是，在本质上的"无不同"并不是说它们可以调和。实际上，在理学史上，除了在本质上"无不同"外，二者之间存在着不可调和的根本性的分歧和对立。如朱熹和陆九渊在鹅湖之会上就展开了一场激烈的争论。在这场争论中，他们主要是从各自的哲学根本立场出发的：朱熹从理学的立场认为"即物穷其理"，而穷理的途径是通过对外物的考察（格物）和读书来实现；陆九渊则从心学的立场坚决反对朱熹那种格事事物物及读书穷理的向外求的方法，主张向内反省的"简易功夫"。这实际上也就是对理或心之作用的争论。由此可见，理学和心学之间是无法调和的。

2. 肯定罗钦顺等的唯物主义的气本论和气化论

尽管蒙文通先生在五十岁以后有调和理学和心学的思想倾向，但是在其哲学

---

① 《含英咀华，别具慧解》，《蒙文通学记》（增补本），第99页。
② 《含英咀华，别具慧解》，《蒙文通学记》（增补本），第100页。
③ 《朱子语类》卷一，第1页。

根本立场上是肯定罗钦顺、刘宗周等人的气本论和气化论的。这里的问题是，为什么蒙文通先生由以前推崇陆九渊等人的唯心主义的心本论而此时转向唯物主义的气本论和气化论呢？这无疑是他信奉列宁唯物主义哲学思想的成果。列宁是一个伟大的无产阶级革命家，而且是一个伟大的马克思主义理论家。他在经验批判主义者利用当时的科学成就大肆向马克思主义的辩证唯物论发动进攻面前，坚决击退唯心主义的进攻，捍卫和发展了辩证唯物论。他认为物质是不依赖于人的意识，并能为人的意识所反映的客观实在，从而科学地揭示了物质的真正内涵，并且始终坚持物质是世界的本原的辩证唯物主义的根本立场。

气是世界的本原的理论即气本论是在先秦以来的整个中国封建社会的一个主要的哲学派别。就广义而言，从宋至明末清初的七个世纪的历史进程中，中国哲学思想和学术的主流是理学或新儒学。这个广义的理学既包括二程朱熹理学、陆王心学两大派别，还包括气学和以邵雍为代表的象数学，以吕祖谦为代表的吕学，以胡宏、张栻为代表的湖湘学以及以王安石为代表的心学，以苏轼为代表的蜀学等。蒙文通先生作为研究理学的著名学者不仅侧重研究程朱理学、陆王心学，而且对理学中的气学也有探讨。这时的气学以张载、罗钦顺、王夫之为代表，此外还有颜元、戴震、刘宗周、黄宗羲等。蒙文通在《理学札记》中论及明中后期罗钦顺的气论。罗钦顺主张以气为本，说"通天地，亘古今，无非一气而已"。在理气关系上，他以为，理离不开气，理在气中，"初非别有一物，依于气而立附于气而行"。理绝不能离开气而独立存在，它是气运动变化的一定条理秩序，反对朱熹"理与气是二物"和王阳明"天地万物皆吾心之变化"的观点。蒙文通对此予以了充分的肯定，说"罗整庵（指罗钦顺——笔者注）辨心之灵与性之理固当，又及论理气不可分为二，但不可认气即理，所发明实皆肯要……不可认气为理，但理亦须于气上见"[①]。由此可见，他肯定罗钦顺的理离不开气，理是气之理的观点。气是物质的，气是宇宙的本原；理不是独立的精神实体，而是物质性之气所固有的规律、规则或条理秩序。这是唯物主义的观点。蒙文通先生肯定和赞扬罗钦顺的理不离气，"理须于气上见"就是他以列宁的辩证唯物论为判定标准所得出的结论。

不仅如此，蒙文通先生还持唯物主义的气一元论对理气关系进行了自己

---

① 《理学札记》，《蒙文通文集》第一卷，第107页。

的阐述。他指出"有物有则,理者气之理,理傅于气"①;"理只是气之理,分殊之气自有分殊之理,气之所至,亦理之所至。我自是我之理,物自是物之理,耳自是耳之理,目自是目之理。"②不仅如此,蒙文通先生还从有无、聚散、有形无形的视角论述气是宇宙本原的唯物主义思想。如他指出"未有天地,气未聚也;自无而有,气之聚也。未有天地之先,理固已在。聚有聚之理,散有散之理,聚散者气也,而理则一也。故曰:气有聚散,理无聚散。有物先天地,谓超乎形色,言理之先可也;谓理先于方散之气,可乎?谓理先于气之聚,则可;谓理先于气,则不可"③。这就是说,天地万物或有是气之聚的产物;作为"一"的无聚散之理是不占空间和无形相的,在此意义上可以说理先于气之聚;但不是说理先于气,只能说气未聚的时候理是存在的,实际上气未聚而理便存在。这表明蒙文通先生主张理气不离。但是从根源上来讲,又不能说理先于气,只能是气先于理,无气即无理,理寓于气之中。在这里,我们又如何理解蒙文通在文中所说的"未有天地之先,理固已在"呢?乍看起来,这似乎是主张理本论,与他主张的气本论相悖。实际上,这仍然是气本论前提下的理气不离论。因为天地万物的产生是气之聚,气在有形相的天地万物之先存在,而理与气是不离的,有气就有理。既然如此,气在天地万物之先,那么理也就在天地万物之先,只不过这时的理仍然是气之理,所以归根到底气在理之先,而绝不是相反。

蒙文通先生认为知也是气之知,因为气本身就有灵知。灵知就是心之知。这里的心知就是人作为主体的能动性,它能感通理、气乃至万事万物。"理不外乎气,必期合于理者心也"④,也正是指通过发挥主体心知的能动性,就能认识事物的规律性(理)。

蒙文通先生在五十岁以前仅仅是讲理气不离,而在五十岁以后不仅主张理气不离,更重要的是明确提出了理不能在气之先,只能在气之后的唯物主义观点。这无疑是信仰马列主义之后在哲学思想上的质的飞跃。

3. 批评"先天论",契心于陈乾初、王船山的"发展论"

1963年7月,蒙文通先生在《致郦衡权书》中讲:"宋明儒者虽持论各别,

---

① 《理学札记》,《蒙文通文集》第一卷,第113页。
② 《理学札记》,《蒙文通文集》第一卷,第122~123页。
③ 《理学札记》,《蒙文通文集》第一卷,第127~128页。
④ 《理学札记》,《蒙文通文集》第一卷,第144~145页。

然其囿于先天论则一耳",并指出其思想渊源是佛教之禅学。同年3月,他又在《答洪廷彦》中指出:"宋明人大致可说多少都有先天论(预成论)的错误,明末清初诸儒对此多少有些怀疑,终是把这个问题解决不了。依我看,是陈乾初(确庵)解决得深些,其次是王船山……陈是以发展论来补救宋明人的先天论来讲性善论的,也是宋明理学新的进步(发展)。直到戴东原、焦里堂,也是这个途径。"①由此可见,蒙文通在马列主义真理的启迪下,晚年深研宋、明、清哲学,渐契于陈乾初、王船山。他契心于陈乾初、王船山,不是说他仅仅契心于此二人,而是指"以王(船山)陈(乾初)为主,而以戴东原、颜习斋、焦里堂诸家之说辅之"②。契心于"发展论"充分表明蒙文通哲学史观的根本性转变。因为他的哲学史观的历史进程是先由服膺宋明理学,然后转到契心于批判宋明理学的陈乾初、王船山,由信奉程朱陆王的"先天论"转到契心于陈王等人的"发展论",这一转变具有根本性的意义。正如他自己所说:"因前时对陈氏无甚了解,自己是站在先天论一边来立论的",现在契心于陈乾初、王船山等人的"发展论",这是"主脑全异"③。

所谓先天论或预成论,在萧萐父先生看来,这实际上"是指在认识论上以内省经验、先天的理念及道德观念作为出发点的唯心主义流派",发展论"实指具有辩证发展观而在认识上又比较重视'习'、'行'的朴素唯物论流派"④。为什么程朱陆王都有先天论(预成论)的错误?蒙文通先生的分析是,由于他们主张"以人之初生,性原为善、复原返本,即为圣人"的观点,与马列主义的人性即人的本质是一切社会关系的总和的思想相背离。在马列主义"人是一切社会关系的总和"的思想中,包含着人的社会关系是历史的、具体的,因此人性是善是恶,是在后天的社会生活的实践中形成的,并且又是可以改变的,而不是先天所固有等内涵。正因为如此,蒙文通指出程朱陆王的"先天论"乃"列宁之义所决不许"⑤。至于陈乾初、王船山等,其所以划归于"发展论",主要在于他们"始以日生日成言性,不废宋明精到处,

---

① 蒙文通:《答洪廷彦》(1963年),《先秦诸子与理学》,广西师范大学出版社2006年版(下引版本同此),第324页。
② 《致张表方书》(1952年),《先秦诸子与理学》,第300页。
③ 《答洪廷彦》(1963年),《先秦诸子与理学》,第325页。
④ 《含英咀华,别具慧解》,《蒙文通学记》(增补本),第104页。
⑤ 《致张表方书》(1952年),《先秦诸子与理学》,第299页。

又能有所发展,以补宋明所未至"①。两宋时期理学家都有"继善成性"的思想,他们以"天地之性"("天命之性""义理之性")是善的,是常;"气质之性"是有善有恶,是可变的。朱熹指出,"继善"是指"继之者善","成性"是指"成之者性","继善"是天理流行之初,是人和物所凭借之根据,在先;"成性"是指为人为物,是发出来的东西,在后。朱熹又讲:"'继之则善,成之者性',性便是善。"②陆九渊认为"人性本善",而善在于吾心,即善是心所固有的,这就是他所说的"善非外铄",而不善是由于"气禀""渐习"即习染所造成的。蒙文通认为,陈乾初、王船山都接过了"继善成性"的命题,以此驳斥宋明二程朱熹陆王的唯心主义的预成不变的"天地之性",阐发了人的本质是具体的、历史的、发展的,也是后天的培养和锻炼的。如陈乾初否定宋明时期"天地之性"的先天之善论,强调"涵养熟而后君子之性全",并且提出以"非经霜则谷性不全"的"物理"可以"推人伦"③。不仅如此,陈乾初还倡导"今日有今日的至善,明日有明日的至善"的善性变化发展观。王夫之对一成不变的、先验的人性论也持反对的态度,强调"习成而性与成","性者生理也,性日生日成","未成可成,已成可革"④。由此不难看出,陈乾初、王船山所说的人性论仍然是抽象的人性论,因为他们脱离了具体的政治、经济、文化等社会关系讲人性问题。但是,不可否认,他们的"发展论"把人之善恶之性看成是具体的、历史的,并且是后天"习得"的,这不仅具有辩证法因素,而且注意到了人的实践的能动作用。这些之所以被蒙文通所肯定,是因为他"于马列之说证之"。

(三)推崇孔孟思想与善性修养论

1. 对孔孟思想的推崇

不管蒙文通先生前后思想如何变化,但是对孔孟思想的推崇却是一以贯之的。他在1952年于《致张表方书》中对孔孟思想有一个总的评价。他说:"反复思之,中国文化价值之存亡,真今日一大事也。由文通浅见论之,孔孟之说与唯物论实不相悖。'天生烝民,有物有则',此孟子诵法孔子之说,而为性善一义作根本者也。有物而后有则,宋人衍之为道不离器,即形上形下,初非

---

① 《致张表方书》(1952年),《先秦诸子与理学》,第300页。
② 《朱子语类》卷七四,第1898页。
③ 陈乾初:《性解》下。
④ 王夫之:《尚书引义·太甲二》。

有二，于理气之说尤详之。此与耶教、佛学之论迥殊，而与马列无所违。"由此可以看出两点，一是他主要推崇的是孟子的性善论和孔子的"有物有则"的思想，并且对"有物有则"解释为理气、道器不离；第二，指出孔孟的这些思想是与马列主义，特别是与马列主义的辩证唯物论是一致的。我们承认孔孟的思想与马列主义有相通之处。如孔子的"有物有则"同辩证唯物论物质与运动规律不可分的观点有着一致性，同时与孟子一样，马列主义也认为人性有善的一面。但是，说整个孔孟之说和孟子的性善论与马列主义不相悖则有扩大孔孟学说的真理性之嫌。仅就孔子所主张的君君、臣臣、父父、子子和孟子的性善论就与马列主义相对立。孔子的君君、臣臣、父父、子子是主张以家庭血缘关系为基础的封建等级制，而马列主义则要消灭封建等级制，建立平等、民主、公平的社会制度；孟子主张人之善性是先天的，而且主张善性的抽象性，而马列主义则认为人性善性恶是后天，又是具体的和历史的，没有抽象的人性。

蒙文通先生批评程朱陆王的先天具有善性的"先天论"或"预成论"，但是错误地认为孟子不主张善是先天的（实际上孟子主张先天善性），说程朱陆王的先天善论是对孟子的误解，且对孟子以来提倡的"性善之理"进行了批评清理。这些均表明他对孟子提倡的性善论予以了充分的肯定。

蒙文通先生指出："孟子言本心，本心即性，故曰心即性也……本心、良知，即意也。意即性，性无不善，故曰尽性；意无不善，故曰诚意。"① 这就是说，孟子所说的本心是道德之心，道德之心就是性，也就是良知；本心是纯善的，那么人之性也就是纯善的，同时本心即意，意又即性，既然性是善的，所以意也是善的。人们要通过尽性、诚意去扩充先天具有的善端。这是从本心、良知、性、意的关系中去把握孟子性善论的真谛。

2. 主张性善论和善性修养论

蒙文通先生不仅推崇孟子的性善论，而且他自己就是性善论的坚决主张者。他认为心是气的一点灵知，所以"心气合一"。而虚灵不昧的本体之心（本心）是无不善的，所以气也是善的，正如他所说，"气无不善，心无不善，所谓性善也"②。本心不仅是善，而且是至善。

在蒙文通先生看来，是否用力保存本心是君子与庶民的区别之所在，放

---

① 《理学札记补遗》，《蒙文通文集》第一卷，第143页。
② 《理学札记》，《蒙文通文集》第一卷，第110页。

过了羞恶之心，或"羞恶之心不胜宫室妻妾之欲"，从而亏了本心或丧失了本心，就是庶民；"持其志，操则存，如此用力"而保存和发挥本心就是圣人。因而要发挥主观能动性，去恶存善，保存本心不丧失。

与此同时，蒙文通先生为了进一步摆脱先验论的困境，还提出了后天心性修养的扩充论，通过"学""知""改"去扩充人性中的善端。本心无不善的，这是从本体或形上说，但从物上或形下看，或蒙文通所说"从物交物引之而已看"，即从具体的社会环境和生活实践的视角看，情况就大不相同，这就是"则性恶，有性善，有性不善，可以为善，可以为不善，纷纷之说起也"①。善是具有灵知的能动的主体即人所能够认知的。人不仅知善，而且知恶，所谓"有不善未尝不知，心之本体，自无不知"②。知又是什么？在道德层面上讲，"去不善而成善者知也"③。也就是说，知的目的就是去不善而达善。到真知之时，气无不善，心也就是善之道。"去不善"之"去"就是"改"。为此就要尽心，尽心则知性。但在"未知性之前，唯有改过之工，既知性之后，亦唯有改过之工"。而过在何处？"过在心上，即从心上改，过在身上，即从身上改。"④改尽便达到本来面目，即达到至善。人有不善并且人又能知其有不善，知者便要改过。至于学，"学如磨鉴"，其目的也是至于明性至善。总之，通过操存、知、学、改等精金百炼的修养功夫，就可以不断扩充人之善性，最后达到圣人的境界。

蒙文通先生强调人后天的学、知、改等主观能动作用去谈善性及其修养问题，力图与"先天论"划清界限，这无疑具有合理性。尽管如此，他认为本心是纯善的，这个本心是人生而具有的，所以仍然没有最终摆脱先天论的束缚。

四、刘咸炘哲学思想

刘咸炘（1896~1932），字鉴泉，四川双流人，国学大师。二十二岁任塾师，后在敬业学院任教，并任哲学系主任，再后任成都大学、四川大学教授，于1932年英年早逝。著述丰硕，共二百三十一种，四百七十五卷，集结为《推十书》。

---

① 《理学札记》，《蒙文通文集》第一卷，第130页。
② 《理学札记》，《蒙文通文集》第一卷，第110页。
③ 《理学札记》，《蒙文通文集》第一卷，第112页。
④ 《理学札记》，《蒙文通文集》第一卷，第110~111页。

刘咸炘学富五车，成果累累，但知晓者却寥寥无几。尽管如此，他的学术思想还是得到了一些学者的高度评价。如国学大师、教育家蒙文通评价道："其识骎骎度骕骅前，为一代之雄，数百年来一人而已。"①又如，梁漱溟十分赞赏刘咸炘的学术思想，而且在情感上对其有绵绵缠连之念，所以他说"余至成都唯欲至武侯祠及刘鉴泉先生读书处"，而且还将刘咸炘的《动与植》一文录入自己的《中国民族自救运动之最后觉悟》一书之中。再如，刘咸炘的学术更是得到了现代著名学者庞朴的盛赞，说"其文知言论世，明统知类，于执两用中、秉要御变之方法论方面，尤有独特贡献，为中国近代思想史上不可多见的学术珍品，值得仔细玩味"②。

刘咸炘没有进入现代新式学校读书，知识积累和学业成就来自家学熏染和接受私塾教育，且继承浙东"通史家风"血脉，崇信章学诚"六经皆史"。他有自己的学术风骨，对他所崇奉的学术思想从不盲目崇拜，从不照抄照搬，甚至对其有着不同程度的批评，而且还有自己的独到建树。他对西方文化进行了全面而深刻的批判，虽不是彻底否定，但平心而论，在持文化保守主义的学者中，刘咸炘是对西学批判最为激烈和对西方文化否定最多的一人。

刘咸炘学术思想有着如下特点，一是在哲学思想上，以儒道两家为宗；在方法上，执两用中、秉要御变；在文化观上，持中国"植物"文化优越论；在历史观上，坚持道家的历史循环论；在伦理道德观上，信奉孟子的性善论，持非自私自利的个人本位观等。

刘咸炘处于中国社会新旧交替的转变期，其学术思想形成于中国社会刚刚步入现代史时期。经过五四运动的洗礼和西学的冲击，中国传统文化，特别是儒家文化受到了声势浩大的猛烈批判，中国社会面临着文化抉择的关键期。在这样的历史背景下，刘咸炘选择了固守中国传统文化的路子，这同现代新儒家的保守主义思潮有着相同性，所以被人们称为保守主义者，而且他自己也说他在学术思想上是儒家一派，但与现代新儒家思想又有所区别。

刘咸炘的哲学思想虽然触及的面较为宽广，也有自家之言，但是缺乏缜密而融贯的专著，基本上都是由一些读书体会和单篇的文章构成。在刘咸炘丰富多样的哲学思想中，我们仅仅对其为人之学、气本论、辩证法思想、中西文化

---

① 黄曙辉编校：《刘咸炘学术论集·文学讲义编》，广西师范大学出版社2007年版，第358页。
② 庞朴：《一分为三论》，上海古籍出版社2003年版，第151页。

观四个方面进行探讨。

（一）为人之学

刘咸炘撰写了一篇名为《一事论》的文章。他解释说，所谓"一事"是指人为人和学为人之事，因此《一事论》就是一篇专论其为人之学（简称人学）的论文。而其人学思想是融合儒道两家人学思想的结晶，又有自己独到见地，其纲旨是"宇宙万物以人为中心，人又以心为中心"。

人学首先遇到的问题是人之内涵。刘咸炘对人之内涵的规定是："人之为人者心也。"①这就不是从社会关系，也不是从物质要素去规定人之内涵，而是把人之心看成是人之所以为人的内在规定性。人心是什么？心又是否决定物？他的回答是："以其不占空间、感官所不能接、器度所不能量者为心。"②这就把人心视为一种不占空间、没有形状重量的精神，所以他把心之特征称为虚，而坚定地认为虚之心决不能生出实之物，且批评心能生物的唯心论是"误虚以为实"的不通之理。刘咸炘指出"仁者人也"，这就把人与仁统一起来，而且将仁作为人之本质属性，而这个仁就是心或良知，所以刘咸炘认为"广言之，仁者心之良，统四端五心而为德首"③。综上所述，刘咸炘把心看成是人的深刻内涵，是从道德角度而论，这是传统儒家的理路，即人之所以为人就在于人有道德，否则就与动物无别。

与此同时，刘咸炘重人之心，是对中国传统儒学乃至整个中国文化重心的继承，而且将治心抬到了至高的地位，这又是与他把重治心视为中学与西学的根本区别（西学重治物）相契合的。

自人类出现以来，就存在着人与宇宙万物的关系问题，这也是刘咸炘为人之学所要解决的问题。他认为人与宇宙万物之间存在着千丝万缕的联系，其中主要的就是二者之间的相互感应，这显然是受到了董仲舒天人感应思想的影响。在他看来，人与万物相互感应是人的生存发展的重要因素。因为人类就在周围的自然环境中生息繁衍和发展。在此过程中，人同自然万物的接触形成了人与自然之间的主客体关系，由此构成了世界，即他所说"世界者，人与万

---

① 黄曙辉编校：《刘咸炘学术论集·哲学编》上册，广西师范大学出版社2010年版（下引版本同此），第12页。
② 《刘咸炘学术论集·哲学编》下册，第826页。
③ 《刘咸炘学术论集·哲学编》下册，第768页。

物相互感应而成者也"①。这是以中国传统天人合一的视野来探索世界的构成的，同时把世界构成看成是人与万物互感关系，从而否定了人或人心创造世界的唯心论。

与此同时，刘咸炘是从心理学角度来审视感应的，所以他指出："感应即心理学家所谓刺激反应。"②刺激反应仅仅是一种低级反应形式的感应能力，就连自然界万事万物都有这种反应能力，正是在这种意义上讲，"万物相感，即成万物，即成万事"③。人有纵横相感两种类型，纵感就是父母之遗传，横感就是自然和社会所形成的环境，由此形成了错综复杂的感应关系。不仅如此，刘咸炘还以知和行来阐释人与万物的感应关系。所谓感应关系上的知，就是万物感应人，这就是"知之学"。所谓感应关系上的行，就是人之感应万物，就是精神之活动，而非改造物质世界的实践活动，这即是"行之学也"。在这里，刘咸炘把万物感应人叫作知，使人费解，这很可能是指万物感应人之后，于是人对万物才能产生认识，并非是指万物认识人，这也就说明万物有感应能力，但实际上还是人去认识万物。刘咸炘把知与行看成是不可分割的关系："不行不得知"，"不知不能行"④。因为认知事物的目的主要在行，而行"必以虚理御之"⑤，即以知对行进行支配或指导。他反对重知而离行的错误倾向，坚持知行相兼之论，批评西方唯理论和经验论将感性与理性割裂开来，各执一方而否定另一方的片面论，并且批评西学有重知而轻行的倾向。依我们看来，他的理论是有问题的，这就是他不仅把知仅仅看成是低级的感应，排除了对事物认识的理性形式，而且刘咸炘认为万物感应人就是万物认知人，但自然界中能认知人的仅仅是高等动物，而非所有的事物。再则，行是与知相对应的，二者是认识和实践的关系，但刘咸炘把行看成是人感应万物，这就把知等同于行，而且以知泯行，这与王阳明的知行观一脉相承。

刘咸炘指出中国文化与西方文化存在着一种根本之对立，这就是中国文化强调治心，西方文化重在治物，由此形成中西文化治心与治物的二元对立。他肯定中国文化重在治心的价值，批判西方文化重在治物的过错。而且，重治心

---

① 《刘咸炘学术论集·哲学编》上册，第13页。
② 《刘咸炘学术论集·哲学编》上册，第13页。
③ 《刘咸炘学术论集·哲学编》上册，第13页。
④ 《刘咸炘学术论集·哲学编》上册，第13页。
⑤ 《刘咸炘学术论集·哲学编》上册，第13页。

也是刘咸炘人学的一种主张。他的重在治心之说的深刻的理论基础是"宇宙万物以人为中心，人又以心为中心"①之论。既然人与宇宙万物之间从逻辑上讲是人比宇宙更为根本，而在人的内在身心关系上又以心为中心，所以就必然推出重治内在之心而不是重治外在之物的结论。而且他认为中国先哲就是重心理，知其虚以治心，这样，中国哲学就是"以心御物，以理御事"②。与此相反，西人是重外在的客观事物，运用理智去征服自然，以达到获取物质生活资料为目的，而不知人自身受自然的支配。

刘咸炘认为学为人就是要以情意为重，知识为轻。这又是为什么呢？为此，他仍然是以心来分析的。人之本质为心，有心必然生情意，因此有情有意也就是人之为人的一种属性。人之所以为学者，不在于广博之知识，而在于"善其行事"，这行事就是以情意为主。而且，知识既不关乎行为，又无道德意义，也就是说，知识无所谓善与恶。这里所说的情意是什么？刘咸炘认为情意就是孟子所说的四端中的恻隐、羞恶、辞让等情绪情操，于是人之德就以喜怒哀乐等情意为主。至于四端中的是非之心，是指对善恶的分辨，是情之辅用，归根到底是属于情感之范畴，而不是认识物质之意，所以不属于理性思维之域。在知识之智和喜怒哀乐之情意的关系上，前者受后者的支配，后者是前者的能动的支配者，所以中国圣贤以情意为学，以情意为重。然而，西人则与此相反，其学之长"在知而病即在专求知"③。这就以重知障蔽了情意。

刘咸炘提出了以理性能力求知识是否可能的问题。对此，他引用庄子"吾生也有涯，而知也无涯，以有涯随无涯，殆已"语，以此说明由于人们受到各种主客观条件的限制，所以无法达到对无穷物系与万变的认识，并且以此说明西方学者以知识求幸福之不可能，因为宇宙无穷，而人生只见共一截，因此人根本就不能通过获得宇宙万物的知识来达到寻求真正幸福的目的。

刘咸炘到心中去寻求真善美的根源，这就是心中之情意。也就是说，真善美是情意之追求。他还指出："学者，学为人也，以善为主，真、美次之。真以善为的，美以善为准。离善而言真，无益也。离善而言美，且有损焉。"④这就把真善美视为不可分割的统一体，离开任何一方都只有损害而无一益，但它

---

① 《刘咸炘学术论集·哲学编》上册，第14页。
② 《刘咸炘学术论集·哲学编》上册，第20页。
③ 《刘咸炘学术论集·哲学编》上册，第16页。
④ 《刘咸炘学术论集·哲学编》上册，第16页。

们又有主次之关系，在真善美三者之中，以善为主，真美次之，因为真追求的目的是善，美之所以为美的标准也在于善。由此可以看出，刘咸炘是一个道德至上论者。在西学的冲击之下，中国传统的道德受到了批评或被嗤之以鼻，而代之以知识化的科学至上或科学万能，以此忽视了道德建设和国人道德素养的提高，出现了道德严重滑坡的状况，为此刘咸炘以挺立中国传统的善心善德思想来挽救道德缺失的状况。

古今学者往往颠倒了真善美三者之间的关系，出现了真善美之说的严重混乱，出现不分主次，甚至把真放在首位的状况。刘咸炘要拨乱反正，正本清源，并且提出了自己的观点，这就是"然三者自有轻重，方法唯三，总的当一，以一包二，宜云善、真、美，不宜云真、善、美"①。西人错误地以真为先，实际上也就是以科学为先，把追求物质之用当作目的，这弊端在于向外逐物。其实，真并非是人生之务，更非人生之目的，"人生之事不过求善，科学、艺术无非为人生，不然，则虽尽大宇宙之物相，穷人巧之能事，亦复何价值。治物以养身，凡一切求真，皆求善之具（即手段），艺术以陶情，凡一切求美，皆表善之具也"②。如若舍善而言真与美，是为大谬而有害无益。具体说来，如果舍善而言美，则追求色就会目盲，追求声就会耳聋，害人不浅，这正如老子所说："五色使人目盲，五音使人耳聋，五味使人口爽，驰骋畋猎使人心发狂，难得之货使人行妨。"③如果以真论善，就会迷信感觉，不仅不能得真，而且还会陷入因宇宙之广大、事物之神秘莫测而不可知的泥潭，从而只见事物皆丑恶而无善美，这就叫作求真逐物利而"忘情忽美"。

人性问题也是为人之学的一个重要问题。而在人性问题上，刘咸炘提出人之性的先天与后天、齐与不齐的问题。他指出："受之于天，理气之粹曰人性。"④既然性是受之于天的，所以人性没有时空之别，这就是齐，即人人都有人性，这是本于天的，因而人性具有普遍性和必然性之特征。人性齐又根源于先天之心。与人性齐相反，人性之不齐是由于不同的人所处自然条件、社会环境及生理上遗传等的不同，造成了人之个性。总之，人之性齐不齐的问题就是人性的共性与个性、普遍性与特殊性之问题。刘咸炘继承了孟子的性善论，

---

① 《刘咸炘学术论集·哲学编》上册，第17页。
② 《刘咸炘学术论集·哲学编》上册，第17页。
③ 《老子》第十二章。
④ 《刘咸炘学术论集·哲学编》上册，第21页。

也认为人性本善,这善性就是人的先天之性,而人有不善是由于后天之习造成的。最后,刘咸炘提出了解决后天之习所造成的不善问题,这就是他所说的"治心之学以此本齐调后天之不齐"①。因此,"调后天之不齐"解决之具体途径就是"率性""修道"。并且他非常重视修道之教,把道德教育放在整个教育的核心地位,即认为教育重在德性之教,而智力教育次之。调不齐之最后归宿是达到不偏不倚之"中和"。

刘咸炘非常重视人格之培养,而人格培养最根本的就是德性教育。因此,若重智巧或知识之学而不重视德性之学就是"忘人格"。他还把提高人格之德性教育纳入行(实践)之轨道之中。行就是动,其中包括礼教之动,因为礼是规范行的。礼之作用就在于教育者以自己的人格魅力感化受教育者。并且刘咸炘指出教育纯粹为感化作用,因此道德教育非演讲教科书所能收效,全要以身作则。教育者要与人为善,躬率之,而身教重于言教,甚至要行不言之教。圣人之善为大,而其善就是教,因为圣人之善为众人所效仿。在德性教育问题上,归根到底要进入受教育者的心底。在当今社会出现人格低下、重视知识教育而忽视德性培养的状况下,刘咸炘的人格培养论有着不可忽视的借鉴价值。

作为单个的人在社会中生活就必然存在着个人与社会的关系。在此问题上,刘咸炘提出以个人为本位还是以社会为本位的问题。在他看来,本位问题就是在逻辑上为先的问题,不是在社会现实中各种利益,特别是物质利益的占有问题,因此,以个人为本位就是一个人成人成己及社会要关照每一个社会成员的问题,不是损害他人而为自己的利益,这样,以个人为本位不等于个人主义或自私自利。什么又叫以社会为本位?社会为本位论者的主张是:"人为社会之一员,当适应环境,教育非为个人而存在,实为个人所属群体而存在,教育之目的在使人人对于社会尽劳务。"②这就是不顾个人之利益,而抽象地谈论社会利益。所以,刘咸炘十分鲜明地表明了自己的以个人为本位的立场。他为什么要坚持以个人为本位的立场呢?因为他认为个人是社会或群之基础,无个人即无社会或群,为社会、为他人也首先要有个人之存在,因此他说:"夫舍己而言群,又焉有群哉?故曰社会本位非也。"③"正心修身而齐家治国平天下,成己

---

① 《刘咸炘学术论集·哲学编》上册,第21页。
② 《刘咸炘学术论集·哲学编》上册,第28页。
③ 《刘咸炘学术论集·哲学编》上册,第28页。

而后成人也。取诸人以为善，成人亦即成己也。"①因此，刘咸炘认为学之为人就要以个人为本位，努力实现"人人为我，我为人人"之社会理想，并且坚决反对不顾个人的社会本位论，且批评以社会为本位论是："其说甚浅，又不顾及众人，不明万物之感人。"②他对亚里士多德的社会先于个人而存在的观点也进行了批评，说这是"谬误显然"。

刘咸炘又坚决反对个人主义，因为个人主义也是不顾及众人，损人利己。他赞成社会主义，因为社会主义是利益大众的，但是不赞同以社会为本位的社会主义。他的社会是由个人构成的，无个人即无社会和社会主义是为人民大众谋利益的思想，以及反对个人主义等都具有合理性。但是，他把以社会为本位理解成是不要个人和抹杀个人利益，这又是不正确的。实际上，以社会为本位主要是从价值取向而言的，即要以社会利益为重，也是针对个人主义而言的，即不要以个人利益而去损害社会和他人利益，而不是不尊重个人和不要个人利益。刘咸炘主张以个人为本位，并且把以个人为本位仅仅理解成个人是社会的基础，无个人即无社会，所以个人要成就自己，也就是提高自己的德性，增强自己的才干以成就社会、他人之利。这种主张也是正确或无可厚非的。但是，以个人为本位往往会被人们误解，即被错误地理解成以个人为中心，抑或以个人的利益至上。那样就会事与愿违，也是同刘先生意愿不符的。

（二）气本论

在本体论上，中国从先秦开始就产生了气本论，而且绵延不断，一直延续到近代社会。在此意义上讲，气本论是极具中国特色的哲学思想。从思想根源上论，刘咸炘气本论是对中国传统气一元论的继承。

1. 对心与物之争的实质之论

唯物论与唯心论孰是孰非，刘咸炘有着自己的评价。他指出："平心论之，则见二者皆是而皆非。"③很显然，这个评价是一种典型的调和论。唯心论的非在哪里？刘咸炘指出唯物论和唯心论之非总共有三个，其中唯物论之非有两个，第一个非是对物质的理解有偏差。这种偏差就是把有形体、占空间而受物理定律束缚的叫作物质，实际上，物理学中之原子、电子等就不受物理定

---

① 《刘咸炘学术论集·哲学编》上册，第29页。
② 《刘咸炘学术论集·哲学编》上册，第27页。
③ 《刘咸炘学术论集·哲学编》下册，第826页。

律之束缚，他认为正确的定义是：凡占有空间者为物质。唯物论的第二个非是唯物论以意识为非有，这是执实而忘虚，所以为非。刘咸炘指出唯心论之非有一，这就是物质不过是心之显现，心之显现即心之生出，但他质问道：心岂可生物？不占空间者如何生出占空间者？所以唯心论所谓物生于心是以虚为实。与此同时，他也不赞成关于"物皆止于人之感觉概念而否认外物之实在"的"极端"唯心论观点，他认为庄子在《齐物论》中所说"非我无所取"就是唯心论所说的外界客观事物必然由感觉概念而后有。他认为笛卡尔的"我思故我在"之说也是以我的感觉概念为实有，康德以时空中存在有限与无限之间的二律背反为由而否定时空的独立存在，认为时空"止在人心"。这些均受到刘咸炘的批评。他以彼与我之间的不可分割之关系批评笛卡尔的"我思故我在"，说"我以外果无物，则我奚由立，故又曰'非彼无我'"。他又以无时空则人心无安托，批评康德否认时空的客观存在的荒谬性。刘咸炘质问康德道："虽然，无限固不可设想，而无时空又安可设想，苟无空间，即此能思时空之人心又安所托乎？即本无时空，则是无所谓宇宙矣。无宇宙之不可设想，不更甚于宇宙之无限乎？"①我们撇开刘咸炘对唯心论的批评所运用的方法是否正确及分析论证是否充分，仅以他批评唯心论只承认心产生物，而否认物的独立存在而论，他的批评是正确的。

由上所述，刘咸炘既批评唯心论，又不赞成唯物论，因为他认为二者各有所偏（片面性）。那么，他自己的主张是什么呢？一句话，刘咸炘主张心物本一论。如他说道："由是言之，宇宙之充皆占空间，就广义之物质言，谓为物可也。凡物质皆有其能力，就广义之精神言，谓为心亦可也。西方学者唯斯宾诺莎见心物之本一，谓是宇宙万有之二面，惜其言之未明，且止以身心动作之平行为证，犹未免终离为二耳。"②由此可见，刘咸炘认为心物本一，心物二者是世界之两面，缺一不可。刘咸炘指出中国传统哲学无唯物与唯心之概念，也无唯物与唯心之论述，而且也"盖本未尝以心、物二名相对为万有之统名，即阳明自即心即物，亦止言二者之相盈，非唯一而去一也"③。这就是说，中国哲学没有以心和物之中的任何一方去否定另一方，甚至主张心即物的王阳

---

① 《刘咸炘学术论集·哲学编》下册，第827页。
② 《刘咸炘学术论集·哲学编》下册，第827页。
③ 《刘咸炘学术论集·哲学编》下册，第827~828页。

明也没有以心而否定物之存在。换句话说，中国哲学不主张心物之分离，而主张二者之统一，所以不能离心谈物，亦不能离物论心。我们认为虽然中国传统哲学无唯物与唯心之概念，但有唯物与唯心之内涵，而且刘咸炘在这里并没有抓住唯物与唯心争论的实质，因为唯物与唯心的根本对立在于心与物哪一个是世界的本原，哪一个决定哪一个的问题，而不在于是否既承认物又承认心的存在。

2. 对传统气本论之见解

刘咸炘认为中国无心物之争，但有理气之辩。理气之辩就是指理与气关系之辩，其核心是理与气何者更为根本的问题。中国传统哲学有一个一以贯之的气本论，气本论表明气比理更根本，并且宇宙间只有气为唯一之本原。因此刘咸炘认为中国传统哲学在宇宙本原论上主张气一元论，这就是他所说的："盈天地间万物，同出一元，一元者同一质也，此质极微，中国圣哲谓之为气。"①

气分阴阳二气，这是气本论的一个重要的观点。它以阴阳二气为基础，揭示了事物产生的源泉及其运动的内在规律。中国哲学出现长时期的理气之辩或理气之争。二程朱熹认为理气不离。我们认为这并没有不对之处。但在先后关系上，二程朱熹则认为理在气先，气由理生，这便遭到了刘咸炘的批评，说朱熹理在气先、理生气的观点是"有病"，且认为理在气先不可通，气不在理之后，因为气本身就是形上的，朱熹的错误的根源正是在于"不知形上之指气"②。

朱熹曰："《易》不言无，老子言有生于无，便不是。"③薛敬轩、胡敬斋、刘蕺山等批评老子"有生于无"的观点是虚无而生有，因而是虚妄之论。刘咸炘认为这些是对老子的误驳。因为老子本无虚生气之说，老子言道是常有常无，正是有无混一，或既有即无，并不是将有无辟为两片而不相连，而且老子言"有无相生，亦未尝不可言无生于有也。若以万物起源言，则此无仍是有，但止是气而非形耳。《庄子·知北游》所谓'有伦生于无形'，是也。非果一无所有也。道家所谓无，即今人所谓空，实非真空，特古称穴为空，故不言空而言虚，《三十辐章》所举车之无，器之无，皆指虚处，虚处固占空间，空间固气之所充满，正横渠所谓'虚空即气'，太虚无形，气之本体也，何尝

---

① 《刘咸炘学术论集·哲学编》下册，第850页。
② 《刘咸炘学术论集·哲学编》下册，第834页。
③ 《刘咸炘学术论集·哲学编》下册，第837页。

言虚乃无气耶？"①这既体现了刘咸炘对虚或无的理解，又可以看出他对道家的辩护。

刘咸炘指出："华夏圣者论宇宙，一气而已，一气之变，则谓阴阳，其行谓之道，形则谓之器，本易明也。"②这就是说，中国传统气本论哲学家把阴阳看作是气之阴阳，即阴阳二字实指一气，阴为静，阳为动，阴为虚，阳为实，刚柔是阴阳之德。同时，阴阳也是一气之变动，即阴阳相交感而生变动。简言之，"一气之变为阴阳五行，此吾华之宇宙论也"③。道是其运动变化中所固有的条理（规律），器是阴阳之气相互激荡、凝聚与分散过程中所产生的具体事物。这些论述揭示了中国传统哲学家关于气与阴阳、五行、道、器之关系的思想。

3. 气本论之主张

刘咸炘也有自己的气本论思想，这一思想是对中国传统气本论的继承，也是对其在一定限度内的丰富发展。

刘咸炘明确提出："盖宇宙万事皆物所为，而万物皆气所成，气合于此则为善，逾于此则谓之过与恶。天也人也，心也身也，一也。"④这里所说之"一"就是指气，万事万物皆是气之所成，无论是天也好，身心也罢，也无不是这一气所生成。这就是对中国传统哲学中气是世界本原观点的直接继承，但是他的独特之处就在于更强调气是宇宙的"唯一本原"。

明清唯物主义哲学家，如罗钦顺、王廷相、方以智、黄宗羲、王夫之、颜元、戴震等批评程朱理在气先、气生于理的观点，提出理在气中，无气则无理，理是气之理。这是刘咸炘所赞同的。他进而表达出他自己的观点："道者理也，气之理也，即有理之气也。理指条理，气指实质，名虽有二，其为物则不二也。复何争乎？"⑤也就是说，作为条理之理与作为实质之气的关系是：气是理的根据，所以气是有理之气，理是气在运动中所表现出来的条理或规律，又称之为"所以然"。理气虽有区别，但二者又相统一，即气不离理，它在运动中必然表现为理；理又不离气，气是理的本质性根据，所以将理气关系

---

① 《刘咸炘学术论集·哲学编》下册，第839页。
② 《刘咸炘学术论集·哲学编》下册，第830~831页。
③ 《刘咸炘学术论集·哲学编》下册，第842页。
④ 《刘咸炘学术论集·哲学编》下册，第846页。
⑤ 《刘咸炘学术论集·哲学编》下册，第842页。

纳入统一体中考察就是不二的关系。刘咸炘进而认为气就是理，在此意义上，气本为一，气与理一体，而理就是道，所以道即理即一，反对将理或道别为一物。这是对中国传统理气关系论的进一步提升。

刘咸炘对中国传统的阴阳五行学说坚信不疑，批评今人不信古圣阴阳五行之说。他对传统的阴阳五行学说进行了新的阐释，亦提出了自己的观点。中国传统阴阳五行说认为，阴阳是气之阴阳，五行是气之变，所以气本论必然关系到阴阳五行。刘咸炘强调气是阴阳两个方面之"和"，而不是以阴阳论善恶，也不是陷入否定其中的任何一方的片面性，所谓"气不能无阴阳，而和之为贵，是阴阳固非一善一恶，而非可偏主也。然《易》以阴为小人，二阳为君子，有尊阳之意，老子谓柔弱则生而刚强者死，明主柔之意，盖皆有所取而非相背"①。也就是说，在价值观上阴阳又有君子与小人、主阴柔而不主阳强之别。

刘咸炘还以气一元论去论鬼神。他首先解释了神之内涵，其解释的主要根据是《易传》所说神不是别的，就是万物之灵妙，或曰"阴阳不测之谓神"。其次，刘咸炘揭示了神的本原论基础，这就是气。如他说："实则神与气乃相盈而不离，既曰万物之灵妙，万物无非气，则神即气矣。"②鬼也是气之产物。气产生鬼神，是因为气之凝聚，这说明有鬼神之气。如果气分散，则鬼神灭也，聚而不散即为神祇。

刘咸炘气本论的另一贡献是自觉地以执两用中的辩证方法去分析论证气本体论。这主要表现在：第一，他主张神之原是气，但是他不赞成神不灭和神灭之论，认为二者均有偏颇。他以执两用中的方法论证之，得出神既有灭又有不灭的观点，具体说来就是神气散则神灭，聚而不散则不灭，这就是神祇。第二，刘咸炘又将阴阳、五行阐释为气之变，而不是别的什么东西，又把五行解读为比金木水火土还要多得多之质，这也是刘咸炘的独到之见。他还进一步解读五行为五态，即一气之五种形态，而且气之变化产生出纷繁复杂的万事万物。刘咸炘在总结《易》对其阴阳变化状况之揭示的基础上，提出了气之阴阳变化的三个要则："一则各态之物并存而相为用，不可缺一，此于《易》谓之感，如地不能有山无川，人不能有气无血；二则变必缓而不可骤，此于《易》谓之渐，如寒渐为暑，暑渐为寒；三则变有限度，不可太过，是之谓中和，

---

① 《刘咸炘学术论集·哲学编》下册，第846~847页。
② 《刘咸炘学术论集·哲学编》下册，第851页。

如血不可竟滞，气不可过散。"①这就说明变（动）与定（静）是一种辩证关系，凡物皆动中有定（静），定中有动，否则，皆有过而失去动定之平衡，有失中和。而只定或静无动，是阴之过，有定而无动或散而亡，是阳之过，须阴中有阳，阳中有阴。

（三）两端与执两用中

尽管西方辩证法对刘咸炘有着一定的影响，但中国传统的辩证法，特别是儒道两家的辩证法是其辩证法思想的真正源头。同时，刘咸炘辩证法思想也是在继承中国传统辩证法基础上的创新，这种创新又更多地体现在方法论上，而且还深深印上了时代特色。

1. 凡物皆有两

刘咸炘指出："八年用工，得此一果唯一之形上学。邵康节遇物皆成四橛，我则遇物皆成两橛。"②由此可见，刘咸炘对"两橛"探索极为重视，且用力甚多。他不赞成邵雍凡物皆有四橛的观点，指出："朱元晦谓邵尧夫言数理，遇物皆成四橛，夫春夏秋冬一阴阳消长耳，虽四而实二也。二者何？两端也。如悬衡焉。凡事皆有两端……两末即两端，宇宙之多争以此。"③由此可见，邵雍所说的"四橛"是指四个阶段或四个环节，如春夏秋冬四季，等等。刘咸炘所说"两橛"就是对立的两个方面，如阴与阳，等等，刘咸炘以"两端"概括之。"两末即端"是两端的原本含义。"端"是对立的末（末端），而相对立的末有两个，所以是两端。两末正相对立，所以两端是事物中对立的两个方面，即辩证唯物论所说的矛盾对立之双方。刘咸炘指出："吾所说得两，即道家、史家之要，《易》之所谓盈虚消息，老子所谓正奇倚伏，《淮南》所谓始终。"④由此可见，刘咸炘两端思想来源于中国传统哲学。这里所说的盈与虚、正与奇、始与终等均是一一对立的两个方面，正相对立的两个方面是中国道家、史家等所论述的内容。

刘咸炘把"两"提高到"纪"的地位，此"纪"就是指大纲或总则。具体来说，"两"就是标示宇宙间万事万物之各相对立的范畴。他指出："凡有

---

① 《刘咸炘学术论集·哲学编》下册，第846页。
② 《刘咸炘学术论集·哲学编》下册，第1212页。
③ 《刘咸炘学术论集·哲学编》上册，第57页。
④ 《刘咸炘学术论集·哲学编》下册，第47页。

形者皆偶，故万事万物皆有两端。"①这就把两端视为宇宙间万事万物的普遍法则。刘咸炘还把作为普遍法则的两端之内容用"八语"概括："阴阳虚实、源流始终、古今来往、南北西东、出同如异、别私共公、推十合一、执两用中。"②前七语揭示的是宇宙万物相对立的十四个方面，即阴与阳、源与流、古与今、来与往、南与北、西与东、同与异、私与公、十（多）与一等，而最后一语"执两用中"主要是指方法论原则。其中阴与阳是指事物构成的两种对立的基本元素——阴气与阳气，源与流、古与今、来与往是指事物的变化发展中的两个对立要素，南与北、西与东是指空间方位上的对立要素，而同与异、私与公、十与一主要是指事物中的共性与个性或普遍与特殊之要素。但这些仅仅是对万事万物中相对立要素的基本方面或类的概括，并没有把自然、社会、思维中一切对立要素包罗无遗，实际上宇宙万事万物中的对立要素是无穷无尽的。因此，刘咸炘又列表尽可能地将"两纪"更加具体化，列举了近百个两相对立的方面，如无与有、合一与万分、本与末、静与动、阴阳、收与发、少与多、内与外、退与进、虚与实、柔与刚、冷与热、秋冬与春夏、生与死、情感主义与理智主义、武侠与文儒，等等。刘咸炘认为这是他哲学研究的辉煌成果。在我们看来，不可否认，刘咸炘"凡事皆有两端"的理论概括以及具体论述均有着一定的积极意义。但是，在当时西方哲学中的辩证法，特别是丰富的马克思主义辩证法中的对立统一规律已传播到了中国的情况下，刘咸炘并没有吸取其中一些内容以丰富自己的理论，更没有什么创新，而是在持守中国传统辩证法思想基础上的修修补补。这不能不说是一件憾事。

2. 二合为一，三而实一

刘咸炘指出："阳奇而阴偶，一阴一阳之谓道。奇偶合而成三。"③同时，他又认为矛盾对立的"两端"和"中"之统一就是三，而且将其归功于庄子，认为就是庄子所说的"天地之纯，古人之大体"。

刘咸炘又是如何阐释一、两、三及其关系的？他认为事物中有"两"个方面，人们就是要把握"两"，而不是执于一端，这就克服了仅执一端的片面性。然而，刘咸炘认为这还不够，还须把两端连接起来，形成一个统一体，这

---

① 《刘咸炘学术论集·哲学编》下册，第1206页。
② 《刘咸炘学术论集·哲学编》下册，第1206页。
③ 《刘咸炘学术论集·哲学编》下册，第752页。

就是一。因此，"一"就是指既执"两"又把"两"有机地统一起来，或者说是两端之合，而合即一或中，但合是产生出来的一个新东西，这个新东西的和或中就是三。反过来说，三即是把两统一起来的一，这就是正道，这才是真执两，但这已经不是片面一端的一，而是两端统一或综合之一。刘咸炘认为这相似于黑格尔的正、反、合之三段式，即一端就相似于正，两端就是对一端片面性的否定，这就相似于反，两端之统一相似于合。所谓相似于正反合的三段式，是指形式和方法上的，而在内容和实质上又有所不同。因为黑格尔三段式既是一种关于事物由低级向高级，由简单向复杂之曲折发展的哲学理论，又是一个具有普遍性的方法论，而且他将三段式运用来构建、论证其哲学体系。而刘咸炘一端、两端和两端之合一之理论仅仅是阐明事物对立的双方的关系及如何才能正确地把握双方之间的关系，而没有上升到更为普遍性的哲学理论，更没有自觉地将其提高到一个普遍性的方法论原则。

3．一与局（多）

《庄子·齐物论》曰："唯达者知通为一。"《庄子·天地篇》引记曰："通于一而万事毕。"刘咸炘继承了道家一之思想，但他认为不仅有一，还有多，从而形成一与多之关系。什么是一？刘咸炘认为一就是同，与此相反，多就是异，而且"就一而论，则每一皆有动静，无有量质本末之分，此数者，当皆为一、多所统"①。他还把一称为"无差别也"。

刘咸炘独创了局之范畴，所谓局就是多。他指出："局者别而异，分多者也。"②局又称局一。为什么局又叫局一呢？可能是因为局包括在一之中，在此意义上，局就是局一，并不是说局与一无分别，实际上局一就是局多。什么叫通一？"通一者，就是无差别也。其表则为两即之说，是为中国之大理。"③通一中的无差别就是同与共。两即是古代对通一的说法，因为古代通一者不直言一。刘咸炘指出："所谓一者，有通与局之别，通者共而同，该多者也，庄周所谓'其不一也一'也。"④既然一包括通与局或共与多，那么通一与局多就不可分割："今之论通一乃包局一非灭局一也。"⑤而且"二者皆不可无，

---

① 《刘咸炘学术论集·哲学编》下册，第753页。
② 《刘咸炘学术论集·哲学编》下册，第753页。
③ 《刘咸炘学术论集·哲学编》下册，第753页。
④ 《刘咸炘学术论集·哲学编》下册，第754页。
⑤ 《刘咸炘学术论集·哲学编》下册，第754页。

不可局一则应事不当，不知通一则穷理不至"①。由此可见，刘咸炘不仅深刻地揭示了通一与局多之间是一种辩证关系，而且指出在通一与局多之间不能抬高一个而否定另一个。

4. 执两用中

"执两"就是执于两极之两端，看到对立面的两个方面。因此，"执两"就是不走极端，实质上就是执中。早在《尚书·大禹谟》中就有执中的思想，所谓"惟精惟一，允执厥中"。孟子也有执中的思想，如曰："子莫执中，执中为近之。"这就是说，执中就是走不偏不倚的中间道路，走这种道路是合理的，因为是正确之路。《中庸》所讲"中"也是指不偏不倚。儒家认为"执中"是君子之本，所以孔子讲："君子中庸；小人反中庸。"《孟子·尽心上》曰："执中无权，犹执一也。所恶一者，为其贼道也，举一而百废。"这就是讲执中可能会导致拘泥一点而不知变通，这样就会抓住一点而不及其余，这就对仁义之道有所损害，所以使人厌恶。这里就提出了一个因时因地制宜的御变思想。刘咸炘很可能根据孟子的这一说法，批评那种表明上是执两，但是实际上不是执两，而是执一的不知变通的行为。然而，怎么才是"御变"呢？这就是他所说："既言御变，必有超乎变者，故道家之高者皆言守一，未至于守一，则将入第三之高级老、孔之正道矣。老为之得一，孔谓之用中，此即超乎往复者也。"② "因中" "御变"就是执两，就是一种对一的超越。这就克服了只抓其一点，不及其余的片面性。刘咸炘把道家的方法概括为："一言以蔽之曰御变，御变即是执两。"③ 当然，道家之说御变还有"以御物变" "通古今之变"（刘咸炘称之为"察势观风"）之意，但我们在此不论。刘咸炘所说的"执两"是真正的执两，即不执偏而"用中"的执两。这样，御变是执两，执两又是用中，所以"用中"也就是御变。

何谓中？刘咸炘指出："中难见也，必以两有、两不见之。两有又难明也，必以两不明之。"④这就是说，中不是直接所能看得到，而是通过既包括两端之"两有"，但又不是两端本身之"两不"体现出来，这既是两又不是两就是中。简言之，中就是不偏不倚的、处于中间的状态。他还把这"间于两

---

① 《刘咸炘学术论集·哲学编》下册，第753页。
② 《刘咸炘学术论集·哲学编》上册，第48页。
③ 《刘咸炘学术论集·哲学编》上册，第46页。
④ 《刘咸炘学术论集·哲学编》上册，第60页。

也，两有而两不也"的不偏不倚的、处于中间之状态叫作"中之本义"。

刘咸炘指出有貌视为中而实不为中之现象。他说："两有、两不者不必为中也……故曰：'执中无权，犹执一也。'无权者，未知执两也。无权，故两皆极，两皆极，则犹两皆无矣……两皆极，两皆无，复何中之有哉？言中者皆知不极，而每陷于无，此大病也。"①这就说明无不是绝对之无，不是一无所有，而是无中有有，有中有无。这就阐明了中与有、无之间的辩证关系。

刘咸炘还用两与中之统一的三来论证人生之态度。他在《道家史观说》中讲："人生态度不出三种：一曰执一，举一废百，走极端者，诸子多如此，此最下。二曰执两，此即道家子莫、乡愿，似执两而非真执两，何也？子莫执中，实是执一。"②这里所说的"执一"是指偏执于一端，而不知另一端之弊。刘咸炘将执一、执两、超乎两之上或综合两之第三而分别规定为人生之三种态度，他所坚决反对的是执一而走极端的人生态度，提倡的是走"中庸"之路的人生态度。我们认为这不仅仅是人生的不同态度区别的原则，而且也是观察宇宙间万事万物的根本观点和基本方法。

刘咸炘又以执两用中之方法指导为学，正如他所说：平日论文论诗书画小道，无不统于此。他还指出："为学方法有三：知言，论世，总于明统知类。知言者，用中也，明左右之异。论世者，御变也，通古今之变。用中横而御变纵。以两观之，或束或放，或冷或热，其大要也。纵之古今，横之东西，无不皆然。用中正偏，肇于子思，论世知人，明于孟子……统莫大乎六经，知六经之形分神一则知两矣。"③这就是以两为纪纲，通观学理之中，于史论世，通古今之变；于子（子学）知言，明左右之异。"两"在刘咸炘之治学内容上就是子史二学，扩充到整个《推十书》的理论体系中是指知言和论世之统一，其中有着御变之思想。

（四）中西文化观

1. 中西文化之异同

刘咸炘承认中西文化有同之方面。如在哲学上中西方都存在着一与多、动与静、常与变之辨等。但他认为中西文化主要体现在异之方面。刘咸炘正是在

---

① 《刘咸炘学术论集·哲学编》上册，第60~61页。
② 《刘咸炘学术论集·哲学编》上册，第48页。
③ 《刘咸炘学术论集·哲学编》上册，第7页。

中西文化不同之探索中，对中西方文化进行价值评价，极力褒扬中国文化，竭力批判西方文化，这充分显示出他作为文化保守主义者的文化观特征。

第一，重治心与重治物之异。刘咸炘在《内书·说理》中指出，哲学文化之差异既表现在"总题"方面，又表现在"散题"方面。中国哲学重治心，故详于本与末，西方哲学重治物，故详于量与质，这是中西哲学之异的"总题"。中国理气之辨盛，而以道德理势之辨重，西方心物之辨盛，而以物理时空之论为基，这是中西哲学差异之"散题"。无论是总题也好，还是散题也罢，无不说明中国哲学重治心，西方哲学重治物。他的这一说法有一定的道理，正因为中国哲学重治心，所以无论是儒家、道家还是释家都大讲人的心性，并且都有较为丰富的关于通过心性之修养以提高心灵境界的理论；也正因为西方重治物，所以西方自然哲学和认识论发达。

第二，讲合、通一与讲分、片面一的区别。刘咸炘认为中国人讲御变或权变，着重合，而合者即多而得一，皆求通一，而通一不是片面之一，而是两面的两即，他进而把这种理论说成是中国之大理。与此相反，西方在名理（逻辑）上以拒中律为根，非甲即乙，这是指形式逻辑中的排中律，长于分。同时，西人好走极端，故常执一而废百，即拘于局一而不知通一，实质上是形而上学的片面性，而黑格尔对此进行了坚决的批评，创立了一个辩证法思想体系。刘咸炘也看到了西人现代也开始趋于合。

第三，主退、主静与主进、主动之异。刘咸炘把主退、主静与主进、主动看作是中西文化的根本之差异。刘咸炘指出："近日论东西文化之异点者多矣，较而论之，以静动一说最能该。"①他又指出："西方之风，一言以蔽之曰进。中国谟训则不然，老子曰：'夫物芸芸，各复归其根。归根曰静，静曰复命。'又曰：'逝曰远，远曰返。'孔子曰……'返古复始，不妄其初。'夫进之为道曰动，自无而之有，自一而之万，益分益多，德发扬，诩万物，外心者也。退之为道曰静，自有而之无，自万而之一，益合益少，德产之，致精微，内心者也。"②这充分说明了中国文化主退，也就是主复（返）和主静之特征。而西方文化的特征与此不同，是主进或求进，或者说只知往而不知返或往而不返是西人之风，这也正如梁漱溟所说"西方化就是以意欲向前要求为

---

① 《刘咸炘学术论集·哲学编》下册，第1112页。
② 《刘咸炘学术论集·哲学编》下册，第983页。

根本精神的"①。梁漱溟对中国文化的根本精神的解读与刘咸炘所说的主退不同,梁认为"中国文化是以意欲自为、调和、持中为其根本精神的"②。

刘咸炘与当时的绝大多数学者不同,在他主静、主退或返世界观的指导下,坚决反对达尔文的进化学说,特别是反对西人将进化论搬进人类社会之中,批评西人大言社会之进化而排斥循环论。他认为这是极大的错误。其实,刘咸炘不是完全否定进化,而是认为进化与退化之论要得当。更为重要的是,刘咸炘把中人言退与西方言进之本质进行了不同的区分:中人之言退化是指德性,达尔文言生存竞争是指智力,不包括情意和德性。智力和德性是相互对立的两个方面,智力进,德性退。反之亦然。

第四,讲均、讲安、重情谊、知足与贪财、好争、重物质利益、不知足之异。刘咸炘认为中国文化自古就讲均,讲安定,重情而不重财,而且讲知足,于是能和,而当今西方讲物质利益、贪财、好战、竞争、争霸,而且永不知足,因而不能和。西方出现了严重贫富不均之现象,原因在于重商贵金,这是经济主义之表现,从而自然资源遭到掠夺。其总病根在于科学主义、唯物史观、个人主义和功利主义。刘咸炘把西方贪财、好战、争霸而不能和的根源追溯到唯物史观是不正确的,因为唯物史观恰恰是反对贪财、不和而好战和争霸的。再则,讲物质利益也不是他所说的那样是社会的弊端,实际上追求物质利益是人类正当的行为,只不过不能滋生贪欲,特别是不能不择手段地牟取自己的私利。

2. 中国为植物文化或植物生活,西方为动物文化或动物生活

尽管学术界有植物文化和动物文化的概念,但这与刘咸炘所说的植物文化与动物文化有着根本之不同。因为刘咸炘所说的植物文化和动物文化是从一个地域或一个民族文化类型上而言的,所以他说:"虽然,论文化者根据于社会状态、社会组织,此型成民性之要素也。两方文化之所以异正在于是,吾敢造二语以分别之曰:东方为植物生活,西方为动物生活。"③一般意义上所说的植物文化是指植根土壤之文化,动物文化是动物活动所体现出的文化属性。所以,以植物文化或植物生活与动物文化或动物生活来标示中西文化之根本差异

---

① 梁培宽、王宗昱编校:《中国观代学术经典·梁漱溟卷》,河北教育出版社1996年版(下引版本同此),第64页。
② 《中国观代学术经典·梁漱溟卷》,第65页。
③ 《刘咸炘学术论集·哲学编》下册,第1112页。

是刘咸炘的标新立异。

从刘咸炘对文化的表述中可以看出，他所说的文化是指较为宽泛的文化，包括政治、经济、军事、社会组织、生活状态、血缘关系、伦理道德、思想观念等，而且他对中西文化差异进行了全方位的比较。通过比较之后，他认为中国文化与西方文化之差异最深刻的根源在于自然事物，前者为植物，后者为动物。这显然带有类比的味道。因为与动物相比，植物的生长变化是相对静态的，而与植物相比，动物生活习性是相对活跃的，由此便推论出中国文化是静的文化，西方文化是动的文化。而且，既然中国文化的源头是植物，西方是动物，所以决定着中人和西人在生活方式上的诸多差异，而总的说来，中人的生活为植物生活，西人生活为动物生活。在我们看来，刘咸炘对中西文化或生活的抽象有一定的合理性，因为他所列举的中人植物生活和西人动物生活的具体表现中，确实中人在世代绵延的社会生活中植根于土壤，生活于农村，西人则也在相当长的历史时期靠游牧生活，从而形成牧群、商群；中人爱土地植物而依赖土地而不愿离土离乡，西人逐水草而居，离乡而轻家。与此同时，他认为中人生活依赖于大自然之恩惠而安定，西人生活是赖于人力而躁动；中人易知足而趋于保守，西人是贪多而向前求进步；中人是亲亲互爱、邻里乡亲相助，西人是亲子分散，互不能相顾等，这也在某种程度上与历史事实有相合之处。

然而，这种说法似乎又有一些问题，一是中国农业社会经历有几千年的历史，刘咸炘把中国古代社会正确地定位于以农为本，兼有商业，但是没有论及中国古代有少量的手工业，而且近代以来工业开始逐渐发展。他认为西方以商业为本，实际上西方近代以来主要是以工业为本的，而商业是建立在工业的基础之上的。二是刘咸炘关于中人生活是依赖自然的恩惠，西人是靠人力的说法割裂了人类的生存发展既依靠自然又发挥人的主观能动性的关系，实际上中人和西人的生存发展无一不是二者的有机结合。三是把人类文化和生活的来源归结为植根土壤或畜牧动物是一种现象论，并没有抓住其本质，马克思指出："物质生活的生产方式制约着整个社会生活、政治生活和精神生活过程。不是人们的意识决定人们的存在，相反，是人们的社会存在决定人们的意识。"[①]也就是说，决定人类生活和社会文化的是物质资料的生产方式，而不是什么植物或动物。四是没有说明植物与动物两种自然事物是如何转化为人类文化的，

---

① 《马克思恩格斯选集》第二卷，人民出版社1995年版，第32页。

更没有揭示二者转化的内在机制，这与他没有从生产方式揭示文化产生和发展的根源息息相关。

刘咸炘把社会生产形式与道德、阶级、政体结合起来，认为建立在以农耕为主体基础上的社会组织中产生互助、乐和之美德，而且阶级关系不凸显，而商业生产则生富豪阶级、阶级斗争和专制政体，近代以来工业易导致专制，出现兼并，争夺世界市场，且易发生许多革命。他还认为以畜牧或商耕为主体的西方社会，特别是近代社会产生出许许多多的弊病，而以农耕为本位的中国社会则无西方近世之弊端。西方有哪些社会弊端呢？他在《外书·动与植》中讲：以农耕为本位的中人与以畜牧、商耕为本位的西人有着根本不同的精神风貌，"中人先圣之道在于恒常，民习其习，遂尚安定平缓，笃旧而持中，西人之风则唯变，唯新唯进行唯极端"①。西人所羡慕的人生也就是一种好动、好争斗、奋力向前的动物精神。这种精神风貌又可分为"五端见之：一曰种族意识，二曰阶级意识，三曰个人主义，而总之为敌对态度、分析精神"②。而且，中人主合、主放、主中庸，西人主分、主严、主极端。由此出发，刘咸炘具体列举了西方文化的种种弊端（有的也是特征），包括自傲、视他人为仇敌、好斗、崇尚武力、执我、强占有、尊强者、重物质、轻感情、不重团结、讲斗争分裂（仅在对外敌斗争中讲团结）、个人主义、功利主义、享乐主义、不知足而贪、数而忘质（主要是探求物质财富，忘掉道德提升）、贱农贵商、理财在于求个人富而不是求国富，等等。当然，刘咸炘也把善于分析视为西方文化的一种特征。中人则有知足、贵爱、互助、忘我、节制、中正、和平等等文化特征或优点。此外，他还认为华人羡慕一家团圆，西人羡想荒地殖民；中人以好人为崇拜标准，西人以伟人为崇拜标准；中人称人说硕德，西人称人说成功；中人尊君子，西人尊强者或英雄；等等。中国文化中的这些积极因素被现代国人所继承发扬，对社会道德精神的提高和社会的进步起着积极的作用，西方这些弊端传入中国确实起到了非常消极的作用。

中国近代以来，中国传统文化，特别是儒家文化受到西方文化巨大冲击，甚至儒家文化受到来自儒家启蒙思想家之内部批评，以及受到太平天国革命者、马克思主义者和西化派的批判，不仅由以前的统治地位的文化变成了被边

---

① 《刘咸炘学术论集·哲学编》下册，第1119页。
② 《刘咸炘学术论集·哲学编》下册，第1119页。

缘化了的文化，而且面临着岌岌可危的严峻处境。而刘咸炘有着拯救中国文化的强烈的历史使命感和勇于担当的精神，所以对西化文化进行了猛烈批判，体现着对中国文化深切的悲悯情怀及复兴中国文化的强烈愿望。

但是，刘咸炘忽视了中国文化中的消极因素，而且他虽然对西方文化有赞赏之处，如赞赏基督教文化中的情感主义或价值理性，肯定康德的道德义务论，赞扬在现代西方有人主柔、重道德理性的倾向等，但从整体上讲，刘咸炘对西方文化基本上是持否定的态度，即使对西方的科学技术、民主、管理经验等都进行了一定程度的批评。追溯其原因主要有三，一是持有中国文化优越论的立场，二是对文化的评价是情感主义的，而非理性主义的，三是在方法论上是非此即彼的片面的方法，而不是具体地分析具体情况的辩证方法。

3. 智进而德退观

刘咸炘坚决反对崇今弃古之论和轻视中国自己的文化而崇拜西方文化的现象。他的观点是今不如古，这是建立在他的蒙昧人和野蛮人道德比现代人高的思想基础之上的。刘咸炘指出："文明二字本指事物知识而言，若道德则所谓蒙昧人、野蛮人反有高于文明人之处。"① 而且，"古之四民守职而无争心，顺天道，因地利，以孝其父母。今之四民不复思其居而唯盗是务，天道以变，地宝以竭，人伦以乱，斯祸也，腹心之疾，天地之蠹也"②。所以刘咸炘提倡复古。他指出"曩之论者谓世道人心，江河日下，故凡事皆以复古为善。今之学者以顺应潮流，贵新贱旧，崇今弃古为标"③。"曩之论者"之复古观就是刘咸炘的观点。这决定着他倡导退化之德性建设。为此，他区分了进化与进步两个概念的不同含义，认为进化为事实，进步为价值判断，而且指出"先哲不但言进化而主循环者，固知此止一态而不可偏执也"④。为此，他认为应该是在进化与退化之间求得平衡，这就是他所说的退化与进化之论要得当，这就是智进而德退。刘咸炘的德退论来源于老子的循环往复思想。老子认为作为宇宙万物的本原之道有往返或循环之特性，"大曰逝，逝曰远，远曰返"，并且往返又是道运行的规律，所谓"反（返）者道之动"。刘咸炘以此为指导，提出

---

① 《刘咸炘学术论集·哲学编》下册，第1109页。
② 《刘咸炘学术论集·哲学编》下册，第998页。
③ 《刘咸炘学术论集·哲学编》下册，第986页。
④ 《刘咸炘学术论集·哲学编》下册，第1105页。

"道家之论全宇宙循环无始终,人德退而智进,而事变则循环"①。刘咸炘的智进论来源于荀子。荀子十分重视认识自然以积累知识,他在《正名》篇中提出"知有所合谓之智",所以刘咸炘说"荀子之言,集智也"②。所谓德退就是指德性只能是退步,而智进是指智力须要进步。为什么德退而智进?这是因为"德性本于先天,固逆而愈得;智力起于后天,故顺而愈高"③。如果有人认为德性在于后天之进步,这是一种谬论,倘若真是这样,就会对先天的德性有所损害。所以言社会进化仅仅止于知识而非德性。刘咸炘提出德退之论的目的在于:在当今社会道德严重滑坡的历史境地之下,加强道德建设唯一的途径是继承发扬中国古代纯洁而美好的道德。由此可见,刘咸炘既是一个虔诚的怀古主义者,又是一个道德复古论者。

第三节　巴蜀现代新儒家哲学思想

中国近代以来,在中西文化碰撞的历史境遇之下,西方文化是先进的文化几乎成为国人的共识,而中国传统的儒家文化被当作保守和落后的文化进行批判,特别是在五四新文化运动时期,批判进一步升级,学界提出了打倒孔家店的口号,儒家文化受到了全方位的、彻底的批判。这样,儒家文化的地位一落千丈,由在漫长的封建社会中一直居统治地位,长期是封建制社会的意识形态变成被严重边缘化的文化,甚至其生存状况岌岌可危。

诚然,儒家文化,包括儒家哲学有不少消极落后的因素,也有不少与现代社会不合拍的地方,但是也有许多精华,能够为现代社会的发展提供大量的可资借鉴的思想资源。同时,儒家的天人合一、和谐等思想在现代社会中仍具有普遍价值。所以,现代新儒家代表人物把复兴中国传统的儒家文化当作自己义不容辞的历史责任。生长在巴蜀之地的贺麟、唐君毅二位先生怀着强烈的复兴儒家文化的担当意识,在其复兴或重建新儒学的思想涌动之下,通过艰辛的脑力劳作,取得了许多开拓性的思想成果,特别是在哲学思想上做出了一些综合创新性的成就,从而成为著名的中国当代新儒家代表人物。

---

① 《刘咸炘学术论集·哲学编》下册,第1111页。
② 《刘咸炘学术论集·哲学编》下册,第1109页。
③ 《刘咸炘学术论集·哲学编》下册,第1109页。

一、贺麟哲学思想

贺麟（1902～1992），中国现代著名哲学家、西方哲学研究专家、西方哲学著作翻译家，中国现代新儒家代表人物之一，当然他也是巴蜀现代新儒家的代表人物。四川金堂县人。父亲是清朝一位秀才，曾主持该县的教育事务，家境较好，他从小受到良好的家庭教育和儒家思想的熏陶，且从小读"四书""五经"。十五岁就读于著名的成都石室中学。十九岁初中毕业后考入清华大学，受到了梁启超、吴宓等著名学者的耳提

贺麟像

面命。1926年，于清华毕业后，赴美国奥柏林大学留学，插入该校哲学系三年级学习，于1928年提前获得哲学学士学位。同年入芝加哥大学学习哲学，后转入哈佛大学，受到在该校任教的逻辑学家、哲学家、新实在主义者怀特海的教诲和影响，特别是在耶顿夫人的指导下，他对研究黑格尔和斯宾诺莎产生极大兴趣。于1930年获得哲学硕士学位之后，他立即前往黑格尔曾任校长和讲学的德国柏林大学深造，听黑格尔哲学的课程，阅读黑格尔研究方面的德文著作，同时又潜心研究康德和斯宾诺莎的哲学思想。

1931年，贺麟经历五年的留学生涯，带着喜人的收获回国。先是受聘于其母校清华大学，讲授黑格尔哲学、西方哲学史、现代西方哲学等课程。抗日战争期间，在西南联大任教。1945年抗战胜利后，在北京大学任哲学教授和训导长，1956年调到中国科学院任研究员，先后担任西方哲学史研究组组长、研究室主任、中国社科院哲学所学术委员会副主任、全国外国哲学史学会名誉会长、中文《黑格尔全集》编译委员会名誉主编等职。曾任第二、五、六届全国政协委员。

贺麟是现代新儒家中自创哲学体系的哲学家之一，有着独创性的思想。其著述颇丰，主要有《文化与人生》《儒家思想的新开展》《五伦观念的新检讨》《文化的体与用》《现代西方哲学讲演集》《黑格尔哲学讲演集》《哲学与哲学史论文集》《当代中国哲学》等。译著有黑格尔的《小逻辑》《精神现象学》（上下册，与王玖兴合译）、《哲学史讲演录》（共四卷，与王太庆合译）以及斯宾诺莎的《伦理学》《致知篇》等。由此他对中国学术界了解西方

哲学，尤其是黑格尔哲学做出了突出的贡献。

贺麟的哲学思想涉及本体论、认识论、历史观、道德观、文化观等，对中国儒家、道家、墨家等均有所涉猎，尤其对孔孟儒学、老庄哲学、二程朱熹理学、陆王心学、王夫之哲学以及中国近现代哲学有着深入的研究。他不仅是西方哲学传播者，而且是研究黑格尔哲学与新黑格尔主义的著名专家。这些体现出贺麟哲学思想古今中西融通的特性。与此同时，他在本体论上构建了新心论，认识论上提出了知行合一新论与直觉论，文化观上提出了体用合一论和华化、儒化西洋文化论，在历史观上提出了英雄史观，在伦理道德方面对传统儒家"五伦"进行了新检讨等。在其纷繁复杂的理论和思想中，既有立足于对历史上哲学思想辩证分析的批判继承，又有立足于哲学现代化的开拓创新。

由于篇幅所限，这里仅对贺麟的新心论、儒家思想的新开展和文化观进行介绍和阐释。其目的主要在于彰显其作为现代新儒家的思想及其特色。

（一）心本论

在哲学上，有一种研究世界本原的理论，即本体论。纵观人类哲学史，在世界的本原问题上有两种根本对立的思想：一种是把世界的本原看作物质，一种是把世界的本原视为精神。前者为唯物主义，后者为唯心主义。贺麟的本体论哲学思想就是唯心主义。因为他把世界的本原界说为心。

贺麟所说之心是什么呢？它与物质世界又是何种关系？对此贺麟予以了多角度的、深入的分析阐释。

1. 心理之心和逻辑之心的内涵

贺麟把心二分，即心理之心和逻辑之心。它们不是两个心，而是一个心的不同的层次结构或构成方式，但它们的地位和作用是大不一样的。

第一，心理之心的内涵。心理之心是什么？贺麟指出：心理之心指"心理经验中的感觉幻想梦呓思虑营为，以及喜怒哀乐恶欲之情"[1]。这里指出了两点，一是心理之心与形而上的、普遍性的本体之心不同，它是形而下的具体之心，因为它是心理经验。何以见得这是形而下的心呢？因为贺麟说："故凡彼认理在心外的说法，大都只见得心的偶性，只见得形而下的生理心理意义的心，未见到心的本性，未见到形而上的'心即理也'的心。"[2]由此可见，他

---

[1] 《贺麟选集》，第25页。
[2] 《贺麟选集》，第39~40页。

明确指出了心理之心的形而下的属性。二是指出心理之心的具体内容是"感觉幻想梦呓思虑营为""喜怒哀乐恶欲之情",前者是指心理活动,后者是指心理情感。

无论是心理活动还是心理情感都是主观性的东西。但是,贺麟却说:"心理的心是物",并且"是可以用几何方法当作点线面积一样去研究的实物"①。本来"实物"有物质性事物之意,它与主观的精神相对立,但是贺麟说心理活动是主观的精神或精神活动,又似乎说心理之心是"实物"。难道贺麟的理论陷入自相矛盾之中吗?回答应当是否定的。为了避免引起误会,需要对此做出阐释。

贺麟说心理之心是"可以用几何学的方法当做点线面积"去研究的实物。我们如何理解他提出的"点线面积"?本来"点线面积"是占空间的,而又只有物质性事物才占有空间,由此似乎可以看出,贺麟所讲的心理之心就是物质性的东西。但是,我们要知道,他说的"实物"是指"当做点线面"去研究的实物,并不是这样的"实物"就是占有点线面(占有空间)之物,即客观世界的物质性事物。那么它是什么呢?它是心理学意义上之物。心理学之物就是指心理情感和心理活动,人们可以对它们做实验研究,当然包括对心理活动的物质承担者的人脑在实验室里进行精心研究。这就是贺麟所说的"可以用几何方法当作点线面积一样去研究"之意。反过来说,如果心理之物是物质之物的话,就是心物等同论。这是贺麟的心是世界的本质、物质事物是心之用的思想所不容许的。

作为形而下的心理活动和心理情感之心不是宇宙万物的本原或本体。

第二,逻辑之心的内涵与特征。为什么贺麟会提出逻辑之心?一是可能出自他试图改变中国传统本体论缺乏逻辑的状况;二是受到了西方哲学中逻辑的影响。如他在《论时空〈答石峻书〉》一文中讲,中国哲学界对逻辑无人问津。贺麟本人却深入钻研了黑格尔的辩证逻辑和康德的先天逻辑等,并对哲学逻辑加以发挥。而逻辑是脱离具体的纯形式,借用冯友兰的话说,这种纯形式就是理。所以就心而言,逻辑之心是理。

"理"是宋明理学的一个基本的哲学范畴。而把"理"提升为哲学范畴,并且将其作为本体性概念是从二程开始的。程颢说天理或理是由"自家体贴出来"。二程、朱熹认为天理或理是指事物的法则和规律,以及伦理道德,它是

---

① 《贺麟选集》,第25页。

宇宙的本原。朱熹认为形而上学之理支配形而下之气。陆九渊、王阳明主张心即是理，如陆九渊说："人皆有是心，心皆具是理，心即理也。"①王阳明也有此说，如当其弟子徐爱问道："至善只求诸心，恐于天下事理有不能尽。"王阳明回答道："心即理也。天下又有心外之事，心外之理乎？"②这就充分体现出陆王哲学的主观唯心论的特性。贺麟承袭陆王的心学，同样提出心即理的命题。

那么为什么心即理呢？在贺麟看来，这是因为逻辑意义之心是"精神原则"，所以"心即理"。这就是说，心与理是同一的，逻辑的心就是理，理就是心。理即心就表明理在心中，而不在心之外。

逻辑是纯形式的，逻辑意义之心也具有纯形式的属性。那么逻辑意义之心又有什么特征呢？在贺麟看来，其特征有四：

一是超经验性的原则或原理性。即是说逻辑之心不在经验之内而超出经验之外，也就是在经验之上，所以它有别于能经验到的具体的物事，是超越于经验的绝对性存在，因此逻辑之心被称为"超经验的精神原则"或原理。这是指"理之为解释经验中的事物之根本概念"。③逻辑之心不仅是原则或原理，还是理想的模型或范型，所以它不仅能够"解释经验中的事物"，而且"为规定衡量经验中变易无常的事物的准则"或尺度。

二是必然性、普遍性。逻辑之心或理的必然性是就其"之为规定经验中事物的有必然性的秩序"而言，这就是法则。作为必然性的法则就具有普遍性。

三是先验性。逻辑之心的先验性既是指先于经验中的事物的原始性，更重要的是指它是法则、准则和尺度，所以贺麟指出："理既是规定经验中事物的必然秩序或法则，即是经验中事物所必遵循的准则，既是衡量经验中事物的尺度，则必是出于经验的主体，即规定者衡量者所先天固有法则，标准尺度。"④同时逻辑之心又是整理感官经验材料的工具。这里的问题是，贺麟所说的经验是什么呢？上面我们已知道，贺麟把心理之心称为"心理经验"中的心，即心理活动和心理情感，可见这个"经验"是指心理经验。而贺麟所讲的"理是规定经验中事物的必然秩序或法则"之中的"经验"是泛指一切经验，包括感官经

---

① 《陆九渊集》卷一一，《与李宰（二）》，中华书局1980年版，第149页。
② 《王阳明全集》卷一，《传习录》上，上海古籍出版社1992年版，第2页。
③ 《贺麟选集》，第38页。
④ 《贺麟选集》，第39页。

验和心理经验等。所谓"经验事物"是指感知到的一切外界的客观事物。逻辑之心或理就是外界的客观事物的规定者。但是理又规定什么呢？理"规定经验中事物的必然秩序或法则"。而必然秩序和法则就是规律。由此可见，在贺麟看来，客观事物原本是杂乱无章的，无规律可言，客观事物的必然性是逻辑之心所赋予的。

四是主宰性。逻辑之心是人的身体行为之主宰者，贺麟称之为"主乎身"的能动的主体。同时，它不仅是身之主宰，同时又是物之主宰。既然如此，逻辑之心便是"命物而不命于物"，是物之体，而物是心之工具。

逻辑之心的本质又是什么呢？逻辑之心的本质是理。但是谁有理或理性呢？贺麟认为是人，正如他所说："理既是心之本质，假如心而无理，即失其所以为心。譬如禽兽就是无有理性的动物，因此我们不说禽兽有心，只说禽兽有感觉。"①这样就把逻辑之心的承担者赋予了人或人类。

2. 逻辑之心是宇宙万物的本体

贺麟引用并赞同朱熹关于心是"一而不二，为主而不为客，命物而不命于物"的真纯之主动者的说法。在此基础上，他进一步从心物关系上探求心之本体。首先认为心与物是一个不可分的整体。这里的心是指"灵明能思者"，物为占有空间的有形之事物。其次指出二者的关系是："心是主宰部分，物是工具部分。心为物之体，物为心之用，心为物质的本质，物为心的表现。"②无论是自然之物，如植物、动物，甚至无机物等，抑或文化之物等莫非精神之表现，无不是此心之用具。

不仅如此，贺麟还指出，"普通人所谓'物'，在唯心论看来，其色相皆是意识所渲染而成，其意义、条理与价值，皆出于认识的或评价的主体。此主体即心。"这里"色相"是佛教用语，它是指有颜色声音、形状以及占有空间的物质性事物。贺麟这句话是说无论是客观事物的空间形状、内在规律，还是其价值、意义等均是逻辑之心赋予的。在此意义上，贺麟认为"故唯心论一方面可以说是将一般人所谓物观念化，一方面，也可以说是将一般人所谓观念实物化"③。总之，逻辑之心是客观事物的本质。这里，贺麟一方面强调人的主

---

① 《贺麟选集》，第39页。
② 《贺麟选集》，第26页。
③ 《贺麟选集》，第25页。

体性，另一方面又夸大了人的逻辑之心的能动性，陷入了唯心主义的樊篱。

3. 心即性

贺麟把心为宇宙万物的本原又称之为性是本原。在此意义上，他认为"唯心论"可称为"唯性论"。这涉及心与性之间的关系。为了弄清二者的关系，又必须了解性的含义。

先秦儒家那里性是指人的本性，即人性。那么人的本性又是来自何处呢？《礼记·中庸》讲："天命之为性。"北宋二程讲："天之付予之谓命，禀之在我谓之性。"这就是说，性是人对天命的禀赋，是先天的。先天之人性是善还是恶呢？在此问题上，儒家内部产生了分歧。先秦孟子主张人性为善，荀子主张人性为恶。宋明理学家把儒家的心性论推向顶峰，他们对性的讨论可以分为两种情况，一是从理、气关系论性，一是从心出发论性。如张载把性分为天地之性（后来的学者称之为天命之性）和气质之性（后来的学者称之为气禀之性），前者是由天理或天道而来的至善之性，后者是由气化成的善恶相混之性，因此应克服气质之性的恶的部分。二程受张载的影响，将性分为天命之性（即天地之性）与生之为性（即气质之性），前者是指性之理，后者是指性为气之禀受，即"气秉在我"谓之"生之为性"。在性为善为恶的问题上，二程之间产生了分歧。程颢认为性有善有恶，而程颐则主张"性无不善"，而不善是"才"（人的气质）而不是性。朱熹直接承继了二程的天地之性和气质之性的思想，认为天地之性仅就理而言，气质之性是理与气之结合；人之性本来是善的（禀有天命之性），但是由于每个人所禀之理有偏有全，所受之气有清有浊，同时人欲有循理所发和违理所发之区分，于是也就有了善恶之别。陆九渊、王阳明提出了与之对立的观点，他们从心一元论出发，认为性就是纯粹至善的本心，因而性无不善，而且是至善。

在贺麟的观念中，性又是什么呢？在他看来，性是指人的理性。他说："哲学家对于事物的了解，即可以认识其性，而对于名词下界说，即所以表明其性。如'人是有理性动物'一命题中之理性，即人之本性也。"①笔者认为，在人类思想史上，对于人性的理解主要有两种路数，一是从比较学的视角，把人性看作是与动物不同的本质属性，由此出发，有主张人的本质是劳动的，有主张人的本质是社会关系的，有主张人的本质是理性或意识的等。二是

---

① 《贺麟选集》，第26页。

从道德的视角，把人性看作是善或者恶的。儒家的人性是善是恶的争论，就是走的以道德论人性的路数，贺麟把人性理解为理性，走的是通过人与动物比较看人性之路，而不是以道德论人性的路子。正由于此，他指出："理性是人之价值所自出，是人之所以为人的本则。凡人之一举一动无往而非理性的活动。人而无理性即失其所以为人。"①也就是说，作为人之理性是人之所以为人的根本属性或本质，是人的价值和意义之根源。

不仅如此，贺麟还将性泛化，即把性由人推及至事事物物，认为凡物皆有性，只不过他把人之性称为理性，其他物之性没有理性的称谓，仅叫作性而已。人有理性也就是人有意识，人能以名言概念认识事物，把握事物的条理或规律。这也就把人和物的本性区分开来了，他强调的是人的主体性。由此再一次看出，在人性的问题上，贺麟走的不是道德人性的路子，而采取的是以有无理性来定人性。

贺麟认为"性为代表一物之所以然及其所当然的本质"②。在这里，"所以然"是指物"是"什么，"所当然"则是讲物"应当"如何，二者都是指事物存在的状况。物之"性"是对事物的本质追求，也就是说，对物本质的穷根究底的结果就是以"性"为其本质。"性一方面是一物所已具的本质，一方面又是一物须得实现的理想或范型。"③既然性是物之理想或范型，那么物就要按照其固有之性展现和发展。反过来说也是一样，即凡物的发展都是其性的展开和实现的过程。为此贺麟举例说：如生命为一切有生物的本性，生物自播种、发芽、长躯干枝叶、开花结实等都是发展或实现生命或性的历程。人又如何呢？人也是如此。理性为人的本性，因此在人的一切活动中，包括道德艺术宗教科学等生活，以及政治经济等活动，无一不是理性的发展或实现的历程。这样一来，贺麟就不再把事物之性（在人这里为理性）看成是关于善恶的道德之性，而是决定自然事物和社会政治、经济、文化发展的精神性的本质，从而使"性"上升到了本体论。

在心性的关系上，孟子认为性在于心，因而作为人性的仁义礼智之四端（"端"为道德观念的萌芽）无不在于心，恻隐之心为仁之端，羞恶之心为义

---

① 《贺麟选集》，第26页。
② 《贺麟选集》，第26页。
③ 《贺麟选集》，第26页。

之端,辞让之心为礼之端,是非之心为智之端。因此"仁义礼智根于心"①。所以尽心便能知性,知其性便能知天。二程在此基础上更进一步,把心、性、理、命统一起来:"在天为命,在义为理,在人为性,主于身为心,其实一也。"②朱熹也将心、性、情等相统一,提出:"心之未动则为性,已动则为情,所谓心统性情也。"③王阳明则在心本论的基础上论心、性、理之关系,认为心与性、心与理为一,所谓"心即性,性即理"④。既然心即性、性即理,于是心亦即理,理亦即心。理即心,可以说是"理也者,心之条理也"⑤。贺麟承继了传统儒家心、性、理统一论,而直接的思想来源是陆王的心、性、理为一论。他说:"本性是自整个的丰富的客观材料抽拣而出之共相或精蕴。因此本性是普遍的具体的,此种具体的即是'理'。如'人''物'之性各为支配其活动之原理。故唯心论即唯性论,而性即理,心学即理学,亦即性理之学。"⑥

更进一步,贺麟把唯心论、唯性论与理想主义(理想论)相对接。他把此三者置于同等的地位,只不过对其定位的角度不同而已。唯心论是就知识的起源与限度而论,唯性论则是就知识之对象与自我发展的本则或本质而言,理想论或理想主义主要是以行为立论的,所以理想论是指行为之指针和归宿。理性是人之本性,理想也是人的本性的范畴,且是人的一种能力。那么这种能力又是由什么构成的呢?贺麟认为是人的理性。贺麟所向往的理想是什么呢?他认为理想主义最能代表西方近代的精神,而这种精神的代表者就是自由。由此看来,贺麟的理想追求就是产生于西方近代,延续在西方现代的自由。这表明贺麟政治哲学的现代性倾向。

贺麟还运用唯心论去阐发民族性。他所讲的民族性还是从理性出发的。这是因为民族是由一定数量的人群构成,有人群这就存在着人性,而人性就是理性,但人的理性又是通过人的政治、经济、文化等活动体现出来,因此"民族

---

① 《孟子·尽心上》。
② 《河南程氏遗书》卷一八,《二程集》,第204页。
③ 《朱子语类》卷五,第93页。
④ 《王阳明全集》卷一,《传习录》上,第15页。
⑤ 《王阳明全集》卷八,《书诸阳卷》,第277页。
⑥ 《贺麟选集》,第27页。

性是自研究整个民族的文化生活和历史得来"①。而对民族性的研究又是研究的一个民族文化和历史的共性,而这种普遍的共性就是民族之理。

4. 贺麟心本论的唯心论形式

唯心主义是主张精神是世界的本原的哲学理论,其中有主观唯心论和客观唯心论两种形式之分。二者分殊的焦点在于作为世界的精神是主观的还是客观的:所谓主观精神是指人或人类的某种精神,如人之心和自我意识等;客观意识是指存在于人或人类之外的某种精神,如绝对精神、理和理念等。凡认为主观精神是世界的本原就是主观唯心论,而主张客观精神是世界的本原就是客观唯心论。贺麟的哲学主观唯心论和客观唯心论兼而有之,而又以主观唯心论为主。

我们说贺麟的哲学掺杂有客观唯心论,是因为他把宇宙的本原看成是宋明理学所讲的客观精神之"理"和黑格尔所说的客观精神的"理性"。主要有以下三个方面的根据:

一是把作为世界本原之理称为"天理"和"客观"的理性。贺麟在《论假私济公》一文中讲,在宇宙观上他采取宋明程朱理学"天者理也"的说法,并将王船山所说的"天"解释为支配自然与人事的天理天道,换成现代名词为宇宙法则,又即黑格尔哲学中的主宰世界的理性。无论是宋明理学的天理还是黑格尔的理性,实质上都是客观精神,贺麟把这种客观精神作为世界的创造者就表明他站在了客观唯心论的立场。

二是把作为事物本质之"性"看成是万事万物都具有的。前面已讲到,贺麟把唯心论又叫作唯性论。为什么呢?因为性决定事物的发展,万事万物都是性的表现或展开。性对于人而言是指理性,对于自然事物而言是性,理性是精神性的,自然事物的性是理想或范型,也是精神性的东西。换句话说,贺麟把决定万事万物运动发展的精神之"性"看成是自然事物所具有的,而自然事物的精神之性是一种客观精神。在此意义上说,贺麟哲学有客观唯心论倾向。

三是把作为世界本原的逻辑之心与黑格尔唯心主义相挂搭。贺麟说:"心,逻辑上先于物,决定物,构成物之所以为物的本质,则归入黑格尔之唯心论。"②众所周知,黑格尔的唯心主义是客观唯心主义,而贺麟提出的逻辑之心就其根本含义来讲,是内在于人的主观的精神,但是贺麟在这里把逻辑之

---

① 《贺麟选集》,第27页。
② 贺麟:《答谢幼伟兄批评三点》,《思想与时代》第22期,1943年5月1日。

心归入黑格尔唯心主义一类,可以认为贺麟的逻辑之心偶尔被赋予了客观精神的含义。就此而论,贺麟把逻辑之心作为世界的本原就有着客观唯心论的属性。

但是,贺麟的客观唯心论在其唯心论的体系中并不是主要的,居于主体地位的是其主观唯心论。其理由如下:

第一,如前所述,贺麟认为逻辑之心是世界的本原,动物是没有理性的,所以只有感觉,而没有心,只有人才有心。也就是说,逻辑之心也只有人才具有,而人所具有的逻辑之心是一种主观精神。贺麟指出:所谓物质,一定是经过思考的物质,所谓不可离心而言物。离开主观,没有客观①。这里的"主观"就是指逻辑之心。这表明他把人的主观的逻辑之心视为客观事物的决定者或创造者,其主观唯心论思想凸显了出来。

第二,陆王提出心即理的命题,而陆王所说之心就是主观的人心。如陆九渊将其直接表达为"宇宙便是吾心,吾心便是宇宙"。这是地地道道的主观唯心主义。贺麟继承了陆王的主观唯心论,也认为心即理,而心即理的心就是人心,在人之外别无心。他在《时空与超时空》一文中指出:"自陆象山揭出'心即理也'一语以后,哲学乃根本掉一方向,心既是理,理即是在内,而非在外,则无论认识物理也好,性理也好,天理也好,皆须从认识本心之理着手。不从反省心着手,一切都是支离鹜外。心既是理,则心外无理,心外无物。而宇宙万物,时空中的一切也成了此心之产业,而非心外之傥来物了。故象山有'宇宙即是吾心,吾心即是宇宙'之伟大见解,而为从认识吾心之本则以认识宇宙之本则的指导方法,奠一坚定基础。"②这就把他在继承陆王心学基础上的主观唯心主义思想淋漓尽致地表达了出来。

第三,贺麟认为心即性,性是事物的本质所在,"凡物有性则存,无性则亡"③。而性是指人的理性,人的理性就是人之所以为人的本性。这也表明贺麟主张的是主观唯心论。

贺麟哲学之所以是主客观唯心论相杂糅,根源于他的唯心主义是会通中西的,具体说来主要是将二程朱熹的理、陆王的心以及黑格尔的绝对精神或世界精神相融合。而贺麟主要持主观唯心论的立场之缘由在于他直接承继的是陆王

---

① 参见许全兴主编:《中国现代哲学史》,北京大学出版社1992年版,第452页。
② 《贺麟选集》,第42页。
③ 《贺麟选集》,第26页。

心学。贺麟心本论中所谓心理意义的心和逻辑意义的心，与他吸取康德感性直观的纯形式和知性的纯范畴密切相关。具体地讲，贺麟认为物即心理现象，而心理现象有色相，即有空间上的广延和时间上的次序，而色相是由意识渲染而成，也就是说，时空感性形式是心所赋予物的，这相当于康德的感性直观的纯形式。作为意义、条理、价值的逻辑之心是由认识主体赋予物的，这正是借用康德的先天知性范畴来发挥的。对于黑格尔哲学，贺麟的心本论也有所吸纳。贺麟把黑格尔哲学称为理学或心即理的心学，而他的理学或心学的最高范畴是绝对精神，它是构成宇宙万物的内在本质和灵魂，自然、社会及人类思维都是绝对精神的外化。这个绝对精神是什么？是心。贺麟还认为，黑格尔从认识论立场，认为心与理一，心外无理。这样，贺麟逻辑之心相当于黑格尔的绝对精神，他所说的逻辑之心为"所以然及所当然的本则"，为"支配一物之一切变化与发展的本则或范型"，相当于黑格尔的绝对精神是构成宇宙万物的内在本质和灵魂的思想。

由此可见，不仅中国传统心性学以及程朱理学是贺麟心本论的重要的思想来源，而且他把康德、黑格尔上述思想融合到他的心本论中，且进行了深刻的现代诠释和充分的理论论证，这表明贺麟心本论具有综合创新的特性。虽然其心本论是唯心主义的，但是另一方面高扬了人的主体能动精神，提倡人的理性自由，主张在心性上人与自然的合一等，这些均有着思想理论上和方法论上的积极借鉴价值和现实意义。同时，我们还要看到，1949年之后，贺麟在哲学世界观上放弃了他的唯心论学说，接受了辩证唯物论和历史唯物论。

（二）"儒家思想的新开展"

作为现代新儒家之一的贺麟，同梁漱溟、熊十力、冯友兰、唐君毅、牟宗三、徐复观、方东美等现代新儒家人物一样，有着极为深厚的儒学情怀，有着复兴儒学的强烈愿望，正是在这种心灵感召之下，把复兴儒学当作自己义不容辞的历史使命和责任担当。同时我们也要看到，由于所处的历史境遇和具体条件的不同，以及各自的知识背景和思维方式等的差异，贺麟复兴儒学的致思理路和解决途径又有着自己的特点。

1. 儒家思想新开展的缘由

"儒家思想的新开展"是贺麟提出的一个特有命题。那么什么叫儒家思想的新开展？简言之，儒家思想的新开展是指复兴和建设儒家文化，以实现儒学的现代化。1941年，贺麟在《思想与时代》杂志上发表了《儒家思想的新开展》一文,其中对他复兴儒学理论予以了最集中,也是最为全面的论述。

贺麟为什么提出儒家思想的新开展?笔者认为这既是他审时度势地考察儒学当时存在的状况,又是他娴熟地运用辩证方法深入地分析儒家思想的本质和利弊得失的产物。

第一,儒家思想新开展势在必行的现实原因:儒家思想的危机。1840年鸦片战争以来,政治上,中华民族受到了列强们铁蹄的蹂躏,中华民族的一些主权一步一步地逐渐丧失;经济上,广大民众受到了帝国主义的掠夺和剥削;文化上,中华民族固有的文化受到了西洋文化的强烈冲击,西方文化也逐渐受到国人的普遍青睐。这一方面充分表明帝国主义列强在中华民族实施了侵略行径,另一方面又表明中国在政治、经济、文化等诸方面落后了,发生了深重的危机。这种危机主要是指什么?贺麟提出了自己的看法。他说:"中国近百年来的危机,根本上是一个文化的危机。"[1]近代以来,国人对于中国近代以来的危机的认识是一个不断深化的过程,起初认为是器物上不如西方,后来认为是制度上不如西方,最后认识到文化上不如西方。贺麟把中国的危机看成是文化上的危机,这是当时较为普遍的一种看法。

中国传统文化是由诸多思想文化派别和思潮等构成的一个集合体,那么中国文化危机主要是指哪个思想文化派别的危机呢?贺麟认为这主要是指儒家文化的危机:"儒家思想在中国文化生活上失掉了自主权,丧失了新生命,才是中华民族的最大危机。"[2]我们不禁要问,儒家思想的危机的实质又是什么呢?对于这一问题贺麟与绝大多数中国现代新儒家的看法既存在着共识又有不同之处。总的说来,他们的共同看法是儒学的危机是指它丧失了在中国漫长封建社会中的主导或主流地位而被边缘化,由昔日的辉煌变成了今日的落日余晖。这就是贺麟所说的失掉了自主权,不能应付新的文化局势。但是,至于儒学危机的根源,贺麟和他们之间的认识就存在着分歧。梁漱溟、熊十力、张君劢、唐君毅、牟宗三等认为儒学的危机主要是西学的冲击,国人对西学的盲目推崇或追求,以及自明末清初以来学人们对儒学的抨击和批判造成的,而主要不是从儒学自身寻找其根源。贺麟则不同,他的致思理路主要置于儒学自身,

---

[1] 《贺麟选集》,第130页。
[2] 《贺麟选集》,第131页。

这就是他说的"文化上有失调整"①。是什么原因导致有失调整呢？贺麟一针见血地指出："儒家思想之正式被中国青年们猛烈地反对，虽说是起于新文化运动，但儒家思想的消沉、僵化、无生气，失掉孔孟的真精神和应付新文化需要的无能，却早腐蚀在五四运动以前。"②换句话说，儒家思想的危机是儒学自身的僵化、保守而由此丧失了孔孟的真精神（即先秦本真的儒学）造成的。的确，自西汉儒学被定于一尊以来，虽然儒学有了发展，特别是宋明理学建立了一个庞大的理论体系，儒学因此被推上了顶峰，但同时这也是其由盛至衰的开始。儒学的最大问题就是它逐渐变成僵化的教条，形成了以孔子之是非为是非的严重态势；陷入空谈，不务实际；宋明理学把董仲舒提出的"正其义不谋其利，正其谊不计其功"的思想推到天理与人欲的绝对对立，提出所谓"存天理，灭人欲"。所以儒学遭到进步的启蒙思想家的批评及儒学的式微就在所难免了。

具有深厚的儒学情怀的贺麟对儒学面临的严峻局势不能无动于衷，他要对儒学在现代的历史境遇中复兴尽到自己的责任，所以提出儒家思想新开展的口号。

第二，儒家思想新开展可能性的历史前提：中华民族自由自主、有理性精神的历史传统。对此，贺麟指出，要应付文化危机，进行儒家思想的新开展，必须华化、儒化西洋文化。照我们的理解，所谓"华化""儒化"就是指将西洋文化经过改造陶熔使之转化为中华文化或儒家思想的有机成分。但是，要实现西洋文化的华化和儒化，离不开本民族的长期积淀而成的自由自主、理性等文化传统，否则不仅不能使西方文化有机地熔铸到中华文化、儒家文化的血脉之中，而且更为重要的是本民族会失去文化自主权。他指出："就民族言，如中华民族是自由自主、有理性有精神的民族，是能够继承先人遗产，应付文化危机的民族，则儒化西洋文化，华化西洋文化也是可能的。"③他对本民族文化，特别是儒家文化的复兴充满着必胜的信心。

这里贺麟把解决文化的危机不是置于照抄照搬西方文化上，而是以本民族的自由自主精神为立足点，以吸取会通西洋文化为途径的思想是合理而又可取的。

第三，儒家思想新开展的大转机：新文化运动对儒家思想的批判。在对待中国思想界对儒家文化的批判的认识上，贺麟与中国大多数现代新儒家人物的

---

① 《贺麟选集》，第130页。
② 《贺麟选集》，第131页。
③ 《贺麟选集》，第132页。

认识截然不同。现代新儒家的开山大师梁漱溟对明清以来，特别是新文化运动中对儒家思想的批判有着切肤之痛，因为这使儒学成了众矢之的，遭受了灭顶之灾，甚至成了人们厌恶或羞于谈论的对象。他曾十分忧伤地说："西学有人提倡，佛学有人提倡，只谈到孔子，羞涩而不能出。"其弟子唐君毅也有同样的哀叹，他把处于衰微中的儒学比喻为"如一园中大树之崩倒，而花果飘零，遂随风吹散"。贺麟却高扬新文化运动，因为他认为新文化运动不仅不是儒学的掘墓者，恰恰相反，它对儒学振兴有功。儒学要振兴，就必须克服其消沉、保守、僵化和无生机的状态，而"新文化运动的最大贡献在于破坏和扫除儒家的僵化部分的躯壳的形式末节，及束缚个性的传统腐化部分"[1]。新文化运动之功还不仅仅如此。虽然新文化运动提出了打倒孔家店的口号，但是"它并没有打倒孔孟的真精神、真意思、真学术，反而因其洗刷扫除的功夫，使得孔孟程朱的真面目更是显露出来"[2]。贺麟还称赞打倒孔家店的主将胡适先生，说他在英文本《先秦名学史》中提倡诸子哲学，这样就可以用诸子来发挥孔孟，并以发挥孔孟吸取诸子的长处，因而形成新的儒家思想。

贺麟盛赞新文化运动，虽然也是从复兴儒学的视角出发的，但是透露出了他不像第一、二代现代新儒家人物如梁漱溟、熊十力、唐君毅等那样，抱着儒家思想基本上全都是好的，因而批判不得的非理性的心态，而是十分冷静地看待儒家思想和评价新文化运动，且辩证理性分析儒家思想的利弊得失和评价新文化运动对儒学的价值。

第四，儒家思想新开展的动力：西洋文化学术大规模的无选择的输入。在对西学输入中国的看法上，他认为西洋文化的输入似乎是使儒学趋于没落消沉，但这只是一种表面现象。从本质上看，"西洋文化学术大规模的无选择的输入，又是使儒家思想得到新发展的一大动力"[3]。他还以历史的眼光加以审视，认为在儒家思想的发展史上，印度文化的输入曾使儒家展开了一场新的运动，从而给儒家思想带来勃勃生机。西洋文化的输入也是一样，假若儒家思想能够经受得住生死存亡的大考验，并且能够把握、吸收、融会、转化西洋文化，以充实和发展自身，那么儒家思想就会有新发展。他指出从康有为以来

---

[1] 《贺麟选集》，第131页。
[2] 《贺麟选集》，第131页。
[3] 《贺麟选集》，第131页。

五十年间,中国哲学有了进步,而主潮又是新儒家思想的发展或新开展,尤其是陆王心学之复兴,但西学的刺激是造成如此进步的一个重要原因。

2. 儒家文化的复兴是民族复兴之根本

贺麟非常重视文化的发展,甚至把文化的发展推向极致的地位。他在《学术与政治》一文中提出学术建国的思想,说"任何建国运动,最后必然是学术建国运动",因为"学术是建立国家的铁筋水泥"。[①]他所说的学术是指有别于政治的思想文化,如儒家讲的"学统""道统"便属于学术的领域。这与他在《儒家思想的新开展》一文中提出"民族复兴本质上应该是民族文化的复兴"的思想是一致的。现在我们不讨论学术是否能够建国或民族的复兴是否就是文化的复兴,我们所关注的是贺麟如何看待儒家文化在中国文化复兴中的地位和作用。

在贺麟那里,这个问题与他给文化的复兴所赋予的含义是密切相关的。他认为所谓文化的复兴就是西洋文化华化或中国化西洋文化,就是以民族精神为体,西洋文化为用的问题。在此基础上,贺麟指出:"儒家思想是否复兴的问题,亦即儒化西洋文化是否可能,以儒家思想为体,以西洋文化为用是否可能的问题。"[②]这就把文化的复兴直接看成是儒家思想的复兴。不仅如此,他进而把儒家的思想复兴提升到与中国文化复兴是同一问题的高度加以认识:"儒家思想是否能够翻身、能够复兴的问题,也就是中国文化能否翻身、能否复兴的问题。"[③]他又是在何种意义上把儒学的复兴等同于中国文化的复兴的呢?这是在儒学的复兴是中国文化复兴的主要潮流意义上而言的。在此意义上他进而指出:"儒家思想的命运是与民族的前途命运,盛衰消长同一而不可分的。"[④]如果儒家思想没有新开展和新前途,中华民族以及民族文化也就没有新开展和新前途。

这样看来,虽然贺麟评价新文化运动对儒家思想的影响是比较冷静和理性的,然而他对儒家思想在中国文化的发展中的地位和作用的看法上却是不冷静和非理智的。究其原因是他的儒家情怀太重太浓,以情感代替了理智,必然会拔高儒家思想的价值及其在中国文化未来发展中的地位,导致了同梁漱溟、熊

---

① 贺麟:《文化与人生》,商务印书馆1988年版,第249页。
② 《贺麟选集》,第131~132页。
③ 《贺麟选集》,第131页。
④ 《贺麟选集》,第130页。

十力、唐君毅等一样的非正确判断的错误。梁漱溟未能脱离儒家文化在中国传统文化中定于一尊的羁绊，把孔家文化等同于中国文化，因此以为中国文化的复兴就是复兴孔家文化。只不过梁漱溟比贺麟走得更远，他认为世界未来文化就是中国文化的复兴，而中国文化就是孔家文化，以此推论，世界的未来文化就是复兴孔家文化了。熊十力、唐君毅也有类似的思想。熊十力认为未来世界文化必然是以孔孟精神为代表的中国文化，而唐君毅认为未来的世界文化必然是以中国文化为根基的新文化，而实质上未来的世界文化就是以儒家文化为根基的文化。

3. 儒家思想新开展的核心、原则与关键

第一，以融会吸取西洋文化为核心。我们之所以把融会吸取西洋文化作为贺麟的儒家思想新开展的一个核心问题，是因为在他的《儒家思想的新开展》一文中，无论是讲儒家思想新开展的动力、关键、途径，还是讲儒家思想新开展对于现代政治、社会、文化、学术等作用的新解答，无不涉及如何融会吸取西洋文化。贺麟本人也正是这样看问题的。他指出："在儒家思想的新开展里，我们可以得到现代与古代的交融，最新与最旧的统一。"①而古代的、最旧的文化精髓最重要的就是儒家文化，现代的、最新的文化主要就是西方的文化。现在的问题在于儒家文化如何融会和吸取西洋文化。而如何对待西洋文化是其首要的问题。几乎所有的中国第一、二代现代新儒家代表人物均对西洋文化采取吸取融会的态度。如梁漱溟提出"对于西方文化要全盘承受，而根本改过"（全盘承受的是西方文化中的科学与民主，根本改过的是西方文化中以自我为中心及个人主义的人生态度）；熊十力主张"中西文化宜互相融和……中西学术，合之则两美，离则两伤"；唐君毅不仅主张中西文化的融通，而且还提出了融通的方式——"纳圆于方"，即以中国文化之"圆而神"的精神来融摄西方文化的"方以智"精神。而贺麟把吸取融会西洋文化纳入到儒家思想新开展的体系之中，正如他所说，"欲求儒家思想的新开展，在于融会吸收西洋文化的精华与长处"②。

第二，以掌握文化自主权为原则。对于儒家思想新开展，贺麟认为不能以牺牲本民族的文化自主权为代价，也就是说要牢牢掌握文化上的自主权。这是

---

① 《贺麟选集》，第130页。
② 《贺麟选集》，第132页。

贺麟所持守的一个基本原则，同时也是他所坚持的根本立场和文化观的底线。他坚定地指出："儒家思想的新开展，是在西洋文化大规模的输入后，要求一自主的文化，文化的自主，也就是要求收复文化上的失地，争取文化上的独立与自主。"① 不能让西方各国的五花八门的思想文化毫无标准地输入进来以施展其征服力，使我国失掉文化上的自主权，最终沦为文化殖民地。由此可见，贺麟有着深厚的爱国主义情愫。

所谓掌握文化上的自主权就是以民族精神或儒家精神为主体。这里的"体"不能理解为文化观上的"中学为体，西学为用"之中的"体"，因为贺麟主张任何民族的文化都有体有用，是体与用的有机统一，反对把文化之体与文化之用割裂开来。因此，这里的体只能是中心、轴心之义。这里需要弄清的一个问题是，民族精神究竟是什么？在贺麟看来，民族精神就是以心性仁体思想为核心的儒家精神，而儒家精神是中华民族精神的代表，因此以民族精神为主体就是以儒家精神为主体。

第三，以理解把握西洋文化为关键。完全拒斥还是有选择地吸纳融会西洋文化，是两种截然相反的文化态度。无论其中哪一种态度都是以对西洋文化的价值评价为基础的，而价值评价又是以对西洋文化的认识为前提的，所以对其认识的正确与否无疑对西洋文化的态度的确定起着至关重要的作用。所以贺麟认为儒家思想的新开展"这个问题的关键，在于中国人是否能够真正彻底、原原本本地了解并把握西洋文化。因为认识就是超越，理解就是征服。真正认识了解西洋文化便能超越西洋文化。能够理解西洋文化，自能吸收、转化、利用、陶熔西洋文化以形成新的儒家思想、新的民族文化"②。

4. 儒家思想新开展的途径

有人主张以西方的科学来发挥儒家思想。贺麟对此不以为然，他认为西洋文化的特殊贡献是科学，然而儒家思想中无疑包含有科学精神，不必求儒化的科学，也无须附会科学原则以发挥儒家思想。简言之，不必采取时髦的办法去科学化儒家思想。他要另辟蹊径，这就是他提出的儒家思想新开展的三条途径。

第一条途径是"必须以西方的哲学发挥儒家的理学"。儒家的理学就是哲学，而且是中国的正宗哲学。所谓以西方哲学发挥儒家的理学，就是指以西方

---

① 《贺麟选集》，第132页。
② 《贺麟选集》，第132页。

的苏格拉底、柏拉图、亚里士多德、康德、黑格尔的哲学与中国孔孟、老庄、程朱、陆王的哲学会合融通，使儒家的哲学内容更为丰富，体系更为严密，条理更为清楚，以此奠定道德和科学可能之基础。

第二条途径是"须吸收基督教的精华以充实儒家的礼教"。儒家的礼包括宗法等级制度、礼节礼仪、道德规范等。《礼记》对"礼"作了详尽的论述，定下了君臣、父子、兄弟、男女、上下、长幼等礼节礼仪之规。孔子提出了仁、礼统一的模式：仁是礼的道德心理基础，礼又是行仁的节度。宋代儒者对礼给予了本体论证明："理也者，礼也。"所谓礼教就是用封建礼仪礼节和道德伦理规范和教化民众。贺麟认为儒家之礼教富有宗教仪式和精神，但是其中心内容是人伦道德，而君臣、父子、夫妇、兄弟、朋友等五伦或五常观念又是礼教的核心，它是维系中华民族之群体的纲纪。宗教蕴含有一系列的伦理道德因素，如博爱慈悲、襟怀广大、服务人类、坚贞不二、热情、勇敢等，因此礼教与宗教可以对接。况且西方的基督教文明是西方文明的骨干，其知"天"与科学的知"物"合力并进，同时又以宗教精神为体，物质文明为用，由此产生出光辉灿烂的近现代西洋文化。所以儒家思想的复兴须以儒家的礼教去融会吸收基督教之精华，否则强有力的新儒家思想是绝对不会产生出来的。

第三条途径是"须领略西洋的艺术以发扬儒家的诗教"。所谓诗教就是指诗歌、音乐的教化作用。在贺麟看来，诗歌和音乐不仅属于艺术范畴，而且是艺术最高级的形式。本来儒家是非常注重诗教和乐教的，但是因《乐经》佚失，所以乐教中衰，诗歌亦式微，对其他的艺术也注重和发扬甚少，所以应吸收西洋文化中的艺术成就，以兴起儒家的新诗教、新乐教和新艺术。

贺麟为什么提出上述三条途径？因为他认为儒学是合诗教、礼教、理学三者为一体的学养，也即艺术、宗教、哲学三者的和谐体。因此，儒家思想的新开展，大约将循着艺术化、宗教化、哲学化的途径迈进。他举例说，作为儒家思想中心的"仁"就是哲学、宗教和艺术的有机统一体：从哲学视角看，仁是宇宙观和本体论；从宗教视角看，仁是救世济物、民胞物与的宗教热情，"求仁"不仅是待人接物的道德修养，也是知天事天的宗教功夫；从诗教或艺术的视角看，仁即温柔敦厚的诗教，诗以仁为宗旨，诗教或艺术就是纯爱真情，也是天真无邪之思。

有人认为孔子不探究哲学，否认孔子有宗教思想，甚至还认为儒家轻蔑艺术。贺麟对此给予了严厉的批评，指出这是把儒家偏狭化、浅薄化，致使儒家内容贫乏狭隘，失掉儒家的真精神，又阻隔了儒家吸收西洋文化的哲学、宗教、艺术以充实自身的通途。儒家思想的新开展只有在哲学、宗教、艺术三个方面齐头并进，才能应付现代新文化的局势。

5. 复兴儒家思想的目的

通过以上途径复兴或发展儒学，其目的又是什么呢？为此，贺麟从以下两个方面进行了论述。

第一，就生活修养而言，"新儒家思想目的在于使每个中国人都具有典型的中国人气味，都能代表一点纯粹的中国文化，也就是希望每一个人都有一点儒者气象，不仅军人皆有'儒将'的风度，医生皆有'儒医'的风度，亦不仅须有儒者的政治家，亦须有儒者的农人"①。所谓儒者就是品学兼优之人，所谓儒者气象，是指"具有诗礼风度者"，即仁爱诚实、温文儒雅、彬彬有礼者。这实际上就是以新儒家思想培养适应现代社会发展的新国民。

第二，就做事的态度而言，求其合理性、合时代、合人情的儒家态度。合理性是"揆诸天理而顺"，也就是事事按照原则、规范和符合仁的精神而行；合时代是指审时度势，合乎历史发展的要求；合人情是指"反诸吾心而安"，即推己及人，己欲立而立人，己欲达而达人。

贺麟尤其注重从现代性的视角解答儒家思想的新开展，包括对现代民主、法治等儒家思想的新解答，从中我们可以看出他对现代民主和法治有着强烈的期求，希望中国能够走上新民主新法治的国家的大道。在一定程度上，儒家思想的新解答也就是现代性的解答。贺麟把旧式的婚姻、过时的社交礼仪礼节、三从四德的旧箴言、纳妾出妻的旧制度，以及自私自利、堕落腐败行为视为是违反儒家真精神的。不论是政治、文化、经济、社会生活等均以儒家发展了的新理学、新诗教、新礼教或契合儒家的真精神予以至中至正和最合理而无流弊的解决。当然，贺麟对于这样的真正的或圆满的解决是念念不忘吸收西洋文化的精华的，以为这样才能使儒家思想从哲学、科学、宗教、道德、艺术、技术各方面加以发扬和改进。

尽管贺麟对政治、文化、学术、社会生活等的新解答是以儒家立场、儒家的真精神为轴心的，但是他并没有全盘肯定儒家思想，而是以现代的眼光窥视其弊端。这不仅表现在他认为儒家思想有着无生气、消沉和僵化的现象，而

---

① 《贺麟选集》，第135页。

且又撰有《五伦观念的新检讨》一文，对儒家的君臣、父子、夫妇、兄弟、朋友等人伦关系及其核心——三纲思想进行辩证的分析，指出它们不仅有积极因素，而且有着消极成分，消极的东西被他称为"躯壳"，并指出要丢弃躯壳，把握其精义。这从一个侧面说明贺麟看待儒学不是回到过去，而是着眼于现在，不是仅仅自我陶醉于传统儒学而孤芳自赏，而是注重于儒学的现代化。不可否认的是，在贺麟儒家思想新开展的理论中，受儒学中心论的局限，还是未能把传统儒家思想整个地打开，也未能深入探究其内核，因此不能发现，也不愿意发现其核心价值中的问题之所在，而认为其弊端仅仅是躯壳或细枝末节。贺麟上述思想的二重性是他既要基本维护儒学的传统又要使儒学现代化的内在矛盾所决定的。

（三）中西文化观

所谓中西文化观是指关于中国文化与西方文化之间的关系的见解。这一见解是在1840年鸦片战争后随着西学的输入逐渐产生的。迄今为止，中西文化关系的讨论仍然继续着，因为这个问题没有得到完全合理的解决。一百多年来的讨论产生了各种各样的中西文化观，贺麟的文化观就是其中之一。总的来说，贺麟文化观包括两个方面的内容，一是文化的体用关系，二是在儒家文化或中国文化的复兴过程中如何对待西方文化。前者是文化观上的形而上学问题，后者是对待西洋文化的态度问题。

1. 文化体用的含义

贺麟在《文化的体与用》一文中提出的文化观是从批评中体西用论开始的。他认为中学为体、西学为用是一种常识范围内的思维模式或文化体用观，其意是指以中学为主，以西学为辅。而这种常识性的文化体用模式中的体用是相对的，无逻辑的必然性，其对文化的选择是以个人的需要为标准的。如中国学者对文化以中学为体、西学为用，西方学者也可以抱着西学为体、中学为用的主张，学习文科的学生可以说以文科为主、理科为辅，学习理科的学生也可以说以理科为主、文科为辅等。

显然贺麟是不满意以前的这种低层次的中学为体、西学为用的文化思维模式或文化主张。而他解决的办法是根本性的，即从哲学的层面上分析和论证文化的体用关系。

贺麟是运用哲学上的绝对和相对的理论来分析论证体用观的，即把体用观分成绝对的和相对的两种。绝对的体用观之体是指形而上的本体，又称形而上的理则，用是指形而下的现象或事物。这种体用观是柏拉图式的体用观，因为柏拉图也是把世界分为形而上的理念世界或范型世界与形而下的现象世界的。相对的体用观是将许多不同等级的事物，以价值为标准，依逻辑秩序排列成宝塔式的层次。所以这种体用观又叫等级式的体用观。它以最上层和最下层为极限，其中间有许多相对的上层和下层的等级关系，"最上层为真实无妄的纯体或纯范型，最下层为具可能性、可塑性的纯用或纯物质。中间各层则较上层以较下层为用，较下层以较上层为体"①。如大理石与雕像的关系，雕像为体，大理石为用，但以雕像与美的型式而言，具体的雕像为用，形而上的美的纯型式为体。这是亚里士多德的体用观。但实际上，相对的体用观中包括了绝对体用观，因为其中以纯范型为体，以现象或个体事物为用。

在阐释体用的基础上，贺麟进一步解决文化的体与用问题。他根据朱熹"道之显现者谓之文"一语，说朱熹是以道为文化之体，文化是道之用，并予以赞同。当然，作为文化之体的道，在贺麟看来，主要是指人的逻辑之心，即他所说的"聚众理而应万事的自主的心"②。所以贺麟反复强调，道是文化之体，当然心也就是文化之体。但是真正的文化之体"乃是心与道的契合，意识与真理打成一片的精神"③。贺麟在这里把文化之体视为心与道的契合。

据此，贺麟指出个人的学术文化的创造，是他个人精神的显现，一个民族的文化就是那个民族精神的显现，整个世界文化就是绝对精神的显现。这样，用柏拉图式的绝对体用观来划分，道是体，精神生活、文化、自然等是用；用亚里士多德式的相对体用观分析排列，精神生活、文化和自然都是道的差等之表现，由此形成如下的等级结构：自然为文化之用，文化为自然之体；文化为精神之用，精神为文化之体；精神为道之用，道为文化之体。

贺麟把文化体用观深化为形而上的哲学理论，同时把人类的精神或精神活动看成是文化的真正主体，这既找到了人类文化产生的真正根源，又看到了人的精神活动对于文化的创造性。

2. 文化体用合一论

贺麟文化体用观的核心是体用合一论，这又通过他提出的文化体用关系的

---

① 《贺麟选集》，第117页。
② 《贺麟选集》，第123页。
③ 《贺麟选集》，第120页。

三个原则体现出来。

文化体用关系的第一个原则是体用不可分离。这是贺麟体用观的核心。他指出:"盖体用必然合一而不可分。凡用必包含其体,凡体必包含其用,无用即无体,无体即无用。没有无用之体,亦没有无体之用。"①如果将体用割裂就是使二者"陷入孤立的武断论"。但是,贺麟并没有将体用合一的观点贯彻到底,如他说"道或理只是纯体或纯范型而非用,都只是抽象的概念,惟有精神才是体用合一,亦体亦用的真实"②。按照贺麟的体用不离、有体必有用的观点推论,道或理也应该是体用合一,也就是说道或理之体必然有其产生他物之用。为什么只有文化之体的精神才是体用合一呢?这似乎也有不通之处。

文化体用关系的第二个原则是体用不可颠倒。"体是本质,用是表现。体是规范,用是材料。不能以用为体,不能以体为用。"③如果颠倒文化体用关系的说法,就是认形而下之用为本体,认形而上之体为虚幻的"形而上学的割裂"。

文化体用关系的第三个原则是各文化部门皆有其有机的统一性。这是因为各部门的文化都是同一精神的表现,彼此之间有着共通性。所以一部门文化往往可以反映其他各部门的文化,乃至反映整个民族精神,集各种文化之大成。既然各部门文化之间有着共通性,那么它们之间就可以彼此学习,相互借鉴。

3. 对待西洋文化的指针

根据文化体用的三原则,贺麟为对待西洋文化制定了三个指针。这实际上是指出了对西洋文化持的根本性见解及应采取的态度。

第一,对于任何部门的西洋文化均须得见其体用之全,得其整套。既然无论何种文化均是体用合一,所以无论是对待西洋的哲学、科学,还是对待西洋的宗教、艺术等,既要见其形而上之体,也要见其形而下之用,须是体用之全见。而以前国人对待或研究西洋文化,往往是偏重于用,而忽视其体,或总是重其表面,而忽视其本质。这种偏狭之风会导致治科学缺乏深厚的哲学之根基,难免支离琐粹,也会导致无法洞见西洋科学中独特的精神寄托和崇高的精神境界。

第二,对于西洋物质文明和精神文明要体用共见。贺麟本着体用合一的

---

① 《贺麟选集》,第121页。
② 《贺麟选集》,第120页。
③ 《贺麟选集》,第121页。

原则，把西方的物质文明和精神文明通通看成是体用的有机统一。面对国人把西方的科学仅仅视为用的状况，他特别指出科学是体用的结合。在此他告诫人们：绝不能仅仅以西洋的物质文明和科学为体，也不能反过来，仅仅视其为用，一定要即体即用，体用合一。

第三，以精神或理性为体，以古今中外文化为用。具体地讲，这就是"以自由自主的精神或理性为主体，去吸收融化，超出扬弃那外来的文化和以往的文化。尽量取精用宏，含英咀华，不仅要承受中国文化的遗产，且须承受西洋文化的遗产，使之内在化，变为自己活动的产业"①。

贺麟运用自己的对待西洋文化的三个指针，对文化观上的偏狭之见进行了多角度的批评。首先，把治西学或对待西学须见其体用之全与全盘西化作了本质性的区分。我们对西洋文化的各个部门进行彻底而全面的了解，是要对其进行自觉的吸取、融合、批评和改造，这不是西化，更不是全盘西化。全盘西化与此根本不同，它是要把西洋文化所有的东西，不分良莠，甚至包括政治上的法西斯主义等统统搬进来。假如是这样，尽管不是提倡全盘西化论者的本意，但客观上会使中华民族失去其民族精神，使中国沦为异族文化的奴仆。由此贺麟所抱的宗旨是：绝不能西洋化中国，只能中国化外来文化。其次，贺麟根据体用合一的原则，指出"中学为体，西学为用"的说法不通。本来任何文化都是有体有用，"中体西用说"却认为中学仅有体，西学只有用，这正如说事物只有现象而无本质，或只有本质而无现象。这完全是把文化的一个统一的整体性割裂零售，歪曲了文化本来面目。在实际的文化交流中，可能会导致以西方文化之用以补充中国文化之体时相互不能对接契合的状况。为此，只能是以西方文化之体充实中国文化之体，以西方文化之用补助中国文化之用。再次，贺麟以精神或理性为体，以古今中外文化为用的方针，批评中国文化优于西方文化论，认为这是文化上的自大狂。同时批评西洋文化优于中国文化论，指出这是崇洋媚外的自卑心理之体现，是厉行西化的偏激。我们应以虚怀若谷的心态接受中学和西学中的遗产，以充实当下的精神食粮。除此之外，贺麟还批评了"中国文化本位论"。这是以狭义的国家文化作为文化的本位。他主张文化是人类的"公产"，应以道、精神或理性为本位，即以文化主体为本位，不能以某个国家民族的文化为本位。"不管时间之或古或今，不管地域之或中或西，

---

① 《贺麟选集》，第123~124页。

只要一种文化能够启发我们的性灵，扩充我们的人格，发扬民族精神，就是我们所需要的文化。我们不需要狭义的西洋文化，亦不需要狭义的中国文化。"①这是以广阔的视野，以开放的心态，以容纳百川的气概来审视、对待文化，其中包含着一种全方位的文化价值观和较高的文化境界，它与中国文化"独尊"的自大狂和中国文化样样不如西化的自卑心理，以及中国传统文化全是"垃圾"的虚无主义根本区别开来。

但是，我们又要看到贺麟文化体用观的不足之处。我们承认任何文化部门都是体用之全，但是不同"文化"部门的体用关系还是不尽相同的。如哲学、心理学与物理学、生物学之间凸现本心（本体）和体现的精神之用是不一样的。这样方能把各门学科区分开来，也才能看到各"文化"部门对于人类的不同之功用。贺麟不做这样的区分而仅仅指出各文化部门均是体用之全，难免有不够深化之嫌。

二、唐君毅哲学思想

唐君毅（1909～1978），四川宜宾人，中国现代新儒家重要代表人物之一，同时他也是一位巴蜀现代新儒家代表人物。在家乡读完初小后，十一岁入成都省立第一师范附属小学。十二岁随父母移居重庆，读联立中学。中学毕业后，先后就读于中俄大学、北京大学，毕业于南京中央大学哲学系。大学毕业后，先后在成都天府中学、成都华西大学、中央大学、广州华侨大学任教，曾任无锡江南大学教务长。1949年同钱穆到香港以后，同钱穆等创办新亚书院，钱穆担任校长，唐君毅任教务长。1963年，新亚、崇基、联合三个私立学院合并为香港中文大学，唐君毅被聘为哲学系客座教授，并被选为第一任文学院院长。1975年，被聘为台湾大学哲学系客座教授。1974年，唐君毅从香港中文大学退休后，与牟宗三、徐复观等人在新亚书院原址重新恢复新亚研究所，任所长直至去世。

唐君毅像

唐君毅一生勤奋治学，学术研究至深，著作甚丰，台湾出版了他的全集共三十卷。当时中国传统文

---

① 《贺麟选集》，第124页。

化仍然面临着西学的严峻挑战，儒学价值受到种种质疑。唐君毅义不容辞地担负起探索和解决中华人文，特别是儒学的现代生存和发展的重大任务。他以坚韧不拔的毅力，构建起了一个关于哲学、道德、文化思想的庞大理论体系。它是以中国传统的人文精神，包括以儒家的心性哲学、伦理道德等为根基，融合中西印文化而成。在文化意识方面，唐君毅不仅进行了深入研究和系统阐发，而且有着他自己的生命体验和开拓性的创新，还有意识地把人们引向那生命存在和心灵境界的圣处，使其有一个安身立命之所。所以，他被牟宗三赞誉为"文化意识宇宙中之巨人"。

（一）形上哲学：生命心灵通向九重之境

在《生命存在与心灵境界》这部七十多万字的巨著中，唐君毅建立了一个庞大的形上哲学体系。这部著作是其真实情感的迸发，是生命心灵的深切感悟。唐君毅形上哲学的核心是生命心灵在感通中建立九重之境，最后达到超主客的不可思、不可议、真实常驻的神圣之境，以实现道德理想主义的至真至善的圣人心性。

唐君毅认为现代世界是一个神魔混杂之时代，因为近代以来，经济和军事主宰一切，功利主义盛行，由此造成理想缺乏，价值迷失，道德滑坡，社会发展走向歧途。由古代以宗教道德为本的社会文化，转化为现代以感觉世界之自然美、人体美之欣赏与人间情感之歌颂的社会文化，忽视了宗教道德性的生活，人类面临着可能毁灭的严重危机。这种状况是经济主义和科学至上造成的。而救治的良方"在宗教道德与哲学。亦如吾人之本文篇首之谓：吾人要有接受此世界毁灭之道德勇气，亦待一对超越的宗教信仰之哲学智慧。则无论世界之毁灭与救度，皆不能离此哲学宗教道德而言矣"[1]。唐君毅建立自己的形而上哲学，就是应此时代之召唤，以尽其个人之涓滴之力。

既然哲学与宗教道德有救世之方，于是唐君毅奋力写成关于既哲学又宗教道德之《生命存在和心灵境界》一书。此书开出三进九重之道，而这又是一个依次而进的过程，其致思理路是"由知识以通至德性"[2]。他认为人的理性有不断超越爬上之能力，由此形成包括自然的、人文的种种文化和文化之理想。

---

[1] 刘梦溪主编：《中国现代学术经典·唐君毅卷》，河北教育出版社1996年版（下引版本同此），第908页。
[2] 《中国现代学术经典·唐君毅卷》，第922页。

理想不是固定不变动的,人们运用自己的理性使理想向上超越。这样便能实现由理性向理想,由道德理性到实践的不断超越。而这些终极之根源何在呢?唐君毅将其追溯到人的生命存在和心灵。

1. 生命存在与心灵之义

首先,关于生命存在。在唐君毅那里,生命存在虽然离不开人的物质性身体,但主要不是人的物质性的身体,即生命存在主要不是物质之物。因为物质性的身体不能自觉,是心灵生命的束缚者。那么生命存在主要是指什么呢?生命存在主要是指精神性的东西,而这精神性的东西就是心灵生命,它有自觉和超拔向上之能。

唐君毅认为生命存在是体、相、用三者的统一。他指出:"若言物有生命,则生命为实体名词;言一物生,则生为动词,以表生之用;言一物是生物,则生为状词,以表生之相。"①也就是说,唐君毅把"体"看作生命实体,认为"相"是生命之物的相状,"用"是生命之物的功用。生命之物就是体、相、用的统一体。在此意义上说,生命即存在,存在即生命,存在与生命同一。因此可以将其合称为生命存在。

其次,关于心灵问题。什么是心灵?唐君毅直接继承的是王阳明的心学本体论。王阳明所说之"心"指的是本心,但此本心为一良知,是道德之心。而唐君毅的"心"即心灵也指本心或纯粹自我,也是道德之心,他称之为道德自我和道德理性。除此之外,还有理智之心,而心灵通于外而去感通世界万有,此处之心灵就是理智之心。道德之心是实践理性,理智之心是理论理性。由此可见,唐君毅的本心或心灵是理智理性和实践理性的统一。

再次,关于心灵与生命存在的关系。唐君毅指出,这二者是体相用的相涵互摄。如果以生命或存在为主,则心灵为用,这个用就是能知能行之用。若以心灵为主,存在或生命是心灵之相用。由此可以说存在是有心灵生命的存在,心灵是有生命存在的心灵。在此,唐君毅揭示了人的生命、存在和心灵合一的逻辑理路。

最后,关于心灵的本体论性质。唐君毅认为心灵具有本体论的性质,因为心是偏向于内的,灵是偏向于外的。这样,心灵就有居内而通外的合用内外之义。正由于此,唐君毅揭示了心灵具有通主观和客观的能力和功用,找到了心

---

① 《中国现代学术经典·唐君毅卷》,第35页。

灵成为形而上学本体的内在根源。唐君毅指出："对此体，中国先哲名之为天人合一之本心、本性、本情。"① 这里所说的"先哲"主要是指宋明心学家陆九渊和王阳明，他们认为作为宇宙万物的本体就是本心。唐君毅继承了这一思想，把心灵（也就是陆王所说的本心）视为宇宙的本体。

2. 心境之关系

"境"之概念，来自佛家唯识宗的所缘之义。缘是指认识，认识是心识之功能，心识被称为能缘，依心识而被认识的对象就是所缘或所缘境。因此境是指被认识的对象，或者说它是心之所对、所知。

这是不是说境就是指客观外在事物呢？唐君毅指出："心灵之境，不言物者，因境义广而物义狭。物在境中，而境不必在物中，物实二境兼虚与实。"② 所谓境义广，是说境既包括物（外在客观事物），又有心和物之"意义"。这叫作境虚实皆有。所谓物义狭，是指物中没有心与物之意义的成分，仅指外在的客观事物。西方言境只指物，中国言境是心物皆有。这是中西哲学的一个重要区别。那么唐君毅主张广之境义还是主张狭之物义呢？非常明显，唐君毅是坚决主张心物皆有的广之境义的。

与境相对的是心灵。在心境关系之中，心灵是体，而这个体是指感通之体。何谓感通？感通"实则感觉"③。这是从认识论意义上而言的。

感通是体的感通，而体是心灵，因此感通活动之体在于心灵。心灵感通的对象是境，而境是既指物又指心，所以心灵不仅感通外在事物，而且感通心灵自身，后者被唐君毅称为反观。

在心灵与感通之境孰先孰后的问题上，唐君毅以心灵为先，境为后。也就是说，境是心灵之开创。被心灵开创之境，唐君毅称之为境界。既然境界被心灵所创造，那么境界就是心灵境界。若无心灵，就无所谓境界。

心与境之间一旦建立了关系，心境同时俱起，二者紧密相连而不能分开，即心境不离。即使妄境与妄心也是同时俱起，不能相离。

佛家唯识宗主张境是心之变现。唐君毅不用此说，而言境为心之感通。因为言境是心所变现，难以将性相包括于境中，同时言心变现境，这境就成为特

---

① 《中国现代学术经典·唐君毅卷》，第930页。
② 《中国现代学术经典·唐君毅卷》，第8页。
③ 《中国现代学术经典·唐君毅卷》，第83页。

定境。同时，言境是心之感通，使心灵游刃有余，达到通其境之全之功效。这表明心灵有无限的感通能力，他称之为心灵之遍运无"不能至乎其极"。

这里的问题是，人的生命是有限的，那么人的生命心灵又如何实现遍运宇宙人生之事物呢？在唐君毅看来，人的生理方面的生命虽然有限，但人的心灵生命不是有限的，而是无限的。他非常赞同康德关于人之知有一超越统觉与理性之心灵存在的说法，也欣赏费希特的超越的自我之论。既然有一无限的超拔的心灵存在，那么宇宙人生的一切可能之存在心灵均能感通，世界事物之存在及其规律也必然与心灵的本性相契合。总之，唐君毅认为人有彻底认识世界的能力。

3. 心灵三观通至九境

唐君毅在《生命存在与心灵境界》的导论中指出：本书之宗趣一是"为欲种种世间、出世间之境界（约九），皆吾人生命存在和心灵境界之诸方向（约有三）活动之所感通"。二是在此基础上"更求如实观之，如实知之，以起真实行，以使吾人之生命存在，成真实之存在，以立人极之哲学"[1]。这就是说，以心灵建立九重境界，这些境界就是心灵境界，而它又是感通宇宙人生建立起来的，其目的是真实地认知和把握人之生命存在，并使人之生命存在为真实的存在，以立人极。

什么又是吾人生命之真实存在？这就是人们的自觉的生命心灵的存在。"唯在人有自觉之活动，人方有其心灵与生命之存在，而此生命心灵之存在，与其自觉，即同义语。故唯有一自觉的心灵生命之存在，方为真实义之存在。"[2]而生命的真实存在可以在有限的生命中去寻求。也就是说，无限的生命表现于有限的生命之中，这就表明有限生命之中有无限生命之一极。正由于此，人的心灵活动能遍运一切境。反过来，心灵所感通之境也遍通于人之一切心灵活动。

如实知生命存在的目的是为了真实行，而真实行是由如实知生起的，由此可以说"真实知必归于真实行。知之所以必归于行者，以一切心灵活动原是行，知之一切活动亦原是行"[3]。在我们看来，如实知是真理性的认识，在它

---

[1] 《中国现代学术经典·唐君毅卷》，第7页。
[2] 《中国现代学术经典·唐君毅卷》，第890页。
[3] 《中国现代学术经典·唐君毅卷》，第18页。

的指导下的实践就能获得成功,这就是唐君毅所说的真实行。认识是纯主观的,实践或行是主观见之于客观的物质性的活动,二者是不等同的。然而,唐君毅把本来是具有不同含义,处于不同地位的知和行等同,即他所说的知"必归于行"。这就接过了王阳明以知代行的衣钵。

那么心灵境界究竟是如何建立的?人之心灵立境有三个方向:上下、前后、内外。唐君毅指出,吾人之心灵生命能上下、前后、内外之三度通达对象,并加以扩张,以六通而四辟,而无有所碍,可达于各境。

为了使人之心灵生命更好地通达遍运于各境,唐君毅还把心灵生命活动观(这里的观就是感通)其境分为纵观、横观和顺观三种。纵观是指高下层位不同之观;横观是指相互并立之观;顺观则是依次序的先后生起之观。纵观是观心灵生命之体,横观是观心灵生命之相,顺观是观心灵生命活动之用。也就是说,生命心灵活动纵、横、顺之三观各循其道,以观其所对之境物的体、相、用三德。由此表明,体、相、用三者之义是相互涵摄的。

从中可以看出,唐君毅把心灵生命、境界、感通之间看成是相互依赖的内在关系。境是心灵生命之感通之境,而心灵生命又以境界而称为真实的生命心灵,所以它的存在就在境界之中;同时生命心灵之感通,也存在于生命心灵和境界之中。总而言之,生命心灵、境界、感通三者相应而互为内在而成为真实。有何种生命心灵就有何种境界,也就有何种生命心灵之感通活动,它们俱生俱起,俱有俱存。

在唐君毅那里,境界就是世界。九重境界就是九重世界,它们分别归属于客观境、主观境、超主客观境之中。客观境、主观境、超主客观境就是世界的三个种类,而每一类又各有三境。客观境包括万物散殊境、依类成化境、功能序运境。万物散殊境是观常识所说的个体,即单一的个体存在物;依类成化境是观类界的,它是感觉经验的产物,如桌类是依人经验到的事物而言的;功能序运境是探索因果、目的和手段之境。主观境包括感觉互摄境、观照凌虚境、道德实践境。感觉互摄境是观心身关系与时空界。观照凌虚境不是对外在事物的观照而言的,而是对内在的纯相、纯意义的认知或陈述。如对文字意义、文学艺术、数学、逻辑、哲学等的认知。道德实践境是指对现实存在事物的实感,观照人的道德理想、道德目的以及人的理想意义。超主客观境包括归向一神境、我法二空境、天德流行境。归向一神境是指基督教的上帝神灵之境。我法二空境是指佛教的众生和万事万物的本性皆为空性的境界。天德流行境则是指在成就人德之中，同时见天德流行的超主客之境，其目的是立教成德，这是儒家的境界。

以层次高低而论，九境中有其体，这个"体"就是指万物散殊境、感觉互摄境、归向一神境三种；以相互并立之类别而论，有其相，这就是依类成化境、观照凌虚境、我法二空境三种；以先后生起之次序而论，有其用，包括功能序运境、道德实践境、天德流行境三种。

以上所论，可以用下表予以简略显示：

九境的分类

客观境（他境）	万物散殊境	依类成化境	功能序运境
主观境（自觉境）	感觉互摄境	观照凌虚境	道德实践境
自观境（超主客观境）	归向一神境	我法二空境	天德流行境

九境的体相用关系

体	万物散殊境	感觉互摄境	归向一神境
相	依类成化境	观照凌虚境	我法二空境
用	功能序运境	道德实践境	天德流行境

九境与观境形式之关系

纵观	万物散殊境	感觉互摄境	归向一神境
横观	依类成化境	观照凌虚境	我法二空境
顺观	功能序运境	道德实践境	天德流行境

从上表中不难看出，唐君毅所讲的九重境界是以纵、横、顺三种形式建立起来的，反映了人类对世界的认识状况和道德进路。在哲学史上，曾产生主客分离的唯物论和唯心论的哲学理论，唐君毅认为主客融会贯通的超主客的境

界，是他克服主客分离的理论局限所建立的哲学境界。

知识与道德本来是有机结合的，但在西方哲学中，却走的是先由知识与道德结合，然后是知识和道德分离的理路。知识与道德的结合，唐君毅称之为"由知识以通至德性"，这是古希腊苏格拉底、柏拉图哲学的任务。如苏格拉底提出"知识即美德"。从中世纪开始，这一任务发生了方向性的转型。中世纪把此任务一半交给了宗教，留给人间的仅仅是对世界的认知。近代哲学的任务变成了仅仅认识世界，到了现代科学哲学那里，哲学的任务也变成了仅仅分析科学之发展、科学语言构造及日常语言等。

近现代哲学家对于上帝的态度是多种多样的，或否认上帝，或让上帝隐退，或承认上帝之存在。这不是说西方近现代没有理性和理想主义。但是不管怎样，西方近现代哲学思想之缺点，"导致了现代人对宗教道德理想之失落，及对其理性能力之不信任，而消沉于世"①。为此，唐君毅指出未来哲学的发展方向是："仍当本理性以建立理想，而重接上西方近代之理性主义、理性主义之流。此亦重接希腊哲学之由理性的知识，以通至人之理想的德性，由凡境以超升至理想的灵魂，而回复此西方哲学之原始的任务也。"②唐君毅《生命存在与心灵境界》一书之思想方向就是回归到希腊哲学家苏格拉底、柏拉图之哲学的任务——由知识以通至德性。

在我们看来，唐君毅以心灵为体的三类九境体现了本体论、宇宙论、知识论、道德论的统一，同时又是知、情、意的统一。其本体论是指：三类九重的世界是以生命心灵为体的，归根到底是生命心灵的感通而建立和展开的。宙论是指：九境就是那无所不包的整个宇宙，而对九境的层次结构、九境的各自内容、特性等的阐释论证就是在构建宇宙论。知识论是指：九境中既有认识的主体，又有认识的客体或对象，对九境的认知就是对主体心灵和宇宙人生的认知，而九境中的不同层次的上升体现着人们认识的不断深化的历程。道德论是指：九境之体的心灵生命原初就具有纯粹之善的道德内涵，而每一境中都充斥着道德的元素，每一境里都有道德评价、道德训诫，人类的最高境界就是要加强道德修养，尽性立命，充分开发和拓展生命心灵所具有的先天的纯粹善性，树立大公无私，以天下之忧而忧，以天下之乐而乐的道德境界。所谓知、情、

---

① 《中国现代学术经典·唐君毅卷》，第922页。
② 《中国现代学术经典·唐君毅卷》，第923页。

意的统一是指境界既是唐君毅对生命心灵、宇宙人生的把握与认知，同时又是他的真实情感，特别是他对宇宙生命、对他人的悲悯乃至对儒学的捍卫和振兴之情等做了淋漓尽致的充分表达或宣泄。这样也就是尽了他的意。

4. 唐君毅主客关系思想的剖析

唐君毅反复强调其心通九境的本体论哲学是主观理性与客观世界的统一，即主观心灵和客观事物相通相摄而不分离，简称心境不二。这一思想向我们说明的是：人类所面对的世界不是原本意义上的天然世界，而是打上了人类认识或意识烙印的，被赋予了意义和价值的世界，它是思维与存在的统一体，这才是真实之世界。未被人类认知的世界对于人来说仅仅是"无"。从物质和意识的关系的意义上而论，这无疑是合理的观点。但是，在我们看来，现实的世界不仅仅是人类认知的世界，而且还是人类在实践中改造的世界。尽管唐君毅不仅讲对生命存在和境界要真实知，而且还要真实行，但是由于他把行归于知，消行以见知，而把现实世界与改造世界的实践活动割裂开来。在此意义上，我们可以说，唐君毅所建立的世界也不是真实的世界。不仅如此，唐君毅的心通九境论还未能看到尚未被人类认知和改造的、具有客观实在性的天然世界。也就是说，在唐君毅的世界里没有天然世界的位置。

但是，唐君毅并不否定个体事物的存在，认为独立的个体事物有其体、相、用；作为物质性的个体事物，还占有时空，有形相和性质等。这里的问题是，唐君毅是否就此承认外在的个体事物的客观实在呢？回答应当是否定的。个体事物是占时空、有形体，或科学上所分解的个体事物的组织、细胞、分子、原子、电子等等是真实存在之物等，均是唯物论的观点。而唯物论以一质碍（佛教用语，质碍即物质）成物，这样物就被视为物质性的东西。这是唐君毅所不能赞同的。他从主观与客观相统一，以主观心灵为主的基本原则出发，消除唯物论承认个体事物物质性的独立存在之"障碍"，以伸张他的以生命心灵为体，且以此实现主客统一的形而上的哲学思想。

作为个体事物是如此，那么整体性的生命心灵与客境之间的关系又是怎样的呢？唐君毅并不直接道出世界的本原是心灵生命或心，甚至他不赞成说境（世界）由心所造，这就是他所说的"不须说境由此生命存在之心所造，更不须说心变现境"[1]。为什么呢？因为在他看来，世界由心所造是唯心论的主

---

[1] 《中国现代学术经典·唐君毅卷》，第75页。

张,这是说先有心而后有境,将心境割裂。他也不赞成唯识宗的境由心所变现,一是由于如果言境由心所变现,这就难以将性相包括于境中,同时境就成为特定境,不能通其境之全。这是否表明唐君毅赞同唯物论呢?他认为唯物论与实在论以境为先,但是我们"不须说先有离心之境先在,心开而后至其境"①。可见他也是不赞同唯物论的。而他主张的究竟是什么观点呢?这就是心境俱起,二者紧密相连而不可分离:"故今谓心开境现,亦可是心开与境现俱起。与境现俱起而开后之心,亦存于境,而遍运于境,遍通其境。"②其中也就能感觉到吾人的心灵生命之所在。心开也就是心灵生命之感通,感通的对象是境相。一切境无不是所感之境。在唐君毅看来,这样就不仅避免了唯心论和唯物论将心境割裂开来的缺陷,又克服了佛教唯识论不能通其境之局限性。

唐君毅批评说,唯物论和唯心论均把主客分离开来是着实的错误。而他主张心境不离(主客不离)的观点是否就是二元论?我们承认,唐君毅十七岁在北平读书时,相信物质身体和心灵生命的二元论,但是经过几十年的心路历程的变化后,他并不是二元论的坚定守护者,尽管他认为心境相互依存而不相离。因为他把主观的心灵生命视为体,把心灵生命之活动视为用,而境却是由心灵生命活动的感通即心灵生命之用所建立起来的相。这样一来,体相用尽管统一而不分离,但是还是以主观的心灵生命为三者统一的基础。超越客观之物的心灵能够规定着境(世界)的存在,即外境的存在是本于主观的心灵生命。外境是不能离开吾人的心灵生命而独立存在的。他指出:"心开出境,亦不能说是原有此境,心开而后见之。于此尽可说原无此境,然心开,则境与开俱起。"③这同心造万物的唯心主义殊途同归。唐君毅在早年所著的《道德自我之建立》中把心或心灵当作是世界本原的思想淋漓尽致地表达了出来:"心之本体,即世界之主宰,即神。'有物先天地,无形本寂寥,能为万象主,不逐四时凋。'我现在了解心之本体之伟大,纯粹能觉之伟大……从今我对于现实世界之一切生灭,当不复重视,因为我了解我心之本体确确实实是现实世界的主宰,我即是神的化身。"④我们不禁要问,主观心灵建立客观境界是否有一客观前提,即客观物质世界的先在性?我们认为,主观心灵犹如一个加工厂,

---

① 《中国现代学术经典·唐君毅卷》,第76页。
② 《中国现代学术经典·唐君毅卷》,第76页。
③ 《中国现代学术经典·唐君毅卷》,第75页。
④ 唐君毅:《道德自我之建立》,广西师范大学出版社2005年版(下引版本同此),第87~88页。

它对境界的改造不能没有加工用的原材料，而外在的物质世界就是主观心灵建立境界的原材料。如果没有作为原材料的客观世界先在性，压根儿就不可能建立心灵之境界，何况人的心灵生命的物质载体的身体是自然界长期进化的产物。否认外在客观事物的先在性，以人的心灵或心决定客观物质世界，就必然陷入主观唯心论或唯我论，而再也不是心物平行的二元论。

唐君毅为什么把心灵本原贯通于他的形上哲学之中呢？我们认为他所处的那个时代，中国知识分子在外来文化思潮冲击下出现了前所未有的"精神迷失"，其表现为道德迷失、存在迷失和形上迷失三者同时存在。所谓道德迷失，指传统的道德价值遭到否定之后，人们对道德价值的迷失；所谓存在迷失，指传统宗教信仰的象征性庇护在遭破坏以后，人们对如何安身立命、安顿自己的灵魂无所适从；所谓形上迷失，指科学占据主要地位之后，由于其自身的局限性无法取代传统宗教和哲学的形上世界观，形成对人们的形上思考的掠夺，最终削弱人的睿智，成为宰制人的工具。[1]特别是经过"五四"文化斗士激烈地反传统，中华民族传统的文化几乎一蹶不振。正是在这种背景下，唐君毅充分吸收中国儒、道、佛三家的心性之学，致力于心本体论的重建，以达到挽救国人的精神迷失，挺立人的主体精神、理性精神、道德精神，以唤起民族精神的复兴。在此意义上说，唐君毅的生命心灵能动观又有着值得肯定的一面。我们上面批评的是，他把心灵的能动性无限夸大到世界本原地位的主观唯心论。

5. 宇宙构成模式论

唐君毅不是把整个宇宙或整个世界视为自然的、纯物质的或实体性的宇宙，也不是一个纯精神性的宇宙，而是一个主观精神与客观物质所共同构成的宇宙。也就是说，宇宙是由物质世界和精神世界所构成的有机的统一体，其中物质世界是不离主观精神的客观之境，精神世界是与物质世界相贯通的主观之境。

虽然如此，整个宇宙又是有依次递进、由低到高的层次，下是客观境，中是主观境，上是超主观客观境。客观境又叫他境或觉他境，是主观觉客观；主观境又名自觉境，是主观自觉；超主客境又叫超自觉境，是亦主亦客的绝对观，所观所见的是绝对真实境，即形上境。由此可见，整个宇宙三境中无论何境都有人之主观意识，都是主观生命心灵之所观的对象。在此意义上讲，离开

---

[1] 张灏：《新儒家与当代中国的思想危机》，台北时报公司1980年版，第373~375页。

了心灵生命宇宙就失去了价值和意义。主观生命心灵既是宇宙的构成因子，又是赋予宇宙以真实价值和意义的能动的主体。如若离开了生命心灵，实质上宇宙就失去了真实，即无本来意义的宇宙。这就是唐君毅所建立的元哲学或形而上意义上的宇宙。

那么，宇宙又是如何具体构成的呢？唐君毅借用黑格尔的三段式的形式进行宇宙的逻辑建构，首先，把宇宙分为一个大的下、中、上三层，即客观境、主观境、超主客观境。其次，又把每一层分为依次递进的三个层次：客观境依次是万物散殊境、依类成化境、功能序运境；主观境依次是感觉互摄境、观照凌虚境、道德实践境；超主客观境依次是归向一神境、我法二空境、天德流行境等。

世界事物无穷无尽而又纷繁复杂，根据人之生命心灵所摄而归属于诸多的不同层位之境，它们之间可以转易或转化，即可以由低层位向高层位上升，亦可由高层位向低层位下转。

唐君毅不仅把客观的自然事物，更重要的是把中西印哲学、宗教、道德、文学艺术乃至自然科学等统统纳入宇宙模式之中，而后者是古今东西各种思想文化的汇集。在自然事物中也贯通着或潜存着主观的生命心灵。在此意义上说，唐君毅所建立的宇宙是思想文化宇宙。他以判教的方式对上述各种思想文化，特别是对哲学、宗教、道德思想进行了论说评价，这种论说评价是以儒学为宗，以生命心灵为体，以超主客观境为全。所以，古今东西的各种思想文化中的实质是生命心灵，或者说是生命心灵的创造，儒家思想文化是最具合理性与合法性的，尤其是儒家的天德流行境或尽性立命境，不仅融摄超越主客的归向一神境（基督教）、我法二空境（佛教）的合理性内容，而且是高于其上的"以相之大胜"。它是人类往来思想文化发展的方向。这样唐君毅就把儒家思想文化提升到至上的、主流的地位。

（二）道德思想

唐君毅是一个道德至上主义者。因为他把道德视为人的生命超越的基本依据和价值向度，视为人之成为人的本质属性；把道德之深刻本质的道德自我或至善之本心视为社会文化的源头活水。换句话说，一切文化无不由道德自我的能动创造和主宰。

"生命超越"究竟超越的是什么？超越的是生命赖以承载的自然肉体和外在环境束缚或诱惑。为什么要超越？因为自然肉体是有限的，是现象的存在，外境环境,特别是外在物质利益纠缠着人的心身。那么又如何超越?这就是道德理想的追求。所谓道德理想追求就是通过道德修养使心灵超脱于生命肉体的束缚,直抵其本质之处:至善的心之本体或道德自我。所以唐君毅的道德思想具有形而上学之价值和意义。

唐君毅对伦理道德的探索是其一生学术的重心之一,其著述众多,又主要集中于《道德自我之建立》《文化意识与道德理性》《生命存在与心灵境界》《人生之体验》《人生之体验续编》《心物与人生》等著作之中。

1. 道德自我之根源:真实至善的心本体

唐君毅认为道德具有内在的理性或性理,这就是道德理性。它是超验的、形上的、恒常的、真实的,也是精神性的。道德理性又称为道德自我、形上自我、超验自我等,其深刻的根源是本体意义上的心,又称为"内部之自己"。换句话说,"内部之自己"就是内在的、本质性的心。这是唐君毅为道德寻求的形上之基础。

什么是心?唐君毅在《生命存在与心灵境界》中讲:所谓心是指"心灵"。心灵是与生命存在不可分的有机统一体。即心灵是有生命能存在的心灵,存在是有心灵生命存在。心灵之中的心是偏向于内的,灵是偏向于外的,这样心灵就具有"居内而通外以合内外"之性质。"内"是主观,"外"是客观,因此心灵"居内而通外以合内外"就是指它有通主观与客观的能力和功用,是形而上的本体。关于心是本体,唐君毅有明确的论述:"心之本体即人我共同之心之本体,即现实世界之本体,因现实世界都为它所涵盖。心之本体,即世界之主宰,即神。"①唐君毅又借用佛教唯识宗之心识和境之义,把心灵之对象称为境或境界,心灵与对象的关系便成了心与境的关系。此处之境既指客观之物又指主观之心,是心与物、实与虚的统一,也就是说,境不仅仅是指客观事物或客观世界,还包括精神或精神世界。在唐君毅看来,无论是物质世界还是精神世界都是主观心灵感通的产物。但是,心境一旦建立上了关系,二者就是紧密相连而不可分的,既没有离开心之境,也没有脱离境之心,且二者同时俱起。这里,唐君毅的思想有着一定的合理性。因为心和物之间本身具有内在关联的同一性。但是这样一来,心之本体的唯心论的性质被蒙上了一层迷雾。换句话说,心境不离可能会掩盖物(境)对心或精神的根源性。唐

---

① 《道德自我之建立》,第87页。

君毅在《生命存在与心灵境界》中不厌其烦地论说着心境不离,二者俱生俱起的思想,这更容易使人陷入此种迷雾之中。从心境不离,二者俱生俱起的论说中,可以看出唐君毅有心物平行论的思想。其根据在于,他自己讲:十七岁在北平读书时,考虑的哲学问题是心灵生命和物质的问题,物质身体束缚心灵生命,而心灵生命既入物质,但求超拔。当时也相信物质身体和心灵生命的二元论。但是又认为物不能自觉,心能自觉,这种见解终身未改。①后来,唐君毅认为从本质来讲,心灵在先,境中之物质在后,境包括物质之境均是心灵之开创。这便夸大了主观心灵的能动作用,陷入了唯心论的窠臼,抛弃了他早年的心物平行论之立场。

作为唯心的、形而上的本体之心的道德自我或道德理性有着什么样的特性呢?其根本的特性就是真实之善性。孟子直接指出"仁义礼智根于心"②。唐君毅继承了孟子人性本善的理论,并且同样认为人性本善是从超验的、形上的、恒常而真实的心之本体发源的:"我善善恶恶,善善恶恶之念,所自发之根源的心之本体,决定是至善的。"③本来,超越现实世界的心之本体就具有无穷无尽之善,而人的超验的善之性在人类的道德实践中具体地表现为仁义礼智信五德。这是人类的基本的善德。其中仁的最初的表现就是恻隐不忍之心,并且经过理性之发扬光大,便成为自觉的爱人如己、推己及人的道德意识。唐君毅认为义的原始表现是我与他人的分际,是不损人利己的自制意识,而经过其现代性转化,使义变成为我与他人权利平等、职务与责任公平的意识;礼是对他人之行为和权利的尊重意识;智之原初表现是对自己和他人行为所显露出来的好恶之情,通过理性的提升使之成为运用共同的社会道德标准对是非好恶的判断;信也是一种德,它是指贯穿于仁义礼智信之中,对仁义礼智的诚信。

唐君毅对真实的、至善的本体之心的追求,是出于他对于现实世界体悟之结果。他深切地感悟到,现实世界的一切事物是在时间中流转的无常、如梦和如幻的非真实;现实世界是无情的,它天生好生又好杀,并且永远是一个自杀其所生的过程;现实世界是一个残酷而可悲的世界,它是无常、是苦、是空,同时人生也是虚幻的。在这里,唐君毅虽然借用了佛教的用语,但是不能不说

---

① 《中国现代学术经典·唐君毅卷》,第911页。
② 《孟子·尽心上》。
③ 《道德自我之建立》,第86页。

是他的真实思想的表达。尽管他对现实世界充满了悲伤的无奈之情,但他不是因此而消沉颓废,因为他是一个有强烈的道德理想的思想家。所以,尽管现实世界是虚幻不实,充满苦难与罪恶,唐君毅还是要求一真实的世界、善的世界、完满的世界,并且这一要求是"真实"的。这种要求的本质是超越生灭和超越虚幻的,它发自人之本体之心,同时要求恒常、真实、善和圆满也是本体之心,即"内部之自己"。

为什么唐君毅要追溯道德自我之根源的至善之心在本体呢?这是出于唐君毅一个重要的社会责任的担当,即重建已经丧失的道德精神之家园。西学中的科学主义、经济主义的严重冲击,使中国传统的儒家道德价值遭到了根本性的否定,人们由此失去道德精神支柱,他们在迷茫中心灵无所适从,于是唐君毅直接继承宋明时期陆、王的心性之学,以心为本体建构起至善之道德体系。

2. 道德价值:自己超越实现自己

道德价值表现在何处?在唐君毅看来,一个人的道德价值并不在于通过他人或他物表现出来,也"完全不必需间接的自其对人对己之利的结果上,来发现其道德价值"①,而在于自己内部。也不在于人的实践活动和物质事物体现出来,而在于心理,这种心理就是道德心理。正如他所说:"一切道德价值,都表现于你的道德心理。"②道德心理是表现道德价值的,但不是道德价值本身。这就有一个道德心理如何表现的问题。而其表现又必须从道德心理之中去寻求。于是唐君毅把道德价值的表现根源追溯到道德心理的超越性。唐君毅指出:"在坦白、爱真、爱美、向上奋勉、自尊、尊人、乐天安命、自信、信人、信仰、信人之信己、宽大、爱人以德等道德心理中,我们之所以认其皆含道德价值,都是直接自其表现超越现实自我的限制处看出。"③他还指出:"一切道德心理之本质,都是自己超越现实自己,道德价值即表现于自己超越现实之转折处……所以对现实的自己而言,道德价值亦永远是超越的。"④"超越现实自己"又是何意?这就是破除你当下的被限制的有限性,包括物质性身体和物质欲望等的限制,同时要有耻辱之感,超越你的全部罪过。这种超越性的道德活动是非外在的,非强迫性的,是一种主体能动性的自

---

① 《道德自我之建立》,第40页。
② 《道德自我之建立》,第53页。
③ 《道德自我之建立》,第40页。
④ 《道德自我之建立》,第53~54页。

觉的精神性的活动，即自我反省的道德修养，就是王阳明的致良知。唐君毅把超越性的心理活动界定为道德价值，从根本上是看出道德的提升在当时整个社会道德沦丧、价值迷失的态势之下，不可能依靠社会的或他人的力量来解决，只能通过个人的主观精神的力量来实现。

唐君毅指出："你超越的自己之发出其超越的活动是层层积累的，如发出一超越之活动——自己之爱他人，又发出一超越之活动，使他人亦如自己之爱他人……此中可表示各种限制之逐渐破除。故你超越之自己中所含之超越活动，为绝对之活动，即能破除一切限制之超越活动，所含价值为绝对之善，为至善。"①唐君毅是要说明道德心理的超越本身是一种道德提升的活动，这种道德提升要达到道德境界或道德理想就是绝对至善或至善。这样也就是道德心理本质的实现，因为超越不仅是道德价值之所在，也是道德心理的本质。

不仅如此，唐君毅还费尽心思地告诫人们不能沉湎于现实，要对自己之现实之道德状况予以提升，并要求人们对于道德生活发展之可能，应有绝对的自信。这种自信不是别的，就是由恶转变为善，由善达到至善的自信。

3. 人生目的：自定自主地做你该做的

人生的目的究竟是什么？这是人生观上的一个重要问题。社会之中的每一个人无不对此进行思考，做出各种不同的回答。人类认识史上的思想家们也进行了深入的探索，提出了各种不同的观点并进行了深入的阐释。生活于20世纪的唐君毅，在考察各种人生目的观的基础上，针对社会时弊提出了自己的人生目的理论。

唐君毅在《道德自我之建立》一书中列举了求快乐幸福、求某一些情境、求满足欲望、保持某一生命活动的形式、过更广大丰富的生活、顺生命冲动等六种人生目的论，并对此进行了一一的分析论证，得出了它们通通是错误的结论。为什么它们均是错误的呢？因为它们是人们的盲目性造成的，缺乏主体之人的自觉性。譬如，唐君毅认为求快乐幸福人生目的论至多只是以每一种与过去曾使你发生快乐之情境相类似之情境为对象。你所要求的，至多只是此类似情境之实际化于当前，这些情况的发生之原因只是在过去的情境引出你快乐之感情时，你便对那类情境有一执着，希望它继续，希望它扩大。实际上"你的

---

① 《道德自我之建立》，第54~55页。

执着,是不自觉的、无理由的,你只是盲目地执着它"①。我们不能把非自觉的活动,作为自觉之目的,所以我们绝不能真以求快乐为人生之目的。又譬如,唐君毅同样认为人生的目的在于满足欲望是非自觉的,"因为当你欲望正发动,要求满足时,你并不自觉你的欲望"②。所以他告诉我们:满足欲望,不是你自觉的活动,你不能把满足欲望作为你自觉的人生目的。

以上几种人生目的观是错的,所以它们均不能作为我们自己生活的最高的指导原则。

那么人生的目的是什么呢?我们又如何认识人生的真正目的呢?为此,唐君毅首先确定人生的目的的寻求方向,这就是他所说的:"如果人生有目的,他的目的,应即在你当下能自觉的心之中。"③但是这并不是说人们用心去寻求外界的什么东西和发动什么样的道德活动,也就是说人生的目的本身与外在利益和实践行为无关。所谓人生之目的在心中是指"你当下能自觉的心之所自定自主的活动之完成"。所谓"你当下能自觉的心之所自定自主的活动"是指"由你感应该做而做的活动"④。该做而又如何做,都是自觉的活动,是由我自觉的心所支配的,也就是我当下自觉的心的自定自主的活动。这就是人生之目的,我们不能越此雷池一步去寻找人生的目的。我们绝不受盲目的势力的支配。至于什么是盲目势力,唐君毅没有指出,可能是指当时国人盲目追随西方文化中的商品拜物教或经济主义的一股强大的力量。唐君毅大力提倡本体之心的自定自主的活动,一方面是企求人们加强内心的道德修养,树立舍一己之私而为天下之大公的道德境界,一方面高扬的是道德理想主义,即追求现代的民主自由(不仅唐君毅是这样,而且所有的中国现代新儒家人物均是如此)的表现。从主要方面讲,唐君毅主张的本体之心的自定自主的活动是有积极的现实意义的。

但是,从形上的哲学层面上讲,本体之心的自定自主活动(自觉的"该做而做的活动")必然有一个客观的前提,这就是其活动无条件地要受到客观必然性或规律性的制约,要受到各种外在的特定条件的限制,显然这是唐君毅所忽视的。因为主观之心的自定自主活动思想是建立在他的主体之心是世界的主宰,客境是主观心灵的开创的基础之上的。企求摆脱客观规律性和客观条件制

---

① 《道德自我之建立》,第22页。
② 《道德自我之建立》,第24页。
③ 《道德自我之建立》,第27页。
④ 《道德自我之建立》,第28页。

约的所谓主观之心的自定自主活动是唯意志论的表现。我们再从社会关系和人们的各种利益层面上看，唐君毅所讲的自觉地"该做而做"的活动，没有具体指出什么该做，什么又不该做，同时也没有确定该做与不该做的标准。在阶级社会中，各个阶级、社会集团乃至个人有着不同的利益追求，并且由于他们的利益不同而相互对立。这样，如果人们的行为标准不立，共同遵循的道德规范不清，就必然导致社会行为的失范，造成行为上的冲突和整个社会的失控。

4. 道德生活：自觉地自己支配自己

这种道德生活，被唐君毅认定为自觉的道德生活，这也就是所谓真正的道德生活。

在唐君毅看来，真正的道德生活是建立在以下认识基础之上的：

第一，自己支配自己是比支配世界更伟大的工作。因为支配和战胜世界是指人们的意志力能破除外在世界的一切阻碍，而支配和战胜自己则是指人们能主宰这种意志力之本身。

第二，自己对自己负有绝对的责任。这就是指要对你过去的一切行为负有绝对的责任，这种责任就是承认它们都是你自己之所为，以把你的道德自我的力量延伸和贯穿于自己的过去的行为之中，同时可以显示出你当下的道德自我力量之大小。

第三，相信自我是绝对自由的。这种绝对自由在何处？就在你的心中。所谓绝对自由就是你当下之心摆脱一切性格、习惯的控制，摆脱各种烦恼和苦闷，同时超临一切环境势力之上。你在心中想你现在是自由的，过去的已经过去，未来尚未到来，并且未来你由你自己决定和自己创造，所以对于你来说，未来也是自由的。总之，自由所求在于内心，内心自由即自由在。

第四，相信自己能自由地恢复自己的自由。这就是说，不仅你当下之心是自由的，而且即使未来自由在心中丧失，也相信能恢复之。

第五，自己的性格、习惯、心理结构乃至一切外在环境，与自己心之本身没有必然的联系。因为你的心之本身是纯粹的能觉者，从中找不到自己的习惯、心理结构、外在环境与此必然相关联之理由。

总而言之，唐君毅所谓真正的道德生活就是主观创造的，掌握自己命运的一种意志力和自信心，就是一种在内心中摆脱了客观事物及其规律制约的自由。这种自觉地自己支配自己的道德生活是理想化的，是一种善良欲望，亦是对自由的渴望和追求，而在现实的道德生活中是很难行得通的。

5. 不断扩充先天之善性,自觉地"求不陷溺"

唐君毅指出人的宇宙是宇宙精神实在的宇宙,但是人的精神可以超越人之现实身体与外界物质对它的限制和束缚,而为自由无限之精神的内在要求。在此意义上说,人的一切活动,包括求个人生存的活动(求住、食、穿衣、健康、长寿等)、求地位及权利的活动、求真活动、求美活动、节制物质生活的活动、自尊与尊人活动、自信与信人、爱的活动、与人为善等等活动都是精神的活动,文化活动也是人的精神活动的创造或表现。但是,其中有一种最纯粹的精神活动,这种"最纯粹的精神活动,是纯粹的爱"。什么又是纯粹的爱呢?纯粹之爱"是一常存的恻隐之心"①。这类似于孟子所说的恻隐之心、不忍人之心。但是唐君毅把它与通常所说的同情区分开来,普通的同情是我感他人的苦乐之后生发的,而恻隐之心纯爱是自然发生的,不感觉到是从我这里发出,而是爱通过我之发出,它直透他人精神核心之处,为实现这种爱可以做出自我牺牲,忍受一切身体上的痛苦,并且不求任何回报。纯粹之爱又是原始的,爱人之德、爱人以德是纯粹之爱的最高表现。人人之先天具有的真挚之爱,只不过是需要在后天加以扩充,使之达至其极而已。

人之本性是先天纯粹之爱,有着先天之善性,同情、节欲、求真、求美、自尊、尊人、自信、信人、宽容、爱人以德等,都是人所公认的善之活动。但是人类为什么又有贪欲、麻木、隔膜、冷漠、嫉妒、幸灾乐祸、残忍侮慢、骄傲、忘恩背信、献媚、卑屈、阴险、狡诈等恶之产生?因为"人之恶只是源于人之精神之一种变态"②。"罪恶自人心之一念陷溺而来。"③精神变态实质上也是一种人心的陷溺。

人心陷溺于什么?它陷溺于美味、男女之欲、矜喜,陷溺于所得之现实的一切对象,即执着于外物而企图为我所占有,并且争取现实之对象而不见他人。动物没有一念之陷溺,当然也就没有贪欲,而人有着无限的贪欲,因为人的精神之本质是要求无限。这种无限本来是超越现实对象的,但是它被陷溺于现实之对象,这样便去要求现实对象之无限。总之,人的无限的精神陷溺于现实之对象是人类无穷无尽之贪欲的源泉。但是,每一个现实的对象毕竟都是有

---

① 《道德自我之建立》,第125页。
② 《道德自我之建立》,第131页。
③ 《道德自我之建立》,第132页。

限的，所以没有任何的现实对象能够满足人的无穷无尽的贪欲，贪欲与良心、贪欲与人类共同之善的标准之间的矛盾，使贪欲厌倦其自身，自感空虚而被否定，这是宇宙中的一个神圣的规律。不仅仅如此，宇宙间还有正义与爱，永远在贪欲之上，照临着各种贪欲，在共同的有限的现实对象的争取上出现相互否定，以实现自身的神圣之规律。此外，宇宙间还有一个神圣的规律，那就是良心之判断与贪欲不能并存，而贪欲只能在善的掩饰下存在，并为良心之光所照透，为良心所否定。但是，我们也应当明确，唐君毅反对和否定贪欲，并不表明他是一个禁欲主义者。他说："我并未主张你必须绝去一切欲望。只是我认为你不当自要满足欲望的观点，去满足欲望。如果你只是因为你要满足欲望而去满足欲望，那便是不道德。"①所谓为满足欲望而满足欲望，是指无穷无尽的贪欲。唐君毅反对贪欲与保持一定的欲望的关系是能够成立的。因为贪欲即是纵欲，因为贪是无厌的，世人以贪得无厌表达之，这必然损害他人和社会之利益，总是要反对的。儒家认为正当的人欲是指符合天理或随顺天理的人欲，唐君毅看来，所谓正常的或正当的欲望就是符合道德的欲望，即"源自你的应该的命令"。笔者认为不以损害他人和社会的利益为前提的，是维持人的存在和发展所必需的欲望为正当的欲望。这样的欲望是要满足的。所以反对贪欲与主张保持正当的欲望是不矛盾的。

唐君毅认为，形上的精神实在之善，要求实现于现实世界。在其不能实现善之时，便化身为罪恶，通过绕弯子而间接地实现其善。但是形上的精神实在并不鼓励人们纵欲犯罪，来间接地实现善。同时，犯罪造恶者，要受到痛苦的折磨，终究要被良心逼迫而为善，罪恶是终究要被改悔和否定的。

罪恶不仅仅是指陷溺于声色货利贪名贪权之欲，陷溺于我们的任何否定的均是罪恶。"只要我们一念不陷溺，即通于一切之善。"②怎样才能做到一念不陷溺呢？唐君毅从以下几个方面来加以论证："不将现实的对象隶属之于我；心常清明的涵盖于身体与物之上……于发生任何活动时，但觉此活动通过我心而发出表现，但反观此活动之表现发出，而不加任何把握……忘物我之对峙，而只顺乎理以活动，即不生陷溺之念。不陷溺，即忘物我之对峙；忘物我

---

① 《道德自我之建立》，第64页。
② 《道德自我之建立》，第144页。

之对峙，则我之活动均以理而行，故又曰天理流行、依乎天机而动。"①不陷溺之活动，是形而上的精神实在的表现，是上升于形而上的精神实在的发生，也是超越现实世界的活动。虽然各人的人格不同，精神上升的道路各异，但是最后之目标则都是在表现统一的形上的精神实在于其人格，所以人类有着共同的最高理想之人格，这就是圣人之人格。唐君毅对于通过文化政教之活动和自身的修养来完成每一个人的人格是充满着必胜的信心。这也充分表明他有着浓厚的道德理想主义的信仰。

6. 道德实践：以用达体

什么叫道德实践？是指在一定的道德意识或道德理论支配、指导和影响之下而进行的社会性活动。唐君毅对此有着自己的解释。他在《生命存在与心灵境界》中指出："此要在论人之自觉其目的理想，更普遍化之，求实现其意义于所感觉之现实世界，以形成道德理想，自命令其行，并以语言表示其命令；而以其行为，见此理想之用，于人之道德生活、道德人格之完成。故此境称为道德实践境。"②我们从中可以窥视出唐君毅所说的道德实践就是指实现道德理想的行为，对此他本人也予以了明确的论说："人之实现此合理性的理想目的之行为，即为道德之实践行为。"③也就是道德理想之用。唐君毅作为一个道德理想主义者，把能够无限制地自觉地自己支配自己、实现纯粹之爱和充分彰显人之善性当作自己所追求的道德理想。中国传统儒家是主张体用不离的，唐君毅的老师熊十力在此基础上提出了体用不二的观念，所谓体用不二，就是指体用之间是用在见体，体在于用，即用即体，即体即用的关系。唐君毅继承了他的老师的思想，提出了明体以达用命题。唐君毅在《生命存在和心灵境界》一书中提出了体相用的思想。所谓体或实体就是生命心灵，此体是感觉之体；相是生命心灵所显之境或生命心灵所表现出来的相状、性相；用是生命心灵的感通活动或功用，这种感通活动就是生命心灵与境界的感通。体、相、用三者之义是相互涵摄的。所谓明体，就是透彻了解和真正把握作为本体之心的深刻意蕴，特别是要透显本体之心的纯粹的善性。所谓达用就是通往道德理想之道德实践之路，此道德实践就是一种功用，通过道德实践去实现所追求的道

---

① 《道德自我之建立》，第144~145页。
② 《中国现代学术经典·唐君毅卷》，第39页。
③ 《中国现代学术经典·唐君毅卷》，第476页。

德理想。在唐君毅那里，本体（这也就是道德之本原）与道德理想是一致的。也就是说，人之心灵作为本体就是指心灵对世界之主宰，是指人的心灵先天具有的纯粹的善性或至善，其中内涵着纯粹之爱，而唐君毅的道德理想也就是追求至善的、纯粹之爱。所以他所说的在道德实践中实现至善和纯粹之爱（还有公正、平等、和谐）的道德理想，其实质也就是以用达体。

作为道德之用的道德实践究竟是指什么？简言之，它主要不是指做济贫助弱的善事，而主要是内心的道德修养。其中的一种道德修养之功夫"即在思诚。思诚之功夫，即致良知之功夫"[1]。致良知是王阳明提出的命题，它指通过自觉的内心修养以彰显、扩充被遮蔽的本心之善性。唐君毅接过王阳明的"致良知"这一旧瓶，装的还是旧酒。因为王阳明致良知的根本精神就是知天地万物本原的本心和道德之善性，就是道德意识，同时也就是道德实践和道德修养，这是他的知就是行，以知代行的具体表现。唐君毅的"思诚"也是一种致良知的道德修养或道德实践。同时，唐君毅所讲的"诚"，是指真实无妄，而诚其意或诚意，就是毋自欺，毋自欺须发明本心，发明本心既是致知的过程，又是一个道德修养的过程。而致知就是致良知。所以唐君毅思诚的道德修养功夫也就是达到王阳明所说的致良知。唐君毅还提出了知耻的修养功夫，知耻就是改恶，就是洗心革面，悔过自新。

道德实践或道德行为就是"超越现实自我之限制"[2]。所谓现实自我是指"陷溺于现实时空中之现实对象之自我"，即为某一特定时空之事物所限制所范围之自我，是形而下的自我。这种自我是与本体之心的形上自我相对立的，也就是本体之心的自我的陷溺，是一己之私、充满罪恶之自我。所以，通过道德实践把本体之自我从形下自我的陷溺中解放出来，实现自我限制的超越，重新恢复那形上的至善纯爱之本心。也就是明心见性，成就内圣之德。

（三）文化哲学思想

唐君毅与其老师熊十力都创立了一个自己的现代新儒学体系。熊十力所创构的是新儒学哲学本体论和道德形而上学体系，唐君毅创构的则是新儒学的文化哲学和道德理想主义体系。唐君毅的文化哲学在其整个新儒学思想体系中

---

[1] 唐君毅：《文化意识与道德理性》（二），广西师范大学出版社2005年版（下引版本同此），第486页。
[2] 《道德自我之建立》，第7页。

具有十分重要的地位，这也是其独特之处。正因为唐君毅对文化问题进行了倾心的关注与全面而深入的探讨，不少论述切中时弊，且提出了一些有价值的见解，所以被牟宗三赞誉为"文化意识宇宙中的巨人"。

唐君毅为什么十分热衷于建立一个文化哲学体系？从根本上讲，是由当时的历史境遇所决定的。因为自中国近代以来，在中西文化的激烈碰撞中，中国传统的文化，特别是在长期处于主流地位的儒家文化抵挡不了西方文化的强大攻势，处在岌岌可危的态势之中，而西方文化受到国人的广泛青睐。同时，与中国传统儒家的人文主义相对的西方的科学主义、工具理性主义和经济主义如洪水般地席卷中国大地，为国人吸取后造成诸多时弊。即使五四运动时期引领思想的思想家也多是一些只崇拜科学民主，在哲学上相信实用主义、唯物主义、自然主义的人，对中国伦理道德加以打倒。为了拯救和重建儒家文化，为了中国文化乃至整个人类文化的未来发展，需要对文化哲学进行深切关注和深入探讨。在此大的背景和目标之下，唐君毅具体地阐明了他创构文化哲学体系的目的："一方是为中国及西方之文化理想之融通建立一理论基础，一方是提出一文化哲学之系统，再一方是对自然主义、功利主义之文化观，予以一彻底的否定，以保人文世界长存而不坠。"①这表明唐君毅有着深厚的儒学情结和对促进中国文化发展（主要是儒家文化）的历史使命感，乃至整个世界文化发展的担当意识。同时也表明他的文化哲学观是以儒家的心性仁学为基础和指导，以主观唯心主义反对唯物主义，以追求天下为公、公平正义为基点的。

1. 文化意识的形上根源：道德自我

唐君毅总是把文化问题同形上的本体和道德问题联系在一起。他认为道德是文化的中心，道德自我或道德理性具有创造之能力，文化就是其能动的创造。他说："人类一切文化活动，均统属于道德自我或精神自我、超越自我，而为其分殊之表现……一切文化活动之所以能存在，皆依于一道德自我，为之支持。"②众所周知，唐君毅所说的道德自我就是人先天具有的纯粹善性的内在之心灵，因此文化是心灵之创造和表现实质上是把道德化的心灵作为文化的形上之本原。道德自我是至善的，所以文化本原也就是至善的。

文化是人类精神活动创造的，而精神活动也是由自觉道德理想所引导的。

---

① 《文化意识与道德理性·自序二》（一），第3页。
② 《文化意识与道德理性·自序二》（一），第3页。

道德理性又成就哲学、文学、艺术、宗教、道德、技术、经济、政治、家庭伦理、体育、军事、教育等理想，这些文化理想表现为人的活动就是文化活动，而道德活动仅仅是诸多文化活动的一种，但是这些文化活动的背后又都是道德自我在支持。

既然文化活动是具有道德性的本体之心的创造或是其分殊之表现，那么文化活动具有道德价值。所以在他看来，一切文化活动都蕴含着道德活动，只不过这种道德活动是非自觉性，是潜存于内的。文化活动自觉的是文化价值，或者说是文化价值的自觉性实现。

文化活动与道德活动又有不同之处。文化活动是表现于外的，它处于自我与外在的客观对象的关系之中，所以它要表现于外，它表现出来的东西是可见的，并且成为社会性的精神财富。而道德活动是内在的自我主宰、自我改造，是不表现于外的自我反省和批判重造。但是，仅仅是内敛而不通外，道德自我又如何成为文化的创造性本原？这正是唐君毅所要解决的一个问题。其中是要寻找到由道德自我之内到文化之外的桥梁？唐君毅并没有找到这座桥梁。但是，不可否认，唐君毅看到了道德自我对文化活动的另外一种作用，即文化活动有着出离自我中心而向外倾注的表现，它有助于文化活动的完成和扩充，但它的外倾性难免有着文化活动者个人的任意性和从事不同文化活动的人之间的相互轻视甚至鄙视，因此会导致个人的文化活动和整个社会文化的偏枯发展，以及造成人格发展的缺陷。在此情形之下，道德意识便收敛外倾之心而归于自我之心，进而抑制某种文化的过度活动，去开启其他文化活动，从而达到社会文化和谐而平衡的发展。这表明唐君毅的文化价值取向是各种文化的和谐发展，而不是相互对抗和冲突。但是，他认为这要以符合善性的人心和仁体为根本前提。

唐君毅把文化的根源追溯到人之本心，是本心的创造或表现，是否意味着他否定了文化产生的外在环境？实际上，在他看来，文化的创造是不能脱离现实的环境的。文化是在特定环境中的创造，这些环境包括自然界、社会现状、人的自身的生命力和物质性的身体，还包括人的性格和心灵习惯等。

唐君毅的本体之心是文化之原，文化是心之本体的创造，表明了他深入到文化之本质去透视文化问题，表达了在文化观上的主体能动性思想。同时他看到了文化的创造要受到一定环境的影响。这些有着一定的积极意义。但是，我们也应认识到，唐君毅是一个主观唯心论者，自然看不到经济基础对政治法律思想、道德、宗教、哲学、艺术等意识形态上层建筑的决定作用。

2. 复兴与救治中国文化之道

此问题的提出是唐君毅看到近百年来中国文化出现的严重的问题：抵挡不了西方文化的强力冲击，陷入了全线崩溃和衰微的境地。正如他所说："如一园中大树之崩倒，而花果飘零，遂随风吹散。"他不仅为这一悲剧而伤感，而且以其难能可贵的历史责任感提出了以下三条复兴和救治中国文化之道。

第一，返本开新。文化上的返本开新，既是拯救中国文化之道，又是未来文化发展的方向。要理解唐君毅所说的"返本"之含义，须厘清他的中国传统文化观。他把中国传统儒家的心性仁学，即天人合德之学看作是中国文化的精髓和基本精神。他说："余以中国文化精神之精髓，唯在充量的依内在于人之仁心。"①他还指出："孔孟之精神，为一继天而体仁，并实现此天人合一之仁于人伦、人文之精神。"②这是说中国文化之"灵根"，它体现的是中国的，主要是中国儒家的人文精神。这就是"内圣"。唐君毅所重建的也就是这种人文精神。因此所谓返本主要就是返回中国传统的心性仁学，绝不能重蹈西学只重科学、功利的路子。但是本民族文化学术思想的传统，已经全面衰降。如在清末民初之时，康有为、章太炎等人已经不大看得起中国传统文化，开始批判中国文化的传统精神，到了五四时期，思想界"以儒家思想为科学与民主之敌，视理学尤为不近人情，不切实际之学。他们中的一些人，一面打倒孔家店，一些人即重提倡清代学术精神，以之反对理学"③。中国文化精神无论如何是不能彻底加以改造和否定的，一是势上不能，二是理上不能，三是义上不当。所谓势上不能，是指中国文化有着深厚的文化底蕴，有着五千多年的漫长历史，绝不是可以彻底改造和否定的。过去提倡科学和民主至上，以彻底改造中国文化精神，但是都失败了。所谓理上不能，是指从外面来的、用以否定中国文化精神的观念和理念要有力量，必须经过人们的意识的认可，与整个民主精神相合之后才能成为自己的。这可谓是自中国文化自身要求所涌出。所谓义上不当，是指尽管在近百年的历史中，中西文化发生碰撞，导致"错乱"，但这只是二者文化没有配合好而发生矛盾冲突。但是中国文化有好的方面，它与西方文化中好的方面能够实现更高的配合和谐，以此推动着中国文化向前发

---

① 《中国文化之精神价值》，第6页。
② 《中国文化之精神价值》，第318页。
③ 唐君毅：《人文精神之重建》（一），广西师范大学出版社2005年版（下引版本同此），第95页。

展。所以只有返其本，方能开出新路。

　　文化上的开新，首先要弄清什么叫新，为什么要开新。其次弄清如何开新。唐君毅的同门师弟牟宗三把儒家传统的当代发展看作是三个方面的问题：一是道统之肯定，二是学统之开出，三是正统之继续。道统是民族生命之本原，中国的道统是指儒家重心性之学的传承统绪，学统是指人们通常所说的科学，正统就是指民主政治。牟宗三认为传承与弘扬中国传统的儒家道统自不待言，就是西方近现代的科学与民主也不得不正视，并且我们要通过"良知坎陷"的办法开出科学与民主，即内圣开出新外王。与牟宗三一样，唐君毅也非常重视科学与民主问题。他认为中国传统文化是注重科学和实用技术的，中国古代的科学也是先进的。但是中国古代发展科技不像西方那样为求知而求知，把研究对象当作客观的对象来看待，而是一种超越的科学基本精神，即超越和收敛一切实用活动和道德活动。同时，西方的科技发展是以主客相分为基础，以运用名言概念、判断进行理性分析为方法，探索自然事物的本质和规律。这是中国先哲所缺乏的，其根本原因是中国思想之过重道德实践，少了一个理论科学知识的扩充，只是退却为个人之内在的道德修养，因而使理论科学得不到发展，实用技术也不能继续扩充，利用厚生的活动当然也就不能尽量伸展。这样就导致了中国的科学落后于西方。

　　在唐君毅看来，中国政治发展还是有倾向于民主制度的建立的内在要求，中国传统文化中本身就有民主思想的种子。他把儒道两家所主张的对君主权利的限制，儒家的为政以德、民为邦本、天下为公、贤人政治，道家的无为而治等通通说成是民主政治思想。实际上，这些都不是民主理念，只不过是民本思想和治理国家的具体之道。不仅如此，唐君毅进而把与民主根本沾不上边的宰相制和御史制与民主制等同。其意在持守中国传统文化优越论，驳倒否定中国传统文化的言论。但是，唐君毅毕竟承认中国科学落后于西方，中国古代也缺乏西方近现代意义上的民主。他对现代性民主作了诠释："民主即包含政治上之平等。民主亦依于人格之平等。而人格之平等，政治上之平等，即当引申出生存权利之平等、经济上机会之平等及人文创造与享用上之平等。"[①]这就把民主扩大到政治、经济、文化、人格等诸领域，有着一定的合理性，并且说明它随着历史发展的潮流而俱进。民主有平等的含义，但是又不等同于平等，所

---

① 《人文精神之重建》（一），第12页。

以唐君毅的民主观念不是十分清晰的。同时民主从根本上讲，是一种权利。显然，唐君毅是没有把握住这一点的，并且对政治上的平等权利没有规定出具体的内容。

但是无论如何，唐君毅认识到了发展科学，建立和推行现代民主，建立现代国家的重要性，其救治之道就是要开近现代意义上的科学与民主这一新外王。具体地说，就是把支持中国发展和胜利的中国传统的儒家心性仁学转化为积极开拓中国科学民主前途的力量。同时，根据他分析中国科学落后西方的原因是重道德实践而忽视具有超越性的"为知而求知"的精神，他提出"暂忘"论，即心性之"道德主体"在遇到"认识主体""政治主体"时应暂忘和退让其后，成为它们的支持者，最后待这些主体完成其任务之后，它再进行道德价值判断。这与牟宗三的"良知坎陷"说有异曲同工之妙。但是，无论是牟宗三的"坎陷"说还是唐君毅的"暂忘"说，都是不成功的。因为儒家心性仁学与科学民主是两个不同的领域，有着不同的概念和内容，也有不同的致思路和方法等，前者如何开出后者是极为困难而不能实现的事情，有人称之为"神话般的梦呓"。

唐君毅面对西方文化包括科学与民主的冲击，保持着清醒的头脑，始终站在民族文化本位的立场，持守并彰显儒家的人文精神，认为科学在人文世界与人生经验全体中有着确定的限制，并且其应用也应有为之做主的东西，这就是人之仁心。否则，就可能为人的意志或生物的本能所主宰，做出有害于人类，甚至使人类遭受毁灭之危险。所以，只能是以科学为用，以仁心为本。如果作为科学的理智没有仁心以主宰或做主，任其往而不返，必落入怀疑主义、虚无主义，其价值也就要大打折扣。他痛惜中国近百年出现了文化思想上的错位，盲目相信西方的近现代的科学民主，忽视甚至丢掉了中国以心性仁学为根本的中国儒家传统文化。他要矫正近代以来的思想学术之偏，以返本为基础开出中华民族未来的新文化。而中国发展民主政治也离不开继承中国文化传统，否则民主政治就成了无源之水，无本之木。未来民主的发展就是如何更多地返回到传统文化及传统的政治制度，且在此前提下如何去吸取西方民主的一些内容。

第二，回流反哺。其含义是指海外中华儿女承担起弘扬和复兴中华文化的重任，以此反过来影响中国大陆。他提出的这种观点是由于他认为大陆否定了中国传统文化。同时，他把造成这种状况的根源记在马列主义的账上，认为否定传统文化是在马列主义的指导下产生的结果。毫无疑问，这是毫无根据的妄说。实际情况是，马列主义对于传统文化态度是扬弃，即取其精华，去其糟粕，因此并不是一味地否定中国传统文化。作为以马列主义为指导进行革命和建设的中国共产党人，把这种态度作为自己的文化建设之纲领，且在实践中为发掘、整理、研究和保存中国传统文化采取了许多措施。在中国十年内乱之中，的确对传统文化进行了严重的摧残，但是这是由于"四人帮"在文化指导上的极左路线造成的。改革开放以来，纠正了发展文化上的错误，中国传统文化得到了弘扬。再则，中国传统文化弘扬或复兴，不可能离开马列主义的正确指导，也不可能先海外后大陆，离开了中国大陆去谈传统文化的复兴只能是一句空话，至少说不是真正的复兴。只有中国共产党人及其领导下的全国各民族人民和海外儿女的共同努力，复兴中国传统文化才能真正实现，并且前者始终是复兴本民族传统文化的主体。

第三，回应挑战。所谓回应挑战，是回应的西方文化的挑战。西方文化对中国文化的挑战是空前的，比历史上任何一次挑战都严重得多。

唐君毅抓住了这次挑战的基本内容，这就是科学与民主思想。为求知而求知、把一切人和物当作客观对象加以研究的科学与中国传统的天人合德思想有着根本的不同，科学技术及其研究方法的实际应用使人趋向于人文的背离，导致人生的物化，与中国传统文化的人文精神相悖，于是中国文化如何重建人文精神摆在了国人面前。同时，西方的民主思想，尤其是尊重个人的人格和尊严，对中国传统伦理形成了冲击。唐君毅认为西方的民主思想在纯政治学范围内有效，如果越出其边界，将它扩大到中国文化中肯定其价值和意义，社会就会发生偏差，走到仅仅重视人格而忽视，甚至破坏伦理道德的地步。由此又发生了中国文化如何重建伦理道德的问题。为了回应上述挑战，唐君毅指出："中国民族亦可回顾其过往之经验，将其过往的回应方式，亦来一大综合，以应付其今日所遭遇之大磨难……简单说，即当如中国人之接受佛学，更超过印度佛学，创中国佛学而转化佛学之道，以接受今日所遇之世界文化有价值的部分，而超越之转化之。"他还具体地指出："如对西方科学技术可引申中国文化之格物致知精神，以接受之；但当加以艺术化，即使之具'乐意'，使技术性器物，兼成文物，以转化超过外来之纯技术主义……再如西方之民主，可引申中国民本民贵之义，以接受之，但当以尊贤让能之礼意，以超过之、转化之。西方宗教可引申中国传统之敬天之义，以接受之，但只视为三祭之一，此外更有祭祖祭圣贤忠烈之祭，以超过之、转化之。"①唐君毅所理解的回应西方文化的挑战是全面的，其基本精神是吸取西方文化中有价值的成分，并与中国传统文化的相应部分融合，还通过创造性的转化而超越之。他的这种思想是合理的，因为西方文化是良莠并存，我们只能通过价值认定有选择性地吸取，即使其有价值的成分也并不是如同一块硬币拿来即可使用，只有消化之后融入到本民族的文化之中，才能成为本民族文化元素，即创造性地转化，方能接受之。我们对西方文化也不仅仅是肯定和接受，而且在此基础上还要运用我们的聪明才智进行新的发明创造，以超越之。如果一个民族只是鹦鹉学舌，无任何创造性可言，这个民族是没有什么前途和希望的。

3. 中西文化融通观

唐君毅的中西文化融通观是他深入地理性思索的产物，即在运用辩证思维方法充分认识中西文化之特征、优势及弊端的基础之上的。

唐君毅认为中国文化有如下几个方面的精神特质：

第一，天人合一。他指出：这是儒家的精神。具体表现为天道（即天德）而立人道又内在于人道，人道又体现天道，而且所谓天道的本质即天心，而天心或天道又下降于人心，内在于人心，人心也同样体现天心，二者相互贯通，融为一体。人心即仁心，同时也就是天心。唐君毅把重仁看成是中国文化之精髓。总之，儒家的心性之学与天人合德的学说是一致的。天人合一学说构成了中国学术思想的核心内容，是中国文化的基本精神之所在。不了解儒家的天人合一和心性之学说，就不能真正了解中国文化。

第二，内在超越的实践理性精神，即内倾的道德精神。这种精神是中国文化的最高精神。它有两种超越，一是超越宗教的感性，二是超越宗教的神人分离。这无疑是一种理性为指导的"实践理性"精神，表明它是在道德实践之中来实践道德理想，是理想与现实的结合。

第三，道统意识。中国古代有不同的文化区域，这并不妨碍其中贯穿着一条主线，唐君毅称之为"一本性"，亦即中国古代文化一脉相承的统绪或道统。"殷革夏命承夏之文化，周革殷命而随殷之文化，即成三代文化之一统相承，此后秦继周，汉继秦，以至唐、宋、元、明、清，中国在政治上，有分有合，但总以大一统为常道，且政治的分合，从未影响到文化学术思想的大趋

---

① 唐君毅：《中华人文与当今世界》，广西师范大学出版社2005年版，第702~703页。

势。"①于是才有文化上的五千年薪火相传而绵延不断。这为在文化全球化的现代社会中，中国文化在立足于自身的基础上，吸取他民族文化使之不断得到丰富发展打下了坚实的思想理论基础。

以上三个方面的特质，也可以说是中国文化的优点和强势。这是西方文化所缺乏或忽视的。但是，唐君毅指出："中国文化精神中一往超越向上的精神不显，抽象的分析概念之理性活动不著，个体性之自由意志之观念不强，而学术文化之分门别类，主义派别之多，亦不如西洋。"②并且中国文化忽视"分途发展、超越精神、个体性之自由之尊重，与理智的理性之客观化四者"③。这就凸显出了中国文化的弊端和弱势。

对于西方文化，唐君毅在《中国文化之精神价值》中概括出四个方面的特征：

第一，向上而向外的超越精神。所谓向上是指超越人之上，而去追求人之外的东西。所谓向外是说超越于在内的主观的人性仁心而向外寻求客观事物的实在和超越的外在理想。如超越之神、可能之世界、潜在世界、外于人之自然世界、物之自身等。

第二，"充量客观化"吾人之求知的理性活动之精神。这种精神产生了西方的科学技术，以及由此之应用于改造自然界，满足于征服自然之权力欲望，诞生了近代的工业和物质文明。

第三，尊重个体自由意志之精神。它表现于基督教文化之中就是上帝造人的自由意志，因此在中世纪出现了对上帝顶礼膜拜而不尊重人的自由意志的现象。西方历史步入近代，人的自由意志倡明，发动了争取人的自由权利的运动，经济上产生了自由资本主义。

第四，学术文化上分途的多端发展之精神。由此产生了宗教、文学、艺术、科学、哲学、政治、经济等各个文化部门的分类，尤其是在学术上的分类越来越细，学术派别林立。

西方文化的上述特征恰恰是中国文化所缺乏的。从唐君毅的论述中似乎看出他基本上是对西方文化持既肯定又否定的态度。否定的是西方文化有着偏执的片面性。如只重为求知而求知的向外而忽视内在的道德心性，只重认识和

---

① 唐君毅：《中国文化与世界》，《民主与评论》（香港）1958年第1期。
② 《中国文化之精神价值》，第12页。
③ 《中国文化之精神价值》，第42页。

改造自然而忽视了"内圣"之心性之修养、人格之完善。他指出:"近代文化（指西方近代文化——笔者注）之弊端，由于人之只根据一时之科学结论以形成其宇宙观、人生观与科学技术运用之不当，乃使人不免背离整个之人文，面向自然，物化人生。"①人被物化，为了追求物为我所有，便使人从属于物，受制于物，从而使心身受到摧残，人性被扭曲。但是，我们又要看到，唐君毅并不否定科学技术，人类需要科学技术，现代中国更需要发展科学技术。他把上述弊端看作是由于人们忽视人，包括人的心性，只重科技和滥用科技造成的。这种见解是一箭中的的。

通过中西文化的各自的特征分析概括，唐君毅透析中西文化的差异。

一是中国文化重人，西方文化重神和自然。重自然也就是重物，重人实际上就是重人文。中国产生的人文的观念非常早，六经也主要是讲人道。中国古代也讲天，但是其落脚点在于治"人事"。西方文化与此不同，首先注重的是神，其次是自然，最后才是注重人本身。

二是中国文化重道德和艺术，西方文化重科学与宗教。正由于此，中国文化精神就由道德艺术精神所贯注，西方文化就由科学和宗教精神所贯注支配。在此基础上，唐君毅对于二者内部的文化精神作了具体的分析，认为西方文化在不同时期所注重的有所不同。如希腊以科学艺术为主，罗马以政治法律为主，中世纪以宗教道德为主，西方近代以科学和经济为最重要。对于中国来讲，汉代文化以政治为主，魏晋以文学艺术为主，隋唐宗教为最盛，宋明理学重道德与社会教育。这种看法尽管有可商榷之处，但是他指出中西方文化的发展在各个历史时期有着不同的侧重之点的思想是可取的。此外，唐君毅还认为中国文化重道德艺术，但并不是说中国文化中就没有科学和宗教，西方文化重科学宗教，也并不意味着西方文化中无道德艺术。再则，正因为中国文化重道德艺术精神，所以使中国科学得不到发展，西方文化重科学宗教，所以其伦理道德精神不如中国彰显，人文精神没有中国强盛。

三是中国文化重统绪，西方文化重分殊。正由于此，中国文化在本原上具有一本性，无论是哲学、宗教、政治、法律，还是伦理道德都有同一的文化来源。西方文化重分殊，所以很早就有宗教、哲学、艺术、科学、政治、经济、文学等的分类，也有学术文化上重分门别类和主义派别众多之表现。

---

① 《人文精神之重建》（一），第31页。

四是中国文化"圆而神"和西方文化"方以智"的差别。"圆而神"是指随物之变化而婉转俱流、活泼周遍和圆满俱足，而无凝滞欠缺的智慧，而"方以智"则是以主客相对或相分为特征的概念界定、命题判断、逻辑分析的精神。西方科学和哲学中用理智的理性所把握的普遍概念和原理都是直的，一个接着一个而成为方。"圆而神"透显中国文化的高明远大，"方以智"使西方文化世界多途发展。

五是中国文化为自觉地求实现，而非自觉地求表现，西方文化为能自觉地求表现，而未能真正自觉地求实现。唐君毅对自觉地求实现的解释是：内在的精神理想先自觉为内在，自觉地以其精神之主宰自然生命力，去实现于现实生活的各个方面而形成文化，再转向直接地以文化滋养吾人的精神生命和自然生命。正由于此，中国文化能够源远流长，历史悠久。所谓自觉地求表现，是指精神首先冒出一超越的理想，以为精神之表现，然后再表现从一个追求的理想，求有所贡献于理想之精神活动，以将自己的生命力耗尽此精神理想前，以成就一精神的光荣和客观人文世界之展开，而不直接以文化滋养吾人的精神生命和自然生命。所以无论西方的希腊、罗马等文化只是一时的精彩，而一逝不回。当然，正由于此，西方文化充实。于是唐君毅提出中西文化互补的思想，即西方文化学习中国文化"自觉地求实现"的精神，方使自己悠久，而中国文化则由原来的"自觉地求实现"开出西方那种"自觉地求表现"的精神，以求得自身的充实。

唐君毅提出的中西文化观，不是一个纯粹的理论问题，实际是中西文化的抉择问题，也就是国人如何对待西方文化，以实现中国文化的重建问题。从上面我们可以看出，唐君毅在对中西文化的分析中主张的基本观点是中西文化各有所长，亦各有其短，所以其中西文化观不同于以往的中学为体，西学为用的"中体西用论"。这也就是说他不再把中学看成是体，西学视为用。

在中西文化各有其长短的思想基础上，唐君毅提出了与熊十力相类似的观点，即中西文化融合论。熊十力指出："中西文化宜相互融合……中西学术，合之则两美，离则两伤。"[①]唐君毅认为，由于中国文化获得了"圆而神"的片面性发展，忽视了"方以智"或科学民主，抑或对个体的尊重、自由精神的追求，导致"方以智"展开之不足。于是重建中国文化就是要回归本原，端正

---

① 熊十力：《熊十力全集》第五卷，湖北教育出版社2001年版，第63页。

方位，一方面继续充分发挥内在超越的主观路径，一方面又吸纳西方文化的长处和精华，充实科学、民主、个体自由等精神，使超越的客观路径得到充分展开。吾人接受西方文化不仅仅是科学民主和个体自由，而且还包括其他所长，如西方的哲学精神、宗教精神、审美精神等，即从广度上去接受西方文化，以为综摄的创造。吸取西方文化不只是"左右采获，截长补短，以为综合"，而且是为了把中国文化的发展推向一个新的阶段。

但是，"唯中国近百年以来，人接受西方文化之意识态度，恒出于一欲望之动机，而显一卑屈羡慕之态度……故中国以后之接受西方文化，必须彻底改变以往之卑屈羡慕态度。"①中国人必须有一种顶天立地的气概，先要自立，真正自觉其是人，是中国人。必须对中国历史文化充满着信心。但是此气概又不是对他人有着凌驾与骄傲，必须有"平视的眼光"。只有这样，才能使中西方相互了解，相互为助，共谋发展。在当今全球化的历史境遇中，世界各国文化正面临着共生并存的多元和谐发展的趋势，同时也存在着一些西方国家搞文化霸权等非和谐的现象。显然，唐君毅提倡文化平等，主张增强发展本民族文化的自信心，坚决反对文化霸权主义的文化观，对于中国社会主义新文化建设有着积极的借鉴价值和重要的现实意义。

---

① 《中国文化之精神价值》，第316~317页。

第六章 四川彝族和藏族哲学思想

众多的巴蜀少数民族都有自己素朴的哲学思想。但是，相对而言，彝族和藏族的哲学思想较为丰富，尤其是藏族哲学中的藏传佛教哲学思想不仅学理高深，而且自成系统。而在习惯的称谓中，往往把巴蜀地区的彝族和藏族叫作四川彝族和四川藏族，所以本章的题目是"四川彝族和藏族哲学思想"。同时，本章只讲四川彝族和藏族的传统哲学思想。

四川彝族、藏族的哲学思想的形成和发展与其社会历史条件和文化状况密切相关。彝族是我国五十六个兄弟民族中重要的一员，主要分布于川、滇、黔、桂一带，现有人口近一千万。四川彝族主要集中于凉山彝族自治州，所以，我们所说的四川彝族哲学思想，主要就是指凉山彝族哲学思想。

凉山彝族渊源于远古时代的氐羌，是西南地区氐羌部落和其他一些部落经过长期融合而成的。其古老部落古侯、曲涅二部在西汉时便开始向凉山迁徙，迁徙到凉山有七八十代。由此可见，凉山彝族在大小凉山地区已经生活了两千多年。从社会制度的层面上讲，民主改革之前，凉山彝族先后经历了原始社会、奴隶制社会两种社会制度。1956年，凉山进行了民主改革，使凉山彝族的社会制度由原来的奴隶制社会飞跃到了社会主义社会。

凉山彝族血缘氏族原始社会经历了三个不同的发展阶段：第一阶段是英雄支格阿鲁（又叫支格阿龙）的母亲"濮莫尼依"之前的母系氏族初期；第二阶段是从"濮莫尼依"（雪子施纳时代）到"施尔俄特"所经历的母系制繁荣时期；第三阶段是依次从施尔俄特、俄特武勒、武勒邛部、邛部居莫、居莫武吾、武吾格子等时代的父系氏族时期，其间的经济结构从以前的游牧经济型向农牧经济型转变。凉山彝族奴隶制形成的标志是家支①出现了第一次社会分

---

① 家支：指以同一男性祖先血缘关系为纽带的父系血缘集团。是凉山彝族奴隶制社会的基本的政治组织结构或政权组织，又是凉山彝族社会成员的根本依靠，成员若脱离了家支，就丧失了生存的社会根基，难以立身于社会。家支分为诺伙（黑彝）和曲伙（白彝），前者是凉山彝族奴隶制社会的统治家支，后者是被统治家支。

化，产生了兹莫①、诺伙②、节伙③三个基本等级。兹莫、诺伙（黑彝）是凉山彝族奴隶制社会的统治阶级，节伙是被统治阶级。此时，血缘因素仍然起着十分强大的作用，统治者从自己的血缘是最纯洁的基点出发，将被统治家支按照所谓血缘纯和不纯，划分出高低有别的曲伙、马约、龙节等多种血缘层次，由此便使阶级等级的划分和血缘层次的划分互为表里，形成凉山彝族社会等级关系复杂而森严的特点。20世纪50年代，凉山经过民主改革之后，建立了社会主义制度，废除了极不平等的凉山彝族奴隶社会的等级制度，建立了新型的社会关系。

在漫长的传统社会中，凉山彝族所处的自然环境十分恶劣，社会生产力发展水平极为低下，刀耕火种的现象相当普遍，经济形态为自给自足的农牧经济。除天文历法文化达到当时较高的水准之外，科技发展十分低下，知识文化也主要掌握在宗教人士——毕摩的手中，广大群众几乎处于文盲或半文盲的状态。凉山彝族的宗教信仰尚未脱离原始宗教形态，信奉多神，没有发展到一神教，也没有供众人朝拜的神庙和一整套教阶制度。但是，凉山彝族经过世世代代运用自己聪明才智，经过艰辛的努力创造了独具特色的物质文明和精神文明，为人类的发展做出了贡献。凉山彝族有着较为丰富的原始神化、祖灵信仰文化、毕摩文化和大量的尔比尔吉等，这些就是凉山彝族哲学形成和发展的基础和源头活水，也是凉山彝族哲学具有自己特色的根源。

四川藏族是春秋时期古藏人先民的一支迁到四川甘孜、阿坝等地，并与此地的原始先民彼此融合而成，现有人口一百六十多万，占全国藏族人口的四分之一。从聚居地而言，是我国的第二大涉藏地区，具体分布于四川的甘孜藏族自治州、阿坝藏族羌族自治州、凉山彝族自治州的木里藏族自治县、绵阳市平武县和北川县的十余个藏族乡。就称谓上来说，因居住地的不同，四川境内的

---

① 兹莫：简称兹，彝语为"掌权者"之义。凉山彝族所有的社会成员均是兹莫的臣民，接受兹莫的管辖。兹莫是世袭的，其长子为"掌印土司"，次子为"土目"。
② 诺伙：彝语为"主人""黑色"之义，又称"黑彝"，是凉山彝族奴隶制社会的奴隶主贵族。在没有兹莫的地方，诺伙是最高的统治者。
③ 节伙：包括曲诺、阿加、呷西。曲诺即白彝，是黑彝统治的臣民。曲诺可以占有汉人或具有汉人血统的奴隶，是享有一定自由的劳动者阶级，但不能上升为奴隶主。阿加和呷西均是凉山彝族奴隶制社会的奴隶。阿加的主子可以为其赐婚，使之单独组织小家庭，为主子生养小奴隶。呷西又称"锅庄娃子"，是凉山彝族奴隶制等级中的最低等级，可以被兹莫、黑彝、曲诺、阿加中任何一个等级所占有。其组成部分主要是阿加的子女和其他民族的俘虏。

藏族的称谓各异：川西北牧区的藏族自称"安多（娃）"，川西部地区的藏族自称"康巴"，而四川阿坝南部和甘孜东部农牧区的藏族自称"嘉绒（娃）"或"哥邻"。

同其他地区的藏族一样，四川藏族是有着悠久历史，勤劳勇敢，且具有聪明才智的民族。在漫长的历史进程中，四川藏族经历了原始公有制、奴隶制、封建农奴制和社会主义制度等四种社会形态，创造、吸纳了丰富的精神文化。在文化形态上，不仅有面向现实社会生活的世俗文化，又有出世间的宗教文化，而且二者形成了相互交融的复杂关系。四川藏族的宗教主要是指苯教和藏传佛教，而佛教是他们普遍信仰的宗教。

苯教已有三千多年的历史，其产生与先民所处的恶劣地理自然环境和当时的社会历史条件密切相关。苯教产生的具体地点在哪里，目前学界尚无定论。有不少学者认为它产生于西藏象雄地区，其创始人是辛饶弥沃。藏传佛教是外来佛教经过本土化的产物。公元7世纪，佛教分别从印度、尼泊尔和我国中原地区传入西藏。它被藏民族接纳是由于其内容的丰富性及其义理对于藏民族社会发展的适应性，其中包括对于吐蕃赞普维护其政治统治有着积极的功用，所以得到了吐蕃王室的支持和弘扬。对于广大民众来讲，佛教所宣扬的众生可以成佛等义理为人们提供了一条走出苦海，享受幸福的寄托和安慰。这是广大藏族民众自觉接受佛教并世世代代将其延续的根本原因。

但是，佛教在涉藏地区扎根，并逐渐根深叶茂，且最终转化为具有自身特色的藏传佛教，并不是一帆风顺的，经历了艰难曲折的斗争。苯教在吐蕃王朝时期是具有统治地位的意识形态，而且苯教僧人有参政的权力。对佛教接受和传播的最大抵抗力是信奉苯教的贵族大臣，他们利用苯教同吐蕃王室分庭抗礼，竭力压抑和排斥佛教。尤其是8世纪，信仰苯教的大臣玛尚仲巴杰发起和领导了藏族历史上第一次大规模的禁佛运动，包括禁止民众信仰佛教，驱逐僧人，改大昭寺为屠宰场，埋葬文成公主的佛像，拆除寺庙等。但是，历代赞普又利用手中掌握的权柄，以各种理由打击苯教，大力提倡和扶持佛教。经过反复斗争，苯教势力遭到彻底的失败，挺立佛教一派终于取得了最终的胜利。

苯教派的失败并不意味着苯教的消失。被对手击败激发了苯教徒完善和发展苯教的激情，他们采取的一个重要的措施就是从佛教中吸取理论营养，以弥补其理论的不足，使其逐渐向理论化和系统化方向发展。藏传佛教人士也把苯教中神像、仪式、仪轨等融入到藏传佛教中，同时还存在着二者并生共存，你中有我，我中有你的相互交融的奇特景观。不仅如此，藏传佛教各派之间更是相互包容，彼此借鉴。这充分体现了藏民族的极大的包容性。

苯教是藏民族的原始宗教，也是藏民族传统文化的重要组成部分。我们面临的问题是，在西藏产生的苯教及最早传播到西藏的佛教，又是如何传播到四川的呢？对于苯教传入四川的时间问题，民间和学术界有着见仁见智的各种不同说法或看法，其中较为普遍的看法是苯教于公元1至2世纪在嘉绒地区（今四川甘孜州丹巴县和阿坝州金川县、小金县、马尔康县、黑水县、汶川县、茂县等地）流传。其传播路线是从象雄经过卫藏到康区再到大小金川最后到达阿坝草原诸部落地区。在公元8世纪吐蕃王朝赞普推行"兴佛抑苯"政策的过程中，许多苯教徒难以在西藏立足，便纷纷向曾被称为"边远地区"的康区以及嘉绒地区迁徙，在此地区传播苯教，并修建苯教寺庙。由此产生了在西藏灭苯教，在康区保苯教之说。具有雄才大略的松赞干布统治时期，其军队向东进取，为苯教在涉藏地区的广泛传播提供了大好的历史机遇，其军队中的士兵数万人驻守于阿坝州的南坪、松潘、嘉绒等地区时便有苯教巫师随军，且士兵大多信奉苯教，后来他们未能返回自己的家乡，由此长期定居下来，成为传播苯教的重要力量。到了清代，苯教盛行于四川甘孜州和阿坝州各县。

佛教何时传入四川涉藏地区，在史料中无确切的记载。四川涉藏地区佛教的传入有两个源头，一个是汉语系佛教，一个是藏语系佛教。据说佛教最初传入四川涉藏地区是两晋南北朝时期（265~589）。这时佛教的传入与吐谷浑势力的发展密切相连。因为此时吐谷浑的势力已经到达川西北高原地区，佛教与之相伴而行。这时期传入四川涉藏地区的是北部方向的汉语系佛教。但是这一时期佛教在川西北的传播非常有限，原始苯教在此有着较为深厚的土壤，由此佛教很难在此立足和发展。吐谷浑势力被驱逐出川西北高原之后，佛教的影响便大大减弱。藏语系佛教传入四川涉藏地区是在吐蕃王朝崛起和强大之时，这也是佛教的再次传入。其传入从西和北两个方向同时进行。西部传播路线是雅鲁藏布江沿岸至今川藏公路一线过金沙江传入今甘孜地区，然后沿大渡河和壤塘与甘孜交界的山间驿道传入嘉绒地区。西藏藏族佛教学者遍照护，于公元8世纪被流放到今四川阿坝时，就在嘉绒一带传授大圆满法。北部方向是从甘肃、青海传入川西北的阿坝、若尔盖、松潘等地区。值得一提的是，在公元838~842年，西藏又发生了一场长达四年之久的达玛灭佛运动，对于佛教来讲，这是一个"黑暗期"，佛教几乎遭到了灭顶之灾。为了佛教的薪火相传，不少西藏的佛教僧人来到四川涉藏地区避难，并且有的带着佛教经典弘法，从而使藏传佛教在四川涉藏地区得到了广泛传播和蓬勃发展。企图灭掉佛教的达玛最后被一个佛教僧人刺杀身亡。反"灭佛"斗争的胜利和当时政治上的大动荡，为涉藏地区佛教的勃兴提供了大好的历史机遇期，这就是大约从10世纪初叶开始，长达五百年之久的"后弘期"。后弘期佛教的复兴沿着两条路线进行：一条是从阿里方向发展，被称为上路弘法，另一条是在卫藏下部的朵康方向发展，被称为下路弘法。在后弘期，卫藏地区的信徒们为了重振佛教雄风，不得不到四川涉藏地区寻求佛法。在藏传佛教这一历史发展时期，许多派别得以纷纷创立，独具特色的活佛转世制度也创建了起来。藏传佛教先后创立的派别主要有：宁玛派、噶当派、萨迦派、噶举派、觉囊派、格鲁派等，其中宁玛派是产生最早的一个教派，格鲁派是最后产生，且势力强大的一个大教派。另外还有一些诸如希解派、觉域派、郭扎派、夏鲁派等较小的派别。藏传佛教的各派都在广大四川涉藏地区得到了陆续传播和兴盛。时至今日，四川涉藏地区的佛教寺庙林立，香火不断，登记的藏传佛教寺庙约八百座，藏传佛教僧人四万余人。其中宁玛派、噶举派、格鲁派的寺庙和僧人最多。甚至在西藏已经式微的宁玛派、萨迦派和噶举派，在四川涉藏地区却呈现出欣欣向荣的景象或具有较强的活力。格鲁派在四川涉藏地区的信众最多，宁玛派居于第二位，但是在一定的意义上讲，宁玛派的影响在某些方面胜过了格鲁派。藏传佛教在四川涉藏地区的传入和广泛流传的原因，杨健吾在《康区的佛光》中从特殊的自然地理环境、社会历史的变迁、同一的民族传统、地方势力的扶持等方面进行了深入的剖析。在此不再赘述。

四川藏族哲学思想基本上就蕴涵于苯教和藏传佛教之中。换句话说，四川藏族哲学基本上就是指苯教哲学和藏传佛教哲学，后者又主要是在吸取印度佛教哲学的基础上，通过历代藏传佛教论师融合创新的产物。

第一节　四川彝族哲学思想

凉山彝族从改造自然和日常生活的实践中，通过自己的思维反思概括和提炼出具有一定水平的哲学思想或富有哲理性的思想。但是，客观条件制约着其哲学思想的发展进程和向较高水平的推进，因此其哲学思想水平是极为低下的，不仅没有抽象程度较高的一系列哲学概念或范畴，也没有逻辑性极强、内容丰富的系统的理论,更没有产生自己的哲学专著,建立一个庞大的理论体系的哲学家。也就是说,凉山彝族传统社会中产生的是尚未上升到理论层面的零碎而素朴的哲学思想。为此,有的学者可能会提出凉山彝族传统社会有无哲学的问题,其实质是凉山彝族哲学的合法性问题。其实,各个民族的哲学有自己的特色,没有一个普遍性的哲学标准。以西方的哲学来衡量中国哲学,很可能得出中国没有哲学的结论。同样,用西方和中国中原地区汉族的哲学来衡量凉山彝族哲学,也很有可能认为凉山彝族没有哲学。我们认为只要是关于对世界的本质、天人关系及人和社会本质的、具有普遍性的思想就是哲学思想,不论它是零碎的还是系统的,这是哲学思想的根本定性,在此基础上再分出哲学的高低层次。即使在原始的宗教之中,也有哲学思想的意蕴。正如马克思所指出:"哲学最初在意识的宗教形式中形成,从而一方面它消灭宗教本身,另一方面从它的积极内容来说,它自己还只是在这个理想化的、化为思想的宗教领域中活动。"[①]黑格尔也有类似的思想,他认为神话本身不是哲学,但是他指出:"但说那些哲理的内容没有潜伏在神话中,却未免太有些可笑。民间的宗教,以及神话,无论表面上如何简单甚或笨拙,作为理性的产物(但不是思维的产物),无疑地它们同真的艺术一样包含有思想、普遍的原则、真理。"[②]这里所说的普遍的原则就是指神话或宗教中有哲学思想。

凉山彝族的哲学思想有不少是通过其神话和宗教思想表现出来的。

一、宇宙观与天人关系论

(一)宇宙的本原

凉山彝族认为宇宙的本原是混沌之气。在天地产生之前,宇宙是空旷而无一物的,只是模糊一片的、不可名言的"混沌"景象:

> 远古的时候,上面没有天,有天没有星;
> 下面没有地,有地不生草。
> 中间无云过,四周未形成,地面不刮风。

[①]《马克思恩格斯全集》第26卷,人民出版社1972年版,第26页。
[②] [德]黑格尔著,贺麟、王太庆译:《哲学史讲演录》,第一卷,商务印书馆1959年版,第81页。

似云不是云，散也散不去，既非黑洞洞，又非明亮亮；
上下阴森森，四方昏沉沉。①

这种"似云不是云"的"混沌"是什么？根据凉山彝族生活的崇山峻岭的自然环境来看，凉山彝族所说的"混沌"就是缭绕于山上的气雾，也就是"气"。宇宙万物正是混沌之气的变化所形成的。《勒俄特依》讲：

天地的一代，混沌演变水；
天地的二代，地上雾蒙蒙；
天地的三代，水色变金黄；
天地的四代，四面有星光；
天地的五代，星星发出声；
……②

流行于云南贵州的彝族典籍，并同凉山彝族典籍《勒俄特依》具有家族相似性的《查姆》也表达了这样的思想。如它讲：在宇宙形成之前，"只有雾露一团团，只有雾露滚滚翻。雾露里有地，雾露里有天"。云雾有地有天，充分表明彝族把混沌之气视为宇宙的原初本原。

气是物质性的事物，这样混沌之气就被视为宇宙的物质性的本原。这是凉山彝族十分朴素的宇宙观，但是它在本质上却是正确的，因为它坚持了用物质性的事物而不是用某种精神性东西来说明宇宙产生之前的存在状态，并且以此说明宇宙生成和发展。与此同时，彝族先民近取气雾而思考广袤宇宙的构成，表明他们思维水平达到了一定的高度。

（二）宇宙的产生

在古代凉山彝族看来，混沌之气虽然是宇宙的本原，但是天地并不由此而自然生成，必须依靠具有强大力量的"神人"才得以产生。"神人"造天地的思想是通过神话形式表现出来的。《勒俄特依·开天辟地》讲道：天地未分前，诞生四仙子，住在宇宙的上方，恩体谷慈家请了四仙子商量开天辟地的大

---

① 《勒俄特依》，冯元蔚译，四川民族出版社1986年版（下引版本同此），第1页。
② 《勒俄特依》，第2页。

事，四仙子群策群力，各献计策，最后四仙子中的司惹低尼开了九个铜铁矿，交给阿尔老师傅。阿尔老师傅制成了四把铜铁叉，交给四仙子，阿尔老师傅又制成九把铜铁帚，交给九个仙姑，阿尔老师傅还造了九把铜铁斧，交给九个仙小伙，他们运用诸多工具共同创造天地。由于众仙智慧和力量的汇集，艰苦的劳作，终于开辟出了天地。

与神人造天地相类似的是凉山彝族先民呼唤日月的神话。《勒俄特依·呼唤日月》中讲：仙子司惹低尼派遣阿吕局子去喊出日月来，经过千呼万唤终于喊出了日月星辰。

凉山彝族开天辟地和呼唤日月的神话中的神人，是半人半神，或者是具有人的某些特性的神，体现出神的人格化。神的人格化，是凉山彝族神话的特征。透过开天辟地的人格化的神话，我们可以看到，凉山彝族先民通过自己的想象力对他们直接感知的那一部分大自然的探索，认识宇宙万物的产生，它是彝族先民世界观的一个重要的源头活水。

神人造天地包含着如下的世界观内涵：

一是以直观的、朴素的形式表达了自然界的物质性。凉山彝族把天地看成仙子仙女们开辟而成，这种开辟天地运用的是铜铁叉、铜铁斧、撑天柱等物质性的工具，而这些工具又是铜矿铁矿冶炼的产物；把地上的万物看成是众仙子仙女从天上取来或引来的江水以及蜜蜂、鱼儿、云雀、水獭、花草、树木等自然事物。由此可见，凉山彝族先民把天地的形成看成是运用现实物质条件的创造，地上的自然万物归根到底是人们对现有物质事物运用而成，而不是某种精神的产物，从而体现出朴素唯物论世界观。

二是以曲折的形式反映了彝族先民改造自然的智慧和主观能动性。开天辟地的神话一方面以虚幻的想象反映出凉山彝族关于天地万物形成的世界观，它是凉山彝族先民出于"好奇"的本性而对宇宙形成奥秘的穷根究底探索的结果。另一方面凉山彝族这种世界观的形成又有着现实的根据。我们似乎可以说，神话中所反映的神的无量智慧和力大无比，是现实人类智慧和力量以夸大的形式向神的投射。凉山彝族众神仙一起商量开天辟地的大事，共献开天辟地的方案，实际上就是世世代代凉山彝族先民运用自己的聪明才智去营造其赖以生存的环境的反映，也就是对他们改造自然的主观能动性的表达。

三是充满着臆想的特性和有神论色彩。宇宙的形成是自然不断演化的结果，而彝族先民把它视为神仙的开辟，完全是一种臆想，缺乏科学根据。同时，在开天辟地神话中，仙子仙女和阿尔老师傅虽然还食人间烟火，但他们被赋予了神性，带有某种神性或笼罩着神的光环。不仅如此，想象具有神性的半神半人去创造天地，实际上夸大了劳动群众的能动作用，与神造世界只有一步之遥。

（三）天人关系

1. 人依赖天

第一，雪变人和猴变人。雪和猴都是自然界事物，而自然界就是天，所以雪变人和猴变人揭示了人的产生依赖于自然之天。《勒俄特依·雪子十二支》描述了雪变人的漫长的过程：天上掉下泡桐树，霉烂三年之后生起三股雾到天空，天空由此降下三场红雪，红雪为成人类不断地融化，然后形成雪的十二个种族，包括有血的六种和无血的六种，前者是指植物，它们不能成人类，后者是动物。六种动物中的第五种是猴子，猴子变人最终未能成功，即是说，猴本身不是人，只有在变化中通过转化才能成为人。所以《勒俄特依》讲：只是到了有血的第六种，才产生了人类。既然人类同猴子之间有传承关系，所以人类是猴子的子孙。由此可见，人是自然界长期演化的产物。尽管这种人类演化观不是科学的，具有猜测的性质，但是它揭示了人是自然界长期发展和进化的产物，不仅具有合理成分，而且从根本上否定了神造人的唯心论思想。

第二，人靠天哺育，依天而行。人从自然界产生出来之后，仍然离不开自然界或天。凉山彝族先民那里的"天"是指物质之天还是精神之天？这不能简单作肯定或否定的回答，因为这是一个较为复杂的问题。一方面，从凉山彝族先民万物有灵的观念来看，他们所说的"天"就是有神灵的天，天上的日月星辰都有神灵，并且幻想出了一个主宰天地万物的最高神——恩体古子，他住在宇宙的上方，在天地未分开时便已存在着，只不过天神恩体古子不像西方基督教所宣扬的上帝那样是全智全能的、至善的，以及是天地万物的创造者，但他是神秘的，其旨意又是不可违背的，如果逆旨而行，便要受到他的无情的惩罚。另一方面，凉山彝族先民在日常生活中深深地体悟到人的生存离不开周围的自然环境，所以他们的宇宙观中有开天辟地，呼唤日月的神话，其中不仅有神人开辟出来的天地，呼唤出来的日月，还有从天上迎来的水、动植物等，全都是物质性的事物。由此可见，凉山彝族先民所说的"天"又是物质之天或自然界。

凉山彝族先民又从社会生活中直接体悟到人不能离开天，因为天与人类的生存和发展息息相关。从天具有神性的方面讲，天是支配人类的一种精神力量，人的生老病死、农作物收成等均是由精神之天来决定。正如尔比尔吉[①]讲："天让人兴则兴，天叫人亡则亡"，"或兴或衰在于天"，寿命的长短、子嗣的多少也是由天而定。这是典型的天命论。

但是，就物质性的天而论，它是人类生存和发展的物质前提，这就是彝族先民所说的"人靠天来哺育"。他们对此还进行了十分具体的表述。如尔比尔吉讲：

> 土地没有粮，
> 粮在上天处。
> 上天不佑人，
> 人们不得食。
> 天给人畜就有畜。[②]

这种靠天吃饭的状况是凉山彝族先民对于自然界的依赖关系的真实反映。人类社会发展到今天，靠天吃饭的现象仍然普遍存在。所以，他们提出"依天而行"。只有依天而行，才能从自然界中获取更多的物质生活资料。"依天而行"，可以说这是凉山彝族先民对按照自然规律而行的朦胧的认识。

2. 人改造天

人依于天，这是否可以说凉山彝族先民就听天由命呢？实际上他们又不是宿命论者。为了生存与发展，他们通过自己的劳动能动地改造自然，力图改变他们所面临的恶劣的生存环境和从自然界中获取更多的物质生活资料。凉山彝族英雄支格阿龙射日射月、惩治恶雷、消灭恶蟒、制服凶猛动物的神话，以及凉山彝族用熊熊大火烧死害虫，夺回丰收的关于火把节的传说，这些无不反映了他们发挥主观能动性，战胜自然灾害的强烈愿望，以及他们敢于同自然灾害作斗争的勇敢精神和坚强意志。但是，他们认为人的能动作用发挥的效果要受到自然界的制约。因此，尔比尔吉讲："耕种是人类，丰歉看上天"，"劳动靠人，吃饭靠天"。这既肯定了广大彝族劳动群众物质生产的创造价值，又否

[①] 尔比尔吉：一部分内容相当于汉语所说的谚语，一部分如同汉语所说的格言。
[②] 苏克明、刘俊哲等：《凉山彝族哲学与社会思想》，四川人民出版社1999年版（下引版本同此），第233页。

定了天命论。

综上所述，在凉山彝族先民那里，存在着天命论和能动论两种观念的对立，这是他们认识和改造自然的能力低下而为了生存发展又不得不用自己勤劳的双手改造自然这一现实矛盾的反映。这又是由社会生产力低下和科学技术落后所决定的。

二、朴素辩证法思想

（一）相依相合的矛盾观

1. 万物莫不有差

差，是指差异或不同。列宁指出：差异就是矛盾。黑格尔认为外在的差异不是矛盾，仅仅是杂多，但是内在的差异就是矛盾发展的一个起始环节，是矛盾的一个要素。凉山彝族先民既认识到物与物之间有差异，又把这种差异提升到普遍性的高度来认识，即世界万事万物莫不有差。从自然界来讲：

> 坝不一样，
> 禾苗长势不一样，
> 作物同时种，
> 成熟不同时。
> 山不一样高，
> 绵羊不一样，
> 坝不一样宽，
> 庄稼不一样。①

不仅在自然界，而且在人类社会中，也有兴衰强弱的差别。如尔比尔吉讲：

> 自古有强弱人之别，
> 自古有兴衰人之差。②

---

① 《凉山彝族哲学与社会思想》，第261~262页。
② 《凉山彝族哲学与社会思想》，第262~263页。

不仅如此,人与人之间的社会地位和物质生活条件,以及实践经验与知识结构等的不同,决定着他们思想上存在着差异。正如尔比尔吉所讲:长相差不多,思想差得远。

凉山彝族所讲的事物之间的差异不是简单的类比关系,而是同中之差,即从相同的事物之中把握其两个方面的不同特性,这就克服了那种同就是无差异的绝对等同的片面性弊端。同时,他们把事物差异看成是在自然界、人类社会和人类思维中存在的普遍现象,从而具有世界观的意义。但是,我们又不得不看到,凉山彝族的差异观尚没有较高抽象程度的范畴,没有进行深入而系统的分析论证,同时仅仅看到事物间的相异关系,没有进一步上升到事物两个方面的本质差异即对立关系的认识。总之,凉山彝族的差异观是零粹的、直观的、低层次的。

2. 两面相依存

两面相依存是讲的矛盾双方不可分割,各以对方为自己存在的前提,由此构成矛盾的统一体。凉山彝族以大量的尔比尔吉的形式揭示种种相互依存的矛盾同一性的关系。如尔比尔吉讲:

> 好伴随着坏,
> 坏跟随着好。
> 贫富相依,
> 兴衰相连。
> 没有坏人,
> 好人不受尊重。
> 没有穷人,
> 富人不值钱。①

这就把好坏、贫富、兴衰、好人坏人、富人穷人等两种对立的本质属性,看成是相互依赖、不可分割的本质关系。

不仅如此,还存在着其他方面的矛盾双方的相互依存的同一关系。如尔比尔吉讲:

---

① 《凉山彝族哲学与社会思想》,第267页。

有妻才有夫，
有父才有子。
没有白天，
就没有黑夜。
有阴必有晴，
阴晴相变化。①

既然矛盾双方之中任何一方都不能离开另一方而存在，因此不能只看到一方，而忽视另一方，在看到一方的同时，又要看到与之相对立的另一方。凉山彝族正是这样来看待矛盾双方的这种辩证关系的。如尔比尔吉讲：

猪月，
不要忘记了蛇月冷；
蛇月，
不要忘记了猪月热。
站在前时要想后，
站在后时要想前。②

3. 两面相交合

两面相交合是对矛盾同一性思想的又一种表达，但它比矛盾双方相依存思想更进了一步，深入到矛盾双方结合为一体的认识。凉山彝族典籍《教育经典》讲：

天与地两方，
云星两面合；
日月来撮合，
土地都乐意。③

---

① 《凉山彝族哲学与社会思想》，第268页。
② 《凉山彝族哲学与社会思想》，第268~269页。
③ 《凉山彝族哲学与社会思想》，第270页。

不仅如此，彝族先民提出了阴阳范畴，并进一步把阴阳双方关系视为一种相合的关系。如彝族典籍《物始计略》讲：

> 大河分阴阳，
> 阴阳相结合，
> 生大小河流。
> 河也分阴阳，
> 河里鱼儿多。①

凉山彝族先民提出了雌雄概念，而他们把生物界雌雄和人类社会男女之分推及自然万物，认为一切事物无不分为雌雄两个方面。他们把自然之天视为父（雄性），把自然之地视为母（雌性），把火和热气看成雄，雪和冷气视为雌。在数方面，以单数为雄，双数为雌，等等。总之，凉山彝族认为万物莫不分雌雄，雌雄莫不相交配，甚至认为作为雄的天和作为雌的地也可进行交配。他们还进一步把这种交配视若人类的"开亲"。尔比尔吉讲：

> 白人与黑人开亲，
> 地与森林开亲，
> 森林与岩开亲，
> 岩与蜜蜂开亲，
> 大水与大鱼开亲，
> 大鱼乐融融。
> 露水与草开亲，
> 路旁白皑皑。②

无论是交配还是开亲，表达的都是对立双方的相互依赖、相互作用的同一关系，此种关系并不是个别的，而是具有普遍性的。这种交配有着生儿育女、繁衍后代的功用。不仅如此，凉山彝族先民讲："天与地相配，大地自然

---

① 《凉山彝族哲学与社会思想》，第271~272页。
② 《凉山彝族哲学与社会思想》，第275页。

现。"由此可见，雌雄相配还能产生天地万物。

（二）正反两面变的变化发展观

凉山彝族的变化发展观尽管带有朴素的特性，但是有着变化是普遍的、无始无终的思想。

1. 变化的永恒性

《勒俄特依》讲：

> 天地未分明，
> 洪水未消退。
> 正当这时候，
> 一天反着变，
> 变化极反常；
> 一天正面变，
> 变化似正常。①

而且，"变化未终止，后还有余篇"。这就是讲变化永远不停息。"一日正面变""一日反面变"指事物的变化是有规律性地不断进行的。

2. 变化的普遍性

凉山彝族先民提出了变化普遍性的思想，这种思想是通过宇宙间的万事万物无不变化着的表达体现出来的。

第一，天体生成中的不断演变思想。凉山彝族认为不变就不生，因此天体就是在变化中生成的。正如《勒俄特依》讲："无常的变化，产生出天地。"凉山彝族又把天体看成是一个不断演变的过程，《勒俄特依》将天地的演变史分为十代，第一代的混沌变成水，中间还有许多物的生成，第十代是万物毁灭尽。这表明天地是一个产生和灭亡的历史过程。

第二，人类起源之变。人类是怎样产生的？凉山彝族先民用变化观给予解释。《勒俄特依》指出：人类是远古时的烈火之变，到银男金女、松身愚蠢人、雪族十二子之变，再到雪族十二子中的猴变人的长期变化而来。

第三，人生之变。人的生命历程是由小到大，由大到老，直至死亡。广

---

① 《勒俄特依》，第2页。

泛流传于彝族地区的教育经典《玛牧特依》将人生的变化分为八轮，并对此进行了较为详细的阐述：世上的人们，生后一轮十三岁，放牧赶牛羊；两轮二十五，耕种扛锄头；三轮三十七，办事有计谋；四轮四十九，知识更广博；五轮六十一，无力转锄头；六轮七十三，子孙献美食；七轮八十四，鸡吃谷子也不赶；八轮九十七之后，一生即将过去。它较为真实地反映了人的一生年龄的、生理的、心理的变化状况，深入地揭示了人生由小到大，有弱到强，再由强到衰，直至死亡的发展变化过程。

第四，对立面的转化。凉山彝族先民对此有着大量的阐述。如自然界存在着天亮和天黑的相互转化，尔比尔吉讲：等到太阳天却黑，等到月亮天拂晓。社会中的贫富现象也是相互转化的。如尔比尔吉讲：莫要看重富人，富人会变穷；莫要看轻穷人，穷人会变富；弱与强可以相互转化，弱者可以变强，强者可以变弱；友与敌、亲与仇也可以互移其位，即朋友可以变成仇敌，敌人可以成为朋友，亲戚可以变成仇人，仇人可以成为亲戚。他们甚至认为对立面的转化需要一定的条件。如尔比尔吉指出：

贤人去仇家，仇可变成友；
愚蠢访姻亲，姻亲变成仇。①

仇变成友的条件是贤人的知礼、态度和蔼和善行，所以才能使仇变友。在凉山彝族看来，所谓蠢人是指无礼和作恶者，这样的人去访姻亲，只能导致姻亲关系的恶化，导致姻亲变成仇人。

列宁指出：事物矛盾双方"不仅是对立面的统一，而且是每一个规定、质、特征、方面、特性向每个他者（向自己的对立面）的转化"②。从上面的论述中可以看出，凉山彝族先民已经意识到了事物矛盾双方对立面的转化，并且不是向任意方向转化，而是向与自己相对立的那一方转化。

三、朴素认识论

凉山彝族先民在长期的实践中，对于人们如何认识世界或获取知识有着直

---

① 《凉山彝族哲学与社会思想》，第284~285页。
② 《列宁选集》第二卷，人民出版社1960年版，第608页。

观的感受和体悟，从而产生了朴素的认识观。

（一）认识来源于实践

对于认识和实践的关系，凉山彝族凭他们的直接观察，产生了认识来源于生产实践的观念。尔比尔吉讲：

> 牧人识牧性，
> 耕者识地情。
> 狩猎人熟知猎迹，
> 捕鱼人识水性。①

正因为如此，他们获得了关于物质生产方面的知识，如对于粮食增产离不开肥料有着深刻的认识。如尔比尔吉讲：

> 人力在于食，地力在于肥；
> 畜以草为根，粮以肥为本。②

这无疑是对他们世世代代生产实践经验的总结。

凉山彝族先民为了生产和生活，需对天文有所认识，而在他们看来，关于天文的知识只能从天文观测中获得。因此，他们创造了各种天文观测方法，如目测法、盆测法、影测法、木牌观测法、立竿观察法、日出点和日落点观察法等。正是他们利用上述方法对天文的长期观测，创造了自成体系的天文和历法，尽管其中带有幼稚的、蒙昧的、幻想的成分，但在许多方面是科学的或接近科学的认识。如认识到月亮会经历由圆到缺，又由缺到圆的变化，且这种变化一周为二十九天半；太阳总是从东到西运行，又南北来回运行，东西运行一周期为一天一夜，南北来回一周期是三百六十五点四天，等等。这些知识对于人们的生产和生活有着重要的作用。

（二）学而知之与生而知之的对立

学而知之还是生而知之，是哲学史上两种根本对立的认识论，从实质上

---

① 《凉山彝族哲学与社会思想》，第297页。
② 《凉山彝族哲学与社会思想》，第298页。

讲，前者是反映论，后者是先验论。在凉山彝族先民那里，也存在着学而知之的反映论和生而知之的先验论的对立。这些主要通过尔比尔吉反映出来。在主张学而知之方面，尔比尔吉讲：

> 不学就不识，
> 不识就不会。①

并且学习要勤奋，如尔比尔吉所说：

> 灰沙搓不成绳子，
> 懒惰学不到知识，
> 勤学苦练的人，
> 知识多又广。②

与此相反，奴隶主贵族大力宣扬生而知之，并且力图把自己打扮成生而知之的"圣人"。尔比尔吉讲：

> 人主③不教明，
> 猎犬不教灵。
> 兹莫不教也聪明。④

不仅如此，他们还宣扬其后代也是生而知之者。尔比尔吉讲：

> 聪明人生聪明儿，
> 聪明儿当德古。⑤

---

① 《凉山彝族哲学与社会思想》，第307页。
② 《凉山彝族哲学与社会思想》，第307页。
③ 人主：指凉山彝族奴隶主。
④ 《凉山彝族哲学与社会思想》，第308页。
⑤ 《凉山彝族哲学与社会思想》，第308页。

奴隶主贵族竭力贬低广大劳动群众,把他们诬蔑成学而不会的蠢人。尔比尔吉讲:

> 蠢材教不成人,
> 砍成的瓦板不避雨。
> 下贱的人再教也无益,
> 孬铁再见火也无用。①

奴隶主贵族把劳动群众贬低成朽木不可雕的蠢人,其实质是为了抬高他们自己,把自己打扮成天生的统治者。

四、道德观

(一)家支道德

在凉山彝族传统社会中,家支是构成当时社会的三大支柱②之一,婚姻制度、毕摩制度均不同程度地依存于家支制度。这样,以血缘关系为纽带的家支集团,不仅具有自然属性,而且有着浓厚的社会属性。同时,无论是居于统治和支配地位的统治家支即诺伙或黑彝家支,还是被统治被支配的曲伙家支或白彝家支,都能为其所属成员带来诸多的利益,保护他们的生命和财产的安全,家支是他们的依靠和命根。正如《玛牧特依》所讲:

> 莫与家族(家支)闹翻了,
> 家族势力最强大,
> 若与家族闹翻了,
> 会变成无家族的人,
> 犹如捻线离毛团,
> 流浪到汉区,既无待客伴,
> 又无斗敌友,

---

① 《凉山彝族哲学与社会思想》,第308页。
② 三大支柱:是指凉山彝族传统社会的家支制度、婚姻制度和毕摩制度。所谓毕摩是指凉山彝族的宗教神职人员。

将痛苦终身。①

由此孕育出了凉山彝族先民浓厚的家支意识。它是凉山彝族传统社会的意识形态。从道德层面而论，家支道德是极为浓厚的，并且有着非常强的作用力。凉山民主改革之后，家支作为政治制度因素已经不存在了，家支的作用也大大弱化，但是传统的家支道德仍然对当代彝族民众有着不小的影响。

1. 以有家支为荣，以无家支为耻

从社会关系上看，家支是每一个家支成员的命根和依靠，在其心目中具有至上的地位。由于家支能给他们带来生命财产的安全，由此从内心深处发出对家支的强烈的心理认同和充分的价值认定。在道德层面上便衍生出以有家支为荣，以无家支为耻的观念。对有家支的光荣感和归宿感，对无家支的羞耻感，是凉山彝族先民生存之感受，又是他们切身之体验。不仅如此，他们还把有无家支作为判定光荣和耻辱的一个重要的道德标准。因此在现实生活中，没有家支的人，被当作"外人"加以歧视；对于一个人的鄙视和侮辱，最严重的就是骂他是"一个没有家支的人"。一个没有家支的人而四处流浪，迟早会被奴隶主贵族或其他人掠为奴隶而过着非人的生活。所以，凉山彝族家庭子女（主要是男性成员）的第一课就是进行所谓"茨"的教育，即"背家谱，明根骨，数辈分，定亲疏"的教育。也就是接受长辈对其进行家支谱系的教育。男性成员必须背熟自己的家支谱系，至少要背出自己单线的家谱和分支所在地。只有如此，才能证明自己的身份、系属和血缘等，才能受到同一家支成员的款待和保护。

2. 热爱家支，仇恨冤家

尔比尔吉讲：

> 跟随家支时，
> 所议都如意。
> ……
> 在生是家支的儿子，

---

① 《彝族传世经典》编委会编：《玛牧特依》，四川民族出版社2016年版，第89页。

死后是家支的财产。①

这表明对家支的热爱达到了至深的境地。谁如果愚弄了家支，谁便要受到严惩，所谓"愚弄家支者，罚九抱箭杆"。凉山彝族先民还把热爱家支和仇恨冤家联系起来：

> 家支面前要驯和，
> 姻亲面前笑盈盈，
> 亲友面前要善良，
> 敌人面前要心狠。
> 见到家支的友人就宴，
> 见到家支的敌人就杀。②

热爱家支必然仇恨冤家，仇恨冤家是为了更好地热爱家支。由此可见，热爱家支和仇恨冤家是一个问题的两个方面，在本质上是一致的。

3. 维护家支团结，捍卫家支荣誉

凉山彝族先民把家支成员之间的团结视为力量的源泉。不仅如此，他们还把家支内部的团结，视为每一个家支成员的荣誉和幸福。尔比尔吉讲：

> 家支结交好，亲友都满意。
> 家支互有礼，和睦又幸福。
> ……
> 跟随家支，所议都如愿。
> 家支再疏，听到哭声就来。③

他们鄙视、诅咒不维护家支利益，破坏家支团结及违反家支利益的行为。尔比尔吉讲：

---

① 《凉山彝族道德研究》，第44页。
② 《凉山彝族哲学与社会思想》，第360页。
③ 《凉山彝族道德研究》，第56、38页。

> 地上杀家支的手黑,
> 活者不要他。
> 拐家支妻是流氓,
> 杀家支人是罪人。
> 不拐家支妻,
> 基脚不会毁。
> 家支分裂后,
> 待客无好菜,
> 对敌无朋友。①

这实质上是讲,谁使家支利益受到损害,谁就应得到一定的惩罚。

4. 家支内部成员之间互助

主要表现在:其一,遇到荒年,家支内有人缺粮,家支其他成员主动予以救济,并不需偿还;其二,因父母早逝留下的遗孤,由亲房抚养,而对于有田产和有娃子(娃子指奴隶)的孤儿,由本家娃子代养;其三,婚丧作为家支成员的共同之义务,本家支成员共同凑钱粮予以资助;其五,老弱病残的家支成员造房补屋、耕种等,其他成员前去支援。

5. 勇敢地参加冤家械斗

这里的冤家械斗是指家支之间因发生诸如抓奴隶、人命、诈骗、偷窃、强占田地及婚姻、债务等纠纷而无法解决,最终酿成大规模的武装争斗。这既可能发生在黑彝家支与白彝家支之间,也可能发生在黑彝家支与黑彝家支之间,甚至可能发生在同一家支下的亚家支之间。往往奴隶主贵族为了满足贪欲而发动家支械斗,即使诸如偷盗、酗酒、赌博、牲畜践踏庄稼、狗被打死等事,一旦通过正规渠道得不到解决,便可能成为奴隶主贵族发动冤家械斗的借口。在凉山彝族传统社会中,冤家械斗的场面比比皆是。

由于家支对其每一个成员的生存具有至关重要性,所以在冤家械斗中,为维护家支利益而勇敢杀敌者,理所当然地被本家支视为具有崇高的人格而倍受尊重,青壮年黑彝或曲伙中的男子因冲锋在前、勇敢杀敌而获得"喏科"即英雄的光荣称号,参战的奴隶娃子也可以通过英勇杀敌而获得主子的赏赐与家支

---

① 《凉山彝族道德研究》,第57页。

的夸奖，甚至有希望提高自己的身份和地位。

冤家械斗具有非正义性，其后果也是非常严重的。有的家支械斗的时间长，如为了一粒子弹而械斗了六年，因半斤盐巴而械斗了九年。家支械斗的损失往往是巨大的，造成双方两败俱伤，死伤惨重，最为严重的是有的家支经过械斗之后青壮年男子所剩无几，以致青年寡妇找不到合适的转房对象。有的家支械斗还破坏农作物、烧毁住宅、消耗大量的牲畜粮食，并且毁坏道路、切断交通，致使汉区出产的盐、布等生活必需品运到彝区后价格大大抬高，严重影响了彝族群众的生产和生活。所以，尔比尔吉指出："打冤家的是主子，遭灾难的是娃子。"因此，广大彝族群众还是迫切渴望消除冤家械斗，拥有一个和谐、安定、安全的生存和生产的条件。

（二）尚礼

凉山彝族先民把礼作为一个基本的社会道德规范，并且以礼至上。无论何人要想在社会中安身立命，就必须有礼。如若没有了礼，便丧失了做人的资格。尔比尔吉讲：

> 人们靠礼，水桶靠箍。
> 人存以礼存，人活守节活。
> 人们要有礼，牲畜要有圈。①

凉山彝族把有礼节者视为道德涵养高深和倍受人们尊敬的人，把粗野、强横、恶语伤人者视为傻瓜，因为"傻瓜不知礼"。无礼之人必然遭到社会的鄙视和唾弃。

凉山彝族自觉地以礼的要求规范自己的社会行为，做到行之有礼，非礼勿动。当然凉山彝族非礼勿动不像孔子所提倡的"非礼勿动"那样具有维护政治等级制度的性质，它仅仅是指在行为方面符合礼的道德规范。但是，在凉山彝族奴隶制社会没有正规的国家机器的情况下，礼还具有法的意义，即在一定的意义上讲，凉山彝族之礼具有习惯法的功用。尔比尔吉讲：

> 以礼待同伴，同伴结成友；

---

① 《凉山彝族道德研究》，第66页。

以礼待仇敌，仇敌成我友。①

因此凉山彝族之礼是增强民族团结和凝聚力，稳定社会秩序的一个重要的精神支柱。

凉山彝族之礼几乎充斥于社会生活的方方面面，有见面之礼、待客之礼、送行之礼、家庭成员之间之礼、丧葬之礼、老少和男女之礼、商品交换之礼，甚至还有奴隶主与奴隶之间的礼节要求，等等。凉山彝族的礼仪礼节在许多方面独具特色。如他们待客大方，尽其所能，甚至倾其所有。

尔比尔吉讲：

> 一斗不吃十天，难以度年；
> 十斗做一顿，难以待客。②

不仅如此，而且待客非常热情。尔比尔吉讲：

> 我们这一家，老人重客人，抓烟敬酒；
> 孩童待客人，为客人点烟；
> 姑娘心倾客，端酒敬来客。③

即使仇人来家，进门者为客，也要以礼相待。如果伤害了来做客的仇敌，会为人们所耻笑。

（三）扬善去恶

善恶是人类最为古老的一对相互对立的道德范畴。在凉山彝族传统社会，虽然没有建立起系统的人本性善的理论，但是凉山彝族先民却有着浓厚的善的观念，在社会生活中自觉地行善。凉山彝族奴隶主和广大劳动群众有着两种根本对立的善恶标准。而扬善去恶是凉山彝族对每一个社会成员的道德要求和道德规范。

---

① 《凉山彝族道德研究》，第75页。
② 《凉山彝族道德研究》，第67页。
③ 《凉山彝族道德研究》，第67页。

1. 善心

如果有善心，就会有善行，不会做有害于他人和社会的恶行。所以萌发善心，除去恶念，这是人人应具备的，只有傻子才没有。所以尔比尔吉指出：

善忌对傻子，
傻子不知善。①

但是对什么人发善心呢？只有对朋友、对有善心和行善之人发善心，不能对恶人、对敌人发善心，也不能对奴隶主贵族发善心，因为尔比尔吉讲：

乌鸦毛没有白的，
蛤蟆皮没有光的，
主子心没有好的；
……
善良待兹莫，
兹莫不知善。②

如果对敌人发善心，只能自食其恶果。

2. 善言

善言是指言辞中要有温和谦让的语词，没有污秽谩骂之语。善言能滋润人们的心田，并且有重要的社会价值。尔比尔吉讲：

善言能救命，恶语可丧生；
一句美言词，价值九两金。③

不仅如此，言语美的人所到之处朋友多和有利于人与人之间的和谐。

---

① 《凉山彝族道德研究》，第77页。
② 《凉山彝族哲学与社会思想》，第565~566页。
③ 《凉山彝族道德研究》，第79页。

3. 互助互济

凉山彝族传统社会生产力低下，人们从自然界获取的物质生活资料不足，时时又会遇到不幸的天灾人祸，加之奴隶主阶级的残酷的经济剥削，不可避免地给广大彝族群众造成生活上的困难。所以，客观上要求人们相互救济。尔比尔吉讲：

> 饭与饿的吃，
> 钱给需要的人。①

同时，在家支观念非常浓厚的凉山彝族先民那里，最重要的是相互帮助本家支的困难者。因为"一户不维护，一家将消亡；一家不维护，一片被抢光"。维护一户乃至一人，就是维护整个家支利益。因此本家支成员如若有困难，家支的其他成员便去帮助，或帮他耕地，或替他还债和盖房，或帮他办丧事等。尔比尔吉讲：吃饭时忘了饿饭的，用钱时忘了缺钱的，是没有良心的人。可见，如果袖手旁观，不伸出援助之手，就是非道德的行为。

4. 抗强扶弱

抗击强者②，同情和扶持弱者是凉山彝族传统美德。他们认为不要对一个双目失明的人指指戳戳，他们是看不见的；对一个瘸子，不要抢他的拐杖，他行走困难；对患有眼病的人，不能用辣椒水泼他的眼睛，他已经感到很疼痛了。同时，也不要欺负老幼之人，不要嫌弃孤儿和贫穷者。否则，便被视为可耻和无能之人。流传至今的一些彝族童话和寓言故事中，深深蕴含着彝族先民抗强扶弱的道德观念和文化心态。

5. 不贪图钱财

尔比尔吉讲：

> 不要把钱看重，钱是一日钱。
> 不要把饭看重，饭只管一天。
> 一生要吃饭，

---

① 《凉山彝族哲学与社会思想》，第581页。
② 强者：此处是指强暴、强横、强权之人。

一日莫贪食。
一生要用钱，
一日莫贪钱。①

不贪图钱财是劳动人民的道德律令，它同奴隶主贪得无厌的行为形成鲜明的对照。不仅不贪图其他人的钱财，连自家的钱财也不能贪图。尔比尔吉讲：

金钱是父母给的，
该拿的才拿，
不该拿的就不拿；
哥哥的钱是哥哥的，
弟弟的钱是弟弟的，
姐姐的钱是姐姐的，
不能见钱就睁眼。②

凉山彝族群众对那些贪图无厌的行为是极为痛恨的，同时也揭露了奴隶主剥削和掠夺广大奴隶群众的恶劣行径。尔比尔吉讲：

娃子挣下的钱，
主子一把抓。
土司欠百姓的债，
如虎吃了羊；
百姓借土司的债，
如被毒蛇咬。
……
虎豹再凶只吃肉，
豺狼再凶只喝血，

---

① 《凉山彝族道德研究》，第84页。
② 《凉山彝族道德研究》，第84页。

主子吃人不吐骨。①

广大奴隶群众不甘心自己的悲惨处境,力图挣断套在他们身上的沉重枷锁,竭力摆脱被剥削和被掠夺的地位,他们提出"有碗饭大家吃,有杯酒大家喝","主子和娃子都是人"等原始平等思想。

6. 切勿偷盗

这是人类共同的道德观念。凉山彝族同样具有较为严格的禁止偷盗的道德规范,且把偷盗看作可耻的行为。《玛牧特依》讲:

> 贪财莫去偷,
> 偷者嘴必馋,
> 偷者最可耻,
> 偷者不光彩,
> 偷钱换的裤,
> 裤子不牢实。
> 好男不穿偷的衣,
> 好女不吃偷的食,
> 贪吃莫偷食,
> 贪肉莫偷鸡。②

凉山彝族有着任何人都不能偷的道德训诫,并且每一个社会成员都时刻警惕。在广大劳动群众看来,尽管自己贫穷,但是人穷德不穷,所以尔比尔吉讲:穷人莫去偷,偷了更加穷。因为若偷盗被发现要加倍赔偿。

凉山彝族视偷鸡为最可耻的事,女人偷鸡更是罪上加罪,不仅被人歧视,还会嫁不出去或被丈夫休弃。因为在他们看来,鸡是小而不值钱的东西,连这点小东西都要去偷,可见偷鸡者是一个非常低贱的人。如若偷鸡者被别人发现,他可能因此而上吊自杀,并影响整个家支名声。

---

① 《凉山彝族道德研究》,第84页。
② 《彝族传世经典》编委会编:《玛牧特依》,四川民族出版社2016年版,第41~42页。

当有人被怀疑偷盗时，须请毕摩实施捞油锅、端铧口①等巫术，听神明判决。

7. 不拐他人妻，不奸污幼女

拐妻是极端恶劣的行为，是对妇女及其丈夫人权的侵犯，更是对被拐妻子家支的莫大侮辱。尔比尔吉讲：

> 拐家支妻罪大，杀家支人罪重；
> 拐家门妻遭滚石，杀家支人被雷劈。②

如发生拐妻之事，人人共讨之，个个共诛之，甚至导致大规模的战争。对拐本家支成员之妻者，给予开除其族籍，或将其处死，或罚以重金等惩处。

凉山彝族把未换童裙③的女子通称为幼女。《玛牧特依》讲："贪色莫奸污幼女，好男莫荒淫。"因为奸污幼女者无脸见众人，子孙后代无人问，甚至是"生者不容，死者不收"。奸污者要受到习惯法的严厉惩处：责令其自杀、开除家支、向被奸幼女的父母赔命价等，甚至其子孙后代都难以抬头。

(四) 名利观与羞耻观

1. 重名轻利

凉山彝族有"人在贵名，虎在贵皮"的尔比尔吉。这表明他们在名和利的关系上，主张以名声、名誉为重，视物质利益为轻，把名当作人的尊严和人格的重要体现。如若没有了名声或辱没了名声，就失去了活着的价值和意义。

因此，他们提出了见义而思名，不名则辱的道德观念，并且在行为上力求挣得好的名声。如平时节衣缩食，客人来家便大操大办，甚至借贷款待；为了家支名声，可以不惜牺牲自己的生命去为家支打冤家；为了名声，在战场上冲锋陷阵，以死相拼；为了名声，耻于经商，在商品交换之中不讨价还价，甚至可以分文不取，以送他人；为了名声，在祭祖时不惜耗费大量钱财，甚至卖掉自己的田地；为了名声，对生活上有困难的家支成员或邻居给予无私的钱粮援

---

① 端铧口：指被怀疑者用手端上烧红的铧口，看手是否灼红。若被灼红便证明他是偷盗之人。
② 《凉山彝族哲学与社会思想》，第568页。
③ 换童裙：指姑娘到了十五或十七岁时，将其只有两截的童裙换成三截的成年百褶裙，并将姑娘童年时垂于脑后的一根独辫子分开梳成双辫，盘于头上，还将原耳垂上红蓝色的耳珠换成银光闪闪的耳环。换童裙意味着姑娘生理的成熟，标志着由童年跃进到了成年。

助；等等。由此可见，凉山彝族为了名声的道德行为有着积极的和消极的双重功用。从积极意义上讲，有益于社会各成员之间的团结和谐与互助共济，增强民族凝聚力；从消极意义上讲，造成了社会财富的极大浪费，有碍于社会经济的发展。

2. 知羞爱面

羞是指羞愧、羞耻的心理体验，彝称"硕"；面是指人的脸面，隐喻人的荣誉。知羞是对羞耻的体验和认识，爱面是对荣誉的维护或获取。从道德层面上讲，知羞爱面是积极的道德意识。凉山彝族先民把知羞爱面看作是为人之根本，人若有了耻辱，关系到一辈子。不仅如此，他们把羞的视角延伸到生活的许多方面，凡是违背社会道德原则和社会规范的行为均视为羞。例如：说谎骗人、对贫者不予钱粮相助、有赚钱行为、奸淫妇女、男女之间通奸、战场上胆怯、新娘在婚礼上解便、妇女不能转房、新婚夫妇不经过一番打斗便同居、翁媳与大伯子小婶子之间相互接触等等，统统被视为羞。

凉山彝族先民还有一种最为忌讳的羞事就是在公众面前放响屁，特别忌讳妇女在公公、婆婆及父兄面前放响屁。若有屁要竭力控制不能使其放出。否则，便被认为是做了一件最为犯羞丢脸的事，甚至认为活着没有了意义，因为一生是羞，终身为人们所不耻，多为此而自尽。

（五）深厚的爱国主义道德情愫

凉山彝族的爱国主义情愫主要表现在抗击帝国主义的侵略、反对旧制度和拥护新制度等方面，这些成为凉山彝族的优秀的道德传统。

中国近代以来，西方帝国主义列强在我中华大地横行霸道，不仅占地掠财，而且大肆进行宗教和文化输入；不仅肆意践踏中原大地，而且深入到西南腹地。20世纪初，西方列强就把魔爪伸到了凉山彝族地区。来自英、美、法、意等国的帝国主义分子在凉山地区从事娃子掠夺和精神控制活动。如修教堂，吸收教徒，大肆进行基督教和天主教教义的宣传和推广，从精神上麻痹彝族群众；施行奴性教化，企图泯灭彝族群众的反抗意志；圈土地，放高利贷，逼迫彝族教徒捐款捐物；测绘地图，侦查自然资源和人力资源等，以作为进一步侵略的资料等。凉山彝族群众深深地热爱自己的祖国，他们根本不信奉洋教，不加入洋教，一有机会便三五成群地同传教士作斗争，甚至进行大规模的反对外国帝国主义侵略运动。如美姑县牛牛坝彝族群众用乱石将英国传教士巴尔克打死；马边、盐源、越西等县彝族群众均进行了反对法国传教士的斗争。在这一系列的斗争中，凉山彝族表现出了可歌可泣的民族气节和深厚的爱国主义精神。

清朝时，在原凉山地区的朝廷命官，个个贪得无厌，鱼肉百姓。同时，清政府放纵外国列强在凉山地区搜刮民脂民膏，且对彝族同胞同帝国主义侵略作斗争的爱国主义行为不仅不支持，还派兵进行血腥镇压。于是凉山彝族群众起来反对清政府的残暴统治和屈膝卖国行为，并且一浪高过一浪，其中以张耀堂等人于1911年发动的反清起义规模最大，影响也最广，并且在此次起义中提出了"推翻清廷，杀贪官，灭洋人"等反清反帝的革命口号，有力地配合了辛亥革命运动。这次起义不仅削弱了外国帝国主义在凉山彝族地区的侵略势力，而且狠狠打击了腐朽的清王朝在凉山彝族地区的政治势力。

在民主改革前，凉山彝族群众不仅深受奴隶制的剥削和压迫，而且仍然深受三座大山的压迫，因此当中国共产党和中国工农红军进行推翻三座大山的革命斗争时，得到了他们的理解、拥护。特别是当毛泽东、周恩来、朱德等领导的中国工农红军第一方面军经过凉山彝族地区时，他们终于认识到"共产党是为彝族好"，"红军是好人"，"红军不打彝族人"，于是积极配合，主动参加红军，积极加入共产党，团结一致沉重打击国民党军阀。通过红军高级将领刘伯承将军与凉山彝族头人果基小叶丹彝海结盟之后，中国工农红军顺利地通过了彝族地区，大踏步地开赴抗日救亡斗争的最前线，从而充分体现了广大彝族群众的爱国主义情愫。

第二节 四川藏族哲学思想

从哲学形态上讲，四川藏族哲学包括苯教哲学和藏传佛教哲学。苯教哲学蕴含在苯教之中。而苯教的发展经历了笃苯、恰苯（伽苯）、居苯三个不同的时期。"笃苯"是苯教的原始形态，是萨满文化在涉藏地区的一种变异，其中融摄有藏族远古先民神话的一些元素。《土观宗派源流》指出：笃苯是苯教的低级阶段，"只有下方作镇压鬼怪，上方作供祀天神，中间作兴旺人家的法事"的巫术。也就是说，早期苯教最突出的特点之一就是杀牲祭献，敬畏、感恩超自然力量的神灵，祈求其护佑。恰苯是笃苯基础上的进一步发展，它吸取了克什米尔、勃律、波斯、印度等地宗教的一些成分，苯教开始有了教义，特别是"溶混外道大自在天派"①。从而形成了伽苯的理论核心。在笃苯时期，苯教尚未形成自己的理论体系，具有明显的原始巫术的特征。在恰苯时期，结束了原始低级的宗教形式，上升到了具有高超实践法术的阶段，它从7世纪算起到近代完成，经历了一千多年的漫长历史。而到了居苯时期，经历着与佛教的艰难的斗争，其中吸取佛教的思想内容，使其形成了自己的理论体系。如果纯粹从宗教内容或理论而言，苯教经历了原始苯教和系统苯教两个发展阶段。系统苯教意味着理论内容和宗教形式都进入了系统化，在宇宙观上也都达到了新的水平。

苯教在四川涉藏地区得到了较大的发展，其寺庙和信徒超过了西藏、青海、甘肃、云南等涉藏地区，现仅甘孜州便有苯教寺庙四十余座，嘉绒地区是苯教的大本营，这里有涉藏地区最大的苯教寺庙——雍仲拉顶寺，且僧人众多。与此相反，西藏苯教寺庙在大多数地区已不复存在。在四川甘孜等地，藏族民众对藏传佛教和苯教双重信仰的现象凸显，当地民间流传着"入寺信黄教（即格鲁派），回家信苯教"的口头禅。

就藏传佛教而言，四川涉藏地区高僧大德众多。如有做出较大成就的活佛，又有帕竹噶举派、噶玛噶举派、直贡噶举派等派别的创始人。公元1110年出生于今甘孜州新龙县的噶玛噶举派创始人噶玛巴·都松钦巴临终时，口嘱他要在人间转世，让后辈教法继承者到时寻访认定，由此开创了活佛转世的先河。

苯教典籍众多，苯教大藏经是苯教文献总集，同藏传佛教大藏经一样，分为《甘珠尔》和《丹珠尔》。现在甘孜新龙县瓦琼寺保存的一套手抄本苯教《大藏经》就有显宗六十三部、般若六十七部、密宗二十部、心宗七部。又据《土观宗派源流》不完全统计，苯教经典中有三百六十种禳祈法，八万四千种观察法，三百六十种超荐亡灵法，八十一种镇邪法，四歌赞法及八祈祷法，另外还有生起、圆满、果道法等。藏传佛教典籍更是琳琅满目，数不胜数，各派义理、戒律、修行方法等更是种类繁多，大放异彩。苯教哲学和藏传佛教哲学包含于这些卷帙浩繁的各种典籍之中，其中又主要通过其义理的阐释透显出来。

四川涉藏地区的藏传佛教典籍浩如烟海，使人应接不暇，其各派的义理

---

① 土观·却吉尼玛著，刘立千译：《土观宗派源流》，西藏人民出版社1985年版，第187页。

也是百花齐放。苯教尽管从佛教传入涉藏地区以来，逐渐吸取了其中的一些内容，但是从根本上讲，苯教早期属于原始宗教形态，所以其哲学思想不仅是朴素的，而且是零碎而非系统的，只是在后来发展中融入一些佛教哲学思想的内容，使其成为了哲学理论系统。与此相反，藏传佛教哲学内容丰富，包括心性论、缘起性空论、宇宙观、因果观、人生观、生死观、实践观、道德观、认识论等诸多方面。而且藏传佛教哲学理论高深，学派众多，各派又自成体系，独具特色，尤其是格鲁派中观哲学与宁玛派的心性哲学内容丰富精深，觉囊派他空见特色鲜明。从整体上看，藏传佛教各派哲学又是一个统一整体，它们犹如涓涓细流共同构成庞大的藏传佛教哲学体系。不少高僧大德为其形成和发展做出了自己的贡献，尤其是宁玛派大师龙钦饶绛巴的心性论哲学论、格鲁派大师宗喀巴的中观哲学论为藏传佛教哲学的丰富和发展做出了非常杰出的贡献。藏传佛教各派在四川涉藏地区不仅都有传播和扎根发展，并且涌现了出生或居住于四川涉藏地区的高僧大德和著名学者。如著名学者有噶玛巴·都松钦巴、绛央钦则旺波、局弥潘·绛央南杰嘉措、巴珠·吉美却旺、司徒·却吉迥乃、慈成仁钦、释迦坚赞、麦彭绛央南南嘉措、工珠·云丹嘉措、日比生根等人，他们在深入阐释藏传佛教哲学思想、提出自己的见解和弘扬藏传佛教等方面也贡献了自己的力量，有的还不乏新的建树。噶玛巴·都松钦巴（1110~1193）出生于今甘孜州新龙县境内，是噶玛噶举派的创始人，学识渊博，不仅系统学习了弥勒法、中观、因明的基础性佛法及噶当派"道次第"教法、萨迦派的"道果教授"、宁玛派的"大圆满"教法、"中观六如理聚"、《菩提道次第》等，而且著有《方便道直观教导》等著作。绛央钦则旺波（1820~1892）是萨迦派的著名学者，曾在甘孜州德格县宗萨寺广弘佛教教法，他不仅通学了一切宗派教法，而且著有《钦则文集》十三本及《龙钦心要前行念诵·显明遍智妙道》《前行摄要·菩提妙道》《愿行进莲花光明刹·持明之车》《乌金仁波切祈请发愿文·如意成就之喜宴》等。局弥潘·绛央南杰嘉措是宁玛派的著名学者，1846年出生于甘孜州德格县，通晓十明学科，一生著述达上千种，不少已经散失，现在尚有部分著作在寺庙存放。巴珠·吉美却旺（1808~1887）出生于甘孜州石渠县境内，潜心修习了《龙钦七宝藏》等典籍，著有《普贤上师言教》，其多数著作被后人收集整理为《巴珠言集》。司徒·却吉迥乃（1700~1774）出生于甘孜州德格县，是噶玛噶举派的大学者，一生中两次去尼泊尔，五次赴西藏，并且到过阿坝州的大小金川县及云南地区广学佛法，学识渊博，能提出自己的独到见解，著述颇丰，包括内明、因明、医药明、声明等方面的著作，共收集有十四卷，被称为大司徒大学者。据《嘉绒藏族的历史与文化》一书讲：出生于四川嘉绒地区的一个叫东方嘉摩河畔的释迦坚赞（于藏历火阴羊年降生）大师显密兼宗，著述颇丰，有四十一部经论注释，如《大般若经八千颂释疏》《慈氏五论》《中观理聚论》《入中论》《中观庄严论》《二谛》《俱舍论》等广释，《量论》《量理七论宝藏》等广注，《中观法界赞》《中观缘起心要》等广疏；还著有《现观庄严广论》《中观应成释疏鬘》《中观理聚论大小总纲》等十多部专著。①麦彭绛央南嘉措（又叫作麦彭仁波切）（1846~1912）出生于今四川甘孜石渠县，是近代藏密宁玛派的一个大成就者，论著颇丰，仅内明类著作就有《智者入门》《别解脱经讲义》《三戒一体论》《俱舍论句释》《中观庄严论疏·文殊上师欢喜教言》《般若摄要颂与现观庄严论合解》《量理宝藏论释》《时轮金刚续疏》《八大法行讲义》《窍诀见释·摩尼宝藏》《密集五次第释·双运摩尼宝灯》《大圆满见歌·秒音悦声》等等。工珠·云丹嘉措（1813~1899）出生于今四川甘孜德格县，是近代一位噶玛噶举派的大学者，他学富"五明"，著作等身，是藏传佛教"利美运动"的倡导者之一。在其众多著作中，最为著名的是"五大藏"，即《所知藏》《大宝伏藏》《口传密咒藏》《教诫藏》《不共秘密藏》。此外，还有出生于四川涉藏地区并在这一带传说佛法的近代宁玛派传承师华智仁波切（1808~1889）、白玛邓灯尊者（1812~1883）、摧魔洲尊者、蒋扬钦哲旺波，跨越近代和现代的大学者贡噶呼图克图、蒋扬洛德旺波，以及宁玛派著名传承师、生于四川多康巴特地区的托噶如意宝（1886~1957）等，也无不对藏传佛教的传播与弘扬做出了突出的贡献。

四川涉藏地区的宗教文化经过长期的积淀，形成了自己的特色。但是，我们又不得不看到，由于全国各个涉藏地区的藏族民众几乎都信仰藏传佛教，他们所普遍信仰的藏传佛教尽管有派别的不同，但是都有着共同的理论渊源——印度佛教，各个涉藏地区所信奉的佛教经典基本上是一致的；四川涉藏地区僧人同其他涉藏地区僧人存在着相互往来，彼此交流的关系；各地的藏传佛教各派教义是彼此融合、相互吸取的。因此，我们可以这样说：四川涉藏地区的苯

---

① 参见赞拉·阿旺措成、夏瓦·同美主编：《嘉绒藏族的历史与文化》，四川民族出版社2008年版，第201页。

教哲学与藏传佛教哲学，同其他涉藏地区没有明显的分际，它们是基本相同的，仅仅是在具体的阐释上有所区别，抑或在理解及表达上有着不同而已。

一、苯教哲学思想

如上面所述，苯教哲学思想中融入了一些佛教哲学思想的成分，如无常、慈悲、菩提心、业果、六波罗蜜等，还融摄了佛教的苦谛、轮回、解脱、涅槃等概念。这里对此存而不论，而主要论述苯教原初哲学思想内容。

（一）万物有灵论

1. 万物有灵论产生的根源

苯教是在藏民族远古原始宗教基础上产生出来的，所以它带有远古原始宗教的痕迹。从上述中得知，就苯教自身而言，它可分为原始苯教和佛教传入之后经过改造及发展了的苯教。原始苯教相当于苯教的笃苯阶段。既然原始苯教带有藏民族远古原始宗教的痕迹，所以苯教思想中便带有原始自然宗教多神论的特质。归根到底，这种多神论，是古代藏族先民认识能力低下，不能理解他们所面临或接触的自然事物产生和变化的奥秘，认为它们都有一种神秘的力量在支配，这种神秘力量被他们解释为灵魂。而自然事物本身没有灵魂，其灵魂实际上是远古的藏族先民意识在万物中的投射。藏民族远古先民所说的万物，是他们经验到的天上和赖以安身立命，抑或对其生存构成威胁的青藏高原上的自然事物或自然现象，包括天空、日月、星辰、雷霆、树木、河流、高山、土石、草木、火、禽兽、龙、雪、冰雹、地震等，由此孕育出了林林总总的神灵和不同等级的神灵系统，如太阳神、月亮神、山神、河神、树神、石神、马神、牦牛神、羊神、财神等。察仓·尕藏才旦在《西藏苯教》中指出：根据苯教经典《白、黑、花十万龙经》的记载，苯教中不少神灵经过苯教徒的想象加工，已升华为人格化的神，包括蛇首人身、马首人身、狮首人身、熊首人身、虎首人身、牛首人身、豹首人身等。

2. 万物神灵之崇拜

神灵崇拜是原始苯教的一个重要特征。其神灵崇拜主要是对日、月、水、山、树、火、羊、马、龙等等的崇拜。还认为万物之灵的人也是有灵魂的，人死之后，灵魂不随人之肉体的死亡而消亡，它离开肉体留在阴间世界，并对在世的人发生作用。并且苯教还要崇拜自己的本尊神，其中首先是辛拉俄噶、桑波邦赤和辛饶米沃。由此完成了由多神崇拜向一神崇拜的过渡。

神灵崇拜的价值取向在于通过一定的宗教行为取悦于神灵，向它们祈福，企求得到它们的护佑。从神灵的性质来讲，有善神与恶神之分，对善神的祈祷可以使它们保护和造福人类，甚至可以把人带到神界。恶神危害人类，对人造成生命威胁，操纵人的生老病死。其中有一位叫作"杨达结保"的"绝对胜利之王"神衍生出一个称作"耶瓦那保"的"黑苦"或黑人，它不仅是世间的一切邪恶之源，而且给人类带来四万八千种疾病和怨恨。对于恶神也是要通过一定宗教仪式去鞭打、镇压或请神灵去制服它们，使之不降灾于人。

从哲学观念上讲，苯教神灵观念和神灵崇拜反映的是人与外界自然事物的关系，把自然的力量超自然化，把物惠及人，而人又把认识、改造、保护物的关系曲解为物控制、主宰人，人只能匍匐在其面前，企求它们发善心、施善行来赐恩于人，从而抹杀了人的主体性力量。由此可见，苯教的万物有灵论是人类认识和改造自然能力低下的生动反映。

（二）宇宙本原论

各民族的古代先民都曾以出于好奇和追根溯源的天性，去追问宇宙万物的本原或"始基"。藏族先民也不例外。这在苯教中有集中的体现。

就宇宙万物的构成而言，苯教的探索已经进入到了追求宇宙的原始基质的水平，这种能力的表达是在系统苯教（即恰苯和居苯）时期。当然，其对原始本原寻求不是单一的，而是多元的，其中主要有以下几种宇宙本原观。

1. 物质微粒本原说

系统苯教认为，在天地未开的远古时期，宇宙处于黑暗的混沌无物之中，只有飘浮状的物质微粒存在。物质微粒类似于古希腊德谟克里特等人所说的原子，是一种可贵的猜测。它有如下四个属性：分散和凝聚能力、转动能力、引力、无方向性。此种物质微粒由地、水、火、风所构成，契合印度古代思想，特别是印度佛教所说的"四大种"思想。四大种即四种元素。在印度古代思想和印度佛教分别给四大种赋予了坚、湿、热、动等不同的性质。苯教同样认为"地的性质为坚实性，水的性质为湿润性，火的性质为暖炽性，风的性质为轻动性"[①]。不仅如此，印度佛教又进一步深入到对四大种的作用的分析，这就是地有保存作用，水有收集作用，火有成熟作用，风有生长作用。苯教也有同样的思想，区别仅仅在于后者认为风的作用不是生长，而是助动。由此可见，苯教物

---

① 察仓·尕藏才旦：《西藏苯教》，西藏人民出版社2006年版（下引版本同此），第32~33页。

质微粒的思想主要是对印度佛教思想的吸取的产物。

宇宙是由地、水、火、风这四大物质微粒构成的。苯教生动地道出了物质微粒构成宇宙万物的生动场面：物质微粒的地、水、火、风四种成分在虚空中不停地飘扬，凭借其分散、凝聚、转动、引力等属性，使其相互之间不停地相互碰撞和摩擦，由此产生了一种时有时无而又有柔和的微风，经过微风不停地吹动，黑暗的宇宙中出现了光亮，激起了乌云，由此降下了倾盆大雨，出现了海洋，然后形成了高原，随之而来的是原始森林、原始动物，包括猕猴的诞生，最后猕猴演变成了人。

不同的宇宙事物之中，有着柔和、粗糙、渴感、冷感等属性的不同，这又是如何形成的呢？苯教把物质事物分解为软、粗、重、轻、冷、饥、渴等七种性质，这七种性质都是由地水火风作用之结果。因为"在四大种中水和火的力量大，就会产生细腻柔和的事物。地和风的力量大，就会产生粗糙的事物；水的力量大，就会产生具有冷的感触的物；火的力量大就会产生具有渴的感触的事物"①。

从苯教对物质微粒宇宙本原的多重分析中，可以看出，苯教本原观坚持了唯物主义的基本方向，但是缺乏深度的理论阐释，仅仅是从生动的直观去解释宇宙万有的形成，带有经验直观的性质，由此是处于素朴的唯物论阶段。

2. 龙母本原说

藏族对龙的崇拜，是在图腾崇拜的基础上发展起来的。在苯教中也有龙神的观念，并把鱼、蛇、螃蟹、青蛙等归于龙神动物一类，它已经不是动物的原型，而是加工了的半人半动物的神物形象，并且把龙当作宇宙的形成的本原要素。而龙母（即母龙）成为宇宙的本原不是它通过凝聚组合作用的力量，而是它的身体各个部分变成宇宙万物。苯教经典《十万龙经》说，天空是龙母的上部变成的，太阳是左眼变成的，月亮是右眼变成的，四颗行星是由四个牙所变，其声音变成雪，舌头变成闪电，呼出的气变成云，眼泪形成雨，血变成五大洋，血管变成河流，内体变成土地，骨骼变成山脉，等等。同时龙母有着巨大的功能，如睁开眼睛便出现白天，闭上眼睛黑夜就降临等。

龙母本原说是从一个具体的事物说明宇宙万物，即从一中推衍出多。只不过这不是理性思维的高度抽象，也缺乏深入的理论论证和系统阐释，而是感性

---

① 《西藏苯教》，第33页。

的直观和牵强附会的低层次的宇宙观。

把龙母视为宇宙的本原，既是源于母性生出子女的生物性事实，又是对母性崇拜的产物。道家创始人老子，认为宇宙万物由道而生存，这个道之所以能产生万事万物，是因为它有母或雌、牝的特性，所以能产生出万物。由此可见，苯教同老子的道本原论有相似之处。但是，由于苯教的龙母是可以经验到的具体的一种物相，而老子的道却是经过高度抽象的、带有本质性的一个哲学范畴，所以二者有着较大的差别。

3. 卵本原说

恰苯时期，苯教形成了自己的理论体系。卵本原说就产生于此时期。苯教经典《黑头矮子的起源》指出宇宙原本是虚空，虚空产生了冷、霜、露，霜、露产生如意之湖，湖自转形成卵，从卵中孵化出二鸟，二鸟又生出三卵，三卵生出神、鬼、灵及动物、人类等。这种宇宙本原意义上之卵被称为"世界之卵"。《土观宗派源流》中更加明确地指出，苯教"有主张一切外器世间与有情世间，均由卵而生的一派"①。卵本原说是对动物生出新生儿直接的观测，然后经过想象将其无限地扩大到宇宙的万事万物，从而经过抽象把它上升为宇宙本原的世界观的高度。

4. 空无本原论

同样是在恰苯时期，苯教抽象出了一个"无"的范畴，并且提出了"有生于无"的哲学命题。也就是说，恰苯用"无"来阐明宇宙万有的本原。《土观宗派源流》讲：世界"最初是本无空寂，由空稍其本有，由本有略生洁白之霜，由霜略生似酪之露"②。在《黑头矮子的起源》中还具体论述了宇宙由空无产生的思想。它讲宇宙开始时是空，由它变易、显露而生成有识、两仪、冷、霜、露珠、湖，再出现了人类、天神、动物等。由此可见，无论是宇宙间物质的东西和精神的东西归根到底均来源于空无。它给人们展现的是空无→本有→万物这一宇宙形成的逻辑进程，它体现着有生于无，或"无生有"的哲学观念。

这里的问题是，空无怎能产生出有？要理解这一问题必须要弄清空无是什么含义。实际上，空无不是绝对的没有或虚无，而是指混沌无物相的状态。这种状

---

① 土观·却吉尼玛著，刘立千译：《土观宗派源流》，西藏人民出版社2000年版（下引版本同此），第188页。
② 《土观宗派源流》，第188页。

态道家老子也叫它为无，在本原上讲就是道，有生于无就是道生出万事万物。

只不过苯教还未能将空无进一步抽象、提炼而已。

苯教九乘①修行的最高境界是空明无别。明就是指客观事物的表象，空即无。二者的关系是本质与现象的关系，即空是本质，明是空表现出来的现象。也就是说，空是体，明是用。这实际上同宇宙的本原是空殊途同归。苯教典籍《象雄耳传大圆满心鉴》中将明空的关系比喻为水与冰的关系，水凝聚是冰，冰融化即成水。这个比喻阐释的是空之本与物之用是密不可分的，离开了体便失去了根源，没有用体无法体现，体是用之体，用是体之用，所以二者是即体即用，即用即体的密切关系。

此外，在世界观上，苯教还有"由气数和自在天等安排一切的一派"②。所谓"气数"即"气运"，也就是"命运"，苯教主张命运安排一切，带有宿命论的色彩。"自在天"，又称"大自在天"，是印度教中最高的神，是宇宙世界的创造者。把"自在天"看作是安排世界一切的神灵，表明苯教受到了印度外道神创世界的影响。

二、藏传佛教心性论

在藏传佛教理论中，作为心体本质的"心"与本体论和认识论中的"心"是有别的。心体之心是从人格自觉、道德品质、心性修养的角度立论的。人格自觉之心是指人有高度的心性的自觉，道德品质之心是指人有一种真诚善良的动机，心性修养之心是指人的精神境界，而觉悟成佛就在于提高人的精神境界。

（一）心性本净

藏传佛教心性论是在印度佛教心性论基础上建立和发展的。而印度佛教心性论在其产生和嬗变的历史进程中，出现了相互联系而又依次递进的几个阶段，这就是原始佛教、部派佛教和大乘佛教三个阶段的心性论。心性论的一个核心问题是，心性是净还是不净的问题。就心性本净而言，在印度原始佛教时

---

① 苯教九乘：分为因乘、果乘、无上乘三类，其中因乘中有夏辛乘、郎辛乘、斯辛乘、楚辛乘，果乘有居士乘、隐仙乘、阿格降魔乘、叶辛乘都乘，无上乘即大圆满，它是九乘理论中的最高次第。
② 《土观宗派源流》，第188页。

期就产生了。在大乘佛教，特别是中观学派那里，以一切法空论出发谈心性本净论。这是从真谛的视角分析的。然而，以俗谛看，一切法虽然空无自性，但是由于众生的分别心而烦恼生起，心显现出种种相而使心性成为不净。为此中观学派提出观空以离染显净，这是中观派不共的修心方法。大乘瑜伽行派（唯识派）同样持心性本净说，但是其心性本净说与中观学派不同，中观学派提出一切皆空，包括心性也空，瑜伽行派尽管也主张法空，但是它却认为有为法的境空，而作为无为法的心性不空而有，即心性本有。

藏传佛教心性论就是对印度心性思想的接纳和发展。藏传佛教各派无不探讨众生的心性，因为藏传佛教各种教义、教行等是为了帮助众生脱离生死轮回之苦，进入涅槃成佛，而心性就是成佛的基础。

宁玛派大圆满与印度佛教心性本净说一样，把心性看作是众生的自心清净本性，即佛心，并将心性与心识区别开来，把心识称为染净俱有的阿赖耶识。白玛邓灯尊者（出生于今四川甘孜新龙县境内）说道："超越心识离性相，万有清净之法界，本净法身虚空中，生起本性智慧日。"①这里"法身"是指精神，非是生理上的物质之身，"清净法身"就是人的本来的清净无染的人心，即人之本心，亦即真识、真心、如来藏，染识即妄心。然而，作为心性的本心与作为习漏或无明的妄心也都是心，二者区分的标准是迷还是悟，心迷就是妄心，就是轮回，心悟就是本心或真心，就是涅槃，所以说轮涅无别。无明之迷是烦恼，如果觉悟了，明心见性了就是菩提，也就是说烦恼即菩提。所以大圆满主张顿悟一心，即悟当下的本体清净，本性光明之本心。

心性作为真心之体的本质属性是本来清净的。那么妄心又来自何处？这是宁玛派所着手解决的问题。宁玛派智悲光②尊者给出的答案是，妄心"从真性出"。此处的真性就是指真心。因为在他看来，虽然真心本来清净，"但真心如跛足者，身中之气，如盲劣马，盲劣马载跛者乱走，跛者不得不变流走之人。真心被气引诱而成妄心"③。既然妄心的始作俑者是气，那么气是来自外在还是内在？智悲光尊者认为引出妄心之气并不来源于外在世界，而就来源于

---

① 益西多吉著，堪布格日泽旺译：《白玛邓灯尊者传记及道歌》，民族出版社2005年版，第109页。
② 智悲光（1729～1791）：又名吉美林巴，生于西藏南部充耶山谷里的一个小村庄。他是宁玛派的一个大成就者，著有《隆钦心髓》《功德宝藏论》《大圆胜慧本觉心要修证次第》等。
③ 智悲光尊者著，刘立千译：《大圆胜慧本觉心要修证次第（口讲本）》，民族出版社2000年版（下引版本同此），第33页。

人自身内部的脉之中。这似乎是说，脉是气的蕴藏之处。真心又在何处呢？真心住于肉团心中。智悲光讲："此肉团心中之真心，亦名本心自在光。"①肉团心是指思维的物质器官（古代指人之心脏，近现代指人的大脑），因此真心住于肉团心中就是指真心位于人的大脑或心脏之中。

（二）心性的特征：体、相、用三位一体

大圆满法心部认为心性是体、相、用三位一体的有机系统。贡噶呼图克图（1893年出生于今甘孜藏族自治州康定县境内）对此作了十分简明的阐释："空为体，明为相，大悲为用。"②用空论来解释心性是对印度大乘的心性空的传统的弘扬。不仅如此，藏传佛教还对此进行了深入的阐释。

1. 心性之体

心之体是空的。那么心性之空是指什么？摧魔洲尊者（出生于今甘孜藏族自治州色达县境内）指出："空性非是虚无，实为光明离垢。"③离垢就是清净，就是无妄心，因此本心之体是清净的，即心体本净。噶举派认为心性本体是空寂，没有生、灭、坏、住，也没有颜色和形状，它是本性清净。从一方面理解，如来藏具有"空"的含义，即"空如来藏"，从另一方面理解，如来藏具有"不空"的含义，即"不空如来藏"。而离垢清净就是空。也就是说，离垢清净是心性的本质属性。在此意义上说，清净之心性是空之体。这里所说的空又不是绝对的虚无的顽空，而是空而有。这个"有"又是什么呢？它就是觉。觉之有又不是假有，而是清净心性之体的固有属性，于是称之为觉性。所谓觉是指觉知或灵明，即空寂灵明。龙钦饶绛巴尊者指出："觉性无体。"④这就说明觉性无实体犹如虚空，不具有宇宙万有之本质的本体论意义，仅仅是本净的心性的一种属——觉知或灵知。本心的觉知就是摄纳和显照客观的万有的一种自然智慧。由此可概括为心体本空，但它的空明之妙用能显现一切相，所以其性相不空。这样，就成为心体空即非有，心性有而非空，所以心性就是

---

① 《大圆胜慧本觉心要修证次第（口讲本）》，第34页。
② 贡噶呼图克图传授，吉祥藏口讲习，剑夫等笔记：《昆明妙高寺大圆满法灌顶》，江嘎主编：《大圆满》下册，中国藏学出版社2005年版，第204页。
③ 摧魔洲：《现证自性大圆满本来面目教授·无修佛道》，《宁玛派次第禅》，青海人民出版社2005年版（下引版本同此），第48页。
④ 龙钦饶绛巴：《实相宝藏论释》，刘立千：《藏传佛教各派教义及密宗漫谈》，民族出版社2000年版（下引版本同此），第197页。

一个非空非有的矛盾统一体。这是不着于两边的中观之见。工珠·云丹嘉措在《知识总汇》中讲："心性自然智慧，遍于一切染净法中，但对它的有分，不耽着为实有。空分不着为空无。亦不堕于二者皆非的双边。它的体性空寂，除常边，它妙用不灭；除断边，此则远离功用而超出苦乐之正见也。"①由此可知，心性的非空非有是正见。同时，心体也是超越善恶因果，无有异熟习气的。

心性之空体不仅远离常边和断边，而且它是"离绝言思，无有戏论"，又本来是无生无灭、无增无减，朗现一切的。这就是体性之平等。平等分为体平等、道平等、果平等、界平等。宁玛派龙钦饶绛巴尊者指出："一切法唯是自现，其体性无偏，不堕边执，则为体平等。无有心缘虑，无有执著，则为道平等。无所希求顾虑，无有转变，则为果平等。显现于觉性中不倾动，则为界平等。"②总之，不堕偏执则为平等。

龙钦饶绛巴还认为心体之觉性也就是菩提心，而觉性菩提心是具备万德、本自圆成的，把握圆成的关键是自心生起无念之平等之情，视根、识、念、思皆为空明，心无所思，又离言诠而一切放下的。为什么一切放下？因为自觉之菩提心是本来自性圆成的。

2. 心性之相

这是指心性的自性圆成或自性顿成，本具光明。什么叫心性光明？指的是心性的觉知性能。觉知的对象是什么呢？工珠·云丹嘉措在《知识总汇》中指出："一切心上所显境界，皆是自心的妙用。心性是自然智慧。"③也就是说，清净心性觉知的是一切境，包括客观事物——外境，又包括主观的精神，同时还包括本净的心体本身，这叫作显境知心。光明能显现境，这属于现分。对清净之心体的觉知就是见性成佛。

知境是心性觉知功能。心性的空而有明和妙用是其本身所具有的，所以称为本具光明。但是光明又往往被烦恼所障，只有修大圆满心之无上光明的瑜伽之法，解脱烦恼垢障，方可显见光明。光明又为什么能显境相？因为光明具有黄、白、红、青、蓝等五光，五光之内显分即为地、水、火、风、空五大种或

---

① 《藏传佛教各派教义及密宗漫谈》，第26页。
② 龙钦饶绛巴著，刘立千译：《实相宝藏论详释》，民族出版社2007年版（下引版本同此），第65页。
③ 《藏传佛教各派教义及密宗漫谈》，第20页。

五种物质。物质是色,但这五大种之色非是一般之色,而是空性之妙色。从中外显即为外境色相,即犹如水晶之内五光,显现为外光,以此实现显现境相之妙用。

3. 心性之用

它就是大悲周遍,随缘显现。这里的心性之用,就是指心性能显现之功用。其功用究竟有多大?贡噶呼图克图上师指出:"于自心体随显轮回涅槃种种不同之相,即于显时,刹那体性悉皆圆满,故名'大圆满'。"[①]由此可见,心性所显现的不是一物或几物,而是宇宙间的一切物,所以是大悲周遍或心量周遍。不管是物质现象,还是精神因素,不论是迷悟、美丑还是善恶等均在普照之列,即普照万有、法性平等。而显现一切相又是随缘化现,即凡遇外在事物便去攀缘认知。若迷,则随染缘,变现为众生之轮苦;若悟,则随净缘,显示佛之涅槃。

贡噶呼图克图上师讲:"本觉智光即是吾人本觉知慧。具足体性本空,自性光明。大悲普遍三者,体性空者,唯从本空寂,喻如体灯,自性明者。喻如灯明,大悲普遍者。喻如灯光普照,空为体,明为相,大悲为用。"[②]这就以灯体、灯明、灯照为喻的十分技巧的形式说明了心性的体相用三者之间是既相区别又相联系的对立统一关系。

萨迦派、觉囊派、格鲁派都对心性进行了探讨。萨迦派与宁玛派一样,认为心性是本来清净的,此种心性叫作本元俱生智;心性是本来光明的,其体是空,但又有明觉,所以心性是非空非有的;空是体,明是用,既觅体又明分其用。萨迦派还进一步说明了心性之明分和空分之关系,把"空""明"视为心性的两个方面,心性是本有的,其相即是明,而心性原本又是无有,其体性即是空;这个空分与明分的两个方面从未分离过,这就是明空双运。心之空与明是超名言的,所以不能用名言概念去认识,只能靠人心去体悟。这个心就是佛性。

觉囊派认为心性离戏而本来清净。噶举派同样认为心性本净。与此同时,与宁玛派一样,觉囊派等认为心性有显现一切法之用,即认为心性光明而显现

---

① 贡噶呼图克图:《心中心引导略要趣入光明道》,吴信如编著:《大圆满精粹》,中国藏学出版社2005年版(下引版本同此),第29~30页。
② 江嘎主编:《大圆满》下册,中国藏学出版社2005年版,第204页。

万有。

（三）心性论的性质

在色（物质）心（精神）的关系中，佛教内部有着两种根本对立的观点，一是唯识论的"唯识无境"论。此处的境就是指物质或物质事物，识即心。唯识无境就是认为识为本原，是色（物质）的决定者，无识即无色，否认了色的独立存在，宇宙间真正存在的是心。这是唯心论的世界观。二是除唯识论之外的佛教各派的外在物质事物的客观存在论。藏传佛教各派在色心的关系上，从唯识基础上发展起来的萨迦派，提出"成境为心"观，刘立千先生解释说，这"就是认识三界唯心，万法唯识。一切外境皆是识的迷现，故外境实无，只有自心的明分"①。萨迦派自己也讲："生死涅槃所摄之一切法唯此自心及于此自心上呈现。除此心外，其他之法少许亦非有，此理由经教、道理、教授三者所抉择。"②这就不能排除唯心论色彩。除萨迦派外，藏传佛教几乎各派的世界观不是唯心论，而是具有唯物论的性质。即使从唯识基础上发展起来的觉囊派，也不像印度瑜伽行派和汉传佛教的法相宗那样否认外境的客观存在，即主张唯识无境，而是主张一切世俗法都是因缘和合而生，否认有一个造物主的存在，并且视一切物质性事物为不依人的意识客观存在着。同样，宁玛派大圆满在心性（内在的主观精神）和色（外在的物质）的关系问题上，主张的是心性有着显现客观事物的功用，即心性的主体性就在于反映客观世界，而不是心性创造客观世界。正如摧魔洲尊者所说："'外境'者，指显现明相之环境，此则如海。"这样，客观事物理所当然仅仅是本心的显现，而非本心的自由创造。不仅如此，而且几乎藏传佛教各派均认为外器世界（即物质世界）是由地、水、火、风四大物质元素组成的，而不是心识或神的创造。至于有情众生，是由地、水、火、风、空（指虚空，也具有物质性）五种物质元素，再加上精神元素的识所构成。宁玛派大圆满所说的众生心性本具的光明也具有物质属性，因为光明有黄、白、红、青、蓝等五光，五光之内显分即为地、水、火、风、空五大种或五种物质元素，它们不是粗陋的色尘，而是精微的种子。这样，五光和物质元素相配形成地黄、水白、火红、风绿、空蓝。与此同时，

---

① 《藏传佛教各派教义及密宗漫谈》，第93页。
② 贝瓦尔·确美多杰：《萨迦派之源流与教义略述》，班班多杰：《拈花微笑——藏传佛教哲学境界》，青海人民出版社1996年版（下引版本同此），第108页。

心性还以物质为载体,这就是气,心乘物质性的气而运行。不仅如此,无论是心还是身均依气而存,气断身心即灭。同时身心生命又不能脱离物质世界,身心只有在物质世界中才能生存。因此,在身心的关系上,心离不开物质性的身,这是藏传佛教各派之共见。

藏传佛教格鲁派宗喀巴大师把中观和唯识并称为大乘佛教内的"两大车轨",并对唯识宗的有关经论进行深入研习,还吸取了印度唯识宗的修行理念和修行方式。但是,唯识宗在种子识——阿赖耶识的基础上提出"唯识无境"的唯心学说,而宗喀巴大师根本不承认实有阿赖耶识,以自己持守的应成中观见批评"唯识无境"说。他在《入中论善显密义疏》中指出:"若许无外色者,则亦不应执有内心。若许有内心者,则亦不应执无外色。若时以正理推求假立义,了知无外色者,亦应了达无有内心,以内外二法之有,皆非正理所成立故。若时了达有内心者,亦应了达外色,以二法俱是世间所共许故。此说唯识师,许心色二法有无不同者,其所无之色,谓无外色。"① 由此可见,宗喀巴承认世俗意义上的外在物质性事物的客观存在。

(四)心性与佛性、菩提心与如来藏之间的关系

宁玛派、觉囊派、萨迦派、噶举派等把心性、真心、佛性、菩提心、如来藏融为一体,从而形成了心性、佛性、菩提心、如来藏四位一体的心性论格局。

本具的、光明能见的自性清净心就是心性,也就是真心;心性的本质是自性清净,即使受污染也有再变清净的可能性,这就是众生共有的佛性或佛心,就是佛的本性和成佛的可能性,即一切众生成佛之因(又称佛种)。噶举派说:"虚空之自性,即是心的自性。心的自性,即是菩提心。因此,心、性空、菩提心三者是无二无别的。"② 所不同的是,宁玛、萨迦、噶举三派认为心性、佛性、如来藏、菩提心是胜义谛,既不是仅空,又不是仅有,是非空非有,而觉囊派却认为外境空而心性、如来藏自身不空,即他空。格鲁派在心性论上承认佛性、菩提心,所谓菩提心就是为了众生的大慈大悲之心,是由大悲心引发的为众生利益立志成佛的愿心和利众行为,并且菩提心与佛性是有机统一的,在此意义上讲,菩提心就是佛性。但格鲁派又认为不仅外境空,而且佛

---

① 宗喀巴著,法尊法师译:《宗喀巴大师集》第三卷,民族出版社2001年版(下引版本同此),第409页。
② 《拈花微笑——藏传佛教哲学境界》,第160页。

性、菩提心也空而非实有。

本净的心性是本质,污染的习心只不过是居客位的客尘,不是主而是流,尽管它能障蔽本心,但是可以通过修持而祛除。如果不了解自己的本心或迷于妄心就是众生,如果体悟了自己内在的本净心性就是佛。佛与众生只在迷悟之间。藏传佛教各派无不认为一切众生皆有佛性,即使"一阐提人"也有佛性,即五种姓①皆能成佛。众生皆能成佛不等于众生就是佛,由于他们有妄心之执着,阻碍着他们尚未成佛,所以需要消除妄心、痴迷、人我二执,脱离生死轮回,才能成佛。这就需要"转依"。所谓转依就是从妄心转为真心,从迷痴转为觉悟,从我法二执转为人无我和法无我,从生死轮回转为涅槃。这是大乘的不共之见,当然也就是大乘显密的共同因素,也是成佛之道。要成佛就必须发菩提心。所谓菩提心是为了普度一切众生而当愿成佛的宏愿,换句话说,就是有益于一切众生之心。菩提心分为世俗菩提心和胜义菩提心。世俗菩提心"是由于慈悲心的激发而立誓要度尽一切众生,出离轮回"。胜义菩提心"是空性和悲心的结晶",是"超越世间(之一切)的,是离戏论边际的,是非常明朗的,是属于究竟义的范围,无垢、不动,像一个无风的明灯,极为光明灿烂的"。②由此可见,菩提心不仅具有空性的智慧,而且是慈悲利众的道德之心。什么叫如来藏?一般来讲,如来藏是指佛的功德宝藏和成佛的种子。宁玛派大圆满将如来藏心分胜义和世俗两种(胜义如来藏即胜义菩提心,世俗如来藏为世俗菩提心)。从境界上讲,胜义如来藏为智境,世俗为识境,由两种菩提心双运,修行者以此通过识境来现证智境。胜义如来藏是空性、法性,是无染心,世俗如来藏心是无始以来的光明心续,是刹那变迁的,也是有染的,如有贪心、嗔心、痴心及贪嗔痴三习显现等,即被遮蔽了的本然心性。如来藏思想完成于般若中观思想之后,所以受到般若中观说"空"的影响,但如来藏所说的空不采取中观"缘起性空"的含义,而同于瑜伽行派以"空"为"空无"义,解脱不空如来实不空。离一切烦恼,及诸天人阴(阴即蕴,人由色、受、想、行、识五蕴和合而成),是故说名空。古如来藏思想系统中的空是有烦

---

① 五种姓:声闻乘种姓、缘觉乘种姓、如来种姓、不定种姓、无种姓。其中无种姓是指无善根种子之姓,又名一阐提。佛教中有的认为无佛种姓只能永远沉沦于生死轮回的苦海之中而不能成佛。

② 冈波巴:《解脱庄严大乘菩提道次第论》,张澄基译:《米拉日巴大师集》下卷,民族出版社2001年版(下引版本同此),第957~958页。

恼、过患、虚妄、世俗谛、有为法之义，非般若中观的缘起性空义。如来藏思想中说的不空是清净、解脱、真实、出世、无为法之义。非般若中观的自性实有之义。宁玛派的"离边大中观"统摄中观、如来藏、唯识思想系以显示其独特的思想理念。

摧魔洲尊者指出："本始基法身即如来藏，离一切处、境、及能生，是故乃离'生'边；复超越三时之能灭及所灭，是故离'灭'边。因其不堕于实有边，纵胜利王亦不见之，故离'常'边。以其非实有，但亦非无，为轮涅所共，故离'断'边；因其超越处、境及能去，故离'去'边；因无处、境或能来可建立，故离'来'边。"①简要地说，如来藏就是离于常见和断见的正见。宁玛派和萨迦派等所讲的如来藏正是非空非有，远离有、无、断常诸边，故名离戏论之正见。

无论是心性论，还是与它在本质上具有一致性的佛性、菩提心、如来藏，无不是众生的主体性，这个主体性是指认知主体和道德主体，而心性、佛性、菩提心、如来藏都是一切众生本来具有的，不是后天习得的，因而是先验主体。它高扬的是人类原始本真的心性、智慧、善性和具有的能动性，充分体现出藏传佛教的人学特质和对人性的终极关怀。因为这些理论回答的是人的最深层次的心灵的问题，其目的是为了说明和解决心灵的净化，摆脱世俗心对纯净心灵的束缚，以提升人们的心灵境界。

三、藏传佛教缘起性空论

缘起性空论是印度大乘佛教的主要思想特色，它是在原始佛教、部派佛教缘起空观的基础上合乎逻辑的内在发展。

印度大乘佛教的缘起性空论是在大乘中观学派和瑜伽唯识学派的论争中不断丰富完善的。此两派各自树立起了缘起性空论的旗帜，且经久不衰，直到现在还不失其理论和实际的价值。

缘起性空论是佛教中首要而精深的理论。正如龙树在《中论》中讲："能说是因缘，善灭诸戏论。我稽首礼佛，诸说中第一。"

印度佛教缘起性空论是藏传佛教缘起论的理论来源，藏传佛教大师们通过各种渠道获取、翻译印度佛教的相关经典，精心阐释、吸取其基本义理，有

---

① 摧魔洲：《现证自性大圆满本来面目教授·无修佛道》，《宁玛派次第禅》，第56页。

的还有新的建树。如宁玛派大师龙钦饶绛巴心性非空非有的论说中就有独特之见,尤其是格鲁派宗喀巴大师不仅殚精竭虑地宣说和捍卫缘起性空论,而且撰写出了一系列的有关缘起性空或中观学论著,进行了创造性、系统性的理论探讨。四川涉藏地区佛教的高僧大德和学者,也都从各个不同的角度宣说此论,有的撰写专著探讨。麦彭仁波切就撰写了《中论释——善解龙树密意庄严论》等。所有这些,无不是对缘起性空论的弘扬和发展的贡献。

(一)宇宙万物的生成:缘起

1. 缘起的内涵

"缘"是因缘的简称。"因"是指内在根据,即内因,"缘"是指外在条件,即外因。那么何为缘起?缘起是指"待缘而起"。也就是说,无论什么事物的形成或生起必须依赖于因缘。若没有因缘,事物的产生就失去了根据和条件。从因与缘在事物产生中的作用而论,"因"是主要的,力强的,起着根本性作用,"缘"是次要的,力弱的,起助推或促进的作用。摧魔洲尊者指出:"因与缘二者相互观待依存。"①只有内在的因和外在的缘有机结合事物才能产生,即"因""缘"和合而生"果"。这就叫作因缘和合而生。

2. 缘起的种类

在至大无外的宇宙中的事物和现象是无穷尽的,所以缘起的种类不是单一的,而是复杂多样的。因此,藏传佛教从分类学的角度,提出多种缘起说。当然,这些只能表示缘起是多,并不能穷尽宇宙间所有的缘起。缘起的种类主要有:

第一,十二因缘。这是藏传佛教承袭的佛陀提出的人生缘起的理论。它是讲人的生死的由来,即生死的缘起问题。十二因缘又称十二缘起、十二有支。其中"十二"是指无明、行、识、名色、六入、触、受、爱、取、有、生、老死等十二个要素。此十二个要素之间是前后相依相续的,即无明缘行,行缘识,识缘名色,名色缘六入,六入缘触,触缘受,受缘爱,爱缘取,取缘有,有缘生,生缘老死。人的生死就是这十二要素相续循环的结果,即十二缘起。这种不断循环被称为生死流转。也就是说,十二因缘是有情众生生死流转的根源。

第二,四缘。这是指因缘、所依缘(即所缘缘)、等无间缘、增上缘。因缘是一切事物和现象产生的根本性的因素,因为产生什么样的果的事物,主要是由因缘决定,即所谓"亲办自果"。其他三缘都是外助因素。但是,万物只

---

① 《宁玛派次第禅》,第52页。

有四缘俱足，才能生起。关于等无间缘，蒋扬洛德旺波尊者（1847～1914）解释说："一切心与心所是等无间缘，而不相应行与色法都不是等无间缘，它们因果不同时而是错乱存在之故……为什么叫等无间缘呢？由于平等，故为等；同类未被他法阻断，故称无间。"①这就表达了等无间缘是讲心法的产生，而不是讲不相应行法（即不伴随心灵而起的存在，是非色非心之法）和色法的产生问题。心法是其内部的无阻隔而使其不断生起的，即前念为后念腾出生起的位置。所缘缘又叫缘缘，这是作为对象的因素，即所缘缘是讲心识生起对象性条件，若是没有对象心识便无从生起。蒋扬洛德旺波解释说："所缘缘是指一切法，因为一切法均可作为缘自心识的对境。"②所谓"增上缘"是指对事物和现象生起无障碍或促进作用的一切因素。蒋扬洛德旺波把增上缘称为"能作因"。它之所以被称为能作因是"因为不障碍一切法产生的果很多"③。也就是说，能作因是对法的生起无障碍而起促进作用的一切原因。

以上"四缘"说是揭示宇宙间一切有为法生起的理论。

第三，四谛缘起。所谓四谛即苦谛、集谛、灭谛、道谛。因缘和合形成四谛的生灭。其中苦谛是在众生无明的支配之下，由身、语、意造成种种业，众生种种业力的因缘和合就叫集谛。这样，就使众生陷入了生生世世受苦的轮回之中，这就是轮回的缘起。当然，六道众生由于业力的不同，各自的受苦的程度就不同。人们要脱离受苦的轮回而得到解脱，须通过修道的途径去亲证万法的真实，这就是道谛。修道的结果是变无明为智慧，息灭贪嗔痴，使恶业无从产生，脱离苦海，这就是灭谛。可见，灭谛缘起的因缘是道谛。脱离苦海，就会升华到涅槃之境，所以灭谛和道谛的实质就是涅槃的缘起。

第四，六大缘起。印度密宗将《中阿含·度经》提出的地、水、火、风、空、识六大作为宇宙万有缘起的基本元素。前五大属于物质因素，最后一大属于精神因素。所谓"大"是指这六种元素在整个宇宙中无所不在，无所不遍。六大是宇宙万有（万物）产生的基本元素，所以被称为六大缘起。藏传佛教直接继承了印度密宗的六大缘起论。如宁玛派把六大中的前五大，即地、水、火、风、空视为宇宙间一切物质事物生成的基本要素，它们也是一切佛世界和

---

① 蒋扬洛德旺波著，索达吉堪布译：《俱舍论释》（此书被列为内部资料《显密宝库》系列丛书第十七卷。下引版本同此），第198～199页。
② 《俱舍论释》，第199页。
③ 《俱舍论释》，第199页。

众生世界的重要组成部分，而六大中的"识"是人们的分别能力的理性精神的要素。如若没有六大种，就无清净佛世界和众生情器世界的一切显现。宁玛派又把六大种的地、水、火、风、空五大种分为精微大种即五光，粗分大种即五气，又称五风。所谓五光是分别对应地水火风空五大种之光，显出地黄色、水绿色、火红色、风白色、空蓝色。五光又分为内外五光，外五光是构成显现外界客观事物的物质基础，内五光是指人的内心中的意识活动的气息，其作用是朗照外在的物质世界。

第五，四重缘起。此论是龙树所传，为宁玛派所继承的理论。四重缘起是指业因缘起、相依缘起、相对缘起、相碍缘起。四重缘起是从无上瑜伽观修的视角立论的，因而业因缘起的观修就是依持修习"五得加行"（包括资粮道上的随护加行、无罪加行、思择加行、清净增上意乐加行、堕决定加行等）现证一切法成立因业而有，同时否定凡夫的执相，证悟其是无自性的空性。

所谓业因缘起就是指以业为因，且以诸缘和合而生一切法。如杯子以陶师、陶土、水、陶轮、陶窑等因缘的和合而成，它是"业因有"。这个"有"又是名言概念所立之有，简称名言有，但它是因缘和合，所以不是自性有。

相依缘起是一切事物皆为心识而变现，心识也依所变现的外境而起分别，心识与外境因此成为相依而有之关系。这是讲内在心识与外在境之生起，或者说心识依对境而起功用，对境以心识而成显现，二者是同时而不异的关系。它是通过修行现证心识与外境相依为性的关系。相依有否定业因有。

相对缘起是指不同时而离异，此说诸法无自性。但如来藏真实有而不空，即无自性空（他空见），同时否定相依有。相对缘起就是如来藏（心性本净）和阿赖耶识（客尘所染）的相对，即《入楞严经》所说的"如来藏藏识"或"说名为藏识的如来藏"。识境的如来藏即阿赖耶识是杂染的，而圣境之如来藏是清净无染的，所以在修习中就是修习"有得无得加行"，实证离杂染而入清净的如来藏之境。

相碍缘起又被称为甚深缘起，指众生由于无知，落入自身六根和时空中的不能融圆而相碍或限制之中，或者说世间的一切法受到长宽高三维空间的局限，此事物即是相对有，使超越世间事物的四维空间的四维受到了相碍，无法在世俗世间中得到显现。大圆满相碍缘起就是探索如何超越局限而使其显现出来。从修习的视角讲，就是修习"无碍有碍加行"（这是见道上行人的修证），即证知六根和时空相碍之理，一切法皆任运而成"相碍有"。但是，不仅仅如此，菩萨的修行要上进到离碍之边际，而成为无碍，入无分别相、离思维的圆通的境界。大圆满就是通过修行而达到离四重缘起而成无碍、无住的极致境界。

这四重缘起都有一个缘起而有的共同性：业因缘起是世间事物依因缘和合的缘起而有，即"业因有"；相依缘起是世俗一切法和心识相互为缘而有，即世俗法为心识所变现而有，心识也依所变现的外境而起分别；相对缘起就是如来藏（心性本净）和阿赖耶识（客尘所染）的相对，因此如来藏智境依缘于阿赖耶识的识境方能显现出来，在修行中也是离杂染阿赖耶识才能入清净如来藏之境；相碍缘起也就是指通过修行破除世间法的限制而离思维，进入无分别相的圆融无碍的胜义如来藏之圣境，也就是说，进入胜义境界就是以破除世间法为缘而起。

四重缘起的修证之间是一种递进或超越的关系，即修业因缘起是为了对治愚夫的一切法为实有的观念，修相依缘起是对治业因缘起的"业因有"之分别相，相对缘起是为了破除相依缘起的"真如分别相"，即否定相依有，而相碍缘起则是否定相对有，进而是对前三种缘起的更高阶段的超越，通过实证得知相碍，进而达到圆通无碍之圣境。

从藏传佛教以上各种缘起的内涵和缘起的种类的学理中，不难看出它揭示的是宇宙万物如何生成问题，具体包括万物生成要素及生成的形式的丰富多样性、因果性、条件性及万物形成和发展的各种要素之间的相互联系、相互作用等。

（二）宇宙的本质：性空

性空是宇宙的本质。为什么说性空是宇宙万有的本质呢？因为本质是指真如实性，而万物的真如实性就是空性。所以，性空论就是宇宙万物的本质论。但是，空性的本质不是从世界本原的角度而言的。世界的本原是指某种东西是世界的"始基"，或者说是世界终极根源。如唯物主义所讲的物质，唯心主义所讲的某种精神，物质或精神就是世界的本原之实体。藏传佛教的性空是从有无自性而言的。这与藏传佛教否认有一个造物主的理论是密切关联的。如果认为空性是世界的创造性本原，那就没有真正把握藏传佛教空性论的实质。

1. 性空的含义

性空是指无自性。无自性是与自性相对而存在的。自性是指单一性、独立性、永恒性。麦彭仁波切对此解释说："自性是真实无欺的实相，以其他因缘不可改造，无需观待其他因缘，变化变成他法的原有本性。"①也就是说，自性是指不依赖因缘而单一的、孤立的、永恒不变的性质。与此相反，性空是指事物的和合性、有待性、可变性。宗喀巴大师指出："自性绝对不依作用，因缘相对作用形成。"②这就表明空性与自性还有着是否依赖作用的区别，所谓作用是指相互作用之义。自性不依作用就是说事物的存在不依赖于任何内外因素，无自性是指一切事物都必须依靠于一定的内因外缘，即因缘。

性空简称空，在无自性的意义上的空，又称非实有或无。摧魔洲尊者指出："了知明相谛无、为空性及非实有。"③与此相反，自性又被叫作有，即事物因其自性而有。

2. 性空与缘起的关系

藏传佛教认为性空与缘起是有区别的，它们有着自身的规定性：缘起就是"待缘而起"，即指任何事物的生成都要依赖因缘，而性空或空是指无自性，并且性空只是从无自性的意义上而言的，所以性空与缘起并非等同。但是，如果从本质上讲，缘起与性空的含义又是相同的。换句话说，就本质而言，缘起就是性空，性空就是因为缘起。宗喀巴大师更是明确指出缘起与性空二者之间不是相互排斥的，而是相融的关系。如他在《佛理精华缘起理赞》中讲："什么事物依靠因缘，什么事物便无自性。"④而无自性就是依因缘而空，因此从无自性的角度讲，缘起与空性是同义的。如果这还不是对缘起就是空性的明确表达的话，宗喀巴下面的话就是对缘起就是性空义的直接而十分明确的阐述："一切诸法自性空者，是由因缘生起之理，故说彼空。"⑤这是对其先师龙树"未曾有一法，不从因缘生，是故一切法，无不是空者"⑥思想的继承和通俗易懂的阐释。

宁玛派也主张一切法均是空性。龙钦饶绛巴尊者指出：世间一切法和能现之四大都有成坏，即有生灭变化，所以无有自性，本来清净心所现之有为法均

---

① 麦彭仁波切著，索达吉堪布译：《中论释》（此书被列入内部资料《显密宝库》系列丛书第十六卷），第252页。
② 多识：《佛理精华缘起理赞》，四川民族出版社2000年版（下引版本同此），第271页。
③ 《宁玛派次第禅》，第43页。
④ 《佛理精华缘起理赞》，第266页。
⑤ 《宗喀巴大师集》第一卷，第405页。
⑥ ［古印度］圣龙树菩萨造，汉藏诸大师解释：《龙树六论》，民族出版社2000年版（下引版本同此），第36页。

无自性可言。而"无有本性则由自体空,等空菩提心之大界中,云何显现如来无自性,比喻虚空一界大怀抱"①。也就是说,不仅本心所现是一切外境、轮回涅槃、善恶因果等无自性而空,而且本来清净的菩提心即本心也无自性而空。

噶举派大手印中因、道、果三种大手印的一个核心思想就是一切法均无自性而空,噶举派讲,"因之大手印"是"一切法之法性从本以来离一切戏论。由自性光明之性空成为生死涅槃一切法三遍主";"道之大手印"是"依闻、思、修等三种道,抉择证悟由现有世界、生死涅槃所摄之一切法,从无始以来无有生、住、灭之自性,光明性空";"果之大手印"则是"如此之因大手印由道之大手印串习之,即如虚空之秀清净而净二现之极微,远离蔽障,成为唯一之具二清净之智慧"②。只不过在后天实际生活中因被客尘所障,清净的心性被烦恼尘垢所污染,涤除尘垢便彰显光明的清净心性。而这种清净之智慧亦即空性智慧。所以,噶举派认为大手印之"手"即是空性智慧之义。就心而言,噶举派认为心的体性从现象上看,它有显现之功能,即它能显现或变现万物,亦即"光明现相"。但就心之体性的本质而言,在噶举派看来,"心之自性即是空,由生死涅槃所摄之一切法之自性亦皆空"③。

贡噶呼图克图讲:"若观自性之体性,形色显色,有相物质,任何皆无自性,空空寂寂者,无有乎,于此名为体性空智。彼空之光明明朗不灭,自性常照者,无有乎,此为自性明智。心之本性空寂,毫无自性,明照不灭,显现种种,此二者皆假立名言。"④这就彰显了本心之空的本质。

(三)中道论:本质与现象的统一

要了解中道是什么,首先就要弄清中道不是什么。藏传佛教所说的中道不是如同儒家所说的中庸。中庸是指不偏不倚,即不过犹,又无不及,持守于中间状态,而中道绝不是说守持不偏不倚的中庸之道。中道也不是辩证唯物主义所讲的不突破事物度的界限的"适度"的方法论。"适度"是根据事物保持自身的质的量的限度的"度"世界观出发,要求人们在实践中在度的范围内活动,不能超越事物的发展阶段,又不落后于客观事物或形势的发展,或者是做到心中有数,把握好事物之质的量的限度。藏传佛教所讲的中道是有和无、空与

---

① 龙钦饶绛巴著,刘立千译:《实相宝藏论详释》,民族出版社2007年版(下引版本同此),第13页。
② 《拈花微笑——藏传佛教哲学境界》,第153~154页。
③ 《拈花微笑——藏传佛教哲学境界》,第156页。
④ 《大圆满精粹》,第29页。

有、实在与非实在、实相和事相的统一。一句话，是本质和现象的有机统一体，尽管各中观论师没有明确这样说。

藏传佛教中道观与中观是同义的。因此所谓中观就是脱离常断二边的中道观。那么中道观离什么两边呢？这就是离空与有或有和无、实在与非实在（实相和事相）之两边。这种空不否定有，有也不否定空的空观正见，龙树大师又以"不……不……"来表示，这就是他提出的"不生亦不灭，不常亦不断，不一亦不异，不来亦不出（去）"的八不中道①。这就是说，不生与不灭、不常与不断、不一与不异、不来与不去各个对立的范畴之间都不是单独的绝对性的存在，而是相依相存的存在，也就是说不生与不灭是统一的，不生是指不自性生，不灭是指现象有，有为法即是无自性空，又是现象有；不常与不断亦是相互依存的，不常是可变或生灭，不断是连续存在，有为法皆是生灭变化的，又不是当下无，而是存在的。宗喀巴大师继承了龙树的思想，明确指出自性无和现象有是并行不悖的缘起性空论的两个方面："您的否定自性存在，就是肯定缘起之义。物我自性空不可得，与有作为并不矛盾。如果认识与此相反，认为性空就无作用，有作用者便非性空，就会落入邪见的深渊。因在您的教义之中，觉悟缘起最为殊胜。但这并非物相空无，也非物我自性实有。"②非有是从事物的本质而言的，即自性上的无，非无是从现象上而言的，是指现象的有，"并非'非有非无'的中间状态或模棱两可"③。由此可见，所谓中观正见也就是既"离实有"又"离实无"，实有是一边，这一边就是常边，实无又是一边，此边是断边，"离实有"和"离实无"就是远离常断二边的中观正见。

这就是"无二智慧"，这实质上就是明见人和法无自性的智慧。这一"无二智慧"之中道是空有融合的、超越世俗智的般若智慧，有了它便可把握世间的有差别的、不断生灭的万事万物，正确认知世间实相，在实际生活中正确对待或处理名利、毁誉、我他、人与物等之间的关系，不为名所动，不为情所困，不为物所争，不为毁所忧等，这样便能在佛法之中找到自己的安身立命之所。

---

① 《龙树六论》，第5页。
② 《佛理精华缘起理赞》，第268页。
③ 多识：《西藏的心灵智慧》，甘肃民族出版社2005年版，第68页。

四、藏传佛教道德观

从纵向的历史考察，随着藏民族社会的发展，藏族道德经历了原始集体主义道德、苯教道德、藏传佛教道德、社会主义道德等四个既相区别，又相联系的主要发展阶段。从其内容来讲，藏族道德是由原始道德、苯教道德、藏传佛教道德、世俗民间道德、社会主义道德等所构成的多元道德系统。我们把藏民族的原始道德、苯教、藏传佛教道德称之为藏族传统道德，把社会主义道德叫作藏族当代道德，它们共同构成一个具有多元结构的藏族道德文化宝库。藏传佛教道德产生以来，逐渐形成了一个内容丰富的道德系统，且处于藏族传统道德的中心地位。由于篇幅所限，我们仅仅探索和阐述以下几个方面。

（一）诸恶莫做，众善奉行

这既是藏民族世世代代的道德训诫和道德要求，更是藏传佛教基本的道德原则和道德规范。它被藏民族每一个社会成员自觉恪守和实践，是藏民族社会得以长期稳定和和谐发展的重要支撑力量。

1. 道德原则：善恶在于心

一个人的行为的善或恶是由心所支配的，道德之心是道德行为之源，善心产生善行，恶心产生恶行，因此是善是恶在于心。正如冈波巴大师所指出："一切善业或恶业都要以心中之动机来决定。所以心如王，乃善恶之根本，身和语则如臣民，较心为次要。"①

何谓恶心？藏传佛教认为恶心包括贪、嗔、痴、慢、疑、邪见等，它们统称为根本烦恼，其中贪嗔痴又被称为三毒。贪，是指贪欲、贪爱；嗔，是指仇视、怨恨之心；痴，是指愚昧无知，或心性迷惑而无有所悟；慢，即骄傲自大，漠视他人；疑，即怀疑，指怀疑佛教真理性及佛法能使众生解脱的一种心理状态；邪见，即由于违背佛教的根本义理等产生的谬见或错误思想。

善心是与恶心根本对立的至善之心，藏传佛教称之为本觉真心，包括无贪、无嗔、无痴、无慢、无疑、无轻妄、不放逸、不害等心理状态。但是藏传佛教最为重要的是慈悲利众之心性，为此又离不开菩提心。菩提心又称无上之道心、无上道意，是为了普度一切众生而当愿成佛的宏愿，其实就是佛性或佛心。利益众生而志取圆满菩提是菩提心的体性。发菩提心有两种，层次高低有

---

① 《解脱庄严宝大乘菩提道次第论》，《米拉日巴大师集》下卷，第964页。

别：胜义菩提心和世俗菩提心。在冈波巴看来，胜义菩提心是"空性和悲心的结晶，是空朗、不动、离一切边际和戏论的"，而世俗菩提心则是"由于慈悲心的激发而立誓度尽一切众生，出离轮回"①。世俗菩提心又分为愿菩提心和行菩提心两种。愿菩提心是一种誓愿，即发誓为利益一切众生，并且自己能够获取圆满之佛果，行菩提心是一种学习佛法、利众和成佛的践行。

由此可见，藏传佛教提倡的善心有两个根本宗旨，这就是度众和成佛。因此善心就是利益众生和成佛之心。无论是度众还是成佛之心，都是本觉的至善之心。

2. 道德规范：行善止恶

有了善心、恶心，必定在行为上有善行和恶行，善心行善，恶心行恶，各有定性。所为"行"就是业。善业行主要包括十善业道、普度众生、具体行善等三个方面。

第一，行十善业。十善业又称十善白业。它是从修行的角度而言的。宗喀巴大师指出："十善业道是三乘共修的根本，也是三乘诸道的基地。"②同时，它也是佛教对在家修行的佛教徒而制定的，它既是一种具体的道德规范，又是一种日常生活之准则。十善业指十个"永离"或十个"不"，即永离杀生、偷盗、邪行、妄语、两舌、恶口、绮语、贪欲、嗔恚、邪见等。杀生、偷盗、邪行、妄语、两舌、恶口、绮语、贪欲、嗔恚、邪见等就是恶行，"永离"就是不作恶，就是善行。如：永离杀生就是不杀生，就是放生；永离偷盗就是布施或施惠，乐于助人；不妄语就是说真话；不两舌就是不挑拨是非，不说不利于团结的话，或者说有利于团结的话；不绮语即是不说难听、伤人之话，而说文明或柔软之语，等等。

第二，舍己为人，普度众生。普度众生是大乘佛教与小乘佛教的根本区别之所在。藏传佛教属于大乘佛教，因此大力提倡以平等之心去度一切有情众生，并且以此为藏传佛教一切信众的基本道德行为规范和行为要求。普度众生是菩提心指导下的实践，它是最大最高之善行。所谓舍己为人，普度众生，就是以佛陀舍身饲虎的大慈大悲的、勇敢无畏的精神，为了拔出众生苦，使众生

---

① 《解脱庄严宝大乘菩提道次第论》，《米拉日巴大师集》下卷，第957~958页。
② 宗喀巴著，华锐·罗桑嘉措译：《菩提道次第广论》上卷，内部通行本（下引版本同此），第206页。

获得快乐幸福而吃大苦、耐大劳，教化、觉悟、施舍众生；为了众生的利益，可以舍弃自己的一切，甚至在必要时献出自己宝贵的生命。为了众生，不仅是为了众生的一切，而且是为了无量众生。为了众生，是不求他人和社会的任何回报，它是一种最高的道德责任感和道德精神，具有最高的道德价值。

第三，诸恶莫作。恶行不仅严重违背佛教义理，而且危及众生利益和整个社会的安定和谐，所以藏民族无论是宗教领域还是世俗社会层面均有戒恶的道德要求和道德规范。如在《礼仪问答写卷》中告诫世人不要贪财，诸如不义之财不可取，诱饵之食不可食等。

藏传佛教道德规范列出了十种需要戒止的恶行，即不善业之十种。不善业又称为黑业。十不善业是杀生、偷盗、邪淫、妄语、两舌、恶口、绮语、贪嗔、痴等。许多藏传佛教论师都对十恶业进行了解释并提出了止恶的道德要求。智悲光尊者指出，所谓杀生就是指"对人或畜，以贪等作意杀害，断命根为究竟"①。他又指出，偷盗是他人不与而取（包括盗、贼、骗三种），妄语是指说假话，两舌即离间语，恶口即粗恶语。至于邪淫，宗喀巴认为是不正当的性行为，包括邪淫的对象、地点、时间、部位等方面的不正当。龙青巴论师指出："绮语为邪论及无义语"（指随口说些无意义之语），"贪业不忍他财欲自取，同分罪图获他人福德"，"嗔业以忿心作伤人事，同分罪因怒而不饶益"，"痴业执断执常无因果，同分罪作增上诽谤见"②。

3. 道德实践：广泛行善

在佛教传入涉藏地区之前，藏民族先民就有善行的道德要求。如在《礼仪问答写卷》中提出要行公正、孝敬、和蔼、温顺、怜悯、不怒、报恩等。藏族古代先民努力践行着这些道德规范。佛教传入涉藏地区，特别是佛教本土化（其标志是藏传佛教的形成）以来，由于善的道德规范的进一步规范化和系统化，善行不仅表现在藏族民众的日常生活之中，而且渗透于藏族社会的政治生活、经济生活、生产实践、文化生活等方方面面。

第一，萨迦派大师萨迦班智达在他所写的《萨迦格言》中，根据藏传佛教的道德义理，要求世人发慈悲，积善德，不仅把藏传佛教道德具体化，而且将

---

① 智悲光著，根桑泽程仁波切讲授：《大圆满广大心要前行次第法》，江嘎主编：《大圆满》上册，中国藏学出版社2005年版，第312页。
② 龙青巴：《大圆满心性休息导引》，云南人民出版社2005年版，第79~81页。

其世俗化。如要求平民百姓和君主都要行善；提倡先人后己；对缺吃少穿者给予布施等，且把实践中做善事者称为贤者。

第二，在社会政治领域中，藏族统治者出于安邦治国之需，竭力推行藏传佛教的十善业道，创"十善法律"，使"善者有所劝，恶者知佛戒"。在松赞干布治理西藏时期制定的吐蕃社会的法律和制度条文中——"三十六制"有抑制豪强、护助弱小、外惩敌人、内护百姓、奉行十善法、舍弃非十善法等仁政措施，从而把藏传佛教道德政治法律化。

第三，在宗教生法中，藏传佛教和苯教根据其道德义理制定出道德教规戒律，要求僧人在宗教实践中严格遵守，于是形成了藏民族的宗教道德实践，其中藏传佛教道德实践不仅广泛，而且特色鲜明。包括在宗教实践中要知人生难得，依止善知识，皈依三宝，修行佛教正法。在佛法的修行中，虔诚供佛，尊敬自己的上师，自净其心勤修戒定慧，大慈大悲度众生，自利利他修六度，摄化众生成菩提，做能使众生脱离生死轮回之苦的极大善业。

第四，在广大民众的日常交往和家庭生活中，诚实守信，以礼待人，忍辱无争，文明用语，知恩必报；父母善待子女，子女孝敬父母等。

第五，在经济生活和医疗实践中，视钱财为轻，施舍于人；医生不贪图钱财，对病人一视同仁，富有同情心，也不视病人的排泄物为污秽，等等。

（二）防恶治恶

1. 防恶

防恶是防止人们行恶，它是预防性的。治恶的本意是惩治性的，但在藏传佛教那里主要是一种忏悔。防恶的基本途径是佛教戒律。戒律与十善业不同，十善业主要是为在家信众所制定和要求的，其目的是行善，而戒律既有为在家信徒而制定的，又有为出家僧人制定的，其目的是防恶。戒律的种类和条款多样，有五戒、八戒、菩萨戒等。其中五戒是佛教的最基本的戒条，对于在家修行的男信徒（优婆塞）、女信徒（优婆姨）尤为重要。五戒是戒杀生、戒偷盗、戒邪淫、戒妄语、戒饮酒。八戒是为在家信徒制定的戒条，包括戒杀生、戒偷盗、戒邪淫、戒恶语、戒坐卧华丽大床、戒装饰打扮和视听歌舞、戒食非食之食（如过午不食）。十戒是为年龄未满二十岁的男女出家僧人（沙弥、沙弥尼）所制定的，具体内容为戒杀生、戒偷盗、戒邪淫、戒妄语、戒饮酒、戒涂饰香料、戒视听歌舞、戒坐卧华丽大床、戒食非时食、戒蓄金银财宝等。至于菩萨戒，又称戒波罗蜜或梵网大戒，总共五十余条，如杀戒、盗戒、淫戒、自赞毁他戒、吝施加毁（吝啬财物和法、诽谤布施财物和法）戒、嗔心不受悔（因怨恨而不接受他人的悔过）戒、谤三宝（诽谤佛法僧）戒等等。1994年，藏传佛教大师贡唐（出生于四川阿坝州若尔盖县）在第十轮金刚大灌顶中提出了不尊敬上师、与学友不和睦相处、对众生缺乏慈悲心、轻显重密、持邪见反对性空说、为人虚伪、侮辱和诽谤妇女等禁戒，并且把杀生、偷盗抢劫、犯罪性的男女关系、饮酒以及说谎骗人定为严重性的罪恶行为。①

有了戒律关键是持戒。在藏传佛教史上，曾经出现僧人不守戒律或戒律松弛，道德严重滑坡的现象，宗喀巴进行改革，对宗教队伍的不守戒律，或肆意践踏戒律的现象进行了大刀阔斧的整顿，使藏传佛教队伍纪律严明，朝气蓬勃，健康向上。宗喀巴大师要求藏传佛教信徒要以戒律守身，并且严肃指出："要尽力而为，力所能及地守持佛所说的戒律。"②即使"遇到生命危险的时候，也必须守护戒律"③。以此提高佛教声誉和佛教僧人的道德境界。

2. 治恶拔恶

这是对犯罪行为的处治而言的。藏传佛教对信徒的犯罪行为不是不闻不问，而是进行一定的处治，并且力图彻底清除之。但这种处治与世俗的法律惩治是有区别的，也就是说，它主要不是强制性和惩罚性的，而是清除性的、忏悔性的，即主要是宗教层面的非强制性的道德约束和戒止。宗喀巴大师指出："拔出力能截断积累增长的余业，对治力能把造作的罪业减少衰竭；防护力能使罪业以根本清除；依止力能从痛苦中救护。"④对治力是指对治业障的法门，宗喀巴大师将其分为依止深奥的佛教经典、证悟空性或自性光明的法性、多作佛法修习、听闻和守持诸佛及各大菩萨之名号等六类。拔出力是指对所做的各种罪行不断加以忏悔。忏悔主要是心悔，心灭则罪亡，这实际上就是人们在道德实践中所进行的自我反省、自我检查，达到道德理性的自觉。

佛教对犯戒者有一定的惩罚，但这种惩罚又是非残忍性的，最重的惩罚是开除僧团，主要是让其悔过自新，重新做人，做利益众生的事业。如藏传佛教噶举派大师玛尔巴对用咒语杀死其伯父的米拉日巴的处罚是伤其筋骨、累其心智的不断拆修碉房，以及打骂的严酷考验，而不是采取以命抵命的残忍方式。

---

① 多识：《爱心爆发的智慧》，甘肃人民出版社1998年版，第266~267页。
② 《菩提道次第广论》上卷，第156页。
③ 《菩提道次第广论》上卷，第305页。
④ 《菩提道次第广论》上卷，第222页。

最后米拉日巴幡然醒悟，悔过自新，于是玛尔巴给他传授密法，经过他的勤苦修行，最终成为藏传佛教史上最伟大的修行者和圣人。

（三）因果报应

藏传佛教宣说因果报应论，这被信仰藏传佛教的广大藏族民众所深信。因果报应有如下几个原则：

1. 不造业不得报，造业必得报

宗喀巴大师指出："我们如果不积集能感乐苦的业因，从来不会受到乐苦的果报。"他又引用《三摩地王经》如下一段话："自己已经造过的业，将来必定受报，并不是不受果报。别人所造过的业，也不会你顶替来受此果报，自己造的业，只有自己来受报。"[1]因为业力是巨大的，所以造业得报是不可更移的定律。因此，无论何人，只要他造了业，必定受其果报，连神力也无法抗拒。

2. 三世业报

造业必得报，但是业力得果报又是需要条件的成熟，而条件成熟又有时间长短的不同，有的今世即报，有的来世才报，有的经过多生后世才能得报。由此便决定着有前后三种业报之形式，由于前后经历着三个人世，所以被称为三世业报，即今世条件成熟在今世得报，称之为现报；由于条件的不甚成熟，今世造业待来世才能得报，称之为生报；今世造业，而条件极不成熟，待多生之后方能得报，称之为后报。这就充分说明，业力果报具有不坏性或不过时性，即经过无数之劫，此业力之果报纵然没有成熟，一旦遇见因缘，它便就会得到业果的报应。

3. 善业必善报，恶业必恶报

冈波巴大师讲："业力果报的另一种原则是（严格的）同类相应原则。善或恶的业因，一定会得到如其量如其分的苦或乐之果报，绝无错乱，这就是说，积聚善业一定会得到享乐之果报；积聚恶业一定会得到受苦的果报。"[2]由此可见，世间人们的行为不仅必然产生一定的果报，而且是善业有善果，恶业得恶果。善果之报是指善业受享乐或受福，恶果之报是指恶业受苦或受罪。现世的人造业可以受现报。如不杀生而爱生，便能健康长寿；不偷盗而施惠，会受他人爱戴、赞誉，以及自己的利益不受他人损害等。不仅如此，藏传佛教

---

[1] 《菩提道次第广论》上卷，第181~182页。
[2] 《解脱庄严宝大乘菩提道次第论》，《米拉日巴大师集》下卷，第931页。

还用凡人死后投生转入何道来体现善恶之因果报应。一个人死后投生于何道又是其业力所决定的。人死后可以投生于天、阿修罗、人、饿鬼、畜生、地狱等六道之中，前三种属于善道，后三种属于恶道。若造作的善业力大，即投生于天、阿修罗、人三善道之中，恶业大者则投身于饿鬼、畜生、地狱三恶道之中。进入善道，便会享受到快乐，只不过依天、阿修罗、人的次序有快乐的高低层次不同之分，而步入恶道便遭受巨大的痛苦，经受着无法忍受的折磨。但是，即使在善道之中仍然是苦多乐少。要使众生不受生死轮回之苦，就要多做善事，勤修佛法，进入清净涅槃，享受究竟大乐。

4. 微业产生大的果报

宗喀巴大师指出："由小善业能生甚大乐果，又由小恶业亦能生甚大苦果……如《集法句》云：'虽作微小恶，后世招大怖，能有大损失，如毒入腹中。虽作小福业，后世感大乐，能成大义利，如谷实成熟。'"① 这里有几层含义：一是微业产生大的果报是建立在善业善报，恶业恶报的基础之上；二是以便更好地发挥警示功能；三是这并不是真正意义上的业小果报大，否则就违背了善小福报小，善大福报大，恶小罪报小，恶大罪报大的原则，而是如果一个人的造善之心不减而增，作恶之心不退，那么善或恶就会越积越多，这样，随着时间的推移，小善成为大善，由此得到大的福报，小恶变成大恶，于是遭受大苦的罪报。这一思想的旨趣在于教导众生要持之以恒地修持善业，对小恶不能因其小而为之，而是要防微杜渐。

冈波巴大师指出："我们应该对轮回之痛苦发生惧畏之情，对业果生起决定的认识和信心。"② 也就是说，我们应该知道善因善果，恶因恶果，而且善恶必果报，那么就应该充分相信因果报应，多造善业，不造恶业，力争来世进入善道，避免入恶道受尽无法忍受的无穷苦难。因果报应不仅是对造善业者进行宗教神学意义上的褒奖，对造恶者的惩罚，更为重要的是进行不作恶而造善的道德规劝。

五、藏传佛教认识论

认识论是近现代的哲学术语，在佛教那里称为量论或量学。有的学者又认

---

① 《宗喀巴大师集》第三卷，第75页。
② 《解脱庄严宝大乘菩提道次第论》，《米拉日巴大师集》下卷，第932页。

为量论不仅仅是认识论,还包括逻辑学,而二者的统一就是因明学。这样,认识论就是因明学的一个重要组成部分。①但是,我们认为,藏传佛教认识论主要包括在藏传因明之中,但是藏传因明认识论又不是藏传佛教认识论的全部内容,实际上,藏传佛教修行实践中体现的认识问题也是藏传佛教认识论不可分割的重要组成部分。因明学中的认识论主要是世间或世俗的认识,佛教修行中对空性、佛心的认识是超世间或超世俗的认识。

(一)认识与认识对象:具境与外境

1. 具境

工珠·云丹嘉措指出:"谓对上述诸境(对象)了别之具境,其定义为了解或了别,此分为能诠及认识两种。"②"理解""明了"就是指认识。所以,具境就是人对认识对象的认识活动或思维活动。简言之,具境就是认识。认识包括心识和能诠两个方面的内容。心、识在多数情况下可以通用,所以可以把心和识统称为心识,也可以简称为识。但本体论上的心、识与认识论上的心识又有不同,心为清净无染的佛心、本心,而识是染净相杂的。在认识论上,心识是具有认知能力的一种主观精神。心识具有认识之功能,唯识家将其称为能取(又称为见分)。宗喀巴大师从认识论的角度,把心识定义为(定义是性相之意)"明了境",就是说心识有认识或了知认识对象的功能。

能诠又叫能诠声。宗喀巴大师对能诠的定义是:"由语言之力能理解所诠的意义。"③由此可见,能诠就是指理解、表达认识对象的名言概念。它主要分为名、句、文三种。名是表达认识对象的"性质"的,实际上就是根据认识对象的根本属性给其一个名称,如瓶子。句是指表达认识对象具体特性和差异性的词句,如小瓶子。所谓"文"是以名、句结合表达的一件事、一个命题或一个判断。尽管在胜义认识中是离名言概念的,但在世俗认识中却离不开名言概念,名言概念是认识的重要工具。

---

① 祈顺来教授认为,量论和因明是两个不同的概念,量论之外延比因明的外延要大。因为量论包含认识论和逻辑学,是认识论和因明推理规则有机地结合一体的一种理论学说,而因明仅仅是指逻辑学,所以"因明是量论的一个部分"。参见祈顺来:《藏传因明学通论》,青海民族出版社2006年版,第41~42页。

② 工珠·云丹嘉措:《量学》,杨化群译:《藏传因明学》,西藏人民出版社2002年版(下引版本同此),第285页。

③ 宗喀巴:《因明七论入门》,《藏传因明学》,第46页。

2. 外境

藏传佛教认识论对认识对象有着多种称命名方式。一是称之为外境。所谓外境，就是"可知晓或可明了"①，又叫作所知、所量。这就是说，外境就是认识的对象。它包括以下三个方面：一是物质性外境。这是指不依人们的意志为转移的客观对象。物质性外境是由物质元素所构成，所以工珠·云丹嘉措认为物质的定义是"微尘所成"。由微尘所成的物质"又分为身外物质与身内物质二种。各别之定义如次：谓由身外微尘所成及由身内微尘所成"②。外物质是指人之外（身外）之物质微粒所组成的客观物质性事物，内物质是指由身内物质性微粒所组成的人的物质性身体。物质性外境是客观实在性。二是本元心性。所谓本元心性就是众生的佛心或真心。因此，这里的心性不是指认识论上的心或识，而是本体论上的本质实相之心。更为重要的是，心性不是世俗认识的对象，而是胜义认识之对象。三是空性。虽然藏传佛教认识论从世俗的角度认为外在万事万物都是真实存在的，并不是虚幻不实，即使是主张一空到底的格鲁派也承认物质性外境的实际存在。但是，从胜义立场出发，藏传佛教各派几乎无不认为世界的万事万物是缘起之物，所以是无自性而空，或是无真实的存在的幻有或名言假立。空性是世界万有的本质。

此外，藏传佛教认识论从攀缘的视角把境分为所见境或所持境、所著境、所取境三种。所持境是"见而了别"，所著境是"由耽著而了别"，所取境为"取舍而攀缘，不受欺诳"。同时，还有的因明学家如工珠·云丹嘉措把境分为现实境、隐秘境、极隐秘境三种。③现实境即现见经验所见证的境相，隐秘境指依建立因明式或理由所理解或所证的境相，极隐秘境是指以信仰的教诲所理解或所证的境相。

（二）认识的基本途径：修行实践

藏传佛教作为一种宗教来讲，对于人生无常、苦集灭道四谛、慈悲利众、空性、如来藏等的认识主要是在显教和密教的修行之中实现的。因此，从宗教认识的意义上讲，修行实践是藏传佛教信众对佛教义理认识的基本途径。佛教的实践活动分为显教修行和密教修行两种。藏传佛教各派都主张显密兼

---

① 宗喀巴：《因明七论入门》，《藏传因明学》，第43页。
② 工珠·云丹嘉措：《量学》，《藏传因明学》，第284页。
③ 工珠·云丹嘉措：《量学》，《藏传因明学》，第283~291页。

修。显教的修行的认知形式主要不是直观体悟,而是知性理解或理性思维。因此显教的这些修行过程同时也主要是关于人生、生死、道德等佛教义理的学习、理解的过程。其中格鲁派显教修行尤其凸显,并且在其显教修心方面也是修前行支分之各种缘想,如观人生难得、生死无常、轮回之苦,同时又要了知万法的空性,深信业果乃至皈依、发心、小乘之出离心、大乘之菩提心,勤修戒定慧三学、六度等。不仅如此,在显教的修行之中,格鲁派还严格按照下士道、中士道、上士道的次第进行,其修行进程是由低到高,由浅入深的循序渐进的过程。

藏传佛教认为,仅仅是显教的修行还远远不够,必须还要进行密教的修行,因为密教修行才能真正把握世界的本质实相。显教修行只不过为把握世界的本质实相打下基础而已,尚不能解脱世间轮回之苦。因为在噶举派看来,"教理之观察分析,即由文字上的分别所观察,由此不能直接抉择正见(空性)"[1]。所以须在密教修行中亲证观现世界本质实相的空性。所谓"现证"是指在禅定实践的基础上使自己的心和佛教真理直接碰面而合而为一,或是自己的心与本质即真如的直接契合,或说佛我冥合、我佛契合的境界。正是基于这样的认识,所以在广大涉藏地区密教盛行,从而彰显了藏传佛教的一大特色。

(三)认识的形式:现量与比量

1. 感性认识:现量

第一,现量的含义。所谓现量,就是指以人的眼、耳、鼻、舌、身、意六根对所对之境的直接感知,即感性认识。现量属于无分别识的范畴(无分别识是指用感官所直接感知,被称为"明显觉")。作为"明显觉"的现量是对事物的现象和外部联系的认识。

工珠·云丹嘉措认为"离分别不错乱之识,为现觉(现量)之性相"[2]。由此,仅仅把现量看成感性认识是远远不够的,更要把它理解为"离分别不错乱"即正确的感性认识。而正确无误的感性认识是以新证(第一刹那)为标志的,这是强调现量的直接性,即现量确确实实是对客观事物本来面貌的直接的真实反映。这里的问题是,难道现量中就没有错误的感知,诸如错觉、幻觉

---

[1] 冲热堪布才南:《噶举派之传承与教义略讲》(藏文版),民族出版社1989年版,第231页。
[2] 工珠·云丹嘉措:《量学》,《藏传因明学》,第283~291页。

吗？有错误的感知是一个常识的问题，是不能否认的。藏传因明也没有否定感知上的错误，但不是在现量中表达，而是把感性中的错误叫作似现量。而真实无误的感性认识叫真现量，而真现量就是现量。

第二，现量的种类。麦彭仁波切指出："现量共有四，无误根现量，以及意现量，自证及瑜伽。"①四种现量中最根本的，也是最有实在意义的是根现量。现量是正确而无谬误之认识，因而现识也就是离分别而无谬误之认识，所以现量又称现识。

根现量是指眼耳鼻舌身五种色根现量，简称五根现量。它是指个体的认识主体通过五色根直接对外界的客观事物的正确无误的感性认识。

意现量就是运用思维器官所产生的对外界客观事物的正确的感性认识。思维器官是进行抽象思维的物质基础，但是为什么它又产生感性认识呢？因为思维器官不仅是进行抽象的理性思维，而且还是五根产生的感性认识的贮藏器，是知觉、表象等感性认识的发生之处，而五根是既无法记忆感性认识的，也是不能产生知觉和表象的。知觉是各个感觉在人脑中的综合，表象是对感知觉在人脑中的再现，它们仍然属于感性认识。又由于知觉、表象不是依靠人脑的抽象思维实现的，所以藏传因明认为意现量为正确的感性认识，即属于现量的范畴。

何谓自证现量？它是指对无误的感性认识自身（向内缘）的认识。正因为是自证，所以是不充分的，因而其说服力不强。

瑜伽现量是从修行实践的视角而言的，即是指通过宗教修行直观所获得的超凡入圣的正确的智慧，由于它是由感性直观所获得的认识，所以属于现量的范畴。

2. 理性认识：比量

在因明学包括藏传因明学中，把理性认识叫作比量。"比"是比较推论，"量"是心或心识。比量就是人们运用自己的大脑进行理性思维即抽象判断、比较推论所获得的认识，它是属于分别识的范畴，因为分别识就是对外界事物进行抉择、分析、推理和判定的识，实际上是指理性思维。它具有间接性的特征。这是以现代认识论术语对比量的阐释。但是在藏传因明学中，它有着自己特有的表达。宗喀巴大师说："谓依具备三相之因对自之隐秘境新证之知觉，

---

① 麦彭仁波切著，索达吉堪布译：《解义慧剑》（此书被列入内部资料《显密宝库》系列丛书第二十一卷），第26页。

为比量之性相。"① 工珠·云丹嘉措指出："谓依具足三相因，对自境隐秘事新证之知觉，为比量之性相。"② 这里所说的"因"是指根据、理由；"三相之因"即因三相，是指一个正确的因（原因、理由）必须具备的三个条件，玄奘将因三相译为：遍是宗法性、同品定有性、异品遍无性，从藏文直译可称为宗法、后遍、遣遍。"具足三相"是指正确之因。从这一定义中可以看出，比量的对象不是感官所认识的具体事物，而是事物的共相或本质，它又是通过逻辑推理所实现的。例如，听到隔壁有说话的声音，就知道里面有人，这是用比量的方法来判断的。比量是认识的高级形式——理性认识，已经是对认识对象的共性、必然性的认识。藏传因明学家如宗喀巴、普觉·强巴、工珠·云丹嘉措等把比量分为物力比量、世许比量、信仰比量（信解比量）三种。所谓物力比量是"谓如以所作性为因，证悟声是无常之知觉"，即以物质的作用为因，以宗有法的因法两个概念的内涵关系来确定。如论式"声音无常，所作性故"中，宗有法声音是因法所作这一集合的个体，因此，既然所作是无常，声音也是一种所作，所以声音是无常。这种论据（因）是物质自身的属性，因此是直接的、有力的，所以叫作物力比量。世许比量是其所依之因，不是从事物的内在联系所表现出来的因果律来证明所立宗成立，而是举出世人所公认的，立论双方所共许的事物来说明。如"执兔影者是月亮，世人所证故"这一论式中的因"执兔影者是月亮"就是世人所公认的，这就是世许比量。世许比量虽不是很有力，但也可以说明问题。信仰比量是"谓如依经过三种观察所订正之圣教为因，证悟'由施造福'等圣教所启示之义为不欺诳之知觉"③。由此可见，信仰比量所依之因是可靠的经典（主要是佛教经典）、圣人、佛或佛教大师教诲，以此来说明抽象隐晦所立宗的正确无误。

3. 现量和比量的关系

现量和比量是有区别的，但是藏传因明着重强调二者的相互关联。麦彭仁波切指出："设若无现量，无因无比量，因生彼灭等，凡现皆不容。"④ 现量为比量提供思维的原材料，比量正是在现量基础上开始进行推判断理等思维活

---

① 宗喀巴：《因明七论入门》，《藏传因明学》，第50页。
② 工珠·云丹嘉措：《量学》，《藏传因明学》，第288页。
③ 宗喀巴：《因明七论入门》，《藏传因明学》，第50页。
④ 麦彭仁波切著，索达吉堪布译：《解义慧剑》（此书被列入内部资料《显密宝库》系列丛书第二十一卷），第26～27页。

动。若无现量，就无比量可言。

（四）认识的真理性：二谛

1. 真理的含义

佛教把真理叫作"谛"。藏传佛教量论在规定什么是真理时认为，真理就是对客观存在之物的如实认识，用"量为无欺诳"或"量为无欺智"、无颠倒、无错乱等术语来表达。宗喀巴大师指出："新证自境之知觉，为量自性相。为此，如云'量乃非诳识'……表明'不唯讲不欺诳'之义，并表明尚有'新证'之义。"① 只有量识才是对事物的真实反映。这种反映是"对自之显现境不错乱的了别"②。这种反映就是不错乱识。宗喀巴大师将不错乱识定义为"谓明了境本性之认识"③。这就明确指出真理是对客观事物的正确反映。这表明藏传佛教是从肯定认识对象（外境）的客观存在性的立场来确定认识的真理性的。

与真理相对的是谬误。藏传佛教认识论用非量识、颠倒识、错乱识、妄识、似现识等词语表达谬误之意。非量识是指非新起和非不欺诳之识。颠倒识是一种非量识，是指颠倒了境，是对自境欺诳。错乱识就是对自显境产生错乱之识。似现识在本质上与错乱识无区别，就是说，似现识就是一种错乱识。宗喀巴大师指出："谓于自之所见境，错乱认识，为似现识之性相。"④ 这即是说，似现识就是对认识对象的歪曲的反映，包括不是此物错认作此物。这便是《心明论》所说的唯心现识。因为分别识和无分别识二者都有错乱识，所以错误之识可分为无分别似现识和分别似现识两种。无分别似现识是指不经过推度由五根所产生的错误的感性认识，分别似现识是指由意根判断、推理过程中所产生的错误的理性认识。藏传佛教认识论对产生谬误进行了多元分析，一是从人的根器上找根源，认为患根会产生邪见；二是从众生的心理现象上寻求根源，这就是提出烦恼障，由此认为无明就会产生虚妄，并且认虚幻为真实；三是从认识上找根源，这就是所知障。因此，需要破除烦恼障和所知障，把握佛教义理等方法以纠正和克服谬误。

---

① 《藏传因明学》，第47页。
② 金巴达尔杰：《心明论教理宝库》，西藏噶丹寺木刻版，第29页。
③ 宗喀巴：《因明七论入门》，《藏传因明学》，第52页。
④ 宗喀巴：《因明七论入门》，《藏传因明学》，第52页。

2. 绝对真理与相对真理：真谛与俗谛

佛教，包括藏传佛教的认识论把真理分为高低不同的两个层次，真理的高层次是真谛即绝对真理，低层次是俗谛即相对真理。但是，这与辩证唯物论的真理论不同。辩证唯物论把绝对真理和相对真理视为同一真理的两个不同方面或两种基本属性，而不是两个不同的真理，而藏传佛教认识论恰恰是把真谛和俗谛看作是两个不同的真理。正由于此，在世俗领域或凡夫的见解中所谓的真理，是指对客观外境如实的认知。佛教承认世俗范围的对外境的如实反映为真理，是随顺世俗而言的。从佛法所揭示的真谛来看，"外境实为自心之迷谬显现"①。所以在世俗领域对外物的真实反映，在胜义领域就是谬误。俗谛仅仅限于世俗的范围有效，超出了此范围就是谬误。而真谛是超世俗的，具有绝对的真理特性，并且在胜义范围只有真谛才是真理。

确定胜义领域真理的根本依据是世界的本质实相——空性。藏传佛教各派几乎无不认为外界的客观事物是无自性而空，其空性的理论表达在于期望众生把握大千世界的性空之本质实相，不执着于虚幻无实的现象世界。但是，世俗众生总是为现象界所迷惑，他们只从世俗谛去理解我们所面临的对象世界。世俗谛是世俗的真理，捕捉的是事物之现象，且视此虚幻无实的现象为真实。因此，要把握事物的本质必须进入胜义谛，它是对世界本质实相的把握，这个本质实相就是空性。与此同时，藏传佛教把对众生本有的心性或佛性、如来藏的如实之体证，也纳入真谛的范畴。

尽管藏传佛教从胜义的角度，把对世界本质的空性和众生本有的心性或佛性的如实体证视为唯一的真理性的认识，但是藏传佛教并没有否认俗谛在世俗范围内的真实。这不仅是由于它随顺世俗，而且还由于整个世界是本质及其表现的现象的统一，所以就不唯许真谛的存在，而是也要给俗谛生存发展的空间。这实际上为科学技术的发展提供了地盘，这是藏民族古代科学技术产生和发展的一个不可忽视的认识论基础。

但是，从一方面看，颠倒的、虚妄的世俗认识是要把人们的生活引入混乱的状态，只有正确把握了具体的客观事物的真实状况和现实客观世界运行的真实秩序，人类才能够进行正常的生活。龙树大师在《中论观·四谛品》说："诸佛依二谛，为众生说法：一以世俗谛，二第一义谛。若人不能知，分别于二谛，则于

---

① 《解脱庄严大乘菩提道次第论》，《米拉日巴大师集》下册，第1052页。

深佛法，不知真实义。若不依俗谛，不得第一义；不得第一义，则不得涅槃。"①也就是说，世俗谛是胜义谛得以建立的前提，若无世俗谛，胜义体性将无着落。但是，佛教认为，世俗的生活或人们的生存状况是极差的，它用"苦"来概括。所以，要脱离生死轮回之苦，觉悟成佛，就必须把现实世界万事万物看成是无自性而空的，这就是要超拔向上，从俗谛升华为真谛的认识。

---

① 《龙树六论》，第35页。

结　语

历代各族巴山蜀水人民从覆盖了巴蜀人的物质生活、精神生活和制度文化等各个方面的巴蜀文化中凝练出代表巴蜀文化各个发展阶段的时代精神，产生出形而上的、日臻精密的巴蜀哲学来。经代代相传，与时俱进，传承光大，逐渐凝聚成为巴蜀人共同的文化心理和文化精神，体现了巴蜀人对自然知识、社会知识、思维知识概括和总结的世界观和方法论。

在巴蜀哲学史上，历代杰出人物辈出，以他们为代表形成了不同的学派，他们的哲学理论和思想观点体现了各个时代思潮的丰富内涵，各自为不同时期的中国哲学的发展做出了突出贡献，并以其自身的特点，深刻影响了其他地区的哲学思想，亦成为中国哲学的重要内涵之一，其理论思维的贡献，不仅在中国哲学史上占有重要地位，而且对于今天而言，亦有可资借鉴和发扬的现代价值。从地域性思想文化与中国哲学各时代思潮的互涵互动、相互交流、相互影响的角度来研究巴蜀哲学与中国哲学的相互关系及对中国哲学发展的贡献，对于深入发掘中国哲学之内涵和时代思潮之特色具有重要意义和价值。

一、巴蜀哲学思想对中国哲学发展的贡献

自汉代以来，儒、道、佛三教对立与交融成为中国哲学发展的主要趋向；而自近代以来，中西哲学交汇与冲突融合贯穿于中国哲学发展的始终。在这个历史过程中，巴蜀哲学以其独到的视野和内涵为中国哲学的持续发展做出了突

出贡献。

（一）道教开源，独树一帜

汉代巴蜀哲学的形成发展是整个巴蜀哲学发展的高潮，其重要表现是影响中国哲学甚大的道教在东汉末产生于巴蜀鹤鸣山，道教滥觞于蜀地。先秦时期，巴蜀出现了王乔、彭祖等神仙方术。汉兴以来，神仙方术持续发展。此外，汉代的巴、蜀、汉中承先秦遗风，普遍信奉巫鬼。东汉末年，张陵等人便因巴蜀阴阳五行、灾异图谶传统，以民间巫术结合黄老崇拜，创建了五斗米道①，使得道教得以产生。并在汉末出现了《老子想尔注》这部道教早期教派五斗米道的经典，是我国哲学思想史上第一次站在宗教立场，以宗教神学诠释《老子》的著名作品，成为早期道教哲学的重要代表作之一。如此道教开源，独树一帜，其中蕴涵的双重性的道本论、以道为治的政治和伦理观、遵行道诫的修养论等等思想，促进了中国哲学的发展。

（二）佛教哲学，影响甚大

巴蜀佛教在晋以后逐渐兴盛起来，至隋末唐初，中原动乱，大批僧人入蜀，佛法兴盛，以至玄奘也入蜀问疑求学。唐朝安史之乱，玄宗、僖宗入蜀，进一步促进了巴蜀佛教的兴盛。随着巴蜀与中原、江南的联系和交流进一步加强，巴蜀佛学在此时期取得了长足的发展，南北交融、综合三教的色彩日益明显，佛学典籍激增，大德高僧辈出。唐朝时期，巴蜀地区禅教尤盛，据宗密《禅源诸诠集都序》，当时国内有十大禅修派别，而巴蜀就有马祖道一开创，其后成为禅宗主流的洪州；禅宗五祖圭峰宗密所传荷泽；五祖弘忍十大弟子之一，与六祖慧能齐名的资州德纯寺智诜的南诜；成都保唐寺无住所传的保唐；以及在果州、阆州传布，也是五祖弘忍下的宣什等五派。除去宗密所说的天台、稠那并非禅宗，巴蜀在当时禅宗八家中独占五家，只有北秀、牛头、石头三派于蜀中无传，显见在全国禅宗力量中，巴蜀最为雄厚。

隋唐时期，巴蜀佛学中思想深邃，影响后世极大的要数马祖道一、圭峰宗

---

① 蒙文通称："五斗米道，又称天师道"，"盖原为西南少数民族之宗教"，"原行于西南少数民族"（《蒙文通文集》第一卷，巴蜀书社1987年版，第315～316页）。又：江玉祥对五斗米道发生于蜀的背景有具体论述，见《试论早期道教在巴蜀发生的文化背景》（陈鼓应主编：《道家研究》第七辑，上海古籍出版社1995年版，第323～336页）。

密二禅师。此二人的佛学理论与佛教哲学集中体现了巴蜀哲学在唐代的崛起，不仅在蜀地，而且在全国都产生了重要影响。唐代汉州什邡县著名佛学大师马祖道一深入阐释自心是佛，独创四层次接引法，提出任心为修法等。马祖道一在佛教理论、教育方法、典籍文献、寺院寺规等方面均作了革新，全面确立禅宗"不立文字，教外别传，直指人心，见性成佛"的风格，从而真正地实现了佛教中国化。其中，他在哲学本体论、修养论上提出的自心是佛、心外无别佛、四层次接引之法、任心为修等佛学理论产生了重要影响。

唐代果州西充宗密提出教禅与三教"和会"之论，多角度阐释真心本体等。宗密被尊为荷泽五祖，同时他又是华严四祖澄观的弟子，是华严宗内杰出的人物，被尊为华严五祖。他以华严教、荷泽禅为主，"和会"三教、教禅、禅之顿渐。宗密以此闻名于世。他总结、综汇了各宗思想，所以宗密的佛教哲学以融会为突出特色。作为"唐代中后期最大的禅宗学者"[1]，"唐代最后一位理论大师"[2]，宗密集隋唐佛学理论之大成，其思想"代表了中国佛家最高峰的思想"[3]。宗密"显已有自宗教折入于哲学之倾向"，"在哲学思维上，则实能有所组织，自寻一系统"[4]。其宗教哲学思想承前启后，在本体论、心性论、修养论等方面对宋明理学也产生了深刻影响。

（三）三教交融，互涵互补促进了中国哲学的持续发展

巴蜀哲学所具有的包容性、会通性特征表现在儒佛道三教交融、互涵互补上，这在宗密、杜光庭、三苏、张商英、虞集、刘沅、蒙文通等人的思想里得到体现，为促进中国哲学的持续发展做出了贡献。

唐代宗密的和会说从哲学的高度，以一心开二门的方法，建立起了一个包括佛儒道三教思想在内的新的哲学系统，将当时的中国哲学思想系统化，从而打破了三教尤其是教禅各宗派各立门户、各自为政、互相非难的纷繁复杂的思想局面。宗密在主张佛教优越性的同时，又对儒、道二教保留一席之地，开拓了后来三教融合说的基础，对融合三教的宋明理学亦产生了较大影响。

---

[1] 任继愈总主编：《佛教史》，中国社会科学出版社1991年版，第302页。
[2] 冯学成：《四川禅宗史概述》，《巴蜀禅灯录》，成都出版社1992年版，第10页。
[3] 吕澄：《华严原人论通讲》，《社会科学战线》1990年第3期。
[4] 钱穆：《读宗密〈原人论〉》，《中国学术思想史论丛》卷四，安徽教育出版社2004年版，第179、189页。

唐末五代著名道士杜光庭作为"道门领袖",以道为高,融会三教,认为三教并无二致,"三教圣人,所说各异,其理一也"①,最佳境界是冥合三教,悟解道化。

北宋三苏在构筑其思想理论体系时,对儒佛道三教的学说都有所吸取和借用,但并不是把相互矛盾的三家思想简单地糅合、混杂在一起,而是有所选择,有所取舍。主张以儒家的礼乐政刑为本位,而吸取佛老的有关思想,将儒家的伦理学与佛老的本体论、有无说结合起来,以建立自己的思想理论体系。这体现了三教合一的蜀学学风。三苏不仅在思想理论上对儒释道都有所取舍,主张三教合一,而且他们还直言不讳地宣称这一点。指出佛教之道、老子之道与儒家经典《周易》所谓形而上之道是一回事。对于佛老思想的全盘肯定或全盘否定都是不对的,因为佛老之道非一人之私说,它与天地共始终,佛老之道无所不在,因而不可去掉。

北宋张商英强调,尽管儒道佛三教各有不同的学术旨趣和教旨教义,但三教又都各自以其道来"善世砺俗",促进美风良俗的形成,其三教融合,有如鼎足而不可缺一。就儒家而言,可使人成为名教君子;就道家而言,可使人成为清虚善人;佛教则可使人成为神仙,体现了张商英融合三教而反对排佛的思想。

元代虞集融通三教,"博涉于百氏",集中体现了元代学术的特色。他融通三教,涉猎于百家,是他融贯博通,不重区别对待的思想特点的表现。这也是在理学思潮流传演变的过程中,中国哲学儒、释、道三教融合的反映;亦是虞集对宋元以来各家各派学说的综合和总结,体现了元代学术所具有的融通、包容之特色。

清代刘沅除潜心研究儒家经典外,也通过接触探讨道、佛,受到二氏的影响。刘沅在不以佛老为异端的前提下,提出三教融合的思想。主张三教融合,内外兼修,虚中求实,不废人伦物理。将儒释道、形上与形下、未发之中与已发之事物及其物理、静修存养与人伦之实结合起来,而不可偏废。在求人伦问题上,把三教统一起来。指出:"世儒执废人伦之说诋斥佛老,不知佛老并不废人伦。"②不仅世儒重人伦,而且佛老亦不废人伦,故不得把三教割裂开来。

国学大师蒙文通亦主张三教融合,他早年在支那内学院从近代佛学大师欧

---

① (五代)杜光庭:《太上老君说常清静经注》,《道藏》第17册,第187页。
② (清)刘沅:《四书恒解》,《槐轩全书》一,巴蜀书社2006年版,第258页。

阳竟无学佛，后研读《道藏》，并同现代著名道教学者易心莹等互相讲论，在道学领域也颇有造诣。其学术思想在整体上具有三教"融通"特征。

以上巴蜀学人的三教融合思想在历史上产生了重要影响，促进了中国哲学的持续发展。

（四）中西会通，促进了现代新儒家哲学的发展兴盛

巴蜀现代新儒学大师贺麟和唐君毅是我国学贯中西的著名哲学家。贺麟在本体论上，构建了一个新心论体系。他在文化哲学观上，提出了具有等级式结构的文化体用观；指出要对西学进行华化、儒化，尤其是提出了中国的复兴实质上就是文化的复兴，而文化的复兴主要就是儒家文化的复兴；主张中国文化与西方文化融通，其根本途径就是大规模地、无选择地输入西洋文化学术，以西方的哲学发挥儒家的理学，以基督教的精华充实儒家的礼教，以西洋的艺术发扬儒家的诗教。

唐君毅主张全面回应西方文化的挑战，其基本精神是吸取西方文化中有价值的成分，并与中国传统文化的相应部分融合，还通过创造性的转化而超越之。他提出中西文化融通论，主张先要自立，必须对中国历史文化充满着信心。同时须有"平视的眼光"，使中西方相互了解，相互为助，共谋发展。强调一方面继续充分发挥内在超越的主观路径，另一方面又吸纳西方文化的长处和精华，充实科学、民主、个体自由等精神，使超越的客观路径得到充分展开。主张吾人接受西方文化不仅仅是科学民主和个体自由，而且还包括其他所长，如西方的哲学精神、宗教精神、审美精神等，即从广度上去接受西方文化，以为综摄的创造。吸取西方文化不只是"左右采获，截长补短，以为综合"，而且是为了把中国文化的发展推向一个新的阶段。

贺麟、唐君毅主张中西哲学与文化会通，促进了现代巴蜀哲学的发展兴盛，他们联系社会发展实际所做出的理论创造，体现了巴蜀哲学的独特魅力，为促进中国哲学及其现代新儒家哲学的发展兴盛，做出了积极的贡献，对今天中国哲学的创新发展，也具有重要的意义和价值。

二、从巴蜀哲学思想史领略巴蜀文化的魅力

在巴蜀哲学史上，历代杰出人物辈出，他们的哲学理论和思想观点体现了

各个时代思潮的丰富内涵，各自为不同时期巴蜀文化的发展，亦为不同时期的中国哲学的发展做出了突出贡献。社会存在决定社会意识，时代思潮是对社会历史发展现状和未来发展方向的客观反映。

思潮造就了一批思想家，推动了哲学和思想的发展。时代思潮中涌现出追求基本价值取向相同，而在其他一些方面见解不完全相同的各个流派，它们在相互论争中相互影响，由此促进了学术的繁荣和思想的发展。各个哲学流派中又有一两个杰出的思想家为其代表。思潮造就了哲学家，孕育了哲学流派，而流派和哲学家、思想家反过来又影响了思潮，体现为思潮。思想家及其学派就是时代思潮中的代表人物及其可代表的重要流派之一。

我们应以联系而不是孤立的观点去研究巴蜀哲学史上一个个具体的哲学家，把具体的、具有鲜明特色的每一位哲学家、思想家置于中国哲学及巴蜀哲学发展的大背景下，以哲学家为点，以时代思潮为面，以整个中国哲学思想及巴蜀哲学的发展为线，通过点、面、线三者的结合，多层次、多角度、全方位地审视巴蜀哲学史上的每一位哲学家、思想家，从各个方面来展开研究，探讨具有地域特色的巴蜀哲学在全国的影响以及在巴蜀文化中的地位。

巴蜀哲学思想作为巴蜀文化的精髓，是巴蜀文化精神的集中体现。认真分析在巴蜀哲学思想发展历程中，杰出人物、思想家及所代表的学术流派、学术思潮的表现和在思想史上的作为，便可领略巴蜀文化的魅力，以及巴蜀哲学对巴蜀文化、中国哲学发展的贡献。可以说，通过对巴蜀哲学及其特色作深入系统的研究，就是为巴蜀文化及中国哲学史的研究做出应有的贡献。

研究巴蜀哲学思想应体现"三通"的原则，即"纵通""横通"和"会通"。"纵通"指历时性，从古到今贯通；"横通"指共时性，地域文化各领域、各大门类之间通贯照应；"会通"指理论思维的高度凝练与融会，打通各个学科，会通多元文化，实现大视野、广角度、高起点的宏观把握，善于整合零碎、分散的文化门类和文化现象。

一般来讲，历史人物、思想家和学术流派更多地体现了从古到今的"纵通"；而时代思潮则更多体现了地域文化各领域、各大门类之间通贯照应的"横通"；理论思维的贡献，对今天的价值则主要体现了理论思维的高度凝练与融会的"会通"。通过对巴蜀哲学史上出现的人物、思想家、学派、思潮相互之间"纵通""横通"和"会通"之融会贯通的探讨，及总结巴蜀哲学精神对今天的价值，便可领略巴蜀文化的独特魅力。

(一）人物、思想家的贡献

巴蜀哲学史上历代杰出人物、思想家的创造性学术文化活动，为各个时期巴蜀文化和中国哲学的发展做出了重要贡献。

文翁任蜀郡守，以儒学教导蜀民，在成都立文学精舍、讲堂，作石室，招收蜀郡所属各县子弟以为学官学生，创办起中国历史上第一所地方官办学校。同时，文翁又筑造周公礼殿，教授儒家礼仪。选派张宽等"诣博士东受七经，还以教授，于是蜀学比于齐鲁"[①]。这对巴蜀文化乃至对全国学术也产生了深远影响。不仅使得蜀学在文化上特异挺立，与齐鲁媲美，而且使儒家经学传入巴蜀，进一步沟通了中原文化与巴蜀文化的联系。

严遵是汉代融会《易》老的重要代表人物，无论对老庄道家思想的发展，还是对易学的发展，都做出了重要贡献，也体现了汉代巴蜀哲学的发展。

扬雄仿《周易》而作《太玄》，仿《论语》而作《法言》，在历史上留下了深远的影响。扬雄拟经，不以圣人自限，成为后世拟经的典范。在经历黄老和法家对儒家思想的渗透之后，扬雄以孟子自况，站在儒学的立场上，在借鉴吸收以黄老思想为主的诸子百家思想基础上，致力于恢复孔、孟之道，成为宋明理学扬孟抑荀，复兴儒学的前驱。

唐中后期资州著名易学家李鼎祚对巴蜀哲学的发展做出贡献。他兼重象数、义理易学，撰《周易集解》一书，"刊辅嗣之野文，补康成之逸象"[②]，以象数为主，适当采集义理易学，体现了其象数、义理兼重的本意。其易学哲学兼重天道、人事，而尤契于玄学，比较尊重易学旧传统，对王弼、崔憬等学者改作新说则予以批评。对于《周易》经典的解释，李鼎祚关注其玄理，而尤重其指归，赞同道家无为而治的思想。这也是对易学哲学发展的贡献。

宋初陈抟在四川游访，他继承象数学之传统，且把黄老清静无为思想、儒家修养、道教修炼方术及佛教禅观熔为一炉，其易学思想不仅对整个理学，而且对巴蜀理学的兴起和发展都产生了重要影响。其后，著名理学家周敦颐（1017~1073）入蜀活动，教授学者，促进了宋代巴蜀理学的兴起。此外，程氏父子入蜀活动，尤其是北宋理学的代表人物程颐（1033~1107）两度入蜀，

---

① 《华阳国志校补图注》卷十上，《先贤士女总赞》，上海古籍出版社1987年版，第534页。
② （唐）李鼎祚：《周易集解》卷首《原序》，文渊阁四库全书本。

在蜀著书立说，撰理学及义理易学的代表著作《伊川易传》于蜀地涪州，传道授业，产生了重要影响，直接促进和推动了宋代理学的兴起与发展。

明代巴蜀著名学者杨慎和巴蜀著名隐士学者来知德均对理学提出了批评和疑辨，并重视和提倡实学，体现了当时哲学的发展趋向。状元杨慎是明中叶独具新风的思想家，他站在实学的立场，在当时宋明理学居统治地位的时代，对正宗的程朱理学和后起的王阳明心学展开了尖锐的批判。并在批判中，大力主张恢复两汉经学的考证方法，提倡一种多闻、多见、尚博、尚实、重传注疏释的学风和治学方法。为纠正理学流弊，促进学风的转向做出了贡献，在巴蜀哲学史和明代学术史上占有重要地位。这对于打破当时学术界的旧传统、旧思想，对于以后整个中国的"经世致用"之学和考据学的兴起和发展，都产生了重要影响，体现了杨慎是一位开一代学术新风的思想家，其在中国学术思想史上的地位不可低估。

明末来知德对宋明理学既有批评和疑辨，亦有所肯定，总的来讲是以孔子为源头，而对理学的超越。他强调继承发扬孔子思想，并贯彻到躬行实践中，认为言行一致，躬行践履就是"实学"。并以气本论批评了朱熹的理本论和太极论。来知德并提出了自己独特的"舍象不可以言易"，假象以寓理，"理寓于象数之中"①的易学思想和"太极不过阴阳之浑沦"②的观点，认为太极之理以气的聚散、流行为其存在的根据；并错综取象以注《易》，对象、错、综、变、中爻等加以说明，把错综中爻的理论与卦爻辞紧密结合，用象数释义理，对《周易》予以新解，发展了传统易学，而在易学史上占有重要地位。

著名今文学家廖平在经学二变中提出"尊今抑古"的思想，认为古文经学乃刘歆等所伪造，并认为孔子"微言大义"的真谛是托古改制。作为清王朝专制统治重要理论基础的古文经学在历史上长期占统治地位，一旦被廖平宣布为伪造，这对于打破两千年来的旧传统，解放人们的思想，具有思想启蒙的积极意义。廖平根据时代的要求，强调托古改制，因时救弊，这具有重要政治意义。他说："《周礼》到晚末，积弊最多。孔子以继周当改，故寓其事于《王制》……凡其所改，专为救弊。此今学所以异古之由。"③并指出，孔子面对

---

① 《周易集注》卷一三，《系辞上传》，第645页。
② 《周易集注》末卷，《古太极图说》，第843页。
③ 《廖平学术论著选集》（一），《今古学考》卷下，巴蜀书社1989年版，第78页。

"春秋时礼坏乐崩"的局面,深感不安,"乃思垂教","笔削《春秋》",对《周礼》进行因革损益,以成《王制》,"孔子意在改制救弊"①。既然历史上的圣人孔子都可以对传统的礼制进行改革,加以"增减",那么后世的人们为什么不可以这样做呢?于是廖平把春秋时改周礼之弊与现实的政治改革联系起来,甚至相提并论。他说:"春秋时,有志之士皆欲改周文,正如今之言治,莫不欲改弦更张也。"②这样,现实社会改革弊政、"改弦更张"的政治要求就与孔子"改制救弊"的主张相符合。今文经学经过廖平的这样一改造,孔子就不仅是两千多年前的孔子,而且是近代的孔子了。廖平所提出来的孔子"托古改制"以及"改制救弊"的观点,主要是借孔子这个历史权威来表达现实社会政治改革的主张罢了。这对康有为以《新学伪经考》《孔子改制考》为代表的、具有全国性意义的维新变法哲学产生了重要影响。

唐君毅以中国传统的人文精神,包括以儒家的心性哲学、伦理道德等为根基,融合中西印文化而构建起一个关于哲学、道德、文化思想的理论体系。唐君毅在运用辩证思维方法充分认识中西文化之特征、优势及弊端的基础上提出中西文化融通论。针对以往过分尊崇西方文化,而丧失民族文化自信心的情况,唐君毅指出:"唯中国近百年以来,人接受西方文化之意识态度,恒出于一欲望之动机,而显一卑屈羡慕之态度……故中国以后之接受西方文化,必须彻底改变以往之卑屈羡慕态度。"③中国人必须有一种顶天立地的气概,先要自立,真正自觉其是人,是中国人。必须对中国历史文化充满着信心。但是此气概又不是对他人有着凌驾与骄傲,必须有"平视的眼光",只有这样,才能使中西方相互了解,相互为助,共谋发展。在文化意识方面,唐君毅不仅进行了深入研究和系统阐发,而且有着他自己的生命体验和开拓性的创新,他还有意识地把人们引向那生命存在和心灵境界的胜处,使其有一个安身立命之所。所以,他被牟宗三赞誉为"文化意识宇宙中之巨人"。在当今全球化的历史境遇中,世界各国文化正面临着共生并存的多元和谐发展的趋势,同时也存在着一些西方国家搞文化霸权等非和谐的现象。唐君毅所提倡的中西文化融通平等,主张增强发展本民族文化的自信心,坚决反对文化霸权主义的文化观,这

---

① 《廖平学术论著选集》(一),《今古学考》卷下,巴蜀书社1989年版,第75页。
② 《廖平学术论著选集》(一),《今古学考》卷下,巴蜀书社1989年版,第85页。
③ 《中国文化之精神价值》,第316~317页。

对于我们今天的社会主义新文化建设有着积极的借鉴价值和重要的现实意义。

(二) 学派、思潮的贡献

在巴蜀思想史上，涌现出诸多学术流派，促进并带动了巴蜀文化和中国哲学的持续发展，体现出巴蜀文化的独特魅力。

作为中国哲学重要组成部分的巴蜀哲学，与整个中国哲学发展历史和发展趋势相关，在其演变发展的历史长河中，也大致经历了先秦子学、两汉经学、魏晋玄学、隋唐佛学、宋明理学、明清实学、清代朴学（汉学）和现代新儒学等几个发展演变的阶段。而由于巴蜀地域文化的特色，以上几个发展阶段的学术思潮有的表现得比较充分，有的则不太突出，尚待于继续发掘。除先秦子学、魏晋玄学、清代朴学还须进一步深入研究外，其余两汉经学、隋唐佛学、宋明理学、明清实学和现代新儒学等学术思潮在巴蜀思想史上均有较突出的表现和成就，它们为中国哲学和思想文化的发展做出了重要贡献。并通过时代思潮、学派与地域文化的互动，也促进和带动了巴蜀哲学与文化的持续发展，表现出巴蜀文化的独特魅力。

两汉时期，巴蜀文风大盛，在汉武帝独尊儒术的进一步推动下，巴蜀地区出现了众多的经学家，巴蜀经学甚盛，主要是今文经学盛行，图谶、术数学依附而行，也十分显著，古文经学则较为冷落。当时出现了如杨终等一批全国一流的经学大师。汉代巴蜀今文经学的繁荣主要表现在，其所涉及内容遍及群经，以独研一经居多，而兼习众经的情况也并不少见。两汉时期的巴蜀，不仅经学兴盛，还往往子承父业，世代相传，形成了各经学派别。两汉巴蜀经学中蕴涵着丰富的哲学思想，从而促进了巴蜀哲学的发展，同时也丰富了中国哲学的内涵。

蜀汉时期，虽今文经学渐次让位于古文经学，但巴蜀今文经学仍然兴盛，尤以图谶、灾异名，对当时的学术政治产生了重要影响。其中最重要的一支是杨厚、任安学派，加之与秦宓学术的融会，更是声势浩大，深深地影响了蜀汉三国、晋代的巴蜀经学，以及谶纬、术数、史学等其他学术。三国之际，随着刘备军事集团入蜀，迁入大批以荆州之士为主的外地儒士，他们弘扬古文经学，形成与今文经学抗衡之势。蜀汉经学呈现出土著儒家今文经学与迁蜀儒家古文经学并兴的局面。"豫州入蜀,荆楚人贵"[①]。古文经学明显占据着官学优势。不过,"蜀、吴地僻,今学尚未尽漓"[②],今文经学仍有较大的势力。迁蜀儒士弘扬古文经学,又将儒家与兵家相结合,后者具有很强的经世致用的特色。两晋南北朝时期,巴蜀经学向多元化方向演进。

隋唐时期,巴蜀哲学产生了以蜀人李荣、王玄览为代表的道教"重玄"学派,对道教义理化做出了重要贡献,使道教哲学日趋精微。李荣与成玄英齐名,他与佛教徒有过激烈的论辩,却又主张佛道会通,借鉴吸收佛学思想,著《道德真经注》,阐发重玄思想,与成玄英共同推进了道教思想的重玄学化。王玄览撰《老经口诀》《老子注》,门人纂集《玄珠录》,更为深入地融会佛道二教思想,大量使用佛学思想语言,使其重玄思想充满了佛学的意味。李荣在本体论上的"道本虚玄"论、修道方法上的"玄之又玄"论;王玄览对道进行多角度阐发的"可道"与"常道","道体虚寂"与"体用不相是",以及"道在智境中间"与"知见灭尽即得道"、空有和有无相因相违、双遣空有与有无、修道正心等思想,既是对佛教性空和中道观的吸取,更是对道家思想的丰富发展。

巴蜀佛教在唐代盛行,南北交融、综合三教,佛学典籍激增,大德高僧辈出,以马祖道一、宗密为代表,体现了巴蜀佛教的兴盛。加上南侁、保唐、宣什等著名蜀地禅学大师,在全国禅宗力量中,巴蜀最为雄厚。巴蜀佛教成为中国隋唐佛学思潮的重要组成部分,推动并直接体现了中国佛学的发展。并对后世佛教以及宋明理学的发展产生了深远影响。

北宋三苏蜀学是巴蜀哲学史上出现的具有全国性重要影响的学派。三苏蜀学不仅在哲学上有较高造诣,提出道本论宇宙观、善恶非性的人性论和阴阳相资的辩证法思想,而且在与二程洛学相互交往中,推动了北宋以来巴蜀哲学的演变和发展。三苏蜀学三教融通合一的学风和重人情的学派特点,不仅对宋代巴蜀哲学产生了重要影响,而且影响了整个巴蜀哲学的发展,成为北宋时期巴蜀哲学的一大亮点,并在一定程度上反映了整个中国哲学在当时的一个走向,促进并带动了巴蜀文化和中国哲学的持续发展。

---

① 《华阳国志》卷九,《李特雄期寿势志》,转引自任乃强:《华阳国志校补图注》,上海古籍出版社1987年版,第501页。
② 《两汉三国学案》卷首,《凡例》,第5页。

以南宋魏了翁为代表的鹤山学派在巴蜀哲学和中国哲学史上产生了重要影响。魏了翁继承并发展了张栻、朱熹的思想，在四川创办著名的鹤山书院。他以书院为基地，确立了具有巴蜀地域文化特色的理学之鹤山学派，而成为该学派的理论代表。魏了翁一再上疏，为周敦颐、程颢、程颐三人请谥，强调应以周程的思想来"风厉四方，示学士大夫趋向之的，则其于崇化善俗之道，无以急于此者"①，为确立理学正统地位发挥了重要作用。以魏了翁为代表的鹤山学派的理论特色是：不停留于朱学，折中朱陆，而又倾向于心学，预示着理学及整个学术发展的趋向；超越朱学，通过原典来求得活精神；重视事功，"欲以振天下趋事赴功之心"②；肯定人欲有善的一面，提出"欲虽人之所有，然欲有善、不善存焉"③等重视人情之欲望的思想，这与三苏蜀学有相似之处，体现了蜀学与洛学的融合，促进了巴蜀文化和宋代学术的发展与创新，对整个理学的发展做出了突出贡献，由此在当时中国政治和哲学发展史上产生了不可忽视的影响。

宋代以张栻、度正、魏了翁等为代表的巴蜀著名理学家及其理学流派的学术活动和理论创造，在巴蜀形成了日益高涨的理学思潮。巴蜀理学在与湖湘学、闽学、浙学、江西学等理学流派的相互交往和"横通"中，相互辩难、相互影响、相激相荡，共同促进了全国理学思潮的大发展，在这个过程中，巴蜀理学的作用功不可没。

明代至清初巴蜀著名学者杨慎、来知德、费密和唐甄在对理学提出批评、质疑中，重视和提倡实学，体现了巴蜀哲学的发展趋向，与全国以崇实黜虚、经世致用、重考据、思想启蒙和社会批判为主要内涵的实学思潮的兴起相一致。

杨慎通过对正宗的程朱理学和后起的王阳明心学展开批判，大力主张对古文的考证与研究，恢复两汉经学的考证方法，提倡尚博、尚实、重传注疏释的学风。来知德主张超越理学，继承发扬孔子思想，并贯彻到躬行实践中，强调言行一致，躬行践履就是"实学"。费密提出的"中实之道"，成为当时实学思潮的重要组成部分，体现了明清之际的时代精神。主张不受宋儒说经的束缚，尊崇汉儒，重视训诂注疏，开清朝汉学之风气，给后来的汉学复兴以重要

---

① 《鹤山集》卷一五，《奏乞早定程周三先生谥议》。
② 《鹤山集》卷二一，《答馆职策一道》。
③ 《鹤山集》卷三二，《又答虞永康》。

影响。唐甄重视事功，批评程朱理学，主张道不离欲，把道德原则建立在实事实功和客观物质欲望的基础上，反映了由重道德自律向事功之学和关注人生日用的时代社会风尚的转移。

这一时期巴蜀思想家杨慎、来知德、费密、唐甄等大力提倡实学，强调实事实功，为中国哲学在批评理学流弊的基础上，向肯定情欲、重视事功和经世致用方向转型做出了重要贡献，这对于打破当时学术界的旧传统、旧思想，对于以后的"经世致用"之学和考据学的兴起和发展，都产生了重要影响。

清中叶著名思想家刘沅在长期的教育和学术活动中创立了颇具巴蜀文化特色的槐轩学派，从学者甚众。该学派的学术思想集中反映了那个时代蜀学的面貌。槐轩学扬弃理学，融合三教，认为佛老不为异端，解经释经，既具时代精神，又呈现该学派的特色。由此既与理学、清代汉学不同，并对二者加以批评，又不完全舍弃理学和清学，确有己派独到的见解和深厚的理论积淀。刘沅提出先天、后天说，这是槐轩学对理学的扬弃和发展。他不仅批评理学流弊，而且也对理学有所继承发展，并非一味反对。刘沅重视人情，认为"六经"本于人情而为教；又以天理为指导，在价值观上一定程度认同于理学；刘沅对理学的经学观也基本认同和肯定，在这个过程中阐发自己的新思想，使之具有了新的时代特色。刘沅的思想为刘咸炘等所继承和发展，体现了槐轩之学的"纵通"。

巴蜀著名哲学家贺麟和唐君毅作为现代新儒学思潮的代表人物，怀着强烈的复兴儒家文化的担当意识，在其复兴、重建新儒学的思想涌动之下，通过艰辛的理论探讨，取得了诸多开拓性的思想成果，特别是在哲学思想上做出了一些综合创新性的成就，从而使他们成为著名的中国当代新儒家代表人物。他们注重从现代性的视角解答儒家思想的新开展，包括对现代民主、法治等儒家思想的新解答，表现出对现代民主和法治有着强烈的期求，希望中国能够走上新民主新法治的国家的大道。他们把儒家思想文化提升到至上的、主流的地位。主张返本开新，复兴和救治中国文化之道，回应西方文化的挑战。主张融贯中西，洞见西洋文化的体用之全，以广阔的视野、开放的心态来审视对待文化，其中包含着一种全方位的文化价值观和较高的文化境界，而与中国文化"独尊"的观念和中国文化样样不如西化的自卑心理，以及中国传统文化全是"垃圾"的虚无主义区别开来。

贺、唐二人所构建的理论体系是现代新儒学思潮的重要内涵，同时也体现了巴蜀地域思想文化的特色。正是这种时代思潮、学派与地域文化的互动，促进和推动了巴蜀文化的持续发展，表现出巴蜀文化的独特魅力。

三、理论思维的贡献及巴蜀哲学精神的当代价值

通过对以上历代巴蜀哲学杰出人物、思想家及他们所代表的学派、思潮作点、面、线，"纵通""横通"和"会通"的研究探讨，可进一步分析提炼其理论思维的贡献，及所体现的巴蜀哲学精神对今天的价值。

（一）巴蜀哲学理论思维的贡献

所谓巴蜀哲学理论思维的贡献，主要是指在巴蜀哲学思想发展演变的历史上，其代表人物、学术流派和时代思潮相对于前人而言，提供了哪些未曾有的创新思想和理论，由此促进了巴蜀思想文化乃至整个中国哲学的发展。这种巴蜀哲学理论思维的贡献在当时并对后世的巴蜀以至中国哲学的发展产生了重要影响，而值得认真总结。

汉代严遵作《道德指归》（亦称《老子指归》），在继承先秦老庄思想、稷下学术、汉初黄老之学的基础上，对道家思想作了进一步阐发。严遵在理论思维上提出虚玄为宗，由无入有的宇宙演化论和无为而成的生成论，认为宇宙由道—德—神明—太和—万物而层层演化发展，从而实现宇宙到万物的演化。他发挥老子"天地不仁"、道常自然的思想，主张天道无为，认为万物的产生是一种自然的演化，没有特殊的背后推动与支配的力量。严遵还提出无为而治、君民一体的政治哲学；主张性命自然论；并提出反初归始的认识论，认为道是可知的，而人也有能力认识道。他甚至提出"以有知无，由人识物"，由形象到抽象，"见微知著，观始睹卒"①，推类而及的认识方法。严遵继承前代道家学说，并赋予新意，从而开启了魏晋玄学之先河，在中国哲学发展史上具有承前启后，继往开来的重要作用。

严遵弟子扬雄拟《易》而作《太玄》，在融会《易》老方面更向前迈进了一步。扬雄的哲学思想亦是巴蜀哲学在汉代发展形成高潮的重要表现。扬雄作为汉代不囿于今古文经学、谶纬神学而具独立思想的哲学家，在哲学领域建构起了以"玄"为本的哲学体系。他继承其师严遵，借鉴吸收了老庄之学，又

---

① 《老子指归》卷三，《道生篇》，《道藏》第12册，第45页。

仿《论语》作《法言》，而不失儒家立场，以孔孟后继者自居。他既坚持儒家的伦理思想，又采用了道家的处世哲学，在人性论上又自出新意，提出"善恶混"的人性学说，融会儒道，自立新说。扬雄倡导三分法，分天地人三玄。其哲学具有重要的历史地位，产生了深远的影响。严遵、扬雄二人在哲学理论思维上具有较高造诣，为汉代巴蜀哲学思想的发展做出了贡献。

唐代佛学大师宗密在理论思维上，为唐代巴蜀哲学及整个中国哲学的发展做出了突出贡献。他以华严教、荷泽禅为主，提出教禅与三教、禅之顿渐"和会"之论，多角度阐释真心本体等，以此闻名于世。作为唐代中后期著名禅宗学者、佛学理论大师，宗密集隋唐佛学理论之大成，其思想代表了中国佛家理论的高峰。在宗密的宗教思想里，蕴含哲学之倾向；在哲学思维上，乃自建一系统。其宗教哲学思想承前启后，在本体论、心性论、修养论等方面所具有的思辨性哲理对宋明理学产生了深刻影响，为中国哲学的发展做出了贡献。

与北宋时理学在巴蜀悄然兴起相联系，宋代蜀学在理论思维上出现了三教融合的思想倾向。从地域性文化与时代思潮的互涵互动关系看，蜀学与儒释道三教联系紧密。以蜀学会通三教、融贯博通等鲜明特色而与其他地域性学术文化存在着相同相异之处，中华学术思想正好体现了这种融合差异的包容性。同时，三苏蜀学儒佛道三教融通合一的学风与北宋宰相张商英三教"鼎足之不可缺一"①的思想相互映衬，体现了北宋时期巴蜀哲学的一个特点，并在一定程度上反映了整个中国哲学在当时的一个走向，在理论思维上对中国哲学的发展做出贡献。

南宋时与朱熹齐名的著名蜀籍理学家张栻通过与朱熹等的交往和辩难，在中国哲学史上首次提出"心主性情"②的命题及其思想，在理论思维上强调人的理智之心对人的本性和人的情感的把握与控制，提倡理性主义，肯定主体思维，这对理学的理论建构及促进宋代理学之集大成者朱熹思想的确立与成熟，产生了重要影响，直接为宋代理学的发展做出了突出贡献。

南宋度正发挥并改造朱熹的思想，提出更具包容性的道统论，充分肯定汉唐诸儒费直、伏生、申公、戴德、董仲舒、韩愈、柳宗元等在传儒家圣人之道及经典传授过程中的作用，指出汉儒所传经典，皆出自孔子，由于他们的传授，使得

---

① 《护法论》，《大藏经》第52册，第643页。
② 《朱熹集》卷七三，《胡子知言疑义》引，第3858页。

"孔子之书赖之以存",而韩愈、柳宗元则"驾两汉而追三代者"①,使圣人之道得以流传。度正这种对汉唐儒者的肯定与正统理学家所宣扬的汉唐诸儒未能接续儒家圣人之道,致使圣人之道失传、道晦而不明的观点形成鲜明的对比,在理论思维上具有兼采汉宋的特色,亦是对理学的改造和创新发展。

著名理学家魏了翁在理论思维上提出超越朱学,通过原典求得活精神的思想。强调"不欲于卖花担上看桃李,须树头枝底方见活精神"②。认为与其看朱熹对经典的解释,不如超越朱熹,直接从儒家原典中求得与治国理政相适应的活精神,对理学的发展做出了贡献,由此对当时中国政治和哲学的发展产生了不可忽视的影响。

元代蜀籍思想家虞集不囿于朱陆之争,而重视心学,预示着学术发展的趋向。肯定王安石是"千百人中之一人,千百世而一见者也。文公高峻明洁,前无古人"③。其对王安石的称赞和评价,不囿于理学家的立场。虞集还融通三教,"博涉于百氏"④,在理论思维上体现了其学术思想融贯博通的特色,对诸家之说都能够做到释然自得,各尽其蕴,而不偏滞于一方。为学风之转向和学术的发展,产生了重要影响。

明清之际思想家费密、唐甄在理论思维上"崇实黜虚",提出"中实之道",强调实事实功,批评空虚无实之弊,其思想成为当时实学思潮的重要组成部分,体现了明清之际的时代精神。费、唐二人在批评理学空疏流弊的基础上,重视事功和经世致用,把道德原则建立在事功和客观物质欲望的基础上,反映了由虚入实,由重道德自律向事功之学和关注人生日用的社会风尚的转移,在当时的中国思想界和巴蜀哲学史上占有重要位置。

贺麟和唐君毅作为现代新儒学思潮的代表人物,是我国学贯中西的著名哲学家。其理论思维的贡献主要表现在,将西方哲学引入现代新儒学,把二者有机结合起来,并加以时代的创新发展,提出了前人所无的新理论,由此促进了巴蜀思想文化和整个中国哲学思想的发展。

以上巴蜀哲学理论思维的贡献,值得今天的人们认真总结思考,以古鉴今,发挥其现代价值。

---

① 《性善堂稿》卷七,《上费尚书书》。
② 《鹤山集》卷三六,《答周监酒》。
③ 《虞集全集》,《赠李本伯宗序》,天津古籍出版社2007年版,第558页。
④ 《虞集全集》,《道园遗稿序》,第1176页。

（二）巴蜀哲学精神对今天的价值

由巴蜀哲学的特点及其对中国哲学发展的贡献所集中体现出来的巴蜀哲学精神，对于今天而言，也有可供借鉴和吸取的价值，而值得认真总结，发扬光大。

1. 巴蜀哲学的创新精神具有重要的现代价值

巴蜀哲学具有"释经创新，超越前说"之特色，而勇于探索，敢为天下先的开拓精神即是巴蜀哲学创新精神的体现。如道教起源于蜀地鹤鸣山，对中国哲学与文化的发展具有根源性的意义；巴蜀经学家大多主张超越前说，提出创新理论和学说；宗密在哲学思维上，不囿于往见，实能自寻一系统；张栻在中国哲学史上首次提出"心主性情"的命题；贺麟提出以中学化西学的新命题；唐君毅提出返本开新，以创新中国哲学；等等。在当今社会，创新体现了一个国家可持续发展的活力，建设创新型国家，提倡勇于探索未知的创新精神和善于解决在发展过程中重大问题的实践能力，为现代社会的发展所亟需。在这方面，吸取和借鉴巴蜀哲学的创新精神，来发掘适应社会发展所需要的新思想，是非常必要的。自近代以来，四川就具有敢为天下先的开拓精神，如四川保路运动成为引发辛亥革命的导火索。1980年，四川广汉向阳人撤社建乡，在全国第一个摘下人民公社的牌子，拉开了中国农村改革的序幕，等等。这与巴蜀哲学历来具有的创新精神是一致的，而值得发扬和借鉴。

2. 巴蜀哲学的和谐思想具有重要的现代价值

巴蜀哲学具有"多元会通，兼容开放"之特色，其中蕴含的和谐思想可为今天所吸收，从而显示出其重要的现代价值。巴蜀哲学的和谐思想是对中华民族和谐文化的继承和发挥，儒家学派创始人孔子以和作为人文精神的核心。其弟子有子曰："礼之用，和为贵。"①这代表了孔子的思想，认为治国处事、礼仪制度当以和为价值标准。道家创始人老子提出"万物负阴而抱阳，冲气以为和"②的思想，认为道蕴涵着阴阳两个相反方面，万物都包含着阴阳，阴阳相互作用而构成和，和是宇宙万物的本质以及天地万物存在的基础。巴蜀哲学秉持中华文化的"和"思想，与域外哲学会通，使巴蜀哲学思想具有融合黄河流域的齐鲁文化和长江流域的楚文化的特色，使富于伦理道德的孔孟思想与浑

---

① 《论语·学而》。
② 《老子》第四十二章。

然朴实富于哲理的老庄自然思想融为一体。后又吸取佛教的思想，造就了巴蜀思想文化的独特风貌。三苏蜀学的儒佛道三教融通合一的学风，北宋宰相张商英三教"鼎足之不可缺一"的思想，以及刘沅槐轩学对理学的扬弃，对三教的融合，认为佛老不为异端，贺麟、唐君毅融贯中西等思想体现了巴蜀哲学的和谐精神。这具有重要的现代价值。首先，在思维方式上有助于纠正以往"斗争哲学"、非此即彼观念的偏差，与新时代发展的潮流和实践相适应，具有普遍的现实意义和价值。其次，对内有利于推动社会的长治久安和国家的安定团结，有助于协调个人与社会、不同社会阶层之间的关系，以共同发展，把各方的利益都融和进去，而不可偏废，并有利于营造和谐社会、和谐家庭的氛围，家和万事兴，家齐是平治天下的保证，使整个社会得到健康发展；对外有利于推动世界和平与发展的两大潮流，提供反对霸权主义的价值评判标准，提供解决冲突、和平共处、互不干涉、共同发展的思想理论的指导，使人类文明和文化在迎接新时代的挑战中，相互吸取优长，融会贯通，综合创新，而共同创造新时代人类未来的文化；并有利于推进"和平统一，一国两制"的战略构想，实现中华民族及海外华人的大团结。

3. 巴蜀哲学重行，强调知行统一的精神具有重要的现代价值

重行，强调知行统一是巴蜀哲学精神的重要体现，这在当今社会具有重要的现代价值。扬雄强调"强学而力行""言必有验"，以力行对言论加以验证，将学与行统一起来，以为学之后还要行之、言之、教人。他说："学行之，上也；言之，次也；教人，又其次也；咸无焉，为众人。"①学习是首先的，但学得知识之后还要践行，学行要统一。扬雄认为言和教是其次的，最重要的还是实行，并切实地推行自己的思想。张栻提出"致知力行，互相发之"②的主张，认为知行双方是互相连接、互相促进的，致知是为了付诸实行，力行是为了深化认识，张栻不仅重视知，而且重视行，认为知行互发并进，二者不可偏废。在知行关系上，魏了翁强调真知是笃行的基础，知行结合，双方不相脱离。他说："于躬行日用间随处体验。须是真知得，便能笃行之，得力则所知益明。"③并且知行双方相互促进，由知而行，以行促知。批评知行脱离、

---

① （汉）扬雄：《法言·学行》，汪荣宝：《法言义疏》，中华书局1987年版，第5页。
② 《南轩集》卷一四，《论语说序》，《张栻全集》，第751页。
③ 《鹤山集》卷三五，《答朱择善》。

只知不行、行不所知的学风。刘沅强调,"《大学》之道,知行不可偏废。人知之而其用功,知行一时并到。"①主张知行统一,二者不可偏废。贺麟也大力倡导知行合一论。巴蜀哲学重行,强调知行统一的精神反映了面向社会实践和面对现实生活的强烈愿望,也体现了其现代价值而值得今天的人们借鉴。要求今天的人们充分认识到知与行、认识与实践是相互依存、相互促进的,双方缺一不可。在改革开放之经济建设、政治建设、文化建设、社会建设和生态建设五个建设的过程中,使认识不断深化,并付诸实践,以获得真知,指导实践,实现全面奔小康的战略目标,这具有重要的现实价值,而应将"知行统一"作为四川古往今来之精神而加以提倡。

4. 巴蜀哲学的求实、经世致用思想具有重要的现代价值

巴蜀哲学具有"躬行践履,注重事功"之特色,其中蕴涵的求实、经世致用思想可为今天所吸收,从而显示出其重要的现代价值。早在西汉初,文翁为蜀守,便兴修水利,灌溉农田,使民物阜康,然后施之以教,开蜀学躬行践履之风。至宋代,张栻重视民生,不尚空谈,主张以"经世"为要务;修正理学流弊,吸取功利之学,重躬行践履,留心经济之学。这与永嘉学派重实事实功的思想相吻合,而与正统理学有别。魏了翁继承张栻,既重功利,讲求实事实功,又主张义利统一,"趋事赴功",重视功利与实效,认为功利须平时一点一滴地讲求,才能收到事半功倍的效果。张栻、魏了翁对事功的重视,体现出巴蜀哲学的特色。明清之际的费密提倡经世致用之学,主张"通人事以致用"②,开颜李学派之先河。费密提出以力行代清谈的主张,认为一切有关国计民生的实事都应该认真讲求,习行实施,而空谈则误国。与费密同时代的著名思想家唐甄反对所谓"儒者不计功"的说法,强调事功修为,"崇实黜虚",把道德原则建立在实事实功的基础上,而强调"仁义礼智俱为实功"③。可见重躬行践履和求实、经世致用思想是巴蜀哲学精神的集中体现,值得今天的人们认真借鉴。它告诉人们:任何思想理论必须适应现实,为现实社会的发展服务,以现实社会发展的客观实际需要作为取舍的标准,而不是让现实社会的发展去适应某种思想,尤其是那种过时的、空言无实的思想。否则将背离社会发展的实

---

① 《大学古本质言》,《槐轩全书》九,第3307页。
② 《弘道书》卷下,《圣门定旨两变序记》。
③ 《潜书》,《宗孟》,第9页。

践，造成社会发展停滞和理论危机。因此，理论作为观念形态的形上之道，应反映社会发展的客观实际，并随着社会实践的发展而发展。即理是实理，具有实践性，必须与社会发展的实践相结合，而体现经世致用的价值。

5. 巴蜀哲学情理结合的精神可供今天借鉴

巴蜀哲学"沟通道欲，情理结合"的特点强调以人的理智之心来把握人的本性和人的情感情欲。既重人情，合理满足人的基本欲望和客观物质生活的需要；又加强道德修养，重责任义务，倡爱国主义。巴蜀哲学的一大特色是把情与理、道与欲结合起来，而表现为重视人情。这一精神体现在三苏、魏了翁、费密、刘沅等众多巴蜀著名人物的思想里。这种情理结合、道欲沟通的精神确可为当今社会提供借鉴。在价值取向上，巴蜀哲学提倡把道德理想和价值目标的实现，与物质利益和人情欲望的满足结合起来，这与崇性抑情的观念形成对比。发扬此种情理结合的精神，有助于克服贵理贱欲、崇性抑情观念带来的压抑个性的流弊，调动人民群众的首创精神，以促进人和社会的全面发展。同时修正单纯放纵情欲，片面追求个人利益，而不顾社会规范和他人利益，以至危害社会和国家的行为。

6. 巴蜀哲学的批判精神可供今天借鉴

巴蜀哲学具有"批判专制"、除旧布新之特色，其中蕴涵的批判精神可为今天提供借鉴，从而显示出其重要的现代价值。在巴蜀哲学史上，宋代哲学发展的高潮源于理学家对不讲儒家伦理、不讲社会治理的出世主义的佛道宗教思想的批判，修正宗教冲击人文的流弊，从而促进了宋代理性主义哲学的大发展。元明清时期巴蜀哲学的转型，又是思想家们对已官学化的理学流弊的批判，而倡以经世致用、思想启蒙、社会批判、重考据训诂为主要内涵的实学，树立一种多闻、多见、尚实、重传注疏释的学风。此外，在巴蜀思想史上，魏了翁主张君臣"共守天下"，批判"尊君卑臣……极情纵欲"[1]的封建君主专制。唐甄提出"自秦以来，凡为帝王者皆贼也"[2]的观点，把批判的矛头直指封建专制的最高权威。邹容阐明革命的原因在于清王朝的封建专制，强调以革命手段来推翻封建专制统治而建立资产阶级民主共和国。吴虞把封建君主专制、家族制度与儒家学说联系起来提出批判，在当时产生了重要影响。以上人

---

[1] 《鹤山集》卷一〇六，《周礼折衷·天官冢宰下》。
[2] 《潜书》，《室语》，第196页。

物对封建君主专制主义提出批判，这不仅体现了巴蜀哲学的一大特色，而且为近代民主提供了借鉴。历史上的巴蜀有识之士为了挽救社会危机，促进社会的发展，一方面学习和借鉴古往今来包括传自西方的先进思想文化，寻求救国救民的道理；另一方面批判以往过时的旧的思想文化观念，在批判传统中提出自己的新思想，使巴蜀哲学得以兴盛和持续发展，并为巴蜀社会文化的发展做出了贡献。这种巴蜀哲学的批判精神值得今天借鉴，它告诉今天的人们，人的思想文化观念必须随时代发展而不断更新，必须具备批判精神。任何有生命力的思想文化，应该能够实现反思和自我批判、转换、创造和超越。必须适应新的时代和环境，才能发展，否则必然没落。这就需要具备批判精神，改造过时的旧思想，提出适应社会发展客观需要的新思想，从而推陈出新，使社会得到治理、稳定和进一步发展。

以上巴蜀哲学所蕴涵的创新，和谐，重行、强调知行统一，求实、经世致用，情理结合，批判等精神，对今天而言，具有重要的现代价值。在一定程度上，亦是当今四川精神的来源和重要组成部分之一，值得今天的人们认真梳理和总结研究。通过挖掘和探讨巴蜀哲学精神对于今天的价值，从中吸取可供借鉴的思想成分和积极因素而传承创新、发扬光大，充分发挥地方文化资源的优势，立足巴蜀，面向全国，突出地方特色，为包括巴蜀文化在内的中华文化与中国社会的持续发展和现代化服务，这亦是我们研究巴蜀哲学思想的重要目的。

主要参考文献

著　作

（汉）司马迁：《史记》，中华书局1982年版。

（汉）严遵著，（唐）谷神子注：《老子指归》，《道藏》第12册，文物出版社、上海书店、天津古籍出版社1988年版。

（汉）严遵著，王德有点校：《老子指归》，中华书局1994年版。

汪荣宝：《法言义疏》，中华书局1987年版。

（汉）班固：《汉书》，中华书局1965年版。

（汉）许慎撰，（清）段玉裁注：《说文解字》，浙江古籍出版社1998年版。

（蜀汉）诸葛亮：《诸葛亮集》，中华书局1960年版。

（晋）陈寿撰，（南朝·宋）裴松之注：《三国志》，中华书局1959年版。

（晋）常璩撰，任乃强校注：《华阳国志校补图注》，上海古籍出版社1987年版。

（晋）杜预注，（唐）孔颖达正义：《春秋左传正义》，北京大学出版社1999年版。

（南朝·宋）范晔：《后汉书》，中华书局1965年版。

（南朝·梁）萧统编，（唐）李善注：《文选》，上海古籍出版社1986年版。

（北魏）关朗撰，（唐）赵蕤注：《关氏易传》，《学津讨原》第一集，江苏广陵古籍刻印社1990年版。

（北齐）魏收：《魏书》，中华书局1974年版。

（北周）卫元嵩述，（唐）苏源明传，（唐）李江注：《元包经传》，文渊阁四库全书本。

（唐）孔颖达：《周易正义》，《十三经注疏》，中华书局1980年影印本。

（唐）姚思廉：《梁书》，中华书局1973年版。

（唐）房玄龄等：《晋书》，中华书局1974年版。

（唐）李延寿：《北史》，中华书局1974年版。

（唐）魏徵等：《隋书》，中华书局1973年版。

（唐）韩愈撰，马其昶校注：《韩昌黎文集校注》，上海古籍出版社1986年版。

（唐）王玄览著，朱森溥校释：《玄珠录校释》，巴蜀书社1989年版。

（唐）释道宣：《广弘明集》，四部丛刊初编本。

（唐）道宣：《集古今佛道论衡》，《大正新修大藏经》第52册。

（唐）宗密：《圆觉经大疏钞》，藏经书院编：《卍续藏经》第14册，台湾新文丰出版公司1983年版。

（唐）宗密：《中华传心地禅门师资承袭图》，石峻等编：《中国佛教思想资料选编》第二卷第二册，中华书局1983年版。

（唐）宗密：《禅源诸诠集都序》，石峻等编：《中国佛教思想资料选编》第二卷第二册，中华书局1983年版。

（后晋）刘昫等：《旧唐书》，中华书局1975年版。

（南唐）静、筠二禅师编纂：《祖堂集》，中华书局2007年版。

（五代）杜光庭：《道德真经广圣义》，《道藏》第14册，文物出版社、上海书店、天津古籍出版社1988年版。

（后蜀）彭晓：《周易参同契分章通真义》，《道藏》第20册，文物出版社、上海书店、天津古籍出版社1988年版。

（宋）李昉等：《太平御览》，中华书局1960年版。

（宋）乐史：《太平寰宇记》，中华书局2007年版。

（宋）张君房：《云笈七签》，中华书局2003年版。

（宋）文彦博：《潞公文集》，文渊阁四库全书本。

（宋）欧阳修：《文忠集》，文渊阁四库全书本。

（宋）欧阳修：《集古录》，文渊阁四库全书本。

（宋）范镇：《东斋记事》，文渊阁四库全书本。

（宋）刘敞：《公是集》，文渊阁四库全书本。

曾枣庄、舒大刚主编：《三苏全书》，语文出版社2001年版。

周文英主编：《周敦颐全书》，江西教育出版社1993年版。

（宋）韩维：《南阳集》，文渊阁四库全书本。

（宋）司马光：《资治通鉴》，中华书局1956年版。

（宋）司马光集注：《太玄集注》，中华书局1998年版。

（宋）张载：《张载集》，中华书局1978年版。

（宋）吕陶：《净德集》，文渊阁四库全书本。

（宋）程颢、程颐著，王孝鱼点校：《二程集》，中华书局1981年版。

（宋）范祖禹：《范太史集》，文渊阁四库全书本。

（宋）范祖禹：《帝学》，文渊阁四库全书本。

（宋）张商英：《护法论》，《大藏经》第52册，台湾新文丰出版公司1983年版。

（宋）尹焞：《和靖集》，文渊阁四库全书本。

（宋）释道原：《景德传灯录》，四部丛刊三编本。

（宋）张浚：《紫岩易传》，文渊阁四库全书本。

（宋）晁公武：《郡斋读书志》，文渊阁四库全书本。

（宋）李石：《方舟集》，文渊阁四库全书本。

（宋）李焘：《续资治通鉴长编》，文渊阁四库全书本。

（宋）洪适：《隶释》，四部丛刊三编本。

（宋）朱熹：《四书或问》，文渊阁四库全书本。

郭齐、尹波点校：《朱熹集》，四川教育出版社1996年版。

（宋）黎靖德编：《朱子语类》，中华书局1986年版。

（宋）张栻著，杨世文、王蓉贵校点，《张栻全集》，长春出版社1999年版。

（宋）陆九渊：《陆九渊集》，中华书局1980年版。

（宋）赵汝愚编：《宋名臣奏议》，文渊阁四库全书本。

（宋）度正：《性善堂稿》，文渊阁四库全书本。

（宋）魏了翁：《鹤山集》，文渊阁四库全书本。

（元）马端临：《文献通考》，浙江古籍出版社1988年版。

（元）虞集著，王颋点校：《虞集全集》，天津古籍出版社2007年版。

（元）脱脱等：《宋史》，中华书局1977年版。

（元）赵道一：《历世真仙体道通鉴》，《道藏》第5册，文物出版社、上海书店、天津古籍出版社1988年版。

（明）王守仁著，吴光等编校：《王阳明全集》，上海古籍出版社1992年版。

（明）杨慎：《升庵集》，文渊阁四库全书本。

（明）杨慎：《丹铅余录》，文渊阁四库全书本。

（明）杨慎：《全蜀艺文志》，线装书局2003年版。

（明）来知德著，张万彬点校：《周易集注》，九州出版社2004年版。

（明）来知德：《来瞿唐先生日录》，四川省图书馆藏清道光十一年刻本。

（明）曹学佺：《蜀中广记》，文渊阁四库全书本。

（清）黄宗羲著，全祖望补：《宋元学案》，中华书局1986年版。

（清）费密：《弘道书》，怡兰堂丛书，1920年刊本。

（清）朱彝尊：《经义考》，中华书局1998年版。

（清）唐甄著，吴泽民编校：《潜书》，中华书局2009年版。

（清）张邦伸：《锦里新编》，成都存古书局1913年刻本。

（清）严可均辑：《全上古三代秦汉三国六朝文》，中华书局1958年版。

（清）刘沅著，段渝、李诚主编：《槐轩全书》（增补本），巴蜀书社2006年版。

（清）李道平：《周易集解纂疏》，中华书局1994年版。

（清）唐晏：《两汉三国学案》，中华书局1986年版。

吴虞：《吴虞集》，四川人民出版社1985年版。

王国维：《观堂集林》，河北教育出版社2001年版。

余嘉锡：《余嘉锡论学杂著》，中华书局1963年版。

谢无量：《谢无量文集》第一卷，中国人民大学出版社2011年版。

邹容：《革命军》，中华书局1958年版。

熊十力：《熊十力全集》，湖北教育出版社2001年版。

胡适：《胡适文存》二集，上海亚东图书馆1924年版。

郭沫若：《十批判书》，东方出版社1996年版。

郭沫若：《郭沫若全集·历史编》第2卷，人民出版社1982年版。

郭沫若：《郭沫若全集·历史编》第3卷，人民出版社1984年版。

郭沫若：《郭沫若全集·文学编》第17卷，人民出版社1984年版。

汤用彤：《魏晋玄学论稿》，上海古籍出版社2001年版。

蒙文通：《巴蜀古史论述》，四川人民出版社1981年版。
蒙文通著，蒙默整理：《蒙文通文集》第1卷，巴蜀书社1987年版。
蒙文通：《道书辑校十种》，巴蜀书社2001年版。
蒙文通：《先秦诸子与理学》，广西师范大学出版社2006年版。
蒙文通：《儒学五论》，广西师范大学出版社2007年版。
蒙默编：《蒙文通学记》（增补本），生活·读书·新知三联书店2006年版。
吕子方：《中国科学技术史论文集》，四川人民出版社1983年版。
冯友兰：《中国哲学史新编》，人民出版社1998年版。
钱穆：《中国学术思想史论丛》，安徽教育出版社2004年版。
贺麟：《文化与人生》，商务印书馆1988年版。
贺麟：《贺麟选集》，吉林人民出版社2005年版。
徐复观：《两汉思想史》，华东师范大学出版社2001年版。
侯外庐主编：《中国思想通史》，人民出版社1959年版。
唐君毅：《道德自我之建立》，广西师范大学出版社2005年版。
唐君毅：《文化意识与道德理性》，广西师范大学出版社2005年版。
唐君毅：《中华人文与当今世界》，广西师范大学出版社2005年版。
唐君毅：《中国文化之精神价值》，江苏教育出版社2006年版。
钱锺书：《管锥编》，中华书局1986年版。
唐长孺：《唐长孺社会文化史论丛》，武汉大学出版社2001年版。
刘文典：《淮南鸿烈集解》，中华书局1989年版。
任继愈总主编：《佛教史》，中国社会科学出版社1991年版。
饶宗颐：《老子想尔注校证》，上海古籍出版社1991年版。
李耀仙主编：《廖平选集》，巴蜀书社1998年版。
李耀仙：《梅堂述儒》，四川大学出版社2005年版。
陈桥驿校释：《水经注校释》，杭州大学出版社1999年版。
［加拿大］冉云华：《宗密》，台北东大图书公司1988年版。
贾顺先、戴大禄：《四川思想家》，巴蜀书社1988年版。
庞朴：《一分为三论》，上海古籍出版社2003年版。
缪文远：《战国策新校注》（修订本），巴蜀书社1998年版。
胡昭曦：《四川书院史》，巴蜀书社2000年版。
楼宇烈校释：《王弼集校释》，中华书局1980年版。

陈鼓应：《道家易学建构》，台湾商务印书馆2003年版。

张灏：《新儒家与当代中国的思想危机》，台北时报公司1980年版。

贾大泉、陈世松主编，段渝著：《四川通史》（卷一），四川人民出版社2010年版。

贾大泉主编，李敬洵撰：《四川通史》（第三册），四川大学出版社1993年版。

陈德述：《四川省志·哲学社会科学志·中国哲学志》，四川科学技术出版社1998年版。

刘梦溪主编：《中国现代学术经典·唐君毅卷》，河北教育出版社1996年版。

王葆玹：《正始玄学》，齐鲁书社1987年版。

陈玉屏：《魏晋南北朝兵户制度研究》，巴蜀书社1988年版。

龚廷万、龚玉等：《巴蜀汉代画像集》，文物出版社1998年版。

李申：《易图考》，北京大学出版社2001年版。

冯学成等：《巴蜀禅灯录》，成都出版社1992年版。

冯学成：《四川禅宗史概述》，成都出版社1992年版。

黄曙辉编校：《刘咸炘学术论集·文学讲义编》，广西师范大学出版社2007年版。

黄曙辉编校：《刘咸炘学术论集·哲学编》，广西师范大学出版社2010年版。

梁培宽、王宗昱编校：《梁漱溟卷》，河北教育出版社1996年版。

许全兴主编：《中国现代哲学史》，北京大学出版社1992年版。

刘俊哲等：《四川藏族价值观研究》，民族出版社2005年版。

蔡方鹿：《宋代四川理学研究》，线装书局2003年版。

蔡方鹿：《一代学者宗师——张栻及其哲学》，巴蜀书社1991年版。

蔡方鹿：《魏了翁评传》，巴蜀书社1993年版。

蔡方鹿主编：《蜀学与中国哲学》，四川文艺出版社2013年版。

黄开国：《国学与巴蜀哲学》，巴蜀书社2008年版。

詹石窗：《道教文学史》，上海文艺出版社1992年版。

林忠军：《象数易学发展史》第二卷，齐鲁书社1998年版。

王青：《扬雄评传》，南京大学出版社2000年版。

周斌：《〈长短经〉校证与研究》，巴蜀书社2003年版。

金生杨：《汉唐巴蜀易学》，巴蜀书社2007年版。

金巴达尔杰：《心明论教理宝库》，西藏噶丹寺木刻版。

［德］黑格尔著，贺麟、王太庆译：《哲学史讲演录》，商务印书馆1959年版。

［德］马克思、恩格斯：《马克思恩格斯选集》，人民出版社1972年版。

［苏联］列宁：《列宁选集》，人民出版社1960年版。

《彝族传世经典》编委会编：《玛牧特依》，四川民族出版社2016年版。

土观·却吉尼玛著，刘立千译：《土观宗派源流》，西藏人民出版社1985年版。

冯元蔚译：《勒俄特依》，四川民族出版社1986年版。

冲热堪布才南：《噶举派之传承与教义略讲》（藏文版），民族出版社1989年版。

班班多杰：《拈花微笑——藏传佛教哲学境界》，青海人民出版社1996年版。

多识：《爱心爆发的智慧》，甘肃人民出版社1998年版。

刘立千：《藏传佛教各派教义及密宗漫谈》，民族出版社2000年版。

智悲光尊者著，刘立千译：《大圆胜慧本觉心要修证次第（口讲本）》，民族出版社2000年版。

多识：《佛理精华缘起理赞》，四川民族出版社2000年版。

［古印度］圣龙树菩萨造，汉藏诸大论师释译：《龙树六论》，民族出版社2000年版。

法尊法师译：《宗喀巴大师集》第一、三卷，民族出版社2001年版。

张澄基译：《米拉日巴大师集》，民族出版社2001年版。

杨化群译：《藏传因明学》，西藏人民出版社2002年版。

吴信如编著：《大圆满精粹》，中国藏学出版社2005年版。

江嘎主编：《大圆满》，中国藏学出版社2005年版。

崔魔洲：《宁玛派次第禅》，青海人民出版社2005年版。

益西多吉著，堪布格日泽旺译：《白玛邓灯尊者传记及道歌》，民族出版社2005年版。

多识：《西藏的心灵智慧》，甘肃民族出版社2005年版。

龙青巴：《大圆满心性休息导引》，云南人民出版社2005年版。

察仓·尕藏才旦：《西藏苯教》，西藏人民出版社2006年版。

祈顺来：《藏传因明学通论》，青海民族出版社2006年版。

龙钦饶绛巴著，刘立千译：《实相宝藏论详释》，民族出版社2007年版。

赞拉·阿旺措成、夏瓦·同美主编：《嘉绒藏族的历史与文化》，四川民族出版社2008年版。

蒋扬洛德旺波著，索达吉堪布译：《俱舍论释》，《显密宝库》第17册，内部资料。

麦彭仁波切著，索达吉堪布译：《中论释》，《显密宝库》第16卷，内部资料。

宗喀巴著，华锐·罗桑嘉措译：《菩提道次第广论》，内部通行本。

麦彭仁波切著，索达吉堪布译：《解义慧剑》，显密宝库第二十一集。

《因明论集》，内部刊物。

论　文

贺麟：《答谢幼伟兄批评三点》，《思想与时代》第22期，1943年5月1日。

唐君毅：《中国文化与世界》，《民主与评论》（香港）1958年第1期。

蒙文通：《略论〈山海经〉的写作时代及其产生地域》，《中华文史论丛》第一辑，中华书局1962年版。

李学勤：《马王堆帛书与〈鹖冠子〉》，《江汉考古》1983年第2期。

王德有：《〈老子指归〉自然观初探》，《哲学研究》1984年第9期。

林向：《蜀酒探源》，《南方民族考古》第一辑，四川大学出版社1987年版。

吴天墀：《龙昌期——被埋没了的"异端"学者》，《固原师专学报》1989年第3期。

吕澄：《华严原人论通讲》，《社会科学战线》1990年第3期。

李学勤：《〈鹖冠子〉与两种帛书》，《道家文化研究》第一辑，上海古籍出版社1992年版。

钟肇鹏：《〈老子想尔注〉及其思想》，《世界宗教研究》1995年第2期。

邢文：《〈鹖冠子〉与帛书〈要〉》，《道家文化研究》第六辑，上海古籍出版社1995年版。

向世山：《论宗密的方法论模式》，《中华文化论坛》1998年第4期。

胡昭曦：《宋代蜀学的转型》，《胡昭曦宋史论集》，西南师范大学出版社1998年版。

胡昭曦：《宋代"世显以儒"的成都范氏家族》，《胡昭曦宋史论集》，西南师范大学出版社1998年版。

黄剑华：《三星堆青铜神树探讨》，《四川文物》1999年第2期。

段渝：《巴蜀文化与汉晋文明》，《巴蜀文化研究》第一期，巴蜀书社2004年版。

钱穆：《读宗密〈原人论〉》，《中国学术思想史论丛》卷四，安徽教育出版社2004年版。

胡昭曦：《蜀学与蜀学研究榷议》，《蜀学》第一辑，巴蜀书社2006年版。

林向：《"羊首龙"与"禹兴于西羌"——三星堆出土的"羊首龙柱"与"神坛怪兽"解析》，《江源文明——大禹文化与江源文明学术研讨会论文集》，巴蜀书社2006年版。

林向：《"南方丝绸之路"上发现的"立杆测影"文物》，《三星堆研究》第2辑，文物出版社2007年版。

蔡方鹿：《北宋蜀学三教融合的思想倾向》，《江南大学学报》（人文社会科学版）2011年第3期。

后 记

《巴蜀文化通史·哲学思想卷》由蔡方鹿、刘俊哲、金生杨三人承担,主持人蔡方鹿。其中蔡方鹿撰写导言、结语和第三、第四章,刘俊哲撰写第五、第六章,金生杨撰写第一、第二章。由蔡方鹿负责全书的统稿。

巴蜀哲学是巴蜀文化形而上的哲学思维,是巴蜀文化各个历史发展时期时代精神的精华,充分体现了巴蜀文化的本质特征,是历史流传下来的珍贵文化遗产,值得认真梳理总结和深入研究。

本卷的研究写作是在《巴蜀文化通史》学术委员会和章玉钧、谭继和二位主编的领导下,根据全书的编纂理念、撰写指导思想与规范进行的。其间得到学术委员会专家的指导,其诸多宝贵意见使我们深受启发和教益。

三位作者分别来自四川师范大学、西南民族大学和西华师范大学,长期研究巴蜀哲学思想,取得了不少前期研究成果。为了进一步弘扬巴蜀优秀哲学思想与文化,其又在各自研究成果的基础上,同心协力,探索未知,进一步拓展巴蜀哲学思想研究领域,注重理论创新,挖掘研究深度,历时多年共同打造出这一成果。在研究工作中,分别得到了各自学校领导和科研管理部门的大力支持和帮助。成果的问世,与四川师范大学、西南民族大学和西华师范大学相关学院和部门的支持和帮助分不开。在此我们表示衷心的感谢!

在研究过程中,我们先后召开了四次有关巴蜀哲学思想的研讨会,即2007年11月7日的"巴蜀哲学研讨会",2008年12月20日的"巴蜀哲学与朱熹"研讨会,2011年4月3日的"萧萐父先生与蜀学研究"学术研讨会,2012年10月13日的"蜀学与中国哲学"学术研讨会。邀请《巴蜀文化通史》主编、学术委员会专家和省内外、国内外从事巴蜀哲学研究的专家学者出席,通过学术交流,大家集思广益，从广度和深度上探讨巴蜀哲学及其与中国哲学、蜀学、巴蜀文化的关系，为我们圆满完成《巴蜀文化通史·哲学思想卷》这一重要研究项目提供了很好的帮助。

初稿写出后，诸位学术委员会专家又提出不少中肯的修改意见。我们根据这些修改意见，反复进行了多次修改、补充和完善。其中有一些阶段性和总结性研究成果已在国内重要刊物发表。

本卷书稿是三位作者克服种种困难，切磋琢磨，历时多年研究心血的结晶。它系统探讨了巴蜀文化中的哲学思想以及巴蜀地域性思想文化与时代思潮互涵互动之相互关系，它的出版也是近年来哲学与文化研究值得关注的动态之一。敬请各位专家和读者批评指正！

作者
2018年12月13日

图书在版编目（CIP）数据

巴蜀文化通史. 哲学思想卷 / 章玉钧, 谭继和主编；蔡方鹿, 刘俊哲, 金生杨著. -- 成都：四川人民出版社, 2021.12
ISBN 978-7-220-10570-8

Ⅰ. ①巴… Ⅱ. ①章… ②谭… ③蔡… ④刘… ⑤金… Ⅲ. ①文化史—四川②哲学思想—思想史—四川 Ⅳ. ①K297.1

中国版本图书馆CIP数据核字（2017）第280105号

BASHU WENHUA TONGSHI
ZHEXUE SIXIANG JUAN

巴蜀文化通史 **哲学思想卷**

蔡方鹿　刘俊哲　金生杨　著

出品人	黄立新
项目统筹	谢　雪　董　玲　谢　寒
责任编辑	谢　雪
封面设计	张　科
装帧设计	经典记忆　戴雨虹
责任校对	申婷婷
责任印制	祝　健
出版发行	四川人民出版社（成都三色路238号）
网　　址	http://www.scpph.com
E-mail	scrmcbs@sina.com
新浪微博	@四川人民出版社
微信公众号	四川人民出版社
发行部业务电话	（028）86361653　86361656
防盗版举报电话	（028）86361653
制　　版	四川省经典记忆文化传播有限公司
印　　刷	成都东江印务有限公司
成品尺寸	180mm×260mm
插　　页	14
印　　张	37
字　　数	650千
版　　次	2021年12月第1版
印　　次	2021年12月第1次印刷
书　　号	ISBN 978-7-220-10570-8
定　　价	165.00元

■版权所有·侵权必究

本书若出现印装质量问题，请与我社发行部联系调换
电话：（028）86361656